POESÍA
COMPLETA

CARMEN CONDE

POESÍA COMPLETA

EDICIÓN Y PRÓLOGO DE
EMILIO MIRÓ

EDITORIAL CASTALIA

© De esta edición:
EDITORIAL CASTALIA, S.A., 2007
PATRONATO CARMEN CONDE-ANTONIO OLIVER, 2007
AYUNTAMIENTO DE CARTAGENA, 2007

www.castalia.es

Zurbano, 39 - 28010 Madrid - Tel. [00-34] 91 319 58 57

EDICIÓN CONMEMORATIVA DEL
CENTENARIO DEL NACIMIENTO DE
CARMEN CONDE (1907–1996)

ISBN: 978-84-9740-234-7
Depósito Legal: M. 42.595-2007

Impreso en España - Printed in Spain

ÍNDICE

PALABRAS DE PRESENTACIÓN
Por Dª Pilar Barreiro Álvarez
Alcaldesa de Cartagena 7

CITA CON LA VIDA: JÚBILO Y CORROSIÓN
Por Emilio Miró 9

INTRODUCCIÓN A OBRA POÉTICA (1929-1966)
Madrid, 1967
Por Emilio Miró 39

BIBLIOGRAFÍA POÉTICA DE CARMEN CONDE 53

POESÍA COMPLETA

POEMAS EN PROSA

EMPEZANDO LA VIDA. MEMORIAS DE UNA
INFANCIA EN MARRUECOS (1914-1920) 57

1929/ BROCAL 89

1928/ POEMAS A MARÍA 99

1934/ JÚBILOS. POEMAS DE NIÑOS, ROSAS, ANIMALES,
MÁQUINAS Y VIENTOS 107

1938/ SOSTENIDO ENSUEÑO 145

1938-1939/ MIENTRAS LOS HOMBRES MUEREN 159

1939/ EL ARCÁNGEL 179

1941/ MÍO 187

POESÍA

1945/ ANSIA DE LA GRACIA 197

1947/ MI FIN EN EL VIENTO 229

1947/ SEA LA LUZ 251

1947/ MUJER SIN EDÉN 285

1951/ ILUMINADA TIERRA 325

1954/ VIVIENTES DE LOS SIGLOS 373

1959/ LOS MONÓLOGOS DE LA HIJA 401

1960/ EN UN MUNDO DE FUGITIVOS 439

1960/ DERRIBADO ARCÁNGEL 491

1960/ EN LA TIERRA DE NADIE 537

1962/ LOS POEMAS DE MAR MENOR 549

1962/ SU VOZ LE DOY A LA NOCHE 565

1962/ DEVORANTE ARCILLA 575

1963/ JAGUAR PURO INMARCHITO 597

1962-1964/ ENAJENADO MIRAR 617

1945-1966/ HUMANAS ESCRITURAS 653

1970/ A ESTE LADO DE LA ETERNIDAD 675

1971/ CANCIONERO DE LA ENAMORADA 701

1975/ CORROSIÓN 729

1976/ CITA CON LA VIDA 801

1978/ EL TIEMPO ES UN RÍO LENTÍSIMO DE FUEGO 839

1980/ LA NOCHE OSCURA DEL CUERPO 925

1982/ DESDE NUNCA 987

1983/ DERRAMEN SU SANGRE LAS SOMBRAS 1035

1984/ DEL OBLIGADO DOLOR 1055

1985/ CRÁTER 1079

1985/ HERMOSOS DÍAS EN CHINA 1141

1987/ AL AIRE (VI POEMAS) 1155

1988/ UNA PALABRA TUYA 1161

Celebramos en 2007 el Centenario del nacimiento de la escritora cartagenera Carmen Conde Abellán. El Ayuntamiento de Cartagena, a través del Patronato que gestiona el legado de la autora y su marido, ha querido impulsar, con un amplio y ambicioso programa de actividades, el conocimiento de la obra y la figura de la poeta.

Durante todo este año, tanto en Cartagena como fuera de esta ciudad, se están organizando conferencias, congresos, exposiciones, se ha erigido una escultura como testimonio para generaciones venideras, etc...

Pero estas celebraciones no serían completas sin la publicación de sus obras. Algunas de ellas ya están reeditadas parcialmente, pero la recopilación de su obra poética completa era hasta ahora una obligación pendiente para quienes somos en mayor o menor medida responsables de custodiar su herencia literaria. La propia autora así entendía el valor de esta iniciativa; de hecho, cuando murió su marido, el también poeta Antonio Oliver, ella asumió como primera obligación que vieran la luz las obras completas de quien le había ayudado a dar sus primeros pasos en el difícil género de la poesía.

Por tanto, era esta una iniciativa que debíamos impulsar desde el Ayuntamiento de su ciudad natal y debía hacerse, además, en una edición de calidad, contando con una editorial de prestigio, de ámbito nacional y con la sensibilidad necesaria para garantizar esa cuidada publicación que se merece la obra de Carmen Conde. Editorial Castalia ha sido la que ha puesto mayor interés en la iniciativa y, desde aquí, quiero agradecer a sus directivos el esmero que siempre pusieron en esta tarea.

Gracias a esta obra, el lector interesado podrá conocer las pasiones de Carmen a través de los 37 libros de poesía que publicó, por donde transitan los temas que siempre le interesaron: su propia experiencia vital, la naturaleza, la experiencia amorosa, la guerra y la posguerra, el mar...

La poesía de Carmen Conde es reflejo de una vida intensa, apasionada y autodidacta, desde sus primeras influencias de Juan Ramón Jiménez y Gabriel Miró, hasta su reafirmación personal a partir de los años cuarenta del siglo pasado.

Cartagena ha de sentirse orgullosa de esta mujer valiente y tenaz, y el Ayuntamiento quiere contribuir en su centenario con el mejor homenaje que se puede realizar a un autor, que no es otro que la difusión de su trabajo. La edición de su obra poética completa viene a llenar un vacío existente para el conocimiento de la calidad literaria de una de las figuras más significativas de la literatura española contemporánea.

Pilar Barreiro Álvarez
ALCALDESA DE CARTAGENA

CITA CON LA VIDA:
JÚBILO Y CORROSIÓN

PRÓLOGO
POR
EMILIO MIRÓ

Cartagena hacia 1900: la Puerta de Murcia.
Foto de Lucien Levy.

Lo escrito sustituye a lo vivido
MARGUERITE DURAS

La obra poética de Carmen Conde se extiende a lo largo de casi sesenta años, entre 1929 —publicación de *Brocal*— y 1988 —el postrer *Una palabra tuya...*—: entre uno y otro, treinta y cinco títulos, y esta totalidad de treinta y siete libros la convierten en una de las voces más prolíficas de la poesía española del siglo XX, y de otros siglos. Sin contar el resto —cantidad muy considerable— de su creación literaria: novelas, estudios y ensayos, biografías y memorias, antologías —con dedicación preferente a la poesía femenina española (1939-1950 y 1950-1960), y también hispanoamericana— y numerosos libros para niños: biografías, cuentos, teatro..., algunos firmados con el seudónimo de «Florentina de Mar». Pero sobre todo, muy en primer lugar, destaca su creación poética, dividida en dos apartados de desigual extensión: *Poemas en prosa* y *Poesía*, y así la ordenó en el volumen *Obra poética (1929-1966)*.[1]

En esta edición —y en la reimpresión, más que segunda edición, de 1979— los libros de *Poemas en prosa* son siete —entre 1929 y 1941— y los libros de *Poesía*, dieciséis: desde *Ansia de la gracia* (1945) hasta *Humanas escrituras* (1945-1966). Dos de los primeros y otros dos de los segundos se incluían como «inéditos»: *Sostenido ensueño* (1938), *El Arcángel* y *Devorante arcilla* (1962) y *Enajenado mirar* (1962-1964), respectivamente.

La larga vida de Carmen Conde y su fecundidad poética permitieron que trece nuevos títulos aumentaran sus libros de poesía: desde *A este lado de la eternidad* (1970) al citado *Una palabra tuya...* (1988). Además, en 1984 recuperó un breve

1 Madrid, Biblioteca Nueva, 1967. Introducción de Emilio Miró. 2ª ed. *ibidem*, 1979.

texto inicial, *Poemas a María* (1928), a modo de epílogo o acompañante de *Brocal*,[2] y, por tanto, el octavo de sus libros —en este caso, opúsculo: pp. 129-144— de *poemas en prosa*. Escrito en 1928, y *Brocal* publicado en 1929, pertenecen al mismo ciclo creativo, pero no abrimos esta nueva edición de la *Obra poética* de C. Conde con *Poemas a María* para respetar la ordenación de su autora en su aparición en 1984: *Brocal y Poemas a María*, es decir, en segundo lugar, a continuación del título emblemático de 1929 que supuso su entrada «oficial» en la poesía española. Y no olvidamos que, aunque publicado en ese año, *Brocal* se escribió entre los años 1927-1928, y algunos de sus poemas se dieron a conocer en revistas de la época (por ejemplo, *Ley*, de J. R. Jiménez, y la murciana *Verso y prosa*).

A partir de esos años veinte —de tanta y variada riqueza poética— la joven cartagenera —nacida el 15 de agosto de 1907— irá afianzando y depurando su voz lírica bajo los magisterios de J. R. Jiménez y Gabriel Miró, reconocidos por ella misma en muchas y diferentes ocasiones y lugares. A estas dos influencias literarias —fundamentalmente, sobre todo, la del poeta de *Eternidades*, mantenida durante toda su vida— hay que unir un hecho trascendental, para su obra futura y para su vida presente: con veinte años, en abril de 1927, conoce al poeta Antonio Oliver Belmás, uno de los directores de la revista *Sudeste*, subtitulada «Cuaderno murciano de literatura universal», que vivió entre julio de 1930 y julio de 1931. En tres de sus cuatro números —el 1, el 2 y el 4— colaboró quien ya era autora de *Brocal*, nacido de esa relación amorosa y literaria: ella escribió que a J. R. J. y a Miró los conoció por su entonces novio, nacido en Cartagena en 1903, y cuyo primer poemario, *Mástil*, se había publicado en 1925. (Siete años después, y dos antes del segundo libro de C. Conde, *Júbilos* (1934), Oliver publicó el segundo suyo, *Tiempo cenital*, 1932). Desde el 5 de diciembre de 1931 —en el primer año de la esperanza republicana— eran marido y mujer, y esta unión oficial, legal, duró hasta la muerte de Antonio Oliver el 28 de julio de 1968. La que fue su mujer le sobrevivió casi treinta años más: hasta el 8 de enero de 1996.

En los años treinta y comienzo de los cuarenta Carmen Conde escribe sobre todo libros de poemas en prosa, y la mayoría permanecerán inéditos durante años: hasta 1953 no se editó —y fuera de España, en Italia— *Mientras los hombres mueren* (1938-1939), título y años que explican el retraso y el lugar de su publicación. Otros —como *Sostenido ensueño* (1938), *El Arcángel* (1939)…— esperarán aún más: a 1967, en la citada *Obra poética (1929-1966)*. En todos ellos se iba fraguando el mundo poético de su autora, se acentuaba su yo lírico, afloraban e iniciaban su desarrollo los que llegarían a ser los temas centrales, recurrentes, obsesivos, de ese universo lírico. La fusión, a veces, entre ellos, y la caracterización de su escritura, desde el delicado, estilizado, lirismo inicial (en el que se advierte con claridad la dirección de Oliver Belmás) hasta el tono rotundo, apasionado, torrencial y desbordado de su obra «adulta», marcada, atravesada y desgarrada, por dramáticos, y trágicos, sucesos y acontecimientos personales y colectivos, de su historia personal y de la historia de su pueblo, ahondada y ensanchada hasta abarcar toda la condición humana y la realidad universal.

---

2 *Brocal y Poemas a María*, Madrid, Biblioteca Nueva, 1984, ed. de Rosario Hiriart.

Algunos de estos temas principales, constantes en su obra son los siguientes: las raíces personales (infancia, primeros paisajes, los padres…); la presencia de la naturaleza (contemplación, admiración, fusión con ella); la afirmación de la vida y del yo poético (su destino de poeta); la trascendencia (ángeles y arcángeles, Dios); temporalidad y eternidad; y una amplia vertiente negativa que incluye la frustración más íntima (maternal y conyugal), guerra y posguerra, pesimismo y desolación, el dolor y la muerte; también, la escritura, la palabra poética, algunas aproximaciones a la meta-poesía. Y en este rico despliegue temático —que no pretendemos exhaustivo— el principio y centro de la vida y la obra —no sólo la poética— de Carmen Conde es el amor, la experiencia amorosa, en todas sus dimensiones: desde la plenitud hasta la carencia, en la pasión exultante y en la ausencia aniquiladora. Posesión y pérdida, pero siempre en la más profunda raíz de su existencia creadora.

I

Amar, amar, amar, amar, siempre, con todo
el ser y con la tierra y con el cielo,
con lo claro del sol y lo oscuro del lodo:
amar por toda ciencia y amar por todo anhelo.

RUBÉN DARÍO

¡Cuánto penar para morirse uno!

MIGUEL HERNÁNDEZ

Amar, amar, amar… es el sentimiento que recorre los cuarenta y nueve poemas en prosa —la mayoría, muy breves— de *Brocal*, su libro auroral, nacido —como su autora declaró en diferentes lugares y ocasiones— del conocimiento, enamoramiento y noviazgo con Antonio Oliver. El omnipresente *yo lírico* —que seguirá siéndolo en toda su obra posterior— dialoga, rendido, con el *Tú* amado: *Yo no te pregunto adónde me llevas /* […] *¿Tú quieres caminar?, pues yo te sigo.* Y fundido con la naturaleza expresa en varias ocasiones un intenso erotismo: *¿Qué primavera, qué incendio, qué río me ceñirán mejor que tú?,* o *El agua que correrá en tus ríos seré yo. El alba que abrirá las claraboyas de tu día, seré yo,* y *¿Me acariciarás cuando mis labios se enciendan tras los montes?,* y tantos y tantos ejemplos: amor y naturaleza son inseparables, constituyen el todo existencial del yo lírico, identificado con *aquella palmera de tu huerto que leía contigo,* y exclama, jubilosa: *¡Yo estaba en los álamos, como el viento de la primavera!*

Con el aliento del lirismo juanramoniano y del propio Oliver Belmás —seguidor del poeta de Moguer— la escritura juvenil de C. Conde muestra ya una abundancia de imágenes, una riqueza metafórica, una tensión expresiva exclamativa e interrogativa, que seguirán creciendo en *Júbilos* y caracterizarán su adulta y definitiva lengua poética.

El sometimiento intelectual, poético, de la poetisa incipiente al hombre más culto y poeta —aunque también naciente— más hecho, con un poemario ya publicado, explica una muestra de «debilidad», no sólo de enamorada: *Yo soy más fuerte que tú, porque me apoyo en ti.* Un *Tú* con el que estaba creciendo, madurando, en su total realidad personal. Años, libros, vida, adelante, esa relación *yo-tú* se invirtió por completo, y, una y otra vez, C. Conde —mujer y escritora— exhibió, proclamó, su yo autónomo, independiente, al menos hasta la muerte del que seguía siendo su marido, que ya no su mentor ni su amante.

En el brevísimo *Poemas a María* se configura un ámbito exclusivamente femenino en plena naturaleza, con la presencia dominante del mar, recurrente en su obra posterior. María, *adolescente delgada, con ojos en penumbra, romántica muchacha alta, la novia que deshoja las rosas para mojarse los dedos de aurora, la dulce y romántica muchacha de la mano al corazón* (Corazón, por cierto, es término repetido, frecuente, en este escueto poemario). ¿María es Carmen: o también una idealizada figura femenina, contemplada, admirada, similar a las ideales amadas neorrománticas, como las del propio J. Ramón? Fundidas, separadas, casi enamoradas: *Se miraban como dos hermanas llenas de rocía, las sienes de María en mis ojos* [...] *Toda la tarde abierta sobre mi corazón, se ha vestido de claro como María*; y, como en *Brocal*, las identificaciones metafóricas con la naturaleza: *¡María es un lirio* [...] *María es de mar!* En los poemas finales —6, 7, y el titulado «Anunciación»— desaparecido el yo poético, María termina fundiéndose con María, madre de Jesús, y el *muchacho delgado, un adolescente* [que] *llevaba en los ojos dos rosas de amor*, tiene nombre de arcángel: *María alzó los ojos constelados de aurora, y alargó sus manos de agua: —¡Gabriel!* Ángeles y arcángeles configurarán un espacio considerable en el territorio poético de C. Conde, con numerosas apariciones en toda su obra, y, sobre todo, los libros *El Arcángel* (poemas en prosa), de 1939, aunque inédito hasta 1967, y *Derribado arcángel*, mucho más extenso e importante, de 1960.

Sostenido ensueño (1938, inédito hasta 1967), otro de sus libros de poemas en prosa, también con sus ángeles y arcángeles, transmite el dolor, la desolación del año —y los anteriores— en que fue escrito, y su primera línea es ya reveladora: *En mi persecución saldrán todos los caballos de la noche.* La amarga realidad oculta el amor, que es, sobre todo, ausencia, anhelo, *sostenido ensueño* —como dice su título—. Poesía de pérdida y soledad, y estas muestras del poema «Deseo» son harto elocuentes: [...] *Mas esta madrugada soy más sola que nunca y mi soledad no acabará en gozo. Todo lo dejo atrás, todo lo perdí conscientemente.* [...], y dirigiéndose a la *luna que soñé mía siempre*, confiesa su condición menesterosa: *me falta tu corporeidad y me tienes amante sola tuya, viva, joven, en donde no me respiras ni te respiro?*

Transcurridos los más duros años de la primera posguerra (incluido su «exilio interior» en El Escorial, reflejado en *Mío* (1941), conjunto de veinticinco poemas en prosa), en julio de 1944 (año de dos poemarios fundamentales: *Sombra del paraíso*, de Vicente Aleixandre, e *Hijos de la ira*, de Dámaso Alonso), en Madrid, una edición privada de doscientos cincuenta ejemplares numerados presenta a la autora de *Brocal* y *Júbilos* como poeta o poetisa en verso: *Pasión del verbo*: veinticinco poemas agrupados en tres apartados («Amor», «Destino» y «Madre») y veintiocho páginas en total. Todo él fue subsumido un año después en el más extenso *Ansia de la gracia* (1945), su entrada por la puerta grande (en la prestigiosa colección Adonais) en la poesía española del interior. (Recordemos que Cernuda había publicado en

Buenos Aires (1943), *Las nubes*; Alberti, también en Buenos Aires, *Pleamar* (1944), y Salinas, en México, *El contemplado* (1946), etcétera.

Al incorporarse en su totalidad a *Ansia de la gracia*, *Pasión del verbo* desapareció como libro, y su autora ni lo incluyó en su *Obra poética* de 1967 —criterio que seguimos— ya que habrían aparecido dos veces sus veinticinco composiciones. La sección inicial, «Amor», a los ocho poemas de 1944 añade cuatro más: los tres primeros y el último. Representa el conjunto una intensificación de la poesía erótica de C. Conde, manteniendo la continuidad con los poemas en prosa en su identificación con la naturaleza y su expresividad hiperbólica: *Encuentras mi sonrisa en tu cintura, / flor de la esbelta rama.* [...] *Te ríes con mis manos en tu cuerpo, / agua que brincas la montaña* / [...], (poema «Primavera», segundo de los añadidos en *Ansia...*; *Muchacha sin abrir en lumbres de verdor.* / [...] *Flores llevan mis rodillas claras. / Arcos de nardos mis sienes.* / *Yo, tu amada: / la encendida luna de los campos* («Biografía de la enamorada», tercero en *Pasión del verbo*), «Encuentro» comienza con la exclamación jubilosa: *¡Gloria de tu hallazgo!* Y termina, con expresiva hipérbole, resaltando la delicadeza de la criatura amada: *Venías tú, gentil criatura, / desnudando los ríos a tu paso*; la expresión exclamativa prosigue en «Lo infinito» (*¡Qué aurora la que exaltas! / ¡Qué noble luz la tuya!*), máxima idealización que desemboca en la plenitud del encuentro de los dos versos finales: *Ser mujer y tuya, ¡qué inefable / fundirse la conciencia entre tus brazos!* El mismo discurso lírico continúa en «Hallazgo» (final en *Pasión del verbo*), desde su inicio: *Desnuda y adherida a tu desnudez* hasta las metáforas finales: *Tus ojos, aves de mi árbol, / en la yerba de mi cabeza.* Culmina el recorrido en «Amor mío», con nuevas y radiantes exclamaciones [...] *¡qué hermosa aurora / cerca del tallo de tu voz, de tu respiro!* [...] *¡amor tan mío!*, y agrupa las dos palabras nucleares (*cuerpo* y *pasión*) de la más radical y tumultuosa experiencia del vivir: *Tu cuerpo y mi pasión, dos resonancias / en medio de la vida que concurre.* / [...] *Y llévame por ti, oh amor del mío, / y llévame de mí, que desfallezco.*

«Primer amor» (en la segunda sección de *Ansia de la gracia*, «Destino») prolonga el estremecimiento pasional de la carne encendida: *Esta dicha de fuego*, y las imágenes de este campo semántico se extienden por toda la composición: *¿Podías tú esperar que ardieran tus cabellos, / que toda cuanto eres cayeras como lumbre* / [...] *¿Ceniza tú algún día? ¿Ceniza esta locura* / [...] *¡Tú no te acabas nunca, tú no te apagas nunca! / Aquí tenéis la lumbre, la que lo coge todo / para quemar el cielo subiéndole la tierra*: este final de la composición culmina el gozo, la exaltación, de su primer verso (*¡Qué sorpresa tu cuerpo, qué inefable vehemencia!*) y el arrebato, ya en la parte final de este otro alejandrino; *¡Si nunca nadie dijo que así se amaba tanto!*

Muy lejos de la muchacha, casi adolescente, que se asomaba al brocal del amor, una mujer plena, en su mejor plenitud vital, sexual, pero también herida, tatuada, por varias derrotas —suyas y de su gente—, renacía en el nuevo amor, absoluto, avasallador, como expresa el último verso citado y los del poema «Identificación», penúltimo de *Ansia de la gracia*: *¡Cuán tú soy yo conmigo, amor que me enajenas! / ¡Qué mío tu vivir y qué mía tu muerte / viniéndote de mí, muriéndome contigo!* Y en esta unión total de las criaturas amantes, ya sin cuerpo tuyo ni mío, tan sólo alienta *un cuerpo de dos seres / que funden la unidad de dos que ya son uno.*

Mujer sin edén (1947), libro fundamental, uno de los más citados y comentados de su autora, que eleva la mujer individual, la madre frustrada a Mujer y Madre

universales, a paridora condenada, doliente, suplicante —Eva mítica y eterna—
por el hijo muerto y por el hijo homicida. Pero el amor de pareja es omitido,
como lo es el Paraíso, y el primer monólogo de la mujer muestra su pérdida, cuando *Vino Adán por mí al gran destierro, / mas sin llorar... ¡Yo sí lloraba!* Esta diferencia
emotiva entre ambos se amplía hasta un destino común en donde el amor ya no
tiene lugar y la mujer es la mayor víctima: [...] *¡Cuánto pesaba / el hombre sobre mí,
sobre la tierra, / sin Dios y con las bestia: los dos juntos!* También ellos, Carmen y Antonio, habían perdido para siempre sus años de «esplendor en la hierba», las ilusiones y los sueños, el hijo y el amor. No se entiende *Mujer sin edén* apelando sólo
a la tragedia colectiva, la guerra española, la mundial, el destierro de sus vidas
desde el «edén» mediterráneo y el amanecer republicano, hasta la dura y seca
Castilla y la larga noche de la dictadura. En la traslación mítica, bíblica, de ese
poemario se ocultaba el fin de un tiempo luminoso y esperanzado y el final de
una intensa y corta historia de amor; y, más aún, de un tipo de amor-pasión enterrado definitivamente para la mujer: ese *¡Cuánto pesaba / el hombre sobre mí* [...],
del primer poema del libro, se hace más explícito, reforzado por el dramatismo
metafórico, al final de la última composición, «Súplica final de la mujer»: *Tan vieja..., tan cansada... Espuelas que me rajan / son las piernas del hombre. Líbrame de ese yugo.
/ No puedo amarle más, ni enterrarle. No cabe / ni yacente ni vivo sobre la tierra negra.* Esas
masculinas *espuelas* que *rajan* a la mujer desaparecerán en la posterior —y muy
abundante, y apasionada— poesía erótica de Carmen Conde.

Sólo cuatro años después de *Mujer sin edén* y seis de *Ansia de la gracia*, aparece
en *edición* de la autora —como lo había sido *Mujer...*— *Iluminada tierra* (1951), cuya
primera parte, dividida en dos cantos, se titula «La enamorada», y cuyo primer
poema se titula, también sin aditivos, «Amar», que vuelve a reunir, como en el
temprano *Brocal*, amor y ensoñación: *y las mujeres aman cuando en el agua sueñan.* Mu-
jeres-ninfas, muchachas jóvenes, en plena naturaleza, por *avenidas de árboles fragantes, con un ardor oliendo a frutas, a corceles...* La abundante, recurrente, expresión
exclamativa de C. Conde, en este canto inicial de «La enamorada» es admiración
y exaltación femeninas: *¡Qué salvaje presencia la de las hembras púberes / entre glicinias
cálidas, entre celindas vivas!* o *¡Qué donceles os aman, ensuavecidas hembras / bajo la noche
incisa en el jardín ardiente!* Un nuevo paraíso, sin Adán, ni Caín, ni, incluso, Abel,
con su río *henchido de doncellas / que te navegan unánimes, orlando desnudos cuerpos,* para
terminar este «Comienzo de la noche» con otra jubilosa exclamación: *¡Noche del
jardín, / oh noche del amor: escurres / de este gran río tu bulto!* El ya claramente asumi-
do nuevo edén nace de una contemplación que canta la hermosura de los cuerpos hermosos: *Ser hermoso es temblar lleno de zumo / [...] ser hermoso es cerrarse contra
todos / y bastarse a sí mismo, por perfecto.* Perfección, belleza, juventud: *Sobre la eterna
piedra del mundo tan compacto / la traza débil / fresca, de tu desnudo cuerpo. / Todo es muy
duro y agrio, se rebela enemigo, / y te alzas tan joven y segura, tan tierna...*

Termina este canto primero de «La enamorada» con un poema importante por
lo que tiene de confesional y revelador: «La impaciente enamorada», que comienza
con el perdido sueño primero del sujeto poético, y una posibilidad prácticamente imposible: *Porque si vinieres, y ya ni yo te espero, / quizá se prenderían mis cortezas. / Te puedo
soñar tanto, estabas luminoso / allá lejos de todos / [...] que te soñaba vivo, suntuoso de sangre*

/ *generosa y audaz: hombre que me vencía / para cogerme suya, sometida y secreta.* Y prosigue el pasado: *Galopando resuelto a través de tus bosques / me llamabas creyendo que tu sueño fui sólo,* y termina con el término de aquel ensueño, con la imposibilidad del encuentro, de la posesión amorosa: *Porque no me creíste tan verdad como un ciervo, / no pudimos hallarnos, no pudiste ser mío.* Reproche al varón (no hay aquí ambigüedad de género) que reaparece en «Angustia», ya en el canto segundo, aunque aquí se extiende a la mujer, y a ambos géneros —no ya dos individuos— por representar universos distintos, imposibles de conocerse, de comunicarse, de fundirse en uno. La reveladora confesión de «La impaciente enamorada» se hace aún más explícita y dolorosa y justifica el título del poema: En el principio, *Tu corazón y el mío, tan unidos, tan puros,* pero la unión se deshizo por culpa del *tú,* de los *turbios recelos, ¡Dejándonos extraños y enemigos; hostiles, / como dos luchadores de causas diferentes!* Pero, inmediatamente, en la segunda parte de la composición (seis versos como la primera), la acusación al varón se universaliza: *¡Qué poco sabe un hombre de la mujer que ama, / y cuán difícil ella para enseñarle a ver! / Son dos mundos ajenos que nunca se penetran, / ni cuando se poseen; porque cada uno de ellos / lo que está poseyendo es su cuerpo y su alma, / sin enterarse nunca de lo que siente el otro.*

La frustración conyugal, el final del amor hombre-mujer, reaparecerán en libros posteriores, como en *A este lado de la eternidad* (1970), una de cuyas composiciones —sin título, fechada el 24 de abril de 1969— contiene una declaración inequívoca de la relación entre los cónyuges tras nacer muerta la hija de ambos: […] *otro llanto rompió contra mí: / el del hombre su padre que, entonces, / como hija quedó en mi existencia. / Y sin hijo me encuentro otra vez.* Muchos años después, en 1983, C. Conde publicaba una serie de poemas escritos cincuenta años antes, en 1933, agrupados bajo el epígrafe «La espera», primera parte de un poemario de dramático y metafórico título: *Derramen su sangre las sombras.*[3] En nota previa, su autora declara: «Explicación de lo lejano: *Desde que fueron escritas estas lamentaciones por la primera tragedia de mi vida, no las había vuelto a leer hasta mayo de 1973*»; cuatro líneas abajo, añade: «[…] *aquella criatura que murió al nacer, que no fue mía más que cuando me habitaba, hizo que toda mi existencia se transformara radicalmente*».

Esta transformación radical fue, sin duda alguna, su fracaso, su vacío, maternal: la segunda parte de *Derramen…*, «El desencanto» es muestra harto expresiva de toda una derrota vital, personal, *de mi pobre, humillado, fracasado y dolorido vientre* (21 de octubre, 1933), y el resto de las composiciones (alguna, poema en prosa) van encadenando, reiterando, *llanto, vacío, desolación, dolor,* y, de nuevo, fracaso y humillación de mujer, de hembra: *¡Qué fracaso el fluir de mis pechos!,* y termina: […] *mientras esta inútil leche se retiraba humillada y algodonaba mis desdichadas arterias fluyentes* (28 de octubre, 1933).

La tercera, última y más breve selección de *Derramen su sangre…* lleva el epígrafe «Mucho después (1944-1961-1969-1972)», años que corresponden a otros poemas en los que sigue supurando, a través del tiempo, aquel tajo de sangre y muerte nunca restañado: […] *¿Qué designio perturbé al concebirte, / que nunca mis pechos te lograron?,* concluye el primero (Castilla, febrero de 1944); el segundo, mucho

---

3 Este rótulo es el verso final del poema «Conocimiento» (fechado el 5 de julio de 1982), último de *Al aire / VI poemas,* Málaga, 1987.

más extenso, está fechado el 24 de mayo de 1961 y fue incluido en el libro *Su voz le doy a la noche* (1962): en él ensancha y ahonda su oquedad afectiva: [...] *Existen dos palabras que fueron siempre mías, / y una más que, siéndolo, jamás llegue a decir: son padre, y madre, e hija... Tres palabras aquellas / que no me pertenecen, que me han abandonado / dejándome en el mundo con la muerte delante /* [...] Resulta curioso que estas pérdidas no son compensadas por la presencia de *marido, esposo*, que todavía estaba vivo, pero las palabras, su significado, muerto, desde esos mismos años treinta. La tercera composición es la ya citada del 24 de abril de 1969, y recogida en 1970 en *A este lado de la eternidad*, y en donde el antiguo dolor sigue manando: *He vivido de madre en mi sueño / porque a madre verdad no alcancé.* Finalmente, el cuarto y último texto de «Mucho después» corresponde a julio de 1972, se titula «No nacida» y se integró en 1975 en el libro *Corrosión*. Sus versos finales muestran a la mujer vacía, asomada, enfrentada sin paliativos, sin suavizantes, a su ansia de amor jamás colmada: [...] *Permanece despacio la carne. / Se planta ante el crudo espejo este cuerpo / y se piensa: / pasó por aquí; aquí se hizo, dentro. / Porque a una la siguen royendo las hambres brutales / que nada sacia nunca: / las de haberse asomado a sus ojos.*

Antes de estos poemarios, en el ya citado «Iluminada tierra» (1951) encontramos el mismo sentimiento de pérdida insustituible, de ausencia irrecuperable: en «Encuentro conmigo» opone *¡un alumbramiento infalible, no como aquel / en que mi vientre volcara hijo sin luz!;* en el extenso «Con el corazón a solas» dialoga con el tú imposible: *No sé por qué esta tarde, tan hermosa y ajena...! / Y tú en la otra orilla, y yo en la otra orilla... /* [...] *¡Todo el cielo con la tarde extraña siempre / y tú y yo en ambas orillas de la tarde!,* y el falso diálogo es pronto monólogo doliente, crudamente expuesto: la tarde es *criatura tenebrosa a pesar de su oro / igual a desgarrada maternidad sin fruto,* y *(Una niña que vino desde mi vientre casto / hasta la tierra negra donde no la hallaré),* [...] *en esta orilla estéril;* y la confesión aumenta su temperatura, la de aquella entrega apasionada y sin respuesta ni sustitución: [...] *tú sabes que no he sido más que tuya, de ti, de tu misterio frío! / Cerrada a todo fuego que me trajera aleve / una criatura nueva que no te repetía /* [...] *¡Aquella carne en cifra que mi boca no dijo... / Aquella sangre mía que toda se perdió!...* En otro poema de *Iluminada tierra*, «Cifra», declara con crudeza y rotundidad su doble vacío: *Mi madre no me sirve y no tengo hijo.* Orfandad dual, como la de Ana Ozores, la Regenta.

Si en esta última composición une madre-hijo, la unión hijo-esposo ofrece, así mismo, otros ejemplos: en el mismo *Derraman su sangre...* un poema fechado en «Cartagena, 5, octubre, 1933», correspondiente a la primera parte, «La espera», es testimonio del ya existente desencuentro conyugal, de la imposible unión, que sólo el hijo podría, en parte, nunca totalmente, salvar: *Ese todo que en mí buscaste sufriendo / y ese todo que no te pude dar nunca, / van a juntarse en el que esperamos. / Para hacer de él, yo así lo creo, / un algo que no alcanzaremos del todo: / que será la suma de lo nuestro / jamás llegado a unir.* Cuando la espera desembocó en muerte, el destino futuro de aquella mujer y aquel hombre estaba decidido.

Probablemente el texto fundamental para esta quiebra amorosa es el extenso *Réquiem por nosotros dos*, con el que se cierra *A este lado de la eternidad*, que preside dos octosílabos de Antonio Oliver («Cuando mi vida se acabe, / cógeme tú de la mano») y abre un lejano poema de C. Conde, «Puerto de amor» (Cartagena, 1930), con aquel plural pronto deshecho: *Nosotros en tierra, pequeños / con nuestro inmenso delirio incalculable.* Treinta y nueve años más tarde, la cita de Bécquer que encabeza *Réquiem...* (1969, invierno), *Todo cuanto los dos hemos callado / lo tenemos que hablar!,* condensa aquel desgajamiento: *Cataratas espesas de palabras / que no dijimos nunca / retumban en mí,* escribe la poetisa al inicio del poema, y a partir del *silencio* la acusación y el lamento se encadenan; el miedo del hombre a la potencia de la mujer, a su *frenético océano, y empeñaste en donarlo / toda tu razón y tu implacable / temor por mi arrebato,* y, *Tú que amabas al viento y a las aguas, / nunca supe jamás por qué opusiste / tanto dique a su fuerza*; y, a continuación, la alegría por tanto fulgor compartido: *¡Qué tremenda pasión la de aquel tiempo / en que solos tú y yo, como un arroyo / que en la luz corretea enamorado, / descubrimos el mundo que perdimos!* Así, entre la exaltación de los años jubilosos (*¡Qué muchacho tan puro eras tú, / qué muchacha tan —arrebatadamente— / inocente y amante te fui yo!*) y los muchos de plomo que vendrían después, Carmen Conde lanza una de sus varias acusaciones —en distintos libros— contra *la guerra, loba hambrienta, / hediondo chacal, tigre punzante, / y trizó nuestra joven andadura, / incendiando el hogar que nos juntaba; nos ató como esclavos a la noria*; y añade, con su voz —su personalidad— de clamor y arrebato —como ella misma se aplica—: *No perdono, no quiero perdonar / una guerra que nunca se ha acabado.* Al final de este *Réquiem...* el sujeto poético explicita una obviedad que contiene la inutilidad —para el *tú,* no para el *yo*— del empeño: *No se habla con los muertos, bien lo sé, / sólo se habla con nosotros mismos.* Porque tras la muerte de Oliver Belmás, su nombre empezó a emerger en la obra —poemas, citas, prólogos, declaraciones varias...— de C. Conde después de treinta años de clamoroso silencio. Incluso hizo posible la publicación de las *Obras completas (1923-1965)* de A. Oliver en la misma editorial (Madrid, Biblioteca Nueva, 1971), donde cuatro años antes se había publicado su *Obra poética (1929-1966).* En «Nota previa» (fechada en «Primavera de 1970», Madrid) al amplio volumen de más de novecientas páginas, C. Conde califica a A. Oliver de «escritor de profunda vocación fervorosamente mantenida hasta su muerte», de verdadero y gran poeta, tan puro como desinteresado en toda su obra: poética, narrativa, biográfica, doctoral y crítica», y, también, de «hombre sencillo y austero, modesto hasta la humildad a veces— como más de una voz o una pluma lo reconocieron—, no carecía del sentido de su auténtico valer».

Palabras escritas, publicadas —como «Réquiem por nosotros dos» y otros textos —no *in vita* sino *in morte*— de Antonio Oliver Belmás, el poeta de *Libro de loas* (1941-1960), editado por primera vez en 1947 y ampliado en 1951 y 1968. Si con el *Réquiem...* invernal de 1969 su autora recapitulaba las vidas compartidas y separadas de ambos durante más de treinta años, como la ficticia —y tan real— Carmen, de Delibes en *Cinco horas con Mario* (1966), pero sin su mediocridad y estulticia, ambas no interpelaron al *tú* activo, sino a un cadáver, un nombre, una sombra, definitivamente mudos.

El amor, los amores humanos, llenaron muchas páginas en la poesía —por limitarnos a ella— de C. Conde. En uno de los últimos tramos de su vida afirmó orgullosamente: «Si es verdad que recibí amor, mucho más yo lo di».[4] Ya en la posguerra, una de sus grandes composiciones amorosas es «Canto a Amanda»,

---

4 Nota prologal a *Por el camino* viendo *sus orillas, III* (Barcelona, Plaza-Janés, 1986).

fechado el «14 junio 1945, Velingtonia», y la primera de *Humanas escrituras (1945-1966)*. Presentado como testimonio de amistad (por la cita de Quevedo que lo encabeza: *Retrato del cielo, la amistad verdadera*), «Canto a Amanda»[5] comienza con estos endecasílabos de inequívoco sentimiento: *Los años que transcurres junto a ti / son sueño del que nunca he despertado / sin el hallazgo, Amanda, de tus ojos*, y más adelante: *¡Qué poco es el hablar! Aunque yo hable / de ti tanto y de mí, ¿quién más podría / saber lo que eres tú para mi vida?* Sentimiento idealizado, amor de reconocimiento y protección, de entrega mutua, aflora con desnuda sencillez: *Me duermo a tu calor: fui una niña / que nadie supo ver. Sólo tú sabes / mi ansia de reposo y confianza. / Defiendes con arrojo mi flaqueza, / y velas junto a mí para que el Ángel / no corte su contacto con mi alma.* Y si en *Brocal* le había dicho al amado *Yo soy más fuerte que tú, porque me apoyo en ti*, ahora, en los versos finales de este *Canto...*, se reconoce deudora de quien le ha devuelto la plenitud de su ser: *Te lego mi caudal: todo lo hecho / contigo y desde ti, en el paisaje / que empieza con tu voz y tu mirada, / Gracias por la luz que me descubres. / Creíste tanto en mí, me diste tanto, / que soy toda de mí: Te reconozco.* A través del *tú* el *yo* se reafirma, renace y se ilumina en años tan sombríos. Parece que su *yo* ardiente, impetuoso, portavoz, a veces, de un egocentrismo absoluto, habría encontrado la respuesta y correspondencia humanas a sus anhelos ancestrales: *Y he de seguir velando, rendida eternidad tuya, hasta hallar una estrella por mía, que sólo me alumbre a mí su resplandor perfecto* (*Sostenido ensueño*, 1938).

El *yo* solipsista de C. Conde irrumpe y estalla en un poema sin título de *En un mundo de fugitivos* (1960); *¡Amor como mi amor no hay quien lo sienta, / amor como mi amor no hay quien lo viva!*; y en *Devorante arcilla* (1962), la composición 27, penúltima del poemario, es otra muestra más de la intensidad erótica, de su furia arrebatada, nunca saciada: *Amarse, amarse hambrientamente, [...] Amarse con la agonía entre los labios, sin gritos, secos de / amor, por tanto amarse*, pero sabiendo que el ardor acaba, y el frío —no ya el fuego— lo calcina todo: *cuerpos de amor y palabras / de amor, y el sosegado dormir después del amor. / El frío que vuelve coriáceas las miradas / de los que se amaron como lianas y como leones / en las selvas oscuras del amor violento / [...]* Distanciado de lo más íntimo por el testimonio impersonal, el final del poema canta la conversión de la pasión carnal en *la cegadora pureza que limpia de besos la carne, que enciende otra vez los ojos / en una contemplación infatigable y deslumbrada.*

A lo largo de los años la palabra amorosa de Carmen Conde se va a construir en una bipolaridad cuerpo-espíritu, hombre (o mujer)-Dios, en una tensión constante de estirpe mística: de la sensualidad y carnalidad del *Cantar de los cantares* al despojamiento y la unión definitiva de la *Llama de amor viva*. Querer amarlo todo fue, más que vocación, destino.

En uno de los últimos poemas de *Enajenado mirar* (1962-1964, inédito hasta 1967), fechado en «*Brocal*, 15 septiembre 66», afirma: *¡Qué viejos somos ya! todo recuerdos. / Te quise, me quisiste, estoy queriendo / medir aquel amor que me desborda. / Mi carne es tensa aún, ágil mi paso, / mis piernas y mi espalda son de aire. / La voz no se ha cansado, va ligera. / Y quedan por amar tierras y aguas, / naciones sin nacer, de amor salvaje. / Me duelen las entrañas en protesta / de amor que no se sacia de entregarse.*

---

5 Amanda Junquera Butler, figura indispensable en la vida de C. Conde desde 1935, año en que se conocieron. Amanda falleció el 27-XII-1986.

De 1971 es *Cancionero de la enamorada*, libro menor, que su autora califica de «librito sencillo, inocente, nostálgico: de amor»,[6] con todas sus variantes: exaltación (*Todo el amor que se hizo / está quemando mi beso. / No queda amor en el mundo. / Que todo vive en mi pecho*); dolor y muerte (*No está la muerte tardando. / Amor, que ya no te siento. / No está la muerte tardando / y todo mi sufrimiento / es un camino muy largo, / amor, porque no te siento. / No está la muerte tardando.* / […], con sabor de cancionero; pasión desbordada (*Qué largo trabajo el tuyo / hasta lograr socavarme, / y que el amor me consuma / y que no pueda olvidarme / de que estás en mis entrañas / recomiéndome la sangre.*); rotunda afirmación de su *yo* (*Yo sólo supe querer, / quererlo todo con ansia*), y su recurrente fusión con la naturaleza (*El campo como una flor / en tu cuello yo olería, / y los arroyos del mundo / para ti despertarían.*), etc. Su mundo de siempre, pero con una excepción métrica infrecuente en su autora: el uso exclusivo del arte menor con predominio casi absoluto del verso octosílabo y abundancia de coplas y soleares.

El tumultuoso caudal erótico prosigue en poemarios como *Corrosión* (1975), *Cita con la vida* (1976), *La noche oscura del cuerpo* (1980), *Desde nunca* (1982) y *Cráter* (1985). El discurso poético de C. Conde se adentra cada vez más en la complejidad del ser, en el destino humano, en su historia de creación y destrucción, de esperanza y desencanto. Entre la carne y el ángel, la tierra del cuerpo y el vuelo de la eternidad, fluye por esta poesía el río de la vida y del amor, para ella una sola realidad (*Lo que yo te he cantado, el amor que te doy, / esto ni con la muerte lo borrarás tú, Vida*, final del inicial «Canto a la vida», 18-7-62, de *Corrosión*), pero sabiendo, también cada vez más, que el deseo jamás se consume, la noche puede ser interminable y el *tiempo, un río lentísimo de fuego*, como tituló su poemario de 1978 (*Tajaron tu carne, luego existes. / Acongojaron tu conciencia, luego eres* / […] comienza el poema inicial «Conciencia», pero, a continuación, añade: *Si todo puedes amarlo / sin límites ni fronteras, / es porque vives.* (8-VI-75).

Tan largo combate entre la luz y las tinieblas, la plenitud y la soledad, cristalizó en la poesía de C. Conde en el símbolo del Arcángel, desde el temprano *El Arcángel* (1934) hasta *Derribado Arcángel* (1960), y apareciendo, reapareciendo, en muchos otros títulos: Ya en *Ansia de la gracia* exclamaba: *Sólo puedo abrir los brazos a un Arcángel!*, y a ellos invocaba al final de «Súplica» (*Mi fin en el viento*, 1947): *¡Vosotros los arcángeles, oídme; / os sigo y reverencio; traspasada / soy tierra que os prolonga! / Sed el cielo, / y unidos descended para llevarme.*), pero, derribado el arcángel, *la luz no servirá para el azul purísimo, / […] ¡Sombras y sólo sombras!... Apagado irá el mundo, apagada iré yo; […]*, y le confiesa: *[…] ¡Qué hermoso día / aquel que nos unió en el destierro!; mi desesperación de no consumirme, / aunque me muero por arder contigo!*; y la afirmación, la necesidad, del combate que es vivir: *Derribado no es vencido, / que vencido no te quiero. / Derribado, puedes alzarte y recobrarte / para embestirme de nuevo. / […] Vencido tú, / ¿qué sería de ti y de mí, / sin dura contienda ya? / ¡Oh, no vencido: / derribado, sí! Ya lo estás. Eres mío.* Y el *ángel caído* sigue viviendo dentro del alma de la mujer, y aunque escapó de él, lo alejó, *porque contigo yo iba a quedarme sin alma, / desgranándome en tu boca, / desintegrándome en tu sangre*, cuando no está y no es su azote

6 *Por el camino, viendo sus orillas* III, ed. cit. p. 143.

añora *aquel flamígero tumulto de tu acoso*, […] *porque eres cada tentación mía,* / *¡nunca una sola, la misma!* A todos estos textos —y muchos más que podrían citarse— del importante y extenso *Derribado Arcángel*, podríamos añadir los de otros poemarios. Sirvan como muestra estos versos de *La noche oscura del cuerpo: Otras veces con el ángel se ha luchado* / *y con el arcángel…* / *en plena oscuridad y a luz del día; turbiamente si la angustia,* / *resplandeciendo con el gozo.* Dualidad del vivir y del amar, como había expresado Rafael Alberti en *Sobre los ángeles* (1929): *Ángel de luz, ardiendo,* / *¡oh ven!, y con tu espada* / *incendia los abismos donde yace* / *un subterráneo ángel de las nieblas.*

Un libro como *Corrosión* anuncia en su epígrafe el lento desgaste del vivir, el imparable descenso hacia el acabamiento. En «Osiris», una composición dedicada al gato de la escritora, lo cotidiano y doméstico se alza a la esencialidad de la libertad y el amor: *querer es cataclismo,* y continúa: *Si has querido, tú sabes* / *que estar queriendo duele: es carbón encendido* / *y no se aplaca nunca, ni hay agua que lo apague.* / *Querer es el mordisco al pan tierno, y con hambre.* / *Querer —¿cómo lo digo…?, querer es un infierno.* Pero este arrebato de estirpe romántica, hijo del *amour fou* de los surrealistas, es la señal innegable de un verdadero, pleno, existir (*Amor de mis entrañas, viva muerte*, prorrumpió Federico García Lorca en los *Sonetos del amor oscuro* (1953-1936), y C. Conde concluía así este poema de 1971: *Y si no se quiere así, a tragos de locura,* / *no se vive ni muere. ¡Se pasa de este mundo* / *como una luz pequeña, que ni el viento la advierte!* Otro poeta intenso y pasional, amigo juvenil de C. Conde y A. Oliver, Miguel Hernández, dejó escrito: *Varios tragos es la vida* / *y un solo trago es la muerte.*

Todavía en *Corrosión* hay dos estallidos de pasión carnal, de *himno a la carne* (como tituló el malagueña Salvador Rueda un conjunto de 14 sonetos eróticos en 1890) y fechados en 1971 y 1974, respectivamente: en el primero, aunque de firma impersonal (*Cuando se nace para participar en la vida a zarpazos;* / *a querer y que te quieran exhaustivamente*) pero con su tono siempre en el límite del exceso y el desbordamiento, sigue siendo la hambrienta de una sexualidad que, lúcida, sabe —en el acto posterior de la escritura— que la enajena: *aunque, a veces, te reservas el placer de no entregarte* / *ni de tomar.* / *De encerrarte en el cuerpo que te pertenece a ratos,* / *encastillándote en él.* / *Porque es tu carne caliente, desesperada, rugidora y noble,* / *pero que maldices si ahítas,* / *porque tú eres si tu soledad es.* De nuevo la contradicción constante, la batalla entre la carne y el espíritu (o, si se quiere, la propia e intransferible identidad personal). La segunda composición, fechada en 1974, es toda ella otra ardiente declaración de pasión carnal, de amante estremecida, quemante, desde el mismo comienzo «in res»: *Hasta que se vio pasarse la mano en aquel cuerpo* / *desnudo, resbalando despacio, detenida y* / *ardorosa,* / *tactando con los dedos llameantes* / *cada curva,* / *cada hendidura, cada línea firme y tersa* / *de aquel cuerpo,* / *no se supo, ¡oh cómo saberlo de otro modo!* / *el gozo,* / *la entrega unívoca, jadeante desde dentro,* / *precipitada luego* / *en una mano abierta, posesiva abarcadora* / *de un desnudo absoluto,* / *de un cuerpo solitario entregado a quietud,* […]

Esta fuerza verbal persiste en el poemario de 1976 *Cita con la vida*, con sus recurrentes imágenes cósmicas y abiertos espacios naturales: *El amor es una montaña; una cordillera ondulante* / *es el amor* […] *Salta el amor, corza y caballo, salta el amor todas las tumbas*, y vuelve su feroz visión, más herida, más implacable con los años: *El amor es la ternura más cruel del universo.* / *La más ciega necesidad de antropofagia.* / *Se miden los amantes cuerpo a cuerpo en el gozo*, [...] *Y se consumen, se consuman, se extenúan / probando su bronco amor hambriento*. Escritos en las últimas vueltas del camino, alienta en estos —y otros— textos con creciente furor su pasión por la vida —sorberla, absorberla— y su anhelo de eternidad: [...] *porque muy pronto / dejarán de escucharte, de verte pronto / como la que fuiste y serás. Pronto. / No se puede perder ni un momento claro, / ni una hora propicia para existirse. / [...] Antes que venga la noche, siempre antes; / para que el sol te alcance ya en el camino.* Afirmación vital, como su título anuncia, con solemnidad testamentaria, sobre todo en su último poema, «Cántico final»: *En tanto se te requiere, contempla lo que fue creado / alrededor tuyo. Solamente el amor por ello / te sacie y alimentará*, [...], y, más adelante, pide, se pide a sí misma: *Ama con la ciega esperanza que ama / el que bien sabe amar.*

La penúltima y última poesía amorosa de C. Conde se inserta en sus preocupaciones y búsquedas metafísicas, en su poética del ser. *La noche oscura del cuerpo* (1980) ofrece testimonios muy expresivos: en su primera parte, en el tríptico «Esperanzas» engarza *amor* y *eternidad*: *la dulce claridad de esperarnos eternos* y *afirmando el amor*, [...] *que el todo llegará sellándonos su fuego*, y en la tercera y última —la que da título al poemario, pero invertidos los términos del sintagma: «La oscura noche del cuerpo»— sentencia: *Saber es amar, como a la inversa; lucha / porque al amor total aspira el cuerpo*, y ha reunido una vez más algunas de las presencias definitorias de su creación: *Alegría del vibrar vidas nuevas y plenas / de saberse dichosos de la mar de la carne / que dócilmente cae en la arena, intuyendo / que el amor siempre es don que mantiene vivencias.*

Cuando parecía que el testamento existencial (y, por tanto, amoroso) de la poetisa estaba concluso, los años ochenta lo reabren (*Desde nunca* (1982) y *Cráter* (1985)) con la voz de siempre, pero atravesada, hendida, en progresión imparable, por la conciencia del tiempo, de la esencia perecedera de todo lo creado y todo lo vivido. Libro muy dilatado, espacioso, *Desde nunca* se inicia con una composición muy extensa —asimismo, de resonancias testamentarias—, «Cuando todo está dispuesta», y en ella resurgen sus declaraciones de amor a *este mundo que ofrece continuamente / su cosecha de criaturas al cielo que lo rodea / fecundando la potencia de vendimiar la alegría*, y de un amor inter-personal que iguala a hombres y mujeres en su condición de criaturas amadas, aunque expresado —otra vez— en forma impersonal, con la muy elocuente ausencia del omnipresente yo poético: *¿Cómo no amar a los hombres, cómo no amar a mujeres / que propiciando la vida buscan ser correspondidos? / Y si no se vive amor, ¿qué se quiere de este mundo / donde zurean palomas y las tórtolas crepitan?* [...], y en esta unanimidad de la naturaleza toda se instala el léxico vigoroso, el ardor juvenil nunca apagado: [...] *Mas, ¿y el vibrar de la carne enamorada, del beso / pugnando por seguir siendo vida en la vida de los otros / que iremos sembrando aquí mientras amamos*; [...], y se pregunta por el origen, la raíz, de esa fiebre que no sabe —no quiere saber— del tiempo y sus devastaciones: *Si todo es un sueño, ¿quién fomenta esta calentura / que asimila nuestro cuerpo y la convierte en el ansia / de encontrarme cara a cara con lo que nombra y descombra?*

Testimonios de ausencia y pérdida son «Distancia», «Pérdida» y «Doliente realidad» (uno de los más hermosos y doloridos: [...] *La casa era una flor, la casa / era más que un jardín: era la vida / [...] la casa que sin ti ya no es la casa / y yo soy como tú: soy una ausente*. Este vacío existencial se prolonga y aumenta su desolación en el extenso «Entonces», duelo por lo definitivamente ausente: *Sí; es una tarde con deste-llos negros / clavándose en mí, trizándome, / porque no estás tú, porque ya no vuelves… / […]; sólo permanece la memoria que tiende largos brazos, / toca lo más oscuro, / donde estás ahora…,* y un sujeto poético instalado *en la angustia / de saberse tan en soledad del mun-do. / […] Sola es la soledad que la estancia plena invade. / Sólo es mi soledad resistiéndose al transcurso / de esta tarde […].* Si el poema comenzaba con el corazón recobran-do —*en esta tarde*— *el tiempo en que nos amábamos*, el planto elegíaco ha ido tritu-rando, disolviendo aquel tiempo de dicha, y el presente es *la nada*, término obsesivo (citado ocho veces) en el final de «Encuentro» con el vacío, con la nada: *Las horas son pedazos de la nada; / […] Ahora en el espacio nada queda. / Pedazos de la nada son las horas. / Nada. / Nunca nada ya. / Y era un todo que concentraba vidas, / que cuerpos fundía en expresión de gozo. / Nada. / Nada. / Nada nunca ya. / Caen las aguas llanto que no enjugan. / Llueve y concurren las calles al frío. / Nada. / Nunca nada ya. / […].* Reiterado doblar de campanas que podrían resumirse en dos versos de Ma-nuel Machado, los que cierran una composición de *El mal poema* titulada, preci-samente, «A la tarde»: *Amar es entregarlo todo; / vivir, perderlo todo es.*

La tercera parte de *Desde nunca* está constituida —según se indica a pie de pá-gina— por un grupo de poemas inéditos del *Cancionero de la enamorada*. A la deso-lación anterior ha sucedido el renacer que supone un nuevo encuentro amoroso, cantado ya en la primera parte de estas composiciones, «Del destino»: *En mitad de lo que de vida quede —si mitad hubiere—, / sin posibilidad de rechazo; / hoja finísima de oro, de fiebre dardo: / el encuentro.* Vencidos la razón y el inútil intento de esquivar-lo, *el encuentro lo arrolla todo. / El olvidado éxtasis, la nunca total entrega, / llenándose de claridad absoluta: / lo abarca todo el encuentro. / […] tirano nace el encuentro.* Tiranía que se llama —una vez más en la poesía de C. Conde— arrebato, desbordamiento pasional, con sus recurrentes imágenes y metáforas de luz y de hoguera: *Fuiste tú / aquello que se bebe en el respiro: / la fuente del vivir fuera del mundo.* Sin concreciones de ninguna clase, unos versos finales de este «Del destino» (*Vienes con las manos lle-nas / de futuro gritando amor, / temerosamente huidizas / que las brasas acogen*) introdu-cen el tiempo (*futuro*) en la realidad sin tiempo de la pasión. Instalada en el *arrabal de senectud*, sabe el yo poético *que la dicha vuela / y no retorna; la huyes / y te morirás de sueño: / hasta la muerte durmiendo.* No para ella, siempre mujer en vela, que en 1979, a sus setenta y dos años, escribió: *Eres joven y vuelvo a ser joven contigo. / Los siglos que separan tu cuerpo de mi cuerpo / traen un vino que muerde la boca si te besa* («No invitación» I, *La noche oscura del cuerpo*) y este no fechado «Del destino» concluye con la asumida aceptación, expresada con metafórica sensualidad: *Déjate inundar: consiente.*

Fatalidad de un amor no buscado (*qué mano fulminante del destino / frente a frente nos puso?*) en «Sinrazón», que recupera sus características metáforas cósmicas, na-turales (*y viene un huracán rompiendo / el cerco de hielo que levanto*), pero añade la luci-dez de adelantarse al final (*¿Para qué nuevo dolor / se acerca / lo que no pedí ni busqué; / […];* y, sobre todo, el quemante final de esa pregunta que no quiere —o no pue-de— contestarse: *Mas, ¿qué haré contigo si tú / regresas a tu distinto mañana?,* y, antes, sentir el fracaso —desde la razón— *de no poder rechazarte.* La esencia destilada de esta historia de *amor de senectud* prosigue en las composiciones que siguen, desde la persistente voz apasionada de «Ese a pesar de todo…» hasta la vencida de «Desaliento» o «Fugitividad»: si en «Ese a pesar de todo…», *el quererte / […] agua es tener en las manos que refresca y se resbala*, esa verdad natural del *agua* —tan presente en la autora de *Los poemas de Mar Menor*— en el último verso es *agua que escapa.* Metaforización anticipada, premonitoria, que se va haciendo realidad en el posterior «Presagio», con la ausencia del *sol* (*[…] ido es por siempre / sino alcanza a mañana la esperanza. / […] sigue la noche / […].* Ya en el vacío de la pérdida, desde la noche oscura del cuerpo y del espíritu (su pensamiento, su sentimiento) clama el anhelo irrealizable: *Quién hallará la luz que no termine, / quién amará el amor que no se acabe.* Este postrer endecasílabo contiene y resume la concepción amorosa de su autora, y explica sus búsquedas espirituales, su aspiración hacia el no perecedero, perdurable, amor divino: un camino que culminará en *Una palabra tuya…* (1988), libro compuesto por poemas de juventud, madurez y senectud: desde 1929 (uno) y 1930 (dos) hasta 1982 (dos) pasando por quince más de los años cuarenta, cincuenta, sesenta y setenta. Uno de los más logrados y confesionales es «Eterna búsqueda»: *amor avariento, abrasante nostalgia de tu voz, nosotros los sedientos, que soñamos / en el agua purísima, creemos / que el agua más pura emanas tú / sufrimos por amar lo que perece / cuando hay eternidad que nos reclama: He vivido inconforme la aventura / de pasar por la tierra y acosada / por no desprenderme del amor. / Y eres tú el amante sin la amada / que por siempre quisiera ser yo,* hasta llegar a la identificación final de su amor humano con la ideal, evasiva, inaprensible divinidad: *¿Es que ahora por fin vas a decirme / que sí que me conoces, que supiste / a quién si no es a ti amando fui?* (composición fechada el 9 de abril de 1982).

Era la constatación al deseo expresado al final de «Presagio» y a los testimonios dolorosos de los ya citados poemas posteriores: en «Desaliento» el amor es *quebradizo, se siente cansado, exhausto,* y termina: *Qué poco valió tenerlo / siendo tan fugaz su paso.* Y esta fugacidad se desarrolla en «Fugitividad», con su balance concluyente de otra no menor fatalidad que la del encuentro: *Si se fue es que vino para irse / no dejándonos el cuerpo ni su alma.* Sima de tanta desilusión es la composición titulada, precisamente, «Fatalidad»: *[…] Nadie crea tener entre sus brazos / el amor que soñaba iba amando. / El amor no es verdad, es el espejo / al que trémulos nos acercamos […],* llegamos al desengaño barroco, a la conclusión de lo que fue *brasa fija, quemadura: Todo lejos se fue, quedaron sólo / cenizas del resplandor.* Y la amargura postrera de *no poder retrocedernos,* de que nada va a devolver *la muchacha que perdimos,* ni a recuperar la *dorada aparición perdida…,* y todo ello desemboca en la identificación hiperbólica, cósmica, de la criatura irrecuperable y el cumplimiento de un destino ineluctable: *No retorna la luz de ningún astro / cuando Dios la fulmina, indiferente.* En esta recta final de *Desde nunca* se añaden nuevos textos encendidos, arrebatados, encabezados por «Asombro», el provocado por la aparición inesperada: *Cuando ya ni la luz se prodigaba / y en los ojos moraban las sombras, / iniste tú.* En un espacio vital más de adioses que de llegadas, el yo poético muestra en el repetido *viniste tú* el renacer de su ser apagado, y a la *luz* del primer verso se agregan las definitorias —y recurrentes en Carmen Conde— de la pasión amorosa: *Abrasando llegaron tus pasos / la tierra que anduve, para / que vinieras tú. / Imposible apagar aquel fuego / que naciera en mi pecho, porque / llegaste tú.* «Revelación» es otro epígrafe indicador de su «resurrección» vital: *Canto porque soy dichosa, / en milagro conseguida / junto a la luz de una tarde / que me ha devuelto a la vida.*

Sin embargo, *Desde nunca* termina con un breve poema que —a pesar de su título, tomado de Miguel Hernández— acumula imágenes de aflicción (*florecen las espinas, crecen yedras. / El aire destroza en la esperanza / y no quedan caminos en la tierra*), de vacío y silencio (*Espejos que se rompen sin la vida / que en ellos fue poniendo su latido. / Va la casa rodando desangrada / sin la voz que romeros esparcía*).

Tres años después, en 1985, se publica el último gran poemario —por contenido y extensión— de C. Conde. Dividido en tres partes («Los mitos», Las Moiras» y «Cántico al amor») es uno de sus libros más ambiciosos, por su rico equipaje cultural y su empeño en trascender lo particular y personal en universal y mítico,[7] y la presencia —en los mitos elegidos— de temas y motivos recurrentes en la obra de su autora: por ejemplo, *el mar, la mar,* en «Irrecuperable Orfeo»; el sufrimiento en «Eco atormentada» (*El dolor o el desamor al alma la petrifican*); las ansias jamás saciadas en «Tántalo eterno» (*La sed que tortura es eterna*), el desencuentro mujer-hombre en «Teseo», enamorador de Ariadna (*Tuviste su amor, ay sí, / y la abandonaste luego / cuando tu amor vacilaba, porque fuiste el amigo / de todas las aventuras*), y, en primer lugar, el amor, en sus muchas variantes, las que la poetisa había ido desgranando durante muchos años y muchos más versos: *Desolado va quien ama a quien no le puede amar,* y [...] *proclamar la victoria / que amar cual amaste tú, gloria es y no tragedia. / El amor cuando consume, inmortalidad consuma.* [...] (poemas todos de 1982, menos «Teseo, de mayo 1983»). De este mes y año es «Safo», uno de los más extensos y, así mismo, uno de los más significativos de esta poesía meditativa. Meditación sobre la poetisa de Lesbos, a la que admira y canta (*Tú, que eras amor, tú misma todo el amor / no placentero tan sólo, que doloroso también: amor sacudiéndote entrañas* [...]), y, a su memoria y su ejemplo, indagación, una vez más, en la pasión amorosa, en el binomio placer-dolor, allí donde se encuentran y funden las voces de las dos mujeres: [...] *En tu «agridulce tormento», como tú así lo llamabas / al despedirte de Atti, cada amante reconoce / sus más agudos dolores cuando se muere el amor;* y a otras acechanzas ineludibles: [...] *pero el tiempo me ha grabado demasiado las arrugas / en mi piel...,* y *el amor ya no me acosa / sino con la aguda fusta de sus penas exquisitas* y [...] *A toda cosa viviente / sigue la muerte y, al fin, se la lleva; la arrebata.* De Safo a otras poetisas (Elizabeth Barret Browning, la condesa de Noailles...), la autora de *Cráter* se funde con todas ellas, sobre todo con la griega, en un ejercicio de intertextualidad que busca la absoluta identificación femenil: sus deseos, sus sentimientos y su palabra se vierten en los de sus antecesoras, sobre todo en la más lejana y, a la vez, la más próxima: *El amor sembrabas tú;* [...] *Necesitaste calor de otro cuerpo enamorado / [...],* hasta la definición escueta y perfecta: *La abasteciente de amor.* ¿Quién?, Safo de Lesbos, naturalmente, pero, también, Carmen de Cartagena, unidas, reunidas, en las mismas querencias.

---

7 Manuel Alvar diseña un análisis riguroso y completo en su estudio preliminar al libro: «Tras los símbolos y los mitos en unos poemas de Carmen Conde», pp. 9-32.

La tercera y última parte de *Cráter* la ocupa en su totalidad «Cántico al amor», una de las composiciones más extensas de su autora. Fechada en «Febrero-Marzo, 1984», a sus setenta y siete años, es lo que su epígrafe proclama y, por ello, *Sí. Es mi canto a la vida, / más que nunca, porque ya / huyéndome se desliza.* La inseparable unión amor-vida de estos tres primeros versos inicia una auténtica recapitulación de su cosmovisión, de su vivir-amar-crear. Así lo declara en los versos que siguen a los transcritos: *La tengo entre mis brazos, la paseo / desde infancia y juventud, / lejanas... Es mía / y en ella me mantengo, enamorada. Toda la tomé y cuando esquiva / también la poseí, pues mía era.* Y con su convicción casi profética de la poesía siente, cercana a su final, que *otra* —no otro— recibirá su misión: *La vida es inmortal, yo se la doy / a otra que me espera / e irá naciéndose / [...],* y más adelante, *La vida no se para, seguiremos / perteneciéndole.*

Identificada con la Vida, con mayúscula, en su más alta y noble expresión, la poetisa sabe, lo ha aprendido en su larga andadura vital y literaria, que *del amor es el tiempo su enemigo. / Tarda en acercarse o se arrebata / para ir a otro estar, que no es el nuestro.* Y la eternidad sólo está al alcance de unas pocas criaturas marcadas, cargadas con su destino de gloria y sufrimiento: *Eterno es el amor cuando lo sienten / sólo aquellos que nacen a su signo / y padecen la sed que les abrasa.* Subrayemos las palabras *sed* y *ahora,* tan definidoras de la amante y la poetisa Carmen Conde, y a la que podemos aplicar casi todo su «Canto a Gabriela Mistral»,[8] otra de sus precursoras, y a quien dice: *Mi propio lenguaje / quiere oírse en tu voz inmortal. / ¡Háblanos, mujer; varona / de Castilla de Chile! / Es un tronco tu voz. / Es tu voz una torre. / Un campanario tañido por siglos / de criaturas silentes.* Eslabón de una férrea, irrompible, cadena, desde la certeza de un camino cada vez más corto y la contemplación de la *sima del fin,* prorrumpe: *No estamos vencidos; / tampoco esperamos / saltarnos la zanja de barro / que todo lo traga. / Y vamos. / Alguien dejamos detrás, / alguien espera que lleguen / los que ya no son ellos / ni otros. La nada.*

Pero en este, casi testamentario, «Canto al amor», la indagación, la meditación *quasi*-filosófica desemboca en un nuevo —o el mismo— testimonio personal, en un reencuentro con el tú, con la presencia amada. [...] *Digo y es absoluto / que sólo sigo el camino / que ya me llevaba a ti,* y resurge —menos carnal, más conceptual— su vehemencia erótica, aunque aminorada por la disminución de los versos de arte mayor, de endecasílabos y alejandrinos, y la utilización mayoritaria del arte menor: *Admite, mi presencia en tu cuerpo / cual de fuego una huella / marcada en tu piel. / Recordarás, viviéndome / en tu segura memoria, / que jamás contuviste / pasión cual la mía. / Perdurable unidad / pues me sentiste tuya. [...]*

En recorrido semejante al ofrecido en *Desde nunca* —recordemos que este «Canto...» está escrito en los primeros meses de 1984—, el fervor de la dicha es sustituido por la ausencia y las ruinas, y hasta retoma el símbolo de la casa: *Sí. La casa no es tu casa, se cayeron / el techo y los muros, fulminando / tu esperanza sin nombre.* Y la seguridad del casi agotado futuro: *El regalo de amor, fruta tardía, / no te ofrecerá más primaveras,* ya que el fin (o el tránsito), *El «viaje», lo sabes, se aproxima. / Entrégate sin evitarte / que tu fin es el fin de cuanto amas. / Era tan radiante su presencia, / fuiste*

8 Escrita en 1946, es la segunda composición de *Humanas escrituras* (1945-1966).

tan feliz si la gozabas… Y ese *tú = yo* vuelve a ser, a continuación, su *yo* explícito, posesivo y dominador: *Escúchame, amor: si eres mi dueño / yo te poseí más que me diste.* Ya en el final de tan larga —obsesiva y melancólica— composición, el *yo* se enmascara con el *tú* ante posibles nuevos *regalos de amor,* con una inicial y otra final interrogación, expresión emocionante de quien vive y, por tanto, ama (o puede y quiere amar): *¿Qué se haría de ti; / adónde irás / si otra vez te buscara el amor, / sin límites? / Viviste con el sueño de tenerlo / para ser tú el amor / más que el amor mismo. / No renuncias a ser tuya constante / y caminas por áridos amores / que no acaban de entregarse tuyos. / Al final, ni siquiera renuncias / a ser su esclava: / la que nunca dejaste sin tu fuego. / ¿Cerrará las esclusas de tu río / un amor que camine para irse / dejándote en la arena acribillada / de la mar, esperando que te inunde?*

En la perpetua lucha entre su yo autónomo, creador, y la necesidad del tú se construye el discurso razón-pasión de la poesía de C. Conde. La furia y el arrebato pasionales, la calentura, tienen su contrapunto en la reflexión, el pensamiento, distanciados, sobre amor, soledad, libertad, como vemos en este libro, *Cráter,* en un fragmento de su segunda parte, «Las Moiras»: […] *Solos, no somos felices; la compañía, buscada o permitida, nos condiciona hasta el punto de no poder vivir sin ella; o sin que el hueco que dejaría al suprimirse, no sangrara en nosotros. Querer es atarse a lo querido. En el no existe la libertad, tal cual la soñamos erróneamente. / Ser libre exige ser solo, estar solo, […].* Tierra, mar y muerte, amor y soledad, y la búsqueda anhelante —tras el símbolo del túnel— de la *luz* y el *aire libre,* de la *libertad,* se suceden en este largo texto, de intenso simbolismo desde su mítico título. La poesía sensual y carnal de C. Conde —incluidos sus juveniles poemas en prosa— se había ido, con los trabajos y los días, tiñendo de reflexión y meditación, en ocasiones discursiva y conceptual, poesía de pensamiento —no su mejor logro—, y en este poemario haciéndola convivir, sustentándose en ella, con la prosa, el poema en prosa, más prosa que poema. Pero con el fuego residual e iluminador de los mitos eternos: creación e inspiración de poetas.

II

Uno viaja siempre con el niño que fue
José Saramago

De toda la memoria solo vale
El don preclaro de evocar los sueños
Antonio Machado

Como tanta poesía de aquí y de allá, la de Carmen Conde hinca sus profundas raíces en el ayer, en las sensaciones, experiencias y ensueños de los años aurorales. Infancia, adolescencia, primera juventud, mediterráneas, empapadas de su luz y sus colores, vibraciones de vida que anegaron los pasos iniciales, el despertar de todos los sentidos. *Empezando la vida / Memorias de una infancia en Marruecos*

(1914-20), publicado en 1955, es el título fundacional de su palabra evocadora, y en el «Prólogo que me dirijo» fija *una infancia densísima, luminosa, ávida, que ha llenado tu vida*. Este libro-pozo está constituido con muy diversos materiales del vivir, y, en primer lugar, el dolor de la pérdida, la ausencia del padre, evocado a través de sus manos de trabajador. Junto a esta figura central y determinante en su futuro, la presencia de dos ciudades: Cartagena y Melilla, y entre las dos, el mar, realidad y símbolo constantes en su obra,[9] coprotagonista, en la segunda, de la niña paseante por el muelle los domingos: —*Mírame, madre; vengo del mar; huelo a mar*, y allá, en la ciudad norteafricana, estaba naciendo la poetisa futura: *Cuando yo era aquella niña delgada, rubia y tan imaginativa que nunca podía poner de acuerdo los mundos propio y ajeno*, y más allá, exclama: *¡Yo tenía ocho años cumplidos y una fantasía que abarcaba siglos!* Imaginación, fantasía, condición soñadora ([...] *los sueños —que son las únicas verdades de la vida—* [...], añade dos páginas adelante) iban configurando a la niña que crecía hacia el renacer adolescente. Ya en su plenitud juvenil, en 1938, y en circunstancias trágicas, enarbolará el soñar frente a la cruel realidad: *Sostenido ensueño*, sintagma reiterado en otro libro de los mismos años, *El Arcángel* (1939): *El mar explicado por el Arcángel cabe en la caliente urna de mi sostenido ensueño* (poema en prosa «Transfiguración»). En él, en el espacio en que lo descubrió, halló refugio y valladar para los dolores que llegaron. Si en *Empezando la vida* prorrumpe: *¡Ah, Melilla, país de una infancia que no se evapora!*, que nutrirá —ente la memoria y la ensoñación— a la poetisa que, en «Espejo», de *Ansia de la gracia* (1945) escribe: [...] *Y te olvidas de ti, sueñas contigo / en un claro paraíso de alhelíes* [...] *¿Sola y sueñas tanto? Nunca estás sola*; en su otra composición, «Irrefrenable», del mismo poemario, muestra el viejo y siempre vivo conflicto, tan romántico y becqueriano: *Desembarcan oleadas de memorias / que no sé si son mías, / que no sé si las sueño...* [...].

La Melilla real (¿de qué realidad? ¿para quién?) se va recreando en épocas diferentes, pero siempre desde su condición de piedra angular de su existencia. De 1966 es «Melilla, ciudad de mi infancia» (en *Humanas escrituras*), uno de los textos más reveladores de tan intensa filiación: [...] *Aunque tú no lo oyeras, / gritando fui tu nombre por palabras y libros. / Pude saber de mí, recordándome tuya, / porque tú eres nostalgia que me gotea lumbre.* [...] *Pero yo soy de ti, la mejor yo me tienes. / A todo me asomabas, de todo me enseñaste. / Digo que te amaré de lejos y de cerca, / como se puede amar lo que no se recobra.* / [...] *¡Oh mi ciudad de infancia, mi Melilla primera! / oh mis casas pequeñas, cómo os amo; y sueño / tener otra casita a la mar asomada, / porque la mar me lleva y me trae en su furia* [...]

Dos decenios más tarde, en *Del obligado dolor* (1984), su monólogo se cubre con la sombra de la inmortalidad: «Cementerio en Melilla» (3-VI-83), palabras a los muertos que la esperan, que la han acompañado en la memoria y la palabra, que transforman aquel territorio de muerte en símbolo de la continuidad humana: [...] *Vuestros brazos deshuesados / a la tierra se incorporan. / Aunque distantes seáis / os transformáis en nosotros. / Sólo faltan vuestras voces / resucitando del polvo. / De niña os acompañaba / oyendo clamar al mar / cabe las tapias, pensando / que por emerger pugnabais.*

---

9 Josefina Inclán, *Carmen Conde y el mar*, Miami (Florida), 1980 (edición bilingüe).

/ *Os comprendí pues seré / una más entre vosotros. / No raíz sino simiente / que a perderse fue llamada;* [...], para terminar con un versículo que completa el necesario, ineludible, aprendizaje de la existencia: *Doliente sabiduría acompañaba mi infancia.* Bajo la gloria del júbilo germina las primeras roeduras de la corrosión.

Más allá de espacios concretos, el principio de la vida era esgrimido por la joven poetisa en años sombríos: «Elegía» (de *Ansia de la gracia*) es testimonio del desolado presente español, de la Europa derrumbada (*¡No os puedo soñar más, / ni caben en mi pecho tantos muertos!*), y frente a la realidad que la cerca, brota el manantial vivificador del —entonces no tan lejano— pasado: [...] *Toda la infancia en vilo. La juventud de lucha:* [...] *Trabajando de día, aprendiendo en la noche. / Vistiendo lino humilde, alimentando apenas / los años más voraces de la vida. / Entonces no importaba tener hambre de todo. / Llevar mezquinos lienzos, sufrir con lo precario. / ¡Mi alma iluminada lo iluminaba todo, / de ensueños se prendía! / Hasta el amor buscaba su gracia en el poema, / y la Poesía poder amar sin fin* [...]

Esta ampliación temporal de la niña a la mujer joven, trabajadora, soñadora, y con el don mágico de la luminosidad, puede completarse con «Crónica breve para una ausencia» (Madrid, 21-XI-69), poema final del citado *Del obligado dolor*: texto narrativo que rememora el encuentro en Orihuela, de ella y A. Oliver, con Miguel Hernández en el descubrimiento de un busto de Gabriel Miró, muerto en 1930. Ante el retórico discurso oficial, Antonio Oliver, el primero, a continuación, todos, *gritamos que no. / Mentira, le insistía Antonio. / Mentira, corroborábamos; / porque siendo coléricos y jóvenes / pisoteábamos lo falso.* Tiempo de lucha y rebeldía compartidas, de esperanzas personales y colectivas, ferozmente arrasado por el alud fascista: *¡Oh qué poco duró lo que vivíamos, / oh qué pronto se echó sobre nosotros / otro tremendo no! / No era el no a un hombre ni a una idea: / sino a una civilización. / Y entonces con la sangre vino el llanto, / y entonces con el llanto vino muerte...* [...], y casi al final de esta «crónica» acusa, con su nombre, a la gran culpable (*la guerra nos quitó de cien maneras*), y añade: *lo peor es vivir, sobrevivir / cuando se debió morir.*

La primeras raíces afectivas, materna y paterna, se extienden por varios poemarios, además del citado *Empezando la vida.* Un libro completo a ellos está dedicado: *Los monólogos de la hija* (1959), obra sencilla y transparente en donde la mujer es la niña que busca el asidero, el refugio paterno: [...] *es de noche, es a oscuras, / tu mano encierra mi mano. / El mar bramando alborota / o el huracán se desata. / Es de noche, es a oscuras, / tu mano a mi mano agarra. / Se oyen gritos en la calle, / suenan tiros a torrentes. / Es de noche, es a oscuras, / mi mano en ti se sujeta. / [...] Piense lo que piense, veo / a una niña con su padre. / Es de noche, es a oscuras, / y hay una mano que salve. / ¡Tengo miedo de la noche, / me asusta la oscuridad! / Brota una mano del mundo / para volverme a tomar. /* [...]. Esa figura masculina, amparadora, salvadora, será exclusivamente la paterna. Con los años, el amante primero, intenso, pero breve, se convertirá en remedo del hijo inexistente, nunca en sustituto del padre perdido. Relación estrechísima padre-hija (*Éramos dos a caballo, / tú delante y yo detrás. / A todos nos rodeaba / una altísima pleamar,* recuerda en otro de estos *monólogos*) que tiene su contrapunto en la materno-filial, más complicada y difícil: *¿Eres mi hija o mi madre? / ¡Cuántos dolores me cuestas!,* termina uno de estos romances octosilábicos a ella dedicados. La queja ante la madre senil, enferma, alcanza su expresión más dura en el precitado

«Cifra», de *Iluminada tierra* (1951): *Mi madre no me sirve y no tengo hijo.*[10] No faltan, sin embargo, textos «positivos» en la poetización de ese vínculo primigenio, visceral: en *Mientras los hombres mueren (1938-1939)*, poema XXV, el espanto bélico provoca una unión física que representaba, en tiempos de ira y de odio, el amor universal: *Solamente cuando yo me apretaba contra ti, madre, en aquellas noches inmensurables de miedo, estaban unidos todos, absolutamente todos los que aman en el mundo.*

Pero es «Madre», extenso poema, dividido en tres partes, de *Ansia de la gracia* (1945), el más hondo y duro testimonio de la decadencia total, de la imparable corrosión: *Sí. Eres el hueso de mi madre / pero tu voz ya no es su voz tampoco. / La memoria de ella te rodea… / […] Su palabra fue marcando mi camino. / Y aquella voz tan alta y vibradora / llega muerta dentro de tu voz.* Y surge, inevitable, el *ubi sunt*: *¿Y tus cabellos…, dónde tus ojos? / ¿Dónde el brillo de la luz que me alumbraba? / […]* La realidad presente (*¡Cuánto dueles! / […] ¡Oh senos de las madres viejas! / […]*) es punto de partida para una indagación existencial en la tercera y última parte, «Mi llama»: *¿Es que sabe mi madre de dónde trajo mi vida? /*, el asombro de la maternidad: *Se encontró conmigo un día como con una tormenta,* y el paulatino, creciente, enfrentamiento de dos seres unidos en la raíz, pero distintos, ajenos. Trascendida la anécdota inicial —dramática, pero anécdota, personal e inevitable—, la hija da el testigo a la mujer, a la criatura humana, descubridora de su condición esencial: *He buscado en torno mío hasta saberme sola. / Antes de mí, en mi raza, no conozco a otros seres. / ¿Quiénes fueron los míos, dentro ya de mi sangre? / ¿A qué otros mi cuerpo, a qué otros mi alma / continúa en la tierra? […]* Bien señaló Dámaso Alonso que «la meditación del origen ha producido ese fuerte poema que lleva por nombre «Madre».[11] Y a ella vuelve en los versos finales, metaforizada, con metáforas que hablan de separaciones profundas, distancias insalvables, desconocimiento: *Una madre es la cueva de donde arranca el río. / Una madre es la tierra por donde corre el agua. / Pero el río… ¡va tan lejos a buscarse océanos! / Y la tierra: en lo hondo, silenciosa, ignorante, / encima de otra tierra que también desconoce.*

Si recordar el placer aumenta el dolor —dijeron los clásicos—, en los libros finales de C. Conde resalta y progresa su «dolorido sentir»: al final del precitado «Las Moiras» (1980), en *Cráter*, testifica: *Indudablemente lo que busco es un vestido que tuve y ya no tengo: mi juventud. […]* y termina el poema en prosa, ya instalada en su postrer territorio terrenal: *[…] Recorro la casa como tantas noches y me abruma la soledad: No la soledad externa sino la interior; me duele mi propia persona. Pena de mis vestidos, estrechos cuando tanto los deseaba a mi medida.* Y todo lo amado, tanta vida acumulada, sólo sirven ya para el adiós en *Al aire / VI poemas*, de 1982: *Todo cuanto he querido se quedará ya sin mí, / acaso con nostalgia de mi amor por ello… / Los libros y los cuadros, las flores en la mesa / y el montón de recuerdos relegados a olvido. / Se irán borrando huellas de mis manos calientes,* […], *de la mujer que caminó asombrada / por la hermosura que el mundo a su paso ofreció* (poema V, «Inevitable futuro»), y en el sexto, y último, desaparece incluso el yo poético y sólo queda el espacio de la casa deshabitada, con toda la desolación —serena, sin patetismo alguno— del mejor

---

10 Mª Paz Abellán vivió con su hija hasta su muerte en 1960.
11 «Pasión de Carmen Conde», *Poetas españoles contemporáneos*, Madrid, Gredos, 1952; pp. 359-365.

Chejov, o de García Lorca al final de su *Doña Rosita la soltera*, más la referencia —tan reveladora— al que había sido su *oficio de vivir. Sola, se callará la casa sumida / en sus pobres raíces por fuerza desgajadas / con violento tirón o suave despegue… / Acaso permanezca en blanco la cuartilla / donde una mano escriba una sola palabra.*

III

> *Yo he acumulado mi esperanza*
> *En lengua, en nombre hablado, en nombre escrito*
>
> JUAN RAMÓN JIMÉNEZ

Desde muy temprano, Carmen Conde reflexionó, en prosa y en verso, sobre la palabra, la palabra poética, el destino y la misión de poeta. Fechado en noviembre de 1944, «Confidencia literaria» es un texto fundamental por lo que cuenta y, también, por lo que omite: relata su iniciación, desde sus voraces lecturas infantiles y adolescentes y sus posteriores conocimientos personales y descubrimientos literarios, poéticos, en primer lugar, los de J. R. Jiménez y Gabriel Miró, como ella repetirá frecuentemente: *Hice lo que todos los jóvenes hicieron en España antes de la guerra: acercarme a J. R. J. Con él comenzaría a correr una vena lírica de mi espíritu, inédita hasta entonces. Y con el incomparable Gabriel Miró habría de enlazarme la común mediterraneidad, gloriosa en él* […] Sigue relatando su andadura creativa, la publicación de *Brocal*, de *Júbilos*, los dolores personales (*Yo acababa de ser y dejar de ser madre, y de perder a mi padre*), la fecha definitiva de 1936, el posterior aislamiento y, *por vez primera sola, libre, frente al silencio, la historia de mi país y mi propia existencia,* […] *escribí mucho, mucho, para mí sola,* aunque sólo había publicado —en edición privada y numerada— *Pasión del verbo*, en el mismo año 1944, y antecedente de *Ansia de la gracia* (1945), que subsumió el contenido íntegro del primer, y más breve, poemario.

La omisión a la que nos referíamos es reveladora, una vez más, de la especial relación C. Conde-A. Oliver desde el nacimiento de la hija muerta, y tal vez, del temor a citar a un hombre que formó parte del ejército republicano y fue encarcelado al final de la guerra, aunque ya en 1940 se habían reencontrado en Madrid; por ello no deja de sorprender la ausencia del nombre de su marido y poeta, sólo aludido como un muchacho poeta al que conoció en 1927, y poco después añade: […] *me casé con el poeta que marcó la segunda etapa de mi tarea literaria,* y a esto reduce su influencia decisiva en su formación literaria, poética, y el hecho estético de ser el coprotagonista de la historia de amor fructificada en *Brocal*, que sí se menciona, como el encuentro con Gabriela Mistral y su prólogo para *Júbilos*. Esta elusión-alusión contrasta con su mención frecuente —y por lo general, laudatoria— sobre todo después de la muerte del poeta.[12]

---

12 En aquellos primeros años de la Dictadura, terriblemente represores, ¿era innombrable Antonio Oliver Belmás? También es llamativa la no mención de Ernestina de Champourcin, mediadora en su conocimiento de J. R. Jiménez, y con quien mantuvo gran amistad, como muestra el epistolario conservado.

Ni madre, ni casi hija, ni esposa de hecho, Carmen Conde se envuelve en la bandera de su razón de vivir: la escritura, la poesía, y hace suyos los versos de Rubén Darío sobre el poeta-profeta, vigía, vidente: *¡Torres de Dios! ¡Poetas! / Pararrayos celestes, / que resistís las duras tempestades,* […] *como picos agrestes, / rompeolas de las eternidades!*

En el mismo *Ansia de la gracia* se invoca la necesidad de la palabra: *¡Nombres quieren los sueños!,* tras haber declarado, en la fértil estela becqueriana: *En mi alma se mueven / grandes mundos que buscan su palabra / para llamarse algo y no sólo materia* (poema «En el principio»); y de la palabra al poema, a la Poesía (así, con mayúscula), en la ya citada —por otro motivo— «Elegía»: […] *¡Mi alma iluminada lo iluminaba todo, / de ensueños se prendía! / Hasta el amor buscaba su gracia en el poema, / y la Poesía poder amar sin fin.* Casi metafísico es «Prometéis…», que comienza: *Venid tras las palabras. ¿Qué buscáis: / hacernos esperaros nueva aurora; / otra vez mi fe; que vuelva a amaros?,* y poco después exclama, y vuelve a preguntar: *¡Palabras de creación! Pero ¿vosotros / podréis crear aquí, traeréis algo / que no esté muerto ya con lo pasado?* Versos inseparables del contexto histórico, personal, en que fueron escritos: la incertidumbre, las dudas, muestran el hundimiento y desconcierto de aquel tiempo de derribo, un desesperado bracear, entre tanta oscuridad, hacia aquella luz, hontanar de su creación primera, brutalmente sofocada.

Recorriendo su poesía posterior, el poema XV y último de *En la tierra de nadie* (1960) comienza con el anuncio del fin del propio poemario: *Detengo el caminar por estos versos / que recogen pedazos de memoria,* […]. Pero es otro de los libros de ese año, *En un mundo de fugitivos,* el que contiene valores testimoniales sobre el combate íntimo entre su convicción de la inutilidad de sus versos ([…] *que a ninguno le llegan mis poemas; ¡ni a mí misma siquiera ya!*), y sin embargo, su realización: *Y los escribo.* Muestra esta composición sin título la fatalidad, y hasta la violencia, del alumbramiento, tras tanto aguantar *en silencio,* disfrazarse *de indiferencia,* enajenarse; pero *súbitamente se desgarra algo dentro de mí; / se desbordan los diques, / saltan las esclusas y brota «aquello». / Como una bestia herida por el rayo justísimo / fluye la palabra sojuzgada, la luminosa y pura, / la palabra destructora de mi paz sin lumbre. / Escribo. / Y añade, en este texto definidor de su *pasión del verbo,* de la finalidad de su existir: *Lo sé, no me lo digáis, es inútil que lo haga. / Mas he venido a esto. Y soy un bárbaro sollozo / que se mete entre palabras ásperas cuya envoltura / me defiende de mí misma.* Si *la literatura* —y *la poesía* en primer lugar— *es una defensa contra las ofensas de la vida,* Carmen Conde ejerció tenazmente esta autodefensa durante toda su vida, y de forma imperiosa en las épocas más tenebrosas. Y por ello tenía, además, la necesidad de indagar, de reflexionar para sí misma y para los demás, sobre la *fatalidad* de su destino —condena y salvación— de poeta.

Y en otra composición posterior de este mismo libro, así mismo sin epígrafe, acumula imágenes, metáforas, desde el versículo inicial: *Traje una palabra redonda y suave como una paloma. / Anduve con mi paloma palabra por las más frescas orillas, / y tras beber el agua de mis primeros llantos / […] se hizo pez […] y tuvo para nadar todo un río de lágrimas ardientes;* y *tuvo que ser león, y tigre, y cordero, y de piedra y de barro, de espinas y de espigas,* y —otra vez gravitando el referente histórico, sus derrotas como ciudadana y como mujer— *acabó dejándome sin tierra y sin mar. Muda.* Y a partir de la carencia y el vacío la incontenible necesidad de renacer, es decir, de la palabra usurpada, devastada, y esta vez en sus más profundas y oscuras raíces:[13] *Voy a buscarla otra vez en el vientre de mi madre; en la semilla de mi padre, que hace muchos años que se ha muerto. / Escarbaré las entrañas, desgajaré los terrones / y encontraré de nuevo mi palabra nueva para mañana. / Seré aguda y fulmínea como debe ser la palabra mía; / y herirá y curará, y ya no volverá a la tierra / porque aquí se murió de pobre palabra triste.* Los dos versos finales conectan con la recurrente aspiración de su autora a trascender lo material y terreno, lo temporal y perecedero en espiritual y perdurable. Apelación a un nuevo lenguaje que se explicita en el poema final de *Enajenado mirar* (1957): *Ya se dijo todo. Las palabras / comieron de la vida: están repletas. / ¿Quién acierta a decir, y qué diría / si palabras ahítas dejara? / Esperad a que nazca otro lenguaje. / Aprenderé a aplicarlo, y que le sirva / a un nuevo contenido de esperanza. / Hoy silencio es la ley. Prestad escucha / al nacer de una pura palabra.* Importantes son algunas afirmaciones de este texto, sobre todo su comienzo: (*Ya se dijo todo. Las palabras / comieron de la vida: están repletas.*), causa primera de su búsqueda esperanzada, en donde el calificativo *pura* no sólo remite a esa vía de depuración interior, exteriorizada en el verbo, sino también a la pureza de su guía y mentor: «A Juan Ramón Jiménez» (1958, en *Humanas escrituras*) es muestra contundente de su reconocida y reiterada filiación juanramoniana: [...] *Muchos fuimos palabra de ti, madurante palabra que hoy / confiamos sin proclamarla tuya. / Porque tú la supiste desde el principio del mundo y te hiciste / clamoroso de arcángeles;* [...] *¡No interrumpido creador, no vulnerada torre, poeta / de un idioma sellado por las lenguas de fuego; / pájaro de voz inmortal, cántico / de más allá de ti mismo!* [...]

A Juan Ramón vuelve la poetisa en «El inmortal en su tierra», composición final de *El tiempo es un río lentísimo de fuego* (1978); fechada en «Moguer, 30 de diciembre y 2 de enero (1975-1976)», parte de una cita del fragmento tercero de *Espacio* (*Nada es la realidad sin el destino de una conciencia que realiza*) desde el propio solar nativo del poeta (*Nada turba este silencio que puebla a Moguer*) en donde encuentra, entre alcores y pinares, la realidad creada de nuevo: *Todo lo que existe fue creado por su conciencia.* Identificada con la aventura intelectual y verbal del maestro, prorrumpe, apasionada: *¡Oh sol y noche de ti, al que nada borrar puede, / claridad y perfección del saber amarlo todo, / del poder todo encerrarlo en una sola palabra.* Palabra de Poeta que, al recrearlo, ensancha al mundo. Lo confirma. En este poema alienta y vibra el último Juan Ramón, el de *Espacio* y *Animal de fondo*, el que encontraba finalmente *el nombre conseguido de los nombres*, y, así, le interpela, y exalta, la autora de «El inmortal en su tierra»: *¿Quién como tú le fijara a lo eterno su agonía / de nombrar por retener, / por crearle al mundo un Mundo...?*

Otras dos composiciones de *El tiempo es un río...* indagan y exploran en el territorio inagotable de la palabra; ambas, sin título, y próximas en el tiempo (29-X-1975 y 22-II-1976, respectivamente), se sitúan, sin necesidad de mención explícita, en la órbita del autor de *La estación total: No es la palabra mía ni tuya / la palabra total / que lo abarque todo / e inviolable lo encierre, / exacta.* Palabra perseguida, fugitiva ([...] *y, ni así, / ni dejándome morir / de amor y de muerte, / he podido captar / la palabra*

---

13 Siete años antes había sido premiada y publicada su novela *Las oscuras raíces* (Barcelona, Garbo, 1953).

Palabra, porque Ella, la Palabra, es una criatura inalcanzable [...] auque nos ahoguemos cada uno en su agua, / llamándola. Frente al «pesimismo» de esta primera composición, la segunda es una pormenorizada descripción-exaltación de la palabra, alumbradora y totalizadora: *Dentro de la palabra se encuentra todo. / A cada palabra corresponde un núcleo / de potentes semillas. [...] / Una palabra abarca sola / el mundo entero / [...],* y termina: *Dentro de la palabra estábamos / pugnando porque nos pariera.* El paso siguiente, desde la palabra, las palabras, era la Palabra, y lo tenía que dar en la compañía vivificadora de su permanente mentor, en su propio espacio recreado, universalizado, por la conciencia y la Palabra del Poeta, *el Inmortal en su tierra: La mañana es una fruta que gota a gota desliza / alrededor de su piedra el zumo de eternidades.*

El fertilizador rastro de J. R. J. continúa, en los mismos años setenta, en *La noche oscura del cuerpo* (1980), sobre todo en su sección segunda y central, formada por dieciséis poemas, escritos todos ellos en Toledo en los últimos días de 1978 y primeros de 1979; el segundo ya nos sitúa en un espacio deudor de los del autor de *La estación total: Aquí no se viene a estar sino a ser lo que traemos / acuñado en las arterias que no renuncian al todo. / Porque el todo es ahora luz, montaña, árbol y río / que forjando van lo eterno perdurándolo consigo.* En el poema «Su sitio fiel» escribió J. Ramón: [...] *El cerco universal se va apretando, / y ya en toda la hora azul no hay más / que la nube, que el árbol, que la ola, / síntesis de la gloria cenital. / El fin está en el centro. Y se ha sentado / aquí, su sitio fiel, la eternidad [...].* Y sus grandes, universales, vocablos son citados en el poema 7, que presenta la cotidianidad de la escritora: *La mujer está sola / [...] la mujer quiere escribir / [...] Recoge el papel sus palabras / y espera otras nuevas... / Otras no serán, sino las mismas: / tiempo, eternidad, la conciencia, / conjuración de sentimientos /* y, una vez más, le acucia la pregunta roedora: *¿Para qué utilizarlas si son tan viejas / y las dijeron cuantos / vivieron antes que ella?*

Adelantándose al final, sintiéndolo cercano, el sexto y último poema del opúsculo *Al aire* (1987) deja su tibio, dolorido, recuerdo a la fiel compañera de su larga y fecunda vida: [...] *Acaso permanezca en blanco la cuartilla / donde una mano escriba una sola palabra.* Y esta palabra sola, fechada en agosto de 1982, sí fue la postrera, al menos publicada. Aunque en 1988 se editó *Una palabra tuya...,* dieciocho de sus veinte composiciones habían sido escritas entre 1929 y 1976, y sólo dos pertenecen a 1982: el intenso, y ya citado, canto de amor «Eterna búsqueda», y el testamentario «Despedida» (*La luz que te vertía entre mis sueños / viene al desconsuelo, lo apacigua: / eternamente así, aunque no vuelvas.*), pero ambos son anteriores —9 de abril y 13 de mayo de 1982, respectivamente— al cierre, conclusión, no menos testamentaria, de *Al aire.*

«Teresa», más lejano en el tiempo (26 de marzo de 1976), un extenso poema, penúltimo de *Una palabra tuya...,* es otra muestra del diálogo-monólogo muy utilizado por C. Conde, sobre todo en sus *Humanas escrituras;* en sendas composiciones de esta recopilación dialogó con otras dos mujeres, escritoras, poetisas: a Gabriela Mistral le pedía: *Mi propio lenguaje / quiere oírse en tu voz inmortal,* transfigurada en poderosas metáforas, definitorias de Conde: *Es un tronco tu voz. / Es tu voz una torre. / Un campanario tañido por siglos / de criaturas silentes* (poema de 1946); a Rosalía de Castro, le dedica, en 1976, un *collage* que mezcla, fusiona, sus propios versos con los de la autora de *En las orillas del Sar,* y *busco* —comienza diciéndole— *tu brazo para apoyarme en él / que nada importa / que en el nacer nos separen setenta años /* […] *Eres una madre de mi espíritu, llegaste / cuando íbame subiendo la marea / que a firme vocación alcanzaría*, y, casi al final del también largo poema, se funde con ella, con sus versos, en el grande, constante, amor compartido: *Yo contigo, a tu lado, y ya eterna tú hasta / «de repente quedar convertida / en pájaro o fuente, / en árbol o en roca…» / porque tú, porque yo ¡cuánto amamos la tierra!* […] Teresa, la más lejana en el tiempo, es la amiga que hubiera deseado *encontrarme cara a cara,* […] *porque somos dos mujeres que pudieron / hablar de todo cuanto pone / su pesada realidad sobre el pecho,* y establece con ella una fraternidad femenina (*sororidad,* dijo Unamuno), en lo inmediato y elemental, más allá de conventos y fundaciones: *para darte compañía y comunicación distinta; / sencilla y dulcemente de mujer a mujer, / sin compromisos celestes.* Y, naturalmente, esta comunicación entre Carmen y Teresa se establece, así mismo, en el mester común: […] *Luego está lo de escribir, / * […] *Ruda es la tarea, espero / que lo recuerdes. Porque no siempre / escribiste lo que te ordenaron, que a veces / te gustaba escribir como tú misma / a la más ignorante de tus destinatarias,* y unos versos más adelante, fija en la escritura la superación de la distancia insalvable: […] *Si miraras para acá, si te fijaras / en tan diminuto pedazo de la Tierra, / encontrarías ante una mesa y unos pliegos / de inmaculado papel, que yo me instalo / para escribirte. Pues así creo / que hacerlo aproximarme a ti podría. / *[…].

<h1 style="text-align:center">IV</h1>

Quien muere vive, y dura
Vicente Aleixandre
(Poemas de la consumación)

Vida larga. Larga obra. Buceadora existencial por ella misma, y desde su propio ser tendió puentes hacia las otras criaturas: humanas, animadas e inanimadas, la naturaleza toda. Su admiración por la hermosura del mundo, de los seres hermosos, elevan su poesía hasta la exaltación, y su voz hiperbólica, su vitalismo sin freno, idealizan todo lo cantado: desde los cuerpos jóvenes hasta la tierra y el mar permanentes. Buscó a Dios, incansable; a veces, extenuada, y otras, desconcertada, furiosa ante su silencio y el sufrimiento humano. Enamorada de la vida, supo del dolor y todas sus heridas, todas sus pérdidas. Escribió, por tanto, de la ausencia, del vacío, del tiempo arrasador, de la Muerte. E intentó vencerla en su aspiración, su anhelo creciente de eternidad. Pero sabía muy bien que pertenecía a la cofradía, santa y maldita, de los artistas, de los poetas: Escribir era su condena y su salvación, y pudo hacer suyas las palabras de otra mujer, Marguerite Duras: *Hallarse en un agujero, en el fondo de un agujero, en una soledad casi total, y descubrir que sólo la escritura te salvará.* Lo empezó a saber aquella niña de Cartagena, la adolescente de Melilla, la mujer que crecía con el amor y la literatura, en años de fervores colectivos, *de vida y esperanza,* muy pronto destrozadas por el azar y los hombres. Maldijo la guerra, su infinita crueldad, *mientras los hombres mueren,* y soportó *tiempos muy difíciles* —en confesión epistolar de Luis Vives a Erasmo— *en los cuales no pue-*

de uno hablar ni callar sin peligro. En su posguerra de vencedores y vencidos pudo entender muy bien las hermosas palabras de uno de ellos, Manuel Azaña: *La libertad no hace a los hombres felices, los hace simplemente hombres.* Ella lo dejó escrito en numerosas ocasiones —sobre todo, después de 1975—, y en *La noche oscura del cuerpo* (1980) escribe: *Porque más que a una criatura, a una ciudad se la hundía, hasta la nación entera con sus miles de vencidos.* O los contemplados desde su retiro personal, en *Del obligado dolor* (1984): *Veía trabajar a condenados. / Las piedras transportar para la mole / que intentaba reunir a los vencidos / con los muertos triunfantes. / Aquellos de las piedras eran hombres / que con duro sudor así pagaban / legítima pasión de libertades / […] Vivía yo escondiendo en funerario / aunque noble Escorial, mi juventud. […].*

Las recobradas libertades dieron a la voz de C. Conde nuevos registros civiles, sociales, casi épicos, que enriquecían su universo lírico, intimista y metafísico. La Naturaleza estaba ahí, hermosa y deslumbrante, pero la Historia había traído sus luces y sus tinieblas, y la poesía de Conde, que había dado testimonio en *Mientras los hombres mueren* (1938-1939),[14] incorpora la reciente historia española, y la universal (con nuevas guerras y las mismas injusticias) a sus poemarios de los años ochenta, como los citados, y llegando, incluso, a recuperar un juvenil ardor revolucionario en los poemas, escritos a finales de 1976, del libro *Hermosos días en China* (1985): *[…] dándole al pueblo ya no humillado / seguridad de distinto destino / […] Contra su duro pasado de opresiones, de represiones crueles / supo este pueblo enriquecer sus cargos / […] Será suyo el futuro si nunca desmaya / ni incide, por nadie ni nada, / en cuanto atrás se ha dejado / […]* (poema «Nankin»).

Escribió alguien que tres factores hacen que la vida llegue a merecer la pena: los libros, los amigos y los viajes. Los tres muy presentes en la existencia de Carmen Conde. Entrelazados, nutrieron vida y escritura: su misma realidad. Que nació y creció, y estuvo siempre acompañada, de sus vivos y sus muertos. Seres, cuerpos, amados, amantes, pasto de la memoria, que luego fueron sombras, únicos pobladores de la estancia vacía, de la casa apagada. Compañía de fantasmas, cuando se acerca la extinción. Pero, escribió Scott Fitzgerald, *cuando atardece, siempre necesitamos a alguien.*

NUESTRA EDICIÓN

Hemos seguido, en primer lugar, los textos fijados por Carmen Conde en su edición *Obra poética (1929-1966)* (Madrid, Biblioteca Nueva, 1967; segunda edición —o reimpresión—, 1979), con su división en «Poemas en prosa» y «Poesía», desde *Brocal* hasta *Humanas escrituras.* Hemos añadido, a continuación del primero, un breve poemario escrito en 1928, pero no publicado hasta 1984 en el volumen *Brocal y Poemas a María.* Para los libros posteriores a 1967, a partir de *A este lado de la*

---

14 No publicado hasta 1953, y en Italia. Inédito en España hasta 1967, en *Obra poética* (1929-1966), ed. citada.

eternidad, hemos reproducido las ediciones de todos sus libros de poesía publicados entre 1970 y 1988. Siguiendo el criterio de su autora en la *Obra poética* de 1967, no se han incluido *Pasión del verbo* (1944), reproducido en su totalidad en *Ansia de la gracia* (1988), y *Honda memoria de mí,* también de 1944, que pasó a ser la sección última del libro *Sea la luz* (1947). Y el mismo seguimiento ha limitado a libros —opúsculo, en algún caso— esta recopilación de su *Obra poética* (1928-1988), sin incorporar los poemas publicados sueltos (antologías, revistas, homenajes, etc.).

EMILIO MIRÓ
Universidad Complutense de Madrid

LA POESÍA DE CARMEN CONDE*

En 1929 la editorial madrileña La Lectura, en sus *Cuadernos Literarios,* publica BROCAL, el primer libro de Carmen Conde, que, aún adolescente, se había ya revelado, consiguiendo muy pronto la amistad y el magisterio de Gabriel Miró y de Juan Ramón Jiménez. Justamente en *Ley y Diario poético,* de Juan Ramón, aparecieron, antes que el libro, sus primeros poemas en prosa. En estos poemas iniciales, como en los siguientes, agrupados en el libro JÚBILOS, de 1934, con prólogo de la grande Gabriela Mistral (el tercer nombre decisivo en los comienzos literarios de Carmen Conde), el poema en prosa o la prosa poemática, en la que han sido maestros, al frente de otros, Juan Ramón Jiménez y Luis Cernuda, se realiza bajo una honda tensión cordial y sensorial, consigue el difícil equilibrio de un género tan arriesgado, tan siempre en peligro de caer en una u otra orilla. Y contemplados treinta años después, situados en aquel albor de vida y obra, ofrecen al lector con toda claridad lo que tuvieron de esfuerzo creador, de fin y medio a un tiempo, porque en estos poemas en prosa Carmen Conde *colocó* su voz de entonces, la que le brotaba incontenible, y la que ya anunciaba sus voces futuras, su ancho caudal circulando por el verso y la prosa.

Mediterránea de nación y de crianza, de elección y de fervor, la joven escritora fundía su sangre y su carne, su mirada deslumbrada de sol, y mar, con la riqueza metafórica de la época, con un rico artificio verbal, una apasionada exaltación de la palabra y la belleza. La riqueza y variedad cromática, el despliegue de elementos sensoriales, hablan de asimiladas lecturas de Miró especialmente, pero también de la personal percepción de una poderosa personalidad, de una fuerte sensualidad, captadora y amadora de todo lo que en la tierra es fiesta. Carmen Conde escribía en BROCAL cosas como éstas: *«¡Vuelo ancho de las ventanas con luna! ¡Cómo se entraba a la noche honda del verano, todo quemado en poniente de fragua!»*; *«Del faro rojo al faro verde. Del faro, verde al faro rojo. ¡He abierto la madrugada, caminando de faro a faro!»*. *«Sienes frescas de almendro, apoyadas en mis sienes como dos pájaros que cantan»*, etc.; y de pronto, de vez en cuando, entre la luminosidad y el amor, un dolorido estremecimiento, anunciando ya los muchos versos patéticos, trágicos, que iba a escribir Carmen Conde; como ese brevísimo poema, esa estremecida interrogación lanzada al vacío, al silencio: *«¿De dónde este vaso de silencio, y este frío, y esta emoción de distancia?»*

* Texto de la Introducción a *Obra Poética* (1929-1966). Madrid, Biblioteca Nueva, 1967.

39

El *yo* de la escritora, brotando del paisaje, de una realidad metaforizada en vuelo de fantasía y literatura, lo llena todo, lo inunda en su lírico, arrebatado subjetivismo. Pasión no sólo en el amor, en las cosas, ante ellas y por ellas. Esa pasión de toda su obra, y que va a estar ya en el mismo título de su tercer libro, primero de versos propiamente dichos. Pasión que le viene de atrás, de las raíces, del tiempo no perdido, sino enriquecedor y siempre golpeando en su presente; de su «*infancia apasionada*» (como ella misma escribe), transcurrida en la española y africana tierra de Melilla, esos años tan ricos que, mucho después, iban a merecer un libro de memorias: EMPEZANDO LA VIDA, aparecido en 1955 y precisamente en África: Tetuán. En él Carmen Conde afirma: «*Quiero volver a pisar el suelo de mi estatura primera*», y consigue para su prosa los más temblorosos límites de emoción. Con la misma pasión reviven, retornan (en realidad nunca murieron, nunca se fueron) «los bellos recuerdos» cantados en JÚBILOS, y, por ello, Gabriela Mistral pudo escribir, en el hermoso, elogioso prólogo de JÚBILOS, estas palabras: «Porque una infancia vasta o enteca es la que nos vuelve ricos o pobres para toda la vida.» Y millonaria de vida y de poesía lo ha sido siempre, lo es, la niña que nació en Cartagena y la llamaron Carmen. Y Vicente Aleixandre terminaba su poema *La Niña (A Carmen Conde, en su jubileo), aparecido* en el cuaderno de *Mensajes de Poesía,* Vigo, 1951, en *Homenaje a Carmen Conde,* con el verso, tan revelador en su duda: «¡Oh, dinos, dinos, Carmen, si la niña ha crecido!» La respuesta la ha dado ella reiteradamente; de EMPEZANDO LA VIDA es esta apasionada exclamación: «*¡Ah Melilla: país de una infancia que no se evapora!*»

«*Iba yo bajo el signo de la Poesía más absorbente*», escribe en una CONFIDENCIA LITERARIA, publicada en *Entregas de Poesía,* en noviembre de 1944, y también explica el tránsito del poema en prosa al poema «en verso». Dos hondos dolores se han producido en su vida en la época de publicación de JÚBILOS, y, pasados los años, en esa misma CONFIDENCIA..., declara:

> ... *Un mundo más ambicioso, con nuevas inquietudes, comenzaba a latir. Yo acababa de ser y dejar de ser madre y de perder a mi padre. La Poesía adquiría otro sentido en mi alma: de un bello juego, a una honda palpitación. La tierra me había dicho su primera lección de sombra y de eternidad.* (Esta valiosa reveladora *autobiografía* reapareció en 1945, figurando como prólogo de ANSIA DE GRACIA.)

Un fervor artístico-literario no va a faltar ya nunca en Carmen Conde: «*Siendo aquello de escribir un gozo tan puro, tan alegre, tan liberador.*» Después de la atormentada Rosalía, va a ser la suya la primera y más honda voz femenina de nuestra lírica. Entroncando con Gabriela y Juana, con Alfonsina y Delmira, con esos torrentes de poesía hispánica, a los que venía a sumarse, igualmente rico y caudaloso, el de la joven levantina. Entre Concha Méndez, Ernestina de Champourcin, Alfonsa de la Torre y tantas otras poetas o poetisas posteriores, la personalidad humana y creadora de Carmen Conde ha sido siempre única, independiente, batalladora. Incansable trabajadora en su obra y en la de las demás; antóloga y estudiosa de sus compañeras españolas y americanas. Por algo comenzaba el maestro Dámaso Alonso su breve y lúcido ensayo *Pasión de Carmen Conde,* exaltada admirativamente: «¡Con cuánto arrebato nos da su sensibilidad apasionada Carmen Conde!» (En *Poetas españoles contemporáneos,* libro aparecido en 1958.)

Esta «sensibilidad apasionada» no podía —no debía— permanecer ajena al dolor colectivo, al ancho sufrimiento de su tierra en la terrible, dilatada circunstancia de la guerra civil española: MIENTRAS LOS HOMBRES MUEREN, poemas en prosa aparecidos muchos años más tarde, 1952, y en Milán; en ellos Carmen Conde canta y llora la vida destruida, alza su lamento ante la guerra y la muerte. En su importante CONFIDENCIA LITERARIA, tantas veces citada aquí, escribe, refiriéndose a estos trágicos momentos, a este libro, directa consecuencia de esa tragedia: *«Comprendí cuánto pesa el Eclesiastés; sobre todo en quien sólo había leído a Sulamita.»*

Después, terminada la guerra, en el silencio, en el aislamiento, nos confiesa que escribió mucho, que escribió para ella. De 1930 a 1942 se marca una evolución, una transformación de la que brota PASIÓN DEL VERBO, lo único aparecido entonces de esa vasta producción, y en una edición privada de doscientos cincuenta ejemplares numerados.

En 1944, Josefina Romo Arregui publica, en una edición de lujo, el largo poema HONDA MEMORIA DE MÍ, ilustrado por Pedro de Valencia y Eduardo Vicente, que reaparecerá, cerrando el libro, en SEA LA LUZ, volumen cuarto de la Colección «Mensajes», en 1947. Pero es 1945 el año decisivo para la obra poética de Carmen Conde: la entonces muy joven y ya prestigiosa y consagrada Colección «Adonais» publica, en su número diecinueve, ANSIA DE LA GRACIA, ampliación y culminación de PASIÓN DEL VERBO; de los veinticinco poemas de este libro se pasa a cuarenta y cinco en ANSIA DE LA GRACIA, que se estructura en dos partes, tituladas AMOR, que contiene doce poemas, y DESTINO, con los restantes. El amor a la vida, la inquietud, el *ser* por encima del *saber* para *crear*, descuellan en este libro. Rico de metáforas, de fuerte y original sensualidad descriptiva, en donde todos los sentidos están presentes, todos atraídos por la fuerza irresistible de las cosas concretas: el mundo natural (pájaros, vegetación, etc.), en el que lo humano, aunque lo más excelso, es sólo una parte; de ahí las metáforas e imágenes deslumbrantes y deslumbradoras: *«Tus ojos, aves de mi árbol,/en la yerba de mi cabeza»,* versos finales del poema *Hallazgo,* penúltimo de la parte AMOR. Cielos, aguas, mares, ríos, arroyos...; la exaltación de la desnudez humana; un paganismo desbordado y casto; una afectividad rezumante expresada en un estilo febril, de voluntaria desmesura, con abundancia de exclamaciones e interrogaciones. La entrega amorosa alcanza las fronteras de una metafísica; los títulos de algunos poemas son ya reveladores: *Encuentro, Posesión, Lo infinito,* etc.; de este último son estos versos —finales del poema—: *«Ser mujer y tuya, ¡qué inefable/fundirse la conciencia entre tus brazos!»* Idealista, romántica, subjetiva, con voz que clama y es puro fuego, habla Carmen Conde. En la segunda parte, DESTINO, Castilla, cantada con riquísimo léxico, trascendida bajo el subjetivismo de la poetisa: el *Arcángel:* sueño y ansia de lo inasequible, soledad y amor. Amor a la tierra y a todas sus bellezas. Ansia de florecer y fructificar. Y Dios. Petición, súplica, grito y sollozo en desolación. La presencia de la madre en un largo poema dividido en tres partes (años más tarde, en 1959, con muy distinta voz, con voluntaria desnuda sencillez, surgirá un libro completo: LOS MONÓLOGOS DE LA HIJA): en este poema, titulado humilde y expresivamente *Madre*, Carmen Conde sondea el misterio de la vida, ve a la madre marchita, los senos arrugados; los de todas las madres viejas. La madre como *raíz*, como *«cueva de donde arranca el río»*, *«tierra por donde corre al agua»*. Pero también hay distancias entre madre e hija, silencios imposibles de llenar con palabras, con respuestas iluminadoras.

En sus versos religiosos, Dios, lejano, es cantado como un amado, deseado, ansiado, a cuya llamada ella sería *«toda una brasa/que funda tu palabra hasta quedarse muerta»*. Un misticismo desgarrado; en lucha de carne y espíritu, de fe y vacilación, de desaliento y esperanza, late siempre en los versos religiosos de Carmen Conde. Aunque sería más justo y exacto decir que toda su poesía —como toda gran poesía— es radical, profunda y ampliamente religiosa (sin ñoñerías ni pudibundeces), en cuanto es canto y testimonio de la creación, de las criaturas.

Pero el cansancio no está ausente de este libro: el poema *Infalible* es buen ejemplo; Carmen Conde distingue entre la vida personal, que acaba, y la Vida, el mundo, que sigue: *«Todo volverá a nacer»*, y más adelante, en el mismo poema: *«Sí. Lo sé. El mundo sigue/No acaba conmigo la Vida.»* A causa de esta convicción invoca a las juventudes en el poema *Umbral del sueño*. A todos los jóvenes quisiera abarcar con unos brazos cósmicos, ser tierra pisada por ellos, *«amante inmensa, rezumándoos vida/ ¡esa sería yo si quisierais oírme!»* Los jóvenes han sido siempre tema preferente de Carmen Conde, a los que ha contemplado y cantado con exaltación y energía, desde el hastío o desde la luz, pero siempre deslumbrada por el fuego de su belleza. Ser en ellos y ellos en ella.

Ansia de la Gracia es una identificación del poeta con el mar, la tierra, pero no hecha de piedra. Pidiendo a Dios que deje las aves, que no quite las fuentes, las acacias y los robles. Y que se lleve lo maldito; las angustias, lo que *«punza los senos»* y *«desgaja la sangre»*. Dámaso Alonso, en el estudio citado, habla de «una indagación en el destino humano» en este libro de Carmen Conde, y escribe textualmente: «Una intensa vitalidad humana, afirmada contra la muerte, está lanzando ardientes llamadas a los seres y trata al mismo tiempo de indagar la razón de su existir, las posibilidades universales de su raíz hincada. Es un frenesí, un terrible amor, antes a un hombre, ahora a todo. Es un gozo de sentirse parte de la Naturaleza, fatalmente traspasada, reclamada por la Naturaleza invasora.» Totalmente de acuerdo con estas sabias palabras del maestro.

Tras Honda memoria de mí, en su primera edición limitada en 1944, y la también edición privada de Signo de amor, aparecida en Granada en 1945, 1947 es un año decisivo para la obra poética de Carmen Conde: tres libros, Sea la luz, Mi fin en el viento y Mujer sin Edén; madurez, culminación, magisterio ya indiscutible.

Sea la luz es un largo poema dividido en dos partes, al que sigue el no tan largo y ya conocido Honda memoria de mí. La muerte aparece en el primer verso de Sea la luz. Y es, en primer lugar, la muerte que se lleva dentro: Y con ella, en ella, la viscosidad, la rigidez, frente a la agilidad y libertad de la vida. Carmen Conde se rebela ante el *«pequeño y odioso charco oscuro»* de la muerte, y en un proceso acumulativo va mostrando la degradación del morir: *«líquido sucio»*, *«gusanos velludos»*, *«horrendas olas»*, *«putrefacción de su carne»*, *«atroz inmundicia»*, consciente ella misma de que será también «*charca, huesos desconocidos un día*». Porque en el muerto es imposible, es humillante reconocer al ser vivo que allí alentó, que fue joven y hermoso. Carmen Conde desciende hacia el misterio de la existencia humana, y en su verso resuena el doblar de campanas de nuestra poesía barroca: el muerto tiene su vida, algo que «*va caminando en su esencia de muerto*». Somos porque nos ven —en la otra orilla de la aniquiladora mirada sartriana— y «*el cuerpo deja de serlo, pues no le ve nadie de aquellos que le conocieron*». Porque de él sólo quedan ruinas, residuos: el seno es «*un hueco pestilente*», y en sus manos ve la amenaza de la muerte: «*... cuencos de gusanos vosotras las mías?*», se pregunta patéticamente. Poesía hecha desde la personal existencia del poeta, pero abarcando, investigando toda la existencia humana. Más cerca, en este caso, del «en tierra, en humo, en polvo, en sombra, en nada» gongorino que del «polvo enamorado» quevedesco.

La honda poesía de inquisición humano-divina prosigue: diálogo con Dios, un Tú que «*eres Yo*». La muerte no es absoluta vencedora. La Voz se eleva, muestra su fuerza, y Carmen Conde habla de una luminosa espada de Voz y de los ojos de la Voz. Y es la suya preguntando insistentemente a Dios, pidiéndole cuentas. La metafísica sostiene estos versos que zozobran como el espíritu de su autora: «*¿Para tanta nada nacer?*» No quieren los hombres nacer, entrar en la condena, en el destierro. La objetivación continúa siendo negativa, de podredumbre y temor: pútrido, fangoso, empavorecida, etc. Pero la Voz está en ella creada por ella misma: «*Parida por mí misma la Voz.*» Aparece, en una visceral conexión con MUJER SIN EDÉN, la imagen maternal, una maternidad también *cósmica*: «*... igual que el alumbramiento / de un hijo gigantesco.*»

No falta la exaltación de la juventud, pero vence el temor a un eterno, siempre fresco sufrimiento; la poetisa no desconoce la pesadumbre, el fracaso, tiene conciencia de su frustración, y teme la resurrección, no quiere volver a recobrar su sensibilidad presente. Es lo puro y sencillo lo que ansía, la humildad cotidiana, pero tantas veces inalcanzable, de oler tomillo fresco. Y el perdón de Dios será «*fruta de luz en mis dientes*». Metáfora, como otras innumerables de Carmen Conde, que es todo un hallazgo poético, una simple muestra de la intuición poderosa de Carmen Conde, hondera de todas las sombras, de todas las terrestres realidades —¿y qué más sugeridor para ella, para su mediterránea sensual condición, que nada menos que toda una fruta?—, con la luz de su mar y su cielo, con todas sus luces interiores. Siempre fluyendo, derramándose, empapando todos sus versos.

HONDA MEMORIA DE MÍ, fiel a su título, es un largo poema rebosante de recuerdos: por las sienes, por los costados, picoteando, enroscados a las pestañas. Plena de vida, la poetisa es la mujer, el joven, el anciano. Y, siempre, la juventud: no queriendo ser mujer vieja ni conocer los «*pechos resecos*», el «*vientre tumefacto*», las «*fláccidas piernas*», la «*agria cintura*». Carmen Conde se embriaga, es dichosa, hay colores que la enloquecen. Y surge el canto. Y la risa. Como una embriaguez. Exaltación de vida en su atracción por los jardines, los lagos, las escondidas sendas de la tierra. En la costumbre de las rosas, que mantienen la sensibilidad en sus manos. «*Ser*» y no «*estar*» ansía.

Pero tanto recuerdo —los más bellos y gratos: los encuentros— pesa, y la poetisa busca, al final del poema, la quietud, no el sueño. Porque el deseo de no apagar, de que no la apaguen, su conciencia vigilante vence a todo: *«¡Estar despierta, velar siempre!»* Desplegado su ser en un abanico de criaturas, todas fundidas en su yo. Y este yo universal, esta voz una y múltiple, unánime, incesantemente *«exaltando a la vida».* Y los dos versos finales dejan esa nota de cósmica grandeza, esa afirmación orgullosa de la alta condición de ser humano, la excelsa poeta con la que Carmen Conde canta.

Del mismo año es el libro MI FIN EN EL VIENTO, dividido en tres partes, de diez, siete y seis poemas, respectivamente, cada una. *Lluvia en mayo* es el primer poema, y una vez más Carmen Conde se identifica con la realidad natural: esa lluvia contemplada con melancolía es la misma en la que la poetisa vive inundada. La antítesis vida-muerte se desarrolla en amplia, rica variedad de metáforas e imágenes, de símbolos. Las rojas amapolas, el despertar primaveral le hacen desear, despertar y soñar *«con un campo que no tenga / ni un solo hombre enterrado».* Tierra para flores, no para muertos. La voz del poeta es la voz de la misma tierra, y Carmen Conde clama desde su sed, recuerda el agua, un inmenso mar que existió bajo su arena abrasada. También de nuevo el difícil, patético equilibrio entre el pasado y el presente. O su violenta oposición. Presente vivo y exaltado en los *Tres poemas al mar Cantábrico,* ante el cual pide quedar libre y sin sed. Esa sed existencia, cósmica, se convierte en fuerza cósmica a través del símbolo táurico: *Toro en Guadarrama,* poema de aliento «hernandiano» y dedicado fraternalmente por Carmen Conde al gran Miguel Hernández. Entre levantinos anda, no el juego, sino la rotunda expresión, la palabra tensa, a punto de estallido, estallando ya con su luminosa carga de sorpresas.

Retorna el amor. La adoración por la hermosura joven, de tantos otros libros de la autora, se eleva a universal visión en el poema *En una plaza de Compostela:* del amor a la estatua *(«¿fue guerrero, fue santo?»),* la poetisa, peregrina, deslizando sus fuentes de soñar, alcanza las altas cimas de un amor que inevitablemente debo calificar de cósmico: *«¡Qué doncel para amar en la noche de siglos!»*

La segunda parte de MI FIN EN EL VIENTO se abre con el poema *Destierro,* en octosílabos blancos. Sin casa, sin ni siquiera ya «el olvido de dormir», andando vagabunda por su sombra, criatura terrena, pero nunca del todo asida a ella. Y el poema siguiente, *Súplica,* es un grito, aullidos levantados, un clamor en búsqueda de la luz, en *«ansia de la gracia».* Y son los arcángeles (tan constantes, tan simbólicos en la obra de Carmen Conde: léase en este volumen el, hasta ahora inédito, hermoso poema en prosa *El Arcángel)* los destinatarios de sus súplicas. Porque ella se siente un poco continuación de ellos, de estas hermosas, jóvenes, extrañas criaturas: *«mancebos fugitivos y con alas, / hombres como aves muy hermosas...»*

Pero la poetisa no olvida su *Limitación,* que también canta. Y ante el imposible deseo, ante el ansia insatisfecha, enfrenta su energía y su resistencia. Canta su *Actitud: «¡Que los fuertes esperen, que los claros resistan! / ¡Que en gemir los ardientes no consuman su ansia!»* Hasta la arribada del auténtico día es necesario mantenerse en la noche presente, hacerla, hacerse, piedra. Y una criatura de la sensibilidad de Carmen Conde, una poetisa de tan extraordinarias intuiciones, escribe un verso como éste: *«Ser sensible es un lastre; intuir, un tormento».* Pero la *Nostalgia* la arrastra a la desesperación: todo es ausencia, recuerdo de lo perdido, perdida la esperanza, con ansia de morir.

La tercera y última parte del libro enlaza con la anterior, intensificándola: en el primer poema, *El pesar de la criatura*. Todos los muertos pesan sobre ella, la aplastan, y la poetisa les habla, les pregunta, les pide que la dejen en libertad, sola. Sin memoria. Para iniciar un nuevo vivir. Muerte total para todos los muertos, los recuerdos atenazadores, los fantasmas del pasado: Surge el verso de espléndido hallazgo: «... *después de la sangría de la muerte*», y sólo quiere junto a sí la sombra —su presencia— del padre muerto, al que invoca, vivo todavía en voz perdurando, en su mano calentando «*aún las mías*». Versos entrañables hechos desde el indestructible lazo o abrazo de la sangre. Hermoso epicedio, de un hombre que se adelanta desde su friso de sombras, individualizado incluso con su nombre: «*Si digo padre mío me respondes / como* Luis *y no como la especie.*»

Poemas entre ascéticos y místicos son *Gracia, Éxtasis, Soledad*. En el segundo, el alma, ya desligada del *pozo del cuerpo*, es de Dios. Ya sin oleajes, furiosas embestidas de la muerte. Y culmina esta apasionada meditación en el largo poema en endecasílabos blancos *Canto funeral por mi época:* el mundo es cieno, charca; los hombres, asesinos de otros hombres que también serían matadores. La poetisa alza su inútil voz, pues no es Dios potente, eterno, que pueda remediar. Y no siéndolo, cómo crear, qué crear en ese fango, entre el odio. Sólo queda su pena y, siempre, los sueños, el seguro, cálido refugio del ensueño. La sensorial, la levantina Carmen Conde levanta sus versos luminosos y nostálgicos, el paraíso perdido: «*¡Soñar mis sueños yo, aquellos sueños / de esbeltos palmerales levantinos; beber brisas salobres, yo, sedienta, / oyendo sollozar por los alcores!*» Igualmente inútiles son sus enormes *ternura* y *angustia*, y ambas secándole la fe de su destino. Y MI FIN EN EL VIENTO se cierra con el poema *Conformidad*, serventesio en alejandrinos, declaración de gratitud a Dios, el mudo interlocutor de todo el libro, de tanta poesía de Carmen Conde, abrumada, al final de este tiempo, por el peso de la tristeza, el que la hace vieja y la deja en una desolada *conformidad*.

De 1947 es también MUJER SIN EDÉN, uno de los libros más representativos y conocidos de su autora. Poesía de la mujer, en ella y desde ella. «Poema vivo», «libro capital», lo llama la gran poetisa y crítico Concha Zardoya en el estudio a él dedicado (en *Poesía española contemporánea*, Madrid, 1961). Dividido en cinco cantos, el primer poema presenta ya a la *Mujer sin Edén*, a la desterrada de la dicha. En esta Eva primera, en esta mujer eterna, se anega la poetisa que había cantado su personal exilio, la Carmen Conde siempre debatiéndose entre la realidad y el ensueño, entre el gozo y el fracaso, la plenitud y la nostalgia. Las metáforas e imágenes cósmicas, tan naturales en Carmen Conde, tienen aquí resonancias bíblicas, solemnes acordes de sinfonía universal. Desde la máxima violencia a la mayor delicadeza, como en el poema del canto segundo, *La primera flor:* ahí está el amor por lo bello, lo poético, lo «inútil». O, del mismo canto, *La mujer sueña con el Edén*, en donde el sueño es realidad tangible: zumo de naranjas, caballos en dulces prados..., la sensualidad de Carmen Conde, entre el agua y la luz, el amor a la tierra, a pesar de todo, la tierra, que es la propia mujer; más que nunca en su sequedad, hecha barro, gimiente (*Mujer de barro* se titulará un libro de Angela

Figuera). Constante diálogo con Dios, llanto y lamento ante el hijo muerto, por el maldito, en su nostalgia. Carmen Conde ha historiado poéticamente a la mujer, y, por consiguiente, a toda la Humanidad, más abrumada de sufrimientos que iluminada de gozos. Es el ansia nunca colmada, el hombre siempre entre el ángel y el demonio, el sueño de las almas. Los temas constantes de Carmen Conde: el amor a la juventud, el odio a la vejez, a la decrepitud; la divina borrachera de una embriaguez de vida. Y el ansia irreprimible, inagotable: ansia de, ser más que tierra, de vuelo, de ser aire y luz de Dios. Viejísima y recién nacida, madre de los muertos y de los que matan, esclava del varón, de su sexo, la mujer, todas las mujeres, muestra su eternidad de condenada, de ser maldito: ésa es la *Súplica final de la mujer*, último poema del libro, culminación del cansancio. Y en un remoto fondo, aleteando el siempre presente y ausente imposible anhelo: «*Con tus coros de cisnes, de almendrales floridos, / y aquel olor de lirios derramándose*». Pienso que esta actitud conflictiva, esta lucha interior desgarradora es el eje, la fuerza motriz de toda la poesía de Carmen Conde. Y conveniente es recordar aquí las palabras de la poetisa contenidas en su ESTÉTICA POÉTICA (Cuadernos de *Agora*, núms. 46-48, agosto-octubre 1960): «*... Si yo soy poeta, el hecho de que soy mujer no debe permanecer ajeno a mi condición, y no se trata de hacer una obra estrictamente femenina, sino de enriquecer el común acervo con las aportaciones que sólo yo en mi cualidad de mujer poeta puedo ofrecer para iluminar una vasta zona que permanecía en el misterio.*» Reveladoras palabras y perfectamente adecuadas con la propia creación, aunque ésta se redujera a un libro, MUJER SIN EDÉN.

Cuatro años más tarde, en 1951, aparece ILUMINADA TIERRA, título muy acorde con el pensamiento poético que vengo aquí exponiendo. Una cita de Gertrude von le Fort al frente del libro: «*Si se vive, no se puede ser poeta, y si se es poeta, casi no se puede vivir*», está muy dentro de la actitud de Carmen Conde frente al hecho misterioso y prodigioso de la poesía: en esa misma ESTÉTICA POÉTICA escribió: «*No puedo compartir el estado de gracia de la poesía con nada ni con nadie. Me hiere, al tener que salir de mí misma, el ajeno contacto. Sufro y hago sufrir esa tensión deslumbradora.*» Cuatro partes forman este nuevo libro: *La enamorada, Tiempo en ser, Del andar y sentir* y *Se hicieron país las sombras. La enamorada* consta de dos partes. Carmen Conde entona un himno triunfal a la sangre, que no piensa, buscando al amante. Mujeres, caballos, arcángeles desfilan por estos versos exaltados. Árboles fragantes; avenidas por donde avanzan, corren, muchachas; olor a frutas; ardor de corceles. Hay resonancias de un Garcilaso menos mesurado, más romántico que clásico: río, doncellas, ciervas, olmos antiguos, colinas augustas, derramados jardines. Cuerpos desnudos, polen, selvas fecundas, vergeles, rocíos. Un paganismo impetuoso llena estos poemas. *Canto a los seres hermosos* se titula uno de ellos: ser hermoso es ser perfecto, bastarse a sí mismo, cerrarse contra todos. Y surge la pasión y el amor. Pasión hecha dolor de la ausencia, hermosura del cuerpo deseado, ansia de encerrar al amante en palabras, «*en verbos, nombres y adjetivos intactos*», «*...hablar, callar, ser tú y yo / siéndonos nuestros*», pensamiento amoroso que puede colocarse en la escala lírico-erótica de Juan Ramón Jiménez, de Pedro Salinas. Pero el cuerpo del amante es naufragio, sólo pensándolo, para ella, su ahogada, y la poetisa afronta la incomunicación de hombre y mujer en el amor: al «dos soledades en una, / ni aun de varón y mujer», de don Antonio Machado, corresponden estos versos de Carmen Conde en el poema *Angustia*, del canto segundo de *La enamorada*: «*...Son dos mundos ajenos que nunca se penetran, / ni cuando se poseen, porque cada una de ellos / lo que está poseyendo es su cuerpo y su alma, / sin enterarse nunca de lo que siente el otro.»*

La segunda parte de ILUMINADA EN TIERRA, *Tiempo en ser*, presenta una vez más a la poetisa dialogando con Dios. Sin nombrarlo, es el muro de las lamentaciones en el poema *Imprecación*. Vuelven el cansancio, la soledad de la mujer, de una mujer de universal amor derramado y no recogido. Y el ansia de dormir *«en un mediodía tibio con tus claras palomas»*. También se encuentra la antítesis vida-muerte; pero la vida puede ser muerte: cerrazón, quietud, inmovilidad. Y la poetisa grita que no quiere vivir en el mundo, que es como la muerte. El dolor del hijo perdido centra un desgarrado poema *Con el corazón a solas:* la mujer que llora por última vez a la hija suya perdida en la otra orilla, a su propia sangre, desde su estéril orilla. Más poemas de amor, de amor total, que enciende en la boca *«el sabor de los juncos»*... Amor esperado como la luz buscada desde las sombras. Éxtasis, angustia, milagro, furiosa alegría en amar, en pertenecer. Espera que es tormenta. Su léxico se inunda de pasión, la expresión alcanza su mayor fuerza: *«esclava tuya, entregada tuya, amante»* es el verso final del poema *Confusión*, y se encadenan, yuxtapuestos, los apasionados vocativos: *«vida mía, alma mía, amor».*

No falta tampoco la riqueza sensorial. Expresivo es el poema *Tacto:* perfume de las rosas, sabor del vino, áspera dulzura del raso *«por las yemas de mis dedos».* El secreto de las cosas está en el tacto. Poemas como *Enigma y Melancolía* renuevan la eterna inquietud de la poetisa.

En *Del andar y sentir*, tercera parte del libro, el Monasterio de Piedra, Montserrat, París, Londres, etc., son sentidos, incorporados a la propia existencia, revividos hondamente en el poema. Hay igualmente una evidencia del dolor del mundo, del sucio campo de Europa, de las madres viejas y secas. E invoca a Dios, que conoce el caos, para que detenga la vida, para que la ciegue. Pero no desea la privación del sufrimiento, porque éste es la purificación, y tampoco quedar libre del mal, sino poder vencerlo. Este es el *Pacto* —poema final de esta tercera parte del libro— de la mujer con Dios. Orgullo en seguir luchando contra las sierpes malignas, en tener voluntad para domarlas.

Y, por último, en *Se hicieron país las sombras*, la parte más breve del libro representa la llegada de la *luz*, la abierta claridad, la claridad derramándose. La sinestesia de «sonoras luces». El libro termina con la victoria sobre toda oscuridad, culminando así, jubilosamente, una dura, lenta peregrinación desde las sombras a la luz. Erótica y mística es Carmen Conde en esta ILUMINADA TIERRA, tan difícil, tan dolorosamente conquista, transida de sensualidad y espiritualidad.

Varios años después de este libro y de MIENTRAS LOS HOMBRES MUEREN, poemas en prosa escritos en los años trágicos de la guerra civil española y publicados en Italia en 1952, aparece en 1957 el libro VIVIENTES DE LOS SIGLOS, perfectamente estructurado en dos partes y cada una de ellas en cinco poemas. Diez poemas que se complementan y forman un todo.

Los cuatro primeros están dedicados a los cuatro clásicos elementos: agua, fuego, aire, tierra, por este orden. Con el poema *Origen* se completa la primera parte, titulada *Estas son las patrias...* ¿Es el origen Dios? Y tras las patrias, la segunda parte del libro, *...Y éstos son los destierros,* las terribles laderas de la vida, tan bien conocidas por Carmen Conde y tan constantemente cantadas en su obra. La *Desesperanza* y el *Olvido,* nombres de sendos poemas de esta parte, destierran el *«¡Gloria del aire!»,* por dar un solo ejemplo, del poema *Aire,* de la primera parte, en el júbilo vital del *Jorge Guillén* de *Cántico.*

Dos años después, en 1959, LOS MONÓLOGOS DE LA HIJA ofrecen a una Carmen Conde susurrante, voluntariamente reducida a un verso corto, a una palabra desnuda, a una expresión de máxima sencillez. Pero en los cinco cantos de este tierno y tembloroso libro, de este hermoso homenaje filial, se contienen los temas más queridos de Carmen Conde: el desencanto y la desilusión, los sueños y el inútil deseo de identificarlos con la vida, el dolor, la permanencia del sufrimiento, el ansia de liberación, la sed no apagada, a pesar del desencanto, del cansancio, de haber bebido la existencia a grandes tragos; el refugio, el asidero perdido del padre; la propia maternidad frustrada. Y la autoacusación sin atenuantes, y, muy unamunescamente, preguntar: *«¿Eres mi hija o mi madre?»* Estilísticamente no faltan, aunque en mucha menor proporción que en los demás libros, las metáforas, las imágenes animalísticas (*«...los fulgurantes espantos,/ que redoblen en mi cuerpo / como cascos de caballos»*).

De 1960 son los libros DERRIBADO ARCÁNGEL y EN UN MUNDO DE FUGITIVOS. En el primero, de título tan entrañable en Carmen Conde, correspondiendo al participio adjetivado tan marcadamente negativo, se parte del cansancio de la poetisa, enfrentado a la falta de cansancio de los cielos, del aire. El ansia de liberación se ve amenazada por el cerco de la tentación, por la ronda de las angustias. La poetisa está ante un ser que ella no quiere que sea el Mal, ante su *«salvaje presencia deslumbrante».* Debatida entre la fortaleza y la debilidad, dialoga con la tierra, que un día la llevará con ella, la comerá, convirtiéndola *«en oscuros granos».* Necesidad del aire, de la luz: deseo de rescatar la luz apagada, la *«redonda luz de la infancia».* Invocación a Dios en un gran poema de amor.

Igualmente exaltado, hecho desde la lucha interior, con las vísceras, con un tenso espíritu, es el libro EN UN MUNDO DE FUGITIVOS, una nueva muestra de la inagotable fecundidad creadora de Carmen Conde. Su dolor se concreta aquí en un *Réquiem amargo por los que pierden,* escrito con el corazón y la violencia de una Antígona. Habla la poetisa a los jóvenes, a su fuerza, a su belleza, a su pureza. Da gracias a Dios por su presencia, y le suplica que no pudra *«su bárbara primavera».* La voz de Carmen Conde se ensancha y ahonda más que nunca, se desparrama sobre todos, es un clamor. Como en MUJER SIN EDÉN, habla, grita, llora la mujer eterna; como en DERRIBADO ARCÁNGEL y en otros libros, se busca en el pasado, escarbando en las entrañas, llegando en el retorno hasta el vientre de la madre. La poetisa denuncia la ira y la muerte, el odio universal (*«el odio es una ciudad»*), en un poema muy en la línea de *La injusticia,* del libro *Hijos de la ira,* de Dámaso Alonso: nada extraño, ya que ambos han escrito una poesía existencial desgarrada de fuerte subjetivismo, acusatoria y angustiada. Pero EN UN MUNDO DE FUGITIVOS, Carmen Conde grita muy alto, levanta, por encima de todo, su amor a la vida, una vida entre los hombres, con ellos, con el amor y con el odio.

Y el último poema del libro es un apasionado *Canto al hombre*, a su grandeza, a su dominio, a su victoria sobre su *«propia lava impura»*. Al hombre no débil, sometido, acobardado, sino hermoso y fuerte. Torrente de versos que culminan en el último, que puede ser perfecta síntesis del poema y del libro: *«Más allá de la vida y de la muerte, hombre, te amo.»*

De su tierra levantina llegan a Carmen Conde brisas marinas, y en 1962 la Cátedra «Saavedra Fajardo», de la Universidad de Murcia, edita muy bellamente LOS POEMAS DE MAR MENOR: ante este mar, su mar, la poetisa se entrega, se abandona en él para fundirse, *«para serte»*. Aires de eternidad corren por estos versos, eternidad de nostalgia, de deseos de no dejarlo para perderse en *«la selva de casas»*. Y tampoco la adjetivación traiciona la más cara fidelidad de Carmen Conde, la del *arcángel: «arcangélico azul inmenso»*, escribe en el poema *Pacto*. En alguna ocasión trae el recuerdo de Gabriel Miró, el admirado maestro: «...y *Palestina / se enciende de palmeras y de almendros, / en hogueras punzantes de nopales.»* Con el mar, la luz, y tampoco su soledad es la misma: toda empapada se presenta la poetisa *«de tremendas soledades levantinas»* en el poema *Días de Levante*. Y están los peces, que, comidos, incorporan algo de su mar. Y los hombres —poema *Albañiles en Mar Menor*—, eternos trabajadores, sumisos de siglos: *«son los mismos que levantaron, hace milenios, / pirámides y templos para sacrificar a los dioses / por mandato de otros; con el mismo sudor y sed»*. E, inevitable, la luna, que recibe las preguntas de la poetisa, su apasionado inquirir sobre el origen de su mar. El mar que la hace mujer de mediterráneos fervores, ser de múltiples orillas, pagana y bíblica. *«¡Oh mar de mi tierra!, ¡oh mar de Palestina!»* Este es el libro entrañable firmado por Carmen Conde en *Lo Pagán del Mar Menor* en el verano de 1959.

De la primavera de este mismo año 1959, y firmado en Castilla, es otro libro, EN LA TIERRA DE NADIE, como el anterior no muy extenso, aún menos: quince poemas sin título, sencillamente numerados, escritos todos ellos en agrupaciones estróficas formadas por estrofas de cuatro versos, asonantados los pares y sueltos los impares. En ellos la poetisa va trazando nuevas sendas para sus anchos caminos poéticos. Carmen Conde busca en este libro caminos hacia sí misma, hacia su propia tierra, lejos de los caminos de los otros. Pero, naturalmente, encuentra la soledad, sufre la dureza de la *«tierra de nadie»*. Sólo, acaso, la única voz, la señal de Dios. Pero ella, libre, sin color ni facción, es acometida por todos los lados. Triunfa, sin embargo, el orgullo de su soledad, de su tierra, sólo suya, «...*tan extensa / y tan breve que cabe en mi persona!»*

Publicado en edición no venal de la autora, aparece en 1962 un nuevo libro, SU VOZ LE DOY A LA NOCHE, libro también breve: diez poemas. De los más desgarrados y atormentados, y son muchos sus poemas en esta dirección. Esa desterrada que es Carmen Conde, de tierras, de paisajes, de cosas, lo es aquí de tres palabras: «...*que me han abandonado, / dejándome en el mundo con la muerte por delante.»* Son *padre, madre* e *hija*, hermosas, esenciales palabras para ella; e inmediatamente la imagen animalística y natural, de plenitud vital, de radiante belleza: *«como grandes palomas en un cielo de mayo»*. Un nuevo, terrible silencio y el mismo odio a la muerte. Pero viva, y de pie, y ardiendo. Fundiendo en un solo vocativo, en una sola angustiosa llamada, su suerte origen, su realidad viva, su descendencia segada:

«¿...*madre mía, hija, sangre?*» Hermoso poema es el penúltimo, en el que su dolor consigue una acerada, extrema expresión con la metáfora de «*dos enormes cuchillos del llanto*». Terrible sensación de desolada, definitiva orfandad es la que deja este intenso libro de una mujer implacable con su propio deber, de la niña en ella escondida clamando, inútilmente, con ausencia de siglos en su pecho.

Y en 1963, el libro del largo viaje, de la enriquecedora experiencia americana: JAGUAR PURO INMARCHITO, dedicado a Nicaragua, que está, además, en cinco poemas del libro (su segunda parte íntegra). El *prólogo* está formado por dos poemas sin títulos: en el primero se arranca de la antítesis belleza-podredumbre, tan característica —con muy diversas formas e implicaciones— de Carmen Conde; pero es fundamentalmente una exaltada declaración de amor al hombre, un testimonio solidario por su actitud humanitaria, sustentadora de la dignidad humana. Hermoso, hondo, verdadero poema social, en el que se afirma que la poesía debe despertar al hombre, hacerlo surgir de sí mismo. Lo que Carmen Conde ha venido haciendo durante su larga, fecunda vida de poeta. El segundo poema prologal insiste en este mismo espíritu de fraternidad, llevado casi a límites de generosidad y entrega. Y la poetisa habla especialmente a los poetas. Su gran bandera, la ondeada en todos sus libros, es la *palabra*, redentora, purificadora, liberadora: misión soteriológica de la palabra, que otras veces es degradada, prostituida, empleada *por «los que no saben cuanto duele la injusticia, / ni el hambre, ni la angustia del rencor... Aquellos / que viven de otras cosas, que no son sino voceros, / fingiéndose protagonistas del llanto»*.

En *Nicaragua y su garra*, Carmen Conde, deslumbrada por la grandeza de unas tierras, inmersa en sus selvas, cantora del tigre y del jaguar, con nuevas y riquísimas imágenes cósmicas, enfrenta a «*la civilización caduca*» la juventud salvaje, la existencia fulgurante, bullidora, de unos hombres y de unos paisajes. Porque ahí está, en otro poema, el indio viejo sentado, indiferente, lejano, «*con los ojos de laguna insondada*», y en él todos los indios, admirados, cantados por esta «*viejísima española emergiendo en Managua*», según propia declaración final del poema.

En la tercera parte del libro, *Escala en Puerto Rico,* la poetisa recuerda, conmovida, a dos maestros y amigos, Juan Ramón Jiménez y Pedro Salinas. Y en el segundo poema es España, la «*patria distante*», la cantada ardorosamente.

En las dos últimas partes de JAGUAR PURO INMARCHITO, *En el mar de la vuelta* y *Desde la vieja Tierra Firme,* persiste la poesía del trópico, el indio, el deslumbramiento ante la belleza descubierta, la sensación de Paraíso, etc. Y el exaltado vitalismo, la fusión con, en el mar, el apasionado canto de amor ¿a un dios?, ¿a un humano?, la oposición juventud-vejez (en donde la *piedra, como* en Federico García Lorca, es símbolo tangible de la muerte y el olvido). Y constantemente, hasta el final del libro, el pasmo de la embriaguez, el recuerdo, ya otra vez en España, de aquellos días en que, atónita, abrasada, descubría un mundo.

Otros libros, inéditos, de diferentes épocas, completan este vasto orbe de poesía. Los límites impuestos a este trabajo me impiden extenderme más. He pretendido solamente señalar unos aspectos, insistir en algunos caminos y veredas de la obra poética de Carmen Conde, toda ella cruzada por el ancho y hondo río de sangre y pensamiento, de corazón y sensualidad de su autora. Esta levantina fulgurante, siempre en perpetuo interrogante ante la vida, y poseedora de una de las mayores potencias creadoras de la literatura española contemporánea. Pero eso el lector lo comprobará nada más adentrarse en el fascinante y complejo universo de Carmen Conde.

EMILIO MIRÓ
Madrid, 1967

BIBLIOGRAFÍA POÉTICA
DE CARMEN CONDE

Brocal (poemas en prosa), Madrid, La Lectura (Cuadernos Literarios), 1929.
—, Madrid, Almodóvar (Colección Estampa III), 1980
—, (con *Poemas a María*), edición de Rosario Hiriart, Madrid, Biblioteca Nueva, 1984.

Júbilos (prólogo de Gabriela Mistral, dibujos de Norah Borges), Murcia, Sudoeste, 1934.
—, (prólogo de Gabriela Mistral), León, Everest, 1990.

Pasión del verbo, Madrid, edición privada, 1944.

Honda memoria de mí, Madrid, edición para bibliófilos de Josefina Romo, 1944.

Ansia de la gracia, Madrid, Adonais, 1945.
—, (con *Una palabra tuya...*), Madrid, Torremozas, 1988.

Mi fin en el viento, Madrid, Adonais, 1947.

Sea la luz, Madrid, Mensaje, 1947.

Mujer sin edén, Madrid, edición de la autora, 1947.
—, México (años cincuenta).
—, (prólogo de Leopoldo de Luis), Madrid, Torremozas, 1985, 2007[2].

Iluminada tierra, Madrid, edición de la autora, 1951.

Mientras los hombres mueren (prefacio y glosario de Juana Granados), Milán, Instituto Editorial Cisalpino, 1953.

Vivientes de los siglos, Madrid, Colección «Los Poetas», 1954.

Empezando la vida. Memorias de una infancia en Marruecos (1914-1920), Tetuán, Al-Mutamid, 1955.
—, Melilla, UNED, 1991.

Los monólogos de la hija, Madrid, edición de la autora, 1959.

En un mundo de fugitivos, Buenos Aires, Losada, 1960.

Derribado Arcángel, Madrid, Revista de Occidente, 1960.

En la tierra de nadie, Murcia, El Laurel de Murcia, 1960.

Los poemas de Mar Menor (ilustraciones de Carpe, fotografías de Abellán), Murcia, Universidad («Cátedra Saavedra Fajardo»), 1962.

Su voz le doy a la noche, Madrid, edición privada, 1962.

Jaguar puro, inmarchito, Madrid, edición de la autora, 1963.

Obra poética (1929-1966). Contiene además de los libros anteriores: *Sostenido ensueño*, 1938; *El Arcángel*, 1939; *Mío*, 1941; *Devorante arcilla*, 1962; *Enajenado mirar* (1962-1964); y *Humanas escrituras* (1945-1966) (prólogo-estudio de Emilio Miró: «La poesía de Carmen Conde»), Madrid, Biblioteca Nueva, 1967.

A este lado de la eternidad, Madrid, Biblioteca Nueva, 1970.

Cancionero de la enamorada, Ávila, Colección «El toro de granito», 1971.

Corrosión, Madrid, Biblioteca Nueva, 1975.

Cita con la vida, Madrid, Biblioteca Nueva, 1976.

El tiempo es un río lentísimo de fuego, Barcelona, Libros Río Nuevo, 1978.

La noche oscura del cuerpo, Madrid, Biblioteca Nueva, 1980.

Desde nunca, Barcelona, Libros Río Nuevo, 1982.

Derramen su sangre las sombras, Madrid, Torremozas, 1983.

Del obligado dolor, Madrid, Almarabu, 1984.

Cráter (estudio preliminar de Manuel Alvar: «Tras los símbolos y los mitos en unos poemas de Carmen Conde»), Madrid, Biblioteca Nueva, 1985.

Hermosos días en China, Madrid, Torremozas, 1985.

Al aire. VI poemas, Málaga, Librería Anticuaria El Guadalhorce, 1987.

Una palabra tuya… (junto a *Ansia de la gracia*), ed. cit., 1988.

POESÍA
COMPLETA

EMPEZANDO LA VIDA

MEMORIAS DE UNA INFANCIA EN MARRUECOS

1914-1920

CARMEN CONDE

EMPEZANDO
LA VIDA

MEMORIAS DE UNA INFANCIA EN MARRUECOS (1914-1920)

ITIMAD

TETUAN 1955

Cubierta de la primera edición.

A Melilla, la otra ciudad de mi niñez.

PRÓLOGO QUE ME DIRIJO

No, Carmen, no. Aquella ciudad que tú recuerdas no es la que te espera (pero ¿me espera?) hoy. La calle General Chacel ha tenido dos o tres nombres distintos, por lo menos; y tú misma viste levantarse los edificios que forman las primeras esquinas de dicha calle, con inquilinos que ya no existirán. El café «Alhambra» —a la derecha, con puertas a Chacel y a la Plaza de España— tenía mesas abundantes, lo cual te permitió a ti escuchar, subida en una de ellas, a una masa cantora de soldados bisoños levantar su bizarro patriotismo en aquel himno:

> ¡Soldado soy de España
> que estoy en el cuartel,
> contento y orgulloso
> de haber entrado en él!,

resonante en una mañana de sol (¿era por la mañana?), cuando el general Sanjurjo (¿o era Monteverde, o Silvestre?) pasaba revista a las tropas recién llegadas de la península.

Acuérdate, Carmen; había en la calle Chacel muchas tiendas de indios y de chinos que a ti te gustaba mirar, porque en sus escaparates se exhibían terciopelos, rasos, perfumes y objetos de marfil tallado hasta la filigrana. En la tienda de «Julio el Simpático» hubo un robo: lo hizo «da mujer del lunar»; sólo se sabía de ella que tenía un lunar; y en carnaval salieron comparsas cantando coplillas alusivas al suceso e invitando al jefe de la Guardia Civil (don Gerardo Alemán), al cual saludaban atentamente, a que esclareciera tan inconcebible hecho...

¡Qué bonitos comercios aquellos, con las caretas de indios bigotudos y de chinos, de acericos con chinitas monísimas sentadas en cestitos de paja! Había una confitería, hacia el centro de la calle, que se llamaba «La Campana», y que pertenecía a una señora malagueña (doña María Garrido), a la que tú quisiste mucho y que te mimaba con dulces riquísimos. Entonces estaba brillantemente instalada «La Reconquista», donde se exhibían los Reyes Magos para recibir las cartas de los dichosos niños crédulos; se empezaba a levantar la iglesia del Sagrado Corazón, y el monte que la respaldaba estaba habitado por familias humildes y numerosas. No habrás olvidado la librería de Boix Hermanos, donde comprabas tus inolvidables cuentos de Perrault, Grimm y Andersen.

Y el teatro Reina Victoria, que era cine también en temporadas, donde aprendiste zarzuela, comedia, drama, y te apasionaste con las aventuras de Libertad y el formidable Polo, además de los episodios de La Bala de Bronce y los films de la Bertini juvenil. (La misma que has visto, caminando a tu lado, por la Carrera de San Jerónimo hace pocos meses...). Enfrente de ese teatro había un buen café, el Lion d'Or, en el cual tomabas un helado (Blanco y Negro), que estaba muy bueno.

Si quieres pensar en todo aquello y te dispones a visitar Melilla otra vez..., ¡no, Carmen! No admitas ni una sola memoria. Vas a sufrir mucho; el pasado no cuenta; tú eres amiga de los jóvenes que no saben nada de tu mundo pequeñito. Ya ves: hasta el teatro Alfonso XII (que era un barracón feísimo y que servía de circo) se ha transformado en un cine monumental que pertenece ahora a unos viejos amigos tuyos de entonces; y hubo una gente muy afecta a ti que ya se ha vuelto polvo en su parte más querida tuya, la familia Adán; como hubo otra familia, la de Angosto, que apenas tiene representación en la tierra... ¡Qué bonitas eran las niñas de Angosto! Pepita, Margarita, Rosita...; y la que te regaló su muñeco preferido cuando os despedisteis, Lolín. (Y aquella Celia Jiménez Benhamún, tan negrucha; y aquella espigada y graciosa Magdalena Samper, con ciento y pico de hermanos —¿dónde estará Raúl?—; y la más querida de todas: Emilia Rubí Montoya, ¿dónde estará?)

A todos los bellos recuerdos has cantado tú en libros tuyos: en *Júbilos*, hace muchos años ya, y en *Empezando la vida, que* va a salir, por fin. ¡Tiempo, tiempo! Melilla era una ciudad interesante a partir del cañonazo nocturno, porque se convertía en peligrosa; era por 1914, 1916, 1918... (¿Y 1920, qué?)

Qué confusión de mancos y qué color; inquietud, corría el oro de verdad (eso decían, sí; en mi casa hubo mucho oro), y tú soñabas dentro de una infancia densísima, luminosa, ávida, que ha llenado tu vida.

¡Pues quiero volver!

Quiero volver a pisar el suelo de mi estatura primera. Beber agua de pozo, salada y gorda; comer patatitas que se mondan con los dedos, suavemente; asomarme al Torreón de las Cabras, ir a Cabrerizas (¡no sé a qué!), visitar el cementerio, «mis» calles y «mis» casas. Mirar de lejos a los que vivan aún y sean de entonces. Silenciosa, desconocida, ausente de lo que es, y con el corazón estremecido por lo que pasó y que es más, mucho más de esta ligera enunciación anecdótica que me haces. En el muelle estará, lo sé, esperándome, como en 1914, el hombre que me llamó desde la vida y al que no veo ahora.

¡Melilla, ciudad mía, amada ausencia mía, aunque no seas tú, te quiero! ¡Te buscaré, te querré, te contaré, y otra vez nuestras voces se juntarán para lo que Dios mande!

I. CARTAGENA

LA SEÑORA ANGÉLICA

Apareció en mi infancia antes de irnos de España. Era pequeña, rechoncha y bastante entrada en años. Su yerno, Paco, era cochero de mi padre; su nieto, Paco, también estaba empicado en casa. Su hija, Josefa, era guapota, frescachona, llevaba *matinés* con volantes y cintas, y a mi madre no le gustaba mucho, a pesar de su oficiosa serviciabilidad...

La señora Angélica era nuestra cocinera y mi gran amiga. Me refería cosas de su infancia cariñosa y suavemente; yo la escuchaba con delicia, cerrando los ojos...

—...Una vez me mandó mi madre a comprar queso, y por el camino me encontré a un hombre que vendía pájaros vivos; se me olvidó el recado y compré un pajarico... Loca de alegría, me senté en una puerta con mi tesoro, pero vino un chiquillo y se puso a mi lado. «Ese pájaro es cojo», me dijo. Yo protesté de su salud: «No es cojo». «Anda, ponlo en el suelo y verás cómo sí». Lo puse en el suelo para demostrarle que no era cojo y echó a volar y se me perdió. Lloré desesperada, mientras el chiquillo se reía de mí.

—¿Qué te dijo tu madre cuando llegaste a tu casa?

—Me riñó mucho, porque llevaba menos queso y aparecí muy tarde.

La cocina era un grato país imaginativo. En la casa había problemas por entonces; mis padres discutían sin que yo los entendiera, pero el nombre de «Aurora» se mezclaba a las palabras de reproche de mi madre. Yo me iba a la cocina; la señora Angélica me recibía con sonrisas...

—¡Cuéntame algo! —le pedía yo.

—...Una vez —decía ella— yo estaba acostada y oía a mis hermanos que hablaban con sus amigos de que debajo de la tierra había enanos... Cuando se fueron me levanté, mientras todos dormían, y salí a la puerta; nosotros vivíamos en un monte. Escarbé con las uñas mucho rato, ¡hala, hala!, hasta hacerme sangre. Era ya de día cuando salieron a buscarme mis hermanos. «¿Qué haces tú aquí?», me preguntaron. «¡Estoy buscando a los enanos!» «¡Tonta, más que tonta! ¡Están muy hondos y no se cogen con los dedos!»

—¿Y no encontraste nada? —presionaba yo.

—Sí, creo que un escarabajo pelotero —respondía ella sonriendo.

Días y días nuestras conversaciones se ocupaban de los mismos asuntos: la niñez de la señora Angélica, que era inextinguible y venía a la mía con la más simpática naturalidad.

—Mamá, ¡déjame ir a comprar luego con la señora Angélica!

—Bueno, que te lleve.

Y algunas tardes, cuando la vieja cocinera tenía que salir a buscar algo para completar la cena, yo iba con ella; me gustaba cogerme de su brazo y caminar a su compás: parecía una cuna blandita que se balanceaba silenciosamente.

—Mamá, la señora Angélica anda así —y yo la imitaba para demostrar que hasta conocía su manera de andar.

A la hija y al nieto yo no les quería nada; eran iguales: fachendosos, turbios, serviles, hipócritas... Al yerno, sí; al buen Paco y a su hermano Fausto sí les quería yo mucho. Sentándome frente a Paco, que conducía lentamente la galera, yo veía cómo los caminos blancos desenrollaban sus cintas delante de la jaca negra con estrellas blancas. Mi madre decía cosas, y el hombre contestaba con agrado y cariño sosegados...

Otro empleado de mi padre, Juan, hacía mucho por mi imaginación.

—¿Y tú has visto esos hoyos grandísimos que hay en las puertas de Madrid? —se refería a los extramuros, y yo asentía gravemente—. Bueno, pues ¿sabes quién los hizo? —yo abría entonces mucho los ojos—. ¡Las nubes!

—¿Las nubes? —mi asombro era inmenso: las veía con picos y palas arrancando tierra y árboles.

—Verás; las nubes van a beber al mar cuando tienen sed. Y una vez se bebieron dos barcos sin darse cuenta. Llovió, y cayeron los barcos haciendo esos hoyos tan grandes que te digo.

Igual se lo repetía yo a mi padre, completamente convencida de la autenticidad del relato. Él se enfadaba mucho.

—¿Quién te cuenta esas barbaridades?

—Papá, ¡si es Juan!

Juan gozaba de una fe mía sin límites.

—...Cuando las nubes beben en las charcas se tragan ranas y sapos. ¡Hace mucho tiempo llovieron más en mi pueblo! Algunas veces se equivocan y en vez de beber agua beben piedras. Entonces es peor cuando llueve...

—¡Qué miedo, Juan!

Él me abrazaba protegiéndome, y nos quedábamos callados un gran rato los dos juntos.

Pero desapareció Juan, por lo mismo que desapareció Paco, el nieto de la señora Angélica. Por lo mismo que, salvo muy escasas excepciones, debieron haber desaparecido todos aquellos que abusaban de la generosa confianza de mi padre, incapaz de investigar si aquellos que cobraban holgadamente por mal cumplir su obligación cumplían, ¡por lo menos!, con el deber de ser fieles.

Y a poco también se marchó la pobre señora Angélica. Me quedé yo muy triste con la ida de aquellos amigos que hablaban conmigo un lenguaje distinto al de los demás, lenguaje donde cabían con tanta soltura enanos, barcos y pájaros.

¡Cuánto tiempo después le decía yo a mi madre!

—¿Te acuerdas de la señora Angélica? ¿Y de Juan?

—Sí, claro que me acuerdo. Pues aquel Juan escapó en bien porque tu padre tuvo en cuenta lo que tú le querías...; y también, hija, porque tu padre es incapaz de dar a nadie su merecido. Todo nos pasa por ser él tan confiado.

(Lo que nos pasaba era... poca cosa, Señor. ¡Si aún tenía yo para mí todo cuanto podía imaginar, que era infinito!)

EL BARCO

—Ventura, ¿ha llegado el barco? —preguntó mi madre.

—Mañana noche saldrá —suspiró mi padre.

Yo estaba entre ellos sin comprender nada. Sabía que mi madre y yo teníamos que irnos a vivir a casa de un hermano de ella cuando «saliera el barco»; esto es, cuando se marchara mi padre a Barcelona. Era en 1913.

—¿Cuándo nos vamos a la otra casa? —decía yo con impaciencia. Se reía con indulgencia mi padre.

—¿Oyes a la nena, Magdalena? ¡No tengas prisa, hija!

Con indiferencia vi deshacerse el mundo de mi infancia primera: coches, muebles, criados, todos se iban en silencio. El palomar, la cocinera, el cochero, mi niñera, el muchacho que me llevaba de paseo en mi *charrette*... Los cuadros se descolgaron, el espejo grande; se desarmó la cama de madera tallada con perillas que eran copas (para beber sin duda la noche y sus secretos), donde yo nací, y mi cama-cuna..., ¡tantas cosas, tantísimas! Era un trasiego infatigable de cacharros, trastos, ropas. Para mí nada importaba nada; lo sobresaliente era que nos íbamos mi madre y yo a otra casa.

(¿Qué era la casa aquella? Como no la conocía, por eso la deseaba.)

Resueltos ya todos los problemas de disolución, mis padres abandonaron la casa nuestra: rompimos definitivamente con la vida anterior. Esto que es tan grave para las personas serias, ¡qué risueño resulta a los niños! Ahora que ha transcurrido el tiempo pienso en la tristeza de aquella jornada última en nuestra casa, en el camino de los tres hacia la otra en la noche que precedió a la del embarque de mi padre... Dormía abrazada a su cuello, asfixiándole; el otro día fue como de niebla, y a la noche, al muelle. El *Ausias March* era el vapor-correo. Se desprendió lentamente entre rumores agrios de cadenas; anduvo de costado, con levedad; poco a poco fuese poniendo derecho hasta enfilar la bocana, antorchada por los faros verdes y rojos... Una calma inmensa lo apagaba todo. Vino la voz de mi padre:

—¡Nena!

Mis lágrimas me impidieron contestarle pronto; un nudo me dolía en la garganta, como de fuego.

—Contéstale —dijo la mujer de mi tío—, no vaya a creer que no estás.

—¡Papá! —sollocé yo.

Y luego la voz ardorosa dijo:

—¡Adiós!

El mar se quedó temblando entre los dos.

—Era la despedida de su vida animosa, a una de cuyas orillas se le quedaban mujer e hija. Ya no volvería a estar contento. Tenía treinta y nueve años y acababa de perderlo todo: capital, negocios, confianza en los hombres, y se iba a Barcelona a buscarse la vida heroicamente. Acá quedábamos la madre —treinta y cuatro años— y la hija —seis—, esperando su aviso para reunirnos con él.

Empezaron los días penosos. Yo almorzaba en casa de un hermano de mi padre que hasta entonces había vivido con su familia de la ayuda de éste. ¡Y qué poca ternura tenían conmigo los que de protegidos se investían de protectores! Poco a poco adelgazaba yo, me daban fiebrecillas... Por la noche, cuando en la mesa del hermano de mi madre se servía la cena, yo me echaba a llorar: «¡Veo el barco, mamá; veo el barco!», y no comía.

El barco donde se fue mi padre era mi obsesión; lo soñaba, lo veía despierta; oía sus cadenas, sus pitadas de marcha... Tan pequeña era mi capacidad de olvido que la fiebre aumentaba la memoria.

—¡El barco, mamá; el barco!

—Ya nos iremos en otro, hija mía.

Venían cartas del ausente: acababa de declararse la espantosa epidemia de tifus que asoló a Barcelona. El pobre se asustó y se embarcó hacia África. Hacía un temporal enorme y pasaron frente al puerto de donde él partiera, donde le esperábamos nosotras. ¡Con cuánta angustia vio los faros tan conocidos! Desembarcó en Melilla, escribió desde allí. Era en 1913 todavía.

Mi madre lloraba al leer su carta. Pensaba en los árabes... Pero yo leía entonces en el colegio la Historia Sagrada, aprendía en la de España los reinados árabes en la Península... Me alegré, misteriosamente, de ir al África; consolé a mi madre, la besé.

—¡Si son buenos los árabes y los hebreos! Ya verás cuando nos vayamos con él; yo estoy muy contenta.

—¿Qué sabes tú? —dijo compasivo no sé quién.

* * *

Corrieron los meses: 1914, invierno. Una carta de mi madre anunció al ausente su decisión de reunirnos con él para pasar juntos todas las calamidades del mundo. Los deudores no pagaban o pagaban poco, pero lo poco se lo quedaban los encargados de cobrarles. No hay conciencia para los débiles; todos desvalijan a los necesitados de apoyo. Y en unos días de tormentas, en otro barco viejo y malo, el *Villareal,* nos fuimos mi madre y yo. Nunca se marchitará del todo aquella tarde de febrero en el muelle, esperando que el capitán de la nave dispusiera la arrancada. Pronto el terror de la tempestad deshizo la felicidad de mi viaje.

¡Aquel viejo camarero, Pancho, que nos protegió todo el camino! «¡No voy a ver a mi padre, yo quiero verle!», lloraba yo con desesperación y desesperanza.

Terminó aquel suplicio y una mañana radiante amanecimos en África... ¿Quién era aquel hombre delgadito, envuelto en una bufanda, que se paseaba por el muelle?

—¡Si es tu padre!

¿Mi padre? No le conocíamos; un trabajo absurdo, desacostumbrado; sus privaciones, su angustia, le habían deshecho por completo.

—No os esperaba en este barco. Me anunció tu hermano que venías en el *Villarreal.*

—Sí, pero en Almería nos trasbordaron al *J. J. Sister.*

Nos habían robado unos bultos del modesto equipaje. ¡Siempre los ruines acechando a los débiles!

—Es mejor este barco, sí.

Barcos, barcos... Ya siempre el lazo con la patria, con los amigos, serían los barcos. Pausados, solemnes, bienhechores.

Ellos se llevaron mi infancia. Ellos me regalaron después una juventud llena de inquietudes. Toda mi adolescencia tuvo ante sí inmensa ventana donde seguían inscribiéndose los barcos. Yo misma, durante cinco años, estuve dibujando piezas y más piezas de barcos.

II. MELILLA

EL MUELLE

Una placa grandota en el paretón:

MUELLE DE VILLANUEVA

y el «Sargento», gordo, colorado, autoritario, pidiendo los papeles a los viajeros en la escalinata del barco.

—Bien, va usted en regla. ¿Y los cuatro duros?

—También los llevo; mírelos.

—Conformes. Desembarque.

Las olas, grandes e irrespetuosas, saltaban por cima de los paredones —dos, uno más alto que el otro— y salpicaban a todos como si dijeran: Quien manda es el Mar, ¿qué se habrá creído el «Sargento»? El cual bufaba haciéndose guiños con su guardia, muy quemado del oficio. Había seres tan desgraciados que carecían de aquellos cuatro duros, sin los que era inútil pretender desembarcar, y el buque los devolvía a su punto de origen...

El muelle, con moros, fardos, marineros de todos los países, grandón y destartalado, iniciaba en un mundo más bien miserable. Limpio, sí, como todo lo urbano; pero antesala de calles chatas y nuevas.

Cuando se llegaba, en las almas de los niños surgía la impresión de un gran cajón casi vacío con el que el mar jugaba despilfarrando espumas furiosas. En el alma de los mayores, ¡qué desolador debía ser el muelle! Oían: «Se intentó un muelle artificial, y al emprenderse, el agua lo hizo polvo». Esto nunca os lo explicaban con detalles: ¿espigón acaso? Dentro de la desprotección del muelle, los grandes veleros se hundían los días de tempestades, cuando esos caballos que guardan el Estrecho se lanzaban desenfrenados para caer rendidos en el halda rosorio de Grecia.

¡Pobres naves sin brazos amantes, sorprendidas al intentar el refugio de Cala Tramontana! Caían heridas bajo el galope desmesurado, abriéndose de brazos y abatiendo sus túnicas que flotaban como velas sobre la turbia cabellera restallante. Arriba, señor, el Gurugú desdeñaba el furor neptúnico, que lo anegaba todo, amenazando a los de la tierra. Se oía el mar con su acompasado tumulto, con ordenación terremótica.

—¿Se saldrá el mar? —indagaba yo, creyendo que ya el muelle no era sino losa por cuya superficie rebotaban los guardianes del Estrecho abandonado.

—Nunca se sale; siempre salta, moja, enfría; pero al final se acuesta para comerse en silencio a sus víctimas.

—Luego aparecerán los marineros ahogados. ¿Por qué no les salvarán las sirenas?

—Se asustan también de tal estrépito.

* * *

El muelle los domingos.

Bata nueva, lazos volanderos, merienda en el faro, mirando las olas, cuyo otro extremo ceñía el perfil de la Península. Las cenas, ya más solemnes, en la cubierta de los veleros, con los marineros alrededor de su capitán, todos con ojos verdes y mechones caídos en las doradas frentes; el regreso plácido, las manitas en el lomo de la última ola como pececillos mirándose... La ciudad, al fondo, con sus calles abarrotadas de militares y de señoritas homenajeadas, indiferentes al ronco fragor del gran dueño que dejábamos nosotros con pena.

—Mírame, madre; vengo del mar; huelo a mar.

—¿Venís del muelle?

El muelle era sagrado porque desde él se decía adiós a los que volvían a España, se recibía a los que venían de España. Los moritos no podían embarcar y paseaban tristes por el muelle, mirando los montones de soldados que se iban gritando su licencia o los que traían asustados y silenciosos...

Un día nos iríamos nosotros también. Ya no veríamos más el Gurugú, ni nos empujaría con malos modos el agrio Poniente, ni me asustaría yo del Levante que envuelve a la ciudad con un manto de sal y de amenazas espesas. Sería de noche, cuando salen los correos —*Monte Toro, J. J. Sister, Ausias March, Castilla, Villarreal*—. La gran lápida «Muelle de Villanueva» se iría borrando poco a poco; desde lejos ya no se verían sino las lucecillas del muelle, del faro, y África cesaría como un sueño inolvidable.

Entonces corría más por el paretón alto, por aquel donde una tarde se mareó mi padre y yo le sostuve valerosa, entre dos abismos, hasta alcanzar la escalinata. Llegaba al *Pueblo*, me bebía el azul de las aguas desbocadas, bajaba a donde los hombres descargaban los tesoros que venían de la patria; y siempre vivida del fárrago que se respiraba allí, tornábamos a la casita con las caracolas amenazantes del oleaje, ¡único son de la Tierra!

LA ORACIÓN

¿Quién no reza? ¿Qué es rezar? Las gentes que carecen de inventiva poseen, en cambio, un largo programa de oraciones para cada circunstancia y advocación;

una sola oración es de todos, como guía inflexible —que casi nadie cumple fielmente—: el Padrenuestro. Se reza unida a otra oración alegre, resplandeciente, que es la salutación a la Virgen María. Van juntas en la lengua del devoto la anunciación del Hijo, con su orden espiritual: el aviso de su llegada tras las palabras que Jesús pronunció, ya hombre, para enseñar a los apóstoles cómo tenían que dirigirse al Creador. Quedan los Mandamientos, que son más antiguos: pertenecen al tiempo de Jehová y fueron dichos a Moisés como Ley de Dios.

Los espíritus de sencilla arquitectura ven en estos tres monumentos del fervor todo lo que se debe hacer para acercarse al divino designio. Es mucho, ¡y ojalá todos quisieran cumplirlo!

Pero hay una extraña manera de rezar: aquella de la inspiración, donde se mezclan a las palabras ordenadas las propias, donde concurren motivos eternos y respetados y motivos que suben del subconsciente. Sin darse cuenta son muchísimas las personas que rezan así. Dios recibirá estas oraciones sonriendo; pensará: ¿Qué enredo de ruegos, consideraciones, olvidos y faltas de etiqueta cometen estos infelices?... Perdonará sin duda las transgresiones y lloverá sobre nosotros su benevolencia como si tal cosa...

Cuando yo era aquella niña delgada, rubia y tan imaginativa que nunca podía poner de acuerdo los mundos propio y ajeno, rezaba con suma atención, procurando no perderme en el laberinto de palabras que tan escaso sentido ofrecían a mi comprensión. Y de todas mis enderezaduras piadosas la que se me ha quedado fija, brillante en el recuerdo, es sólo una.

Me acostaba pronto, con mi perrita a los pies. Apagaban la luz y entonces había que recogerse en las oraciones antes que el sueño cerrara los ojos. Había padrenuestros para los abuelos, ánimas del Purgatorio, muertos desconocidos de toda la familia... Un Credo que siempre se entreveraba de distracciones inconcebibles. Una Salve que sonaba a órgano en capilla perfumada, y, siempre, el ruego resumen de todo:

«¡Señor: que no se queme mi casa, que no se la lleve el viento, y que no se salga el mar!»

Después de la representación esquemática de cada catástrofe me dormía...; seguía soñando el sueño que llevaba a todas horas conmigo, prisionero y aprisionador.

¿Qué era aquel ruego? Un miedo espantoso a tres de los elementos fundamentales: Fuego, Aire y Agua. La Tierra no me asustaba entonces; era mi infancia tan tierna que aún era yo de la tierra para sentirla ajena; y no la temía.

¡El Fuego!... Dos incendios en mi casa y uno en la calle cercana, en un almacén de petróleo. ¡El Aire!... Ese viento copudo, bravucón, que empuja salvajemente cuanto ve a su paso; viento del desierto, arenoso y ensordecedor. ¡El Mar!... El mar de allí, bramando día y noche en amenaza de alzarse sobre sí y saltar por las calles y casas para llevarse a sus cuevas las vidas temblorosas de los niños...

«¡Líbrame, Señor, del fuego, del viento y del mar!»

Porque el viento arrancaría los tejados y me quedaría yo en mi cama, horrorizada, cara a cara con la noche —pues ocurriría de noche todo esto—. Y si era el mar mi invasor, toda yo quedaría flotando en sus turbias aguas, copiosas de dolor y de tumulto.

Y entonces los labios se abrían con angustia, pidiendo a Dios que, en gracia a mis oraciones inconexas, surcadas de pequeñas imaginaciones, olvidos, recuerdos del colegio, de los juegos y de los libros de cuentos, interviniera a los elementos dosificándolos por mí.

—Tú, Fuego, no quemes la casa de esa niña que todas las noches me cuenta el miedo que le inspiras. Igual te digo, Viento. Cuando llegues a su calle ten cuidado con el tejado de su casa, ya sabes lo malas que son las paredes —luego, apoyando la mano derecha en el lomo gris y erizado del mar, añadiría—: ¡Ni qué decir tiene que tú tampoco has de irte a recorrer la calle de esta niña! La tienes asustadísima con tus bufidos y tus saltos de costado. ¡Dejádmela dormir!

Así diría Dios a los tres representantes de su fortaleza. Yo necesitaba de su augusta intervención por la noche sobre todo. El día me dejaba más tranquila, menos a merced del miedo. La hora del rezo era la que me abrazaba, débil y tímida, con mi invocación:

—¡Señor: que no se vuele mi casa, que no se queme, y que no se salga el mar!

MI PRIMERA COMUNIÓN

Lo primero había sido el Libro: un regalo de sor Rosa, aquella monja que tanto me quería y que luego murió en un hospital de infecciosos, en Málaga. Sor Rosa me regaló el Libro de Primera Comunión cuando me despedí de ella en Cartagena para irme a Melilla. Quería que en cuanto llegara comulgara; pero no pudo ser hasta un año y medio después, en 1916. ¡Yo tenía ocho años cumplidos y una fantasía que abarcaba siglos!

Ahora no iba a un colegio de monjas, sino al grupo escolar que dirigía doña Anita Pedrosa Carretero. Desde Cartagena, las primas mandaron los regalos para la gran ceremonia: el traje blanco, el velo, los guantes, la coronita de flor chiquitísima, la limosnera y la ropita interior... Eran dos primas, hijas de un hermano de mi madre, y que se murieron muy jóvenes pocos años después; en aquel momento representaban los lazos con la patria y con la familia distante.

Ya estaba en marcha la primera comunión, físicamente; su preparación espiritual venía de lejos, desde sor Rosa. Ahora, la inquietud por la fecha, el 30 de mayo de 1916; y por la iglesia, que era la del «Pueblo», en Melilla; una iglesia alta, la más antigua, próxima a la muralla por donde se oteaba el mar, que era el camino de la Península...

Muchos días, muchas noches antes, ya no se vivía ni se dormía. Pero la noche del 29 de mayo..., ¡qué vela, Dios mío, para esperar el día sagrado, el día puro y perfecto de tu incorporación! No hubo necesidad de llamarme, pues mucho antes que los gallos despuntaran el día, ya estaba yo levantada, acuciando a mi madre para que me vistiera. No era pronto, no; era muy tarde ya. ¿Es que no lo comprenderían? Estaba pálida, más delgadita que ningún día, temblorosa porque en mi cuerpo iba a entrar, rayo abrasador de purificación, el Señor.

¡La primera niña que llegó al colegio con su madre fui yo! Tan temprano era que estaba cerrado y tuvimos que esperar bastante tiempo. Por fin, todo el grupo de niñas, padres, madres, maestras e invitados salió en procesión hacia la iglesia, que estaba lejos. Unas callecitas en cuesta, un frescor de fuentes que corrían no se veía por dónde y el rumor del mar, siempre bravío, acompañándonos.

¡Qué prodigio de luz, de música, de flores de mayo, en el templo! Ya no era posible seguirme los pasos en la tierra, porque no los daba. Envuelta en un velo que me apartaría, durante horas y más, del resto de los mortales, me acerqué al altar. Recibí al Señor. Empezaba el milagro de su transformación en parte de mi ser. Empezaba yo a ser otra, la que lo contenía a Él. Ya, desde aquel instante indescriptible, yo, la niña revoltosa y atosigada de imaginaciones delirantes, llevaría consigo a su Dios; en el pecho, en la boca tan delicada, tan cuidadosamente mullida para que la Sagrada Forma no rozara ni un solo dientecillo agudo, el Señor se iría deslizando hasta mi sangre, suavísimo, imperceptible, y, sin embargo, tallándomelo todo con semejante energía que jamás, a partir de la Primera Comunión, dejaríamos de pertenecernos.

¿Qué notas, qué sientes en ti, cómo tienes al Señor en tu seno? ¡Ah, qué escala de luz irresistible aquella por donde subía mi alma de niña, mi corazón de paloma temblorosamente blanca! Sí, la música seguiría en el templo, una voz buena pronunciaría una plática ejemplar; las madres, las maestras, nos devolverían al colegio... Yo, no; yo no vi, ni oí, ni salí, ni fui ya de la calle. Me quedé allí. Como una vela rizadita de las que en el altar ardían hasta consumirse.

Claro que me llevaron al fotógrafo para retratarme; tengo en mis manos aquella fotografía del día 30 de mayo de 1916, como tengo la medalla de oro, con la Sagrada Forma, y la inscripción conmemorativa con mis iniciales. Sé que me llevaron en un coche por la ciudad, a visitar a las familias de las amigas y a los paisanos residentes en el barrio Real. Aquel día comió conmigo una ahijada de mi madre, Juanita Adán, hija a su vez de mi madrina. Y *Sultana*, la perra adorada, tuvo su ración de festejo también, comida especial por mi dicha.

A la noche, cansada, sola ya en mi camita, habitada por la Gracia, pensé en que todo sería distinto, mejor, para mí. Los reproches que me hacían: ¡qué niña tan revoltosa, qué niña tan fantástica, qué criatura tan inquieta!, cesaría de merecérmelos. Sería una niña perfecta, suave, inmóvil, callada, que no inventaría nada, nada en absoluto. No podría mejorar en clase, sencillamente porque era la más adelantada de mis compañeras. Lo decía no sólo doña Anita, la directora, sino doña Manolita, doña Carmen; como lo había dicho doña Vicenta Garcés cuando me tenía a su cuidado: «Carmen es una niña muy aplicada. ¡Si se estuviera quieta!...» Pues habría que estarse quieta a partir de aquel día.

Y no; ésta es la verdad. No se mejoró en nada externo mi vida. El vertiginoso arder de mi infancia seguiría creciendo. Pero intacta, segura como los sueños —que son las únicas verdades de la vida—, quedaría en mi alma la presencia de aquel 30 de mayo. No le faltó ni la admiración de aquel niño, Juanito Cortés Martín, mi amigo de lejos, que me miraba dentro de mi nube, y no sólo de mi velo blanco, que me veía sagrada, inaccesible, con el Señor en mi pecho.

Han pasado muchos años, y aquí sigue. Han pasado muchas cosas, han ardido bosques, ha casi asfixiado la multitud de incendios. Y aquí está. Intacto. Inatacable. Forma y fondo hecho ya para que ningún viento descuaje el puro ramaje en donde canta el ave más bella, más apretada de música, que en este tránsito por las calles del «Pueblo» de Melilla, por las del puerto de Cartagena, por las calles largas del mundo, y por esas otras cortas, anchas, llenas de fango y de precipicios que a veces tenemos que sortear, va mi corazón de ocho años.

¡Ah Melilla, país de una infancia que no se evapora!

En ti fue el día de mi Primera Comunión, «el más feliz de mi vida» —como rezaba mi recordatorio—, como fue la Creación del Día del Señor, a todo vuelo, cuando las luces se separaron de las tinieblas, y se oyó la Palabra.

CLOTA Y ORDOÑA ZRIEN

Yo vivía, como siempre, en ese país de nieblas donde nada tiene conexión con nada y, sin embargo, todo parece mágicamente continuo. Pero tenía vecinas que lindaban conmigo en la ideal parcelación de mi mundo.

Por las noches, en verano, yo las oía con emoción: eran las suyas unas monótonas cantigas que me llegaban como por vía natural del usual país vago. A nada se parecían, nunca las oí antes, y olían, en lo recóndito, a lenguaje viejo de pueblo... Los hombres con blusa negra y pañuelo de hierba a la cabeza, de mi provincia española, hablaban así; igual que las mujeres de talle muy ceñido y falda llena de vuelos, pañuelo de seda a la cabeza, casi en la nuca, los rostros morenos como cortezas de árboles...

Entre las personas más finas no se hablaba de aquella manera. Que debía ser exclusiva del pueblo muy pueblerino. ¿Cómo, entonces, mis vecinas marroquíes cantaban usando los viejos vocablos: lo «vide», «fablar», «aquésta»...?

La noche era esperada con delicia. ¿Qué cantarán Clota y Ordoña luego? (Eran dos hermanas: la primera, guapota y la otra fea; aquélla, rubia, blandita, prudente; ésta —aquésta—, gorda, morena y chata, pelo áspero y agria condición; tenían un hermano, Salomón, que era igual que la pequeña, sólo que más antipático.)

Dulcemente subía la cancioncilla:

> Vizconde se paseaba
> por la orillita del mar,
> mientras su caballo bebe

(aquí, una variante)

> rey-conde se echó a cantar.

Era lo mismo siempre, pero ¡tan bonito! Lo mismo de todas las noches, a idénticas horas:

La reina, que lo escuchaba
desde el palacio real:
«Mira, hija, qué bien canta
la sirenita del mar.»
«Madre, no es la sirenita
ni tampoco el sirenal,
que es el hijo del rey-conde,
que por mí penando está.»
La reina, que lo ha sabido,
lo ha mandado fusilar
con la guardia de palacio
y la de la capital...

Allí surgían graves alteraciones del texto: el título del protagonista cambiaba; mas ¿qué importaba si era una historia tan bella, tan triste, y luego aquello del «sirenal» sonaba con tal gracia?

Todo (el tono, la dulcedumbre, la trama trágica) se parecía a algo que años antes —allá por mis cinco— la prima Manolita, que era una infeliz hija de padres desdichados, me cantaba cuando venía a pedir su auxilio, siempre seguro, a mis padres:

¡A la verde, verde,
a la verde oliva!
Había un padre
que tenía tres hijas,
y a las tres mandaba
a la fuente fría.
Había un moro
que las cautivaba,
y a la reina mora
se las entregaba.
Toma, reina mora,
estas tres cautivas
para que te sirvan
de noche y de día.
¿Y cómo se llaman
estas tres cautivas?
La mayor Rosaura,
la menor Lucía
y a la más chiquita
llaman Rosalía...

Pero yo no enlazaba sus orígenes ni sus afinidades; solamente su monotonía hallaba en mi sensibilidad tibia acogida de nido.

¿Qué herencia depositó en mis venas el regusto por lo oriental? Muchos años después, al estudiar los romances, ¡cómo despertaron en su estancia olvidada las voces de aquellas cantoras del norte africano, primeras que me dieron lección de nuestro romancero, el que aún repiten con exactitud allí como en Salónica!

Clota y Ordoña se mudaron de casa; las perdí de vista. ¡Cuán raro me sonaba «Ordoña»! Nombre sacado de los romances que oían cantar a sus viejos familiares, tan español como el conde del sirenal.

La rubia y la chatilla reaparecieron en la calle Castelar, en un pisito limpio, acomodado, al que se llegaba por una escalera de un solo tramo.

—Mi padre hace aguardiente de higos... —me secreteó Ordoña.

La casa olía a galletas calientes; se veía al fondo la cocina, con un techo de parra verde húmedo. Yo iba en busca de Clota, condiscípula en el Colegio Inglés, y me irritaba contra Ordoña, cuyo nombre tenía analogía para mí con las cabras: «¡Ordoña, ordeña la cabra!», le gritaba cuando me enfadaba con ella; y la chatilla enseñaba los dientes, mascullaba maldiciones indescifrables, mientras yo me reía de su enojo.

—¡Canta cosas de esas tristes que cantabas en la otra casa! —rogaba yo a Clota, la que guardaba para mí el entonces ignorado tesoro de nuestros romances.

Ella entornaba los ojos como en un rito. Debía haberlos aprendido de labios religiosos que transmitieran la riqueza con emoción hacia el pasado de la raza, cuando aún andaban los antecesores por las ciudades castellanas de señoril aire frío, por los sórdidos burgos, por el Levante risueño y fácil:

> ¡Duérmete, mi niño;
> duérmete, mi alma!
> Que tu padre el malo
> se fue con la blanca niña
> y nuevo amor.

Canción de cuna lenta, adormecedora como olor dulzón y obstinado.

> Yo me fui tras él,
> por ver dónde iba,
> ¡y lo vide entrar
> adonde la blanca niña
> y nuevo amor!

Al final de las estrofas quedaba la vibración disonante exprofeso, alzada como un lamento. Entonces el sueño abría sus odres misteriosos y el zumo prieto de la noche embriagaba.

(¿Qué historia de la literatura, enseñándome el Romancero y sus avatares, podría tener para mí el valor que el vivo aprendizaje de aquel tiempo? Vinieron a mi conocimiento el rey-conde, la niña que borda corbatas en su puerta, la madre que adormece a su hijito contándole entre sollozos la traición de su padre, por boca de aquellas hermanas marroquíes; la ciencia, luego, me clasificó los recuerdos: rey-conde fue conde Olinos; la madre engañada era de Salónica, y aquella queja tiene música que se parece a otra canción de cuna popular de la huerta murciana, muy antigua.)

Las mujerucas de los pueblos, ¿llevan ese pañuelo de seda a la cabeza por pervivencia del que aún usan las hebreas norteafricanas? La España de la Edad Media tenía entre las familias de Clota y Ordoña Zrien ecos monocordes y soñolientos.

LA MORILLA DE LOS PALMITOS

La calle Padre Lerchundi echaba humo, porque era la siesta y el camión del riego había trillado el calor tendido entre las cunetas... Arriba de la calle estaban el cementerio y los Cortados, a cuyos cimientos llegaba inacabable el mar plástico que enderezaron Atenas y Roma.

Como una espiga no segada se movía en la calle la voz de la niña pobre:

—¡«Parmitos», cambia «parmitos»!

—¡«Parmitos», lleva «parmitos»!

Y yo me asomaba a mi ventana, los ojos ensanchados por el esfuerzo de quererlos abiertos contra el sueño, para verla, sucia, rota, desgreñada, con un saquito a la espalda y otro más grande en la mano, donde metía los mendrugos que le cambiaban por los palmitos, por las alcachofas de pinchos...

Se reía, pequeña y sabia de caminos polvorientos, entre los lunares azules de su tatuaje.

Yo era como ella de chica, pero mi traje estaba limpio, nuevo, y mis cabellos de ondina se recogían en dos diminutas trenzas claras. Asistir al negocio del cambio me interesaba mucho, pues conocía la rapacidad de las chiquillas cabileñas y la sosa predisposición de los pequeños cambiantes españoles.

—Tú me «daj» un «parmito» y yo te «doij do mendrugo»... —decía un andalucillo negrucho, cerrado nubarrón en ciernes.

—¡Yo ser amiga tuya, yo darte mucho! ¿Saber cuánto trabajo cuesta arrancar los parmitos?...

Y no hablaba del camino desde el monte, entre fuego, ni de los cigarrones voraces, ni de las piedras que lastimaban sus pies. Seguía su cantilena, ávidos los ojos, la boca fresca, descalza, hasta sentarse en cualquiera acera, las piernas sobre la cuneta seca para mordisquear distraídamente un mendrugo.

A veces salía la vecina del bajo y la despedía con malos modos:

—¡Tú, largo! ¿Qué quieres aquí?

Ella se levantaba lenta, desdeñosa; los dos saquitos dispuestos.

—«Gualo», «gualo», mujera. ¡«Suái», «suái»!... —y se iba, sintiéndose despojada de su tierra, de su propiedad, de su reino. Ya las horas aplacaban su hervor y se podía bajar con la fresca por la Cañada...

Mi madre recibía mis indagaciones históricas, al margen de aquellas escenas frecuentes.

—¿Por qué la echan?

—Porque son muy vivas y a lo mejor se llevan algo que les guste.

—Pero ¿no es suya esta tierra?

(De la propiedad continental mi familia tenía muy vagas referencias.)

—¿No los echaron de la Península los Reyes Católicos? ¿Adónde se van a ir si los echan ahora de aquí también?

¡Ah el éxodo entrevisto de morillos con sus saquitos a la espalda! ¡La multitud de ojos negros, llamas duras en cuero terso!

—Es muy grande África, niña.

Muy grande, sí, viéndola en el mapa. ¡Qué ansiedad de caminarla, los pies desnudos y polvorientos, con un signo zodiacal en la frente!

—Quiero verla entera, madre. ¿Cuándo la veré entera? ¡Si yo fuera morilla!

Y mi ventana se encendía de poniente. Los borriqueros hebreos volvían a sus casas, entre nubes redondas.

—¡«Járria», «járria»! —estimulaban el sosegado andar de sus bestias, fieles colaboradoras de trabajo anónimo e indispensable.

Allá, entre las torres de la Historia de España, junto al mar, unos señores muy empaquetados, ella y él con mantos de armiño y coronas altísimas y heridoras, señalaban con sus dedos implacables el destierro a los moros....

Salían millares, agobiados, con sacas enormes a cuestas, dentro de las cuales llevaban mendrugos muy secos de pan. Al final de la melancólica procesión, ya sólo estaba una niñita sola, despeinada, con palmitos y alcachofas de pinchos, sentada sobre una cuneta sin agua...

El Gurugú botaba la luna en gumía, se oía el ronco arrullo del mar sosteniendo el pasado.

—¡«Parmitos» por pan; cambia «parmitos» por pan!

España era fuerte, mandaba:

—Largo de aquí. ¡Vete, morita!

Y África tenía palmeras secas en los ojos y se iba descalza, mientras yo la seguía pensando en darle todo mi pan sin nada a cambio... Porque yo, «espaniola» pobre, quería andarla toda, toda, y la niña de los palmitos se sabía enteros los caminos.

LUNA

Sentada en el portalito de su casa daba de mamar a su niño. El pañuelo de flecos de oro casi le caía por la nuca; el descote dejaba descubierto un pecho grande y blanco, hermoso, de inocente impudor ante las miradas profanas. La falda oscura resaltaba la morbidez del talle entre las abiertas claridades de la chaqueta; descalza sobre sus babuchas, Luna sonreía a su hijito como en las estampas sagradas de cualquier gran pintor de semejante escena entre María y Jesús.

Vivía Luna en el camino de la tienda a mi casa; yo la veía, asombrándome, cuando iba a cumplir los encargos domésticos más menudos.

—¿Habéis visto a esa hebrea que da de mamar a su niño, con el pecho al aire, en su puerta? —preguntaba a mis amigas moras. Y ellas decían que sí, sonriendo, sin prestarle importancia al hecho.

Por entonces iba yo a un colegio nacional en el Polígono, el de doña Anita Pedrosa Carretero, donde nos reuníamos trescientas niñas de todas las nacionalidades. En mayo de 1916 hice allí la primera comunión. «Que la niña no deje de cumplir como cristiana en esa tierra de moros y herejes», escribían las tías y primas desde la patria; recomendaba sor Rosa, la última maestra del convento de las dos puertas. Y mi madre cumplía con esmero los encargos espirituales.

Los patronos de mi padre eran bonachones, pero muy ignorantes; él, zafio además, paisano nuestro. Ella era andaluza y generosa, doña María Garrido, mujer dicharachera, que se dio pronto cuenta de la tragedia social de su nuevo empleado:

—¿Y su familia, por qué no me la trae para que la conozca?

El orgullo dictaba sus reservas a mi padre, pero al fin hubo de transigir, y nos llevó. Aún conservaba mis cabellos rubios y finos, un trajecito —varias veces alargado— de encajes legítimos; bajo la frente amplia se abrían ojos oscuros y serios para resaltar la roja alegría de los labios gordezuelos.

—¿Sabes leer, niña? Anda, léeme este periódico.

Leer era mi pasión avasalladora. Leí hasta que se hartó de oírme incluso los anuncios de *El Telegrama del Rif*. Llamaba a sus doncellas predilectas:

—¿Habéis oído cómo lee esta niña? Dolores, María: ¿veis qué niña tan lista?

Mi madre y yo comprendimos que la buena señora sabía poquísimo de letras, a pesar de su buena posición; después nos lo confirmaba ella misma, contándole a mi madre su vida desde muchacha... Era viuda, se casó con el dependiente del comercio de su marido. «Cuando Alfonso vio que me cortejaban comandantes, capitanes, médicos, subió y me dijo: "Señora, esos buscan su dinero seguramente, y yo, que trabajo al frente del negocio, no estoy dispuesto a consentirlo. Usted se va a casar conmigo". Y nos casamos, ¡ea!»

Me regalaba cajas de dulce de membrillo, bombones, jerez. «¡Para que te cuiden, que estás muy amarillita, hija!»

La fiebre de saber consumía mis reservas, bien escasas; cada día, mientras el seno fresco de Luna seguía alumbrando vida sobre su hijo, mis idas a la tienda eran menos frecuentes... Un bote de leche condensada costaba cincuenta y cinco céntimos; un litro de petróleo, veinte.

Llegó una noche más fría que todas, y hacia las doce volvió mi padre a casa. Venía harto de su estúpido empleo, de don Alfonso (que cuando comparaba unas casas con otras decía: «Miaja más o menos...»), de sus compañeros, de la vida, del porvenir; ¡casi lloraba! Dejó sobre mi cama, suavemente, su regalo de todas las noches: unos dulces, unos caramelos... Creyéndome dormida, hablaba en la oscuridad de la alcoba con mi madre:

—Vamos a tener que vender aquellas alhajas que fuimos reservando a la nena para cuando fuera mujer...

—¿Todas? ¡Hay que retener algunas!

—Si pudiéramos, pero...

—¿Quién las mandaría? —suspiraba mi madre.

—Se lo encargaremos a Paco Penas.

—Paco Penas es un granuja, Ventura... Acuérdate de lo que decía mi padre de él: buen muchacho, buen corazón, pero inseguro.

—¡Bah! ¡Siempre dudas de todo el mundo, Magdalena!

—Pero ¿será posible que me lo digas tú después de que entre unos y otros nos han dejado en la calle?

—Bueno, mujer, no te disgustes. Ya saldremos adelante.

—Claro, claro...

Doña María Garrido se comprometió a adquirir cosas; yo lo oía esto cuando ellos creían en mi sueño y dialogaban sus apuros. Las noches eran largas, con pesadillas; cuando se dormía mejor era precisamente a la hora de irse al colegio.

Llegaron las alhajas en una gran maleta de negro cuero con bandejas pequeñas. La abrieron delante de mí en el comedor.

—Todo esto es tuyo —dijo mi madre—. Lo hemos traído para vender las que tú no quieras.

Había collares, sortijas, pulseras, relojes, cadenas, medallas.

—¡Ventura! Falta un solitario muy hermoso que yo quería mucho.

—Se lo ha quedado Paco Penas; me lo ha escrito.

—¿Ves, ves?

—¡Y qué quieres que haga, hija mía! Cada uno es como Dios o el demonio lo ha hecho.

Por mis ojos desfilaban aquellas cosas como si las soñara; por muchos esfuerzos que hiciera no encajaban en mi mente. ¿Alhajas?..., ¡bueno! ¿Y qué eran?

—¿Valen dinero?

—¡Bastante!

—¿Nos hace falta? Pues yo no las quiero. No me gustan.

—¿No te gustan? ¿Qué te gusta entonces?

Los escaparates de Boix Hermanos, libreros, acusaron su presencia a la memoria.

—¡Los cuentos! —confesé.

Con más frecuencia me enviaron a la tienda desde entonces. Mi padre se compró un abrigo; a nosotras también se nos advertían mejoras. En el pecho opulento de doña María, y acaso en los dedazos de don Alfonso, lucieron alfileres y anillos de mi gran maleta de cuero.

Luna no estuvo una tarde en su puerta, y la calle permanecía oscura.

—Mamá, no está Luna dando de mamar a su niño.

—¡Le habrá reñido, por fin, su marido!

Al otro día, desde la puerta, se oía llorar en casa de la hebrea. Con mis adquisiciones en la mano, entré... Sobre una camita pequeñísima estaba el niño, muerto. A su lado, Luna, con la chaqueta cerrada, el pañuelo bien atado, calzada, lloraba a gritos roncos y agudos, alternativamente.

—¿Se murió tu niño, Luna?

Se había muerto a pesar de la fuente blanca del gran seno siempre asomado a la boquita rosa y ávida. ¿Qué haría ahora Luna con su pecho rebosante de leche? ¿Qué pueden hacer las madres con sus pechos llenos cuando no tienen hijos agarrados al pezón?

—A Luna se le ha muerto el niñito... —dije con pena en mi casa.

—¿Luna..., esa hebrea tan guapa que le daba de mamar en medio de la calle?... —indagó, fumando, mi padre, una pierna cabalgando la otra, la cabeza echada hacia atrás, los ojos entornados...

Pero su mirada no comprendía nada: era la misma que cuando me mostraba los tesoros llegados de la Península: «Esas son tus joyas.» O cuando al ir por la calle se encontraba con una buena moza...

No. A Luna no la sabía ver bien mi padre.

MAIMONA Y SU HIJA

Un pozo largo que me devolvía, cuando yo se lo gritaba en su brocal, mi nombre de plata, oxidándolo; y hoyos en las paredes del tubo para que los poceros metieran en ellos los pies al descender a limpiarlo. La garrucha funcionaba con quejumbre y los cubos extraían entonces aguas con tierra rojiza, las del limpión, que se tiraban a la cuneta. Junto al pozo, la gran pila donde lavaba Maimona.

Maimona era una mora grande, fea, que por su simpatía parecía hasta guapa a veces. Flaca, y joven al fijarse en ella mucho, era entusiasta enamorada de todos los militares que sus ojos veían. Tenía una hija pequeña que montaba sobre sus espaldas sujetándosela al pecho lacio con un lienzo anudado. Trabajaba cantando en su pilón, lleno de la fresca agua subterránea que había de sacar cubo a cubo, moviendo los brazos alternativamente y con el ritmo del torso más que sosegado...

—¡Yo lavar mejor que todas, yo ser mucho buena! —afirmaba, con el jabón sobre las sábanas, restregándolas, haciéndolas chiquitas entre sus manos callosas. Y la niñita se apelotonaba contra el pozo, entornaba sus silenciosos ojos negros, porque la frescura del mismo se los apagaba como a carbones encendidos de luto. Para mí, Maimona no era ella, sino su hija.

El trajín del patio la mantenía en curiosa expectación. Desde mi ventana yo lo veía todo, callada —¡quién diría que para contarlo ahora!—. Me afligía aquella niña con sus pelos lacios y ásperos, su ignorante gesto sumiso. Cuando creciera, iría a pie, cargada de bultos, detrás del moro que la cogiera por esposa y que avanzaría montado en caballo, mulo o burro... Maimona se moriría pronto, dentro del jabón en montañas, o se caería al pozo cuando buscaba con los ganchos (esa ancla de lanzas curvas que indaga en los pozos reservados) el cubo inesperadamente desprendido de las maromas.

Todos éramos pobres, sufrientes de perdidas comodidades peninsulares; pero Maimona, en su patria, era más pobre que ninguno: vivía de servirnos. Así lo aseguraba mi madre, tan fuerte y tan segura, que llevaba nuestra casa como un juguete (¡lejana madre sana y alegre en medio de los mayores esfuerzos y abnegaciones!).

—A Maimona le gustan los soldados... —decía Elena, la vecina—. Mi Juan la vio por el Polígono el otro día con uno.

—¿Ser verdad eso? —le preguntaban. Y ella decía que sí, riendo; porque no ocultaba su admiración por nuestro ejército, hasta cuando lo veía fuera de los actos de servicio.

Sólo la niña callaba comiéndose el pan y el chocolate, los cabellos color de asperón y los ojos hundidos como la galería cilíndrica del pozo.

Una semana no vino Maimona, porque estaba enferma, según dijo mi madre. Y ésta fue quien lavó, sacó el agua del pozo, tendió la ropa bajo el sol aplastante... Por la noche, acostadas las dos, la oí llorar bajito.

—¿Por qué lloras, mamá?

—Se me picaron los dedos con la lejía y me duelen mucho.

Vi sus pobres manos enrojecidas, ensangrentadas, y me horroricé.

—¡Yo buscaré a Maimona! ¿Por qué no esperaste?

—Y si no, haber llamado a otra mora. ¿Sólo está Maimona en este pueblo? —dijo malhumorado mi padre.

—Mañana estaré buena, descuida; es la falta de costumbre. ¡Qué dura es la faena de las pobres lavanderas!

Al día siguiente, los brazos al aire, cantando, mi madre pilotaba la casita humilde. Le escocían los dedos, sí, pero hacía sus faenas sin prestar atención a su dolor. No sé por qué aquel día yo, muy seria, expuse un secreto pensamiento:

—Óyeme, mamá: no quiero tener hermanos. Somos muy pobres ya los tres.

Suspiró y me acarició:

—¡Tonta, no te preocupes! Además, somos cuatro. ¿Y tu perra, no la cuentas? —pues allí constaba aquélla, ojos redondos y manchitas canelas, un poco más acá de su infatigable rabo.

Pero yo encontré a Maimona, desolada, su cría a la espalda, calle Pi y Margall arriba.

—Tu madre estar mal conmigo, ya no llamarme...

—¿No estar tú enferma y mandar decirlo?

—¿Yo? ¡No! Ser ella quien no avisarme ya.

Poco a poco las razones sobrevenían: la mora comía, ganaba un jornal...; su niña, el jabón, la lejía... Me eché a llorar al entrar en el colegio, mientras aprendí aritmética odiosa. ¡Qué pobre era mi madre y qué valiente!

—¡Cuando yo crezca..., cuando yo sea mayor, ganaré para veinte Maimonas!

Y con inmensa ternura besé a mi madre, que no entendió por qué brotaba súbita y extremosa, mirando de soslayo sus manos afeadas, sus brazos enrojecidos. Bajé al patio, y sin que me vieran saqué agua del pozo amargo; grité en su brocal: ¡Tráemela!», para ver si me la acercaba compadecida de mi flaqueza; pensé horas y horas en cosas disparatadas mientras leía *Las mil y una noches*...

La verdad era ésta, continua, inapelable: que mis padres luchaban con la adversidad a brazo partido; que Maimona resultaba cara; su niñita, un pobre ser débil y espantado al que vestían mis ropas con excesiva prodigalidad de tela, y que yo, la que todo lo quería resolver opulentamente, no sabía hacer sin borrones una división de tres cifras.

Los moros seguirán bajando al pozo por los escalones rudísimos, y al llegar al fondo gritarán a los de arriba para que saquen cubos y más cubos de limo tierno, hasta dejar limpia, reluciente, la veta clara del manantial; moneda de frescor para los esclavos.

EL MANTELETE

—¿Has ido al Mantelete?

—No; ¿qué es?

—Pues un mercado de los moros, cerca ya del muelle.

—¿Qué venden?

—¡De todo!

—¿Como en el mercado grande?

—No.

—¿Como en la Placilla?

—No, tampoco; sino otras cosas.

Al volver a mi casa, directa, a mi madre:

—Mamá, mañana quiero ir al Mantelete.

—Bueno, iremos al mercado y de paso...

Las mañanas del mercado grande eran bien simpáticas. Mientras mi madre escogía lo que le parecía más del gusto —exagerado, exigente— del escasísimo apetito de mi padre, yo lo miraba todo. El interés que las cosas tenían entonces para mí no he vuelto a recobrarlo. ¿Cómo sería posible vivir con semejante afán tan escasos años de la vida?

Después del mercado grande nos encaminábamos al de los moros. Todavía no conocía yo las calles del Polígono donde tenían establecidos sus tenduchos y sus grandes comercios moros y hebreos. Esta calle, larga y estrecha en mis recuerdos, estaba pobladísima; ambas orillas derramaban los géneros en venta, que sobresalían de mostradores y anaqueles: telas bordadas y con estampados ligeros; babuchas amarillas, de piel recamada de oro y piedrecillas; babuchas de terciopelo con flores de orillo; bolsos de todos los tamaños, de piel repujada; carteras, lienzos, camisas bastas de hombres y otras finísimas y bordadas. Azúcar en pilones, paquetes de té verde con caracteres árabes y dorados sobre fondo verde también; especias de todas clases cuyo excitante perfume revuelto mareaba...

Frascos de esencia, vasijas con grabados. Un extraordinario muestrario de objetos atraía con deslumbre mi atención. A la puerta de casi todos los comercios, en cuclillas, fumaba el dueño. En aquellos donde se vendían utensilios del té solía estar dentro, cuidadosamente vestido de blanco, muy morena la tez bajo el rojo gorro de borla negra... Como aguardando a los compradores para ofrecerles una de las labradas tazas de boca ancha, plena de té con yerbabuena. O una de las tacitas pequeñas de copiosas labores con esmalte, donde se bebía el café turco de oloroso atractivo.

—¿Este es el Mantelete? ¡Vaya una cosa!

Eso lo dijo mi madre; yo estaba encantada de caminarlo como en sueños, comprándomelo todo con la imaginación, desde los perfumes hasta las babuchas, jeiques, chilabas, bolsos, carteras, gorros, pipas, ¡todo me servía para mí y para regalárselo a mis amigos! Detrás mío caminaban ocho o diez moros negros cargados de fardos, cansados...

«¡No compre más!», suplicaban. Pero yo sonreía y seguía señalando un montón de maravillas.

Del sueño salí pronto: al final del mercado. La voz de mi madre me sacudió a la realidad.

—¡Cuántas cosas te comprarías tú, ¿eh?, con lo caprichosa que eres!...

Andábamos ya el regreso, y yo iba muy mustia. Ser caprichosa era una feroz predisposición mía, contra la cual luchaba denodada y vidente: llegaba en mi autoperfeccionamiento a no pedir nada, ni siquiera las cosas que más me gustaban en la mesa. ¡Y aun así se me notaba caprichosa! ¿Qué dirían si yo soltara el chorro de mis elecciones?

—Quiero esto, quiero aquello; eso más, lo otro, lo de allí, lo que vendrá luego. Quiero, quiero. ¡Yo quiero todo lo nacido y por nacer, madre!

Mas aquello era locura; imposible hablar. Y, no obstante, sabían que yo era caprichosa. Dentro de mí empecé a construir una voluntad firme y a depurar mi gusto; a saber elegir y a querer lo elegido de tal manera, que... —después, con los años—, al señalar mi corazón un algo, ya estaba tan bien elegido, era tan firme mi resolución, que no habría nada humano capaz de interponerse entre mi deseo y su posesión. Yo diría ahora quiero esto. ¡Que no en vano todos los años de mi infancia estuve amontonando silencio y contención para depurar mis caprichos y vencerme!

¿En qué quedó el gran atractivo del Mantelete? Se me ha perdido su huella... Como no fuera culpable un retrato que por entonces se le ocurrió a mi madre hacerme, vestida de mora, en el estudio de cartón iluminado de un fotógrafo profesional... ¡Y qué feliz ocurrencia la del hombre! Me semitendió sobre cojines (yo era una niña delgadita y pálida, muy rubia sobre los negros ojos), y al lado, a mi derecha, de pie, colocó a mi madre.

Resultó un excelente grupo: aquella hermosa y robusta mujer en la plenitud de su juventud que era mi madre, muy sonriente y erguida, en traje de calle, junto a una insignificante criatura disfrazada de mora rica que miraba al fotógrafo con aire solemne desde el fondo de un ensueño, para él indescifrable...

Aquel retrato fue enviado a la familia con abundancia. Sólo el primo, cariñoso, se atrevió a pensar: ¿Por qué no la habrán dejado sola y sería más visible? ¡Su madre se la traga!

Pero ella estaba muy contenta y era yo la única que se avergonzaba de la inarmonía de vestimentas y actitudes de la fotografía.

ÁMBAR

—María Reyes sabe hablar conmigo de una manera que tú no.

—¿Cómo?

—Verás: tigri degri libri. ¿Qué te he dicho?

—¡Anda! Tú das libro.

—Eso es. Bueno, pues hablaremos siempre así.

Y Ámbar, el esclavo negro, se reía, enseñando su diabólica dentadura de piano nuevo.

Todo era en él misterioso y fuerte: su cuerpo, su risa, sus movimientos de ébano; para mí tenía constante atracción y le veía como si brotara de un ensueño de calentura.

Dormía en un camaranchón del patio entre las dos calles, Explorador Badía y Villalba y Angulo. Sus amos habitaban el piso, sobre las dos calles, y dos casitas muy humildes, la de María Reyes y la mía, se abrían debajo a la calle segunda. Él bajaba temprano y llamaba a mi puerta:

—¿Quieres que juguemos a la lotería?

Jugábamos con él las dos niñas, y entonces nos decía que estaba estudiando mecánica para comprar su libertad y dejar la esclavitud. Era de Fez, y en la casa sólo le protegía Fátima, que era tan negra como él y esposa segunda del moro señor.

Una mañana le oímos gritar igual que un potro salvaje al que marcaran con iniciales eternas. En el patio, desnudo, recibía los latigazos de su amo, blanco y hermoso, con barba rubia y ojos azules de fenicio.

—Anoche vine tarde —nos explicó después— y él se ha enterado y me castigó.

Por las ventanas de la galería, Fátima lloraba pidiendo misericordia mientras Ámbar relucía como un ónice mojado.

Vinieron otras noches, y en una de ellas, la más honda, llamaron suavemente a nuestra puerta, que se abría a dos metros escasos del monte, calle estrecha como un alfanje, y mi padre se alzó con sobresalto:

—Magdalena, ¿has oído?

—¿Has oído, Ventura?

Hasta la perrita enderezó las orejas y asintió con el rabo. Era allá por 1914, cuando las noches no ofrecían demasiadas seguridades a los europeos de Marruecos...

—¡Ábranme, por favor; soy Ámbar! —dijo una voz ansiosa que entró en la casa, calmándonos a todos.

—Ábrele, Ventura —dijo mi madre—; ya sabes lo que le ocurrió la otra mañana.

Pero, súbito, el temor: ¿y si no fuera él, y si no viniera solo?...

—¡Soy Ámbar! —seguía la voz temerosa al otro lado del portal.

—Es Ámbar... —dije yo confiada; y la perrita olfateó sin ladrar.

Le abrieron: noche y noche ante los ojos de mi padre. Entró con frío, pálido su ébano sobre la blancura del jeique.

—¡Si se entera que acabo de llegar me mata! —y se subió despacio a su camaranchón del patio. La noche del mundo se apretó contra nosotros, estremecida.

Nunca veíamos a las moras con el rostro descubierto, a no ser yo dentro de su piso; y un atardecer, al volver con mi madre de pasear por el parque, las vimos bajar enloquecidas, casi desnudas, detrás de Ámbar...

—¡Fuego, fuego, fuego, fuego!... —gritaban todos, huyendo, abandonándolo.

Pensamos en nuestro pobre ajuar y mi madre palideció aterrada. Apenas oídos los gritos, ya los vecinos nos tranquilizaron:

—No haga usted caso, estamos apagándolo; fue muy poco, ¡pero esta gente lo arregla todo echando a correr!

El fuego se me antojó el látigo que les golpeaba ahora a los amos de Ámbar sus espaldas cuidadas, que les sacudía por tardanzas injustificables; un gran palo enarbolando la sierpe de la llama que mordía en agudo, ágil, perfecta.

—Ámbar tiene siempre miedo del amo; quiere irse contigo a España.

—¿Conmigo; podría ser?

—¡Si tu padre me comprara!

¡Remota posibilidad del presente vivo! Magdalena y Ventura sonrieron, mirándome los labios golosos de dádivas imposibles.

—Los blancos no compramos esclavos, hija mía. Además, yo no tengo dinero. ¿Es que no lo sabes tú?

Lo sabía, ¡ay!, ¿cómo no? Había visto el viaje de irás y no volverás de las joyas que destinaban a mi dote, únicas supervivientes hasta entonces de la fortuna en que nací; y oía los suspiros de mi madre cuando hacía los números, impares siempre, del gasto diario. Pero comprarme a Ámbar...

—¿Tugri migri quiere muchigri?

—¡Yogri quiere muchigri tugri!

Y el moro se reía, nítida boca, nítidos ojos, con alegría de apolo que presiente una femineidad en éxtasis admirativo.

—¿Por qué brillas tanto, Ámbar?

—Será porque me baño en agua del pozo.

Sacaba agua, agua, sin cesar bajo los ojos de Fátima.

—Ya no más, moreno —decía ella desde su galería.

Cuando Ámbar soltaba el cubo lleno, irguiendo su torso magnífico, el patio se llenaba de selva, de altos árboles que mordisqueaban panteras y tigres encelados.

¡Mi Historia Natural, mi lámina de las cinco razas del mundo!

—¿Cómo sería tu madre, Ambar?

—Los esclavos no tenemos madre.

Y los dos reíamos, felices, niños, con las palabras trágicas entre los labios inocentes.

—Yogri...

—Tugri...

Hasta que María Reyes venía con sus cromos y sus saetas a enriquecernos la compañía.

EL «GATO»

Pasaba por mi puerta, flaco y alto, de blanco todo, envuelto más que en sus telas finas y ricas en la leyenda factuosa que le constituyeron sus prodigalidades para la Corona.

—Ese es el moro *Gato*, que acaba de llevarle al rey unas jacas negras preciosas...

—¿Habló con el rey?

—¡Digo! En Madrid, en su palacio. Tiene veinte mujeres el *Gato,* y cincuenta hijos, y mil caballos, y tres mil borregos, y..., y... —la mente infantil hacía prodigios de riquezas, reales, superiores acaso, o simplemente imaginativas.

Decían las personas mayores:

—Es un moro influyente.

Y *El Telegrama del Rif:* «Es un moro notable».

Que influía entre moros y cristianos era exacto; sus maneras hábiles, suaves, dudosas, le presentaban siempre como personaje de mucho fondo. Su casa, o una de sus doscientas casas, estaba en la calle General Barceló, paralela a la mía; y por Padre Lerchundi pasaban también otras personas de su familia, de las que significaba extraordinariamente un hijo suyo mozo —uno de los cincuenta hijos—, blanco, rubio, reidor, brillante, hermoso y alegre como ningún joven de la ciudad, que calzaba (¡absurdo atavío!) botas y polainas de cuero militares, vistiendo ropas musulmanas y tocándose con rojo gorro de borla negra y larga.

—El *Gato* es bizco, o tuerto, ¡pero su hijo!... —y nuestras caras expresaban una admiración sin mesura hacia aquel muchacho sano y alegre que nos brindaba su risa hermosa.

Figuras las dos familiares como las morillas de los palmitos, como los críos hebreos que en los días de espantosa sequía se lanzaban a las calles agarrados a las puntas de un saco gritando que les echaran agua encima para soliviantar a las nubes y que llovieran magnánimas...

Leyendas en torno, supersticiones y misterio que a mis ojos valía como nada; ¡no saber, no adivinar, no querer conocer otras cosas que las imaginadas!

—¿Te gustaría mirar por el ojo de la llave y saber qué pasa en casa del *Gato?*

—¿A mí? ¡No! ¿Para qué?

—¡Para saberlo!

—¿Para qué?

(Siempre igual: mejor el sueño, lo propio; la realidad del *Gato,* ¿qué más daba? ¿Qué más da ninguna realidad auténtica?...)

—...Jacas negras al rey, se las llevó él mismo. Las veo caracolear las colitas tiesas, en un gran patio blanco. El rey estaría asomado a su balcón, los bigotes rizados, y se sonreiría contento de sus jaquitas.

—¿Le gustan a usted, señor rey?

—Sí, muchas gracias, amigo *Gato.* Me montaré en las dos para pasearme los domingos con mi traje nuevo y mi fusta de oro y diamantes.

—Bueno, pues entonces me vuelvo a mi casa; aquí hace frío y allá me esperan mis mujeres para bailarme mientras yo fumo en una pipa muy larga y muy delgadita, de donde sale un humo azul que hace anillitos en el techo. Todo se ve en los espejos color de azúcar, rubios de sol, y yo me duermo hasta que me llevan el té con yerbabuena y dulce de almendra...

Sí; así debieron de hablar el moro «notable» y el rey. No es que lo dijera *El Telegrama del Rif,* pero me lo figuraba yo. Y esto le daba mayor aire a la figura flaca del jeique precioso, las babuchas amarillas bordadas de hilillos dorados y el rostro ambiguo e impersonal de intermediario entre los militares y los moros kabileños.

¡Cuán distinto todo de lo que su hijo diría!

—Soy fuerte, alegre, y sólo quiero reír.

—Eres hermoso y vencerás a los leones que llevas y levantas a tu paso.

Y en torno de su aire arremolinado danzaban muchachas; no las de su padre, sabias y lentas, sino otras, delgadas, alocadas, que corrían entre las orillas monótonas de la música rompiendo los brazos delgados de los velos y del humo de olor con que él las acosaba enamorado.

MI PADRE NO ES CAPITÁN

Si todos los recuerdos penosos se dijeran sin pensar en la opinión de quien los escucha, el corazón se iría aliviando de sus miserias hasta quedarse limpio y ligero, alado corazón para anidar en las ranas del Árbol de Dios. Porque yo quiero ir realzando el mío, digo, todo lo distante, y ahora, esto que me aflige hasta después de razonarlo con generosidad.

Mis amigas eran numerosas y se pasaban la vida diciéndose las unas a las otras sus listas de comodidades.

—¿Qué es tu padre? El mío es comandante y tenemos dos asistentes.

—El mío es teniente.

—El mío, coronel.

De pronto, a mí:

—¿Y el tuyo, qué es tu padre?

Sin pensarlo, dije:

—Mi padre, capitán.

Yo era imaginativa, acaso orgullosa, y experimenté un absurdo rubor de confesar que mi padre no solamente no era militar, ni siquiera comerciante. Así, pues, sin detenerme a pensar, contesté rápidamente:

—¿Mi padre? Es capitán.

Se miraron las niñas, dudosas; una, lista, dijo:

—¿Y ése que viene a tu casa de paisano?

Ya lanzada, ¿cómo retroceder? Repuse:

—Es mi tío. Mi padre está en el campo.

(El «campo» en Marruecos era donde estaban los campamentos, las posiciones frente al enemigo.)

—¿Y vive con vosotras tu tío?

—Sí.

—¡Pues nunca viene tu padre!

—No tiene permiso.

Y ya no hablamos más de aquello. Mi corazón no sufrió temores ni torturas por la enorme mentira dicha; era una edad la mía tan poblada de imaginaciones, que no lograba distinguirlas de la realidad; y así, muchas eran las veces en que preguntaba a mi madre:

—Dime, mamá: «eso...» (cualquier detalle) ¿es verdad o lo he inventado yo? —por lo cual ella tenía siempre como una obligación más la de velar por la autenticidad de mis ideas.

¿Quién contó a Masanto, mi amiga hebrea, la conversación con las niñas de militares? Probablemente alguna a la que no convenció mi respuesta. Pero Masanto no tardó en ir a decírselo a mi propia madre. Debió de ser en un día muy raro, en el que ésta no me habló en muchas horas. A la noche siguiente, cenando, mi padre estaba serio, triste... Quise yo alegrarlo, sin duda, y le pedí que me llevara de paseo; o quizá le pediría otra cosa; no recuerdo mi tentativa; sí su contestación:

—No puedo hacerlo; cuando baje tu padre, el capitán del campo, que lo haga.

Estaban serios los dos, mi madre y él; debí de ponerme roja, quedarme medio muerta de miedo y de vergüenza súbitos, aunque todavía no se me alcanzaba todo el mal de mi embuste.

—¿Tan mal te parezco, hija mía, que niegas que soy tu padre?

Yo no hablaba; mis manos se agarraban a la mesa, frías y crispadas.

—Soy un trabajador ahora; pero lo mismo que hasta hace bien poco, cuando tú naciste y bien después, tenía coches, caballos y dinero, puedo volver a tenerlos. Por eso no se niega a un padre.

Su voz era triste, amarga, y todo él dolía como una llaga inmensa. Intervino, airada e incapaz de contenerse más tiempo, mi madre:

—¿No te da vergüenza haber dicho tú ese disparate? ¡Que tu padre es capitán y que está en el campo! ¡Que el que viene a tu casa es tu tío! Y todo el mundo ve que vivimos los tres solos, que tenemos él y yo la misma alcoba, el que tú dices que es hermano de tu padre. ¿En qué situación me has puesto, hija mía? ¿Qué dirán las madres de esas niñas de mí?...

¿Qué decían, Santo Dios? Yo no entendía ya nada; en mis oídos zumbaba la sangre tumultuosa, y un yelo mortal me envolvía en sus paños mojados. Implacable seguía mi madre, la más fuerte para castigarme siempre que lo merecía, que era con excesiva frecuencia:

—Tu padre trabaja en un oficio muy digno y muy bonito; sus manos sólo se manchan de oro; viste mejor que esos capitanes, y, además, ¡es tu padre!

Ya no oía yo nada; comprendía la brutalidad de mis palabras y una pena infinita me empezó a sangrar hasta hacerme llorar a mares.

—¡Yo no sabía que era tan malo decirlo! ¡Yo estaba fastidiada de que presumieran conmigo y por eso fue que lo dije! ¡Pero yo no sabía que era tan malo!

Lloraba, lloraba; mis ojos, siempre secos, incapaces de una lágrima nunca, pasara lo que pasara, eran dos fuentes desbaratadas.

Mi padre comprendió antes que mi madre, y me perdonó:

—No llores más, anda, si ya vemos que todo fue culpa de lo fácilmente que sabes mentir

Y mi madre:

—¡Prométeme que irás a esas niñas y les dirás que las engañaste! ¡Prométeme que no volverás a mentir!

Prometí, ¿cómo no? Fui a las niñas, deshice el fatal equívoco; se rieron de mi orgullo justicieramente. No volví a mentir. No he vuelto a mentir. No volveré a mentir.

Hubo un tiempo en que mi padre fue obrero, sí. Mi padre no era capitán.

LAS MANOS DE MI PADRE

A partir de aquel día comenzó una nueva era de mi pensamiento. Las palabras de mi madre: «¡A tu padre sólo se le manchan de oro las manos!», me impresionaron fuertemente. Todos los padres de mis amigas sufrieron la inspección de mi nueva crítica.

—¿Tu padre es tendero? ¡Se manchará de grasa! ¿Tu padre es albañil? ¡Se pondrá sucio de cemento! ¿Tu padre es cirujano? ¡Cómo se untará de enfermedades! —y, seguido—: Mi padre sólo toca oro, que es lo más rico del mundo. El oficio de mi padre es precioso.

—¿Qué es tu padre?

—Joyero.

—¡Ah!

Un exceso de orgullo reemplazó el silencio de antaño, por las mismas razones sin razón: el quehacer paterno, sostén de nuestras vidas, que era preciso exhibir ante la exhibición ajena. Y me dediqué a observar a mi padre cuando trabajaba, a indagar los accidentes de su trabajo. ¡Quizá laboraba el subconsciente para reparar el pasado!

Bajo mis ojos curiosos desfilaron las etapas del oficio. Desde la llegada del oro al taller hasta su sabida transformación en joya. Primero, las hermosas monedas de oro se doblaban a fuerza de martillazos; luego, se fundían en el crisol, con su aleación correspondiente. De allí, después de hervir alegremente, ¡como un verdadero rayo de sol líquido!, pasaba al molde, donde, al enfriarse, se ennegrecía; convertido en barritas ya, se le trabajaba de distintos modos, según su destino. Era delicioso verle, por ejemplo, adelgazarse a través de los consecutivos ojos de las hileras, hasta ser un hilo finísimo, útil para hacer los eslabones de cadenas, pulseras... O cuando, pasando por aquel rodillo, se iba extendiendo en lámina cada vez más fina con destino a ser trabajada como chapa.

¡Qué firme el pelo de la segueta, cortándola después!

Y los martillazos de la forja sobre el yunque, cuando eran sortijas de sello las que se hacían (¡aquellas horrorosas sortijas de sello que han ido llevando, cada día más bastas y más feas, todas las escalas sociales del mundo!).

Y el clavado de los brillantes y demás piedras preciosas: las garritas, enhiestas; el cincelito, sobre cada una de ellas, y la mano con el martillo: tas, tas, tas, tas..., doblándolas para que protegieran al prisionero de tanto precio.

Una de las cosas más bonitas era el soldado a soplete. Sobre un taco de madera, recubierto de una capa de amianto, se colocaba la joya rota, con su soldadura ya preparada. A ella se dirigía la llama que desde la mecha de una candileja de alcohol se soplaba con un tubo curvo o recto casi. Mientras se soplaba, no se podía respirar por la boca, so pena de tragarse la llama, ágil, gruesa o delgada, afilada como la lengua de un áspid, o ancha como la de un animalote ordinario. Después se limpiaba la soldadura y se frotaba con una untura de piedra pómez y de trípoli —ésta, de rojizo color oscuro—, que olía a alcohol, y que se daba por medio de madejas sujetas a la mesa del pulimento. La joya, al final, brillaba sin vahos gracias a la caricia final de las gamuzas.

—Papá —comenzaba mi interrogatorio—, ¿el oro es lo mejor del mundo?

Él trabajaba con verdadero primor: sobre el cajón de su mesa, abierto, que estaba forrado de cinc, caían las limaduras menudísimas del precioso metal. Cuando iba a tocar otra cosa, antes se cepillaba delicadamente los dedos con unos cepillos suaves de pelo largo muy delgado... Aquellas limaduras se recogían después (la «limalla») y se agregaban al material de la nueva fundición.

—Eso cree la gente —me respondía—; pero yo, no. ¡Ya ves qué negro y qué feo se pone cuando lo sacamos del crisol!

—¡Sí que sale negro, pero luego brilla mucho!

—Gracias al trabajo.

—¿Y los brillantes, qué?

—¡Bah! Trozos de carbón muy puro que arden que da gusto.

—¿Arden?

Mi padre se reía con ironía y se encogía de hombros. Yo no sabía nunca si exageraba, si me engañaba para desacreditarme las joyas. Lo cierto es que yo no llevaba encima alhajas, que las desdeñaba profundamente.

Para mí era un momento mágico aquel en que veía traer del Banco largos paquetes de monedas de oro o de barritas del mismo metal.

Las primeras caían dobladas bajo la violencia del martillo para transformarse luego en todos los fenómenos que me sabía de memoria.

—Este es el oro, ya lo ves; una cosa que tiene el valor que quieran darle los hombres. Pero todo, gracias al trabajo. Si no se trabajara, ¿qué valdría él solo? A mí, salvo para hacer joyas que nos den lo suficiente para vivir, no me importa nada el oro.

Cierto que sí. Mi madre me lo aseguraba constantemente:

—Hija, tu padre no conoce el ahorro, no sabe lo que es el día de mañana. (¡Había que ver la entonación que daba mi madre a ese plazo de tiempo que se llama «el día de mañana»!) Cuando tiene dinero está deseando gastárselo, repartirlo. Eso está bien cuando uno no tiene hijos, pero cuando se tienen hay que mirar por ellos. ¡Si él me hubiera hecho caso a mí!...

Esto picaba mi interés.

—¿Qué hubiera hecho, mamá?

Ella abría sus ojos negros y dulces, tan honrados, y exclamaba:

—¡Pues muy sencillo! (Mi madre decía «muy sencillo», con su acento ligeramente andaluz.) No habría quitado el «negosio», sino despedido a la mayor parte de los que le estafaban, quedándose con dos o tres de «confiansa». Él, para dirigir, y yo, ayudándole. ¡Hubiéramos sacado adelante las ruinas! Pero se empeñó en que todos comerían de él hasta el final, y... —aquí un largo suspiro— así estamos. Menos mal que él tenía un oficio muy bonito, que le hicieron aprender sus tutores (¡otros tales!) cuando se quedó huérfano y propicio al saqueo de sus bienes. Al cabo de veinte años ha tenido que cogerse al oficio otra vez. Pero ¿y tú, que podrías disfrutar de tantas comodidades? ¿Qué tendrás tú que hacer el día de mañana?

—Mamá, ¿qué es «el día de mañana»?

Se reía entonces ella, mostrando su magnífica dentadura blanca, y toda su cara morena era un canto de salud y de esperanza. ¡Qué joven era mi madre!

—Tampoco lo comprendes tú, ¿verdad? Pues, hija, el día de mañana es..., es «después». ¿Entiendes? Cuando uno se cansa de trabajar porque está enfermo o viejo, hay que tener algo que le permita vivir sin sacrificar a nadie.

Intenté que me explicara mi padre aquello, no muy claro para mí. Pero él se encogió de hombros, indiferente, tardando en contestarme. Luego me miró como si quisiera calar mi alma futura.

—Eso son cosas de tu madre, seguro, que siempre está barruntando dificultades. Mira: mi madre se murió cuando yo tenía nueve años, y mi padre, de melancolía, cuando aún no había cumplido yo los trece. Éramos muchos hermanos, y yo el menor. Una hermana de mi madre y su marido fueron los albaceas, y con tal honradez cumplieron su deber, que a poco estábamos todos en la ruina. Me pusieron a trabajar de joyero; mis primeros maestros fueron buenos conmigo y aprendí pronto el oficio. Me casé con tu madre a los diecinueve años; ella tenía quince y poco más; aunque luchando y sufriendo mucho, nunca nos hemos quedado sin comer.

Interrumpía mi madre, fogosa de palabra y muy locuaz:

—¡Bueno, bueno; pero la nena es diferente! ¡Le vendría muy bien tener asegurado su porvenir!

Él se indignaba sinceramente:

—¿Para qué, para encontrar un marido que buscara mis ahorros? ¡Vamos, mujer! Lo principal que le dejaré (y mi madre: «Lo único, dirás») es un nombre muy limpio y muy digno. Que aprenda a llevarlo bien, y el resto... Con estas manos yo he ido abriéndonos camino. Que trabaje ella también y que llegue a donde pueda o a donde merezca llegar. ¡Y no me canses a mí más con «el día de mañana»!

Así, cobraban nuevo interés las manos de mi padre. Ya, implícitas en ellas, crecerían las mías.

Cuando años después empecé a emplearlas en el trabajo (¿te acuerdas, padre, allá desde tu desconocido país presente?), y uniéndolas al pensamiento fui abriéndonos paso más firme en la vida, un día le dije:

—Gracias, padre, por no haber mirado por mi porvenir. ¡Qué estúpida es la vida a cubierto de las angustias económicas! ¡El esfuerzo mío, del cual estoy tan orgullosa, me vale más aún que la propia vida!

En cuanto a mis manos...

Mi padre sabe que son tan puras, tan dignas, que sólo el trabajo y la belleza las han retenido entre las suyas.

BROCAL

1929

CARMEN CONDE

BROCAL

(POEMAS)

CUADERNOS LITERARIOS

Cubierta de la primera edición.

Yo no te pregunto adónde me llevas.
Ni por qué.
Ni para qué.
¿Tú quieres caminar?, pues yo te sigo.

Las terrazas tienen agilidad de palomas, y como ellas, unas alas finas con el vértice en el agua.

Así que la luna se baña en estas piscinas aéreas, los tejados sonríen con los labios rizados de sus tejas.

Llevo luceros, luceros en la mano derecha. ¡Y llevo estrellas, estrellas, en la mano izquierda!

Dime, hombre de todas las noches de luna, ¿qué mano vas a besarme?

Una esquina, al viento de los molinos que andan. Otra, al campo que tenía un horizonte rosa y sol. Las otras dos esquinas, atadas a los árboles de la sendas como dos perros blancos...

Todas las tardes se sentaba en una de las cuatro esquinas.

Sur. A las tres letritas azules pintadas ondulando, en los mapas dirigiéron las veletas su persistente latido.

¿Por qué, cuando te vas, no te quedas en el cielo?

De la cándida tarde se desprendieron las campanas...
¡Vuelo ancho. de las ventanas con luna! ¡Cómo se entraba a la noche honda del verano, todo quemado en ponientes de fragua!

Bajaban los borreguitos muy rizados de viento, cándidos y sonreídos, por la ladera florecida de sol. ¡Qué dulces las esquilas de estrella y las cabecitas de agua!

Latían los luceros, alegrando el praderío del cielo.

Del faro rojo, al faro verde. Del faro verde, al faro rojo. ¡He abierto la madrugada, caminando de faro a faro!

La noche estaba quieta, prendida a las veletas de las torres. Y la calle estaba muda, sola... ¡Un caballo negro la cruzó galopando!
Yo no sabía que la calle era de cristal.

Dos a dos. ¡Fila de lazos verdes y rojos!
¡Qué agua tan fresca, tan llena de quietudes, tan sobresaltada de, cristales, bebimos todas!
Con aquella niña delgada —lluvia en el huerto— partí mi pan y mis cerezas.

Las mañanas, redondas y luminosas, ven a las muchachas de la huerta camino de la fuente...
La campana del cántaro, a la cabeza. Los brazos, sujetando el cielo.

Por horizonte —¡aún!— la ventana del puerto.
Al fondo, en los cristales altos, el mar. En los cristales bajos, el mar.
Y siempre —¡todavía!—, un barco anclado en la ventana.

¡Yo seré de viento, de llama, de agua!
¿Qué primavera, qué incendio, qué río me ceñirán mejor que tú?

Marina de velas del campo. Recién abierta la tarde, ¡qué brisa pura en las cordilleras del cielo!

¡Carrera de terrazas en la pista grande del cielo! Ganará la mía. Es la más ligera.

¡En este caminito del agua, qué tibia el ala roja y verde de la luz!

Mi corazón irguió sus lirios y detuvo a los vientos que venían en grandes barcas. Quedó un aro fresco flotando en el cielo.

Las campanas se besan antes del sueño, y todas las esquinas de las casas de campo huelen a cielo, porque dejan asomar, de cuando en cuando, un lucero.

Sienes frescas de almendro, apoyadas en mis sienes como dos pájaros que cantan.

Molino de mi campo, siempre puro. Girando, como una rosa entre los dedos de Dios.

Yo, tan delgada como un horizonte, voy por este camino. Cantando. ¡Al viento mis cabellos ondulados, mis cabellos de mapa!
Llevo en las manos una rosa blanca llena de rocío.

Soy esbelta, recóndita. Para llegar a mí hay que saltar cinco ríos y tres álamos.

¡Qué transparencia tiene la lluvia en el huerto!
Recta, afilada, continua...
El cielo está más bajo. Se respira el gran aliento del mar.
¡Recta, afilada, continua..., qué transparencia tiene la lluvia en el huerto!

¿Por qué me has quitado tus manos, tanto y tan bien como acariciaban mi frente?
Para que me quisieras otra vez, te regalaría un collar de islas, un sistema nervioso de horizontes.
¡Me abriría, para ti, todas las mañanas en tus labios!

Balsa, ventana del panorama, ¡qué gran viaje hago a las estrellas cuando me asomo a ti, con esta altura de sienes volcada en tu agua honda!

El agua que correrá en tus ríos, seré yo.
El alba que. abrirá las claraboyas, de tu día, seré yo.

¿De dónde este vaso de silencio, y este frío, y esta emoción de distancia?

Me hice alta, alta... Caían, en hojas de lluvia, diminutas esquinas de soles. Crecieron hacia abajo las espigas dé luz de la tormenta, y de mi corazón fluyeron las cándidas barcas del amanecer.

Se derramaron las campanas por el campo...
Tenía la noche un gran lecho de sol en las eras.

Trascielo.
Alta claridad del viento que nos lleva los ojos al valle.

Fluye mi camino al tuyo, como un arroyo aun pino.
El cielo, que sostiene mi agua, es el mismo que tú has izado.
Nos reclinaremos juntos, cuando los vientos lluevah desde Dios.

¿Me dejarás que descorra tus miradas?
¿Me acariciarás cuando mis labios se enciendan tras los montes?

El lucero, al final de la tormenta, ha salido muy bien peinado, muy lavadito, con una gran sonrisa redonda en torno suyo.

¡Quiero despertarme en el hombre de la noche, cuando las estrellas se enciendan en las ventanas de las balsas!

Descalza, estrella, descalza.
Por el agua alta, yo quiero ir descalza.

Por el cielo hondo, yo quiero ir descalza.
Descalza, estrella, descalza.

Sol, Dios.
Al mar, con brisas de gaviotas inmóviles, llevaremos esta alegría.
Dios, sol.

¡Gira, molino!
Yo soy tu cielo.

Si yo derramase todas mis geometrías en el agua, cinco navíos descubrirían islas submarinas con ruedas de peces y sirenas.

En la noche grande, arraigó el lucero.
Ha girado el silencio y un viento leve juega con los pinares.

No, ¡no era el viento!
Era yo.

Yo soy más fuerte que tú, porque me apoyo en ti.

La terraza se ha levantado con la agilidad de sus luceros y me lleva —¡nos lleva!— al mar.

Estaban cuajadas las almendras del mar. Finas ramas azules escalaban el cielo.
Yo recogía vientos y frutas.

Dormía, y el amanecer me saltaba de hombro a hombro.
Río abajo, navegaba la luna.
Los bergantines de la mar y las rosas del campó se llenaron de aquella luz mía que era cual otra luz del cielo.
Río abajo, mi corazón.
¡Yo estaba en los álamos, como el viento de la primavera!

Se abrió el paisaje, a todo viento, en la retina. El río, con sus cascabeles de aurora, me trajo la inquietud.
Sentía en lo alto, como de mano con estrellas, los finos dedos de la luz atardecida.

¡Más alto el cielo, más alto!
Quiero pasar entre la tarde y tus ojos.

Resbalaron estrellas, poliedros diminutos de fuego.
¡Estaba mi corazón en la lluvia, como una palma roja!

Me llevabas...

En el agua inmóvil se agrandaban nuestras sombras entre los luceros. ¡Yo era tan ágil como la ventolina!

¡Asómate a mí, que soy una torre!
¡Asómate a mí; soy aquella palmera de tu huerto que leía contigo!
¡Echa al aire mis campanas y mis palmas!
Yo soy tu panorama.

ORILLA

I

Qué gran ligereza tiene la tarde. Apenas insinuada, ya quiereapagar sus antorchas.

Todo lleva un gran ritmo de velocidad. Aquí no hay ríos, ni pinos. En esta hora, todos los ríos y los pinos del inundo corren hacia el ancho camino del mar.

¡Cómo se levantan las brisas para acompañarte!

II

Ya no hay casas en la ribera. Sólo quedó esa, donde tú y yo juntamos las sienes.

No están los arbolillos de la cuneta y el agua resbala, sin ellos, como una veta de luna caída del cuarto menguante.

¡Qué frescura tan dulce en esta marcha de todo!
¡Qué gran fragancia en esta soledad sellada!

III

¡Salta el cauce infantil y dame las manos!
Seamos los arbolillos que se fueron.
Quietos. Prendidos.

CÍRCULO MÁXIMO

I

Alrededor de mí, tú.

Estás buscando un punto para clavarte a él. Acaso esto no sea posible. No porque yo no quiera ser inundada por ti, sino porque yo estoy lejana de todo. De puntillas sobre mi corazón.

Ni me enteré del color que tomó el cielo cuando cantabas, ni del diámetro que tiene la distancia que me separa de Dios.

II

Voy y vengo. Iré y vendré.

Soy la pasajera inmóvil de tus ríos.

Si no supieses nada de esta colina blanca crecida de mí, no podrías tomar impulso y saltarla.

He ahí que tú naufragarías.

III

Formada estoy por molinos, balsas, torres, palomas, rosas...

En la rotación, lo primero se junta a lo último. Superposiciones simples. De la terraza a la luna, ¡cuántos kilómetros de estrellas!

IV

Las esquinas llevaban lazos encarnados y verdes.

Cuesta abajo, mis ojos...

—¡Niña, cuidado con mis ojos, que se me van al río!

Cinco piedrecillas lisas dan la impresión de una playa.

De puntillas sobre mi corazón he desplegado el cielo. Dios está próximo. ¡Ya veo las banderitas de su pista!

V

Mi luz recorre todo tu paisaje interior.

Me veo en todo tú hecha mil yos chiquititas; yo, sólo perfil. Yo, sólo frente. Yo, sólo hombros.

Invado las galerías de tu silencio, descorro tus ventanas y sonrío...

¡Ríe tú, que mi sonrisa es toda la mañana descalza!

4

I

Venían cuatro hombres por el altozano. Recios, enlutados, con una serenidad llena de sol. Hacia la izquierda, anchas balsas volcaban un cielo inquieto en la sombra.

II

Cerca de la iglesia se pararon los cuatro. En la mañana, las cuatro figuras erguidas tomaron serenidad de piedra.

«¿Qué hacemos?», se interrogaban los ojos. Y uno, el más delgado, dijo desde muy lejos: «Subamos a la Torre.»

Subamos a la Torre.

Subamos a la Torre.

Subamos a la Torre.
Y subieron a la Torre.

III

La caja aérea de sonidos estaba callada. Ocho campanas grandes, muy grandes, repartidas en los ángulos —proas— de la Torre. Seis campanas pequeñas dispuestas sobre las grandes. Cuatro campanitas chicas sobre las pequeñas, y arriba de todo —banderín—, una campanilla alegre, brazo del semáforo sonoro.

En el centro de la estancia, un cilindro en espiral con las maromas que movían a las campanas.

IV

Los cuatro hombres se pararon, uno tras otro, en los cuatro ángulos del recinto. Iban a dar las once.

Puestas en marcha las campanas grandes, unos mazos de hierro golpeaban a las pequeñas; luego, a las pequeñitas; por último, la campanilla saltaba descalza por el prado verde y fragante del cielo.

¡Qué júbilo el de la Torre, toda volada en giros locos, en aires dispersos, en palomas desbandadas!

Cuando todo terminó, graves, trascendidas de los siglos de la huerta, cayeron las once campanadas del reloj. A la postrera quedó un hondo, ronco vibrar en la Torre. Salió por las ventanas (¡de lejos la Torre era transparente!), y no reposó ni en el agua del río.

V

Serios, lejanos, llenos de sol y de rumores, se asomaron los enlutados al balcón. La huerta corría por debajo como un alga enorme. Más allá, entre los ramos de nardos de la iglesia, dormía el Segura.

Arrancaban muchos caminos de entre los horizontes. Por ellos pasaban las campanas.

VI

Bajaron. Y otra vez, silenciosos y recios, se hallaron en el campo. Descorridas de brisa oscilaban las palmeras. Tres siempre.

Llenos de fruta los árboles. Azules y moradas las cordilleras.

A la sombra de una casa en cuyo escudo amenazaban dos hombrones de granito, reposaban unos bueyes.

Ondulaban los trigos, mujeres blancas de cabellos negros, y los burrillos tiraban de las norias.

¡Álamos, río!

VII

Los cuatro hombres, altos y enlutados, izaron sus cuatro sombreros planos.

POEMAS
A MARÍA

1928

CARMEN CONDE

Brocal
y
Poemas a María

EDICION DE ROSARIO HIRIART

Cubierta de la edición de 1984.

1

«María, la que, cuando estrechaba la mano del Poeta hacía como que se la llevaba al corazón...». Adolescente delgada, con ojos en penumbra, apoyada en el balcón de las despedidas. Romántica muchacha alta, que amaneció sonriendo y está parada en un meridiano de marfil sonoro!

Eres la novia que deshoja las rosas para mojarse los dedos de aurora, y luego, ceñir mejor las sienes de la música. La que cantará, siempre con voz más fina, para que yo la oiga.
La que, reclinada en el balcón, hace que despide un ensueño.

«María, la que se llevaba la mano al corazón cuando se la estrechaba el Poeta...», tienes en todos los retratos unos ojos silenciosos, ¿no los descorrió nunca un paisaje?...

María, la dulce y romántica muchacha de la mano en el corazón!

2

María está triste, ha fracasado por dentro. De pronto, como si a un acorde vago de su piano lo sincopase el huracán. Esta es su tristeza la nota a contratiempo. Ella —¿no la veis con su traje negro, sus manos claras y sus sienes escarchadas?—, venía andando por el mar... y un viento adolescente dirigió su latido hacia el corazón de María.

¿Resbalaban estrellas?, ¿era zumo de luna, o es que lloraba María? Sí, María lloraba. Estaba tan resignada, y ahora aquel huracán de música!

Los navíos, cargados de rosas y de granadas, abrieron rumbos. Los faros, siempre variando de cielo, afirmaron la noche más allá del mar.

María, pensativa, se incendiaba en el umbral de todos los caminos.

El viento traía en los ojos paisajes constelados de molinos con sol, balsas desnudas con barquitos de corcho y caña. Muy adentro, una lucecilla azul, lumbre de poemas.

—¡María!, ¿por qué temes tanto al viento? ¡Sique andando por el mar! ¡Deja que dispare tus cabellos, deja que se diluya en tus labios, déjate envolver por las llamas!

(María está pálida y tiene los ojos menos frescos.)

Hace una noche traspasada de sol. Por el mar, soñando, vuelve María...

¡Yo soy un continente de agua!

3

María se ha puesto hoy un vestido claro. Junto al piano, muy peinada, con los ojos limpios de penumbras, estaba tan joven como en su retrato del balcón...

—¡María!—

y este nombre tan sencillo rueda por los ángulos de la salita, se pierde en el cielo —María, ¿no te llevas hoy la mano al corazón?

Es más delgada con este traje. Cuando se sienta —María se sienta muy bien—, la finura de sus manos tiene, sobre la falda, serenidad de piedra. Música cuajada!

Se miraban como dos hermanas llenas de rocío, las sienes de María en mis ojos.

Y yo he dicho:

—...¿quién habría detenido su barca cerca de ti?, ¿quién se habría trascendido de tu lejanía sino yo?

Y María, me estrechaba las manos,

—Tú —dice.

¡Yo, yo, yo! y yo, ¿por qué?

—Porque sí. Porque eres tú.

Toda la tarde abierta sobre mi corazón, se ha vestido de claro como María. Grandes vuelos de rosas, largas viradas de las golondrinas, alto rumor de palmeras.

María, géyser de luna, se apoya en el barandal de agua. Balcón al retrato. Al amanecido, se irá por el mar.

4

¡Cinco luceros! ¡He cogido cinco luceros! ¿Los quieres, María? Me saltan por la frente, por los ojos, quieren licuarse en mi espalda.

Yo, a cada uno, le digo una cosa de ti:

> María es un lirio.
> María es un surtidor.
> María es un nardo.
> María es de auroras.
> María es de mar!

María, ¿lo oís?, cuando emerge del silencio se lleva la mano al corazón.

Temblaban, maravilladas de olor, las rosas del campo. ¡Horizonte largo de pinos!

La mañana redonda, entre mis hombros y el cielo.

¡Cinco luceros! ¡Que me llevan cinco luceros!

—María, ¿no quieres estos luceros?

Pero María, ¡tan temprano!, está en el balcón.

5

María se ha enterado de que o hice sus poemas. Por encima de mi hombro, vuelca en la cuartilla su mirada desnuda...

Blanca... —dice—, ¡qué blanca es la cuartilla! —y luego, auriolada de gozo —el blanco es la suma de los colores. Por el blanco nos asomamos al verde, al azul, al rosa...— y se apoya en la tarde, recóndita, para sonreírme.

—Entonces, María, los poemas son míos, de ti, son blancos: por ellos, ventana, nos asomamos a tu color.

María calla. Por mucho que yo hable no dirá nada. Sonríe. Me mira el cabello, la frente, los ojos, las manos... Y, sonríe. No está. ¿Dónde se fue, sin irse de mi lado?

Se derraman cristales en el silencio: ¡María se ríe!

—¿Yo, ventana? ¿Yo, color? —se pone seria, se aleja— ¿por qué has dicho que me llevo la mano al corazón?

Confusión de crepúsculos! Alto lucero del mar que anduvo María!

(Hoy, María, no se lleva la mano al corazón.)

6

Los marineros, descalzos, cantarno con una fina voz mojada de yodo. Luego, jugaron con la luna a los dados; la quebraron en muchos perfiles.

María, asomada al balcón, los miraba.

Peces luminosos, caracolas con el alba dentro, conchas escarlata. Los marineros ceñían la orilla de tesoros recónditos.

Silbaron en los mástiles los vientos adolescentes. María tuvo miedo del mar, todo erguido sobre sus piernas anfibias. Los marineros, enlazados, giraban con los icebergs de luna rota.

¡Qué júbilo el de la Noche! María, más delgada, entraba al puerto constelada de relámpagos.

Nochebuena 1928

7

En el mar, ¡ay, qué honda!, floreció una ventana. A ella se asomó María. No había luceros, ni algas, ni rosas. Grandes islas de naranjas y torres de alabastro. María, en la ventana. Un corro de orillas, cantaba. Ángeles morados circulaban entre faros.

Nochebuena 1928

ANUNCIACIÓN

María estaba quieta en la luna, rodeada de lumbres pálidas. Con la frente desnuda de ideas y el corazón en el viento. Qué dilatada frescura en las manos de María!

Toda la tarde era suya. desde el hombro morado del sol hasta los cándidos eucaliptos con pájaros.

El tren, ensayando su velocidad en los andenes, antes de picar espuelas, le gritó: —¡María!—. Y ella, sonreída de oro en la quietud, cerró los ojos. ¡Cuánto horizonte para un tren tan pequeño!

De la tarde también arrancó un muchacho delgado, un adolescente; llevaba en los ojos dos rosas de amor. Y dijo, acercándose:

—María. Traigo estas granadas para ti —y tendía las manos exaltadas de rojo—. Tienen luna, como tú.

En el regazo de María temblaron las frutas como corderillos. A sus pies corría la acequia, a su espalda giraba el molino.

—Mi amada es alta y firme como el álamo. Tiene los ojos dorados y las manos ágiles como la brisa. Cuando habla, callan los arroyos del campo y Dios descorre las ventanitas del cielo. Es transparente, dúctil; por besarla una sola vez detendría los ríos y apaciguaría estrellas con mis labios!

María alzó los ojos constelados de auroras, y alargó sus manos de agua:

—¡Gabriel!—

La noche espera aquella voz, para arraigar su tallo en el cielo... Cayeron nieves rojas, nieves moradas. Grandes luceros cogidos de la mano y pedazos de mar.

JÚBILOS

POEMAS DE NIÑOS, ROSAS,
ANIMALES, MÁQUINAS Y VIENTOS

1934

Carmen Conde

JUBILOS

Poemas de Niños, Rosas, Animales, Máquinas y Vientos

Prólogo de GABRIELA
MISTRAL.

Dibujos de NORAH BORGES
DE TORRE

Ediciones SUDESTE

Cubierta de la primera edición.

*A María del Mar, que se
fue a bordo de su nombre.*

CARMEN CONDE CONTADORA DE LA INFANCIA

Me conocí a mi Carmen Conde hace dos años. Su librito de poemas «Brocal» me había seguido por medio mundo y al fin me alcanzó en la costa ligure.

Empecé a hojearlo con un gran recelo: aquello eran poemas en prosa, y el género, que yo también cultivé, se me había vuelto muy sospechoso. Generalmente lo cultivamos las mujeres por pereza de construir la poesía en verso, lo cual es la norma racional. Por lo regular se da a ello un grupo de almas que fluctúan entre lo poético y lo prosaico, como un pez entre aguas delgadas y gruesas, incapaces, sin aletas ni branquias fuertes, para navegar en la zona poética pura, y a la vez sin la capacidad suficiente para hacer la buena prosa, que es también ardua. Género para laxos y para mixtos.

Pero... en estas cosas de las generalizaciones salta siempre una mano a taparnos con su rectificación la boca envalentonada de razones, y a sujetarnos la sentencia con el caso individual. Esta vez el golpe de mano refrenador fue el de Carmen Conde y sus poemas de «Brocal». Eran excelentes, daban la seguridad de un temperamento poético de primera agua y dejaban esperando lo que seguiría.

Me quedé en esta espera, y no me ha fallado. Después de rodar por Europa y América, tropezándome en la última con mi «enemigo» el poema en prosa malo; apenas llego a España me cae al regazo, cual paloma que ya conoce su alvéolo, este segundo libro de Carmen Conde.

Me lo trae su dueña y me lo lee ella misma, gracia que pocas veces me tengo.

Carmen Conde es una mujer muy joven para el gusto literario seguro que ya le ha amanecido. Tiene veintiséis años, pero representa más, lo cual dice que le ha tocado vivir vida dura; o puede decir también lo que me repite con frecuencia Palma Guillén, la mexicana, defendiéndome la cara acabada del francés y haciéndome mofa de la cara de manzana californiana del yanqui: «El alma envejece el cuerpo de usarlo demasiado, Gabriela; y las lozanías excesivas pueden ser pura vacancia del alma en el cuerpo.»

Carmen Conde me trae su propia visita, el bulto de su libro, y... la presencia, que planea sobre nosotros, de su hijo que viene. Como en una balada; el niño llega a este mundo duro envuelto en la primera faja de unos poemas sobre la infancia. Un gracioso diría que se trae su libro bajo el brazo. Es mejor que eso; ha trabajado a la madre a lo largo de sus meses de linda hospedería, y la ha hecho retrotraer su infancia a fin de que lo sienta y lo entienda mejor cuando él asome. Bonito taladro de recuerdo este escondido del niño, haciendo a Carmen Conde rejugar sus juegos y rebrincar sus brincos infantiles.

Carmen Conde está casada con un poeta, Antonio Oliver Belmás. Ambos han creado en la Cartagena levantina la Universidad Popular, y trabajan en ella con una doble pasión de maestros y poetas. Este casamiento de Pedagogía y Poesía, que los profesionales suelen no aceptar ni tener por válido, yo sé que es de las mejorcitas alianzas y de las más serviciales. La Poesía significa, entre otras cosas, un sostenido nivel azuzado de pasión, y la Pedagogía padece de una tal sequía, de unos tales peladeros de aridez que atravesándolos las pobrecitas criaturas echan de menos, de día a día, el agua de vida; la buena agua que nutre jugando; puerileando; el agua que si da los sulfatos, hace también las nubes.

La pedagogía de llanura de sílex o de gredas secas, que es la común, realiza algo más que entristecer ánimas: las embastece, las resquebraja... y las mata. Ya son dos, Unamuno y Papini, entre la gente latina, los que se le han ido encima a la Pedagogía a decirle que está haciendo cosas muy malas... o ninguna.

Carmen Conde, naturalmente, no ha pasado por Normales ni por Institutos. Alguno diría que por eso ha salvado sus sentidos sin estropeo, limpios y suyos; que por eso sabe ver al mirar y entender al oír. Sería casi cierto: la virginidad constante de los sentidos denuncia en ella a una persona a la cual no intervinieron las pedagogías con su disciplina (ordenación en el vacío) y con su tierra alentadora reemplazada por el mapa sin resuello.

El libro se llama, con nombre de toda donosura, «JÚBILOS»; y aunque se trae por allí muchas punzadas de aflicción, se resuelve en criatura gozosa. Ver bien; oír bien y palpar bien, son júbilos. En el subtítulo se llama «Poemas de Niños, Rosas, Animales, Máquinas y Vientos», y la letanía grata de temas promete fiestas que cumplirá cabalmente.

Hay un repertorio de niños, de clientes de banco escolar que no están empalados sobre el banco, según el uso. Están allí; en la penitencia de la escuela, pero también andan sueltos, viviendo a la buena de Dios, que es, en tierras levantinas, algo mejor que una «óptima de Dios». Las estampas mejores son, para mi gusto, «GLORIA HERNÁNDEZ», «MARÍA VEGA», «FREJA», «JAVIVA», «LA HEBREA MUERTA». Los nombres exóticos no corresponden a extranjerías compuestas a lo Pierre Loti. «FREJA» y «JAVIVA» son niñas marroquíes-españolas, con las cuales Carmen jugó de niña en su infancia de Melilla.

Carmen Conde se ha puesto a un recuento de imágenes de su infancia; de las no anegadas, y prueba ser buena recordadora y narradora deliciosa. Entre la memoria y la escritura no se le entromete, generalmente, la retórica.

Le quiero y le celebro mucho la ternura en el recordar. Las quiso a las chiquillas melillenses de sus encuentros de escuela, de calle y de huertas, y las trata con dulzura; como a la mejor carne del corazón que son las compañeras de la infancia.

Pero lo excelente no es tanto que las quiera como que las sepa decir tan magistralmente en unas estampas rápidas en las que no sobra nada. Maestra en este arte de pergeñar niños con cariño y con sabiduría por igual, yo no le conozco. Ella se ha entregado a un instinto que posee, medio pictórico, medio lírico; a una naturaleza muy feliz que aquí le conocemos, de imaginera y contadora. La artista en este reino aparece consumada. Se leen de un tirón las semblanzas «y se le pedirían más; otras moras, otras judías, otros niños del Cabo de Palos... Se han puesto a vivir para nosotros,

fueron silbados del silbo de ella estos muchachos, y acudieron, y casi les pongo asiento en mi cuarto para que se queden conmigo... Necesitamos, sin embargo, precisar que esta pergeñadora de chicos no los hace según las modas de ahora, en jugarretas decorativas. La Carmen Conde de veintiséis años se nos presenta como mujer muy vívida, muy grávida de experiencia. Españolísima en este aspecto, nos trae en seguida a la lengua el adjetivo que más estimamos en un elogio: el de humana. Están preñadas de humanidad sus estampas, y nos ponen en el dedo calor, y no sólo la tiza o los carbones de dibujante ingenioso.

Vivacidad, dulzura y alacridad a un tiempo hay en estas que no querríamos llamar siluetas, porque, como, los dibujos japoneses, son criaturas de veras.

Salto de esta sección, de la que de buenas ganas no me saldría, pues apenas la he dicho, a los INSOMNIOS.

Alguien, que no recuerdo, dice que «la infancia, al revés de lo que se declara, carga con tantas angustias, miedos, terrores, esclavitudes, que sería entre las edades la peor y la que él no querría revivir». Yo creo que tiene su poquito de razón, pero no voy tan lejos como él. Se prueban en la infancia, con la carnecita de ciruela y la imaginación desatentada, los espantos más grandes junto con las dichas más dichas.

Carmen Conde, en esta parte de su libro, me devuelve unas noches mías, redivivas; unas noches de terrores de las que me había olvidado.

Son admirables, son estupendos estos INSOMNIOS; quien los sabe dar así como los tuvo, es una gran veraz y un escritor de niños el mejor entre los que tengamos. Quien devuelve aquellas sensaciones que los demás tenemos tan soterradas y tan ensordecidas, con esa frescura de recién de esta semana, posee una memoria que Dios le guarde y posee un arte que Dios le haga prosperar en nuestras tierras.

Noches de niños maravillosos y maravillados. La imaginación tout court, *la grande y la chica, metiendo adentro de la palabra desde Shakespeare el amigo, al Dante el abuelo, no cuenta con tropelío de formas, con realidades y absurdos trenzados, con mitologías más embriagantes; que las que ellos se conocen allá por los cinco y los diez años.*

Carmen Conde ha destapado una fuente que teníamos cegada, ésta de los sueños de la infancia. Prospera mucho; demasiado, la otra fuente de Freud, la de los sueños adultos, sucia, caliente y fea. El derrotero de Carmen, que lo aproveche alguno: es magnífico y le dará mina y mina si lo sigue.

Le gusta a Carmen el Viento. Le gusta de niña, le gustará siempre. Es el Espíritu Santo de la tierra, mejor que el Fuego; pero eso lo sabemos y lo decimos los adultos. Los niños saben que es el niño grande de este mundo, el tarambana que puede más, el burlón peor, el que les desenseña lo que enseñan en la escuela; el que los larga, calle arriba o playa adentro, a hacer lo suyo, que es lo mismo que lo de él.

«EL VIENTO EN LA ESCUELA» lo hallamos el primero; el de «LAS CASAS VACÍAS» nos recuerda, sin imitación, la historia de Andersen y todos cumplen en nosotros, lectores, la misma operación que los INSOMNIOS, de despeñarnos la memoria en los faldeos de la infancia.

Creo yo que no hay regalo que se le pueda agradecer más a un escritor que este regalo de hacernos un desgarrón impetuoso en lo velado que guardábamos y reencontrar un mundo, perdido pulpa adentro de la memoria.

Había que seguir enumerando, repasando y regustando poema a poema. Muchos lectores escarmenarán y escogerán mejor que yo, aquellos en los que la infancia es más volumen; es decir: los hombres más ricos. Porque una infancia vasta o enteca es la que nos vuelve ricos o pobres para toda la vida.

El libro es mejor sobre *niños que* para *niños, aunque su lectura va derechita a ellos, que la gozarán entendiéndola. Este* sobre *preferido al* para *está muy bien. Cuando hacemos cosas para ellos (y yo soy reo de este pecado) con voluntad deliberada, los resultados son malísimos.*

Novedades de lengua, se encuentran varias. Esta instintiva, es dueña del idioma y hace con él lo que quiere.

Sus sentidos se las dirán, selectos y agudos, y en el lenguaje de la Carmen de cuarenta años hallaremos crecidas y multiplicadas las bonitas invenciones y los pulcros atrevimientos que van aquí, en el libro treintañero.

La metáfora se la alabamos en muchas partes como punzón descubridor de tesoros, y le saludamos la fantasía, reina y señora, sin la cual nadie es nada en este negocio de escribir.

Pero sobre ellas, o adentro de ellas, le alabamos las sensaciones perfectas; las de la noche, las del silencio o del miedo; las de aguas marinas o fluviales; de aire y de tantas cosas. Gran captadora, muy mujer; es decir: una piel delgada y leal que recibe y que responde.

¡Qué bien se mueve una mujer en su reino! Reino quiere decir aquí montón de niños y memorias de infancia, ambas cosas divinamente servidas en estos poemas.

Se me ocurre a veces que sí es cierto lo que han dicho de nosotras las mujeres, con ánimo de ofendernos y sin ofendernos: que somos niños.

Puede ser; sólo que unos niños vueltos más conscientes que los otros; unos niños padecidos y más alertas, que tendríamos en este mundo cierto encargo que no se ha dicho, o por lo menos precisado.

Nosotras, Carmen, estaríamos destinadas —y subraye fuerte el destinadas porque sería un destino pleno— a conservar, a celar y a doblar la infancia de los hombres. Las corrientes de frescura y de ingenuidad que arrancan de la infancia en ellos, y que después, muy pronto, se encenagan, se paran o se secan en su entraña.

GABRIELA MISTRAL
Septiembre 1933. Madrid.

NIÑOS

ESCUELA

Entre los atlas y los pupitres, qué firmes y gráciles son las niñas. Se confunden con las líneas azules, con los marecitos, como cabelleras, de las cartas geográficas.

Cada vez que decían una letra, ondulaba el coro. Yo señalaba la rosa de la *a*, el lirio fresco de la *ele...*

¿De qué isla, de qué árbol, de qué fuente crece este chorro de luceros que son los niños?

SALVADORA GARCÍA

Brisa morena, hombros delicados a los que se adaptan mis manos con exactitud de viento. Tienes los ojos verdes, sonámbulos.

Tan delgada te haces cuando te acaricio, que un día toda te diluirás en el agua honda de tus ojos.

MARÍA VEGA

Tú has venido andando por el mar. Trajiste en las manos la mazorca dorada de septiembre, como una antorcha.

María. Donde menos te siento es a mi lado. Cuando estás lejos de mí, te creo más cerca. Digo, con inquietud, ¿María?, y abres tu risa clara.

Sé que has venido por el mar. Tienes enredados en los cabellos cinco luceros blancos que juegan al corro en tu frente.

ALBERTO CANDELAS

De la ventana han crecido nardos; los tengo entre las manos, palomitos recién vestidos de aurora.

Las niñas te aclaran la frente de besos. Es que tú has crecido aquí, entre las flores de nuestras canciones.

Diminuto amigo de la mañana, ¿a qué cielo disparas la proa de tu barco de papel?

CARMEN MORILLAS

Cuando pongo mis dedos en tus ojos, el eco es tu voz. Y si los subo a tus cabellos, cual un pájaro con frío tu voz tiembla.

Quiero hacerme con tu voz una cordillera. Tu voz unirá el cielo con el mar.

LUCÍA JIMÉNEZ

De mis labios van recogiendo los tuyos las palabras diáfanas del idioma: río, palmera, colina, rosa, madrugada, atardecido...

¿Qué ves cuando todo lo reúnes? Porque si yo digo *río* y *madrugada*, es para que tú sueñes con la claridad más sonora. Tú, recogida en tu silencio, bebes mi voz.

¡Mi voz llega de muy lejos! La he arrancado de este paisaje: río, colina, verde, amanecer.

GLORIA HERNÁNDEZ

Un ala de niebla bate el cielo ancho de las terrazas. ¡Qué cerca está lo negro de nosotras!

Siento tu latido de miedo en mi latido. ¿Por qué temes, si soy yo más clara que la niebla y puedes caminar por mi transparencia?

¿Por qué temes, si somos de cielo y aunque todo esté oscuro yo soy alta y firme para ti?

EL VIAJE DEL PADRE

La noche en el puerto disponía de claridad de amanecer. El costado del barco en que se iría el padre chocaba solemnemente contra el muelle.

Deseaba la niña que subiera su padre al barco y que éste arrancara... ¡Era tan nueva la emoción del viaje!

Empezó el padre a despedirse de todos, con roncos temblores en la voz mojada de llanto.

Soltaron las cuerdas, cabeceó el mar, y en la medianoche, a la mitad del puerto, así que la sirena se apagó, gritó su pequeño nombre el padre.

No podía contestarle la hija, porque un espantoso suspiro inundaba su pecho. La áspera voz de una tía o prima dijo:

—¡Contéstale! Creerá que no te importa que se vaya.

Entonces se empinó la niña para gritar también.

—¡Papá! ¡Adiós!

¿La oyó? Chirriaban otra vez las cadenas del ancla; el barco, arcángel de claridad, se perdió veloz.

¡Cuántos meses dolió la niña, enferma de despedida!

Se quedaba fija sobre un punto, visible sólo para sus ojos.

—¡Mamá —imploraba su voz—; veo el barco, mamá!

NIÑAS MORAS

FREJA

Se me quedaba la niña mirando a la frente, y toda yo olía a yerbabuena.

—Me llamo Freja.

—Y yo, Carmen.

Levantada el acta de nuestra amistad, le di mis libros y ella me enseñó sus collares de medallitas con palabras árabes que exaltaban la gracia de Dios. Toda aquella primera mañana de amistad fraternicé con el olor de la miel amasada con huevo; porque Freja llevaba sus cabellos recogidos e impregnados en aquel extraño compuesto que los dejaría luego brillantes y suaves.

Freja era más pequeña que yo y no sabía leer. Sonreía, mostrando sus dientes maravillosos, que parecían granos de la hermosa fruta que yo adoraba en mi infancia: de la granada; ¡tan iguales eran y tan bien colocados estaban en sus encías!

Cantaba con vocecilla de vino dulce una canción que nunca olvidaré. En los espejos de su madre —alta y sonámbula, rodeada del humo de sus perfumes quemados—, ascendía la música en columna.

LA PLAYA

Yo no había visto nunca una playa de noche. Aquel mar del norte africano, cuando bravo, todas las horas se las pasa gritando en sus caracolas, negras de furor.

Vestida de transparencia, enlunada, la playa me llamaba a su espuma.

Creí que unos hombres tiraban de las barcas, jugando, y era que sacaban del mar los restos de un bote de pesca, y a los pobres pescadores ahogados cerca de Tramontana...

Así que los dejaron sobre la arena, ésta empezó a hundirse bajo su enorme peso.

Se lo conté a Freja a la mañana siguiente, y nos fuimos al cementerio, muy próximo de nuestra casa.

Los hombres estaban hinchados, con las cabezas picoteadas por los peces y un gigantesco suspiro en los pechos...

Por el bolsillo de la blusa rota del grumete ahogado asomaba un pececillo sus esféricos ojos coagulados.

PIES DESNUDOS

¡No sabía yo andar descalza!

Freja iba descalza por su casa, y el tierno ruido de sus pisadas me invitaba a odiar el civilizado zapato.

La primera vez que adquirí la seguridad de la tierra, directamente bajo mi carne, fue en una siesta recargada de humo oloroso, de azúcar, de bailes encerrados en un círculo reducido.

Corrí tanto por los pasillos frescos que se me resquebrajó la piel de mis pies inhábiles. Freja se reía de mi dolor, enseñándome las uñas pintadas de sus piececitos sabios.

Ensayé toda la tarde. Hasta lograr adherirme a las losas dejándoles mis huellas calientes.

EL RÍO Y YO

Por seguir la luz que llevaba el agua sobre su pecho me perdí junto al río... Embelesada por no recuerdo qué promesa del viento, fui a parar en la falda de un monte. Medio poniente se quemaba en el cielo, en tanto que el otro medio lo llevaba yo en mi terror.

Las palabras que Freja me enseñó de su idioma me ayudaron a pedirle auxilio, a una mora que sostenía un hito colgado del torso, como una uva del racimo.

Llegué a mi calle montada en un burro muy chiquitito, comiendo ásperos dátiles verdes, con los bolsillos repletos de chinas del río.

LA HEBREA MUERTA

Freja lo sabía todo por Ambar, su criado negro, y me dijo que se había muerto una muchacha hebrea, casas más arriba de la nuestra.

Fui a verla cuando salí del colegio. Me asomé por la ventana, abierta, que daba a la calle inundada de sol.

Estaba dentro de las ropas de su cama, con un brazo sobre la colcha, la cabeza levemente despeinada y los ojos tan cerrados y tranquilos que el sueño no los tendría mejor. En una mesita cercana, alguien puso flores blancas y azules.

Cuando volví a mi cuarto me tendí en el lecho para fingirme muerta. Ante la sorpresa de Freja, alargué los brazos, escondí el color de mis mejillas y me di a pensar en lo que diría mi madre después de morir yo. Tanto me conmovió su pena, que lloré sin abrir los ojos con una dulce congoja llena de amor hacia ella: Hasta dormirme.

JAVIVA

Cercanos al pozo, más que pasos rotundos, levísimos sonidos. Así son mis recuerdos. El Atlas, enfrente, sobre toda la infancia. Remotos riachuelos salpicaban de fuego las arenas.

Moros inmensos. Moras tristes y resignadas. Morillos desnuditos, con las espaldas hundidas por latigazos sombríos. Una niña delgada, esbelto junco imprevisto: Javiva.

(En la distancia, la invencible duda ortográfica: ¿Javiva?)

Javiva en el río, en el pozo, con las uñas pintadas y unos puntos azules —estrellas— en el rostro; delicado tatuaje en la frente dorada, en la barbilla, en el pecho tierno, vertiéndose hacia la albura del vientrecillo.

La morita era fina cual el agua rizada del viento. Corría yo junto a ella encantada de oír la greguería de sus collares de oro, de sus sartas de monedas, de sus ajorcas talladas. En un hoyo de arena hirviente, mis manos y las de Javiva unieron los destinos del mundo: manos pintadas, tatuadas, de futura esclava del amor obligado; manos claras, libres, de gesto seguro y amplio.

La invitación de subir a casa de Javiva llegó inesperada. ¡Tuve miedo; un miedo insuperable de Historia Sagrada, de Historia de España! Moras negras, envueltas en sus nombres de romancero arábigo-andaluz, hablaban un español oscuro que Javiva me ponía en limpio, sonriendo.

El aire de la habitación ardía en mi frente. Los espejos devolvían la música de azúcar y yerbabuena. En la calle gritaban los niños moros que traían del campo grandes sacos de palmitos, que cambiaban por pan.

Javiva era sonrosada, luminosa. Recóndita y desolada como un desierto. No olvidé jamás el halo de llamas en que se movía su minúscula cabeza.

MASANTO

Después de mis amigas moras vino Masanto, una hebreílla que tenía muchos hermanos: Sara, Esther, Raquel, Alegría, Salomón, Abraham, Jacobo...

Salomón era un dios pequeño, rubio tostado; todo le salía mal cuando jugaba; por eso le prefería yo entre sus hermanos.

Con Masanto acudí a las tiendas de los moros y de los hebreos en un barrio desgarrado del monte. Comprábamos rapé para su padre, el buen Jacobo Benaín; café, té y azúcar en pilones. Luego, yo me quedaba soñando cosas incomprensibles en mi ventana, sin querer estudiar, recordando los rostros y las palabras desconocidas...

Masanto me enseñó a sacar agua del pozo y a machacar en un mortero muy hondo, de madera. Después me regalaba riquísimas galletas caladas, redondas, inolvidables.

Salomón me hizo aprender las palabras «espejo», «agua», «madre», en hebreo, y a contar. Yo, en cambio, les repasaba a él y a su hermano Abraham las multiplicaciones.

¡Qué pascuas tan exquisitas, tan llenas de color y de alegría, las que disfruté con ellos! Pascua de la Galleta, Pascua de la Gallina, Pascua de la Cabaña...

EL CEMENTERIO MARINO

¿Por qué misterioso designio he soportado en mi infancia la proximidad del cementerio?

A casi todos los niños les impone miedo. Yo no lo sentí nunca. Cuando atravesaba un ensayo de mi espíritu, sólo tenía que andar unos metros para entrar en el cementerio. ¡Era tan bonito, tan alegre! A las barandas de sus patios, que daban todos al mar, era mi gozo asomarme y admirar las velas de los barcos de pesca.

Me perdía de los míos; eran, entonces, mis éxtasis solitarios. Un anhelo de evadirme, de misteriosas y nunca descifradas cosas, me atosigaba.

Por eso frente al mar, a la sombra inmóvil de los callados, abrí mi corazón a la luz en que hoy veo.

PRISIONERA

Por el muelle viejo. Al costado del agua, roja porque el crepúsculo se insinuaba. Hacia los barcos desechados, los ex-altivos guerreros con fea rojez de crustáceos.

Yo caminaba mi tarde.

La niña rubísima, chiquita, sentada en el montón de piedrecillas, estaba atada por la cintura a un trozo de ancla que yacía sobre el polvo después de haber conocido a los corales blancos y rosa. Más allá, en la delgada acometida del mar al muelle, pescaba un padre moreno y fumador; sonreía una madre ante mi sorpresa. La niña, feliz con su cordelito, riendo, se quedaba frente al agua encendida de ternura y de gaviotas.

Por el muelle, triste de minerales que llegan con el camino hundido de la sierra, yo he dialogado mi atardecido.

La tierra en que estuvo sentada la niña, el resto de ancla, las piedrecillas salitrosas, tendrán siempre una rubia claridad humilde que yo retendré en mi corazón.

LOS NIÑOS PESCADORES

Huyendo de la tierra caliente, con olivos y naranjos, el brazo del cabo se hunde en el mar bravamente. Penachado de luz, aspado, rumoroso de olas, el faro se cimbrea con el viento impetuoso que llega de ardientes zonas, desbocándose impaciente de frescura marina.

Las playas abiertas al sol contienen barcas, quietísimas en los días de tempestad. Pobres barcas humildes, con las que nadie se atreve a hendir las aguas arremolinadas, aunque el hambre empuje el corazón a la aventura más loca.

En los días de tempestad, encerrados en miserables casucas, muchos ojos doloridos esperan el milagro de la calma.

¡Hambre! Hambre que nadie debe padecer, y menos los niños; los morenos, salobres, hermosos niños de cabo de Palos. Siempre desnuditos, descalzos; al viento sus dorados cabellos, sus relucientes rizos oscuros; en las manos las conchas de magnífica arquitectura, que el mar regala a sus víctimas. Son muchos los niños de este olvidado remate del sudeste murciano. Hijos de pescadores ennegrecidos en la cosecha insuficiente del mar, que conservan los azules ojos impávidos y armoniosa la escultura de madera de ciprés.

Las mujeres son delgadas y tristes, resignadas; hablan con la misma ondulante voz del agua, y en la desierta extensión son islas de inocente amor humilde.

Pero los niños pescadores... Son peces de maravillosa vivacidad; pequeños delfines que las sirenas han depositado en las playas del Cabo.

—¿Qué quieres tú ser? —preguntaron a un morenito que escribía en la arena.

—¿Yo? —y se quedó mirando a una mujer que cortaba naranjas en su puerta—. Yo quiero ser marinero; ¡tener un barco de vapor para que mi madre coma todos los días!

LA HIJA DEL TORRERO

1

La hija del torrero tiene los ojos excesivamente grandes, hondos, ensanchados de mirar al mar y de coger desde su ventana las aspas del molino de luz que es el faro.

Su cuerpo es breve, delgadito, moreno del yodo naciente. Se sonríe con los labios finos, descoloridos, y se refugia en el mar: en sus ojos.

Estaba el camino del faro negro y afilado de viento con lluvia. Un terrible huracán de olas se rompía en los oídos. ¡Nadie sabía por dónde andaba!

Pero la hija del torrero se ha colocado frente al faro, hacia el camino... Y los caminantes han ido empapándose de luz rodada, trasiéndose de lluvia ventisca, gracias a los ojos sin sondeo, a los ojos impávidos de mar.

2

¡Cuánto pavor habrán sentido los ojos de la hija del torrero! ¡De qué blanquísima noche, con nieve y frío mar verdoso, se habrán llenado sus ojos insondados! Porque el faro ya no existe: ¡un rayo lo atravesó de punta a punta, buscando su raíz ahincada a las rocas musgosas! Rojísima nieve así, la siempre nieve blanca, por el rayo destrozador del más esbelto faro mediterráneo: el que decía a los transatlánticos el camino de África, de Italia, de Grecia... ¡Oscuro el mar, todo el mar desde cabo de Palos, por una noche de tormenta blanca y roja sobre su faro! Jamás aquí vino la nieve, hasta ahora, que con su roja arteria centellarte desnudó la torre donde vivía la hija del farero, aunque se desvió e hirió al hombre en vigilia.

Bajo la lluvia correría ella desesperada, locos sus ojos nacidos al compás de las aspas encendidas, llevadoras, latientes... ¿Quién, si no él ya, podía auxiliarla bajo la espesa nieve ardida, amortiguadora de la herida columna del faro? ¡Ay tierra desnuda, desierta, horadada en su menhir!

(Sí. Había en los ojos de la niña un insondado-sondado hoy por la brasa en flecha del rayo-misterio del mar, y de ella, y de los poetas que llegaban a la palmera flexible; dúctil, del faro.)

¡Anchos ojos aterrados, que vivían a compás de la luz sorbida en trizas por el mar!

EL CINE EN LA PLAYA

¡Venid al cine! —todas las manos que, juntas en manojo son de bulto como mi corazón, se me han ofrecido.

—¡Yo, yo, yo!

Cuesta adelante, en el gris verdoso de la tarde, yo subo con mis alegres compañeras; son niñas muy pobres, hijas de pescadores, que van descalzas, pero que sonríen.

Un aletazo del viento rompe la fila de delantales remendados.

—No tengáis miedo. Estoy yo aquí.

Y me incorporo sobre el temblor del aire, fuerte como un árbol, llena de hojas diminutas que anhelan la felicidad de las imágenes doradas que yo les he brindado.

EL NIÑO PERDIDO

La Casa del Niño era muy grande, vista por ojos pequeños. A ella llevaron los guardias una mañana temprano a un niño gordito, morenucho, con los ojos más verdes que el mar. Lo habían encontrado solito en mitad de la Alameda, expuesto al peligro de tranvías y automóviles.

—¿Cómo te llamas, hijo?

—*Paco* —contestó con inesperado vozarroncillo simpático.

Avisaron a la Comisaría el hallazgo y paradero del niño. Cuando llegó el mediodía ingresó con todos los que acudían a los comedores, y se instaló en una mesita con flores, ensaladeras alegradas por lechugas y uvas espléndidas junto a los platos de carne con patatas.

Comió Paco, ¡vaya si comió! En el momento en que tenía más hinchados los carrillos sintióse revuelo en el patio.

—Ahí está la madre —anunciaron.

Apareció, llorosa, una mujer de pelo negro y ojos claros, como los del niño. Una amiga la sostenía en su angustia.

—Aquí tiene usted a su hijo desde las ocho de la mañana.

—¡Paco!

El chiquillo levantó la mirada, tranquila. Oyó que su madre refería entre sollozos: «Cuando me fui a lavar me lo dejé en la puerta. Debió venirse detrás de mí y luego se perdió.»

Tanto lloraba la mujer que el pobrecito Paco se decidió a imitarla; en una mano, el pan; en la otra, un gran trozo de queso.

Entonces lo besó mucho su madre, lo abrazó, y se fueron juntos... Comiendo él, limpiándose las lágrimas ella.

AMANECER

Ya estaba distribuida la Noche.

De la ventanilla de la cabaña colgaba una estrella, y en el campo nevado de alrededor de la cabaña, las fresas aparentaban millares de corazones diminutos... El humo que brotaba de las chimeneas tenía la gracia infantil de transformar las blanquísimas casitas en barcos que tiraban del pueblo dormido Hacia un mar de oro.

Extraordinario resultó ver en el filo de la medianoche a un niño de tres años, gordito y moreno como un pequeño pan, recorrer las calles húmedas, andar entre las fresas... Iba callado, con el estupor del hielo que hería sus piececillos; los rizos pegados a las sienes, a la nuca, blanquísima de copitos de nieve; los ojos negros, ensanchados por el terror.

Solamente estaba iluminada la cabaña. Ni una lumbre en los palacios, ni en las casas de humo pascual. La estrella que se columpiaba en la ventana era tan grande y dorada que el espacio en que se movía parecía de ascua...

Y allí fue el niño con una sonrisa de confianza que le bajaba desde los labios azulosos de frío a las manos trémulas. Cuando asomó sus candorosos ojos a la cabaña maravillosa, un nuevo temor se abrió en sus mejillas. Porque vio un buey rubio, inmenso, con la lengua gorda y reluciente humeando copioso vaho; una mula negra, de díscolo perfil airado; cinco borreguitos que balaban de gozo; y a una mujer con manto azul que cantaba sobre un niño blanco, de ojos también azules, de rizos del color de la estrella; y a un hombre de cabellos nevados, con una vara florida en las manos, que sonreía emocionado...

El niño pobre, abandonado, sintió que se le apagaba el frío, que un dulcísimo calor vestía su carne de miel... Avanzó hacia el grupo, gritó la inmensa palabra que todo lo resume: ¡madre!, y cayó entre las patas del buey, de la mula, de los borreguitos, llorando de asombro, alargando sus brazos de canela olorosa.

Lo cogió el hombre del cayado florido y lo puso junto al niño rubio, que le miró con amorosa ternura. Hasta la mujer del manto azul cantó más alto y con mejor voz de cristal.

La estrella se volvió de candela, y como se acercaba el día, un gallo cantó también para que el pueblo despertara.

EL INDECISO

Niño que estás parado en la tarde, con los ojos vacíos de impulso, ¡grita que eres la montaña!, y el sol se te posará en la cima.

¡Grita que eres el sol!, y el cielo se ensanchará para ti.

¡Grita que eres la vida!, y el universo, que espera tu grito de posesión, se quedará dormido de luz, oyéndote.

PUEBLO

Los ángeles del alba izaron el paisaje. Primero, una piedra grande rematada por una paloma inmóvil y un árbol crecido con prisa de arraigar en el viento. Cerca del aljibe, unos chiquillos jugaban.

Se respiraba ancho. Con el agua y el aire todo el campo era de hoja tierna.

Llegaron unas muchachas con cántaros rojos apoyados en las caderas; y hombres de los que cortan el trigo por la cintura.

El sol columpiaba a las amapolas, las niñas alegres de las espigas.

VENTANA

Entraba una brisa fresca, y ella venía por el alcor. Los vientos se arremolinaban en torno suyo.

Una voz se arrebató del silencio:

—¡Clara!

La muchacha miró desde la senda hacia la ventana llena de sol.

—¡Clara! ¿Adónde llevas esas ramas de sueños colorados?

EL NIÑO LIMPIO

Siempre que el niño iba a escribir lavaba delicadamente sus manos.

¿Cómo había de ir a las cuartillas sin que las manos fueran limpias de todo sudor, de todo polvo minúsculo?

La caricia al papel salía más clara. Se podían apoyar los dedos sobre la blancura, descuidadamente.

¡Gozo infinito de un papel sin manchas, sin tachaduras, resplandeciendo perfección!

LA NIÑA CUENTA UN CUENTO

Había una pajarita de papel que se llamaba Nieves. Una tarde su mamá la llamó y le dijo:

—Como has sido muy buena en el colegio y no te han quitado ninguna pluma de las alas, te permito que juegues con tus amigas en el prado.

La pajarita se reunió con sus amigas, que ya estaban corriendo alegremente. Eran unas pajaritas preciosas, azules, rosadas, verdes; entre ellas, Nieves resplandecía su blancura graciosa.

—¿A qué vamos a jugar? —gritaron al ver a Nieves.

—Juguemos a las bodas —dijeron cinco pajaritas azules. Como en aquel momento pasaba un gorrión volando muy bajito, la pajarita blanca se emocionó.

—¿Con quién te casarías tú? —le preguntaron sus amigas—. ¿Con aquel gorrión?

— Sí —contestó ella, ruborizándose.

—¡Baja, gorrión! —llamaron todas las amigas—. ¿Quieres jugar a que te casas con Nieves?

El gorrión se emocionó, como antes la pajarita, y contestó que sí. Todas las amigas les rodearon para llevarlos, cantando, a una fuente que se reía con toda su alma al ver aquella boda.

—¡Ahora, el gorrión debe abrazar a su esposa! —dijo la fuente.

El gorrión abrazó a Nieves con ternura, y como ya era tarde, decidieron irse cada cual a su casa. Entonces se quedó solo el gorrión y se puso a pasear muy pensativo. Arrancaba las florecillas, se las acercaba a los ojos, las tiraba al río, suspiraba... ¡Porque se había enamorado de la pajarita!

Aquella noche no durmió Nieves. Se la pasó entera asomada a su ventana. A la mañana siguiente, después que el alba, llegó una voz fresca que proponía

—Nieves, ¿quieres que juguemos por el prado?

¡Era el gorrión que, con una rosa a cuestas, llamaba a su amada!

Nieves se unió gozosamente a su amigo. ¿Sabéis lo que ocurrió? Pues que el gorrión la subió sobre sus alas y echó a volar vertiginosamente.

Desde entonces viven en un árbol muy alto, muy alto, muy alto...

EL NIÑO EQUIVOCADO

La madre le dijo al niño:

—Lo que a ti te haga daño, a mí me dolerá más que a ti.

Y el niño, conmovido, evitó las circunstancias desfavorables a su persona: caídas, golpes, cortaduras... Miraba a su madre, joven y segura, hermosa realidad diaria, con gratitud inquieta. ¿En qué sitio de su cuerpo se abriría el dolor por su daño? ¿Cómo podría ocurrir aquello?

Llevó muchos días de no saltar, de no correr, para no fatigarse y enfermar. Se veía en una camita, y al lado, en otra, derribada por su mismo mal, su madre.

Pero todas las precauciones fracasaron una vez. Venía con alegre trote de chivillo recién mamado y no vio una cáscara de naranja que le hizo caer, resbalando violentamente, de espaldas. Sufrió un duro golpe en la cabeza, que le mareó; círculos de casas giraron arte sus ojos desorbitados. Cuando se levantó, un grave sobresalto cogió su corazón. ¿Cómo encontraría a su madre, a su madre víctima de su irreflexiva conducta? ¡Cuánto le dolería la cabeza dorada, llena de rizos que él besaba y deshacía!

Entró despacito en el comedor, en la cocina: allí estaba, vestida de blanco, cociendo unas orondas manzanas y cantando con alegría.

Disimulando su dolor, preguntó el niño:

—¿No te duele la cabeza, mamá?

Abrió ella sus ojos felices con creciente asombro:

—No, hijo mío. ¿Por qué?

Le temblaron los labios al insistir:

—¿Ni la espalda?

—¡Tampoco! Pero ¿por qué me lo preguntas?

El calló, pálido, desprendiéndose de la pared en que se apoyaba trabajosamente. Entonces vio la madre que su hijo llevaba sangre en la cabeza...

—¿Qué tienes, qué te ha ocurrido?

—Me he caído —dijo sencillamente.

Muy callado estuvo el niño mientras le curaron. Y preocupada su madre por la extraña reserva inacostumbrada del hijo, se decidió, pesarosa, a preguntar sus causas al niño silencioso.

—¿No me quieres, verdad? ¿Qué te pasa para no hablarme? Eso es: ¡que ya no me quieres!

Entonces el niño dudó, se puso colorado...; con resolución máxima confesó su drama:

—¡Me has engañado tú! Es mentira que te duele cuando me duele a mí. ¡Me has engañado! —y se echó a llorar, acongojado, en el desengaño primero de su vida pequeñita.

DE NOCHE

De día, mi madre; con el Sol.
De noche, mi padre; por la Sombra.

En la oscuridad, recta voz apaciguadora, árbol para descansar en él mi alma asustada, mi padre sostenía el nivel de mi confianza.

Si el mar, aquel mar siempre soliviantado, bramaba contra los pescadores y los niños sin sueño, yo decía: «¡Papá!», y la voz grave me devolvía al reposo.

Si el viento, volcándolo todo al regresar de más allá del Atlas destrozaba mis oídos asustados, la voz en la sombra calmaba mis sienes enfriadas.

Yo tendía una mano temblorosa hacia la mano de trabajador de mi padre, y allí encontraba el sueño.

EMILIA RUBÍ MONTOYA

No comprendo por qué, al recordarte, te veo como nunca te vi en la realidad, Emilia Rubí Montoya, y sí como dice un verso de Juan Ramón, leído cuando ya no estabas a mi lado: «Cada pie en una orilla, parando la corriente con tus manos...» ¿Lees tú versos; alcanzarán estos poemas tus manos, retalladas acaso en manitas de niños tuyos?

—Yo voy al colegio ese porque va Emilia.

—Si Carmen no viene conmigo, no voy.

¡Diarios empeños entre nosotras para no deshacer el nudo de la radiante proximidad!

—Emilia, Carmen te llama.

—Carmen, Emilia te busca.

Y nosotras (Emilia mayor que yo y más alta, morena y delgada, con aires de heroína de cuentos de princesas disfrazadas de pastoras) íbamos por la ancha calle que desembocaba en el cementerio.

—¿Por qué te gustará venir aquí siempre?

—Desde aquí veo el mar. Yo vine y me iré por allí.

Emilia respetaba el capricho. Sonreía, separando sus trenzas rizosas del óvalo perfecto de su rostro, y se apoyaba en las barandas que se abrían al mar con palomas y ausentes. No hablábamos hasta el crepúsculo. Luego, del brazo, con la brisa de la noche insinuada, bajábamos entre los árboles hasta nuestras casas, muy próximas.

¡Cuántos días iguales, yendo hacia la adolescencia como hacia una alameda con golondrinas y enamorados!

—Emilia, Carmen se va a España.

—Carmen, Emilia está llorando.

Era casi una mujer entonces; silenciosa, esbelta, constante y verdadera cuando yo la dejé.

¡Emilia Rubí Montoya! Desde un puerto en tu mismo mar te nombro.

Emilia, Carmen te llama.

MISS MINI

Sonreía siempre, rubia y callada, oportuna su voz en todos los momentos de la escuela. Muy a menudo parecía ausente de nosotras, mientras sus manos de finísima piel rosada se movían sin rumbo.

—Comprad el *Quijote*, es el mejor libro español.

Y nosotras adquirimos el *Quijote*.

—Don Quijote era un romántico.

—¿Qué es ser romántico? —anhelaba yo.

—Cuando te leas el libro...

Una tarde en que miss Mini arreglaba sus cosas en un cajón, encontró un libro pequeño, delgado, con letra muy diminuta. Me lo regaló: era *Rafael*, de Lamartine.

Lo leí, llorando con inútil desconsuelo.

—¡Es muy triste, miss Mini!

—Es romántico.

—¿Como Don Quijote?

—No. De otro modo.

Rafael, Don Quijote, miss Mini... ¿Qué sería ser romántico de aquel modo? ¿Qué sería ser romántico de otro modo?

—Don Quijote es la fe, el optimismo, la esperanza, la redención. Desinteresadamente, porque sí, que es la gracia de la ilusión. Rafael renuncia porque no tiene vida, ni fe, ni esperanza. Estaba enfermo de delirio. Tú debes leer y amar a Don Quijote.

Miss Mini conversaba de sus paisajes fríos, distantes; y de Salamanca, fría también, pero nuestra.

¿Qué diría miss Mini cuando hablaba en inglés con su madre para que nosotras no las entendiéramos?

Eran cosas serias, preocupadas; pero ella se nos devolvía con su sonrisa suave, flor de sus prados melancólicos, ¿románticos?

Entre todas sus discípulas, ¿hallaría mi recuerdo? Yo era casi rubia, con la frente ancha y recta, los ojos y los labios infatigables de imágenes y de palabras, impulsiva, vehemente, inestable... La más inquieta, la más rebelde.

Pero ella, miss Mini, con su deliciosa cortesía inglesa, me invitaba a desayunar los domingos, a pasear; y me dejaba que la viera pintar cuando todas las niñas buenas se iban a sus casas...

INSOMNIOS

EL NIÑO CON MIEDO

I

Hay noches que no traen riberas. Largas, sin la alegría de las que contienen sol. En su confluencia con el atardecido, las noches avasalladoras se dilatan.

Sombra que fluye luz. Todo gira en torno de la quietud silente. Los gallos remueven el mundo más tarde; los corderos brotan su nieve más tarde. Chorro de horas, gota a gota los minutos, compone la eternidad.

(Las muchachas, en el oscuro repliegue de las sombras, aprenden nuestro clamor. Árboles sin fruto, desceñidos de primavera, orlan el silencio. Un grillo, jilguero de azabache, se despeña por nuestro sueño.)

Ángeles polisílabos entreabren los universos. De un lado y otro, locomotoras en flor. Pero ¡la noche es inmensa! Podemos gritar nuestro nombre en una orilla sin que los que duermen en la otra recojan nuestra voz.

Esta soledad ácida, la persecución sosegada de los momentos, aumenta los fantasmas que pesaban en nuestros párpados. Un brazo en la almohada, la respiración insinuada, las esponjas del oído empapándose de ruidos imperceptibles...

¡Alguien, descorre las puertas, silba a una torre que —sumisa— se desploma!

Nuevamente hacia la niebla. Imposible conciliarla. Las riberas volcaron su cargamento de peces muy cerca nuestro. Estrellas del mar alborotan la apretada hermosura del silencio.

En estas noches de filamento metálico, de eléctricos fagocitos, todo es frío y lento, hasta que se juntan, confluyen, los ángulos diedros de la estancia.

II

Vuelven los ruidos inciertos. Es inútil que comparemos la serenidad con que acogemos durante el día las más truculentas sugestiones. ¡Las sombras gravitan sobre el lecho; no queda un leve resquicio por donde huir! ¿Quién grita ruidos, pequeñísimos ruidos, sobre nuestro desvelo?

Ya se acercan los pasos de lo que esperábamos. Golpean la pared cercana, encienden súbitamente hogueras minúsculas entre nuestros ojos y la sombra. Una respiración angustiada, la voz de otro niño miedoso... ¡Hay alguien que sufre en la casa! Veamos quién es.

Mas hemos de levantarnos. Esa cosa infalible que nos cerca podrá, libremente, herirnos con su quieta fragancia. Los corredores oscuros no llevan a puertos luminosos. ¿Luz? No podemos encender la luz; en la luz nos sentiríamos más desvalidos.

Los relojes se han puesto de acuerdo. He aquí la hora de naufragio. Una campanada; muy después, otra... Cuando ya todo es indivisible, cuando la Unidad rebasa los tiempos, *otra* campanada.

¿Qué hora es en el naufragio de la incertidumbre? No es ninguna hora; es *una* hora sola. Y alguien sigue golpeando las paredes próximas. Pasos perdidos en toda la quietud...

¿Por qué no llamar en la noche apretada, ¡MADRE!, y fundirnos junto a ella, tibia siempre de calor de ave, hasta que la luz se desperece?

Más allá de los montes que cercan nuestro lecho, en los sinfines lacrados de negro, esta súbita mañana de sol (¡Sol!) por la que corremos con una rosa y una naranja.

ROSAS

INVASIÓN

La puerta se ha estremecido porque un enorme, rosa, blanco y rojo corazón exhalaba su aliento de palpitaciones. Yo, en diáfana vestidura de primavera reciente, he abierto mis brazos para que en ellos se volcara la invasión.

¡Son rosas!, ha corrido mi voz por toda la casa. Y brotan al punto, de entre ellas, cien gritos de color, de luz, que después se quedan en un tenue calor de perfección absoluta, que la perfección tiene en las rosas su templada y dulcísima temperatura.

A vasos blancos, azules; a jarros de purísimo barro; a largos, esbeltos tallos de cristal fino, se han asomado las rosas. Todas las habitaciones, pálidas de emoción, empujan el olor, sabor, deliciosa angustia apasionada de las invasoras resplandecientes.

Estoy ebria de armonía. Loca de color, de saturación persistente. Y ando por entre el bosque de rosas, llamándolas suavísimamente: «¡Sois rosas!» Y busco con el alma a ese ser que inventó, que completó, que me dio la rosa.

HERMANAS

La rosa crecía a orillas de un cauce seco. Manaron las fuentes que interrumpidas filtraciones secaron y empezó a transcurrir otra vez el riachuelo.

¿Qué flor era aquella, tan armoniosa de color y de forma, que el río depositaba al pie mismo de la rosa asomada? Primero, como las aguas tenían un escaso nivel, la florecilla se mecía en lo hondo. Así que el riachuelo fue aumentando su tronco creció la desconocida hasta acercarse mucho a la rosa. Llegó un día en que se puso redonda, encendida, y crujían sus hojas de agua cada vez que el aire empujaba la corriente.

¿Por qué no hablaba? ¿Por qué no le contaba a la que nació junto a la orilla de dónde llegaba? ¿Cómo era que no se iba río abajo cuando mayor se hacía la prisa en manar de las fuentes?

Por las tardes, entre el resplandor de los pájaros que requerían sus árboles, la rosa confiaba oír la voz delgada, olorosa, de la fondeada enigmática. A las madrugadas empapadas de grillos, aún era mayor su ansia. ¿Estaría allí cuando saliera el sol? ¡Sí! Allí estaba; espléndida de luz, con gotitas de rocío entre las hojas.

Una mañana asfixiante, a la rosa se le cayó un pétalo al agua... ¿Y qué vio en él confuso terror de su desprendimiento? ¡Que a la flor que el riachuelo mantenía alzada también se le cayó un pétalo!

¡Maravilla de los sucesivos y fragantes caídos! Allá abajo, una por una, se desnudaba la flor de sus hojas.

Precisamente al precipitarse, totalmente derrumbada, la Rosa a la corriente, se encontró sostenida por la flor amiga, que comenzó entonces a caminar con el río hacia ignorada vertiente.

Fue un viaje consolador: sobre otra rosa de agua, fundida a ella, el de la rosa agonizante; que así encontraba un tibio y dulcísimo calor de igualdad.

LA ROSA Y LA MUCHACHA

La cortaron con unas enormes tijeras, las manazas coloradas que la cuidaron desde que nació. Fue a parar en un cesto largo, entre madreselvas y tulipanes y algún caracolillo que se desmayaba por culpa de los complicados perfumes.

Atada a otras flores menos bellas, la entregaron a una muchacha vestida de azul hasta los ojos, que la separó de sus acompañantes y la colocó en un vaso de cristal catalán. (Era un vaso corto y ancho, con una paloma de alas rosa encendido y una preciosa guirnalda de florecillas pintadas.)

Empezó a embalsamar el aire de la habitación a que la llevaron: una alcoba de mujer joven, llena de frascos de esencias, de pañuelos, de libros y de cartas de amor. Ella estaba en su vaso —en el corazón mismo de la paloma—, sobre la mesilla próxima al lecho pulquérrimo.

A la hora de la siesta entró la muchacha. Se desnudó para brotar de su traje azul más tersa y pura que un nardo, que un jacinto blanco. Sentóse cerca de la rosa y, sacándola del vaso, la descansó en su hombro, levemente mojado de sudor. Unas gotitas de agua llenaron de islas la piel.

Por la noche, la rosa estaba desmayada. «¡Me ahogo! ¡Me ahogo!», oía el agua en que abrevaba su celo la paloma. Y es que tenía envidia de aquel hombre, que tardaría aún muchos días en marchitarse.

LA ROSA Y EL NIÑO MUERTO

Como se murió el niño por la madrugada y había ya tantas rosas en el mundo, la madre quiso que lo cubrieran con ellas, olorosas y blandas. El padre cogió una rosa entornada, roja, y la puso entre las manos que la muerte le detuvo al niño.

Pareció entonces que éste iba a llevar la flor; magnífica de pudor, a su hermana la que bordaba en el jardín o a su madre para que se la prendiera en los cabellos.

Las mujeres que acompañaban al niño en su primera y última quietud cerraron los ojos asustados del perfume en que navegaba la alcobita.

El capullo de rosa dirigió una tímida mirada al niño, cuyo rostro era fino, con ojos dorados medio abiertos que la miraban desde el pasmo ante el signo que sólo ellos veían. Comprendió que estaba muerto porque alguien debió cortarlo aquella madrugada de su rosal dorado y blanco...

Dilató su volumen: quería abrirse antes que colocaran al niño en el vaso lleno de agua en que ella oyó decir que colocan a todos los que cortan de sus tallos. Pronto fue la más grande y fuerte de las rosas.

De haber estado en un seno vivo, la rosa sufriría por morirse sobre la vida; pero entre los dedos sin presión, las hojas del niño muerto, su dolor de morir era nulo.

Por la tarde se llevaron al que tantos ojos ofrecían su llanto. Dijo la madre, besándolo: «¡Que le dejen esta rosa abierta entre sus deditos!» Y cerraron el universo, encerrándolos juntos.

Vino un silencio mecido. Allí no llegaría nunca el sol. Entonces habló la rosa, con voz aprendida de lejanos ruiseñores:

—Cuando me seque, ¿querrás tenerme entre las manos? ¡Soy tan dichosa contigo!

ANIMALES

CABALLOS

En los ríos apretados de agua se hundieron gozosos los caballos. Venían despacito, descansando de la faena durísima, y encontraron las limpias corrientes tranquilas.

Eran unos espléndidos caballos de ebonita. Tenían los ojos retallados de paisajes.

Cuando emergieron, para salpicar de agua el césped y las campanillas doradas, la tarde se llenó del olor ácido a tierra llovida.

«POLVORILLA»

—¡Que se asomen los niños al balcón! —gritó Diego.

Y la madre asomó al niño y a la niña al balcón. A la puerta de la casa llevaron un cochecito precioso, del que tiraba —sonando cascabeles diáfanos— una burrilla lindísima aparejada en color avellana. Los asientos del coche eran de terciopelo azul, y éste tenía dos estribos dorados: uno en el pescante, otro en el departamento grande.

—¿Es para nosotros? —preguntaron los niños.

—Sí. ¡Bajad que os pasee!

De dos brincos se encontraron junto al pescante portentoso.

—¿Cómo se llama? —dijo la niña.

—*Polvorilla* —sonrió Diego.

(¿*Polvorilla?* ¡Si eso se lo decían a ella los viejos de la familia! ¡Esta pequeña es un volcán, tiene sangre de *Polvorilla!*...)

Acariciaron la burra, nerviosa y coceadora; se subieron al *serré*. Diego —que también cabía allí, aunque era un hombre— empuñó los ramales.

—¿A dónde os llevo?

—Muy lejos, a la Alameda.

(Y ese paseo comenzaba muy cerca, a pesar de que a ellos se les antojaba distanciado.)

Polvorilla era una burrita maravillosa: podía con todos, alegremente. Trotaba, espolvoreando de cascabeles los eucaliptos ribereños del paseo; nerviosísima, sacudiendo sus espléndidas orejas bien peladas, moviendo el rabo con borla en la punta.

—¿Os gusta *Polvorilla*?

—¡Sí, sí! ¡Es muy buena y alegre!

Anochecía. Era el día de Reyes Magos. Volvieron a casa cuando el padre entraba en el portal.

—Papá, papá, papá. ¡Cuánto nos gusta *Polvorilla!*

Entre las sábanas, sobre las almohadas, seguían salpicando su locura los cascabelitos de la burra graciosa.

Polvorilla cumplió como una valiente. Llevaba a los niños de paseo, merendaba con ellos, se reía enseñando su lenguaza que relucía. Hasta volcó en una calle larguirucha aparatosamente. Los niños la abrazaron:

—¿Te has hecho daño, *Polvorilla?*...

Llegó el día de San Antón, cuando bendicen a los burros y los caballos... Toda llena de borlas lujosísimas, empavesada cual un navío, llevó a los niños al barrio gitano, donde se celebraba la fiesta. Recibió con gran atención la bendición del señor cura y trotó alegremente, Alameda abajo, para llegar al muelle.

(Aquella mañana vio la niña, paralela a su coche, una tartanita diminuta, tirada por un burrillo, compañero parejo de *Polvorilla*: La conducía un niño que años más tarde... A la niña le impresionó la tartanita.)

Polvorilla volaba; acariciada por sus amigos, regalada con golosinas y arrumacos, fue la más dichosa de las burras en aquella hermosa mañana de enero.

En el Carnaval vistieron a la niña de huertana y la retrataron subida en el lomo escurridizo de *Polvorilla*.

¡Ah, la efímera dicha de los niños!

—*Polvorilla* está enferma de una pata —dijo Diego una noche—. Tiene «hormiguilla».

—Y eso, ¿es malo?

—Muy malo. Se quedará coja. Vamos a venderla antes.

—¡¡A venderla!!

Lloraron abrazados al cuello rizado de la amiga. Inconsolables en su protesta de que se la llevaran.

—Tiene hormiguilla —decían—; se quedará coja.

—¿Coja? ¡Y qué! Es *Polvorilla* —argumentaba, sollozando, la niña.

Pero sí que la vendieron. Sí que se la llevaron para siempre.

«GOLONDRINA»

La niña se llamaba Carmen; y la jaca, *Golondrina*. La niña tenía seis años y era rubia, con los ojos negros, alegre y traviesa, inquieta cual el viento. La jaca era negra, fina, con un caminito blanco desde la frente al morro.

El padre de la niña tenía una casa en Balsapintada, pueblecillo perdido de la opulencia mundana, entre los sembrados quietos y los esbeltos arbolillos. Cuando llevaban a la niña al campo, a que curara unas fiebres, como ella pequeñitas y traviesas, subían a la galera de que tiraba *Golondrina*. Pero antes Carmen se le metía entre las patas, le acariciaba la boca con un terrón de azúcar o con una flor. Después, ya subida al pescante con Paco el tartanero, llevaba las riendas de *Golondrina*, que al sentir la débil presión relinchaba felicísima.

En Balsapintada la desenganchaban para que pudiera comer con libertad y beberse cinco cubos de agua, mirando sonámbula a la niña que le reía y llamaba incesante.

(Balsapintada se llamaba así por su enorme —y ahora deslustrada— balsa, cuya obra exterior estaba pintada de hermoso color verde. Muchas ranas gozaban del agua, y a veces se asomaban al reborde de su vivienda para admirar el sol y el camino...)

Poco tiempo después empezó a ponerse oscuro el cielo familiar de Carmen y de *Golondrina*... Una mañana dejaron que la niña estuviera un rato jugando con la jaca. La cabalgó, loca de alegría; le besó las orejas, y le dio tironcitos perversos de esas crines de caballo de madera que tenía *Golondrina*...

A la mañana siguiente, Josefa la niñera se llevó a Carmen al colegio, lloriqueando.

—No vuelvas la cabeza —le advirtió imprudentemente al salir de casa.

«¿Por qué no?», pensó la niña. Y, un poquito después se detuvo para volver cómodamente la cabeza.

Allá lejos, en la puerta de la cochera, estaban *Golondrina*, el tartanero y dos hombres más.

Se le angustió de presagios el alma. ¿Es que se llevaban el caballo? Pero no dijo palabra. ¡Toda la mañana con su secreto! A mediodía le temblaba la voz, el alma, la sangre bulliciosa otras veces.

—¿Y *Golondrina*?

Entonces el padre dijo, sacándole humo al cigarro:

—La he vendido esta mañana.

Tuvo alientos su sorpresa:

—¿Por qué la has vendido, papá? ¡Yo la quiero mucho!

—¿Por qué? —¡cuánto humo salía del cigarro, tapando el rostro del padre!—. La he vendido porque ya no tenemos dinero, hija mía, para tener caballo...

«SULTANA»

Blanca, con manchitas de color canela, movía el rabo incansablemente. Daba una mano, bostezaba, se quedaba tendida en el suelo si se le decía: «¡Acuéstate!»

Nació en Melilla (por eso se llamaba *Sultana*), de una perra blanca que atendía por *Chispa*. Muy pequeñina, gordezuela y juguetona, se la dieron a una niña, Ana María, que la trató con extraordinario cariño.

Cuando tenía seis meses se la devolvieron a doña Pepita, el ama de *Chispa*, para castigar las travesuras de la niña (por ejemplo, romper un cristal de tres metros de largo por dos de ancho), y doña Pepita regaló la perrita a las hijas de un pintor de letreros, que se llamaban Adela, Teresa, Julia...

Con ellas aprendió *Sultana* muchas habilidades, pero sin olvidar a su dueña primera. ¡Cuántas lágrimas derramaba ésta al sentirse reconocida y acariciada por la perra!

Llegó la adolescencia de *Sultana*. Se llenó el zaguán de perros enamorados; todos los rincones empezaron a denunciar libertades y franquezas de los rondadores... A *Sultana*, atada a una silla, encerrada, se la oía lanzar breves suspiros de amor. El padre pintor se cansó del idilio tras la puerta con múltiples adoradores. Y echó inicuamente a *Sultana*.

Debió de vagar muchos días, hambrienta y con sed, antes de encontrar a su primitiva dueña, que la estrechó entre sus brazos, sabedora ya del despido infame, y decidió llevársela a su casa.

—Sígueme, *Sultana* —¡y cómo conocía la perra aquella voz que le dio nombre!

Entraron juntas, temerosas, al comedor; la madre cosía junto a una ventana abierta.

—Mamá, aquí está *Sultana*. La han echado porque tenía novio. Si tú no la quieres, yo —se echó a llorar con amargura— ¡me voy con ella!

—¿Qué dices, chiquilla? Cuando venga tu padre —*Sultana* ladrisqueaba gozosa, movía el rabo, lamía a la señora— se lo diremos, a ver si quiere quedarse con ella otra vez.

Quiso, ¡ya lo creo! Bastó que la perra le dirigiera una humilde mirada enternecida.

Pasó el tiempo; y acaso el defecto tremendo de ladrar desaforadamente hizo que el padre de Ana María pensara en deshacerse de ella... Se la llevaron a una casucha de Cabrerizas Bajas... Hasta que una tarde apareció *Sultana* con un cordel grueso atado al collar, roto y arrastrado en la huida loca. (Y es que la perra supo por el viento que Ana María no podía vivir sin ella.)

—¿Se queda, papá? ¡Cuánto ha debido de sufrir la pobre!

—Que se quede, hija, que se quede.

Estábamos en primavera. *Sultana* era feliz con su amita. ¡No miraba nunca a un perro! Sin embargo, poco tiempo después dio a luz tres perritos. Uno era blanco, con manchitas negras. Ese fue el único que pudo quedarse con mamá *Sultana*. ¡Qué buena madre! ¡Con qué amoroso cuidado llevaba a su hijo cogido del pescuezo! Así que el chiquito aprendió a andar (después de los dos enormes acontecimientos de despegar los ojitos y las orejas), una vez que quiso llamar a su madre, ladró estrafalariamente... *Sultana* lo revolcó en el suelo con su hocico, lamiéndolo; porque el perrito, al ladrar, sufrió dos accidentes: caerse al suelo, en redondo, y... hacer un charquito de agua... ¡Tan maravillosa se oyó su voz!

Años más tarde la familia de Ana María regresó a España. Conflicto: «¿Nos llevarnos o no la perra?» Dijo el padre ante la angustia de la niña:

—Si se sube al barco y no dicen nada... ¡Porque yo no le saco billete!

Se subió, sí, señor. Meneando el rabo, olisqueando las huellas de sus dueños. Y no es que se escondió, que se quedó muy sentada viendo desde cubierta cómo despegaba el barco —el *Castilla*, un barco reumático que andaba nueve millas por hora— del muelle, feo y solitario. Sentada a su vez en unos enormes tacos de corcho, Ana María se despedía del mismo paisaje que su perra. ¡Adiós, perrito de manchas negras, asustadizo! ¡Adiós, amigas, que, aunque volvierais, ya no volveríais nunca!

En Almería, como la familia hizo su poquito de turismo y llegó hasta la catedral, *Sultana* no comprendió el cántico de los canónigos; se le erizó el rabo y ladró tan furiosamente, que hubo que echarla. Se perdió tontamente, y al primer aviso del barco para salir del puerto aún no había aparecido.

¡Bóoonnn!, dijo por vez segunda la sirena. ¡Ahora apareció *Sultana*, dislocada, con los ojos que le llegaban a las orejas!

—Sube aquí, ¡pronto! —le gritó su dueña, a tiempo que desprendían la pasarela. Cuando estuvieron juntas se abrazaron con sobresalto de felicidad.

Y fue en el pueblo de Ana María donde se perdió *Sultana* definitivamente. ¡Extraordinaria fue su pérdida, y a ella no debió de quedar extraño un antipático pariente de Ana María!

Ella, la perra, que se burló mil veces de los *laceros* de Melilla, naufragó en un apacible rincón español... ¡Ah, el dolor inconsolable de Ana María!

Y aún hoy, en la distancia, ¿dónde estará *Sultana*, para quererla más que a ningún perro del mundo?

MÁQUINAS

AEROPLANOS

Los aeroplanos, lejos de las cometas, quisieron parecérseles, y corrían mucho por la blanda llanura del cielo. Reían contentos los niños al ver jugar a los aeroplanos.

Porque iban rectos a un punto invisible del aire. Daban la vuelta, de regreso, para dejar al sol sus panzas de mil reflejos.

Más cerca de las cometas, casi rezando los gritos de los niños, intentaban la última proeza, y pasaban, parando sus hélices en mortal colapso metálico, por la rosa abierta de la tarde sin palomas.

En las alas bruñidas del sol, montaban las risas de los niños prendidos a sus cometas.

LA MÁQUINA DE ESCRIBIR

La máquina de escribir está cansada. Desde las nueve de la mañana hasta las cinco y media de la tarde escribe que te escribe... Claro que ella sola, por su gusto e impulso, no es. Obedece a unos dedos suaves, febriles, de mujer.

La máquina se encuentra en una habitación larga, con cinco ventanas al mar. Ante ella, otras compañeras de hierro y de madera clara, trabajan con los hombres que componen la dotación de la oficina de correspondencia. Detrás de la mesa en que ella vive se sienta el jefe de todos los de la habitación: máquinas de escribir, plumas, tinteros, mesas, archivadores y personas.

Una noche, así que el guardia cerró las ventanas y puertas, la máquina se decidió a lamentarse en voz alta, y dijo:

—Compañeras... —un murmullo de hules fue la respuesta—. ¿Me oís?

—Sí —contestaron los rodillos y las teclas.

—Estoy harta de vivir aquí. ¡Qué manera de trabajar más absurda! Voy a romperme en cien pedazos para terminar de padecer.

Primero, la sorpresa mantuvo un breve silencio. Después, la máquina del jefe alzó su voz:

—Eres injusta, porque tú eres la única que estás bien tratada. ¿No estás limpia y reluciente?

—Sí. Antes de marcharse, *ella* me limpia —confesó.

—Además, eres la única que trabaja con una mujer. Las mujeres siempre llevan las manos limpias, perfumadas. En cambio, a mí, este hombre áspero que me gobierna me pone el cigarro encima, me llena de humo, de borraduras de goma; me hace retroceder con grave frecuencia para enmendar sus yerros. Y, sobre todo, ¡es tan feo todo lo que escribo! —suspiró.

Del lado opuesto brotó una voz airada:

—Está visto que se quejan los que menos deben: una máquina de mujer y otra de jefe. ¡Ay, si tuvierais que tolerar al que yo! Sólo escribo sobres, toneladas de sobres, con direcciones como para volverme loca. Otras veces hago unos papeles llenos de números que se llaman *presupuestos*. ¡Y luego, el que me maneja es un bárbaro cuyos pelos rizados me inundan, porque se está desplumando como un pájaro! ¡Si siquiera yo escribiera las cosas que tú escribes con *ella*!

—¡Eso es! —chilló otra máquina, moviendo la *o*—. Yo sé que *ella* escribe cosas lindísimas que no son de la oficina. El otro día, el que lleva los telegramas comentó el deseo que tiene el jefe de sorprender algunas de las hojas que ella hace para denunciarla al director. Una mañana que tú estabas rota, estúpida quejosa, *ella* vino a escribir una carta conmigo; luego escribió también ocho renglones que llevaban palabras muy bonitas que yo nunca había escrito. ¡Me costó un trabajo aprendérmelas! Desde entonces, siempre que puedo deslizo alguna entre los telegramas, ¡y armo cada lío!

Una máquina jovencita, recién llegada de la fábrica, aclaró con malicia:

—Yo sé lo que *ella* escribe.

—¿Quién te lo dijo? —corearon las otras, ávidas de luz.

—*Ella* misma. El otro día se lo escribió a una amiga sobre mi rodillo. Le dijo: «Yo, como tú sabes, hago versos, y quiero publicar un libro muy pronto...»

—¿Eso dijo? Pero ¿no lo sabías tú, la suya, la máquina donde *ella* escribe?...

—Sí —confesó tímidamente la aludida—. Lo sé.

—¿Y te quejaste escribiendo versos, palabras hermosas, palabras de *ella*? ¡Y nosotras que sólo escribimos pagarés, facturas, presupuestos y cartas diciéndole que *no* a todos los que vienen pidiendo trabajos a esta fábrica!

Tímidamente aventuró la atacada:

—También escribo cosas feas y cartas a Inglaterra pidiendo carbón, hierro... Todo no son las maravillas que vosotras decís.

—¡Ya, ya! Pero lo que decimos refresca tu vida. ¿Y la nuestra?

Todo quedó en silencio hasta el día siguiente.

El mar llenó otra vez los cristales de las ventanas; barcos inmensos llegaron y se fueron, pausadamente. Cuando sonaban las nueve de la mañana, entró *ella* en la oficina. Era una muchacha de mediana estatura, cabellos claros y ondulados, ojos oscuros y sonámbulos. Acarició el teclado antes de empezar su tarea.

—¡Qué limpias sois y qué brillantes, queridas letras! —dijo con voz dulce.

La máquina, humedecidos los ojos por el remordimiento, corrió mejor que nunca, deseando satisfacer a su compañera de trabajo.

Y lo primero que escribió fue:

Dear Sir.

Y lo último (hacia las cinco y cuarto de la tarde, bajo la luz indefinible del crepúsculo cerca del mar):

«...Porque en esos barcos que desde aquí veo irse se me huye el alma todas las tardes.»

LA LOCOMOTORA

El tren pasaba todos los días por el mismo camino y en el mismo punto cambiaba una sonrisa con su compañero, el que corría en sentido contrario.

Sus ventanillas habían embebido ya todo el paisaje que a derecha e izquierda se desvanecía. Aunque fueran corridas las persianas, los viajeros podían ver en los cristales la misma teoría de montañas, riachuelos, lagunas, campos llanos, porque los cristales se sabían de memoria el panorama y lo repetían sin verlo.

Los coches tenían un sentido democrático que a los viajeros ricos les molestaba extraordinariamente: se dividían en dos, mitad de *primera* y mitad de *tercera*. El que no supiera el secreto no se enteraba, viendo los coches desde las estaciones, de la parte que correspondía a los viajeros de *primera* y a los de *tercera*. Pero todavía era más grave si es que el revisor no cumplimentaba fieramente su deber de incomunicar ambas partes alícuotas del vagón, pues cualquier viajero presuntuoso podía asomarse a una ventanilla de *primera* fingiéndose pasajero de allí para deslumbrar a sus paisanos a la llegada del tren.

Todos estos incidentes menudos y ridículos los conocía muy bien nuestra locomotora, que sonreía como los seres superiores: alzando la cabeza y respirando fuerte. Su corazón, rebosante de humos y velocidades, pertenecía por entero a los que la gobernaban: fogoneros, maquinistas, y se alarmaba cuando el timbre de máximo terror presionaba los frenos descuidados para detenerla. En tiempo de paz, que el maquinista apoyara sencillamente los dedos en una de sus manivelas le producía retozona dicha. Entonces era cuando los prados, doradamente tendidos entre las cordilleras, la veían pasar penachada de redondas nubecillas, con una canción que parecía soplada en caracolas de mar.

Corrió muchos años la locomotora. Ya, sin que el maquinista se lo recordara, sabía detenerse en aquellas estaciones precisas; sentía no poder levantar (como los caballos levantan una mano y golpean el suelo repetidas veces) una rueda electrizada de kilómetros para mostrar su impaciencia de volver a correr.

Ni un percance, ni un sobresalto. Los rieles se estremecían muchísimos metros antes de que ella se acercara con alegre amistad.

—¡Ah mis viejos amigos! —murmuraba ella, pasando por cima y alejándose—. Mis viejos amigos, mis viejos amigos, mis viejos amigos...

Los puentes, los túneles, las montañas, saludábanla con amable satisfacción. El tren llevaba hombres preocupados que miraban siempre el reloj; mujeres hermosas y pensativas, niños que todo lo preguntaban ávidamente, y mercancías que camiones muy gordos bajaban a recoger a las estaciones chiquitas y floridas.

Las lluvias del invierno no la detenían. Viajaba arropada en su bufanda de humos espesos y lentos. Pero al fin pudieron cansarla los kilómetros, y unos ingenieros adustos determinaron que había que retirarla del servicio. Precisamente el director de una Escuela de Oficios hizo la petición al Estado de una locomotora en no muy mal uso, y ésta le fue concedida para sus experiencias ante los alumnos.

En una gran cochera la colocaron; enfrente tenía un patio que se abría al cielo templado del Sureste. Un día sí y otro no llegaba el profesor de Mecánica con sus alumnos. Carraspeaba antes de comenzar:

—Gracias a Watt fue posible la locomotora. Este viejo modelo que veis...

Los muchachos aprendían en la carne ahumada de la locomotora la historia en progreso de la máquina de vapor, sus bielas, cierres, pistones, cajas de humos...

¿Quién pudo creer en la quietud de lo que se hizo para acometer velocidades? Un maestro joven, aventurero, logró perfeccionar la clase de Mecánica obteniendo unos rieles que clavó en el suelo áspero del huerto, ante la cochera. Gran día de fiesta fue aquel en que la lección se hizo total, embriagadora; arrancó la locomotora de su triste encierro entre los delirantes aplausos de los alumnos que la pilotaban y de los que contemplaban el prodigio.

¡Qué enorme felicidad la que atravesó la frente de la locomotora! Por breve que fuera su viaje, no dejaría de ser feliz. A pesar del profesor viejo, partidario de la estática; por gracia del profesor joven, que reía viendo desperezarse los músculos, las ruedas, las bielas ya templadas.

Aunque bajaran la noche y el olvido y toda la Escuela Industrial permaneciera callada, la locomotora era dichosa. Porque siempre esperaría que manos de niños la acariciaran en sus ya no enmohecidas velocidades, aunque fuera para un crucero de parte a parte del huerto.

VIENTOS

LOS VIENTOS

—Henos aquí —dijeron los Vientos—. Venimos del Mar. Somos cuatro hermanos, y nuestra madre, hila que hila, nos espera con inquietud.

—Somos los cinco borreguitos negros que devoró el lobo, hermanos Vientos. Cuando se fue nuestra madre, nos advirtió el peligro que correríamos si abríamos la puerta al lobo... Pero el lobo vino con las patitas disfrazadas de harina, y nos engañó. A todos nos tragó, menos al que se escondió en un reloj.

—Yo soy Blanca Flor, la que guardaban los enanos en una gruta de oro —deslizó una voz transparente.

—Seremos buenos con vosotros —dijeron los Vientos—. Veréis qué hermoso se queda el cielo cuando nos retiremos a descansar.

Los árboles agitaron la bulliciosa lumbrecilla de sus hojas. La noche avanzaba entre rieles, soplando en su cascabel...

Por el camino venía una viejecita muy linda, que era la madre de los Vientos.

LOS MOLINOS

Son los labriegos jóvenes que aran en el cielo su porción redonda de aire. Cubos de tierra líquida vuelcan su gozo en las balsas. En el cónico remate de sus torres, una ventanita. Y las velas, curvándose de azul.

La tierra compacta que los sustenta es dorada. Fina tierra en declive que acabará en barco.

EL VIENTO EN LA BARCA

Si te quiero, barca, es porque pareces un molino del mar. No giras, pero sabes inclinarte cuando rozo tus velas, agradeciéndome que te requiera de amor. Entonces son más felices también los marineros. Cantan, tocan sus guitarras; beben el vino salado y verde del mar con alegres risas.

Cuando yo me paro, tú te detienes entristecida; todo es silencio desesperanzado. ¡Y yo, subiendo a los mástiles, me burló de vuestro desencanto! Luego, fingiendo coraje, os empujo muchas millas.

Es verdad que si estoy enfermo pierdo el ritmo de mis latidos y soy demasiado fuerte. Te quebranto los palos, barro con las olas tus cubiertas, desvío el timón, rompo algún mástil... Entonces no soy yo: es mi fiebre la que hace el daño. ¡Me duelo por el cielo y por el agua, y tú sufres el eco!

Sin embargo, ¿no es más dulce mi ternura después? Ya que la tormenta se apaga, ¿no te llevo adonde quieres? ¿No soy yo el que hace crujir tus lienzos con tal suavidad que parecen pájaros anidados en ellos mis caricias?

¿No rizo tu huella en el mar? ¿No lleno de plumas de nieve las crestas de las olas que se te oponen?

¡Yo soy el que te arremolina de luz! Yo, el viento ancho, bronco, tierno y apacible del mar.

EL VIENTO EN LA TERRAZA

Dice el viento:
Tengo un costado rojo, cernido de banderas claras.

Dice la terraza:

¡Me voy con aquel viento de nieve! Todas mis ventanas, todas mis chimeneas, navegan tierra adentro.

EL VIENTO EN EL MOLINO DE VELAS

Hace una espléndida mañana de invierno. El pozo está dormido a la sombra de los lienzos del molino parado. ¿Tendrá frío el agua, privada de sol? Voy a asomarme.

—¡Agua! ¿Tienes frío ahí tan honda?

Me mira; va a contestarme.

Dice el agua:

—*La tierra, que nunca está fría, me guarda entre sus brazos. Pero yo quisiera ver el sol. ¡Súbeme, Viento!*

—Empujaré el molino. ¡Corred, aspas inmóviles! ¿Os acordáis de lo que anoche os traje antes de dormirme en el sembrado? Era buen olor de rosas y de diamelas. Pronto pasará el tren y los viajeros creerán que yo les saludo con muchos pañuelos blancos.

Dice el agua:

—*¡Aaah, qué hermosísima es la luz caliente del sol! Gracias, amado Viento, por sacarme al día. ¡Qué bien me desperezo por estos canalillos que conducen a la balsa! Yo adoro la balsa, porque, acostada en ella, cambio signos con los luceros. Cuando me llevan a la tierra, así que baño las raíces de los árboles, procuro filtrarme hasta volver al pozo.*

—¡Corre, agua blanca, a la balsa! Yo quiero rodar abrazado al molino hasta marearme. Veo el campo en el cielo y el cielo en el campo. Ya viene el tren agitando esos largos flecos de humo tan orgullosos, que después se enredan en los árboles. Si no fuera por ti, agua que subes tan gozosa, iría a besar las frentes tibias de los viajeros. Los que no te conozcan, molino callado, viejo amigo lleno de sol, creerán que yo barajo jazmines grandes entre los floridos almendros.

EL VIENTO EN LOS CEMENTERIOS

¿Creéis que es siempre triste el viento en los cementerios? Muchas veces tiene la alegría de los que viven entre seres dichosos. Columpia los árboles tiernos, se enrosca a los cipreses que están ardiendo la lumbre de los ocultos, pasa rozando las matas chicas —esas que crecen mejor que en otro sitio en las tumbas de los niños—. Luego se acuesta entre los imponentes panteones, vanidosos y ridículos mamotretos donde entierran a los que en vida procuraron ponerse en primera fila para que se les viera cuando hiciera alguien un retrato para los periódicos... Sonríe burlón y retuerce sus finos cabellos de brisa en las rejas de los nichos. Es grato entonces estar sentado en los cementerios con el viento muy cerca. El oyó las palabras dolorosas de aquellos que acompañaron a los que habían de quedarse. Y duerme a la paz de las macetas encendidas de ternura, comprobando que sólo es cierta la luz.

¿Habéis estado en algún cementerio de pueblo?

Hay uno pegadito al mar, entre dos caseríos mediterráneos, donde solamente yace una niña... Una niña de doce años que murió recién levantados los muros del cementerio nuevo. La enterraron solita. Nadie la pudo acompañar después, porque declararon inútil el terreno por su filtración del mar próximo. Ella se quedó oyéndolo; oyendo también al viento; oyendo las canciones de tres hojas, de los pájaros.

¿Iba a ser triste el viento con la soledad de la niña? Por el contrario, le contaría historias de niñas lejanas, de madres jóvenes y hermosas, de muñecas rubias, para consolarla de su abandono. Había que entretener a la niña cinco años, cumplidos los cuales la sacarían para llevársela a tierra seca.

¡Cuánto sol, entre tanto, caía sobre la tumba pequeña, a fin de evaporar el agua de que se empapaban sus raíces! El mar rompía sus borreguitos de espuma por la playa frontera al cementerio para cantarle a la solitaria.

Otro cementerio de pueblo, en el cual corre el viento, marinero y serrano a la vez, con la sana alegría de quien posee secretos de eternidad, vi yo una tarde de mayo...

Arrebatados los cabellos negros, junto a una tumba cuajada de flores, se elevaba la figura de una muchacha. No decía la losa el nombre del que debajo esperaba la luz, sino un verso suyo, porque él era poeta. El viento, oficioso, me lo fue contando todo: *Él era bueno: manejaba mi presión en su voz. Yo duermo y velo al abrigo de su quietud. Él no pudo volar jamás, como las hojas de los árboles, hasta después de morir.*

¡Qué largo crepúsculo aquel, oyendo al viento!

En el plantel de crucecillas blancas, donde crecen geranios rojos que son las últimas risas de los niños, se vuelve suave el inocente, cual un niño vivo.

¡No temáis nunca al viento de los cementerios! Cobija todo el misterio de los callados, y es tierno para ellos, amoroso, porque los vio pálidos y asustados antes de penetrar en la quietud.

EL VIENTO EN LAS CASAS VACÍAS

¿De veras cerraron todas las puertas de la casa deshabitada? Pues entonces, ¿quién le abrió al viento?

Está corriendo por los pasillos, loco de dolor, clamando por los que le cerraban las puertas, echándole cuando él no entraba suavemente y volaba papeles, cintas, sedas y hasta palabras...

«Las palabras se las lleva el viento...», decía, sonriendo, una linda muchacha enamorada.

Y era verdad. A una gruta sin ecos se llevaba el avaricioso viento cuantas palabras oía de amor.

Las desoladas puertas se dejan combatir por el airado que busca en todas las habitaciones. Aquí dormían *ellos*, los ausentes. ¡Cuántas mañanas les abrió los ojos trayéndoles rumor de pájaros y olor alegre de frutas maduras!

En aquella habitación larga, con ventanas al extenso cielo, escribía *él...* Era un hombre muy pálido, muy rubio, con unas hermosas manos que de nada sabían sino de la perfección pura. También allí entraba *ella*, llamándolo. Si hacía viento, él decía con risa en los ojos: «No te oigo; tu voz se la lleva el viento.» Y ella repetía, más fuerte: «¡Digo que te quiero y que eso no se lo puede llevar el viento!»

¿Y allí, y allí, y allí? ¡Oh el dolor del viento, que no les encontrará aunque corra por el pasillo que va al huerto!

Sólo ha encontrado un cubo con agua, en el brocal del pozo. Lo ha volcado furiosamente, por la impavidez del agua, que de nada se preocupa más que de mirar el cielo y los pájaros.

Recogiéndose, han dicho las puertas al notar el frescor:

—¿No lo sabes? ¡Está llorando el viento!

EL VIENTO EN LA ESCUELA

¡Borombombúm, um, um!

—¡Cerrad las ventanas! —ha gritado doña Isabel, la maestra—. El viento las va a destrozar.

¡Brom, brom, brimm! —ha protestado el viento cuando cerraban las ventanas Angelita y Lucía, dos niñas de ocho años que no han sabido encajar las maderas.

—Bien. Ahora que no hay ruido, vamos a dar la clase de Geografía. Empieza tú, Rosita. ¿Cuáles son los ríos más importantes de España?

—El Tajo, Duero, Ebro...

(¿Quién quiere *aes*, espléndidas y magníficas, maravillosas *aes* de madera? El viento, empujando con su hombro las mal cerradas ventanas, ha tirado el abecedario de su estante. Primero han volado las *aes*, luego las *pes*, las *eles*...)

—¡Qué desesperación de viento! —se ha lamentado doña Isabel—. Recoged eso y volved a cerrar.

Pero no ha habido lugar de todo, rápidamente. El nuevo y vertiginoso colegial se ha lanzado a operaciones formidables: balancear los mapas, tirar los bastidores, subir las falditas de las niñas...

Paquita estaba escribiendo en su cuaderno de redacción, cuyas hojas, al revolucionarse, han corrido la tinta, emborronando las preciosas palabras recién escritas.

Los ojos de la niña se han oscurecido: «¡Viento loco! —ha dicho—. ¡Mira lo que me has hecho!»

Incrédulo, al acercarse para comprobarlo, el viento descompone los ricitos de la enfadada.

—Sí, lo que faltaba. Ahora, ¡despéiname también!

Doña Isabel, entre tanto, amontonando las letras de madera, ha dicho de muy mal humor.

—Si cerramos, tendremos calor. Y con este viento absurdo no se puede trabajar.

Mohíno, sin comprender por qué le aborrecen, él se va despacito; dulce cual un cordero...

Y dicen entonces:

—¡Qué delicioso fresco!

Sonriente, feliz de hallar la manera de quedarse sin molestar, el viento saca su merienda del bolsillo y se pone a comérsela muy feliz. Sentadito en el ropero de la clase, entre los sombreros de paja dorada y los delantales blancos de las niñas...

Suspira la maestra con deliciosa nostalgia.

—Se huele a naranjas. ¡Qué hermosos son los huertos de mi tierra!

EL VIENTO EN EL CASTILLO DE BELLVER

Por el monte, cubierto de pinos y de distancias salobres, llegaron los que iban al castillo. ¡Ancha retina del puerto, redondez luminosa de la isla! Firme, guerrero por su oposición al viento, el castillo se mantiene con su historia.

Salió una viejecita de voz opaca y dulce, como son todas las voces de los que hablan en lugares vacíos, que nadie escucha, que acaban por no oírse tampoco a sí mismos.

Les llevó a patios desiertos, a las habitaciones batidas desde sus ventanas por el viento ronco, tozudo, persistente:

—Aquí estuvo preso Jovellanos; desde esta ventana miraba el mar; estos muebles le acompañaban. Aquí escribía, aquí...

¡El mar! Jovellanos veía siempre desde su prisión el mar. ¡Oh, siempres de la eternidad del mar!

Las ventanas desnudas, sin una puerta, sin un cristal, sin nada que proteja las enormes habitaciones vacías contra la invasión del viento desbocado. Imposible acercarse a las ventanas, cercadas, horadadas de estrépitos en avalancha. En la torre del homenaje, el viento derribó a los que buscaban mayor espacio de belleza.

¡Anchísimos corredores, patios, salones, pistas del viento desmelenado!

—Este era el palacio de los reyes de Mallorca —decía la viejecita limpia, linda, en su voz de oros solitarios.

—¿Aquí vivió la reina de Mallorca? Pues ahora es usted ella; ¡es usted la reina del castillo de Bellver!

Un suspiro, viento de corazones, brotó de la guía:

—¿Reina? ¡Ay! ¡Yo soy la prisionera del castillo!

Y se quedó sola —manos cruzadas, ojos resignados— en medio del tropel del viento que combate, abraza con delirios de dios del mar al castillo de Bellver.

EL VIENTO EN VALLDEMOSA

Aunque llueva, nieve, corra el aire de acero afilado por la vía Blanquerna, dentro de la casa hace calor y Francisca sonríe.

—¿Quiere usted que abra las ventanas? Asómese, abrigándose del viento, y verá los montes, y la cartuja, y aquel pedacito de mar entre las colinas.

Sí. Hay que atender a Francisca. Hermoso paisaje de verdes renovados, de árboles con olor de sol, de piedras viejas, henchidas de historias de amor...

—Me quedaría aquí toda la vida... ¿Cómo se llama usted?

—Me llamo *Fransisca*.

¡Francisca! Alta, delgada, vieja con rescoldos de juventud obstinados en los ojos oscuros, en los labios finos y en los dientes limpísimos y fríos.

Valldemosa y su tradición; su verdor y sus oros, nuevos para el universo siempre,

Entre tanto, el desnivelado viento de nieve corriendo por claustros, rotondas, celdas de Chopin y *Jorge Sand*; jardines, huertos cándidos, llovidos, que los pintores cogen constantemente bajo todos sus esplendores, para sus lienzos con olor de clorofila tierna.

—¿Le gusta Valldemosa, verdad?

—Verdad que sí, Francisca.

Cántaros, labores de cáñamo, bordados, bailes; muchachas que por coquetería visten, alguna vez, los trajes señoriles de la historia popular; viejas preciosas, como Francisca, como la del castillo de Bellver, con sus voces que parece resuenan en el vacío abovedado.

Y el viento, insistente, demoledor, con lluvias y con remolinos, curvando los torsos ateridos.

Al volver, con la noche fija al cielo, Francisca y su fuego, su mesa cuidada, su conversar risueño, sus manos, parecían de madre.

—¿Tiene hijos, Francisca?

—¡Hijos! —se ríe, juvenil, erguida, doncella frente al hombre mozo, que, a mi lado y conmigo, le sonríe con cariño—. Soy soltera.

¿Francisca soltera, Francisca sin amor?

¿Y cómo, Francisca soltera, Francisca sin amor en Valldemosa?

Quizá sea el viento de cuchillo ágil quien la retiene en el hogar encendido, oloroso, fresca y con sonrisas para los que llegan con frío.

EL VIENTO QUIERE SU AMOR

Por una ladera cuajada de almendros suben diariamente el hombre y la mujer de la ciudad. Una senda, rebelde caminito donde no le hay, una rambla ramificada copiosamente, y encima, sobre el blando terrón resignado, los almendros...

—Ayer no tenían hojas, ¿recuerdas?

—¡Es verdad; no tenían hojas!

El es poeta —de los que escriben cuando incurren en grave responsabilidad de silencio—, y fue allí, en aquel paisaje que descubrió su adolescencia, donde se sintió brotar de sí mismo. Están los montes a derecha e izquierda, cortándole paso al mar que, al fondo, apacentando barcos, reluce toda vez.

—Ayer no tenían flores los almendros.

—¡Hoy sí tienen flores los almendros!

Este hallazgo es único, cada primavera dentro del invierno —que éste es el tiempo de los almendros.

—Los árboles —dice él— están renegridos, angustiados, secos, de finas ramas venosas en el cielo. Hasta que una mañana abren el esplendor de sus hojas y de sus flores inefables.

—¡Cuánto amor —dice ella— para lograr que las florecillas sean frutos, que nadie las hiera, que nadie las toque! Se retuercen los troncos, sí, pero es por desesperación de producir tan fragilísima belleza blanca, en desamparo...

¡Aquí está el Viento! Robusto, con grandes pulmones yodados, oxigenados, y labios que aún retienen la sal fresca del mar. ¿Es tiempo de los almendros?, ¡pues lo es entonces de su amor! Se despoja del violento lienzo que lo cubre; busca y se viste un manto de nieblas como polvos de aurora deshecha, para acercarse a los árboles de dislocada figura implorante.

Las florecillas se helarían sin el vaho del viento; se arderían sin el viento que las consuela de sol. Son ellas el amor, la máxima ternura del Viento, que las toca con sus pestañas de niebla, que las besa con arrullo de acequias fluidoras, que las entorna celoso por si un hielo duro o un apretado sol las pudiera herir.

—Esta ladera de almendros es la novia del Viento.

Y el Viento, enamorado, canta, canta sobre las tres colinas en hilera de azules, una balada de ovejitas y de recién nacidas flores blancas.

EL PAISAJE SIN VIENTO

Llegáis horadando, con el viento, la sierra; negros pozos los de las minas con aros de viva cal, atraviesan el paisaje. Plomo, hierro. ¿Y quién podría saber lo que irradian las piedras de apretado sol?

Descanso. El viento se tiende a la sombra del monte; saca sus canciones remotas, y una inefable armonía transcurre casi en silencio. Enfrente, el mar. Resbalan los ojos por la tierra tostada, y en un confín de oro, ¡azul recién creado, azul primigenio, azul de azules! ¿Qué doncellas dulces y olorosas, como los dátiles cercanos, empavesan el sendero entre los dos mares? Porque entre el cielo y este mar infantil hay un camino estrecho que lo separa del mar grande, sabio, ponderado...

Grave plenitud de eternidad entre las colinas. Tres de ellas se escaparon para bañar sus hombros en el siempre ofrecido azul, y unidas por el silencioso bogar de las playas hay tres islas. Redonda la del centro, alargada la de Oriente, indecisa la occidental, en un suave concierto de peces —como el mar— recién creados.

Sentaos en la llanura que contempla las tres islas, y oiréis el resplandor del crepúsculo. A la izquierda, un huerto serenísimo, con limoneros y naranjos, alza sus insomnes cipreses de oro.

Pensaríamos al abordar lo calizo, salobre, de la tierra que en domingo un hombre labra, que no pueden brotar sin milagro, tan cerca, esos árboles robustos que envían mensajes de amorosa inquietud a los faros. Mar y costa se han detenido para meditar en lisas cuestiones de eternidad.

Los diminutos caminos no concurren a ningún camino grande. ¡Sólo al inefable mar, con su racimo de islas y su avanzada de trigo candeal por cabo! La dorada y maravillosa guía de los navegantes.

Sentiréis al volver a nuestro paisaje de siempre que vuestros ojos han huido para cantar, solitarios y verdes, en las islas.

LA CREACIÓN

En el principio, la vida del hongo era más importante que la del león.

Los hongos crecieron hasta inundar la corola del cielo, y cuando vino aquella borrasca que despojó a los vegetales de su rocío, los hongos, pasmados de sol, se retrajeron rápidamente hasta dejar, humildes, sus sombrillitas delicadas muy cerca del suelo.

No había almas todavía. Dios sacaba de sus crisoles pájaros, peces, elefantes, y dejaba en el fuego la espuma finísima de la creación, tan copiosa. Aún no afloraban las almas cuando ya los hongos, contraídos, eran la más plena negación de la altura.

Nada en el principio era duro ni áspero. Los astros estaban recién hechos, tiernos, humeantes; el viento, al herirlos, los abollaba. Un enjambre de astros corría incansable por las márgenes del cielo, y el alma continuaba sin brotar.

Misterioso designio precipitó a los árboles y a las flores en simas negras, a las que no bajarían nunca ni la luz ni el aire. En esta época sombría, Dios caminaba sin rumbo, con los vestidos resecos, por sus huertos inmensos. Apenas el agua empujaba la vida del vegetal, cuando un volcán se lo tragaba vorazmente. Todo, contando con los tigres adustos y con las gacelas sonreídas, llevaba una amenaza de petrificación.

No venía el alma desde su diáfana cima. En vano la presentían las avecillas, la buscaban los árboles, la soñaban los prados. Dios mismo se preocupaba de remover sus retortas y misteriosos alambiques, dudando quizá de la fórmula empírica que regía sus ensayos.

Cada vez más recónditos los hongos, chapoteaban su lluvia abrigando a los tímidos caracoles que buscaban el amparo de sus abovedadas cabezas.

Los montes, tan dulces y recientes, no sabían mantenerse enhiestos y se desmoronaban o dividían con profusión. Los caminos tenían transparencia de cuarzo pulido. La creación era una niña recién nacida, de ojos azules y vagos.

Fue una mañana mojada por insólita lluvia.

Ya estaban los vegetales barruntando su inmersión en la piedra, y un tenue vapor ascendió del río en cuya orilla Dios estaba sentado. Este vapor adoptaba las formas de los seres que Él pensaba: pájaro, tigre, flor, nube, agua, hongo. Y entonces fue cuando un convencimiento indeleble rasgó su vacilación.

—¿Será el alma?

Así que exhaló esta pregunta, el vapor se concretó en un ser más bello que las flores, más luminoso que los astros, más erguido que las estalagmitas que el rocío acumuló cerca del valle.

Hiciéronse imperceptibles los ya minúsculos vegetales. Las fieras rugieron con manso terror. Las aves cantaban locamente. Asomaron su recortado hociquito los peces. Los ríos se refugiaron en sus manantiales y quedaron solos y desconsolados los árboles gigantescos.

Aquel día fue cuando oí la sonrisa de Dios asomada a su barandal de mundos.

Era una sonrisa que fluía sal deslumbradora, miel cuyo olor desvanecía. Me quedé pensativa y trémula, hasta que el cielo se desnudó de sus espigas.

SOSTENIDO ENSUEÑO

1938

Carmen Conde en El Pardo (Madrid),
marzo de 1935.

EVASIÓN

En mi persecución saldrán todos los caballos de la noche: los pardos, desmelenados; los negros, relucientes con crin pequeña y nerviosa; los blancos, como arcángeles en la pista sin final del cielo.

—*¡A por ella, por ella, por ella...!* —y resonarán los cascos de vidrio celeste, huracanearán las colas espesas y frondosas. Pero yo iré tan ligera y hacia tal apretada alegría, que ninguno de ellos me podrá alcanzar.

Detendré mi paso de centellas en una nube redonda, cima de la tierra abandonada para siempre, y desde ella veré las cícladas de caballos abatirse en éxtasis ante mi brío.

—*¡Nadie alcanzará a la que fue doncella del viento!* —gritarán los árboles, crecidos en mi defensa.

—*¡Nadie la alcanza!* —afirmará la voz en tropel de mis perseguidores.

RETRATO

Cuando te paras, contigo se detienen hasta los parados cuyas almas se creen caminantes. Contigo se paran también los caminos; a oleadas comienzan a cogerte las manos de tus vestidos vientos y vientos que volaban sin rumbo. A mares te alcanzan las lluvias que se cuajan a tu alrededor. Los hombres que te miran sienten por sus venas el compás de tu latir. Las mujeres te envidian porque supiste ir.

¡No te pares nunca por nadie ni por nada! Los pies ligeros se han hecho para no descansarlos. Las piernas finas, para sostener entre los pies y la cabeza tu cintura dócil y alegre. Si te apiadas de los que no andan o de los cansados o de los pensativos, arruinas lo único sagrado de la tierra: caminarla.

¿Recuerdas que te esperan las aguas y las flores y que todos los días nacen los que aprenderán por dónde fuiste? ¿Olvidas que no te perteneces, sino que eres de otros y de otras que por ti declinaron su propio sentimiento?

¡No te detengan los pasos jamás! Sigan yendo rectos, fuertes, voraces. Un ser como tú, cuando se para, ya no puede cantar: Se canta andando, se canta yendo. Se va con prisa, arrebato..., porque se va.

Las luces y los árboles recogerán sus redondas cabezas de sombra y los ríos tirarán del cinturón de sus fuentes. Anda. Yo te auguro que todo se sumará a tu movimiento. Anda. Gastaremos el cuchillo en los que se crean capaces de seguirte. A ti no te sigue nadie. Tú vas contigo, y el mundo te ve pasar.

SINO

Este ser cae en ti como agua en una campana.

El contacto con este ser es para tu cuerpo lo que la lumbre para la plata.

La posesión de tu alma es para este ser como la de la tierra para la raíz.

¿Qué puedes hacer tú si no es pertenecerle igual que el zumo a la naranja, la sangre a la arteria, el éxtasis al delirio?

Arráncate, si puedes, esta espada que te atraviesa como si te hincara a las brasas del viviente dolor.

SINO

Avidez, porosidad.

Por tu cuerpo poroso y ávido circula la enriquecida sangre que te aumenta mi sangre.

¡Quién te cerrara esas bocas ardientes de tu piel con la llama de mi espíritu, habitante tuyo eterno!

ASCENSIÓN

Levántate, me dijeron desde la aurora. Y yo me erguí como la más joven de las yerbas. ¡Qué buen sol en mi cintura!

Levántate más, me dijiste tú. Y yo fui alta, alta; tanto, que las estrellas se hicieron tiernas para no herir mis hombros.

Por piedad, amor, ahora que ni veo la espalda de los mares, ¿me dejarás sola tan arriba con la gran rama de mi desvelo quitándome tu sol?

PAISAJE

Esta voz es, exactamente, *mi voz*. Para mí es paseo de chopos dorados en otoño y de cipreses en primavera. Tiene agua ligera y una densidad tan apretada y caliente, que se empaña el alma que hay suya en mi alma, igual que el vaso claro con el gua fría.

Tiene noche con desolado misterio y amanecer de unanimidad táctil. Refleja los tonos ardorosos del Poniente y es mágico compás de los astros en una eternidad de sol.

Cuando la oigo ajena, entera me recorre, devolviéndome una copiosa vida consciente. Y si mía, ¡a qué celeste azul me lleva su vértigo! Aunque me engañare, creería en ella.

Sólo en la vida se halla un rostro que es la suma de todos los paisajes. Y una voz que es por sí toda la gracia del sonido.

CONTINENTE

Tú eres el país de donde yo no me iría nunca. Crecerían tus árboles, resonarían tus aves, tus aires te moverían para mi alma y yo, colmados los ojos y los oídos de músicas y de flores, viviría en ti, como la aurora en el cielo: aro de lumbre ágil, sonrisa de luz y de brisa.

Si me voy, si corto de tus alamedas, de tus ríos, de la columna de tu voz caliente mi presencia, es sólo para enlazar contigo en Dios mismo, un día...

¿Cuál?

El silencio da sus yunques, y sobre ellos, tú, ciudad de mi vida, oirás siempre que mi corazón forja tu nombre.

IFACH: DECLAMACIÓN

Esta caliente multitud de aguas que fecunda tus raíces, amante de la continuidad del verde mar y traspasada tierra, me ha cogido entre sus brazos para conocimiento eterno de mi cuerpo terrenal y de mi alma abierta en espacios.

Ir por tu agua, mano derecha que enciende azules morenos y azules inocentes como palomas blancas; por tu espalda de abismo con posibles gritos de barcos arrebatados en hermosura; por tu costado de veleros anclados en las viejas cartas de marear, donde aprendieron los griegos este camino con ansia de nubes, donde yo, amante, ardo en música continua de alegría.

Bien sé que tu mismo suelo de mar, atravesado por peces que llegan desde Sicilia, sabe de otras orillas que plantas yodadas se adaptan para asegurarle a la tierra su entrega. Mas ¡cuánto mejor que nadie podrás tú, si te desprendes con alas, decir allá arriba de tu vuelo el cóncavo arder de los pies que se te ajustaron sosteniendo cuerpos que, cual el mío, llevaban ojos eléctricos de maravilla!

Tú sabes de las plantas alígeras, que son sobre tu carne una brisa de danza, y que suben, suben, bailando tu aire; y con ellas tu tierra se alivia del peso mineral de tu figura. Tú sabes de unos pies ágiles, pero posesivos de lo que hollan, ascendiéndote para desde ti ser dueños de todos los caminos calientes de tus aguas llenas de sabiduría... Y de los pies que gravitan de tal oscuro modo, que a cada paso tú te hundías bajo ellos, dejándote hoyos que sólo la dulce lluvia de la espuma colmaba de blancor.

Yo quiero, Ifach, ceñirte mis pies, que no vacilarán jamás por sus senderos, y trasvasarte mi recién nacida sangre de amor, incorporándome tu altiva serenidad de torreón de los azules.

¿Qué pueden saber aquellos a cuya oreja no han llegado tus caracolas de esta fe que realza mi alma y la hace hialina y la turba de nubes contorneadas de oro, y la hiere del gozo que sólo tu antiguor de pastor de distancias sabe interpretar como un dios?

Suben los siglos amantes y te enriquecen con fortuna de olivos y de almendros, con el tesoro de plata gritadora de las barcas repletas de peces. Vienen los hombres azuleando sorpresa en sus ojos fatigados de tierra llana, y se te acercan las mujeres más sensibles para esta única sagrada posesión de tu verticalidad sobre el mar.

Pero sólo yo estoy, humilde de los dones más visibles, pequeña y latida en oleadas de éxtasis, aquí, presta como nadie nunca a sentirte en todo el mágico volumen que, siendo inmenso, cabe en mi alma sin cuerpo posible que la limite.

Y es por ello que tu sal y tu yodo, y tu sonrisa de poderío, serán siempre mi mayor tesoro. Y yo el tuyo, menos poderoso, pero ardiente voz que te cante. Porque cantarte será ir con mi amor y mi delirio en hondo calado posesivo, ¡contigo, Ifach!, por el camino espeso de vides, que es la eternidad tuya.

SUEÑO

Tu ángel es ancho, vestido del sayal pardo del silencio; y mis ángeles son delgados, amarillos; ángeles de los clamores a las esquinas de la Noche.

Tu ángel viene sosegado por el largo corredor que te lleva de mí; y mis ángeles le oponen sus túnicas de furibundo acento para que no te lleve, suave y peligroso, por las sendas blandas que tragan sus alas y tus pies.

Se sonríe a través de tus ojos, bañados de sueño, y mis almohadas baten las campanas gruesas del insomnio. En vano otros ángeles blancos con cántaros a la cintura recorren las distancias de nuestros cuerpos.

Yo me muevo entre sombras altas, amarillos chopos de otoño, musicales resonancias tuyas; y tu ángel es como un sino que cae siempre sobre ti, arrancándoteme.

¡Que te lleve, al menos, por donde te llevaría yo! Envuelta mi noche en las telas amarillas de mis guardas, sólo puedo latir tormentas dentro de alas.

¡Quién fuera tu ángel y cuán en paz estará él contigo al cortarte de mi cuello el brazo, donde soy, más que cabeza florida, frente en lecho de espumas!

IFACH: CANCIÓN PARA SUICIDAS DE AMOR

No temas, te dice el mar. No temas por tu razón, que yo te quemo porque para mí todos los cuerpos son algas. Detrás tuyo está la tierra, que también es mía, que también poseo yo. Si acude tu oído a este suelo, y aun a la montaña horadada para el paso del viento, me seguirás oyendo latir poseyéndola. Y delante de ti estoy. Entrégateme. Confía en mi densidad. Te sostendré con un pecho enérgicamente blando.

Sé muy bien qué piensas mientras me miras...

¡Sí, soy profundo, sí! Tanto, que yo mismo me ignoro porque abajo de mí ya no tengo ojos que me señalen mis propias galerías de cristalinos corales rosa y de pólipos nacarados. Noticia de mis suelos me la darás tú precisamente cuando te deje ir a lo hondo mío después de dorarte y atravesarte de espumas... El sol, por quien existe el mundo que te preocupa, ya no extasía a los seres de mi entraña; hay una profunda silenciosa oscuridad para que tu voz la recorra alumbrándonos de palabras. Mas ¡no digas la palabra fatídica que te zumba ahora la sangre! Yo soy reposo, yo soy quietud; me muevo como tu madre te movía en su vientre; y soy ronco por fuera cuando no te llamo. Pero mi voz está hecha de círculos hipnóticos a los que nada turbará jamás. Tú eres un ser atormentado mientras me escuchas; acabarás sonriendo en ondas mágicas bajo el remoto esplendor del cielo inmóvil.

En mí no se descansa. El sino del mar es sostener la ebullición de la materia. Enriquécenos. Atesórate.

(Si oyes este clamor, ¡cuán lejos se queda tu roca con musgos ásperos!...)

Te busqué por entre cuantos se decían tú.

Te hallé entre los que te escondían. Contigo creí era posible todo: Dios, los astros y el sueño.

¿Qué telas fueron vestidas a tus miembros, tan estrechas y mojadas que al desnudarte arranco tu piel?

Y te me quedas en carne viva sufriente, llorándome a gritos mi cáustica violencia que te cortó de aquellos y no te logra purificar conmigo.

Ayúdame, ayudándote. Por lo que soñamos, creímos, ¡no me dejes ir de ti con la fe trizada en el pálido corazón!

CAMINO

Primero era un sonar de campanas o que la sangre se vestía de prisas —velos para la serenidad— y aligeraba de suspiros el pecho caliente como plumón de palomo enamorado. Los ojos se levantaban al techo de trigo morado maduro que era el cielo a esta hora justa, cuando la tierra pierde pie en el día.

¡Qué amplitud de brisas iniciándose crepúsculo junto a la frente señora de meditaciones! Haber salido del silencio arremolinado; caminar con tumulto de corazón que no se calmará quizá nunca, para, de súbito, ver suspensa del aire lento, estático, una paz creciente —hogaza candeal— que todo lo amortiguará hasta desecar el alma de su propio jugo de inquietud.

¿Pájaros? Ni siquiera agua que los mintiera en racimos, uvas pardas sin vino de beber; sí, de beber y ansiar.

Mas éste en dulce bemol del atardeciente sobre los ojos rosa y malva del ser sin calma que lo resonara.

DESDE LO OSCURO

Entrégate, dicen en torno tuyo; pero no sabes quién habla.

Entrégate a la fuerza sombría a quien temen tus noches, a la desconocida llamarada en que el silencio mueve sus piernas de basalto. No resistas, pues es inútil, y sabrás por fin quién hay detrás de tu cabeza cuando se te hace el vacío contra la espalda. Entregarse es serse fiel y ser fiel.

(Una mueve, sí, el alma en todos los horizontes sin obtener otra claridad que el oscuro mandato resonándolos inmenso... Entonces es que, inexorablemente, hay que morir.)

AFIRMACIÓN

Sabedlo todos, cantores y danzoras de la eterna música.

Antes que los iniciados vinieran a mi oído, ya sabía yo, porque me lo había dicho mi sangre, la danza firme que muestra a la poesía sus ritmos. Antes que la tierra empezara a ofrecerme tumbas, ya sabía yo a qué sabe la tierra. Antes que el ensueño fuera ser posible, ya conocía yo su ser fatal dentro de mi corazón.

Decídselo a Dios si con Él habláis. Nada tienen nuevo que ofrecerme, porque todas sus criaturas vinieron conmigo a la vida.

SABIDURÍA

Se me quedaron desiertas las sienes como plazas pequeñas que rebosaran torres de espanto, y entre mis cabellos las manos de los gritos peinaron rubios oscuros de yerba tierna.

OLEAJE

Yo sé que hay épocas en las que vuestras almas os van dentro yertas, amortajadas de hielo en el silencio y en el desánimo y en el desvío.

En tanto que otras veces os las sentís vivas, con circulación arterial dentro de la vuestra. Ávidas, crecientes almas tensas que os dan la alegría de vivir.

ENTREGA

Tender las manos. Y ese don que te ponen en ellas, ¿qué hace de ti?

Un don es la divinidad, si te completa. Y es el dolor si sólo te continúa.

SOPLO

Míos son los pájaros y mío es el aire. Alas para que se remonte mi pensamiento. Mío es tu pensamiento, dice la tierra; cuerpo el tuyo para que yo hable. Mía es la tierra, dice el cuerpo.

Y es porque se la ciñe como una piel húmeda de raíces, exactamente.

EN SOLEDAD

¡Cuán delgadas y estrechas, lanceoladas de frío, se hacen tus calles, ciudad, si voy prisionera del martirio! Hasta las playas pierden súbitas su redonda arquitectura arbórea, y surgen cúbicas, alzadas torres en desvelo contra la nube plomiza del silencio.

En todas las casas ahora, tan tarde, están despiertas esas cosas que atan y desatan a los seres.

¡Quién fuera ventana en mitad de la oscura masa del muro, estallada de luz tibia!

La cabeza me pide un hombro para reposarse y sólo la noche da su inmutable salobre presencia.

DESALIENTO

¡Ay, que vuelven los caminos que olvidé perdidos! ¡Y ay, que nada podré para devolverlos a la nada!

¿Quién dijo que mi alma (¿fui yo misma, la más insensata alma enloquecida?) fundiría con su fe al tiempo, al no y al quizá?

¡Si es sólo verdad el plomo, sólo verdad el cemento!

Nada contra todo. La desolación exhausta mi cuerpo y todo él se deshace, poseído de angustia sin fin.

SOBRE LA MUERTE

Como la noche se empapa de silencio y el sonido se hundió ya entre algodones, mi corazón se desnuda puro y entero, fruta de anhelo en abrazo al anhelo. Me dejará sola y entregada el abrazo que me apaga el mundo y el pecho por quien me enciendo, inesperada aurora. Mi soledad será anticipo del eterno ir por la vida sin corazón.

Duelen las tiernas espaldas de la tierra, reclavada de explosiones. Caminando seguro se acerca, tras el horror de la guerra, un tedio inmenso... ¡Tan redonda alegría vital era la que yo traía!

Mas esta noche, que conduciré siempre apagada, carbón de hielo en mis arterias, me dice de eternidades solitarias que nadie me niega.

LUNA CERCA DEL MAR

Y sólo con mi soledad la esclarecida sien fría del cielo apretado de luna. Solitaria blancura que late ardorosas vigilias; orto de pasión en que mi alma sale de ella y se contempla esparcida por la noche como una lumbre ensanchada y débil.

¿Quién —¿eres tú?— oye mi voz honda, de musgos, raíces del misterio que mueve dentro de la noche su silencio de luna en flor?

¿Quién —¿no eres tú?— viene con su cuerpo caliente, tallo y fruto de ternura, aquí junto a mi soledad?

¡Ah loca presencia blanca que anduviste por mares que presentían poetas vigilantes! ¡Ah luna de lunas frías, solas, y vosotras en mitad de la noche sin fin que me desnutre!

¿Eres tú quien me arrebata mi luna de entre los ojos en ardor que la devuelvan intacta y límpida al paraíso de donde tú y yo cogemos el silencio de nuestro ensueño?

BARCA

Sí. Remaremos juntos esta noche de diez noches para buscar la aurora. Si os preguntan: ¿Quién va con vosotros los enlutados, envolviéndose en túnicas amarillas? Decid: Es una soñadora que se inventó su frente.

Iremos sin hablar, ceñidos de mar consciente; y en la sombra más pura y prieta nuestras voces se abrirán luz.

No rechacéis mi compañía, navegantes en cuyas cartas no pintaron mi isla. Seré leve, dúctil, pues quiero merecer el olvido.

CAMPOS DE JAÉN

Cuando los montes subían dándose a mi abrazo moldeador, el paisaje manaba de mí.

Corriéndolos, yo tiraba de olivos, de aguas mellizas, de aves, y la prisa de ellos todos florecía mi espalda de frutillos.

ESPERANZA

Siempre ir es el futuro redondo de perfección, la fruta con piel de olor. Siempre ir es la inmerecida garantía de felicidad cósmica.

Ir por galerías doradas, por patios amontonados de hojas secas con sol, por escaleras cortadas a decoraciones estrepitosamente alegres, por silencios corazoneados a vientos ardientes de impaciencia.

Ir es el vuelo de diez alas con que mis manos cortan el cielo que espera.

VIAJE

A pesar de que la voz retenga la gigantesca rama de corazones, yo soy pobre de sonidos, soy pobre de música. La cabeza sonora de paisajes que llevaba en la ventura se me cortó dentro de aquella agua rubia, cuchillo de chopo en otoño, que huía de los hombres para poder amarlos desde una orilla.

ALTA NOCHE

Fueron los brazos a la noche, removiendo sus aguas espesas de lumbre, para no hallar el cuerpo con olor de frutas maduras que el día prometió al espíritu. Los otros brazos se quedaron arrollados a los árboles en suspiro que son los chopos, entretenidos en asegurar un cielo de estrellas indiferentes mientras que el exacto cielo esperaba un momento más pleno.

Todos dormían en oquedades rumorosas, y el pecho en ilusión iba fresco de brisa por larguísimos caminos de humo.

El mundo empezaba fuera del mundo; el amor firme de amor no se sentía. Un jugo de naranjales, de almendrales, de olivares, corría justo a la corteza morena de la tierra. Y únicamente juntándose los desvelados, la noche y quien la soñaba, podría brotar el calor que fuera del amor está negado.

IRA

Las palabras inundaron de sierpes el grito de la violencia. Las palabras tiraron abajo todo, deshaciéndolo en tierra como ácido corrosivo. Estabas ya sin voz y siempre te nacían palabras, inmensas e inacabables palabras de sangre.

Te morirás y resonarás injurias, colmándote de latidos la quieta podredumbre orgánica. Irás por la eternidad huyendo de las palabras agudas, pinchosas, que se tiran a ti como a un pozo el agua.

SOBRE LA ARENA

Con la frente vuelta hacia las estrellas de un cielo que todavía no las mostraba por empeño de gris suavísimo, y el cuerpo ajustado a la tierra, hundidos los dedos en el calor obstinado que el sol le dejara como presencia, te oía, mar, y no en el viento de tu orilla a mis pies cortada, sino debajo de mi cabeza, en la socavada holgura de tu tierra poseída, penetrada, quejosa del gozo áspero de tu caricia continua.

¡Oh hechura de tu voz que nadie consumirá nunca!

¡Oh creación, mar, de tu movida locura!

AMOR

Fuentes derramándose desde las entrañas de la tierra son esos latidos que conmueven el aire hasta hacérmelo táctil de tan dolido?

(¿O es mi corazón que se sale de su yacija de temblores al único contacto de su voz?).

PODERÍO

He heredado de Dios campos, viñedos, nubes...

¿Qué tenéis vosotros, los otros hijos que conmigo compartís sus dádivas?

Porque me miráis sonriendo piadosamente y se me ponen oscuras de centeno las manos al rozármelas vuestra sonrisa.

ORIGEN

Si es que sois del mar...

Cuando vayáis por entre espesuras, vivamente os asaltará un bronco latido de recia circulación, por las sienes os rodarán campanas precipitadas, volcadoras de vuestro corazón, por que la que oís es la voz y la respiración de vuestro amante. Quedaréis parados en medio del mundo urbano, atropellados por ruidos y latigazos industriales... ¿Qué color, qué olor, qué son, tenía el mar la vez última que fue vuestro?

REVELACIÓN

Resistir. ¡Torre contra las torres, viento contra los vientos del Viento! Resistir es mayor dolor que ceder. Resistir es ser para que contra nosotros se quiebren los que asaltan con heroica avaricia nuestra sumisión.

Sólo quienes resisten conocen su dolor por rechazarlo todo, por resistirse ellos a ellos mismos cuando las perezas de la piedad o de la ternura inician sus ataques blandos, en los que el alma embotaría sus lanzas más puras.

DESEO

Se reparte la luna en el mundo. Esta noche de luna es de todos, menos mía. Yo la tengo, en memoria de años suyos y míos, encerrada en el cubo de mi cuarto solitario. ¿Cómo podemos faltarnos si para su lumbre no hay cuerpo como el mío de nieve ni ojos tan volcados a su claror, y para mi alma ninguna garganta puede dar mejor respiro que ella?

Así era.

Mas esta madrugada soy más sola que nunca y mi soledad no acabará en gozo. Todo lo dejé atrás, todo lo perdí conscientemente. Libre y mía acudí a este cerrado recinto, a donde ella no llega... Me la nombran afuera, ajena, vaciada en almohadas y en ríos, en espejos y en ventanas por donde no voy yo con ella.

¡Luna que soñé mía siempre, igual que mía en mi ilusión y en mi deseo! ¿Quién te nombra si yo no tengo tu presencia perenne, si me falta tu corporeidad, si eres de otros y me tienes amante sola tuya, viva, joven, en donde no me respiras ni te respiro?

¡Si la noche tuviera piedad de mi sumisa boca que sus sombras bebe!... ¡Qué espléndido el planeta de sus nueve lunas mellizas, resplandeciendo sólo para mí!

VELA

Me duele estar despierta y no verte, luna que alfombras otros sueños, porque no olvido cuando eras mi luna, la que cantaba las magnolias de mi adolescencia y el dorado hallazgo de mis cabellos.

Quiero dormir, olvidándote, en la noche sin fin que son las horas de abandono. A nadie quise cual a ti, nadie me dispuso como tú; y ahora estás fuera de mis ojos y estoy sin mí y sin ti, soñándote.

¡Quién rompiera el maleficio y tú entraras a torrentes en mi bahía de latidos! Inútil querencia ésta, porque eres impávida señora del brillo frío y distante.

Y he de seguir velando, rendida eternidad tuya, hasta hallar una estrella par mía, que sólo me alumbre a mí su resplandor perfecto.

AUTOBIOGRAFÍA

Mi destino, como un fruto: de sus hojas verdes, olientes, a su corteza amarga, a su pulpa tierna y a su semilla agria y confortante.

En lo remoto, un caliente paisaje; encima, muchos paisajes diversos; y mañana, el zumo de la simiente, la gran síntesis de raíz suprema. Para entre tanto, grande y gloriosa de sangre, construid y destruir los días.

Vueltas de mi fruto, aspas de mi destino. Fracaso de cada vez en la vez de ilusión que se juega mi frente.

MIENTRAS LOS HOMBRES MUEREN

1938-1939

Madrid 1938: unos niños ante la caída de una bomba que no llegó a explotar, en la calle de Alcalá esquina a Barquillo.
Imagen del colectivo *Foto Mayo*.

Mientras los hombres mueren fue escrito en un tiempo de intenso dolor por lo que la guerra destruía y seguirá destruyendo. No unos hombres determinados, sino todos los hombres son llorados aquí con el profundo desconsuelo que siente una mujer ante los inescrutables designios que permiten el horror donde vivía la confiada sonrisa.

Los poemas «A los niños muertos en la guerra», que figuran en este mismo libro, me fueron arrancados de la entraña con más profunda desesperación todavía.

Todo dolor es inútil, lo supe entonces y lo sé mejor ahora. Y, sin embargo, decir en voz alta cuánto se está sufriendo por lo irremediable parece que borra todos los límites entre los demás y nosotros.

Y ese fue el único consuelo que entonces encontré.

I

Mientras los hombres mueren os digo yo, la que canta desoladas provincias del Duelo, que se me rompen sollozos y angustias contra barcos de ébano furibundo; y la fruta par de mis labios quema de suspiros porque los cielos se han dejado hincar imprecaciones sombrías.

A los hombres que mueren yo los sigo en su buscar por entre las raíces y los veneros fangosos, pues ellos y yo tenemos igual designio de ensueño debajo de la tierra.

¡Cállense todos los que no se sientan doblar de agonía hoy, día de espanto abrasado por teas de gritos, que esta mujer os dice que la muerte está en no ver, ni oír, ni saber, ni morir!

II

¿Ninguna mano puede sacar el puñal que me ha multiplicado el corazón?... ¿Son los felices de pan, o los heridos de pánico, los míos? Llevo mis dedos al costado que fue de Cristo y me zumba la sangre de dos mil años de terror inútil.

¿Quién monta esos caballos azules fríos que corren las mesetas donde el pasado alzó murallas de Ávila y Segovia trágicas? ¿Qué cinturas metálicas de guerreros se bañan en el Tajo y en el Guadalquivir, por donde se tradujo al romance Atenas y Arabia?

La tierra está nutrida de simientes frescas, porque los seres que se le incorporan, desfrutecidos, devuelven intacto el caudal de generaciones que no tuvieron tiempo de crear.

¡Y mi corazón en puñal, como el vuestro, hermanos de la sangre en llamas, tiene cada día más rotas sus geografías de latidos!

III

En la más ahondada raíz del mar clavaron mis hermanos sus gritos de terror: ¡No queremos morir! —y los ojos hacían más azules a los gritos. Y el mar se fue creciendo, monte y monte denso de carne verde con cuellos de alados encajes, hasta que el cielo lo recibió poseyéndolo en clamores.

Yo iba por las noches negras, sin rosas de sol en mi frente. ¿Cómo encender mis sienes si aquellos a los que yo amaba tanto apagaban sus brasas en el gemido desbocado del morir?

¡Dadme un barco con el más esbelto pabellón de sonrisas para alcanzar el llanto que brotas tú, Mar, y que nacen los míos en agonía desbordante! ¡Que yo quiero ser fuerte, que yo quiero ser ágil, que yo contendré la vida que se derrama por la vid de los muertos!

IV

¡El duelo!
Vienen gritando las voces por entre las alamedas de suspiros.
¡El duelo!
Vienen gritando las madres sobre ascuas desorbitadas de llantos.
¡El duelo! ¡El duelo! ¡El duelo! —grito yo, sola, río de orillas quemadas. Y hay luces sin llamas, pánicos en clavos largos a la carne sacudida, bajo mi duelo conciencia del espíritu.

V

LA MUERTE EN EL AIRE

Alguien contó en la desguarnecida noche, sin ángeles, una desgarradora música de lágrimas. Los seres que ya se liberaron del espanto del día estridencial de duelos escucharon con voraz oreja y aprendieron los golpes estrictos del corazón arrastrando de la almohada.

Quien decía, habló de continentes y de volcadas mares; pero una primavera sencilla de hojas, sin riesgos de plumas, hizo el contrapunto agudo. Los que atendían, sonrieron dichosos de oler el azul de la vida tierna.

¡Ay de los desvelados que ninguna promesa, ninguna palabra duermen en dicha!

Se quedarán fijos, eternos abiertos ojos despavoridos contra los abismos en donde la voz de la muerte rueda piedra sin musgo, serpea río con espinas.

VI

La tierra quebrada, resollada, resquebrajante, hecha púa de corazones secos, vasija de sexos adolescentes sin abrir. La tierra florida de sangres, de ojos deshechos, de senos escurridos. La tierra agujereada de gritos, de espumas, con rodillas de sollozos y de estertores.

¡La gran tierra de mi padre hecho tierra!

Recorriéndola grano a grano, descalzados, sedientos, pegando los labios al horro de arena transformada que es el agua, oiremos a los muertos, a los asesinados, a los suicidas, a los estallados con dinamita. En la oscuridad agria, punzadora, de la tierra solamente ya Tierra.

VII

Yacedoras y yacedores, enderezaos siquiera mientras los corceles de ébano del duelo golpean con sus crines este aire de España.

Abandonad vuestros lechos frenéticos de lujuria, hembras y varones que jamás seréis mujeres ni hombres. Arrostrad por un tiempo el vaivén de vuestras horizontales cabezas; que la corteza de sangre en donde iréis a pudriros sepa que podéis caminar sin remar noches de espasmo.

Mundo aún tendido, álzate. Que el dolor purifica hasta a aquellos que no lo merecen.

VIII

¿Qué cabeza trastornada sueña y sueña con la misma música que la mía?... ¡Me ha roto su soñar los puentes de ramas finas por donde mi sueño atravesaba bosques y ríos de lumbre!

¿Qué labios solitarios se besan a ellos mismos?

¿Qué voz se dice ternuras, se recuerda o se inventa diálogos imposibles?

¿Qué luz hay donde yo busco luz?

¡Dadme los sueños de las tácitas armonías, eterno reposo sin presentires en esta presente dramática conciencia de mi vida!

IX

Cierto que yo no pariré hijo de carne mientras la Tierra haya las furias amarillas de la Guerra.

Tú no estrenarás tu vientre mientras no tengan quietas sus fragancias todos los suelos por donde va el amor.

Yo me mantendré, sombrío luto, entre los muertos que fueron hijos de mujeres que nada pudieron contra su muerte.

X

Cada día tengo un hermano menos sobre la tierra, que se suma a los que dentro de las raíces yacen con las frentes vaciadas de ojos. Cada noche me duele más el sueño, porque si me enlaza, ¿cómo puedo gozarlo mientras los hombres mueren a marejadas? Y yo no duermo, ¡qué locura de noches con el horror presente de la guerra!

Me estoy quedando como un árbol al que le cortan todas sus ramas y sus hojas: ¡mi planta en el suelo, mis sienes en el aire, pero sin brazos para nadie! Si con brazos, ¿para quién, si todos mueren?

XI

¡Madres!... ¿O son las mares las que gritan con voz de parto para que se detenga la muerte en su siembra de yelos?

¡Madres!... ¿O son los olivos quienes retuercen sus conciencias de ramas ardorosas en ansiedad de lumbre sin fin?

¡Madres!... ¿O es que los que agonizan tienen un coro de estertores cuajando agrios verdes de espanto?

XII

Yo sé bien que ninguna oreja egoísta se adapta a la esférica lumbre estallada de la tierra; por eso no suenan los pechos en voces ateridas, crecientes de horror, rechazando la muerte plural que llueve la negra lluvia sin fermento de trigo y sin fermento de limo.

¿Por qué no escucháis todos lo que yo escucho? Desgarro la noche con los ojos que mañana serán flores, para coger el resplandor sostenido de todos los ojos que cual los míos viven en la oscuridad doliente. Mi circulación recorre las mismas raíces que los zumos que socavan la tierra de tumbas, ¡y vivo con sangre de cirios en los labios, cirios que el pasado olvidó en imposibles altares de nubes a dioses de trágico sino, por estos hombres y por estos niños que se rajan en arteriales zumbidos bajo los edificios siniestros del llanto!

Yo sé bien cuán solos estamos los muertos y yo. Aunque mi frente sea de sol maduro y mis cabellos suban en raíces al cielo, ¡nadie dude jamás de esta angustia en que mueren mi cuerpo y mi alma!

XIII

Los de acá no volveremos a oír el silencio que navegaba las noches, ni la más densa noche podrá oírse su propia campana corpórea... ¿Cómo pudieron empapar de tanta sangre la cueva de frescores de donde surtían las noches?

¡Ay, que ya no podrán vulnerarse los bosques ni captarse aves para mensajes a estrellas!

El grito de millares de gargantas, el hondo, repicados, tenebroso grito mismo, lo ha taladrado todo: noche, fragancia, y este cuenco de vientre que soñaba ser cuna.

XIV

Salieron todas las voces desbandadas; las empolvadas viejas voces que se guardaban en los odres del espantoso silencio, y las muchedumbres se dislocaron de llantos sobre la atezada carne de la guerra.

Mujeres cuyas raíces estaban secas, con otras desarraigadas, con muchas más investidas de duelo, gritaron al hijo desde todos los cruces del viento con el terror.

Los hombres que derramaban sus huesos cantando al frenesí hicieron con sus brazos que el sol eludiera lumbre.

Solamente los pensativos, las madres, las novias, todas las gentes de adolescencia bruñida, inevaporable, podían sonreír en medio de la muerte.

Y yo busco en mi oído la espiga de una voz que nunca se apague, que sobresalte a la eternidad.

XV

Llegaos a nosotros, los vivos cínicamente vivos, y anegadnos en la sangre de nuestros cuerpos despojados de lumbre.

Vosotros, los muertos en esta brutal guerra de progreso, venid a golpear nuestra sensibilidad ajena a todo, olvidada, florecida en lo augusto suyo único.

Tendremos terror de que vengáis asordando la tierra en alarido, y huiremos sin poder ir a la vida, enlosados de muerte. Porque es verdad que mientras las llagas de la pólvora se abrían el camino de vuestros vientres, todos bebíamos y sonreíamos dichosos en el sol también ajeno.

Asco hemos de darnos por vivir más que vosotros, avenida y avenida, alameda y alameda de estallados hijos.

XVI

¿Y qué puedo yo hacer por vosotros? Decídmelo.

El Mar me dio su orden exacta, incorporándose mis ojos en dos barcas de quillas redondas. Me la dio el Viento, adueñándose de mis cabellos para extenderlos en rubio pañuelo de olor. La recibí de la Tierra, creciéndome, columnas de mis piernas arriba, con un estremecimiento inextinguible y frutal. ¡Todos los que mandan, hasta el Fuego, me han dicho ya lo que quieren de mí!

... ¿Y nada diréis vosotros, los que descuaja el huracán del odio?

¡Cierto que sólo tengo una voz, esta voz velada calientemente, con la que poderos servir de intermediaria!

XVII

¡Cuántas horas se oye el andar hundidor y hendidor de millares y millares de hombres que caminan la tierra desmedida del llanto!

El suelo se estremece, callándolo. El cielo se destaja, subiéndose más alto de sí. Solamente el corazón de los anhelantes acompasa su deshielo con el rítmico sin fin de los que andan.

¿Adónde vais, hermanos de la incansable búsqueda? ¿Qué planeta de fibras, de vísceras, de miembros intocables e inmortales, queréis hallar? ¡Cómo mi sangre solitaria os escucha, os sigue, para esa armonía soñada que no oiremos jamás ninguno!

Zanjas, abismos, tajos, abren los pasos herméticos, cifras exactas de la soledad desolada... ¿Podría ver alguien un arroyo dulce entre las tierras abiertas por el Dolor..., un lucero en los cielos negros..., un alba de rubio sonreír iluminado?

XVIII

Se empezaron a doler las tumbas con los quejidos de las madres parturientas. Porque se abrían desgarradas entrañas cuyos frutos costara desprender en el cuerpo a cuerpo con la eternidad. ¿Quién no tenía una tumba florida de manos rotas; quién no llevaba rosas para la sangre derramada en charcas negras sobre el asfalto, rosa de incendios?

¡Incendio, también, de tumbas en la noche sin orilla de la inmensa Noche del Duelo de las Esferas! Todas ardían, teas de muertos verdes de vida, para llanto inacabable de los hombres por nacer.

Mi hermano está hecho pavesa debajo del jardín donde pintó su primera nube, y mi hermana llora a un hombre sobre la tierra donde yo tengo hincadas las plantas que sustentan mi voz.

¿Quién podría hundir los dedos ávidos en la carne de la tierra y desgranársela ajena, como pan seco?

XIX

¡Nadie me hable ya, como si la quisiera, de la Eternidad! ¡Ninguno acuda con su imprecación ni con su oreja herida por oír lo que no soñó ni Dios mismo! He visto caer los edificios como frutas reventadas, las voces más desvencijadas se desplomaron ante mí, los seres de medio ser por mis caminos se quedaron... Y todos eran eternos, fluían incesantes desde las cuevas donde la Eternidad tañía sus arpas dislocadas. Allí aprendió mi sangre la brevedad de todo suceso.

Por este dolor que duelo, ¡nadie acuda a mi ternura hecha lágrimas desesperadas! Yo bien sé que todo es mentira en cuanto se refiere al Tiempo y al entumecido principio de su perennidad..., ¿dónde?, ¿en qué ámbito? No se sabe dónde vive el eterno tiempo, y la gran criatura que lo consume como a un amante otro amante consuma.

¡Fugaz locura de que otros vengan sobre mi ser, describiéndome la hermosa perspectiva de la Eternidad! Estoy oyendo cómo, sobre la tierra en que se clava mi casa caen y caen las gruesas metrallas de la muerte. Estoy oyendo cómo los que amo se alejan por donde yo no alcanzaré jamás sus ires. ¡Y quién vendrá a decirme cosas de la Eternidad! Yo misma, que caigo de llanto, soy tan eterna como una brisa. Yo que veo seccionado un mundo de piedra y de carne. Yo que alcancé la manera de alargar ilusionadamente mi palabra de sangre enmarañada.

¡Eternidad! Abriré el pecho de quien venga a nombrarme el fabuloso ensueño de mi alma en chispas.

XX

¡Selvas de nuestros jóvenes muertos! ¡Espesura del duelo que agita sus crines de gritos! Con la mano sobre el corazón me conjuráis a la vida.

¡No hay muerte, sino arboleda profusa de esperanza! ¡No hay muerte, aunque caiga la juventud bajo los hachazos de los cañones!

Los hombres no causan la muerte, los hombres no mueren nunca por ellos mismos. Es que la muerte recorre insensata las hectáreas de vientres ajados exprimiéndoles la memoria de los hijos.

Y muchos hombres se duermen en los umbrales del llanto; ésos son los que parecen muertos. Pero los que atienden, los que braman su encendido celo de vida, son los que avanzan siempre, los que penetran las densidades de la tierra, los que derraman el mañana, los que triunfarán, sabiendo morir, de la muerte.

XXI

Es el tiempo maduro de llorar. Unánimes, todas las madres visten sus crespones nocturnos. Las alcobas se partieron como frutas podridas, y las mujeres jóvenes olvidaron sus senos. Vino la voz de alboroto de la guerra.

Es el día de mirar al mar sin entender su movimiento de relojería. Es el tiempo de apagar lámparas y pájaros. Es el día de cabalgar una escucha perenne, enlutada.

Apretadas de martirio, las madres se miran los cuerpos, las manos y los ojos deshabitados.

XXII

Nadie sabe dónde está la luz. Y van los hombres con las manos extendidas, altas las frentes y una esperanzada sonrisa en los labios fríos. Las mujeres aguardan con sus pupilas agrandadas por el deseo, en cualquier nube, umbral o isla... ¡Solamente yo soy el ser que sí conoce su luz!

¿No la veis, los que ahincosamente miráis, sobresaltarme como una corriente, escapárseme de las sienes, cabellos y hombros? ¡Iluminaremos el mundo sin voz de vuestra búsqueda!

Estoy encendida, sí: encendida de mediodía exacto, de tarde cumplida. Y mi fe en mi luz es mi única lumbre.

Aprended todos de mí a llevar muy en pie la llama.

XXIII

¿Quién cree en mí? ¿Quién cree en los que mueren? ¿Quién cree en la misma fe de los que van a morir?

¡Temblad aquellos que vivís ajenos a la contienda inmensa donde cada muerto es un retroceso de la vida y un adelantado del ensueño!

No se promueve la muerte a marejadas sin que los montes alivien su espesor. No se desgarran los vientres sin que el aire no queme estertores. No muere un solo hombre sin que crezca una responsabilidad trágica en los que perviven.

¡Atended el legado de los muertos, hombres fríos y ajenos: se os deja la vida, la intacta vida vertical, para que proscribáis definitivamente la muerte!

XXIV

Nos derramaron los odres de las sombras. En vano quiero alumbrar. Hay tanta sombra que la luz se encoge hasta limitarse a mi cuerpo.

Los campos se volcaron de sus campanas de agua; los sembrados irguieron flores negras. Todo caminó sombrío por las cuestas del Alba y por los llanos de la Noche.

Mi dolor oscuro tenía tres alas lentas. De nadie era la mano que ordeñaba leche negra para rebaños agonizantes. De todos eran los pies que crujían las rebanadas del suelo seco de luz.

¡Ved mi llama, acercaos a mi lumbre! Soy un grito que el fuego dejó entre vosotros los que odiáis la Primavera, y arderé hasta incendiaros los ojos.

XXV

Hay soledad en el dolor de explosión. Hasta los seres que se juntan despavoridos están solos, y los que están solos se cimbrean como troncos desnudos a los que azotara un tifón. Nadie está si no es consigo en el momento del espanto.

Solamente cuando yo me apretaba contra ti, madre, en aquellas noches inmensurables de miedo, estaban unidos todos, absolutamente todos los que aman en el mundo.

No esta madrugada de chirriantes estallidos, entre cuyas trizas he alzado mi voz pidiendo compañía infructuosamente. Mi soledad hasta la luna me marca en las paredes letras de fuego, que gritan verdades estridentes a mi alma, mientras las bombas caen podridas, en racimos, por los alrededores de mi angustia.

XXVI

El día de la paz yo me sentiré perdida, asordada, deslumbrada. No conoceré a ninguno, ni siquiera tendré cerca a quien hoy conozco más que a mi sangre, porque la paz dilatará todos los aires y en ellos se perderán los seres buscándose, alejándose de las cercanías que en la guerra anudaron.

Sola, deshabitada, iré por la paz llorándola y llorándome, pues olvidé el sosiego, la seguridad, las serenidades; y como, súbitamente, me lo interrumpirán todo óaviones, cañonazos, gritos de horroró, no sabré qué hacer con mi libertad (¿para quién?) ni con mi sosiego...

¡Acérquese la Paz, vénganos el día de la paz! Aunque las madres no recobrarán a sus hijos muertos, ni los niños a sus padres, ni los ausentes a los reencontrados...

XXVII

Veníais a mí por entre las ruinas de frondosas civilizaciones, por entre las raíces de Herculano, Pompeya, Roma... Veníais a mí por debajo y por encima del mundo, y vuestros ojos y vuestras manos traían el olor de las flores petrificadas.

Yo estaba sola, olvidada de vosotros y sin saber nada de mí. Cuando os supe, primero fue a través de mapas y de láminas, y de esa bola cruzada de hilos azules que son ríos, y de morados ardidos que son mares. Nadie sabía de mí. En ningún libro, todavía, aparecía el edificio de mi inteligencia ni la pleamar de mi corazón. Seguíais viniendo; seguíais viniendo todos los que teníais derecho a creeros felices porque el mundo colgó de vuestros ojos las galerías de sus museos, de vuestros brazos el estrépito de sus trenes, y de vuestros senos, torsos, cinturas, piernas, y del ala ligera de vuestros pies el estremecimiento del amor. Y mi voz seguía más honda aún que todas las raíces de todas las ruinas, que todos los estanques donde bañaron el oro de sus estatuas los griegos y los romanos.

¡Ahora sí que también voy yo a vosotros por entre ruinas! Pero mis ruinas no tienen hiedra en sus muros, ni hay en ninguno de mis frisos galopares interrumpidos de vencedores plásticos hacia el Olimpo.

XXVIII

Costado a costado, boca a boca, cuerpo a cuerpo, el Tiempo y yo esta noche nupcial de inauguración del Invierno.

Guerra. Me aprieta la sangre sus collares de venas. Guerra. Suben por mi cuerpo los pasos que dejé de andar voluntariamente. Guerra. Aprieto mis manos contra mis piernas tensas, duras y morenas. Guerra. ¡Guerra con barro, sangre, plumas de ángeles y de palomas, mantos de Mediterráneo y aleluyas de cielos dispares!

Mano a mano, nosotros, Tiempo amante, llevamos la órbita de la Guerra.

XXIX

Si el Viento se moja de alaridos y acorre las casas danzoras suyas, temed a los muertos.

Temed a los adolescentes caídos en las guerras sin fin de los hombres más abeles, porque la tierra está repleta de ellos y los crecerá punzantes vientos.

Temamos a los que vuelven vivos de entre los muertos. A los mutilados. ¡Escóndanse los sanos, los completos, porque nadie perdonará su ufanía!

Suspiran los cayentes, y el haz inmenso de sus soplos empuja a la Noche, máximo navío de luto, por entre calles abiertas en mi corazón.

XXX

Temíamos el Hambre, y salimos por los campos buscando con qué apaciguarla: humildes bestias, seres que las sacrificaran hallamos para nutrir aún nuestros cuerpos. Volvimos, en pleno fragor guerrero, con las cosas que nos alumbrarían parcamente el invierno. ¡Cuántas manos tendidas a nuestra fraternidad esperaban agudas!

Pero con nosotros llegó, por el aire, la muerte. Se arrojó en oleada, próvida, como si fuera ella, de tan generosa, la misma vida. Cayó sobre las casas pequeñas, sobre las locomotoras grandes, los vagones míseros, y los hombres que trajinaban su mediodía, los niños que gritaban la mañana de sol ácido, y las mujeres sufridoras de hombres y de niños...

¿Quién comería pan, cuánto pan comería ese quién si cada día la muerte arrasaba y barría el corazón de las ciudades? ¿Qué importaba el hambre si la muerte las calma todas?

Y sentimos afán de arrojar entre la chatarra el pan, los frutos, la carne que logramos para los fríos implacables, viendo a los que sólo han hecho precedernos, muertos como ovejas entre hierros, mármoles, piedras de la calle y cascotes de metralla.

XXXI

EL HÉROE

¿Es que alguno de entre nosotros partió la tierra a hachazos? ¿Quién derrumbó esta corteza alzada en montes? ¿Qué brazo potente esgrimió la fuerza de Dios para combatirle a Dios su obra delirante?...

Hay entre nosotros, conmigo, junto a ti, un frenético que se derrama como un vaso de óleo, un hombre para cuyos ojos todo cabe en un impulso y de cuyas piernas se pueden hacer columnas para la bóveda del cielo. ¿Cómo podría atreverse el cielo a caer sobre la tierra si él le hinca su cabeza para realzarlo, sujetárselo encima?

¡Hemos parido un héroe, un hombre que contiene en sí, en su sangre aprisionada, millares de seres que murieron con su locura dentro! ¡Quítensenos de ante los ojos maravillados todos los que no son aptos para desbaratar elementos!

Nos conmueve una embriaguez telúrica porque hallamos hijo nuestro al mismo Dios. El Héroe es su esencia. El Héroe es su ciencia. ¿Qué importa que su heroísmo sea contra mí o a favor mío? ¿Qué importa mi muerte si quien me mata es un ciclón, un arrebato, un volcán, un océano, ¡un héroe!?

Yo quiero morir con Dios. Véngame como me venga.

¿Alguno quisiera vivir entre débiles, cobardes, aunque hermanos? ¡Yo prefiero al héroe, sea o no sea hermano! Si mío, qué gloria de admiración y de amor; si enemigo, ¡buena suerte la que den sus manos claras y verdaderas!

Un Héroe es un enviado del cosmos. Si yo tengo la razón contra él y él me vence, a los dioses diremos nuestra contienda. Ahora, yo muero por él.

XXXII

Caerá el Agua siempre, inextinguible, juntando las tierras donde pace hoy anchamente el Duelo. El Agua no se terminará; saldrá de sí eterna como el tiempo en acto. Pura. Presencia infinita del infinito Dios ausente.

Los que sufren vendrán al corro de las aguas caedoras sin límite, con sus sedes resecas y restallantes; sus bocas de pergamino crujidor, víctimas del Llanto que las fue sorbiendo hasta la agonía.

Llueve sobre los pueblos que la Muerte amamanta. Llueve, y suben de nivel los ojos que miran la lluvia. Los enterrados se mecen entre lodos blandísimos, empapados del agua eterna, sin fin.

XXXIII

Ahora que los Hombres han depuesto las armas, ahora que se llaman hermanos y que los vencedores empiezan a hablar de perdón y de olvido, ¿qué piensas tú, Madre?

Madre, que vas de negro, allá y acá de la Patria, ¿qué sientes tú en tu cuerpo de cuna, en tus pechos secos y quemados de arrasante angustia?

Madre de los Muertos, de los Asesinados, de los Fugitivos, qué dices Tú?...

LA GUERRA EN EL PUERTO

Broncos, resecos, rítmicos, acompasados: obreros del puerto, descargadores impávidos de afilados navíos huidos, perseguidos, que deshacen los aviones crujidores, explosivos, burlando las dianas de espejos y la vigilia de cañones fieles.

Obreros del puerto, del que no quedan ya piedras blancas ni casas levantadas sobre sus pies de olorosas algas; los que acuden a descargar trigo, azúcar, café, lanas y cartas de ausentes, y alas para los exaltados del vuelo heroico, velas para las barcas de pesca humilde, ruedas para los carros veloces, esencia para los motores tiránicos... ¡Qué hombría tan inhumana, tan sobrehumana la vuestra!

Obreros que entre sirenas nunca de cánticos ni de músicas, hacéis el duelo en vuestras casas por defendernos del hambre; descargadores de imprescindibles riquezas condenadas al fuego, ¡qué arrogancia sin par y sin historia la vuestra!

La ciudad discurre por sus alamedas de frutos, por sus lienzos de verdor, a la esbeltez señora de sus torres alígeras; y el mar brama, resuella, atrae muerte, zumba, lanza sobre el puerto, donde los hombres mueven sus brazos con el peso que trajo el mar... ¡Heroísmo de los sufrimientos, de los que caen tras los que cayeron, antes de los que caerán con sus piramidales caballos normandos y sus carros fuertes, entre hierros negros, con el salor entre los ojos y labios, como un postrer bautismo!

¿Qué hombre de la ciudad, si asustadizo, no se avergüenza frente a estos obreros del puerto? Día a día, enhiestos, atraviesan el duelo de rocas y de jarcias; día a día caen y recaen entre fardos; y las calles marineras se llenan de la sangre que levantaba toneladas, de los dientes que trituraban coraje, de los dedos que cogieron al miedo por el cuello, obligándole a resollar vencido.

Mechones dislocados, ojos azules, frentes a las que el vigor puso huesos indestructibles; y el arranque, el empuje, la varonía sin límites, el ser físico rebosante de voluntad ciclópea frente a los barcos, propicias víctimas todos de la aviación que muerde, retuerce a los hombres, sin llanto ni gemido; que no caen sobre heces cuando prorrumpe la muerte.

¿Quiénes son los más rudos hombres de lucha, de trabajo, que los descargadores de barcos, infaliblemente bombardeados?

¡Hágase, si se puede, más grande la mar! ¡Hínchase la mar, reálcense los veleros y los bergantines para llegar a este puerto!

Estos colosos requieren estatua de pórfido en el torreón de un mar libre.

ERA UNA PALABRA

Ya está muerta, ya consumida; virgen desflorada, doncella estrujada y fatigada por la tumba de la posesión inconsciente.

No la veréis, porque acaba de huir ante mis sienes, llena de fango de su muerte. En vano gritaremos su nombre trivalente; su inicial líquida, su puente como beso rotundo, su claro final seco, estampido del tumulto.

Ya no la veréis, hombres que corristeis tras su sonrisa. Ya no la veréis, mujeres que bajo su mirada os sentisteis salvar.

¿Existió un día entre la confusa muchedumbre de clamores, de risas, de saltos y de asaltos? ¿Fue posible su relámpago pineal cuando yacían los negros caballos de la rutina o el desenfreno?...

¡Si fuisteis a por ella, a horadar montañas de cemento que la apartaban!, ¿qué hicisteis con su hermosura maltratada? ¿Qué gesto, cuál brutal palabra, qué mentira grasienta y blanducha espantó su figura ágil, espesándola, hundiéndola, envejeciéndola hasta la agonía?...

¡Ay hombres que sucumbisteis y hombres que prevalecieron!... ¿Qué hicisteis todos de la Libertad?

HA TERMINADO LA GUERRA

Han aullado los barcos, y en los sombríos muelles las torrenciales agonías de millares de hombres que querían huir, vencidos.

Los audaces alcanzaron nave que los salvara. Pero ¡cuántos andan llorando su derrota y caminan con sed y con hambre! Sin monedas, sin mano amiga que les otorgue consuelo...

Como un súbito alud inmensísimo terminó la guerra.

Se desplomó la paz.

A LOS NIÑOS MUERTOS POR LA GUERRA

I

¡No los deshojéis, cañones; no los tricéis, ametralladoras; bombas grandísimas que caéis del cielo hondo y que parecéis dones de las nubes anchas, no rompáis los cuerpecitos de los niños!

¿No siente el plomo piedad de estos hombros de leche rosada, de estas sangrecitas dulces, de estas pieles de labios? ¿Ningún aviador enemigo tiene niñitos que levanten sus manos al viento de las hélices?

No. El enemigo no parece padre, y acaso es huérfano también. Por eso los niños se quiebran en tajos humeantes, y hay por los jardines cabelleras de musgos, rodillas con seda rasgada; suelto todo entre los árboles quebrados, con duelo sostenido de gritos que ayer eran cometas y hoy son pobres encías partidas que ya no gustarán mazorcas ni pezones frescos de madres enamoradas...

II

Las verdes caracolas del espanto, y los atronadores murmullos del terror, y el viscoso largo-azul dedo del miedo... ¡Corred, niños, corred por los caminos limpios de pólvora, sin cerebros machacados todavía, hacia las aguas tranquilas, serenas, del silencio y de la vida!

¡Corred, chiquillos a los que buscan las púas de las ametralladoras! ¡Dejad atrás a los hombres, desoíd a las mujeres, no escuchéis otra voz que la del viento, la de las bestias sanas y vitales; la voz de la continuidad cósmica, desbaratándose a vuestras espaldas, pero en sí permanente más allá del morir!

Aquí, la muerte; aquí, lo negro; aquí, la guerra... ¡Corred, niños, corred con el mañana!

III

¡Que no griten las sirenas sobre las trémulas orejitas de las campanas de oro!

¡Que se quiebren todas las alas que rajan el curvo cielo de las noches cóncavas!

¡Que no rematen en bocas negras los cilindros por donde se derrama el odio!

¿Es que todos olvidaron las cunas, las cunas donde ríen solos y solos cantan los niños?...

IV

Iba el niño por entre los cuatro riachuelos de cuatro esquinas frías. Llevaba en las manos, mojadas de naranja, un caballo de cartón azul...

¿Quién le clavó a la tierra con la espoleta helicoidal de la bomba? ¿De qué ángeles perversos se desgajaron cuchillas de acero?

Quedóse el caballo salvo, tibio de sangre limpia, cabe el aliento de humo del avión... ¡Quién viera la calle doblada de espanto, partirse en cascos de piedra visceral bajo los pedazos de niño explotado!

V

Yo dolía por un hijo. Toda mi entraña se abría en sed de un hijo. ¡Ah, que ya sé por qué mi vigilante espíritu no quiso desgajarse una rama!

Pero soy madre crucificada en todos los niños que saltaron en chispas por ímpetu de la ronca metralla enemiga. Y estoy doliendo hasta donde se acaba la sangre de mi vientre.

VI

La fruta de tu vientre era un verde racimo que besaba tu madre, que besaba yo con labios nuevos y dulces, abriéndose la risa del gozo con nuestro júbilo de besarte.

Ya estamos las dos paradas ante tu yelo. Que una muerte múltiple, enmarañada de cascotes y de trilita, te ha desgarrado de la vida en que te arbolábamos.

¡Ay, muerto niño en flor de azúcares; ay, chiquillo de sangre desparramada!

VII

La tierra está nutriéndose de cuerpecillos débiles, pero crecientes y poderosos de luz, para henchirla mejor que el sol, que tan honda no la calara nunca.

¡Niños, niños da la guerra al polvo seco y áspero, mordido de lirios y de mariposas; niños tiernos del abrazo que se dieron sus padres, bajo la metralla trizados como mazorcas que desgrana una mano de hierro!

La tierra sembrada de generaciones en agraz, ¡qué espléndida cosecha de entrañas dará al futuro, hermanos transidos de la guerra!

VIII

Mi hijo vive conmigo, va dentro de mi sangre, pero no os lo daré nunca si antes de que mi cuerpo esté seco no alejáis eternamente la guerra de nuestro suelo.

Yo no me abriré en fruto para que vuestro fruto me dé la muerte.

IX

¡Que nadie le hable al niño de la muerte dada por mano del hombre!

¿Es posible soñar con el amor, enseñando la mano del que odia?

X

Mujeres que vais de luto porque el odio os trajo la muerte a vuestro regazo, ¡negaos a concebir hijos mientras los hombres no borren la guerra del mundo!

¡Negaos a parir al hombre que mañana matará al hombre hijo de tu hermana, a la mujer que parirá otro hombre para que mate a tu hermano!

XI

¡Si las madres alzaran a sus hijos como teas de alegría! ¡Si las que llevan hijos dentro señalaran sus vientres donde sangres felices se mueven! ¡Si las mujeres oyeran el clamor de sus entrañas, acabarían las guerras!

Porque todos los hombres que caen muertos, y las mujeres que acribilla la metralla, ¡han dado su hijo, que llora y sangra en la guerra!

XII

¡Deteneos, cañones!

¡Paraos, aviones, en mitad de vuestro inhóspito cielo! ¿No oís todos, máquinas y hombres, el llanto inmenso de todos los niños huérfanos del mundo?

XIII

¡El Agua! El Agua lo va gritando a través de los campos: «¿Quién ha visto al niño muerto, con sus ojos azules marinos llenos de gaviotas, y sus hombros hechos amapolas, y su vientre entreabierto como un fruto?»

Y lo gritan los chopos, erguidos sobre sus troncos relucientes. Lo gritan los pájaros, asustados de cuervos y de águilas.

Porque el niño que mató la guerra ha dado su voz verde a los que lo lloran a gritos.

XIV

¿Visteis a las palomas detenerse y quedar extáticas entre sus alas, a mitad del vuelo?

¿Y escuchasteis cómo los ríos se alzaron sobre sus rodillas, soplando raíces de árboles negros?

¿No sentisteis el dolor del trigo, como olor de senos calientes, en medio de la tarde doblada?

¡Era que morían los niños entre las bombas de los aviones, bajo los obuses de los cañones del odio!

XV

¿Vamos a enseñar a estos niños que conocen el espantoso crujido de las casas, que saben el ruido de las explosiones agrias, sobre los cuerpos calientes y frescos, Historia? ¡Dejadlos olvidar este drama; dejadlos aprender el tierno discurso de los animales en la Naturaleza; dejadlos que toquen las flores y aprendan en ellas el tesoro de gozo que es el tacto!

Ninguno que sea consciente querrá enseñar ahora Historia a la infancia. ¡Ese retorcimiento de huesos humanos, un rechinar de dientes, un humear de sangres! Y ellos lo han visto con sus ojitos de pececillos asustados...

No. Que olviden la Historia. Que jueguen, que sueñen. Nadie les nombre pueblos, ni hombres. Todos les señalen mares, nubes, plantas y bestias.

XVI

¡Se han quedado tan pequeños los niños sobre la tierra en cortezas de hierro estallado!... Apenas si son arruguitas de los indudables musgos, insectillos seguros de los sembrados... ¿Niños en la superficie? ¡Si no se ven desde arriba, desde los aeroplanos! ¡No se ven los niños, jamás, desde el cielo!

Y están. A miríadas. Como si el cielo, cegado de su claror de estrellas, hubiera volcado en la tierra sus constelaciones. Están aquí los niños... Muchísimos, muertos ya, entre los otros que cantan y danzan y ruedan su pavor en las charcas oscuras de los ojazos... Están. ¿Vendrán más?... ¡No, por piedad, mujeres! No traigáis más niños mientras se sigan fulminando centellas contra sus cuerpos de espiga tierna, sus amapolales corazoncillos dulces!

XVII

Calles, ¡juntaos! Torres, ¡doblaos sobre las calles! Mar, montañas, ¡venid sobre la ciudad donde juegan los niños! Hay aviones en el cielo, hay muerte en el cielo... ¡Piedras y ranas, olas y bosques, venid a guardar bajo vosotros el río de júbilo que va dentro de las venas de los niños!

XVIII

Tengo miedo. Tengo miedo de esos motores secos, acribillantes, que perforan, que taladran hasta el génesis el oro negro, empavonado de la noche.

Tengo miedo porque oigo el gritar de los niños volcándose en escaleras y sótanos; el alentar de las madres; y me duelen los cabellos y los pulsos oyendo a la muerte caer como si fuera lluvia que buscara árboles tiernos para crecerlos de golpe.

XIX

Quiero tu hijo, aviador enemigo; quiero tu hijo para enseñarle el cuerpo destrozado del mío, para que te oiga volar, con tus bombas y tus balas, sobre nuestras cabezas.

Dame tu hijo, hombre que guardas en impunidad los tuyos. Dámelo, rubio y luminoso como era el mío; quiero ver que sus labios suspiran junto a mi hijo, que en sus ojos está el llanto de terror de ti. Porque soy madre del que tú has deshecho y quiero que tú me des el tuyo intacto.

No te lo heriré. No le diré mal. Mi voz será pura y ardida para llamarlo. ¡Sólo quiero que te oiga, que sepa de tu vuelo junto a la muerte de mi hijo!

Dame tu hijo, aviador enemigo. Yo te lo guardaré cantándole junto a la tumba del mío, muerto por ti.

XX

¡Cuantísimos niños balan su ternura lejos, allende fronteras y mares, de nuestra tierra! Por librarlos de la guerra les condenamos a la fría expatriación. Para evitarles la muerte de hierro, les cortamos de nuestra carne.

Aprenderán cosas ajenas en lenguas ajenas. Estrenarán su voluntad de querer en patrias distantes, otras para siempre. Inaugurarán sus brazos, sus pensamientos conscientes en países donde somos extranjeros.

Duelen esos niños que la guerra nos fuerza a salvar de su ímpetu brutal: por lejanos, porque acabarán olvidándonos, porque se les quedará la patria en la memoria, honda como un valle seco, azotado, al que temerán volver, aunque les aguarden los cadáveres de sus padres, los ojos abiertos bajo el cielo. Por salvaros, ¡ay niñitos!, nos hemos reducido hasta carecer de porvenir entre nuestros brazos.

XXI

¡Traed a los niños!

En los mismos aviones de la guerra, en los barcos que llevaron y trajeron toneladas de llanto. Traedlos desde las lluvias lejanas, desde los suelos ásperos, a su sol y a sus frutos, a sus madres y a sus padres vivos y a sus muertos.

Traednos los niños que perdieron en sus bocas la alegría de nuestro idioma. A todos los que sacamos entre bombas, sirenas, cañonazos, espantados de que en su patria se les arrojara a la muerte o al extranjero. ¡Madres jóvenes de España, pedid a vuestros hijos! No les habléis de la guerra. Que olviden (como cuando nada sabían en vuestros vientres) cuánto lloramos por ellos.

¡Traednos a los niños, hombres vencedores! Necesitamos su antorcha sobre nuestras frentes.

EL ARCÁNGEL

1939

Carmen Conde, vestida de Primera Comunión, a los nueve años. Melilla, 1916.

APARICIÓN

Llegó a mi noche y la removió con sus alas espesas. Entonces quedó partida en dos: una suya y otra desvelada. Estos ojos por los que nunca cruzaron, mejores pájaros, se abrieron para coger su figura pero él no estaba fuera de la vigilia; así, que los cerré —viéndole— en un resplandor que olía a hierba soleada.

Conmigo, mío, asomándolo a mis ansias, muy largo tiempo sin otra vestidura que su elevación. Soplándome su latido en cada minuto para infundirme la obra; esclava ésta, suya, cual yo: investidas las dos de categoría.

Nada me anunció; fue conmigo al hallazgo lúcido de las cosas. Y en la primera oscuridad madura, hermanos ya nuestros cabellos, me reveló su figura; el cuerpo perfecto de tácita forma. Por ello amo la Noche, cima donde se me da su gracia. Ni desnudez ni ropaje. Él llega a las cuevas de mi corazón alargando las galerías redondas de mis ojos. Yo le penetro como espada suya a cambio de la claridad con que él me traspasa.

Si durante el día vivo sonámbula, si desacierto, si la violencia del desacomodo mío os hiere, sabed por quién es todo: yo vivo la noche sin sueño del diálogo con el Arcángel.

El sonríe y las constelaciones agitan su armonía. Sin él, ¿cómo habría conocido *María* que un dios se movía en su virginidad? Dios necesitó la voz del Arcángel para venir al mundo, y se precedió de ella como de una gran lumbre, de un caliente golpe de azahar. La palabra del Arcángel es la que construyó mejor. ¡Ebria arquitectura del universo fue la venida del Arcángel!

Y en mi reposo, en mi recogido corazón purificándose, ¿qué anunciará el que sobreviene ritual? La visita de un Ángel es la caricia de la eternidad. La visita del Arcángel es la orden, la incorporación a un privilegio que cumplir. Hay que estar estremecida, enfervorizada, para verle encender hogueras entre los párpados y el sueño.

¡Auscultación trágica de las noches en delirio de espera por él! Su paso, su gentileza de olor, el arca fabulosa de su hermosura... Su luz, su llama de pistilos rosados.

Quiero sostenerme en su vela, ir a donde me ordene: criatura soy de fe inhollada, cálida arena para su marejada de plumas.

Señor, he aquí la sierva de tu Arcángel.

ALTA NOCHE

A mi puerta tapiada de nieve preferida llama un caballo blanco que traerá sus cabellos arracimados de escarcha.

—Abreme tú, la desvelada; quiero tu calor de paloma y tu suspiro de canela.

Tengo pavor del silencio que desangra tal grito y me arrebujo en la castidad de mi túnica.

—Deshaz tu clausura y déjame arrimarte mi pecho.

Y tiemblan mis senos en el nido cuando resuena la voz del Arcángel.

—¿Por qué temes al que clama?

—Es un caballo blanco desde la noche, fría, desde el hielo enlunado... —y mi voz es distante voz de mi garganta en sueños.

—¿Y una blancura, el fantasma de la nieve te angustia? Cuando llaman, al umbral hay que sacar óleos férvidos del pecho.

Es el Arcángel quien conmina sobre mi estupor del alba; oigo temblar lágrimas entre sus copos; figuras densas pueblan el mundo blanco y hay esperanzas de sol —¡tan hondas!— allá donde se termina todo.

—No se puede temer ni dudar. El cielo lo encristalé yo de afirmaciones y todo él trasluce con deslumbres que no imaginarás.

Me levantó, sierva suya, la orden del Arcángel. Vi en torno: mis vestidos oscuros, mi vaso de agua, el ampo de mi papel, la llamarada de mis brazos. Habitaba un mísero país de la tierra pobre; por ello me avergoncé del cielo.

—La noche se ha trizado con los lamentos del caballo. Doncellas puras lustraron sus cascos poniendo oro en ellos. El Arcángel hablaba sin revelarse, en el juntor de las esquinas del desvelo; tuve ansiedad y desclavé la puerta:, ante mí se levantaba un pecho ceñido de rosas tiernas y una cabeza orlada de fúlgidas crines. ¡Qué lejanía de campanas, de síes y de clamores sobre el campo!

—Entra —dijo la autoridad del Arcángel.

Y el caballo reconoció a mi señor y se allegó turbado con sus ojos de adolescente pasmado por mi desnudez.

—Júntate a ella —ordenó la celeste jerarquía.

Y vino para mi espalda un jadeo de establos mágicos: me sorprendí entre largos cabellos que olían a heno fresco y a campanillas silvestres.

—Transfórmate.

¿Qué me tocó de gracia? Grandes manos cogieron mi cintura, me alzaron ante la ventana para que viera la nieve última. Bajé al suelo triste oyendo blando reír. Creí que al fin vería el rostro del Arcángel. Mas no. Un cuerpo sin límite me abrazaba sorbiéndose mi corazón sin que yo pudiera desligarme nunca.

—¡Sálvame tú, mi Arcángel!

Sobresaltaron galopes secos la llana nieve vuelta sonora. Eran caballos transparentes los que venían, relinchando mi nombre, a defenderme.

Fue el mismo Arcángel quien me acostó en mi lecho, vendando mis sienes con sus plumas de mirra.

—Dormirás.

Y no fue así. Le oí salir al frente de todos los llegados; su corcel, el blanco suspirante; su túnica, la que cubrió la noche...

No es posible dormir cuando se le ha tenido tan cerca. No se puede vivir igual cuando se ha sido suya. Soy su enamorada, su obediente. Sólo una ley cumple el día conmigo: esperar al Arcángel. Porque la nieve, o el sol, o la luz, son accidentes de su forma.

TRANSFIGURACIÓN

Caballo y ángel, arcángel.

La ventana crece hasta lograr las proporciones desmesuradas de un cuerpo con alas relampagueantes. Los cielos se descifran y dones celestes irrumpen en el mundo. No he terminado mi temblor, dura mi madrugada, pero sonríe el regreso *suyo*. Toda la casa es apagada, porque de pluma; y bienoliente, porque de arcángel. Sus mantos dejando escapar los chorros mellizos de sus alas orean frentes invisibles: troncos de mi frente en acto.

Vivir así de cercada es ahogo divino para el espíritu. Los toros alados, los leones, y una remota anunciación del ángel sin alas; luego, la teoría de arcángeles nuncios traedores de ramas floridas cándidas, arrodillados, sumisos a la castidad. ¡Oh pequeñez de mis dolores de la tierra, de mis cuerdas de realidad! ¡Delirio, frenesí arcangélico, derramamiento de nuestra principal unión, plenitud de su descenso a mi cuerpo!

El tiempo conoce lo que tarda la muerte, siempre fuera de tiempo. Las sombras conocen el ímpetu del Arcángel y, atosigándome, aguardan como vírgenes las viriles lanzadas del caudillo de la nieve.

—¿Dónde dejaste tu caballo blanco, el tú de la tierra, más dulce y tierno que soñarlo?

—Quedó dentro del río; las crines se le escarcharon de peces, y caracolas sin eco ciñeron su acometida para resonarlo barco.

—Tengo amor por él así que conocí su resuello.

—Tienes amor por mí, que soy su par en las nubes.

Se acerca el éxtasis. Mis ojos no ven paisaje terrenal. Ante mi alma comienza el sueño de su deslumbrante galope...

—La realidad es un error del cielo. La realidad es el oprobio de la imaginación. Todo lo que pesa, gravita sobre el desorbitado; es la máxima injuria a mi gloria.

—Yo sueño.

—Sueña, que yo cabalgaré tu noche. Procuraré a tu garganta el medallón del olvido, esfera que consume ojos y bocas en acecho.

—Duermo.

—Velaré.

Y entonces se llega a mí; me besa, se adhiere a mi costado, latimos a concierto.

¡Claridad, espesura, selva de claridades! Soy vidente como espíritu santo. Veo y penetro los secretos del mar, comprendo su tenacidad de algas.

—Arcángel mío, vestidura mía, ¿quién alzó su voz para que el mar se me abriera frutal y místico?

—Suéñalo tú, apréndetelo. El caballo blanco amante conocía el mar: vuelve allí. Yo lo volé tiempos y tiempos. Volveré contigo.

El mar explicado por el Arcángel cabe en la caliente urna de mi sostenido ensueño.

VERBO

Caigo dolorida al lecho. Durante la luz del cielo voy empobreciéndome de arrebato, penetrándome de miserias inenjugables; nada tengo ni doy. La amargura de mi inutilidad me viste su lienzo frío y espinoso. Agrupada la sombra en mi rededor, comienza la búsqueda del alma para justificar su existencia.

¿Quién soy yo, pobre poeta sin genio, sensible antorcha de pequeñas lumbres, para haber soñado alterar torres y segar murallas?

¿Cómo pude olvidarme de mi condición humana, tan limitada, sólo por admitirme ungida de aceites místicos?

Yo invité a los que amaba a seguirme no sé por cuál camino, sin oro, sin posada, ¡a la ventura de estrellas y soles misteriosos! Lloré desolada al ver que ninguno me seguía; que, por contraste, era yo la que abandonaba su camino...

¿Por qué atentar contra los ajenos edificios? ¿A qué el afán febril de alterar también todas las sustancias fuera de la mía? ¡Feroz soberbia rival del Dios a quien amo, luchando por atraer a mi pasión y locura cuanto ya no podía arder *mío*!

Las manos están yertas, y sobre ellas vienen otras que aprendieron su lumbre en el seno de las palomas.

—Siempre indagas en tu corazón, rebuscas en lo humano hostil, sin colmo de gloria. A ti te es enemiga la tierra, pues no acatas otra ley que la divina.

—¡Sí! —lloro apagando mi voz entre mis labios—. Es mi ambición restituir a los seres su ejercicio de leyes sobrehumanas. ¡Qué dolor no poder nada contra todos los humanos!

—¡Criatura... —dice el Arcángel—, Criatura!....

Y yo veo un espacio sin color del qué surjo creada por los dedos de Dios.

No es dado a un ser el privilegio dos veces. Ya te has conquistado para tu sueño: ¿por qué buscas enloquecida quien te acompañe allí?

Oigo puertas que se abren y cierran solemnes, viéndome sola, con túnica morada, cruzar y cruzar salas abandonadas de hombres, ricas de dones incomprensibles.

—¡No quiero ir sola! —grito—. ¿Qué haré sin otro al que decir mi alma, con quien latir unánime? ¿Cómo levantar la vid si el néctar únicamente recuperará mi esfuerzo?

—¿Adónde fuiste a elegir tu compañía?

Cierro los ojos y empiezan a encenderse dentro suyo pálidas hogueras de rostros...

—Esos son los que te querían, los que estuvieron prestos a tu afán. Te habrían seguido fanáticos y tu responsabilidad de guía os hubiera llevado a la gloria.

Otra vez vienen rostros más fuertemente encendidos y el Arcángel toca mis cabellos.

—Estos son los que te quieren, los que por ti irían al infinito. Sólo aguardan tu palabra.

Y ancha luz sobreviene a nosotros para que él y yo veamos una cabeza oscura, fina, con los ojos cerrados...

—He aquí tu ambición, el único ser que se niega a seguirte...

—¡Porque no tengo caminos!...

—... el solo ser para quien tu voz es viento de abril que trae pájaros en la siesta del día, tus labios olor y gusto de manzanas frescas, tu amor transcurso de agua a la que damos el pie desnudo mientras nos abrazamos al árbol firme de la orilla.

—¡Yo no poseo otro bien que mi pensamiento!

—¿Y te quejas? Con él podrás alcanzarte a ti misma. ¿No comprendes que si vas sola es porque no vas plenamente contigo?

—La tierra es mi rival. Tiene lo que yo no: realidad.

En el amanecer ríe el Arcángel. Un desfile de astros inicia su descenso en el horizonte. La mano invisible pone fuego a la inerte antorcha del sol, primero, y todo se ilumina para gozo de los que duermen.

—Arcángel —digo humilde—, yo quiero vencer a la tierra. Me muerde ese afán las entrañas y no reposaré nunca si no la venzo.

—¿Qué es vencer?

—Domarla, someterla a mi voluntad. Que mi sueño sea realidad también.

—¡Ah, que entonces serás tú la sometida! Si ella es realidad y tu país es el ensueño, ¿no adivinas tu fracaso al imponerle a él la esencia de ella?

No queda de mi angustia ni una aguja de frío. El sol vacía mis venas y son sangre mía las hierbecillas microscópicas, las crías inocentes de las aves y todo lo que es arena donde los transeúntes del alba ponen su despertar.

MÍO

1941

Carmen Conde con Amanda Junquera en San
Lorenzo de El Escorial (Madrid), enero 1941.

EL ESCORIAL*

I

Unísona unidad compacta. Bajo retumbante que las montañas sostienen. Trazado indeleble en la abierta llanura. La luz que te señala en las noches de fuegos, revela tu arquitectura a la Toledo del alfange líquido.

¿Quién, si no tiene un alma oceánica, puede resistirte el frente a frente, desnudos los dos de ternuras, en híspidos inviernos como los tuyos?

He puesto mis manos sobre tu roca amartillada, domada, hecha carmen de ardores, y nos hemos trasvasado el calor que nada ni nadie apaga.

II

Se han desvelado los robles.

Los otros árboles de la sencillez ascensiva y esos que se mueven calofriados de lirismo sonríen a las muchachas. También las márgenes orladas de la blanca espuma de las flores entornan los ojos.

Yo voy hablando en voz alta y caliente por entre la tarde. Y hasta un joven árbol oscuro ha tenido rubor de su violeta y se me ha ofrecido súbito vestido del blanco de todas las inocencias.

—*¿Qué dice esa engreída criatura que va por nosotros como si creciéramos a su conjuro?*

Orilla de mi discurso se esponjan las madreselvas, los labios de las doncellas bullen impacientes como sus senos. Y hay en los caballos que montan vigorosos jinetes el asentimiento de todos a mi voz.

¡Yo os conjuro a que me oigáis eternamente!

* Figura en *Mi libro de El Escorial*, meditaciones, editado por el Colegio Mayor Santa Cruz, de la Universidad de Valladolid, en 1948.

III

Allégate, paisaje.

Quédate en mis ojos. Fúndete en mí. Incorpórateme. Eternízame.

Yo quiero morirme dulce e inesperadamente en tus manos.

IV

Esto es mío.

Cada uno puede ir a coger aquello que yo no le quitaré nunca. Solamente esto es mío.

Id adonde las cosas tienen tres dimensiones. Contad con el tiempo, con el espacio, con la profundidad. Mi pertenencia se inscribe en un aire que no puede respirarse sin licencia de Dios.

Mío es el sí, mías son las palabras que os obligan a recuperaros y a miraros extraños de merecerme.

Es mío lo que elijo. Aparto de la multitud un ser y ya no se me va del corazón. Sumiso y dulce me da el suyo, porque siente —sin entender el misterio— que cumple con Dios al venir conmigo.

¿Cuál de esos que van y vienen por cosas, buscando compañía para su angustia, podría quitarme lo que es mío?

Todo, lo que nadie ve, lo que ni se oye ni toca, es mío. Y yo os doy a mí, quien todo lo posee, para que viváis en el Sí.

V

Piedra serena, vaso de la liturgia castellana.

Gracias, porque me enseñaste cuánta columna dórica sostiene la arquitectura de mi ensueño.

VI

Amo todo lo de la tierra porque sé que se quedará aquí. ¿Cómo podría yo amarlo si temiera llevarme cosas eternamente?

¡Ah, la gracia inmarchitable de la fugacidad! ¡Saber que sólo puede acompañarse el espíritu de cuanto carece de peso y de forma! Llevarse los pesos y las formas que no miden las balanzas del mundo. Saber que nada puede retener el ansia de acudir a lo infinito. No tener nada, no dejar nada...

Ser dignamente en la tierra una violenta pasión por la eternidad.

VII

Temo levantaros más arriba del aire que podéis respirar. Encender ante vosotros lumbres cuyos vértigos os abrasen. Deciros palabras de las que asordan porque son golpazos de sangre. Aproximarme a vosotros y que vuestros cuerpos desfallezcan con mi contacto. Desvelaros, si dormíais. Haceros soñar lo que nunca, si no es por mí, convertiríais en realidad mágica.

VIII

Tienen que dejarme con mi ensueño, porque es lo más seguro que hay en mí. He penado por salvarlo del mundo en que me moví desde que vine al mundo. Y por ello no me acerco a los humildes de condición, a los que no tienen otro remedio que ser humildes.

Yo amo a los héroes. Mis ojos y mis labios cantan y miran a los héroes. Ellos van, como yo, apartándolo todo para llegar a Dios.

¡Nosotros no buscamos que Dios ampare nuestras miserias! ¡No queremos verle palidecer de piedad cubriendo nuestros cuerpos feos o nuestras almas turbias!

Los héroes y yo trabajamos con gozo para ofrecernos limpios y afirmativos ante la gran mirada bruñida que recoge astros y hojas de trébol.

IX

Aquella plenitud del mar, por donde yo entré a la Poesía...

Y aquel pórtico barroco junto al cual paseé un ensueño...

¿Qué dicen en mi sangre, frente a la ordenada y limpidísima portada herreriana que ha ido serenándome hasta el éxtasis?

X

Mi nombre se dice pronto.

Es una palabra que brota de la honda garganta y termina sonora en los labios, juntándolos prietos.

Se dice suave, y suena a plata oxidada. Se grita, y contesta el mar. Detrás de mi nombre hay una fuerza segura. Quien me llama sabe que todo es posible, porque al principio está la tierra y luego es el aire, el cielo, lo que abre mi nombre.

XI

Te quiero porque tiembla mi cintura entre tus brazos. Me gustan tu olor áspero, tu viento salvaje, tu carne estremecida de inesperadas corrientes; la serenidad exterior de tu traza y el arrebatado apasionamiento que escondes.

He sido tuya como sólo se es del que nos da hijo. Me has ordenado las prisas, corregido los impulsos; tu solemnidad me hizo soñar siendo señora de mí misma.

Nada me importan tus transeúntes, ni siquiera tus muertos entroncados con la Historia...

Para pertenecerte así había que venir desde el fragor de los otros y del mío; enterarme de la formidable virilidad de tu hechura.

Como la semilla calma la fecunda avidez, así tus columnas, tus pórticos, tus torres, todas tus piedras calientes realizaron su milagro:

Contenerme.

XII

No quiero irme.

¿Quién se interpone entre mi querer y la realidad? ¡No se lamente luego si la violencia le arrolla!

¿Es el destino el que trajo y lleva como si sembrara y aventara sañudo?

Pero ¿es que yo puedo sufrir un destino en lugar de hacérmelo a mi voluntad?

XIII

Cuando esté muy dichosa lejos de ti, vendré a dislocar tus álamos.

Porque aquí la alegría es corpulenta y no rompe orillas al henchirse.

XIV

Vendrán a preguntarte por mí.

Querrán saber las casas que habité, los sitios que frecuentó mi existencia, los seres que me vieron vivir contigo.

¡Difícil empresa para ti!

Mientras me tuviste, de tal manera te retumbé, te tomé, me di a tu propia vida, que no podrás situarme si no es en todo tú, cielo y tierra; como a un viento que te anduvo solemnemente transido de amor.

XV

En mis brazos pesaban menos las cosas que en mi mente. Siempre lo imaginado valía más.

Ha sido aquí, ha sido en ti donde la verdad del mundo logró su exactitud con la del sueño.

¡Yo no quiero perderos!

Quiero sostener el equilibrio más tiempo aún. Hasta que toda la serena luz que me alumbra pierda su verdor en mi pecho.

XVI

Llega la gran mano donde cabemos yo y mi voluntad, se cierra, y nos pone en otro mundo. Se acaba el tiempo de hoy y adviene el de mañana.

El aire frondoso, la nieve, no me verán en este pueblo donde vivo la época más clara de mi vida. Me iré sin haber agotado el oro del otoño, sin que las hojas sean todas suelo tostado. Me llevaré las dos manos puestas sobre el corazón, porque ya me está doliendo de llanto y aún no me he ido.

Mas aquí he estado, he sido yo. Y todo esto ha sido mío. Lo que es mío plenamente me llena de sí y se aumenta conmigo.

Cuando yo habito un lugar de la tierra o una región de Dios, ¿no veis que es otra la luz que arde en donde estuve, y soy yo mejor porque soy lo poseído?

XVII

Hay una hora para que tú seas de nácar y te desprendas de tanto moreno antiguo enturbiado por aguaceros plomizos. Es la hora de tus alas.

A las seis de la tarde te veo desde la Alameda, inmensa estatua de nácar, sí. Fachada lenta que trasluce su circulación frente al pozo verde del monte a donde se baja el día.

XVIII

La lluvia deshojó tus árboles. El viento no tiene ya sitio entre las ramas.
¡Cuán digno tu continente, con el frío severo y con la soledad!
Para quererte hay que abrazarse a la llama como a un cuerpo.

XIX

Cuando se atiende, ¡qué ininterrumpida es la voz de la continuidad! Nos cuenta lo que hay más allá de la mirada, y arriba de las raíces del cielo.

Todos los que pronuncian palabras de ventura nos allegan su acento. Y los pálidos labios tristes tocan de melancolía nuestro silencio.

Escuchar con los ojos desvanecidos de paisaje. Leguas y leguas a la redonda: grises vivos, azules que se funden hasta dar la neblina, y un rosa místico en Guadarrama.

Dormirse en la ardorosa sombra del olor del monte. ¡Ventura cual la de este sueño!...

Irrumpir en el día fresco, dilatado; en el día sin límites, todo llanura y horizonte sin fin.

Quedarse quieta junto a la ventana; enfrente, el Monasterio. En torno suyo, el aire más diáfano de España. Las manos libres de toda prisa, como el ánima. Al lado, encima, en la boca, la eternidad.

XX

¡Cómo se alisan las almas en tu Templo! ¡Qué grandor tiene el pecho cuando los ojos hallan la lumbre redonda de la cúpula palpitante de sol! ¡Cuán anchos se esparcen los brazos estando erguida en la nave grande! No hay cabeza que no pierda la realidad ante la escala grave y magnífica del retablo mayor.

Frescura y amparo de la desnudez. Suntuosidad de la piedra tallada con rito ascético. No hay altura, ni lujo, ni siquiera bulto en las criaturas que se acercan allí.

Sólo Dios es Presencia. ¡Sólo la línea recta o la esfera son alguien!

En el sitio en que se sabe más chica, yo hallé la inmensidad de mi alma.

XXI

¡El pesante sol tuyo!

Yo vendré a hincar una vid en tu áspero suelo y le sacaré su leche roja.

Sé que irá embriagándome despacio; poniéndome suavemente loca su telúrica solera.

No será embriaguez gozosa ni triste, sino un ir ascendiendo reposado hasta hallar la gran lonja del viento.

Para desde allí cogerte en una mano y levantarte conmigo hasta donde yo puedo hacerlo.

XXII

Yo aquí no me he querido llamar yo.

Sin mi auténtico nombre circular vivo cuerpo a cuerpo lo más desnudo de España en cálido secreto.

Soy un ser que va y viene por ti, volviéndote conmigo a la inmortalidad.

XXIII

Tú estás aquí clavado, teniéndote derecho en el espacio porque eres aspiración de esta tierra. Ejemplo de ansiedad que casi ninguno atiende. La canción a tus líneas, arcos, arquitrabes, nunca es más que música. La pulpa tuya, el meollo de tus columnas, la raíz cubridora del arrebato que tú eres, como no se transparenta, a casi nadie enloquece.

¡Yo no he visto más pequeños a los mortales que los veo a tu costado!

Si no fuera por mí, que lucho por salvarme del plomo de mi siglo, ¿quién te diría, quién te transiría de tu esencia?

¡Te hallarán en mi obra, más tú que tú mismo!

XXIV

En el pretil orlado de magnolios se siente la sed violenta del recuerdo del mar. Esta inmedible vastedad huele furiosamente a algas. El boj que remueven los favonios empuja en la memoria mediterráneas brisas.

¡Ay, la carta que fija la altura desde donde sentimos la locura del mar ausente!

Bajo mi temblor se doblan curvas tablas. Todo el jardín resuena caracolas que arrullan a las torres. Gaviotas fueron las cigüeñas de vuelo cabalístico.

Mar mío, mar Mediterráneo, ¡qué lejos estás de El Escorial!

XXV

¡Ya soy la tierra también!

Podréis arrancar desde mí si me hundís vuestras raíces.

Mis manos os sostendrán para que describáis la órbita siendo siempre míos.

POESÍA COMPLETA

ANSIA DE LA GRACIA

1945

CARMEN CONDE

ANSIA DE LA GRACIA

ADONAIS
XIX

EDITORIAL HISPANICA
MADRID
1945

PROLOGO*

Desde muy pronto, en Marruecos español, donde viví desde los siete a los trece años, empezó mi afán desmesurado de lectura. Y aunque yo no podía establecer distinciones de preferencia, la verdad es que los primeros libros por mí leídos fueron *Las mil y una noches*, la Biblia y *Rafael*, de Lamartine. A los trece años escasos regresé a España. Y con una sensible precocidad me enamoré de un jovencito hermano de unas amigas de mi casa. La enfermedad y la muerte del chico me llevaron a la Poesía... Tenía yo un pariente joven; aficionado a escribir, que era para mí un personaje notable. Nos leía cuentos suyos escritos en grandes libros, de a folio, papel rayado, y su padre solía decir muy convencido que su hijo tenía un gran porvenir en las Letras. Creía yo con toda mi alma lo que se afirmaba; sólo faltaba la chispa del dolor prematuro amoroso para que unos versos y un, diario brotaran de mi pluma. Hace años escribí en mis *Cartas a Katherine Mansfield*, que era tal mi fervor literario y místico, que coloqué una estampa de Santa Teresa de Jesús encima de la minúscula mesita donde escribía en mis veladas secretas. Santa Teresa estaba acompañada del Espíritu Santo, que le *dictaba* ¡Cómo le pedí yo la gracia de su soplo! Estuve convencida durante mucho tiempo de que la Santa tendría para mí una sonrisa de protección.

De aquel tiempo recuerdo que mi madre llevó algo de lo que halló mío a casa de nuestros parientes. Vi, desde otra habitación, cómo leía mi primo aquellos versos y padecí un rubor espantoso, un sobresalto enorme. Los comentarios; la verdad, fueron adversos. El orgullo me dictó silenciosas respuestas. Todo aquello ocurriría por el año 1922...

Entre tanto, la vida de todos los días; que ha sido siempre sumamente exigente conmigo, continuaba. De una en otra tentativa fui a encauzarme como pequeño elemento social en una tarea oficinesca que duró desde mis dieciséis a mis veintiún años. No es lugar indicado éste para, lo anecdótico, por eso no puedo

* *Confidencia literaria*, publicada en «Entregas de poesía», noviembre 1944.

dejar más que constancia de mi gratitud a todos aquellos seres que inconsciente e involuntariamente tanto me ayudaron dejándome tiempo para escribir muchísimas cuartillas en la misma mesa en que me ganaba el pan; y desde el cual se veía todo el mar del puerto:

> Por horizonte —¡aún!—, la ventana del puerto.
> Al fondo, en los cristales altos, el mar. En los cristales bajos, el mar.
> Y siempre —¡todavía!—, un barco anclado en la ventana.

(Brocal)

Una de mis compañeras, sin gran fe quizá en mis aptitudes, me propuso someter algo de lo que escribía yo secretamente a un vate local, crítico muy atendido entonces en nuestra provincia.[1] Con emoción di, para que ella se la ofreciera, una novela mía: la primera. (Que, años después, obtuvo el premio de un concurso hispanoamericano convocado por *Diario Español,* de Buenos Aires.) La aprobación del ilustre hombre de letras habría de significar incluso parte de la mía misma. Y llegó, radiante; todos mis amigos e indiferentes, enterados, recordarán aquella primera plana del diario más popular de la cercana capital levantina, donde por vez primera leyeron en grandes letras un nombre nuevo: CARMEN CONDE, y debajo, una generosa y esperanzada retahíla de vaticinios felices.

Esto marcó ya la definitiva voluntad creadora; la exteriorizada conciencia literaria. Apenas diecisiete años contaba mi juventud. Sin apoyo de nadie, conseguí publicar en la prensa madrileña de mayor importancia. Con terrible, y temible, facilidad yo escalaba velozmente los puestos literarios que otros obtenían después de largos años de paciencia y asiduidad si no contaban con dichoso padrinazgo en la corte. Todo ello hubiera podido envanecer mi adolescencia si —quizá fuera esto— el trabajo forzoso no ocupara la mayor parte de mis esfuerzos, siendo aquello de escribir un gozo tan puro, tan alegre, tan liberador.

Mas, ¿me satisfacían los pequeños y firmes éxitos? ¿Eran, en verdad, de mi ser auténtico? En mis días empezó un nuevo camino: estudiar una carrera a instancias de un amigo casual que no *comprendía* que yo no supiera cosas. Los diarios locales que recibían mi siempre desinteresada colaboración pidieron para mí una pensión del Ayuntamiento, a fin de que mi autodidactismo hallara cauces lógicos de satisfacción. Hubo una voz que se alzó avisando el peligro de que la joven escritora pudiera ahogar su briosa espontaneidad en fríos textos; en aprendizajes de escuelas literarias ajenas a su verdadera sensibilidad... Pero el hombre que tomó a su cargo la dirección de lo que yo quisiera estudiar era demasiado fino para no saber orientarme.[2] Por su deseo, y porque no era posible estudiar libre otra cosa, lejos de las instituciones oficiales y teniendo que trabajar todo el día, hice los estudios del Magisterio, que nunca desempeñé oficialmente. Entonces,

---

1 El poeta don Miguel Pelayo. —N. A.
2 Don Enrique Martínez Muñoz, fundador, con don Félix Martí Alpera, de las Escuelas Graduadas en Cartagena. —N. A.

1927, conocí a dos muchachos, escultor y poeta, que acababan de dar sus primeras bellas obras. Nuestra amistad se nutrió con Juan Ramón Jiménez y Gabriel Miró, con Antonio Machado, con todos los jóvenes de aquella brillante hora española. La lectura del primero fue una revelación de fulminantes resultados. Hasta marzo de 1927 mi vocación se veía tristemente sujeta a su información decimonónica novelística. La vehemente juventud mía despertó a su verdadero clima. ¡Qué error de años con tan falsa visión literaria! Y advierto que digo *falsa* no por la sustancia de lo conocido y admirado únicamente hasta ese día, sino porque no respondía yo íntegramente a ello: porque yo era de mi tiempo, el que hemos llamado luego generación de 1930.

Hice lo que todos los jóvenes hicieron en España antes de la guerra: acercarme a J. R. J. Con él comenzaría a correr una vena lírica de mi espíritu, inédita hasta entonces. Y con el incomparable Gabriel Miró habría de enlazarme la común mediterraneidad, gloriosa en él. ¡Y cómo me recibieron ellos! Es posible que la juventud se olvide de todo conforme se aleja de su nobleza; pero yo no querré olvidar nunca. *Ley* y *Diario poético*, de J. R. J., publicaron mis primeros poemas en prosa.

Y a poco, la editorial madrileña La Lectura publicaba mi libro primero, *Brocal*, del cual pronto hizo una selección que tradujo al francés (para su antología de la joven poesía española, éditions del *Journal des Poètes*, Bruxelles-Paris) Matilde Pomés. Después de *Brocal* hice unas poesías libres que agrupé bajo el título de *1930*, año que seguía al de la publicación de mi libro primero.

Hasta aquí se ven dos momentos de mi vida creadora: el inicial, con influjos del XIX, y el lírico, ya consciente. En éste permanecí colaborando en casi todas las revistas de poesía joven. Detuvo mis trabajos y estudios una enfermedad que me obligó al reposo. Cuando me alivié me casé con el poeta que marcó la segunda etapa de mi tarea literaria. Iba ya bajo el signo de la Poesía más absorbente. Voluntaria —y con desastre financiero para mis necesidades humanas— me negué a publicar más cuentos ni artículos en revistas ilustradas y diarios. Toda me entregué al poema en prosa; temido y temible al parecer; pero que a mí me gustaba y que me elogiaba sin tasa la crítica. (¡Lo cual no quiere decir que a algunos sesudos varones no les irritaran mis poemitas!) En 1934 mi encuentro con Gabriela Mistral me obligó a publicar un libro —sin terminar a mi satisfacción, pues pese a su no aparente arquitectura, la tiene—, segundo de poemas en prosa; con prólogo de Gabriela Mistral y admirables dibujos de Norah Borges de Torre, la pintora argentina. También en aquella ocasión fue excelente la acogida pública. *Júbilos*, del que se vendieron dos ediciones seguidas, editado con lujo y primor por la vigilante atención de un poeta muy sensible,[3] no venía a demostrar nada fundamental: era un conjunto de prosas narrativas, poemáticas; exaltadas, cuya línea segura la de *Brocal*, superándola en fervor y en perfección.

Mas ya *Júbilos* exhaustaba la vena lírica del poema en prosa. Un mundo más ambicioso; con nuevas inquietudes, comenzaba a latir. Yo acababa de ser y dejar de ser madre, y de perder a mi padre. La Poesía adquiría otro sentido en mi alma:

3 Raimundo de los Reyes. —N. A.

de un bello juego, a una honda palpitación. La tierra me había dicho su primera lección de sombra y de eternidad.

Salimos de la provincia levantina y nos encerramos en una casa al pie de la sierra de Madrid. El tiempo que duró aquel confinamiento, más o menos voluntario, me acercó en ocasiones a la vida de la capital. Jamás estuve más sola ni más triste. Y en esta tercera etapa de mi vocación nació un libro —*Días por la tierra*, inédito—, donde se empieza a ver lo que hoy está cuajado. De vuelta a mi viejo hogar, mis *Cartas a Katherine Mansfield* marcan con claridad mi nuevo camino. Un cambio que registran una novela, una colección de notas, cuentos, y que se fijó definitivo en una definitiva fecha: 1936.

En 1936, invierno, yo tenía la posibilidad de dos cosas: una pensión para el extranjero[4] y unas oposiciones para seguir universitariamente mi carrera pedagógica, sin utilizar aún. Entonces sobrevino la guerra española. Este acontecimiento cambió enérgicamente mi vida y mi obra. Hay algo más que levantar el gallo poético para ensalzar o vituperar a la creación y a sus criaturas. Otra vez el dolor me estrujaba y obtenía nuevos zumos. La tierra llena de muertos enseñaba a mis ojos un paisaje tremendo e inesperado. La eternidad del mal y del sufrimiento; junto a la del ansia por la luz y la verdad. La enorme sacudida no respetó mi torre poética. Entonces, como un dolor más, me quise interpretar en el teatro; escribí unas obras que no buscaban más que comprender el gran secreto de Dios, y que nadie vio nunca. Y unos poemas, *Mientras los hombres mueren*, que eran lamentos por la vida que se derrochaba ciegamente. Comprendí cuánto pesa el Eclesiastés, sobre todo en quien sólo había leído a Sulamita.

Después de terminada la guerra me aislé en un severo lugar. He aquí lo más fundamental de mi vida. Por vez primera sola, libre, frente al silencio, la historia de mi país y mi propia existencia. El gran río de todas las poesías, desfilando mansamente; los afanes humanos propios, dimitidos; los ajenos, distantes. Muy a la zaga y en olvido de todos, un puñado de años se fue dulce, pero hondísimamente vivido, a la eternidad. Escribí mucho, mucho, para mí sola. Lo único que he dado a leer es la colección que llamé *Pasión del Verbo* —en edición privada y numerada—. Aquí está mi transformación, 1930 y 1942 son las fechas polares de un brevísimo libro. Sirven para exponerlo todo.

No quisiera evadirme de ningún punto del método a que se fija la *Confidencia literaria,* pero he de hacerlo. Hay cosas que podrán contestar otros por mí, mejor qué yo, algún día.

Yo, a la vista de los libros publicados, no me encuentro realizada por ellos todos aún. Hay algo de espantosamente inquieto en mi sangre que me impide seguir fiel a una norma cuyo desarrollo se expone en la continuidad de la obra. Me interesan vivísimamente el Teatro, la Novela, la Poesía. Y fuera de lo que yo me considero capaz de hacer, el Canto y la Pintura. Hay veces que busco expresarme en el Cuento, en el Ensayo; me apasiona escribir para la infancia..., aunque lo más probable es que me refiera a la remota infancia de los adultos. Quisiera cuajar en una *manera* y seguirla hasta dominarla. Pero esa condición expresa no

---

4 De la Junta para Ampliación de Estudios, Centro de Estudios Históricos, Madrid. —N. A.

me es asequible durante mucho tiempo. La vida es demasiado rica y yo muy enamoradiza suya para limitarme a percibirla e interpretarla de un solo modo. En el poema «Conocimiento», de *Pasión del Verbo,* ya lo he manifestado:

... ...

¿Qué pozo hay al pie de mi existencia humana?
¿Qué mano desaloja mi cántaro de júbilos?
¡Oh sed de aquella voz que me rebose!

Abrir en una llama, abrir en un rocío...
Estar contenida, limitada.
Poseída por una forma única.

Retroceder la inquietud de origen, la tremenda
inquietud de la carne y del espíritu.
¡Quedarme en éxtasis eterno!

Ser fiel a nuestra época lo considero deber ineludible. No puedo residenciarme en un hermoso siglo, dando la espalda al presente. Estos años de destrucción brutal y de arrebatada búsqueda exigen la presencia íntegra del alma en su tiempo.

Todo poeta verdadero trae un mundo que revelar. Lo adjetivo para él es la suma de conocimientos; sin los cuales puede vivir y hacer su obra. Saber de los demás es necesario, pero no imprescindible, para todo menos para crear. ¡*Ser* sí que es indeclinable! Ser poeta, disponer de un gran contenido, sin necesidad de informaciones y escuelas. Ser porque sí; porque *siendo* ya se puede ofrecer lo mejor a la Poesía y de la poesía. Cuando el poeta *es,* enlaza con los pasados y por venir de su rango. Lo mejor del hombre es su misma sustancia nativa, depurada y enriquecida con sus jugos más ricos. Si la Poesía fuera ciencia, debería conectar con su corriente de manera voluntaria. Pero como la Poesía no es ciencia, esa fatal conexión se realiza sin que los poetas se lo propongan haciendo su obra *para eso.*

¡Un mensaje, sí! Eso es lo que el poeta trae cada vez que viene. Cada vez del mundo hay un mensaje que sólo pueden decir unos poquísimos poetas que son los capaces de contener el mensaje.

No veo horizontes claros. La cultura a que pertenezco desaparece. En la que venga, ¿podré cantar y constar? Durante muchos años se ignorará lo que somos ahora, y cuando vuelvan a nombrarme, ya no abriré yo los ojos para contestar.

Pero mientras viva creo que haré lo que aquella criatura de la obra de una escritora sueca, empeñada en llevar, sin apagarla nunca, una luz entre sus manos. Por ella pasó tormentos infinitos que la purificaron hasta un extremo que nunca pareció merecer.

CARMEN CONDE

AMOR

OFRECIMIENTO

Acércate.
Junto a la noche te espero.

Nádame.
Fuentes profundas y frías
avivan mi corriente.

Mira qué puras son mis charcas.
¡Qué gozo el de mi yelo!

PRIMAVERA

Encuentras mi sonrisa en tu cintura,
flor de la esbelta rama.
Mi gozo de empezar por ti el boscaje,
celeste criatura que me aclama.

Te ríes con mis manos en tu cuerpo,
agua que brincas la montaña.
Con un manto de núbiles tersuras
me envuelves, te derramas.

De collares de voces me cercáis,
aves de pluma muy temprana,
porque canten delgadas avenidas
el frescor y la fiesta de las alas.

JARDÍN

¿Qué no es nada un olor, que pasa pronto
y luego ya no son ni él ni ella
la flor que lo nació dentro del aire?
¡Oh piel de tierra, oh gran prodigio
de ser de tierra y mío!
¡De ser míos los hombros, y los suyos,
de toda la eternidad, de todo un mundo!

INQUIETUD

¿Dónde se guarda la estrella mía,
mi cristal de amor?

La noche me niega su torso de aurora
y vamos extrañas, desprendidas,
sin coincidir jamás.

¿Para qué, si a nada le soy amor,
soy yo amor en lo desconocido mío?

Y esta ternura que ciñe mis hombros,
que entolda el oro de mi corazón.
¿Para qué, si estoy buscando el agua
y sólo conozco el eco de la fuente?

ENTREGA

Guardaré mi voz en un pozo de lumbre
y será crepúsculo toda la vida.
Ya girarán más leves los cuchillos
porque no encontrarán donde herirme.
Erguida de rocíos negros,
para ti cantaré.

¡Que no me busquen los sin vista,
que no me llamen los ahogados,
que no me sientan los que huyo!
A mi soledad de reflejos,
amor,
sólo tú.

BIOGRAFÍA DE LA ENAMORADA

Muchacha sin abrir en lumbres de verdor.
De tan tiernas rezuman mis manos
y mi cintura se derrumba en flores.
Flores llevan mis rodillas claras.
Arcos de nardos mis sienes.
Yo, tu Amada:
la encendida luna de los campos.

AUSENCIA DEL AMANTE

He vuelto por el camino sin yerba.
Voy al río en busca de mi sombra.
Qué soledad sellada de luna fría.
Qué soledad de agua sin sirenas rojas.
Qué soledad de pinos ácidos, errantes...
Voy a recoger mis ojos
abandonados en la orilla.

ENCUENTRO

¡Gloria de tu hallazgo!
Bautismo inicial de la primavera
en oleaje de pájaros.

Se movieron las selvas inefables.
Se deshizo el otoño de sus plumas
cubriendo inviernos cándidos.

Venías tú, gentil criatura,
desnudando los ríos a tu paso.

POSESIÓN

Caías en mí.
Eco de tu pesantez mi vida,
era una canción precipitándose
en la eternidad.

Inmerso en mi silencio
eres el cielo que sostiene un arroyo,
que levanta un árbol.
En que un lucero corta su voz
de eternidad.

LO INFINITO

Tú vives en el Alba.
Los pájaros te aclaman.
De túnicas de aves te viste la alegría.
¡Qué aurora la que exaltas!

¡Qué noble luz la tuya!
Te escuchan las mañanas y las noches
porque eres como un río,
porque eres como un corzo.

Sentirte a ti que pasas
rozándome las rosas y los ayes...
Doler en tus rodillas, estrujada
por riscos y malezas...

Y que un céfiro de alondras venga dulce,
que tú llegues aventando mis heridas...
Ser mujer y tuya, ¡qué inefable
fundirse la conciencia entre tus brazos!

HALLAZGO

Desnuda y adherida a tu desnudez.
Mis pechos como hielos recién cortados,
en el agua plana de tu pecho.
Mis hombros abiertos bajo tus hombros.
Y tú, flotante en mi desnudez.

Alzaré los brazos y sostendré tu aire.
Podrás desceñir mi sueño
porque el cielo descansará en mi frente.
Afluentes de tus ríos serán mis ríos.
Navegaremos juntos, tú serás mi vela
y yo te llevaré por mares escondidos.

¡Qué suprema efusión de geografías!
Tus manos sobre mis manos.
Tus ojos, aves de mi árbol,
en la yerba de mi cabeza.

AMOR MÍO

Distancias de la niebla, envejecidas
distancias del Dolor: ¡qué hermosa aurora
cerca del tallo de tu voz, de tu respiro!

Por ti los años se deshielan grises,
por ti las horas se desnudan tiernas,

¡amor tan mío!
Tu cuerpo y mi pasión, dos resonancias
en medio de la vida que concurre.

Despiértame. Saca tu lanza oscura
del mundo en claridad que es mi tormenta.
Y llévame por ti, oh amor del mío,
y llévame de mí, que desfallezco.
Eres tú mi espejo, la jornada
que no puede temer ser consumida.

DESTINO

CLAMOR EN CASTILLA

Arcángel,
vuela piedras del cimborrio,
el jardín y sus estanques.

Tú, volando esta salvaje arquitectura,
cantándote los élitros de llamas;
tú, mi Arcángel,
¡sé del mundo y de la piedra
que descubro y que me invade!

Es de mármol este aire.
Esa estatua de huracanes no me achica,
mis arenas la retienen: son su clave.
Las campanas que la enhiestan
son ardientes, por ser naves.

Si reposa junto a esto mi destino,
es que nutro un afán de eternidades.
¿O qué nubes se prometen que mis labios
como bronces las aclamen?

Nobles voces que me dicen su criatura
son la Voz que a ti te hizo de su sangre.
¡Si volara como tú, si yo subiera
un clamor del Verbo inmenso por los aires!

Ven, mi mar. Dame olas tú de acero,
dame fuerzas que se duerman a tu margen...

¡Que yo sola, sin espumas, sin sirenas,
sólo puedo abrir los brazos a un Arcángel!

JARDÍN DE EL ESCORIAL

Aquí siempre hay silencio, quizá porque la piedra
el más hondo reposo rezuma para el alma.
Los siglos a oleadas vinieron a romperse
bajo la indiferencia erguida de las tapias.

Es un Jardín sin flores. El boj lo puebla todo,
se ciñe silencioso con una entrega noble
al ángulo de ojos que es proa del Monasterio
enfrente de la verde muchedumbre del bosque.

Los montes lo rodean, en un costado abriendo
la intensa claridad del límite ambicioso.
Las sendas cogen pueblos, y hay un monte dorado
cerrándonos el amplio paisaje silencioso.

El tiempo cambia pájaros: cigüeñas, golondrinas,
y hasta los negros cuervos acuden al Jardín.
Lo vuelan, lo rodean, y emprenden dilatadas
distancias sobre el mar, hasta volver aquí.

Las bolas que rematan las formas de la piedra
en boj se reproducen con redondo verdor.
Hay fuentes que no manan, muy cerca ya del polvo,
y en la huerta de abajo los magnolios en flor.

No sé cuántas ventanas se nutren de paisaje.
Hay muchas que no abren jamás sus puertas verdes.
Hay otras que responden a estancias de sosiego,
más otras que señalan las tumbas de los reyes.

Todo se nos olvida cuando aquí nos anclamos.
Las nubes y tos montes se mueven y hasta nadan.
El mundo está muy lejos, apenas se le siente.
La realidad se inviste de tersas campanadas.

De oro con el sol y gris cuando atardece.
Un pasado que cuenta en la vejez de piedra.
Aquel que nada tiene en sí, se desmorona.
Pero al que aspira al cielo le sostiene la tierra.

Aquí la tierra es dura, hostil y siempre seca.
El frío abrasa el mundo, el sol se lo incorpora.
Pero el que tiene espíritu lo vence; así señala
su paso noble y firme en el suelo, en la aurora.

¡Sólo al que va de paso el Jardín no se entrega,
ni lo envuelven los bosques con su silencio claro!
La adusta majestad del pueblo no le imprime
el señorío intangible de su carácter raro.

Yo aquí pude sacar lo mejor de mi vida.
Aprendí a conocerme, a saber lo que quiero.
Y no puedo alejarme, para nunca perder
esta seguridad de la Tierra y del Cielo.

ASALTO

¡Tan segura que iba!
¿Por qué me he detenido súbitamente hoy
para mirarme hostil
en el espejo triste de la conciencia,
y me he encontrado pobre,
tan mísera que carezco
de un solo día plácido para cantarte, Vida?

CANSANCIO

¡No las toques, que viven de ser llagas!
Sólo al final la aurora,
sólo al final.

Porque vivo sombría de horizontes,
árbol solo, luz sin lumbre, aguardando
sólo el final del mundo,
sólo el final.

INTUICIÓN

Hay una voz en sueños que me dirige
hasta inundarme con sus mandatos.
La realidad no cede a mi vigilia
con esa dulce luz que viene el sueño.

¡La voz que acuna mis suavidades!
Ella me arranca música noble,
me libra heroica dé la amargura.
Es un camino, una gran mano
que abre mi alma y se la lleva.

CONTINUIDAD

¿Escucháis a las aves, a las rosas;
oís a las ortigas, los audaces
alaridos de las sombras?

Va en mis dedos y en mis labios,
yo la siento en mi cintura;
me circula por el cuerpo como un alma.
Alguien quiso mi tormento mensajero
y me ahonda en la garganta su mandato.
¡Es tan duro ser la voz que os pertenece,
y no amaros, no admiraros!
Estar sola entre vosotros; ser la niebla
de unas bocas que os amaron, a otras bocas.

PROMETÉIS...

Venid tras las palabras. ¿Qué buscáis:
hacernos esperaros nueva aurora;
otra vez mi fe; que vuelva a amaros?

Cuán denso es el fluir; estáis viniendo
despacio y sin cesar desde el olvido
que os tuvo, como a mí, un largo día.

¡Palabras de creación! Pero ¿vosotros
podréis crear aquí, traeréis algo
que no esté muerto ya con lo pasado?

Arroyos del ayer, márgenes limpias,
¿qué rambla os embebió, os hizo lodo?
Vosotros no podréis nacer del barro.

¡Qué hermoso fue querer lo inasequible!
Amor del que se gasta sin medida
y luego el corazón pide llorando.

ESPEJO

Oh, no. Nunca estás sola tú,
nunca estás sola.
Estar sola es oírte la sangre
cómo te retumba el cuerpo.
Y te olvidas de ti, sueñas contigo
en un claro paraíso de alhelíes,
en un lago de jacintos, dialogando
con hombres de verdad, con hombres puros
y fuertes, y embriagados dulcemente
de mucho amor por ti.
Celestes de pudor, aunque desnudos
amantes de tu cuerpo todo alma.
¿Sola y sueñas tanto? Nunca estás sola.
Si vieras otros seres que te buscan,
que pueblan tu país cosas ajenas...
¡Si no miras la tierra!
¡Son del cielo tus dos ojos,
son del cielo tus miradas!
Y ves ángeles que en nubes te denuncian:
ves la lluvia que los hila,
tú,
la sola.

ORIGEN

Dios está en lo hondo. Es un agua despierta
al final, de la columna hueca del pozo.
Me brizo en su mirada, en el frescor que sube
por su cilindro de brisas,
un aroma de granados y de espigas calientes.
La voz de Dios resuena sacada por mis brazos.
Lo vuelve a crear todo; ¡hasta el alma que llevo
Él la vuelve a nombrar!
Entonces suena el pozo en su tubo de órgano,
prendiéndose a mi oído un susurro del cielo.
No olvido que hay monedas de agua con un rostro
que tiene cordilleras y mares y volcanes,
en medio de los coros de arcángeles cantores
que velan por mi espíritu y cantan por mi voz.
Afuera de mis ojos transcurrirán los seres,
en torno de mi cuello se moverán las sombras.

¡Qué soledad tan llena de gran sabiduría
la que me inclina a solas, en silencio sagrado!
Dios late de mis ojos, recostando su Verbo
en esta voz tan áspera con que quiso transir
al alma que lo vela como a un hijo la sangre.

TRÁNSITO

Luego de la luz era la Luz.
Después estaba el mar y con el mar
un ansia de morir siendo su vida.
Mi alma sola, sueño liso respiraba

por sus ramas silenciosas de agua quieta.
Otros seres que achicaban mi estatura
ascendían en un vuelo transparente.

Ya estos días que reciben mi presencia
iban lejos de mi tiempo...;
un silencio de latidos resonaba.

Arriba de mi aurora cantó un pájaro
y yo lo repetí con inefable
claridad sin horizonte ni medida.

EN EL PRINCIPIO

Se suceden las formas,
Un prodigio de luz y de color me habita.
En mi alma se mueven
grandes mundos que buscan su palabra
para llamarse algo y no sólo materia.
¡Nombres quieren los sueños!
Música, amarillos y rosa, un céfiro blando
son mientras no son fuera de mí.
Medito, y la conciencia elude
la concreta criatura del llamarles algo.
¡Lucha sin descanso en mi callada
ignorancia del llamar perfecto!
¿Por qué los sueños quieren tomar parte del mundo
si cuando son presencias sin contorno
alivian tanto al alma?
Ser donde yo soy, con un nombre:

árbol, libro, calle con musgo en las piedras...
¿Y lo que es eso mismo, pero no se ve nunca;
lo que es el árbol todo, pero no son las hojas,
ni los pájaros que cantan en sus límites verdes?
¡Qué tortura es llamar!
¿No quieren los fantasmas seguir siendo fantasmas?
Me poblaría de ellos siempre; aquello
que los desnuda para hacerlos cosas me aterra.
¡Una niebla delgada entre el mundo y mis ojos;
un silencio de exactitudes, un cielo
sin arcos que sostengan la bóveda
de la verdad con nombre fijo!
Me voy quedando sola en este mundo,
porque en el otro crecen mis amigos eternos.
Son todos los que antes gimieron por dar nombre
al universo ávido que trabaja en mi alma
buscándose salida, emergencia concreta.
Prefiero sonreír callada, descalzar mi memoria.
A pesar de los llantos oscuros
y de que cada noche bajan a mis labios
palabras ya maduras que pudieran ser nombres...
¡No llamar, no cercar, no destruir la eterna
sucesión de las formas inmersas en la Nada!

PRIMER AMOR

¡Qué sorpresa tu cuerpo, qué inefable vehemencia!
Ser todo esto tuyo, poder gozar de todo
sin haberlo soñado; sin que nunca
un ligero esperar prometiera la dicha.
Esta dicha de fuego que vacía tu testa,
que te empuja de espaldas,
te derriba a un abismo
que no tiene medida ni fondo.
¡Abismo y sólo abismo
de ti hasta la muerte!
¡Tus brazos!
Son tus brazos los mismos de otros días,
y tiemblan y se cierran en torno de su cuerpo.
Tu pecho, el que suspira, ajeno, estremecido
de cosas que tú ignoras,
de mundos que lo mueven...
¡Oh pecho de tu cuerpo, tan firme y tan sensible
que un vaho lo pone turbio

y un beso le traspasa!
¡Si nunca nadie dijo que así se amaba tanto!
¿Podías tú esperar que ardieran tus cabellos,
que toda cuanta eres cayeras como lumbre
en un grito sin cifra,
desde una cordillera gritada por la aurora?

¿Ceniza tú algún día? ¿Ceniza esta locura
que estrenas con la vida recién brotada al mundo?
¡Tú no te acabas nunca, tú no te apagas nunca!
Aquí tenéis la lumbre, la que lo coge todo
para quemar el cielo subiéndole la tierra.

ANSIEDAD

En las flores puede hallarse; sí, en las flores.
O en los árboles calientes, en los pinos.
En las fuentes no, ni en mis palabras.
Tampoco en los ensueños que se quiebran sonoros
apenas un ardor los empuja cantando.

Busquemos en los tallos, removamos la tierra.
Hagámoslo en silencio, cautamente,
dulcemente callados...
¡He aquí el secreto de las raíces oscuras
que aciertan con la luz, que se la visten!

Ellas sólo son. No busquéis otro mundo.
¡Rosa mía, nardo mío, alhelí que me invades
igual que una naranja, o que un fresón crujiente!
Las cosas, las personas, los edificios caen...,
y si sonríes, lloras porque dura un instante
tu sonrisa de isla que requiere su Mayo.

Entre lo perfumado puro sigue siendo el misterio
de transformar en gloria un montón de semillas.
Si hubiere de ser flores, oler como los ángeles,
sería más bello irme a ser tierra con flores.

ELEGÍA

¿Por qué os derrumbáis, ciudades europeas?
Hubiéraos yo loado, con qué dicha

mi voz os arrullara: ¡Oh palomas
en cúpulas doradas de prestigio!

Teníais hermosura, historia luminosa,
y me dejáis en mitad del yermo.
¡Ay! Lloro por vosotras. Un robo inesperado
parece ante mi amor que os citen los viajeros
de vuestras avenidas, jardines y palacios.

Toda la infancia en vilo. La juventud de lucha:
¡Por veros y sentiros, por cantaros a todas!
Trabajando de día, aprendiendo en la noche.
Vistiendo lino humilde, alimentando apenas
los años más voraces de la vida.

Entonces no importaba tener hambre de todo.
Llevar mezquinos lienzos, sufrir con lo precario.
¡Mi alma iluminada lo iluminaba todo,
de ensueños se prendía!
Hasta el amor buscaba su gracia en el poema,
y la Poesía poder amar sin fin.

¡No os puedo soñar más,
ni caben en mi pecho tantos muertos!
Dolor de los jardines, dolor de los estanques...
Por cosas que se comen
pisáronse las rosas y los cisnes.
Por hambre cambiaron adelfas y sonatas:
augustas providencias vegetales
sumisas a los nobles de la tierra.

¿Y acaso los que comen del lecho de las flores
transforman en belleza la sangre que enriquecen?
¿No sirven a la muerte, no siembran desventura?
¿Algunos se detienen porque les duela un nardo,
un joven con su amor, las torres, las campanas?
Si no hemos de entregarnos, ¿por qué os amé a todas
las patrias que rezuman los lutos y los llantos?
¿A qué sacar mis ojos del mundo mediocre?
¿A qué enfermar mi alma de amor a lo imposible?

De lejos y de oídas tenía que enamorarme
con un ardor inútil, de Europa derrumbada.
Y vivo a solas hoy Castilla, la rugiente
de tantos huracanes como galopan. Sola.

LLAMADAS

Voz de las mares se ha levantado.
Voz de las tumbas.
Voz de los bosques.
Voz de las lumbres.
Gotean de labios que consumieron
todos los nombres para la Voz.

Hay un silencio de copa débil
a quien los dedos de un hombre duro
dieron un tono que se ha apagado...
Flotan los ecos sus cabelleras:
fantasmas tibios de grandes voces.

IRREFRENABLE

Algunos días por mi corazón la Tierra
pasa igual que el Mar.
Desembarcan oleadas de memorias
que no sé si son mías,
que no sé si las sueño...

En estos días, por mi corazón en vilo
el Mar lo empuja todo.
¡Soy tierra aquí en lo alto, mas aquello...!
Aquello que es el Mar huele a semilla
a hombre que me hizo y que me tiene.

HOMBRE CON VIOLÍN

Esos hombres del violín llevan su voz en el brazo
como la vena firme de una canción muchacha.
Van celándola dulces, con los ojos cerrados,
todos brasa y suspiro del ensueño que llueve
diminuto rocío de aprisionadas flores
en los cuerpos fragantes de sus violines músicos,
aun con hojas y aromas del encendido bosque.

Un violín es la voz de una fuente con viento
a la que brizan ásperos y dulcísimos soplos.
Lo sabe quien lo pulsa, y flotan sus cabellos

como yerba que sube por el tronco de un árbol,
mientras la mano empuja hacia el cielo las cuerdas
y la otra recorre con el arco un zodíaco.

Es rubio; huele a nardo en la noche con luna,
y de jazmines siembra la abandonada tarde.
Tan delgado y ligero como fueron las ninfas,
sinuoso y con algas, como verde sirena.
Es la voz que prefiere la Primavera fría.
Y al Otoño le cuenta que se fueron las aves.
Los cipreses la exhalan. El calor de los vuelos
en los violines junta con las plumas los nidos.

CONCIENCIA

Entender los mensajes.
Estar parada en el campo
y que lleguen las voces de todos los pechos mudos
a retumbarme el pecho, volviéndolo sonoro.
Que los cobardes sepan que por ellos levanto
una protesta eterna contra quienes maltratan
esa mísera carne de los que se resignan.
Que los amantes oigan su clamor en mi boca,
y que las flores crezcan en las gozosas márgenes
de mis silencios llenos de música con lluvia.
Que una madre se duela del dolor de su entraña
dentro de las mías, y que un hombre levante
la cabeza orgullosa de su creación más noble
dentro de mi cabeza.
¡Una voz escuchando todas las del Universo!
¡Un mensaje, entendiéndolos todos!
Si esto es mi destino,
¿por qué no cesan de llegarme clamores,
y se callan las aguas, y se duermen las cimas,
y los que siempre buscan se apartan de mi pecho?

CONOCIMIENTO

De antes de la sangre que me hizo
viene este resuello sin reposo.
Como si todas las mujeres abrazadas,
nunca viva y clamorosamente,
hubieran entregado el fondo de sus vidas:

hasta la tierra ávida de la tumba,
hasta el delirio en que las bocas
prorrumpen cuando se presiente
el paraíso del amor que abrasa.

¿Qué pozo hay al pie de mi existencia humana?
¿Qué mano desaloja mi cántaro de júbilos?
¡Oh sed de aquella voz que me rebose!

Abrir en una llama, abrir en un rocío...
Estar contenida, limitada,
poseída por una forma única.
Retroceder la inquietud de origen, la tremenda
inquietud de la carne y del espíritu.
¡Quedarme en éxtasis eterno!

GIRANDO LA MIRADA EN TORNO

Nos iremos llevando las voces con nosotros.
Para ensalzar al mundo ya no nos sirvieron.
Algunos las cogimos de antorchas, señalamos
oscuros precipicios, tumbas de asesinados, flores,
y hasta el temblor de la fresca lluvia.

Han llegado los días que obligan al silencio.
Los muertos nos lo piden a tiempo que despeñan
su voz que ulula sombras...
Se quedan sin aurora las márgenes floridas.

Sin dulce ensalzamiento las aguas de los ríos.
Adolescentes hombres, las vírgenes, las aves,
transcurren sin sonrisas, ausentes de la gracia
que se paraba antes para loar sus vidas.

Todos los océanos engullen vorazmente
los mundos que los hombres empujan desde el cielo.
Abismos sin descanso consumen a oleadas
criaturas y criaturas tumultuosas, vivas,
que el hierro se incorpora haciéndolas su presa.

No queda ya quien cante, quien sueñe, quien medite.
En todos los umbrales cuajaron despedidas.
¡Las madres están huecas como campanas negras
que tañen siempre a muertos sin entierro!

SINO

Si no es que soy raíz y sólo eso,
¡ay!, ¿cuándo se verán mi tallo y flores,
y para cuándo emergerán mis frutos?
¿Qué día espera el tiempo, cual el aire,
y por qué Dios me quiere parda lanza
dentro de su tierra dura?

No es que quiera dejar de ser raíz
cuando ya pueda ser tronco, hojas, ramos
de mis flores más preclaras.
Fruto entre los dientes de los hombres,
quiero seguir siendo raíz.
Dar el salto tirando de la tierra
y juntarla con el cielo.

Raíz siempre, entre los granos
pardos como ahora soy de parda.
Pero yendo hacia el ámbito del vuelo,
moverme entre las brisas; ser el puerto de las aves,
la tabla del navío, y que los vasos
se colmen de mi cuerpo y de mi esencia.

Si no espero ser la flor, abrir en fruto,
tener entre mis manos cielo y suelo,
vibrar columna entre los dos...
¡Tú, Dios; Tú que me hiciste, no me obligues
a ser una raíz dentro de tierra;
raíz, sólo raíz; raíz hincada!

SEGURIDAD

¿Que no va a escucharme un ángel cuando yo grite?
¿Que no se abrirán sus coros al irrumpir mi llanto?
No espero que el silencio del otro lado siga
creciendo como sombras de vida ya sin sombra,
en tanto que los vuelos en pura indiferencia
componen sus arcángeles. ajenos a mi grito.

Si vivo es reteniendo la deslumbrada voz mía,
segura del momento en que no pueda callarme.
Y apartándolo todo, angustias, dolor y miedo,

gritaré, sí, arrebatadamente fuerte,
para que arriba oigan como aquí oigo yo.
Gritaré mis sollozos porque me lo quitaron todo:
mares y cordilleras, selvas rojas y negras;
cielos de nieve líquida y desdeñosos mármoles.
¡A mí, una emisaria de lo sagrado eterno!
¿Y van a estarse sordos los ángeles, entonces?
¿A no escuchar que sufro tormentos del engaño
que a mi vida le hicieron con mandarle vivir?
No. Oirán que grito, que clamo desolada.
Los ángeles me quieren, vinieron a mis noches:
trajéronme su música, sus alas y su soplo.

CEMENTERIO ROMÁNTICO

¡También yo soy la Vid!
¡También yo soy el vino rojo que abrasa!
Y los labios que se unen a los pechos, bebiéndoselos.
Y las lenguas que se juntan en lumbre de eternidad.
Sobre la tierra que olvida los secretos de los muertos,
¡qué fuerza es la mía de vivir!
De que dentro de mis brazos se quemen vítores,
chasquen gozos como relámpagos,
y un ser vivo se ría mientras me aprieta el alma.
¡Os conjuro a más silencio, olor de sombras!
Están marchitas las luces calientes
que bajo este mismo techo os mostraron,
fríos, secos, lívidos. Y luego en hueso
frágil. Husos de huesos helados
que los vivos recogieron para abonar sus lirios.
Las formas funerarias de los cuerpos
horadaron sus porciones de muralla.
¡Nada más éstas quedaron!
Ved este salón donde la música del llanto
resonara sin descanso tantos años.
Este salón con sus ausentes moradores
que sonríen desde lejos, contemplándonos.
Y esa llanura castellana, y esa sierra,
este redondo cielo de la cúpula...
¡Todo lo pueblo con mi vida, con mi voz!
Aquí yo soy la Uva.
Aquí, sobre este hielo, entre la seca
mortaja que es la tierra funeral del cementerio.
¡Tierra estéril, sin una flor posible;

con árbol que no sea cruz de piedra,
con ramas que no sean arcos trizados!
Inmenso osario vacío.
Palacio con techumbre de tormentas.
Ciudad que lo fuiste de enlutados
transeúntes armoniosos de suspiros.
Vinimos a sentir vuestras fragancias
de viejas clorofilas, de inscripciones.
Todo es nicho, todo es tumba, todo es cifra...
Hay reposo de altar donde piafaban
los corceles de ébano del Duelo.
Toco el sembrado de cabezas que trajeron
deshechos sus arcángeles.
La tierra me entrega las miradas
de los ojos que doblaron su volumen.
Hablan en mis dedos antepasadas bocas.
Viejos pies se incorporan a mis pasos,
y un furor de ternuras me acomete:
¡Hazlo tú, vívelo tú, grítalo a todos;
somos tú y eres, nosotros: canta!
¡Es mediodía de primavera y sigue galopándonos la muerte
por la frente, y por la espalda, y por los ojos!
¡La muerte que señoreó tus edificios,
la muerte para quien tú fuiste levantado!
¡Es mediodía de primavera, aquí, en tus ruinas,
y yo soy la que canto!
¡Yo, la que será tu vino,
la que será tu pan, la que comerás mañana
poniéndole una rama de gusanos
en donde brota su vida como un hijo!
Yo os empujo, olor de sombras, al silencio.
Ahora que estoy viva, y que hablo por vosotras.
¡Soy yo quien manda!

MADRE

I. RECUPERADA

Sí. Eres el hueso de mi madre,
pero tu voz ya no es su voz tampoco.
La memoria de ella te rodea...
¡Su joven estatura, su alegría,
aquel ímpetu que me dio la vida!
Su palabra fue marcando mi camino.

Y aquella voz tan alta y vibradora
llega muerta dentro de tu voz.

¿Y tus cabellos...; dónde tus ojos?
¿Dónde el brillo de la luz que me alumbrara?
Están secos como frutos sin estío.
No los veo ni me guían ya tus ojos.

¿Estos son los pechos que yo tuve
en mis labios sin la voz con que los nombro?
¿Es el cuerpo que me hizo, esta traza
de carne ya dormida...?
¡Pesas poco, madre!
En mis duras piernas yo te mezo,
en mis brazos te recuesto como a hija.
Te responden maternales
las entrañas que me diste.

¡Cuánto dueles! Cual un parto
me desgarra tu vejez inesperada.
A tu lado hay una sombra de mi sangre...
El amor con que me hicisteis
aún resuena en mis arterias.

Fue tu tronco el más caliente a mi contacto.
Siempre anduve yo cubierta con tu apoyo.
La conciencia, la lealtad, la fortaleza
ante la vida son las tuyas.
¡Y ahora vienes como un niño ante mis ojos:
no sonríes ni esperas nada!

II. APAGADA

Los senos flotan cual hojas secas en el agua.
Senos arrugados, vergonzantes, casi huidizos...
¡Oh senos de las madres viejas,
ayer henchidos de vida, rezumándonos
la vida blanca, espesa y dulce, de la leche!

Con besos los cerraban nuestros padres.
Con suspiros velaron cuando novios
los pequeños volcanes de los senos.
Grandes flores tersas, bienolientes,
emergían en las nupcias, con su cándido
iniciarse en el amor.

Son palomas, les dijeron. Estos senos son palomas.
Las manos se ahuecaban por su espuma,
desnudándolos...
Y debajo del amor estaba el hijo:
otra boca que prendía su contacto vacilante
a los picos, a las alas de los senos.

III. MI LLAMA

¿Es que sabe mi madre de dónde trajo mi vida?
Se encontró conmigo un día como con una tormenta.
No sabría tampoco qué hay que hacer con el rayo.
Ni si a la lluvia frenética es posible oponerle
una orilla inflamada de llamas.

He buscado en torno mío hasta saberme sola.
Antes de mí, en mi raza, no conozco a otros seres.
¿Quiénes fueron los míos, dentro ya de mi sangre?
¿A qué otros mi cuerpo, a qué otros mi alma
continúa en la tierra?

Si se lo dijera a ella no sabría contestarme.
Tan ajena es mi lengua como le son mis ojos.
Madre, ¿sabes tú por ventura
por qué soy así yo, de quién es la nostalgia
de tantos paraísos?

La poblaría el silencio buscándole en su entraña
la raíz de las mías, y el hontanar violento
que manó mi corriente como un corcel de espuma.
Entonces se podría escuchar la distancia
que entre nosotras hay, siendo ella mi origen.

Una madre es la cueva de donde arranca el río.
Una madre es la tierra. por donde corre el agua.
Pero el río..., ¡va tan lejos a buscarse océanos!
Y la tierra: en lo hondo, silenciosa, ignorante,
encima de otra tierra que también desconoce.

EN SOLEDAD

Todas las almas juntas. Grueso tronco de almas.
¡Otro mundo, Señor, aunque no lo imagino!

Déjanos, sí, las aves; no nos quites las fuentes,
pero llévate lejos lo que sabes maldito.
Déjanos las acacias y los robles desnudos
que aventarían almendros si los vieran con hielo.
No nos dejes aquello que los sueños golpea
y que punza los senos, que desgaja la sangre.
Llévate mis angustias, éntrame Tú en el tiempo
de yacer sonriente con el mirto en las sienes.
Yo no quiero laurel, porque no soy de piedra.
Dame flores tan blandas, tan de olor, que la brisa
no sepa dónde mora mi cuerpo, entre tierras
que brotan alhelíes, o jacintos, o nardos.

Una tumba descalza, con la cruz y los versos.
Y debajo mi nombre, rodeándome entera,
para seguir contigo laborando en semillas.
¡Mucho pesan las nubes cuando no se las canta!
Y más pesan los ríos si negamos los ojos
a su crecer de márgenes, a su correr al mar.
Estar quieta sería escuchártelo todo,
oír las oleadas que a mis huesos sacudan
por si recuerdan algo que encima está despierto.
Y avanzaremos juntas, las raíces conmigo,
por entre más raíces sin tronco junto al cielo...
¡Llévate mis deseos, déjame tersa y honda
en tu mitad profunda sin vientos y sin lluvias!

¿Te veré por las noches, cuando todas las llamas
de los cuerpos podridos en torno a mi desvelo
comiencen sus hogueras de transparente alzado?

¿Te sentiré decirme qué quisiste al hacerme
y cuánto que esperabas de mí, yo no cumplí?
¿Querrás amarme entonces? ¿Qué harás cuando ya sea
esa criatura inmóvil, que, viva, te requiere?

Los secretos prefieres. Nunca Tú me revelas
adónde van mi llanto, mi suspiro, mi queja...
Me tienes con mis sombras, con lo que no se acaba,
y te vas por tus prados oliendo lunas puras
que por Ti florecieron su verano de gloria.
Te busco y es en mí donde mejor te encuentro
metiéndome los ojos en los ojos del alma.
¡Qué solos nos hallamos mi cuerpo y mi albedrío
delante de la tierra que espera tu mandato!

Aun la brisa ligera... Pero ¿qué es una brisa?
¿Qué vigilan los bosques que se aúpan continuos
mientras las dulces flores se deshojan calladas?
Si yo fuera tu mar... ¿Y qué colma a tu mar,
si nunca se extasía debajo de los astros
y está, perenne, ardiendo veloces tempestades?
¡Una colina trémula, toda una cordillera!
¡Déjame que te vuele por encima de montes,
y me salga del éter y te caiga en la túnica,
para ver si me hablas, me revelas qué parte
de lo que vas creando forma un todo mi vida!

UMBRAL DEL SUEÑO

Temblorosa de músicas, ésta es la pasión.
Moviéndome la sangre un ensueño sonoro
mientras los tristes ojos lograban que la luz
les revelara hombres con la gloria vestidos.
Yo os convoco, juventudes intactas.
Yo quisiera mis brazos crecidos, tan grandes
que os abarcara míos, música, luz, espacio.
Míos todos: los muchachos, las niñas, el agua...
Mío el hombre que se ríe del mundo
cavándose la tumba en el cuerpo que sufre.
Seré vuestra tierra, la que pisáis riendo.
Y seré la mar negra que se lleva navíos
con marineros locos que derraman la muerte.
¡Pero una amante inmensa, rezumándoos vida,
ésa sería yo si quisierais oírme!
Arrebataros quiero, llevaros con mi espíritu,
porque los huesos silban las más puras sonatas
cuando los labios beben soplo de amor en ellos.

PRESENTIMIENTO

Remotas claridades no visibles
para mis ojos de esta vida huéspedes.
Sombras que abrirán sus nieblas duras
en tardes con futuro, tiempo ajeno.
¡Largo presentir de un orto arbóreo
que quiso mi raíz para raíces!
Soy lumbre sin verdor, agua sin brisa.

Un cuerpo sin su ser. Soy un lamento.
Atiendo nuevas voces, otra música
delante del mañana clamoroso
que brota al fin del Duelo, de la triste
presencia de saber que esto se acaba.
Entonces yo me siento del pasado
y busca mi dolor nombrar aquello
que en lucha de demonios Dios arranca
del caos de criaturas. Que me espera
allá siempre de mí, fuera del mundo.
¡Dichosa enunciación, oh don celeste,
saber que el hoy termina, que me muero!

INFALIBLE

Todo volverá a nacer.
Un día viene, despacio para mí,
pero seguro para él. Las cosas
recobrarán su vieja fisonomía, o tomarán la nueva.
Yo nada sé. Intuyo. Envejezco y me voy cansada
de tanta pólvora sobre mi muerte.

Muchas semillas quedan.
Y hay la tierra inmensa
llena de abono propicio... Hombres de humus,
mujeres en barbecho, lagunas de niños,
que ofrecen germinar con abundancia.
Sí. Lo sé. El mundo sigue.
No acaba conmigo la Vida.

Mas *esta vida mía,* sí: yo me la llevo.
Cordón umbilical mi cuello aprieta
para asfixiarme, y lo consigue.
Es que no sirvo para seguir el mundo.
¡Paridlo vosotros los no estrenados por inquietudes,
y acuñadlo fuerte, que no quepa una lágrima en su estructura!

¡Yo me resquebrajo de nostalgia de cosas que no vi...,
de seres que no amé, de ojos que no hallé sobre mis ojos!
Y de cielos que miré alucinada,
de mares que embridaron mi ansiedad
tomándome este cuerpo que abandono ahora,
como una casa más, sin luz ni fuego.

IDENTIFICACIÓN

Mis ojos no te buscan sobre la tierra inmensa:
eres tú mis ojos dilatándose.
Mis ojos te contienen; si lloras tú por ellos
soy yo que te libero de mí para que llores.

¡Cuán tú soy yo conmigo, amor que me enajenas!
¡Qué mío tu vivir y qué mía tu muerte
viniéndote de mí, muriéndome contigo!

La trama del latir en cuerpo que no es tuyo
ni mío solamente: un cuerpo de dos seres
que funden la unidad de dos que ya son uno.

ARREBATO

Y si es a Ti a quien busco,
¿por qué no te me ofreces de un sorbo?
¿Por qué de un solo canto no cae tu voz en mí?
¿Por qué no me desborda tu empuje de océano
y toda te reboso cual cauce a un fiero río
que sale de su madre, y baña las orillas,
se lleva las raíces, las aves y los vientos?

Que si eres Tú mi forma, si vas a ser mi sino,
¿qué tiempo este que pierdo en no ser toda tuya?
¿Acaso mi alegría, mi pena o mi desvelo
serían menos tuyos si Tú los recogieras,
si en Ti se rebujaran, si a Ti se te doblaran
cual frutos de tu tierra que piden que los comas
para alcanzarte a Ti?

¡Ah lejos de los lejos, criatura que no veo!
¡De cuántas sacudidas me puebla desearte!
Quisiera conocerte, oír tu voz violenta,
Oler tu áspero cuerpo de fuerza en arrebato.
Poder saber que voy a un día y hacia un tiempo.
Dormirme a Ti doblada, sentirte aquí en mi oído...
Que ya la sangre ahoga de tanto presentirte,
de tanto imaginarte, de ir en busca tuya.
Y si eres Tú mi fin, te pido que me llames
con una voz, la tuya, que sea voz del cielo.
Y, ¡Carmen!, si me llamas, será toda una brasa
que funda tu palabra hasta quedarse muerta.

MI FIN EN EL VIENTO

1947

Carmen Conde y
Antonio Oliver, en el
Faro de San Pedro,
Cartagena,
agosto de 1927.

¡Como el viento,
yo tengo mi fin en el viento!

LANZA DEL VASTO

I

LLUVIA EN MAYO

¡Cuán hermosa tú, la desvelada!
Te lleva y te moldea dulce viento
encima de jardines y de estatuas.
Tu cuerpo es el de Venus en la orilla
eternamente mar dentro del alba.

Acude siempre a mí, séme propicia.
La fiesta de las hojas en sus ramas
te rinden los esbeltos soñadores
que en movibles racimos se levantan.

No tengo ni una flor... Sólo mi tronco
aloja por frutal una campana.
Lluvia que contemplo, melancólica:
no crezcas para mí. Vivo inundada.

PRIMAVERA EN LA MONCLOA

Perdonad, las amapolas,
venas cortadas del campo
por mis manos presurosas... Presencias
de corazones quebrados
en esta tierra de todos y de nadie.

231

¡Oh campanas
de frágiles, huidizos pétalos,
vosotras las amapolas,
tan rojas y tan señoras
bajo el cielo de Castilla,
entre amarillos los prados
de colinas arrasadas
por la furia de los hombres!
Ya me veis pasar, sentís
mis dedos en vuestros tallos.
Vamos a sangrar hoy juntas:
sobre mis pechos vosotras,
y yo, despierta y soñando
con un campo que no tenga
ni un solo hombre enterrado.

DESIERTO SAJARA

Sí. Yo tuve un mar sobre mi arena.
Un mar grande sin límites, compacto.
La tierra de oro que abrasa soledades
estuvo henchida augusta del mar que ya no soy.

Picaban gaviotas mi cuerpo remeciente,
movíanse las naves arriba de mis olas.
Pues yo era el mar que hervía sobre la arena rubia,
la arena saturada que hoy clama por su agua.

¡Oh el mar aquí fantasma, el mar que finge el viento,
desmelenando dunas, al aventar mi arena!
¡Ay mar del agua espesa, la que corpórea y dura
ansían caminantes de mi desierto blando!

¿Qué arcángeles de fuego evaporar pudieron
tanto mar que hube, llevándolo a un abismo?
Es mi arena abrasada la más sedienta boca
que clama por un agua que le bebieron dioses.

Los hombres me caminan, soñándome poblado
de aquel mar que fue mío, el mar sobre el desierto.
Yo les mullo mi carne, les recibe mi arena
y se quejan de sed junto a mi sed sin huelgo.
¡Ay mar de mi génesis, el mar que me escurrieron
a una zanja de llamas: cuánto pesa la arena!

TRES POEMAS AL MAR CANTÁBRICO

VENTANA AL MAR

Tengo aquí delante al amor mío,
el mar, fragancia eterna, altivo verde
de hermosas avenidas intallables.
¡La luz que lo neblina, oh luz primera
delgada de veleros y de torres!
Pues torres son los barcos que lo hienden,
y es basa de columnas ese cabo,
el último latir de tanta tierra.

REITERACIÓN

Ventana frente a ti, creación del mundo;
mareas que dilatan mis entrañas.
La turba de la espuma se conduele
de amor junto a mi amor sin su criatura.

Resuéname la noche, aurora grande
de olores sin cortar nunca del ramo.
Derrámate tú, mar, sobre mis ojos
y llévate mi sed: déjame libre.

OBSESIÓN

¡Ardor verde del mar, ardiente selva
de alegres oleajes incansables!
Tierra entresoñada la ribera
con humo, delirando un horizonte
que huye; fugitivo corzo siena
resbala y su naufragio nadie advierte.
Te miro toda yo: cuerpo y espíritu;
los ojos y la piel, vida por vida.

TORO EN GUADARRAMA

Al poeta Miguel Hernández Giner,
desde la vida donde fuimos amigos.

Porque tú eres lo que comes, pisas, ves ante ti,
y también el viento que te enrosca collares de bramidos.
Una yerba gigante, un arroyo entre guijas,
y la montaña áspera que a Tablada la asienta.
Mollares se hunden donde te clavas, las tierras;
y deliran por tus anchos costados relucientes
cuando, tan macho para el fanático hombre ligero,
te tumbas entresoñando lo que te cruza las sangres.

No se interrumpe en ti la corriente o marea
que vahara los prados que por ti cobran brío.
Tu resuello potente, un tomillo de truenos,
estremece las tardes con futuro de músicas.
¡Pena que se abran coloreados trapos
y enarbolen arpones de humillantes sangrías,
esas criaturas locas con ropillas de circo
que ante tu fuerza cósmica hacen gala de astucia!

Eres la simiente espesa que germinan los muertos.
Cuando la tierra brota de sí, tú te la llevas
sentada entre tus lomos, tierra hembra raptada
por energías sin freno, en deseos desbocados.
Ágil tu cuerpo oscuro, firmes tus remos tensos,
este bramido orgiástico bajo tus medias lunas...
¡Toro que has sido leche de una vaca bravía,
embiste a las estrellas, desgárranos la aurora!

No hay bestia más humilde que tú cerca del árbol;
brilla tu pelo en calma mientras la yerba muerdes,
y en los ojos que muerte de viles trazas cela
se reduce el paisaje que Dios hinche de gloria.
El sol se te deshace entre las horas plácidas,
ningún mal te visita hasta que el hombre quiere.
¡Oh, qué alardes de gracia, de valor y destreza
se quedan desusados al medirse contigo!

Lo que un toro tiene es la sangre del mundo,
un rebullir de sangre que amontona su pecho
y alborota campanas y le ciega los ojos
para rendirlo al hombre, su traidor consagrado.

Es la gloria mirarte cuando inocente pastas,
cómo buscas la hembra en mitad de los campos...
¡Qué clarines derramas sobre las ascuas puras
de tu celo salvaje, en arrancada densa!

Toro mejor que tierra, porque ya está en el toro.
Mejor que aquellos ebrios que a morir lo arrebatan.
¡Manadas de bramidos, lloved junto a la noche
y que los toros salten por libérrimas sierras!

ORQUESTA

Es el director de orquesta
quien ordena crecer y promueve
esta nueva creación:
las microscópicas flores
de los leves sonidos.

Al viento entrecortado de violines
los tallos más largos se mecen.
Luego viene la siega que es golpe
de calderones augustos.
Y la tormenta absoluta
del total orquestal. Y los truenos
con tímidos seres que nacen
de las flautas y oboes,
arraigándose en trompas...

¡Cuánto vuelo de aves caudales y chicas
son los brazos del hombre!
Y el atender siempre a todos
los instrumentos en sus querellas,
por reunirlos en cantos vehementes.
El ir deteniendo un sonido que avanza
con suave mensaje,
hincándole sitio entre aquellos
que su aire consumen.

¡Oh la entrada que el mago autoriza,
del oboe!
Precede a la voz juvenil y valiosa
de algún clarinete,
para al fin señorearse del mundo

germinado en violines
cuando aquél, con platillos, desata
la flor ascensiva y ruidosa
de su golpe alocado.

Paso de las oraciones que allegan
la angustia de danzas que quieren
rasgar tumultuosos latidos.

Hay que volver al primitivo tamaño
estas flores que tanto crecieron,
asfixiándonos ya,
bajo un acento triunfante que avanza
por su propio derecho.
¡Dejadles una orgía, entre salmos
sin David que los cante!
(¡Oh la flor obstinada que surge
del rincón de platillos briosos!)

Forja veloz de purísimas flores,
bandadas de cuántos violines
ya transidos de flautas.
Se liberan, celestes, las cuerdas
—embriagadas mujeres—
que el músico, ciego,
precipita a la mar.
¡Cómo las ve desde la orilla
con viento sollozante de violas,
otra vez ensimismadas
por su propia violencia!

Henos ante su leyenda:
¿qué le cuentan al mago
que no sepa ya?
Rechaza la voz, sin cortarla
de sus dedos agudos...
Ahora acuden los ríos a juntarse;
¡un solo de ríos sobre flores!
¿Eres tú, eres tú; quién fue; quién va a ser?...
Sin que nadie interrumpa, decídmelo.

Y lo cuentan todos, y cada uno
con su voz resonora: ¡yo, yo, yo, soy yo!
Es que hicimos el mundo contigo;
¡sí, el mundo! Caminemos por él.

Así: todos. Es nuestro.
(¡Qué soberbia vegetación, qué edificios,
qué planicies...; y oscura, la noche en el fondo!)

Aves otra vez. Esfuerzos de abrir en la danza.
Rituales del vuelo.
Es un mundo de aves y de hojas
vegetando con voz y alas tibias.
Hay que sacar las raíces al aire.
Brama el sostenido murmullo
de resistirse a brotar,
cuando llegan, al fin, los mandatos.

Jubilares se vuelcan
campanillas gloriosas.
¡Cómo crecen las manos y brazos,
y en volúmenes caen
del director a su nueva criatura!
Es camino de luz.
Es el trueno.

Oyendo la *Sinfonía núm. 1* de Mahler.

CORAL

Un clarísimo bosque.
Largos álamos frescos.
Y unos chopos alegres que izaban
sus melódicos pájaros leves.
¡Qué sonar de las hojas, los cantos
de las aguas que buscan su orilla!
Oleadas salobres,
montaraces las brisas y agrestes
los ropajes del viento domado.
Los rebaños se agitan en cumbres,
los caminos retumban de carros,
y los mozos alargan la aurora
con memoria de amor
y requiebro de luz cuando cantan.

Multitudes feraces
con impulso genial precipitan
por los chorros de voz
su violencia...

¡Esa tiple que escapa, ligera
de la masa coral, lleva un lirio
que le asoma a la boca su cáliz!
Y el caliente,
el tremendo violón de los bajos
pone gruesa de luz la tonada.

¡Se persiguen tenores y nubes
en el circo solar de una fuga!
Es color, es latir,
es jadeo de luz este coro.
La techumbre perfora,
en la noche se clava...
¡Es tu espada, Miguel, que sujeta
en la sombra perenne al Maligno!

¡Oh silencio copioso de Dios!
¡Magna selva, silencio, batida
por arcángeles lúcidos, fieros,
y por aves de voz: por muchachas!

Este coro es mortal, y se eleva
abrasando confines de tiempo.
¡Me devoran liturgias,
me trizan
esas pausas que abocan al cielo!
Hay un solo,
y un acorde...
Una escala desciende y arrastra
claros vientos a ser huracanes.

¡Canta tú, marinero!
¡Huele tú, la montaña!
¡Evohé los ganados, balad!
¡Que tambores y pitos desgarren
firme piel del silencio!
No se puede escuchar sin sufrir
la pasión de la voz que transpira.

¡Dulce Coro!
De la brisa nos vistas, y danos
un ensueño por cada voz tuya.
Que el olor de tu mar y tu vega,
el arranque vital,
la alegría de ti,

esta fuerza de Dios que es tu boca,
nos ampare,
>   bendiga,
>   proteja.

EN UNA PLAZA DE COMPOSTELA

Han pasado unos hombres sobre la tierra dura.
Resonaron las calles con su pisar monótono.
Uno solo de ellos, el de los ojos blancos,
se ha dormido en la piedra..., se ha quedado hecho estatua.

Porque hay hombres así: cuyo origen de mármol
no descansa hasta hallar su matriz primitiva.
Son los héroes antiguos, son acaso los santos
que en madera no caben porque llevan el fuego.

El más joven quedó con la mano extendida;
a sus pies desplegaron una fuente de crines.
En la noche desierta, mientras funden las horas
su sonar de campanas, el erguido medita.

¿Fue guerrero, fue santo? Junto a él, peregrina,
yo deslizo mis fuentes de soñar... Y la plaza
con tritones de algas me contesta en quietud...
¡Qué doncel para amar en la noche de siglos!

II

DESTIERRO

No rasgan el cielo aves.
No es tiempo de luz ni de noche...
Ando por mi sombra lenta
que no me lleva ni llevo.

Nadie me puede cortar
de mi propia desventura.
Todos me sienten y algunos
hasta me quieren. Lo veo
en mi corazón, cautivos
los dos del día implacable.

Hay quien quisiera ofrecernos
al cielo y a mí la lumbre
de una alegría robusta.
Pero las manos que dan
nunca disponen de toda
la felicidad precisa
para morir sonriente.
—Sí; bien sé cuán dulce tú,
mi roble con hojas tiernas,
me entregarías la calma
que necesito, el silencio;
y ese dejarme vagando
por una libertad suave...
Mas las tenazas nocturnas
acechan mi sueño, giran
para cogerme viscosas.
No tengo yo ni el olvido
de dormir.

        No tengo casa.

SÚPLICA

Porque es la misma tierra.
La única desde el principio.
Todos fueron pasando por ella,
yéndosele, viniendo...
Tierra misma de sí,
inalterable.

La conozco también. Y no la quiero
sintiéndola dormir en sus dolores;
o viéndola despierta, loca odiosa,
haciéndonos sufrir sin comprenderla.

Entonces yo levanto mis aullidos,
y clama mi razón por no perderse.
Soy fiera de la tierra, soy su hija,
mas nunca fui del todo su criatura.

Los ojos se me escapan.
Buscan cielo con luz,
piden historia.
Mancebos fugitivos y con alas,
hombres como aves muy hermosas

sonríen a mis ojos,
los invitan.
¡Vosotros los arcángeles, oídme;
os sigo y reverencio; traspasada
soy tierra que os prolonga!
Sed el cielo,
y unidos descended para llevarme.

LIMITACIÓN

Ni pájaros ni tormentas.
El cielo es cielo que sube
hasta ser más cielo todo...

Quizá, Señor, si Tú quieres,
podrá mi alma volcarse
en lagos de sangre ajena
fertilizándola noble...

¿Por qué me tienes tan tuya
que no puedo serte infiel,
y me encierras en mi cuerpo
negándome diligencia
para acudir a lo humano?

—¡Oh mi tristeza de tierra
que no puede superarse!

ACTITUD

El que espere y sonría, ése verá la luz.
Para ver y vivir cuanto ya no tenemos,
hay que hacerse de piedra en los días presentes
y pesar sobre cuerpos que, si blandos, oscuros.

Alguien forja una lumbre. Apretando las llamas,
derramará el incendio en la noche que viene...
Hay que abrirse las almas, que esclarecer los ojos,
para que miren ellos, aunque la sangre muera.

Este gritar de ahora, el incesante crimen
del silencio y su aurora acabarán rotundos.

Habrá selvas calladas, oscuridades buenas,
y el dormirse abrirá como flor en el agua.

¡Que los fuertes esperen, que los claros resistan!
¡Que en gemir los ardientes no consuman su ansia!
¡Que la brisa no falte sobre las frentes nobles
de los que pueden ver y escuchar el futuro!

Toda gente dolida de presentir se muere.
Ser sensible es un lastre, intuir un tormento.
Es llegado el no saber más: que la noche
dure siempre muy honda: hasta que venga el día.

NOSTALGIA

¡Ay, cuando un verso mío lo contenía todo, y era
un solo verso mío mi sangre derramada!
Estaban los caminos cubiertos de camino;
el cielo cambiaba de luz, sin ser el cielo
este puño cerrado del que brotan las nubes
desatándose en rayos a lluvias que no empiezan.

¡Ay, cuando mis deseos tenían una forma,
y esa forma tan sola llevaba por el mundo!
Cantaban los jardines, presentes y evocados;
las flores me colmaban abriéndome en olor,
y el sueño que nacía desde mi pecho joven
tenía el cuerpo alegre que tiene una promesa.

¿Qué hacemos esta tarde enfrente de la ausencia?
¿A quiénes esperamos para poder morir?

MISTERIO

Se alargaron las manos, haciéndose vastísimas;
unas manos del mundo acariciando nubes.
Y entre ellas cupieron, como ríos, los cielos,
y de ellas salieron, como gritos, montañas.

De todas las criaturas se fueron desnudando.
No dejaron la piel de las frutas; ni el agua
en sus lechos de hierba que se fue sin raíces...
Unas manos con hambre son dos bocas voraces,
unas bocas que comen corazón del deseo.

Unas manos, aquéllas, se sorbieron la vida
y desiertos el mundo y sus nubes quedaron.
Como pájaros chicos mis pupilas veían
que las manos, sus manos, se lo tragaban todo...

¡Qué alegría saberse una piedra, de azogue,
una charca sin fondo, un aliento perdido!
¡Y que ellas siguieran, sin hartura, malditas
de quererse salvar, por amor, en el hambre!

EL ENVIADO

Nada tan altivo como el corazón del ángel
cuando va, mensajero, por nosotros.
Su orden deja libres desiertos detrás suyo,
su paso arrasa verdes que navegaban cálidos.

Un ángel no consuela si no se le ha mandado.
La brisa que producen sus pasos por el aire
es una brisa ausente de haber brotado tierna.
El ángel va de paso: una casa, una aldea,
un montón de criaturas, otro pez, un incendio.

¡Y los que le sentimos pisándonos la espalda
no tenemos del ángel ni sonrisa ni luz!
El corazón altivo se ajusta a su mensaje
y todo queda fuera, en mineral presencia.
¿Quién le ha visto volando, o nadador del río,
y gritó: «¡Es el ángel!», sin advertir su oro
que le engasta las alas en imposibles joyas?

Yo le vi y le paré, porque el ángel forzado
transformaría su frío en cólera muy blanca.
Y entonces mi abandono, mi desvalido cuerpo,
se quemarían en ángel, con mensaje o sin él.

III

EL PESAR DE LA CRIATURA

Vosotros los hincados ya a la tierra,
con voces desflecadas en los sauces

y manos retorcidas en olivos
que a gotas microscópicas os hilan,
padres de esta vida que se curva
buscándoos sin hallaros, como os tuvo
la tierra que nutría con fabulosa,
de próvida, semilla incandescente.

Vosotros que fui yo, y que soy eco
que os clava como clavo a otros que avanzan:
¿sentís que vuelvo a ser joven y dura
encima del telar donde os prolongan?
¿O estáis ya sin conciencia vegetal,
después de la sangría de la muerte?

Tiráis de tantos pasos como doy,
desgarro mis vestidos arrancándome
de hirsutas sujeciones ardorosas,
a costa de mi andar hacia lo eterno.
¡Ay padres encerrados en la nada,
dejadme en libertad, dejadme sola!

Y sola, sin memoria, yo me iría
fundándome otro reino, nueva historia.
Es plomo el recordaros, conteneros;
pesáis como los montes minerales;
tan muertos vais en mí, vivo yo tanto
que os llevo por la vida como a hierros.

¿Qué órdenes cumplís al acosarme;
por qué la luz que dais me ilumina;
qué arcángel me taró con vuestra ansia
sumándola a mi anhelo irrebatible?
¿Qué amor que no cumplisteis yo amo,
por todas y por todos los amantes?

¡Quisiera verme libre del pasado
que no viví, y hasta del mío quiero!
Moríos ya del todo, padres muertos,
que en árboles, en agua, perseguís
mi cuerpo y mis ensueños, siempre atados
a rostros sin besar por besos míos.

Arando sobre campos van las nubes,
sembrando con su imagen nuevas fuentes.
Los vientos que enarbolan sus aullidos
os cubren de verdor, muertos voraces.

Dejadme caminante, sin memoria;
cubrid mi pie de brisas, no mi frente.

¡Oh largo reposar el que yo os diera,
cantando vuestra paz, libre ya vuestra!
¿Qué juego con mi alma vais jugando
debajo de raíces y de templos?
¡Ay, libre del horror de seros hija,
os amo si me dais paz en la tierra!

Tú solo, padre uno, el más reciente,
quisiera junto a mí: dame tu sombra.
Tu voz aún la recuerdan mis oídos,
tu mano me calienta aún las mías.
Si digo «Padre mío», me respondes
como «Luis» y no como la especie.

Los otros, los aquéllos, ¿qué me dicen
que yo quiera entender? ¡Callen y sigan
brotándole al ciprés, enebro y olmo!
Un roble sólo tú, padre que hizo
posible mi canción de yedra firme
en torno de la sed de una manzana.

GRACIA

Van a cantar las aves. Lo siento en mis costados.
Porque me tiemblan alas que nunca vi crecer.
Y súbitos los árboles sacuden sus mensajes
para que yo los coja y lleve por el viento.

Van a brotar más fuertes. Escucho que la tierra
desliza por mis plantas sus tibias humedades;
y un arroyo no nace si una mujer no quiere
que le ciña las piernas con su lienzo delgado.

Sé que vienen jardines. Sé que brincan corceles.
Aprender todo eso me ha costado la vida.
Y os la dejo en el mármol, por si alguno la hallara
y quisiera saber cómo se olvida tanto.

ÉXTASIS

¡Arder, arder!
En fuego limpio de orillas con ceniza,

quemadura del mundo, sin que una mano
aventara un hilo de polvo oscuramente turbio.
Arder en blanco país de pureza, en domada
pasión de fuego clarísimo.
Llamas en bandadas de lenguas ávidas de cosas
que se funden al sorberlas...
Sí; llamas de bocas frías
y ardientes, devastadoras.
¡Arder, arder, arder, oh mi único ardor!
Nunca impura.

Eso ya fue. Pasó de mí. Lo he vencido.
Serenísima mi sangre, toda mía y sumisa;
mi cuerpo ya no es rito. Mi alma, de Dios.

¡Oh mi alma,
desligada de este pozo de mi cuerpo!
Sin oleajes ni furias, sin aquellas
feroces embestidas a la muerte.
Sigo fuego tuyo, vida; fuego tuyo y sacro
fuego del Señor en hierbas finas y resecas,
desgarrando tejidos de la jugosa
materia que es el mundo que sí arde.

Limpia para mí, que es ser más tuya
la criatura que voy siendo: redimida
con toda mi pasión tallada a golpes
que no acuñan, que resbalan: son de humo.

¡Arderte a Ti; ardernos, oh mi amor hallado
dentro del gran fuego que es mi cuenco frío!

SOLEDAD

Así cual yo de sola nunca hubo
mujer en soledad sobre sí misma.
Gigante de arrebatos y de amores
y sola, solitaria yo conmigo.
Absorta o discurriendo acompañada
consumo soledades a mareas.
Siempre quedan otras, las atroces,
bramando por saltar conmigo alturas
desiertas y en olor salvaje eterno.

La sola que soy yo dentro me turba,
arrasa mi razón y me condena
llevándome transida por el mundo.
En vano dicen verbos a mi oído
o cantan plañideras oraciones...
Si augusto es el silencio que se aísla,
a él yo me encamino sin descanso.

CANTO FUNERAL POR MI ÉPOCA

A Vicente Aleixandre.

Yo misma reclamando a los arcángeles,
¿qué soy más que una voz descompasada?
La tierra suma tierras sin raíces,
oscuros vendavales de tormentas...
Los cuerpos van sin alma, son tan sólo
los pozos del instinto desatado.
¡Qué triste mi yantar de pan sombrío,
mi oscuro acontecer por el trascielo!
Ni lloro ni sonrío; que la risa,
el llanto, son de vivos, y no soy
ni viva ni tan muerta que no sepa
que me puedo morir dentro de poco.

Hablar de lo celeste imaginado.
Latir los estertores de la dicha.
Sentirme delirar, acongojada
por tanto goce limpio en el amor.
¿Acaso todo ello no es posible,
temiendo, como temo, que la vida
se acabe para mí sin prolongarla
en vida de la eterna persistencia?
¡Oh carnes de dolor, hombres funestos;
mujeres de placer, viejos sin lumbre;
criaturas del descuido irresponsable!
Penando por vosotros yo arrebato
mis pulsos en amarga calentura.

A nadie importa nadie. Que asesinos
de otros que serían matadores
componen la corteza de la tierra.
Delatan lenguas frías sus venganzas,
y un pueblo universal ulula odios
encima de la sangre derramada.

¿Qué puedo yo crear; quién hace lirios,
de no ser Dios potente, de este cieno?
¿Quién puede remediar mi incertidumbre,
de no ser Dios eterno, en esta charca?

¡Soñar mis sueños yo, aquellos sueños
de esbeltos palmerales levantinos;
beber brisas salobres, yo, sedienta,
oyendo sollozar por los alcores!

¡Mis años de ilusión, mi fuerza ardiente
librada de mi cuerpo dominado;
mis sueños del amor que nunca llega
colmando aquel soñar de tanto espíritu!

¿Qué hacemos ahora aquí, quién nos requiere
si no es para colmar nuestro fracaso?
¡Oh tristes del llorar, sumad mi queja
al negro de la noche sin orillas!

Muy largo es el dormir sin esperanzas.
Muy largo y muy profundo, despertarse.
Y busco entre vosotros, los ajenos,
la calma de inefables beatitudes.
—Hay hombres que no quieren ser el eco
de tales resonancias dolorosas.
Mujeres sin dolor, cuerpos de sexo
que empapan su animal perseverancia—.
¿Quién dijo que la voz del que clamara
podría desnudar indiferencias?
¡Que clama mi dolor por los que sufren,
y estoy sola en amor por cuantos lloran!

¡Decir mis sueños yo, la más doliente
que puso en este mundo sus pisadas!
Contaros que en el sueño de mis ojos
anidan las augustas majestades
de almas sin temblor, sin una sombra,
cubiertas por la flor de mis canciones!
Dormir y no saber; dormirme toda
y nunca despertar de mi distancia...
¿Qué puedo yo ofrecer, qué luna dulce
habría de alumbrar por mis palabras?
Volvedme a mis fronteras, nieblas frías;
volvedme a mi no ser; al gran seguro.

Están sin luz las sendas; los atajos
bañándose en la sangre derrochada.
En dientes sin blancor gimen pedazos
de carnes en agraz. Balan su ira
los castos y en temor, que nada impiden.
Transcurre todo así; bilis y sangre
debajo de los puentes lujuriosos.
Codicias y ruindad, grandes altezas
imperan bien aquí, donde yo clamo.
¡Abridme como res que todos matan,
sacad mi sangre entera, destruidme,
que quiero deshacerme entre vosotros!

—¿Soñar mis sueños ya..., decir mis sueños
en este mismo idioma de lamento?
¡No voz del mundo y mía; voz humana
que entiendan y desprecien los humanos!
Celeste y misterioso oído mío,
augusta majestad que me responde:
¿en qué pozo de luz, en qué caverna
de minas sin hollar puedo decirte
la enorme angustia mía, mi ternura,
inútiles las dos? ¡Cómo las siento
secándome la fe de mi destino!

CONFORMIDAD

¡Cuánto, Señor, te debo por todos los momentos
en que pudiste hacerme sufrir y no lo hiciste!
Las horas del dolor suman tiempos tan lentos
que más que por la edad se envejece por triste.

SEA LA LUZ

1947

CARMEN CONDE

SEA LA LUZ

4

COLECCION "MENSAJES"

MADRID, 1947

Cubierta de la primera edición.

CANTO PRIMERO

I

Es mía y no mía la muerte.
Es la muerte de los que nacieron conmigo
y cansados de ver morir o de matar,
van muriéndose en cuerpos que se resisten
a dejar de ser vivos.
La muerte va dentro, sin espasmos funerales,
grandiosa a fuerza de copiosidad.
Se fue quedando la risa triste
en sus fanales de labios...
El bosque de los que no resistieron morir,
pulula en torno mío.
¡Es un bosque que canta en cien leguas
sus salmos de eternidad!
Me he dormido en el umbral de la luz y no hallo
más sombra que mi adhesión a la Sombra.

¡Nadie puede levantar a los muertos!
¡Con tal velocidad se deshacen!
Un muerto es un charco muy pronto:
un pequeño y odioso charco oscuro,
que no recuerda a nada vivo...
No se comprende, viéndole,
que los pies hayan sido otra cosa
que hueso con líquido miserable escondido,
capaz de llevar a los otros charcos a lugares
donde la oquedad del cráneo se llenara
de lúgubres resonancias.

253

¿Qué vino reconocería su siembra
en el vino mefítico que es un muerto
hecho este charco de ausencias?

II

Y así la rigidez
antes de licuarse toda la carne.

Una rigidez que ha derrotado
—seca, envidiosa y estéril—
la cálida libertad del cuerpo:
su olorosa agilidad, su avidez del gozo...
Rigidez que desembocará en una
blanduzca fofedad pavorosa,
después de aprisionar, estrangulándolo,
el brío apasionado,
la caliente sensibilidad de miembros.
Una rigidez horrible clavando los brazos,
las piernas, en palos ariscos y odiosos.
Rigidez que no dura, pero sí lo bastante
para destrozar la tersura del cuerpo.

Cuando las pequeñas y delicadas membranas
que vibraron el latido de la sangre
se van quedando duras,
una red sutilísima de venas,
detenido su bullicioso riego,
forma estrías negras en el mármol del cuerpo.
El corazón pesa
porque es piedra inmensamente apretada,
sin ley posible de liberación.

Ese instante,
blando todavía el muerto,
en que la vida se evapora porque era alcohol,
y su llama la apaciguará el misterio,
la muerte no sabe
estar muy distante de la vida.

Es preciso que llegue, fría y viscosa,
la rigidez que no inmoviliza
a cabellos y uñas...
Y llega, ¡lo sabéis!

Llega segura y efímera,
poseyendo al que fue continente del movimiento.
Solamente eso.
Que el soplo, el gesto, el ir y volver del vivo,
no pueden endurecerse nunca.

III

Cuando hace mucho tiempo
que el muerto fue encerrado...
Ya no hay cohesión en sus miembros.
La cosa que se disgrega
no recuerda a la vida.
La vida es tan frágil
que constantemente está rechazando
las solideces qué pudieran aprisionarla.

El líquido sucio,
horrendo olor que nada nos evoca,
reemplaza a la rigidez.
¿Quién cree a los gusanos velludos,
transformación de un muerto?
Nacen de la putrefacción de su carne,
que ya no es él.
El muerto es algo con vida propia.
Va caminando en su esencia de muerto
hacia el lugar que le atrae
con su ley de gravedad
sobre invisibles pesos.
Cercado, enterrado, con flores encima,
el cuerpo deja de serlo, pues no le ve nadie
de aquellos que le conocieron.

Frío, tiesura, líquido, gusanos...
Tal es la noble historia que ininterrumpidamente
escribimos con plena y voluntaria conciencia.

IV

¡La impávida seguridad de que una
se convertirá en toda esa atroz inmundicia,
pese a que lo sabe desde siempre!
Cada estremecimiento de la carne

sigue su trayectoria hasta volvérsenos
frío de su recorrido,
por la continuidad de la materia.

Con mi suma de eternidades sin originalidad,
yo seré rígida, charca, huesos desconocidos un día.
Después de haber acuciado larvas de mí,
destruyéndomelas también más tarde.

V

Este seno,
una ampolla de líquido terroso.
El otro, un hueco pestilente
por donde aprende a vaciarse el corazón
de toda la densidad que le apesaraba.

Y el vientre, roído.
Las piernas abrasadas de mordeduras implacables.
¡Los cabellos pegados a la martirizada cabeza
con sudor de pensamientos postreros,
queriendo ser para la noche
lo que fueron para la luz!

¡Sobre mi voluntariamente insaciada boca,
mis eternamente hambrientos ojos,
derramados ya a la putrefacción que odiaron
desde que se supieron boca de amor,
y ojos de imágenes!

¿Por qué mis manos también?
¿Por qué no intactas ellas, salvadas,
milagrosamente libres y puras?
Nadadoras de la muerte, líquida,
captadoras del vuelo hacia la selva inimaginable,
¡manos mías de hoy,
vivas manos inteligentes y con voz propia!
¿Por qué he de veros muertas yo,
cuencos de gusanos vosotras las mías?
¡Salvaros de mi muerte, huidme!

VI

Porque el jadeo de todo aquello
dejará de ser súbitamente.

El resuello de tendones
cesará bajo la Voz.
Seré llamada.

Una luminosa espada de Voz
se abrirá tajante paso,
aplacándolo todo...

Vaho de mí,
ascenderé.

Temblorosa desdibujación mía,
acudiré.

¡Qué fragoroso tormento
desde el vientre de mi madre!

Combatida irá mi alma
a sumirse en la Voz.
—¿Qué has hecho? —oiré decirme.
—¡Si lo sabes, si nada es posible sin Ti!
—¿Qué has hecho?
—Pero, ¿no me perdonaste mientras crepitaba
en mi horrible yacija, soportando
a los gusanos de mis días todos?

—¿Qué has hecho?
—¡Si no ignoras nada de nadie,
si Tú eres yo, y lo que hice estaba siendo ello
delante de Ti eternamente!

—¿Qué has hecho?
—Ya lo sabes Tú: he pecado.

—¿Qué has hecho?
—¡Pecar; pecar, pecar, pecar, pecar!...

¿Qué has hecho?, irá rebotando confines
del infinito sinfín.

Como en el encierro pútrido,
mis propias culpas comenzarán a devorarme.
Dientes fríos seccionarán mi alma
empavorecida de sí misma,
de su fangoso volumen...

Sin medida del tiempo, por serlo,
acabaré de pronto.
En mí, siendo,
estarán los ojos de la Voz.

VII

Aquella envoltura sometida
no sabrá que me han llamado
preguntándome qué hice de ella.
¡Tal fuerza sostendrá mi monólogo!
Habla, me será dicho.

Hablar dentro de un silencio,
vivificando los actos secos.
Advertir, entonces,
lo libre que se va poniendo el alma
desembarrancándose.

El río que no puedo pensar ahora,
río de arriba, irrepresentable,
llevándolo todo para no volver.

Sin medida nacerán mis culpas.
Y nacidas al juicio,
se encogerán, se agrandarán ante él.
Fantasmas de sí mismas,
dispuestas a comprenderse y a buscar perdón,
irán amontonándose
bajo mis pies de aire...
Acaso sea llegado el momento de callar
sin que yo lo sienta.
Mientras se decían las sombras,
¡cuánto camino hasta el definitivo final!
Apenas dicho todo,
esperar que me cojan el sí o el no tremendos.

Siempre, medida de lo inmensurable,
la paradoja. Sí, no; o sí, aún no...
O no, aún sí... Luz y sombra,
muerte o resurrección.

Acudir al momento único,
ansiado o temible;

porque así hay que ir después de estar presente
en la corrupción del cambiante cuerpo
endosado al alma.
¡Así fue como anduve,
como me descarrié de las sendas tuyas!

¿Por qué revelaste a otras criaturas
aquellas intransitables
sendas para mí,
cuyo secreto guardaron en contra mía?

¿Por qué no allanaste mis pasos,
si nunca quisieron dejar de caminar a tu encuentro?
¿En qué día pudimos comprendernos otros y yo,
siendo idénticas cortezas de árbol,
si sólo el árbol conoce su destino?

VIII

No será ya hora de preguntar.
Habla.
Pero, todo dicho,
será esto lo que vaya en cada culpa:
el anhelo de un debate
condenado al fracaso.

¿Para saber tan nada
se hubo nacido?

¡Rara mi complacencia
aceptándolo con alegría!
¡Cuánta deformación en aceptar
la horrible mansedumbre de vivirme!

No quise nacer, fui nacida sin mí.
Yo fui, viniendo a mi cuerpo indómito,
más parte del mundo que mía.
He sido huésped de una materia condenada,
y de su destino, ajeno a mi albedrío,
he de dar cuenta.

¡Si era ya cuerpo antes de pertenecerme!
¡Si sabía locuras que me descubrió con sorpresa!
¿Voy yo a descubrir lo que no sepas Tú?

¿De no haberlas dejado Tú nacer,
serían *ellas?*

Yo no pude crear nada:
me esperaron, y me despiden.
Permanecerán después de mí,
para irse con otros...
¡Yo no las dejaría entre las criaturas,
si pudiera con ellas!
¿Y he de dar cuenta de sus acometidas
más viejas que mi experiencia?

Si la luz es mejor,
¿por qué requiere el mentís de la sombra?
¡Soberbia del triunfo,
orgullo loco por vencer una a la otra!
¡Las dos en mi corazón, esclavo que se siente
morder su servidumbre!

IX

Paz. Paz.
Toda la paz de mi alma.
Paz desde donde pueda ser dicha
sin humana apelación.

Habla.
¡Sí! Todo lo diré. Lo he dicho.
Por un regalo que no entiendo,
sé que no soy y que en vano me muero.

Pero, ¡por qué he de saber yo!
Perdóname Tú.
Júzgame Tú.
Haz lo que sabes de mí,
atropelladamente secular pecadora
ante Ti.

X

¿No quedaron fundidos mis tuétanos, abajo?
El borbollón de mi prestada sangre,
¿no cejó allí?

Imposible entender cómo me duele
la Voz que ha dictado la sentencia,
igual que el alumbramiento
de un hijo gigantesco.

Ni oída, ni vista:
parida por mí misma la Voz.

Toda aquella carne, renacerá.
Seré suya un día postrero.
Las savias acudirán con sus cilindros de Primavera
para descender a las tumbas...

¡Quién creería un regalo
volver a vivir como viva!

XI

¿Con quién,
para quién la resurrección?

¿Qué falta hará que mi carne vuelva a encenderse
y recobre su cualidad
de gozar y sufrir...?

¿Qué cosa no hecha
con ella misma, la aguarda?

¿No fue bastante larga su vida
en tantísimos siglos de cuerpos,
que haya de rebrotar,
de florecer,
de presenciar otra vez su cortejo
repetirse hasta lo eterno?

¡Cuánto más bella mi alma!

¡Qué inmensamente bella el alma mía,
ya libertada, perdonada, en lo imposible de imaginarme!
No puedo saber, sino que temo
esa vuelta a vestir de mis huesos:
jocunda fermentación de la pulpa muscular,
para que mis brazos y piernas,

senos y hombros, recobren
la redondez graciosa de la juventud.

¿Con quién iría,
si así me viere forzada a ser de nuevo?
¿Recobraría también mis sentimientos,
los que me van haciendo posible este vivir;
o mi corazón renacido sería ya ajeno,
indiferente a todo lo de ahora?

Sin amor del mundo,
sin sentírmelo dentro,
¿qué podría yo hacer en la carne resucitada?

XII

¡Y tan hermoso el país de Dios,
el soñado sin visión, donde mi cuerpo
no sería ya cuerpo...!

¿Para qué me lo prometen?
¡Si cuando pierda mi cuerpo
no volveré a desearlo!
Lo amo ahora, más para evitarte dolor
que para darle placeres.

Me sirve para estar cerca de almas
que habitan carne apacible,
y lo acepto por no separarme de ellas.
Pero cuando lo deje,
y se pudra, y sea cuanto yo sé que seré
(¡oh Señor, quítame la memoria!),
¿por qué tendré que nacer nuevamente
de mis sucias cenizas;
sufrir la sorpresa de reconocerme
y recobrar la sensibilidad de ahora?

XIII

Angustiosamente
pienso en resucitar...
Mi pobre cabeza humana descansa
en el hallazgo de Dios recogiendo en sus manos
la triste alma errante,

para hacer con ella
lo que menos pueda parecerse a «esto».
Ser persona otra vez...,
¿para qué, con quién;
por cuál nuevo fin?...
¡Oh, no, Dios mío!

Déjame olvidada,
aunque nunca de tu piedad amorosa.
Sea yo lo más leve
de la creación creada.

La pesadumbre que conozco,
mi fracaso de no ofrecerte un ángel,
¿voy a recordarlo, resucitando?

XIV

¡Tu Juicio Final, sí!
Para sufrir más todavía.
¿Y luego, Señor...?

¿Dos filas inacabables
donde se rasguen unos de otros,
yéndose siempre a distintos mundos?
Para sufrir más todavía,
¿resucitarás nuestra carne?

Tengo miedo, Dios mío,
de tu Juicio Final.

¿Acudirán a él las bestezuelas,
las flores, los bosques?
¡Hazme lo que ames sin juzgarlo más!
¡Vuélveme lo que esté perdonado!
No puedo temer, y vivir;
temer, e ir a la muerte.
¡Ir a la muerte,
con ofertas de resurrección!

XV

En Ti, mi Dios,
en Ti quiero estar callada.

Transparentándote.
Resonándote.
Y que todo este enlace de huesos y músculos
huela a tomillo fresco,
sea lo menos visible de la naturaleza:
lo más cándido de cuanto ignoro tuyo.

Nunca más corazón,
cuerpo, voz inútil entre lo efimero
ni entre lo eterno, porque yo, Señor...
¡Déjame pedirte lo que no sé,
lo que no puedo pensar:
una brizna de tu voluntad en tu voluntad,
que al desgajarse de lo que aquí ama,
de no volverlo a hallar,
idéntico, ello otra vez,
te pide le otorgues la misericordia
del no ser absoluto!

He delinquido de tal manera
yéndome sin lograr alas;
sin sacar ángeles de mí ni de otros,
qué tendré verg¸enza eterna
de mi ruindad.

¿Para qué contar conmigo, luego?
Creo en Ti y en Todo.
Pero déjame, Señor...
¡Déjame con tu perdón, fruta de luz en mis dientes,
más duraderos que los senos
que te latieron a Ti!

CANTO SEGUNDO

EMPUJANDO LA PIEDRA DEL MUNDO

Todo ese Universo gira
sometiéndose a mi vuelo.
Vertiginoso planeta desnudo de mí,

                                    girando...:

¡Un guerrero derribado,
y un David mi pie, tan débil,
sobre la tierra, lejana!

Siempre,
con la cadena de bocas
que sujetaban mi vida,
                    siempre,
suspiraba por dejarte
piedra empujada del Mundo.
¡Calma de ver que te hundes,
de que no te siento mía,
                    ni yo tuya,
piedra lisa, la azotada
y sierva de tu misterio!

No supe cuándo el impulso,
tomándome la envoltura,
quiso ser yo que te huía,
dulcemente,
                    tiernamente,
casi en reposo: volando.
Un aliento que soltaba
al corazón sus palomas.

No era día ni era noche:
                    era tiempo.
Descendíamos hasta entonces,
¡bajábamos tantos años!
Un clamor que nadie dijo,
                    todo lo detuvo. Todo.
Mi sangre ya no era ella,
ni los ojos se cortaban
                    nunca de Ti...
Remolinábanse nubes
que pastaban en un ocio
de tempestades... Y el viento
dobló su cintura negra:
                    ¡Paso a la que vuelve!

COMIENZA LA EVASIÓN

Furiosamente de mi cuerpo desligada.
Me han pesado la sangre y la esperanza,
hasta aplastarme hecha lámina.
Ya, no. Ya me veo distante y, al fin, quieta;

brazos abiertos dentro de ti, gran tierra impura;
como mis ojos, bien dormidos en sus cuencos.

Ligerísima seré desgajándome del sol:
no tengo sombra. Ni bulto. Luz transpiro.
¡Oh los amigos del cielo;
los corceles amigos de la sombra...,
apartaos del ágil vuelo que yo emprendo!
Bronco mar de voces allá abajo. Ríen o cantan,
con llantos que golpean los confines.
Suavemente se borran... Como labio en amor
musita el mundo su presencia tenaz. ¡Qué enorme ascua!

Anhelo de subir, porque es subir lo que hago,
buscándole al misterio su sortija esponsal.
Alto volar, Señor; altos volares hacia Ti son los que oyes.

Sin volumen de sombra, incandescente,
esta alma te oscila su ventura
de no ser ya del cuerpo una vasija...
De no ser ya del cuerpo. ¡Sólo alma!

Aquí quedan
las manos y las piernas que llevaron
la estatua de fragor que fui en el Mundo.

TODAVÍA ENTRE LA VIDA Y LA MUERTE

Y no separo aún, sí desnivelo.
Espejos que se trizan en racimos de cuerpos míos pálidos,
caminan ladeándose las rosas de los ojos.
Llevo conmigo,
sin soltárseme,
fugitiva de mis manos que se alargan,

                                    desangran,
                                    aten,
                                    apenas si son mías,
esta mujer sin sexo, sin su alma, a la cual se eleva...
Esta doble Carmen sin cabida ya en el mundo.

Ráfagas de olor radiantes me recuerdan que tuve olfato
tan celoso de sí, que ni las flores frescas
cubrían el olor de las quebradas
en seca figuración sobre mi pecho.

Perfume de mis huesos, amargo pomo de tierra;
aroma de mi paso, cuando al aire movía...
¿Por qué llegáis aquí, al empezar a no ser,
si ya no tengo carne que consentir?...

Y suben
unos fríos de púas que desgarran mi tibio
recordar de la sangre, cuando corría ligera.
Unos hielos de fuego que no quema, y abrasan.
¡Oh cuánto duele, quieta, empezar a fundirse!

Con latidos que a inútiles movimientos aspiran,
me libero del triste,
del cóncavo,
del prístino bogar a la eterna fragancia sin olor.
Unos brazos no cogen, ni podrían dejar
este aire que llega, sinuoso, entre tallos sin luz,
a turbarme la muerte.

¡Ay la vida, la vida que yo tuve tan mía!
¡Qué dichosa es la vida que no cuenta conmigo,
y yo oigo,
yo veo en espejos trizados,
en temblores de savia
que me empujan! Ya muevo
mi gran alma despierta de ansiedad y de brío,
que se alza gigante,
                    que me deja;
que no es yo y soy siempre
su yacija inaudible
entre polvo con lágrimas.

ASCENDIENDO

I

Las ciudades del sueño se rebelan:
no quieren ser pisadas, mas mi planta
no deja ya señal...; es sólo imagen:
la memoria
de un paso por la vida, que abandono.
Las sombras no rompemos los perfiles
del sueño en que vivís, ciudades vivas.

¡Hermosas ciudades que ahora rozo
con otro fresco tacto descubierto!
Doradas e inexactas, temblorosas
dentro de la copa de mi ensueño...
Y subo hasta cogeros, subo rauda,
inequívoca, lanzada
por un grito de amor buscándoos siempre.

Seré la transeúnte de esa noche
que os vibra como yo latí la aurora.
Las charcas de mi sed se evaporaron:
¡oh aguas de ilusión, quedaos serenas!
Un peso que se achica fine mi peso;
un fin inagotable mi principio.

Amplísimas ciudades movedizas,
jamás os compartí yo, verticales;
mi frente visitabais misteriosas,
poblándome los párpados —aleros
a cándidos palomos zureadores:
urgencias terrenales imposibles.

¡Qué amores ofrecisteis;
qué viajes por selvas de vosotras;
qué delirio
pusisteis en mi voz, con voz de mando!

Así que yo los brazos avanzaba
queriendo poseer, despierta, aquello,
subíais otra vez en humo rojo,
alzándoos a vosotras,
recluyéndoos.

La tierra que se os pone entre sus sienes
me deja que os traspase. Soy, viajera,
cendal de vuestras torres sin campanas.
Augustos caminantes precediéndome,
signaron sus miradas con vosotras.

Pequeñas y apagadas os quedáis.
En círculo obediente sólo al sueño.
Bajad, no a mí, a otros dormidos,
hablándoles de amor y de distancias.

Cortezas de tu mar por playas tuve;
riquísimos estrados alojaron

idilios inefables e incompletos.
Salones y escaleras, con antorchas,
anduve murmurando junto a alguien
que nunca conocí, siendo muy mío.

Abatido ya os he. ¡Quedaos abajo,
lejanas e invisibles, oh ciudades!

II

Sin música.
Astros, callad vuestro sonar que nadie oye
mientras vive en el mundo.
Dejad, por mí, que los silencios crezcan feraces,
y que esos caminos de fuera del éter
no resuenen la luz.

Voy sin otra historia que la de una lumbre
que fue criatura entre otras,
mientras un vuelo largo de brisas moradas
se volvía piedra oscura quebradiza...

Vi, oí; llevo palabras grandes
en los tobillos y entre las manos.
Tiran de mí, las subo para dejarlas, si puedo
desgajarme de todas,
                         donde comience el silencio.

Vuelo a encallarme, vuelo sin tregua...
¡Qué oleadas de siglos
estamos yendo mi alma y yo!
¿a dónde?...

¡Oh, sí; lo sé; no pregunto: afirmo!
Rodeada de espumas, como una breve isla,
subo buscándote a Ti, el Mar.

ROCE DE LÍMITES

Esto que se termina soy yo. No puedo pasar de mí.
He llegado hasta mis propios bordes;
rebosaría, derramándome, si quisiera
a la Puerta de Dios llamar.

Una mirada en sí; unos sentidos todos
dentro de ellos mismos... Soy ahora
el límite total de la criatura.

Voy a afirmarme ante el No, a gritar que vine
henchida de un latido inexpresable;
y que espero me sostengan unas manos
sin pulpa de la tierra.

Todo llegó conmigo;
fabulosas miserias traje absorta
y un delgadísimo ramaje de venturas
que soñaba bosque de amor en el mundo.

De aquí no espero brotar.
Nadie me llama.
¿Voy a persistir cual una sombra
delante de tu voz jamás oída?
Atiéndeme, misterio: no te alcanzo.
¿Eres la quietud, eres violencia
                              de quietud...?
¿Eres yo misma?

LÍMITE

Esfera ceñida de esferas, que no pueden
escaparse de la esfera única.
Manos esféricas ciñéndose a unas piernas
que se abrazan redondas, perfectísimas.
Si esta esfera que soy ya, que fui yo siempre,
desgajara de sí un anillo y lo arrojara,
se caería
cogido por su extremo, prolongándose
hasta pisar el polvo.

Ondularía siglos, y su música
subiría por temblores a la esfera
que le retiene siempre jamás, tan suyo.
Sería vertical, hasta que un siglo
la curva reclamara ser redonda
desde un albor sin ritmo. Subiría
otra vez a ser anillo, anegándose
por amor de querencia inmarchitable,
en la esfera total.

Yo he sido anillo,
tembloroso al caer, y erguida
me dejaba correr desde los tiempos...
Mas la esfera sintió que al fin mi esencia
debía descansar en lo redondo.

ANTE DIOS

Me violentan los fríos de la tumba.
Déjame ante Ti, llego transida.

¡Cuánta luz en la sangre residiendo
sin que yo la brotara
              porque fuera luz!
Sola ella era.

No me miras, lo sé. Para Tú verme
no has de mirar. Dentro me llevas.

Y si miraras hacia mí, yo nacería
con nueva sangre otra vez...
              Déjame oscura.

Mas sacie un resplandor la cruenta hambre
que tengo yo de verte, de crearte.
Así, de ojos a los ojos, fluye eterno:
alárgame en tu Ser: vuelve a la tierra.

DESCENSO

¡Velocidades juntas me enajenan:
caer, caer al mundo
de donde arranqué dichosa!
Caer porque me pesan
las cosas que yo amaba y las mortales
de dolor. Melancolía de consumirme
en más vida aún; otras angustias
y otros goces sin conciencia.
¡Cómo soñaba, oh cielo diamantino inexpugnable,
la vastísima quietud del ocio eterno!

Sin ojos y sin luz que los recobre,
cayendo desde Dios hasta su mundo.

La curva en la elipse se desata
sin soltarse de Allí.
Curva que extenderse espera, pronto,
encima del volcán de las criaturas.

¡Oh mujer que yo hube en mí alojada,
hija, esposa, madre, amante,
de todos los embates defendida
por mi libre voluntad más poderosa!
Vuelves al regazo de la tierra
para darle otra forma, otro respiro.

Dentro ahora de ti;
y fui tuya celándote alegre
por tus frutas y tus formas, por las glorias
de tus fuentes y tus arroyos, instrumentos
de la mejor canción para beber.

Flor embriagadora yo de insectos y de aves
que hunden en mi cuerpo la afilada
lengua larguísima de su sed menuda.
Estirada en tambor, con la piel de tierra
mullida de semillas y de larvas oficiantes...
Clamorosa en los álamos, infatigable de chopos;
y en cadena de nupcias,
ensalzando a la vida:
desde todos los seres que pronuncian
la ávida palabra de su especie.

También en horizontes, infinita;
en los montes con vello en sus laderas,
y con grandes mechones de oro cálido
en sus cimas de arcángeles adustos.
Resbalando a la orilla de los ríos,
sin amor para el agua... Voy segura al hallazgo
de mí en todo. ¡Oh memoria de mi ser!,
¿dónde quedaste entera,
que sólo sé de ti que poseías
lo qué pierdo al dejar de ser quien fui?
Una fragancia sin contactos atraviesa
mi nueva permanencia... Llevo, plenas,
seguridades de haber sido ya criatura.

HABLA LA CREACIÓN

¡Oh, alargada en trigos claros,
bruñida en metales vivos!
Como surtidor, en torres;
como campana, en cimborrios.
Yo edificio; yo, la extensa
tierra que es cúpula y ave.

Y humilde fiera callada
sobre los pastos...; bramando
porque la sangre amontona
en mis costados coraje.

Permanecerán mis días:
los lentos y los veloces,
mientras las selvas del tiempo
quieran mis estaciones.
Resbalaré por mí toda,
por mí siempre,
                    por mí misma...,
inacabable de alas,
increíble y fabularia de riquezas corporales.

¡Todavía mano savia
de las palabras creadoras
que me sacaron del siempre!

CANTO DE LA CREACIÓN

Es el aire, o es la música
del aire que se desliza
por el respiro que damos
a la tierra...
                ¿Quién alienta
a través de nuestros tallos,
raíces y yo? ¡Decidlo si lo sabéis!
¡Es tan dulce
el alentar de las hierbas
sobre la carne del mundo!

Fugitivo, el oleaje
de las malezas ceniza

mece sobre los yacentes
un cielo de luz compacto.

Fluimos, nos extendemos;
brotándonos van los límites
que al agua dieron su forma.
Nos coge, sin arrancarnos,
la seca lengua sedienta
que a unos belfos los conforta
con nuestro cuerpo constante.

Y, en las cinturas ponemos
un escorzo que rezuma,
cuando las muchachas vienen
a segar del tronco nuestro.

HONDA MEMORIA DE MÍ

Todo lo recuerdo yo
como lo recuerda el mundo.
Mi corteza es más fresca que su piel
y nos hinchen los ríos y los pájaros
bajo signos opuestos.
Para el mundo la vida se encuentra
en permanente transcurso.
Para mí aparece y se borra
con angustia de siglos.
Estuve aquí otras veces y siempre
acabé recordándolo todo.

Recuerdo que olvidé muchas cosas...
Venían en barcas de algas
cuando mi sangre teñía el crepúsculo
con sus vientos salvajes.
Oí a hombres que hablaban del mar
como si se lo sacaran del pecho,
y luego temblaban al verlo duro y verde,
jadeante de espumas,
brotando de las colinas de mi cuerpo.

Los que viven en bosques comprenden al mar.
Se animan las arboledas, pues hay fuentes
que las empujan.
Así vi yo mientras permanecía

debajo de la tierra de los bosques.
Todos los robles saben su destino de agua,
como los cipreses no olvidan
que se acaban cantando en violines.
Y las guitarras recuerdan
sus guirnaldas de hojas
que rodean, frescas y húmedas,
los senos de las muchachas.

Nunca se me pierde nada,
aunque me abandone al olvido.
Algunos que nacen sin pasado se obstinan
acumulando presente,
para tener la memoria de algo.
A mí me sobran recuerdos.
Por la noche los quito de mis sienes,
que picotean, exprimiéndolas.
En mis costados jadean durmientes que sufren
ensueños de cabellos largos,
que se enroscan a las pestañas y parten
en oleajes infinitos
todo lo que se mira...

Velar significa querer.
Dormir es meterse en la cueva
que el día oculta.
Yo quiero velar. Yo velo
mi querencia de velar.
Por dentro del sueño jamás hallo ríos,
ni a mi corazón descienden serenidades.
Siempre la vigilia se allega
con estruendo de pulsos ajenos.
Empiezan a crecerme los ojos entonces,
rozan mis párpados las molduras
aterciopeladas de las sombras.
Y a tácita obediencia mi voluntad somete
esos bárbaros alientos
que son el monte y la llanura.
Recuerdo que morir ha sido
marejadas de veces.
Tiene que haber en mi sangre
de agonía racimos.
Me sacuden estremecimientos
que descubren la savia,
el reflujo del mar y los ortos.

Pero las muertes aquellas
en mi memoria sensible se pierden.
¡No siento sino bandadas
de vida en mi cuerpo!
Soy el joven que se halló con espada
y cortó el misterio a su paso.
El anciano que a espejos sonríe
perdonándose la experiencia.
La mujer que rocía de leche
al hijo que le pusieron
mientras ella se precipitaba
al hervor crepitante del génesis.
¡Lo que no soy jamás
es una mujer vieja!

No he debido morirme de vida
vieja de mujer. Ignoro
la sensación de los pechos resecos,
del vientre tumefacto,
de las fláccidas piernas...,
de la agria cintura...
He muerto yo siempre muy joven:
esto también lo recuerdo.

Lo que ocurre es que el mundo
no se embriaga nunca.
Apretuja sus vides,
riegan su cuerpo las uvas,
y él se ríe como si no pudiera
licor alguno mojarle los hombros.
Yo sí me embriago, dichosa.
Hay olores que me enloquecen, y canto.

Entonces me río.
Me río para que el aire sepa
que me gustan las manzanas y el agua,
frescas, recientes de Dios.
A reírme le llamo embriagarme,
repitiendo en voz alta las brisas,
que a las espigas enredan las albas.
Es muy noble lo de poder morir
como si no se hubiera hecho.
Los que yo vi morir con trabajo,
o se acordaban que sabían morirse,
o es que no valían para ello.

A mí ha de venirme «esta» muerte
igual que si la sacara de un fruto.

Tendrá que desgarrar su piel crujiente,
y dentro la encontraré propicia:
ni madura ni verde para mi cuerpo.
No sé por qué este cuerpo de hoy
me resulta querido...
Extraño que en cuerpo ignorante se asuman
las sabias corrientes diversas
que estremecen a otros.
Cuando me olvido que recuerdo, descubro
que casi lo comprendo todo.

La música se embarca en mi alma
sin preguntarme la ruta.
Sin decretarles su ley
se reúnen colores.
Dentro de mi circulación, el tiempo
lleva explicación inexplicable.

No podré definirlo, mas sabed
que yo soy el tiempo.
Paso, miro, sonrío, lloro, gozo, sueño,
vigilo, digo... ¿Comprendéis vosotros
que todo es ser tiempo?
Arriba, las nubes; y en mis ojos
hay espejos dorados que las reciben
con deleite inefable...
También ello es tiempo.
Mas no mirar sin pensar qué se mira,
no sentirse aplazar en la sangre
para un día cuyos fines se ignoran,
no es ser de tiempo.
En las tumbas se aprende, os lo juro,
con exactitud, qué es el tiempo.

Y hay millones de muertos que no lograron saberlo.
Se les conoce en que se mantienen movibles,
como orejas de bestias frescas y sanas;
y en que no velan nunca.
Otros seres se ofrecen con su lápida misma;
y con el seto florido que plantara su madre,
alrededor de su tumba.

Ya me veis cuán distinta.
¿Parece que anduve yo muerta
sobre espaldas cansadas,
pesando como si no hubiera sido
una viva criatura?
No en vano recuerdo la forma
de eludir pesantez.
El misterio de obviar este peso, ascendiendo,
y volar suavemente,
es lo que guardo yo intacto.

Del volar, revolar invisible
sobre las frentes desnudas de aquellos
que se afanan en todo aprenderlo,
me sirvo yo ahora
para asir con dulzura secreta
a cuantos elijo...
Elegir es reconocer. Por ello comprendo
que no he debido morir muchas veces,
pues reconozco a muy pocos.

Algunos son tan viejos en la muerte
que se pasan la vida oteando
enjambres de conocidos...
Cuando les veo rodeados de gente,
prisioneros de todos, intuyo
que esta muerte es su última.
Porque están saturados.
Lo saturado no empapa ya más, y entonces
el líquido que sobra, desamparado
corre mirando muy triste a sí mismo...
Sufre temiendo no hallarse
con avidez que lo embeba.

No puedo amar, ¡ay de mí!, a las almas
pedazos de eternidad eternizada.
Para mí la eternización es un ansia,
jamás un estado.
«Estar» es un verbo escalofriante.
«Ser» no me asfixia ya tanto,
porque admite transformaciones...
Cuando yo esté serena e inmóvil,
saturada infinita,
no volverá a ser vida mi muerte.

¿Que cómo me es dado saberlo?
Recordando ahincadamente, recordando.
Hay misterios que no pueden escurrirse
a través del lenguaje.
La gloria de llamar y nombrar
sus límites tiene.
Las palabras se inclinan
ante todo lo representable.
Un estado participa del poder ser distinto
cuanto menos el alma
se complace en saberlo.

Entender es esfuerzo ciclópeo
de la triste inteligencia,
que no puede explicar lo que siente
cuando ansiosa se vuelca, velando,
al borde sombrío y ardoroso
de un precipicio de nuncas.

Si yo hubiera sido vieja, sabría
qué cosa es hablar sin descanso
querer enterarme de todo
par medio de las palabras.
Y habríame enterado de cómo
se aleja de sí mismo el cuerpo,
hasta hacerse igual a una seca
corteza de encina.

Si no hubiera vivido debajo de las raíces,
ignoraría el rumbo que toman las ramas
cuando se deshabitan de pájaros.
He permanecido a la escucha
de todas las estaciones;
sido yo misma estaciones,
que otras reabsorben con alegría,
alimentándose de ellas.

Esforzarme por algo,
en verdad no lo hice.
¡La gracia tiene mi amor!
Si intenté prescindírmela,
los brazos se me cayeron cortados
por implacables deshielos.

Dentro del arco de su fuerza no cupo
consentida carne ninguna.
La gracia, sí; es mi amante.
Yo me he entregado a la gracia,
soñando con la fortaleza.

Dije que elegir es recordar, y no puedo
explicaros mi patria preferida.
Siento infinito despego
por los pedazos mordidos al mundo,
que se llaman naciones.
Los que me atraen son los jardines,
los lagos, las escondidas sendas que hay
repartidas por todas las tierras.

Y los que en verdad me trastornan,
turban entrañablemente,
son los héroes.
¡Veo tan poco lo lejos!
Por eso las llanuras me ofrecen
solamente sus límites,
que siempre levantan montañas.

La Humanidad es ancha llanura,
y los héroes, sus cimas.

Creo que he sido gigante algún tiempo
y que he recorrido a zancadas
el camino posible a gigantes:
las cordilleras.

No os pido perdón por haber elegido
así entre vosotros.
Os digo que me atraen los héroes,
y que a las vidas humildes las veo
como *humus* para sus corpulencias.

(Si todos fuéramos torres no existiría
la idea de las torres.)

Muchísimo más todavía.
Puesta a recordar no voy

a callarme mi propio resuello.
Traicionarlo sería.
No me lo encontré al azar,
en una garganta cualquiera.

Ni venía siquiera de las otras jornadas
en que Dios consentía
caminar por mis predios.

No es antigua mi voz. Suena áspera,
oliendo a cósmica adolescencia.
Los instrumentos, si nuevos, no modulan
igual que los impregnados largamente
por cadencias y ritmos.

Mi voz atraviesa
sus troncos de crecimiento.

Ignorante de los estíos
y ajena al invierno.
Es una voz de mayo.
Fijaos que en mayo sí oscila
muchas veces la primavera.
Con tibiores del verano,
redondeces de otoño
y sobresaltos de nieve.

Lo que lleva siempre consigo
es su impulso, su arrebato.
El empuje a nacer de los jardines;
a correr, de los arroyos;
y el celo inocente, sagrado,
del amor vegetal.

Recuerdo mis torturas porque fuera asomándose
al mar y a la tierra mi voz.
A los oídos de basalto de aquellos
que no captan su hechura.
¡Ah, el resplandeciente día
en que la icé ya bandera de fugas
como tea de ardor en el bosque!
Ni una oreja pudo cerrársele.
Ni un pecho la rebotó.

Lo que sigo soñando con ella
es acumularla, vigorizarla;

y cuando tengamos que desnudarnos
no dé tanto trabajo al que viene con ansia
de meterla en su pecho y decir
que es más suya que hoy mía.

¿Qué importa que mi voz se ligue
a esa garganta inédita;
a esa garganta aún dentro
de un vientre inmaculado,
suavizada por el frecuente
amor de mi querencia,
si ha sido a mí sola
a quien le tocara vivir su verdor
con toda fidelidad?

¡Máxima responsabilidad una voz
en las nobles criaturas!
Las que fui carecieron de ella
al empezar a ser;
mi paso sobre la tierra
fue mostrándoles cuantos milagros
debían de ser contemplados hasta empaparse
de su esencia benéfica.

¡Yo no podré legarla madura!
No envidio al que se la llevará en la boca, tan tierna
que sus labios la manarán despacio
cual la naranja a su zumo.
Después de alcanzarse madura no existirá.
Tampoco quisiera enterarme
de su silenciamiento.

Antes carecía de paciencia para esperar
que se consumaran las nieblas.
Fue preciso un ensayo de tensión dilatada
hasta que mis ojos las cogieron
desnudándose contra la aurora.
Es inútil la luz de perfil,
o ligeramente de costado,
cuando se trae una mirada resuelta,
sin membranas protectoras
bajo la vibración del sol.

Ya en la tierra,
durante el tiempo de la germinación,

se fijan las pupilas en lo que ocurre
arriba de nuestros ojos.
Nada importa que encima coloquen
deleznables obstáculos.
La facultad de videncia,
los traspasa todos... Como traspasa
las humanas opacidades,
midiendo con precisión
el ángulo del corazón inclinado.

A los ojos del muerto nada escapa,
y el fuego puede gotearles su esfera celeste
sin que ellos se entornen
con un ala suavísima.

Las cosas que recuerdo con más encanto
son los encuentros.
De ninguno querido
perdí la reminiscencia.
La costumbre de hallarme con rosas mantiene
la sensibilidad de mis manos en viva
plasticidad de su bulto.

Tantas veces vi unos ojos que contenían
a los que vuelan, se mecen o nadan,
que al hallarme con ellos no tardé ni un suspiro
en proclamarles mi gozo.
Y asimismo la voz más amada:
la que no desamparan los aires
y es caliente columna,
moviéndose cual la paloma.
La voz que me busco en el pecho,
que despega en mis labios,
que prolonga mi cuello y mis piernas,
alargándome entera
por su voltaje de ardor.

¡Qué inaudito peso es, ay,
este de recordar tanto!
¡De cuán implacable manera
es que duele haber sido!
¡Cómo liga a seguir siendo este ser
que ahora vuelvo a ser yo!
Me llevo a mí misma detrás

igual que en su serie de fases
un insecto al que nutren las flores.

Nadie perdona, lo sé,
a quien recuerda estas cosas.
Yo conozco mareas alzadas a pulso
por todos los monólogos,
que si no se atienden acaban
por petrificarse en un valle.
Quiero seguir presta al grito subterráneo,
al persistente oleaje invisible.
El que tampoco veáis vosotros
que me crecen las hojas y aureolan los peces,
y tiran de mis ropas las aves que cantan,
señala que todavía nos quedan
extensiones de vasto misterio.

Creo que puedo
detener aquí mi memoria.
Esto es: reanudaros mi olvido.
Haré de árbol que a un río se desploma,
entregándosele vivo, y buscando
socavarlo y dormir allá abajo.

No es al sueño a quien quisiera
preguntarle por mi presencia.
El sueño es enemigo de la quietud
que busco como ansío a Dios.

¡Estar despierta, velar siempre!
Quizá entonces no habría lagunas
en mi continuidad.

Mis manos se anudarían a mis manos,
a mis recién brotadas manos:
yo sería un coro de criaturas
exaltando a la vida.
...Aunque al final, en el límite exacto,
acabara por verlo ya todo
donde la piedra que fue piedra
desde el comienzo del mundo.

Melancólicamente sentada
con mi eternidad de recuerdos, rendida.

1946.

MUJER
SIN EDÉN

1947

CARMEN CONDE

MUJER SIN EDEN

MADRID

Cubierta de la primera edición.

CANTO PRIMERO

ARROJADA AL JARDÍN CON EL HOMBRE

La rama de lumbre de la espada
segó los tallos de todas las hierbas.
Me empujó violenta y fúlgida,
precipitándome del Jardín Edénico.
Vino Adán por mí al gran destierro,
mas sin llorar... ¡Yo sí lloraba!
¿Quién era de nosotros el culpable:
la bestia que indujo a mi inocencia;
Aquel que me sacó sin ser yo nadie
del cuerpo que busqué, mi patria única?
No soy yo sustancia de Dios pura.
Hízome ...l del hombre con su carne,
y allí quise volver: hincarme dentro.

¡Cómo crepitaba el bosque! Infatigable el Ángel
cortaba con un rayo flecoso de pavesas
ampollas de las flores,
las ánforas de aves que albergaban
un éxtasis sin gozo, terminándolo.

Bramaron ya por mí hasta los árboles,
y el pasmo que yo di corrió ondulando;
volcándose a unos cuerpos, de otros cuerpos.

La bestia sonrió; yo vi su risa
vestir mi desnudez nunca desnuda.

La voz decía: «Vete.
Los dos idos de Mí. Vuestro pecado
irá de uno a otra hasta que un día
estéis secos los dos en vuestros hijos.
La tierra os cubrirá. ¡Buscad la aurora,
pariendo con dolor tú, la despierta
del hombre sin malicia!»
Resbalaba
viniéndose conmigo la serpiente.
Espíritus de fuego el bosque andaban
poniendo su temblor entre mis senos.

Corrimos temerosos. No entendíamos.
Cada vez la espalda de mi origen
pedía más la ardiente quemadura...
¡Mis brazos y mis labios! Yo corría
por irme desde mí hasta *su* lecho.

Apenas si la espada vengadora
dejaba un solo ramo ante nosotros.
Las aguas repicaban desveladas;
los nuevos animales conocían
el mundo que yo les desperté.
Igual que la creación: yo había creado
la gloria de seguirla, de crearla
por siempre con lo mismo ya creado.

¡Oh Dios de Ira, cuán severo
que fuiste Tú conmigo! Me arrancaste
del hombre que pusiste entre las fieras.
¿Por qué te sorprendió que le buscara;
por qué tuviste celos de mi lucha
por ir de nuevo a él...?
¡Siempre tus ángeles
blandiendo sus espadas!

Lujuria, Fuego,
en árboles y en puertas que me aúllan.
Cólera rugiente entre tus barbas,
miraste mi creación junto a la tuya...
¡Los seres se fundían unos en otros;
rebosándose desbordadamente,
iban a pedir al cuerpo amigo
el gozo de temblar que me aprendieron!

Podía tremolar su espada el Ángel.
Las hierbas crepitar, abatir ramas.
De verdes resplandores el silencio
cubrían los leones y los pájaros.

Mis plantas soportaron que las piedras
no se pisen igual que el Paraíso.
El hombre andaba con dolor de estreno,
con nostalgia feroz, ávido siempre,
a hundírseme en amor... ¡Cuánto pesaba
el hombre sobre mí, sobre la tierra,
sin Dios y con la bestia: los dos juntos!
¿Era inefable el Paraíso?
¿Fue tan bella en su inocencia
la mansa ignorancia de los seres?

También yo fui cual ellos inocente;
después de amarle a él seguía siéndolo.
El Ángel y su antorcha me acusaron...

¡Imán, sangre del hombre; me atraía
oírla entre mis labios; su respiro
abríaseme en la boca, flor de dientes
mordida por mi voz en su crecida!
Dios no supo, porque Él es todo,
cuánto atrae lo mismo en dos mitades.

Miré hacia mi confín. Con cepos fúlgidos
cerrábanse las selvas: Dios huía.
Y los ojos del hombre me buscaron
con hambre de soñar. Le di mis ojos.

Juntos y malditos, deseándonos,
seguidos por un coro de estertores,
guiados por la bestia esplendorosa
nos fuimos alejando...
Las hogueras
prendidas por la espada como zarzas,
nos dieron otros seres: las dos sombras
que él y yo ganamos padeciendo.

¡Cuánta imperfección se revelaba
delante de mis pasos! Tierras secas,
piedras y más piedras, y más piedras...

¡Amor de mi Jardín, Edén primero
creado para Dios y para el Hombre!
El silbo de sus auras recorría
las frentes que el placer sacó de fruto.

NOSTALGIA DEL HOMBRE

Una espada encendida revolviéndose,
defendiéndonos el Árbol de la vida.
Ángeles no tuvo el de la ciencia,
flanqueando su acceso!

«Acércate, varona» —te dijo la serpiente.
Y te acercaste sumisa.
Dios se paseaba por el Huerto,
al aire de su Día.
Ansias tuvo de mí: «¿Dónde estás tú...?»
¡Desnudo me encontré,
con fruto de tu sed sobre mi carne!
Una espada hay ahora, ¡una lumbre!,
que no nos deja ir... ¿Por qué no ardía
antes que tu voz junto al manzano?

¡Ríos que yo vi sumisos míos,
muy lejos ya de mí, aunque ahora os nombre!
Los cuatro vivos miembros del gran agua
que éramos nosotros por su cauce.
Canté su nombre a todo: aves del cielo,
bestias de los campos, a las flores.
Cayóse el sueño a mí, y ya dormido
te hicieron de mi espalda, mujer mía.
Me buscas y te busco; el hambre tuya
es hambre de ti en mí. Yo te deseo.

¡Oh tierra que te aprietas a mis lados:
yo tengo que labrarte, que mullirte,
que soy también de tierra en mi transcurso!
Subiendo están de ti dulces vapores
regándote la faz. Hueles a hembra,
y soy quien te fecunda, prolongándote.

RESPUESTA DE LA MUJER

¿Dios hizo su mundo por hastío
de aquella soledad divina?

Extático el Jardín iba a quedarse,
a solas, porque nadie impulsaría
una voz por el azul sereno puro.
Tú, réplica de Dios, hombre callado:
¿irías a dormirte siempre el sueño
que yo sobresalté, porque Dios quiso
hacerme despertar junto a tu olvido?

Mas ¿y la voluntad del ser creado?
Nacer y respirar, sentirse vivo,
¿no es ya la libertad de querer mucho?

A quererse enseñé hasta a las flores.
Que todos repitieran su criatura
en óleos de alabanzas jubilosas.
Si es que soy tu mal, que me retornen
a tu espalda castigada por mi fuego.

¡Vuélveme a la Nada, Tú, Señor!
Devuélme a la Nada.
Y haz que el hombre te refleje absorto
en su extática admiración sin lucha.

¿Hice yo la bestia o los árboles sapientes
de espasmos ajenos a tu poderío?
¿Cómo dejaste nacer a tus contrarios,
enseñarme la carne que se quema alegre
en vítores que un ojo de ofidio presidía
por ofenderte a Ti, el Hacedor del mundo?

Me abandonaste al manzano y la serpiente
cerrando el camino de la vida edénica
con el Ángel, que revuelve mil espadas
mordientes con sus lumbres vengadoras.

Sí. Ya sé que moriremos. Lo prefiero.
Morir será volver a tu sustancia.
Dos árboles de Ti: saber, vivir siempre.
Y una bestia y un ángel a sus flancos.
Yo, tu criatura, la más débil,
la que dentro del sueño Tú infundiste,
luchando con la selva y con las furias.
Descifro tu secreto, y lo prolongo...
¡Tendrás hombres; de hombres océanos,
que mi cuerpo querrá brotarle al mundo!

Eternos, no. Gracias, Jehová. Eternos, no.
¡Que nada apague las lenguas dentellantes
de tus defensas del Árbol de la vida!

Por el abismo seco que ya es nuestro refugio,
llevo con nosotros tus simientes.
Y hombres te daré prietos de jugo
para el bien y el mal que me enseñó la bestia.

CANTO SEGUNDO

PRIMERA NOCHE EN LA TIERRA

Desoladamente
nos ha dejado solos...
No vemos el Jardín de nuestro ocio.
¿Apagóse del fuego la gran rama,
o Dios se la llevó fuera del aire?

Habrá luna. Él creaba estrellas,
las que en el agua florecían veloces
buscándome los dedos vegetales.
Habrá su sol.
La líquida corola derramándose
encima de las selvas inholladas
que yo caminaré descalza siempre.

Junto al árbol que lleva doce frutos,
dando uno cada mes, nunca hubo noche.
Ni urgencia de la antorcha ni la brasa.
¡Dios lo alumbra todo! Hizo astros
para nosotros en destierro de sus síes.

Tibias sombras apaciguan las memorias.
Frior de soledad. Ven a mi pecho,
que yo seré tu tierno prado tibio,
y seguro soñarás en mi corteza.

Allá no ululan lobos. Allí lamían dulces
mis pies sobre tomillos aceitosos.
Aquí se encienden ojos y dientes amenazan
mordernos calcañares desgarrados.

Ladran los chacales. ¡Oh las hienas
que lúgubres husmean nuestro sueño!
Toma el paraíso de mi cuerpo:
mis labios son de ascua, mis hogueras
serán lo único vivo de la noche.

Más fuerte que el amor no será el cierzo.
Más dura que tu pecho no es la sombra.
Defiéndete de mí, estoy buscando
olvido de las selvas que no huelo.

¡Noche, cueva negra de la tierra!
Vamos a bebérnosla de un trago
que deje descubiertas las auroras.

EVOCACIÓN DE LAS PALABRAS DE DIOS

«¡Tarde y mañana del día sexto!
Señoreadlo todo: peces de la mar, los pájaros,
toda cuanta hierba da simiente
y está sobre la haz de nuestra tierra.
Todo árbol de fruto con simiente
tenéis para comer.
Y a toda bestia con las del cielo aves,
y aquello que se mueva con su vida,
hierba, verde hierba dulce y fresca,
les será para comer.»

Y a poco,
el maldecir de aquellas dádivas:

«Multiplicaré tus dolores y preñeces,
con dolor parirás los hijos;
a tu marido será tu deseo,
y él se te enseñoreará.
Mas tú, hombre, del árbol no has de comer. Maldita
será la tierra por amor de ti.
Con angustia comerás siempre de ella
cuantos días tengáis por delante.»

Con pieles nos vestiste para echarnos.
¡Oh mi cuerpo desnudo,
tibio ramo de mi cuerpo tan suave!
¡La fuente del placer, rosas mis pechos
cerrándose a la luz, por conocerse!

«Vete a labrar la tierra, quiero verla
vergel como este mío.
Polvo ella y polvo tú; ¡duele, hombre!
Y sácame los frutos al altar.
Soy tu Dios. Soy tu morada
el día que te olvides de la vida.
¡Vientos, acudid; bramad, las fieras!
El hombre y la mujer están proscritos.»

Si aramos ya tan lejos del Edén,
mis hijos no lo verán, y al fin los cielos
harán suyo el Jardín que se nos cierra.

CUMPLIENDO EL TRABAJO

Toda la tierra, sí.
La tierra desnuda y agria
hemos de remover tú y yo, orugas ciegas
del resplandor de Dios.
¡Cuántos años sin fin ante nosotros!
Y la abriremos para vida,
y la abriremos para muerte... Sobre ella
vivos desnudamente hemos de amarnos.
Bajo mi espalda, ¡qué multitud de guijos
se hincan a la carne que me siembras!

Uncidos sin reposo, dos brutos que se esfuerzan
en roturar lo yermo para que siga al hombre
con un gemir de flores que romperán en frutas.
Toda hemos de ararla, toda,
y han de caber las tumbas
entre barbechos negros y predios resonantes.

Me duelen los ijares, mi rostro está reseco.
¡Aquella mi cintura que tú cogiste en vuelo
rechina al ser doblada para poner simiente
en donde tú desgarras el polvo amigo y fin!
Mis senos aún levantan sus sedes a tu boca,
pero padecen ansia cuando rebosan zumo
y el hijo espera hallarlo después que yo he arado
contigo el mundo entero; el mundo inacabable.

¡Oh siglos de labranza, hombre que empiezas
llevándome a tu lado para secar tu frente!

¡Oh maldita de Dios yo: tu oscura hembra
ha de parirte tumbas, los impuros manzanos!

LA PRIMERA RECOLECCIÓN

Ten la primera cosecha, Señor; ya ves tu tierra
cómo contesta pronto al sudor que le ofreces.
El hombre se ha extendido sobre tiernas espigas
y yo te doy el misterio de la cumplida siembra.

Me llegan a los pechos; ¡cuántos trigos se aúpan
para esconderme dentro de su muchedumbre!
Es caliente la espiga y su contacto araña:
un larguísimo dedo que desgarra la nube.

Tendrá que ser eterno el germinar, semillas
encerrarán el fruto del alimento parvo.
La reja es una fiera que tu tierra remueve...
¡Cómo aullaban los cardos y espinos, la hierba
al sufrir nuestras hambres!

No quiero las gavillas virginales. Las dejo
al pie de tus arcángeles —que son de mármol rojo—;
vuelvo con tu sol a mis zanjas movidas.

Ya tienes otro hombre que labrará conmigo,
y pronto te daré otra existencia.
Madre de dos hijos, hembra del que hiciste,
arrasarán mi vida porque Tú la has maldito.

Trigo y recentales sobre la piedra oscura.
Ofrendas de tu mundo, que no logran tu gracia.
Sonríele al hombre; él no sabe estar solo
y sueña con tu Edén, con tu boca de cedros.

Solamente yo, sola, he de vivir sin nadie
que sienta como yo. ¡Una mujer, la otra
que doble mi presencia, que descanse mi cuerpo
en su mitad reciente sin jardín en nostalgia!

LA PRIMERA FLOR

Esta flor ya fue mía. ¡Pura y tierna campana
que su olor me volcó sobre la espalda húmeda!

La perdí en el Jardín, y me la encuentro ahora
contra mi cuerpo exhausto de trabajar la tierra.
Yo dormía ignorándola y me empujó latiendo
junto al costado seco, mejor que el corazón.
¡Una rosa, la Rosa, que me nace a mí sola
acompañando dulce mi desterrado sueño!

Primer contacto fresco con lo que tuve antes.
Terso perdón que llega con olor arcangélico.
Palabra de sentidos con espíritu intacto
salvada de la hoguera que arrasara al Jardín.
¡Oh la flor del destierro, la que bajo mi carne
es más joven y erguida que en su tallo difícil!
Desgarrando cortezas que hostiles se me oponen
un dardo de perfumes nos clava en llamaradas.

Era el trigo el anhelo, lo que sembramos ávidos.
Recordaron sonrisas por la espiga mis ojos,
y en el pan sollozamos por un hambre calmada
consolando el sudor que ganarlo nos cuesta.
¡Qué regalo es hallarte sin haberte trillado,
sin que la mies te eleve para mi boca joven!
Ociosa vida tuya que magnífica ofreces
sin pedirme que sufra: para gozarte Rosa.

En tus cien avenidas como anillos de olor
van tomando mis dedos lo que sólo tú eres:
la piel de mis rodillas, de mis hombros la curva,
y de mi vientre el cuenco que te copia redonda.
Fragancia generosa, te asumiré extasiada;
rosa que en frenesí de inesperado júbilo
advienes a mi noche de compactos luceros:
te cambio por el sueño, por el pan, por el agua.

SEQUÍA

¡Cuánta sed la mía! Vuelca lluvia frondosa
sobre mi lengua enorme, grande porque es la tierra.
Híncheme los riachuelos, precipítame ramblas...
¡Lluéveme sin desorden! Soy un barro gimiente
que aunque te embeba íntegro te seguirá en acecho.
Es mi sed muy antigua; se confunde contigo
cuando eras con el Fuego una criatura unísona.

Son de incendio mis manos. Echo humo amarillo
que se vuelve violeta al airear su greña.

¡Estas sedes tan rígidas me desucan, estiran
los alaridos roncos del querer anegarse!
Ven. Deshazte en mis labios y aprende
que esta sed que rujo es más fiera que el tigre.
¡Oh tu agua de lluvia; ponla pronto en mi lengua!
Por las gargantas agrias que no tienen resuello
yo te pido que lluevas, que desciendas raudante.

HURACÁN

Cabellera de Dios hirsuta;
¡viento, anúdate!
Aullante yedra que vuela,
¡arrodíllate!

Quiero que dobles tu lienzo
ante mí, sí; ante Eva,
azotador flagelante
de enervadora corteza.

Purifícate de ira.
Hazte delgado, sañudo,
devastándome la frente
predestinada que huyo.

Brisa tuya sobre mí,
brisa tú, oh viento arbóreo.
No eres Dios; ¿por qué castigas,
arañador de lo hórreo?

Dulcísima vestidura
ciñéndose a mi trasiego...
Céfiro de alondras, lirio
creciendo en mi desconsuelo.

Pulso de estrellas fantasmas,
eternidad delirante.
Viento de la tierra híbrida,
¡dáteme!

NOSTALGIA DE MUJER

Mil años ante Ti son como sueño.
Como de aguas el grosor de una avenida.

Hierba que en la mañana crece,
florece y crece en la mañana
aunque a la tarde es cortada y se seca.

¿Qué es el tiempo ante Ti, qué son los truenos
que blandes contra mí cuando me nombras?
Pavor siento a tu idea, te veo hosco
mirándome en la lumbre de tu Arcángel.
La espada Tú también, eres el filo
y el pomo que se aprieta con el puño.

Para verte a Ti mismo me has nacido.
Por no estar solo con tu omnipotencia.
Soy la nada, soy de tiempo, soy un sueño...
Agua que te fluye, hierba ácida
que cortas sin amor...
                    Tú no me quieres.

CANCIÓN AL HIJO PRIMERO

Hijo de la tierra,
te arrojó el Jardín.
Aunque veas sombras
no quieras lucir.

Tu madre era bella,
la secan los vientos.
Tu madre era tierna,
se quema en el yermo.

Tu madre mordía
la flor del manzano,
cuando el hombre puso
tu vida en su mano.

Tu madre sembraba
contigo el centeno,
cuando tú bebías
la leche en su cuenco.

Hijo de la ira
de Dios implacable.
No podrá salvarte
del odio tu madre.

No duermas, vigila.
No duermas, despierta.
Te amenaza fría
la heredad desierta.

Te persiguen ojos
sin dulce descanso.
Te aborrece eterna
del Creador la mano.

Las gacelas corren:
correrás tú más.
Los leones saltan:
tú debes saltar.

Los arroyos huyen:
tú tienes que huir.
Aunque yo lo quiera,
¡no puedes dormir!

No duermas, escucha.
No duermas, acecha.
Silbarán las aves
sobre ramas ebrias

para hacerte leve
esta oscura tierra.
Escúchame, hijo:
no duermas, no duermas...

Por todos los siglos,
                              ¡no duermas,
no duermas!

HABLA DE SUS HIJOS A DIOS

Sé por qué le miras sin amor. A Caín rechazas
por semilla en tu Jardín sin Tú quererlo.
Nació Caín en yermo, pisó caminos agrios,
tomó desde mi vientre rencor, celos de Ti.
Criatura de tu ira, con ira te responde.
Temiendo tu violencia te busca la sonrisa
con frutos de la tierra, ¡a Ti que no la amas
porque es mi gran refugio, a donde traje al hombre!

Caín es la memoria del hálito maléfico
que me sopló la bestia para encolerizarte.
Un hijo que entre aves y zarzas sin espinas
cuajó en mi entraña nueva, en la primera entraña
para el hijo primero que el hombre dio ignorándolo.

No has de quererle Tú. Pero si no le quieres,
Caín será enemigo del que prefieras luego.
Y matará al hombre que, aunque su hermano sea,
alcance de tus ojos un mirar de ternura.

Le olvidas por ser mío, simiente del Edén...
Abel que es de la tierra te gusta, lo conozco.
Es fruto de las noches, que, amigos de la sombra,
el hombre y yo engendramos soñando tu Jardín.
¡Nostálgicos del Río, del resplandor magnífico
que repartía tu rostro, la suma de luceros!

Por ello tú le amas, porque Abel te contiene
en ansias de tu luz que es añoranza eterna.
Caín surgió a tus plantas, caliente de tu boca,
del Árbol que burlaba tu orden de exclusión...
Pero la muerte acecha. ¡Que el preferido llegue
al Árbol de la vida! ¿Requerirás, furtivo,
quitándole a la tierra su criatura
de abrojos y de cuevas, de terrores y luchas
hasta amistar sus ojos con las tardes de sol?

Caín lo sabe todo. Tiene zumos del Árbol
que calentó su brote cuando yo no sabía.
Caín es del Edén; su tristeza le envuelve
más dulce que la piel de cordero que viste.
Conoce que su hermano, el nacido en destierro,
no puede reprocharte que te guardes tu gloria.
Él dentro de sus tuétanos contiene sacudidas
que fueron las primeras que iniciaron las razas.

Tú odias a Caín, ¡y mantienes el Ángel
alrededor de aquello que a tu Abel salvaría!
Mantienes la justicia que vengará en mis hijos
aquella augusta hora de gorjeos transida,
cuando flotaba el musgo conmigo y con el hombre,
abandonados juntos a la corriente sabia
que sosegadamente nos revelaba todo.

Mazorca, espiga, tronco... Abel es un sembrado.
Caín caza sañudo. Caín devora a solas
mi dolor y el suyo, y el dolor del hombre.
Abel, pastor de nieves, siempre sueña y te busca...
¡Qué blanco pecho el suyo!

...¡Qué frío lleva el cuchillo
Caín en su cintura!

LLANTO POR ABEL

Negro cuajar de mi entraña,
agario aceite de mi llanto.
¡hijo mío, Abel!

¿En qué peñasco te ofrendan;
ante quién te sacrifican?,
¡Abel, hijo mío!

No quiero ver al que mata.
Lléveselo la que estira
por el polvo su pecho.

Ardores de mi simiente,
ebrio gemido de júbilo,
¡hijo mío, Abel!

Sin grito muerdo mis labios,
mis pechos retuerzo ronca,
¡Abel, hijo mío!

Aullándote por la noche,
bramando misericordia,
¡hijo mío, Abel!

LAMENTO POR LA MALDICIÓN DE DIOS A CAÍN

Toma para ti la tierra: es tu refugio.
Toda la tierra tuya, la que es tu cuerpo.
Terrenal cuerpo encizañado de semillas
que apenas si germinan ya se pudren.

Refúgiate en las cuevas.
Ahonda bajo bosques tu guarida.

Allí donde te metas, verás mi Ojo perseguirte.
Implacable mi gran Ojo duro, sin pestañas:
ojo puro, ojo
que todo lo mirará viéndote siempre.

En pozos que te ocultes, los leones
con hambres que no calman mis ovejas,
querrán hallarte un día y acosarte
con ímpetu de arcángeles rebeldes.

¿Querrías que la sangre de tu hermano
no fluya de tus dedos? ¿Qué gran viento
podrá llevarse el grito degollado?

Mi Ojo nunca duerme. Pupila sin sus párpados
te ve y te verá, anda que anda,
huyendo de mi ira irrestañable.
¡La tierra para ti!

Me verás en ojo inmenso; el mundo
para ti todo es mi Ojo.
¡Húyeme, Caín!
Voy a mirarte
por los siglos de mi luz:

                        hasta que ciegues.

Yo sé que hablaste así Tú a mi hijo.
Los dos perdí a la vez, los dos que hube.
Héteme ya sola con el hombre.
Sufrí más que gocé. ¿Qué es la ventura
sino lucha que descuaja mis entrañas?

Se ha hecho de mis frutos horas torvas;
infiernos de mi vientre; virus triste
para fa tierna carne nueva...
Ya es vaho que revuelve mis piedades
el día fugitivo en que la gloria
cabía entre nosotros: yo y el hombre.

Derrámame simiente perdonada.
Déjanos, Señor, que te ofrezcamos
hijo que no duela de tu ira.
Quiero ya dormir. Dame tu sueño.
¡Tú tienes tanto sueño en tus mansiones!
Gimiendo las centellas curva el trueno

mi espalda y mi cintura...
Miedo de la tierra,

¡tengo miedo!

LA MUJER SUEÑA CON EL EDÉN

El Ángel se durmió. Su espada ya no arde.
Un reguero de escarchas son los leves rocíos.
¡Correr por las malezas, desparramar los ciervos,
sacudiendo encanares! No se mueven las hojas...
¿Dónde a nuestro Dios hallar, mi amado?

Acerquémonos juntos. No me niegues tu guía.
Consumieron el rastro las nieblas
y no puedo sin ti repasar los umbrales.
¡Qué suspenso está todo! No te acerques al árbol,
un murmullo de llamas es su fruto maldito.

Aquí no tengo hambre, la sed no me fatiga.
Es blando mi pisar, un pájaro delata
que no llevo sus alas, que desgajo la hierba.
¡Ay, qué cantar el suyo! Pájaro del Edén
prolongando una rama en flor que no se mustia.

Nada se consume. Circula Dios por todo;
es su savia y lo nutre de eternidades fluidas.
Arrugas de la carne, escamas de los años,
yo siento que se evaden al respirar aquí.

Cuatro aguas de un tronco: son los ríos sagrados
que fertilizan próvidos el Edén que recobro.
¡Oh vosotros los míos, donde bañé mi estatua:
soy la vuestra que vuelve, que deshace su tiempo!
De esta orilla me vuelco, semejante a la lluvia.
¡Tenedme mansamente reflejada!

El agua me sostuvo cuando aquí mantenía
diálogos de luz con mi imagen perfecta.
Las ramas del almendro nunca fueron hermosas
junto al agua que fui por encima del agua.

No huelo como olía: áspero olor mojado
de corza adolescente, de fruta que transpira.
Mi voz partió naranjas, el zumo espeso y ácido
bañaba mis costados sobre la luz madura.

Caballos que pacieron dulces prados de henos
corrían par a mí, sin alcanzarme nunca...
Mis piernas son de sierva, tumefactas se doblan
y de rodillas lloro mi agilidad deshecha.

No es un refugio esto. No será sepultura.
La tierra que hay abajo, de donde vengo hoy,
es la cueva que araña mi corazón ahíto.
Sácame del Edén. Ya no puedo habitarlo.
¡Me pesa tanto el cuerpo, mi amor...!

VISIÓN DE LOS ÁNGELES

Estándonos tan solos como estamos
y siendo ya la tierra inacabable,
a peregrinar bajan celestes mensajeros,
alados habitantes del jardín remoto.
Vuelan sobre el campo que roturas,
ondean, y sus túnicas esparcen
viejos olores que llorando bebo.

O se sientan, gigantes, en colinas,
para mirarnos con tristeza lenta...
O se tienden en los bosques, resguardándonos
del sol adusto cuando Dios recuerda.

Hermosos caminantes son los ángeles
que vienen y acompañan nuestro exilio.
Aquellos de la espada son hostiles,
severos e implacables; y no duermen.
Mas éstos, no; son instrumentos
de elocuencia en el brío de sus alas.
Las brisas que nos mueven, ¡oh cuán dulces;
qué presencia la suya entre la noche!

Miro lo infinito sin arar, con ansia
de verlo todo en flor, y apenas
el pecho se acongoja del esfuerzo,
los ángeles prorrumpen en canciones.
Hombre, míralos; no estamos solos:
ruedas de arcángeles girando
contemplan nuestros días de nostalgia.

¿Qué le cuentan a Dios de lo que hacemos:
el duro trajinar, la oscura lucha

contra la tierra que amanece agria?
¿O que brotan al fin nuestros sembrados;
que los predios son salmos de fragancia?

¿Qué le decís vosotros, qué lleváis
de nuestra vida a Dios...?

DELANTE DE LA TIERRA TRABAJADA

Descansa.
Ya está sembrada la tierra.
Brotaron las semillas, se quemaron las flores,
y los frutos poblaron de juventud las ramas.
¿Qué importa pararse,
si el umbral es la curva
de una forma inasible?

Allí puse contigo mi mano:
¡vela cómo retalla y se esponja la acacia!
Donde dormimos menos ha crecido un arroyo
para que abreven cielo los castaños nupciales.

Todo sabe a una especie:
las espigas, los granos. Y reptan
esas rojas raíces de emergencia verde.

¿Oyes cómo cantan las aves
que no plantaste tú; y aspiras
el olor de los nardos
que nunca seré yo...?
Y es todo nuestro.
Somos ello nosotros; recuerda
que nacieron los seres radiantes
para ti y para mí, sus señores.

¡Fue en el Paraíso, lo sé! Ya soñaba
hablando de lo bello inmarchitable.

Lo que sembramos se mustia,
aunque renace. *Y aquello*
era y será sin fin presencia.

Árboles, vergeles, una aurora
de hermosas claridades nos prolonga.

Tu brazo sigue ardiente, mi mano vibra.
¡Cuánto hicimos! Descansa.

Si lo colmamos todo;
si consumes la tierra y florece inefable
hasta el pedral inmundo,
¿qué será del trabajo ordenado por Dios?
¡Oh reposo de un siglo
en este respirar a que te fuerzo!

Mira derramar la noche
en el carro repleto de eras...
Escucha resollar la sombra
que se vuelca despacio...
Humareda de nubes se apaga
cercándonos el Jardín.

Tal frescor desemboca a mi espalda,
que me siento delgada la sangre.
Ya la tierra es un trono: la anega
el hervor con que abrimos su pulpa.

¡Aún no; aún no...!
Descansa y contempla conmigo.

CANTO TERCERO

DILUVIO

Allegando tormentas, en gemido las frondas
recorren las doncellas fugitivas.
Los hombres no las siguen, sus aterrados ojos
apuran de la luz el látigo veloz.

¡Cuánto llueve en el mundo! Hasta los peces fluyen
por la tierra musgosa antaño incandescente.
Hay un varón señero con secretos divinos,
que abastece una nave para surcar la lluvia.

Convocadas las aves, con misión la paloma,
se enseñorean de tablas que serán su recinto...
Ya la lluvia se crece; de menuda frecuencia
va tomando robusta corpulencia briosa.

No faltó ni la corza. Han venido caballos;
copiosas mansedumbres obedecen al hombre.
Un jilguero y un oso, un león y su cría,
apacentados juntos en la nave dormitan.

Los jardines, fundidos. Los arenales beben
hasta saciar el ansia que nunca Dios colmara.
Cuando reunidos todos los que el hombre eligió
con la puerta inviolable se clausura el navío.

¡Oh, qué mano de pétalos descorteza las aguas;
cuántos frutos flotando el raudal incesante!
La cosecha del Génesis ha caído nutrida
bajo la lluvia austera de los cielos hostiles.

Naufragaron los montes. Desvanecidos hielos
deslizándose huyen caminando el Diluvio.
Los que habitan la nave, el seguro prudente,
rezando están a coro, rodeados de bestias.

¡Qué rumores tan broncos junto a las tablas rompen!
Se estremecen los tigres; palpitantes las corzas
temblorosas arriman al poderoso dueño
sus grandes lenguas cálidas de espanto.

¡Es el trueno quien reina es la lluvia, el relámpago!
es el rayo que muerde; es la muerte del agua
la que reina en el mundo mientras el arca flota
como un astro en el éter, rodeado de niebla.

Mas el hombre ha sentido que un olor inefable
violando su defensa ingresa en el navío.
Huele a tierra que el viento acaricia y remansa...
¡Salta, tú, la paloma, y regresa diciendo
lo que allá de las brumas y las tablas herméticas
va creciendo otra vez, rescatando del llanto!
¡Oh paloma de amor, hembra tú de esta arca,
regresarás con fruto para tu macho noble!

Es olivo, Señor. ¡Brilla el sol en el mundo!
Es olivo caliente, es perdón, es la seca
emergiendo de nuevo, redimida del agua:
con una soledad de aurora primigenia.

¿Qué rueda deslumbrante arquea una mitad
ante los ojos dulces de las veloces ciervas?

Han rugido las fieras que se salvaron, ágiles
para buscar las cuevas de su nueva morada.

De entre la tierra henchida ha sacado Noé
una viña, fragante para loar a Dios.
Y me extiendo a su lado, aguardando que beba
y me prodigue el zumo de su embriaguez gozosa.

¿Es que es nueva la vida? ¿Comenzamos ahora
una tierra lavada de impurezas bestiales?
¡Es que es nuevo vivir, y Noé perdonado
dará generaciones ausentes de la culpa!

Ya dormito al costado del arca abandonada.
Van creciendo unas hojas que cubren su ruina.
¡Oh, qué largas trompetas ensalzan el rescoldo;
son los ángeles mismos quienes cantan su gloria!

Desde la arena inmóvil yo contemplo llanuras
de inquietante verdor, suaves y alisadas.
Encendido de flores el cielo crece joven
sobre la seca inmensa que Dios ha perdonado.

JUNTO AL MAR

No pastoreas tú el mar. Ni yo lo aro.
Al verlo despertóse en mí la angustia
creyéndolo gemelo de la tierra.
¡El mar no acaba, el mar se crece
y es mar que come cielo oscuro
y tierra delicada de la orilla!

Metiéndome yo en él, ya no soy Eva.
No pienso, no me muevo, me abandono...
Flotándolo me entrego y se me entrega
en un largo tomar que me desangra.
La fuerza que contiene en su sustancia
renace y muere en sí. Es Dios el mar.
¡Es el mar áspero, criatura
de Dios eterna: su morada!

Estaba hecho y sigue así: el mar continuo.
Temí al encontrármelo tendido
que hubiéramos de hendirlo con la reja,

sacándole las flores de su espuma.
¡Y entrándole frenética
me coge con sus ondas que no acaban,
deshace mis cansancios; me adormece!

Su cuerpo funde el mío, lo levanta
igual que a un fruto vorazmente agasajado.
¡Mar, oh mar, que eres
ardiente barro deshecho!
Tierras para ir no las quisiera.
¡Déjame en el mar,
que me penetre siempre el mar!

Mecida dulce o brutalmente; poseída
o rechazada sin soltarme de sus brazos.
¡Oh mar de Dios, mar desatinado y mío,
mar que abrasas
mi cuerpo avaricioso de tu cuerpo!

IMPRECACIÓN A LA VEJEZ

Peor que morir, hombre, es ser viejo.
Ser viejo y saber; vivir viejo que sabe
que se muere una vez definitiva...
Morir es más sencillo, cerrar carne y espíritu
ante una eterna vida que sigue siendo de otros.
Morir en juventud, tersa espalda y el pecho;
flexible andar y risa, y con la voz repleta
de lumbre ante el amor. No es mala así la muerte.
Sí la vieja vida gastada, desucada, ahíta.
Sí la vieja cara destruida, el curvo vientre fláccido.
Sí las retorcidas figuras de los miembros.
Sí la muerte viva del cuerpo que fue joven.

Árbol de la vida, tu sombra es venenosa,
y mustia a los que aspiran tú perfume.
Altivo te levantas con ramas y con hojas,
te niegas al disfrute del hombre que te sabe
porque ha comido savia frutal del de la ciencia.
¡Te odio, te apostrofo, oh árbol de la vida:
quiero la juventud hasta la muerte!

Peor que la absoluta inmovilidad es secarse.
No sentir el roce tenue de la brisa en los labios.

No sollozar de dicha porque se es joven, y el mundo
canta y se recrea en que soy joven y firme.
¡No quiero la vejez, máscara repugnante, impía,
rostro verdadero del árbol de la ciencia!

Déjame morir sin saber. Bella, perfumada, fuerte.
Déjame de ti, vida con raíces de salmos,
joven y sana, viva de luz, perfecto amor, y tuya
hasta que sea mía la tierra; mío
el éxtasis de Dios si Él hallara su obra
sin vejez hedionda que quita la inocencia
poniendo un rostro odioso de muerta que persiste.

LA MUJER NO COMPRENDE

¡Cuántas veces a estéril has condenado mi vientre!
¿Por qué luego que otra, Agar la egipcia pariera,
hiciste que mi entraña doblara su existencia?
¿Por qué Abraham fue cobarde, por qué Isaac fue cobarde?
¿Por qué los dos dijeron: «Es mi hermana», de mí?
¡Ay Señor, cuánto duelo en mi cuerpo permites,
dejándome sufrir sin piedad de mi enojo!

Aquella tarde roja del calor del estío,
cuando acabada el agua Ismael se moría,
¿por qué esperaste tanto la voz del joven hijo
y no oíste la mía, espesa y desolada?
¡Qué grande era el desierto de Beer-Seba el ardiente,
y cuán pronto tu ángel abrió con tu mandato
una fuente de aguas que llenó nuestro odre,
para la sed de tierra que a Ismael recomía!

¿Y en el valle de Mamre, cuando tres mensajeros
vinieron junto a Abraham, por qué, dime, hiciste
que al venir a Sodoma —a la bestia entregada—,
y buscarles los hombres, pues eran tan hermosos,
nadie viera mujeres en amor: sólo hombres
que pedían hambrientos, desdeñándome a mí?

Lot, Señor, me ofrecía: yo era dos hijas suyas
en espera de amar; por salvar los mancebos,
Lot, mi padre, nos daba a los hombres rebeldes...
¡La ceguera cayó sobre ellos entonces,
fulminada de arcángeles que sufrían su ira!

Desde Zoar oímos crepitar dos ciudades,
el azufre y el fuego arrasaban Gomorra.
¡Las llanuras en flor, los rebaños, los hombres,
todos fueron raídos de la tierra horneada!
Dime ahora, Señor: ¿por qué me convertiste
en estatua de sal cuando volví los ojos?
¡Nunca admites, oh Dios, que yo quiera saber!

En las hijas de Lot, que perdió su mujer,
la inquietud de la especie comenzó a rebullir.
Y le dimos del vino porque se adormeciera
y entrara a nuestros cuerpos de vírgenes conscientes.
Los tres varones justos quemaron a los yernos
que desdeñaron agrios nuestro contacto puro.

Unas veces le niegas que me siga a tu hombre.
Otras niegas el hijo a mi cuerpo doliente...
Y hay momentos que baja tu voluntad fecunda
y soy un manantial de hijos que te loan.

Si soy Sarah, perdonas. Si soy Agar, ayudas.
Si la hembra de Lot, no perdonas que mire.
Y me dejas que yazga con un padre embriagado
y no escuchas mi voz, que es un cardo sin flores.

CANTO CUARTO

INQUIETUD

¿Qué enmarañados gritos no puedo exhalar, Señor?
¿Qué criaturas germino que no veo nacidas?
¡Oh mi dolor, que huele a romeros floridos!
Nadie sabe mi ser, y soy el mundo redondo.

Salieron de mí las sendas, los oscuros atajos,
para sorber hogueras y para cantar a Dios.
¡Cuántas zarzas royeron los vestidos resecos
de los hombres dolientes caminando la arena!

Y dentro de mi pecho se desploma la sangre
que quiere algo que ignora, pero lo quiere ebria
de querer esto lúcido que no sea el amor.

Esta vida que arrastro desde el latir primero
ya no sirve a mi cuerpo...
¡Yo no sé lo que busco!

Si es que abrieran las selvas su garganta leñosa
y la voz de Dios ancho descendiera a la tierra,
y a mi oreja gritara un mandato vestido
del espeso resuello que me tunde... ¡Desgarran
las ortigas del ansia mi inquietud sin empeño!

¿Qué se fragua en mi entraña, qué simiente confunde
su corteza de sed, su inacabable furia?...

PRESENTIMIENTO

Sobre el mundo una voz se ha vertido...
¿Quién canta,
quién dime,
quién anuncia a quién?

Sobre la esfera oscura la voz combada,
¿de arcángel,
de prietas aguas,
de vientos en tropel?

Todas las tierras se rasgan bajo la voz,
¿silban raíces,
corceles brincan,
pájaros al amanecer?

Aterrados vacilan los hombres por la voz.
¿La esperaban,
la temían,
la quieren beber?

¡Una columna de zumos es la voz!
¿Calma la lengua,
la abrasa,
se puede una voz verter?

¡Se amontona en llamadas la Voz!
¡Ay de ti si la huyes!
¡Ay de mí que la oigo!
Busca a la mujer.

VOZ DE LA VIEJA EVA AL SENTIRSE EN MARÍA

A Ella la llamas *Ave,* saludándola.
A mí llamaste *Eva,* que es lo mismo.
El Ave de María es terrenal morada tuya,
y yo fui lanzada de tu Huerto, acá a la tierra.

No perdonaste que engendrara hombre
a la que quitaras Tú del que fraguaste.
Y vienes a posar en cuerpo humano,
en virgen de mi propia descendencia.
¡Salvarnos con tu lumbre, por tu Hijo;
venirte Tú a entendernos, dialogando
por medio de la Voz que depositas
en cuerpo de mujer que es pura siempre!

Ignoras las miserias de los hombres.
Harán en tu Criatura su venganza.
La tierra no se olvida de que es tierra
maldita, como yo, por tu arrebato.
Tu Hijo, otro Abel, será vendido
por quien tu Ojo implacable airado mira.

Ave, Eva. Nombres de mujer en dos Edades.
Presencias de tu Ser. Pero María
jamás pecó, Señor. ¿Por qué la eliges
sufridora del drama sobrehumano?
¡No hay árbol de la ciencia,
no hay árbol de la vida para ella!

LA MUJER DIVINIZADA

Soy la virgen. Soy doncella. Soy María.
No supe de varón. Llegado el Ángel,
pasóme con su voz al cuerpo intacto
temblor de requeridas cumbres.

¡Hágase el Hijo aquí!

Igual es a un rumor resucitado
que comienza en mi seno dulcemente.
Palabra de Palabra es la engendrada.

Resueno su mandato.
Soy lúcida paloma. Soy campana
y rosa de salud inmarchitable.
Yo, la Elegida.

Jehová me perdonó. Vuelvo a su gracia
pariéndole su Hijo, el Preferido.

YA A LOS PIES DE JESÚS

Este pozo florece sobre el brocal su agua.
Y este ungüento es ya noble porque toca tu planta.
Déjame que te beba, dale Tú a mi alma
esa agua que surte de tu hermosa garganta.

El olor de mi cuenco poblado de tu aroma
es memoria de Ti, cuya presencia invoca
el nardo que te pide, que de tu piel se toma
la dulce suavidad que unge lo que toca.

Agua y perfume tuyos. ¡Oh Señor del camino!
Pastor y gran labriego del corazón cansino,
al verte y al tocarte yo toda me ilumino
de la aurora redonda de tu verbo divino.

Soy fragante mujer, y peco por amor...
¡Tú lo sabes y hablas conmigo, Tú, Señor!

EL DOLOR DE MARÍA POR SU HIJO

Cansada estoy de ver que sangra sin que nadie
restañe sus fluentes venas rotas por el odio.
No brillan sus cabellos, la risa de sus labios
no es hoy la pura flor que fue. Es todo herida;
piedra negra, lodo duro, cieno en su figura
pugnando hasta la impávida cabeza
de luz encima de la luz.
Pestilente marea humana que no quiere su amor
ferozmente golpea
la carne que es de Dios, que es de lumbre.

Gotean de mis ojos unos cielos que a deshora
conocen acercarse provistos de azucenas
a aquellos que en sus ciénagas se alojan.

Ahíta de resuellos junto al madero fresco,
no entienden su palabra.
¡Un Hijo del Espíritu de Dios ha de arrastrarse
delante de jaurías que no cejan!

¡Oh Tú, Señor! Soy tan pequeña
que en mí no cabe tu grandeza íntegra.
Defiéndele del Mal, recuérdale: es tuyo.
Hijo de la Tierra por el Cielo que la busca
lavándola sin diluvio: con una fuente única
volcándola al Varón que ha sido Verbo...

RECORDANDO A JESÚS

Era igual que la luz, todo lo revelaba.
Igual que el agua limpia, todo lo redimía.

Su voz partía granadas, aventaba los vientos.
Su voz era de nardos y olía a amanecer.

Las manos de Jesús alumbraban las noches
que llenaban el alma de inquietud y de anhelo.

Sus ojos traspasaban, espadas del Señor
sus ojos eran largos: del cielo hasta mis ojos.

   ¿Por qué a Jesús clavaron,
   por qué lo hemos perdido,
   y ya su voz no huele como huelen los rayos?

Jesús era la sangre de que el mundo se hizo.
Todos los hombres juntos cabían en Jesús.

Pasó junto a mi cuerpo, y no supe qué era
hasta que fue el herido de todas las criaturas.

Creció desde la tierra, yendo a clavar su copa
entre las ramas verdes de los luceros vivos.

Cuando cesó su aliento y se quebró su verbo,
un madero crujió por soportar el mundo.

   ¡Ay Doncel de mi pozo:
   convocaría las aguas
   para lavar mis manos que tanta culpa tienen!

¿Puedes, hombre, vivir, aunque Jesús no viva?
¿Dónde hallarle otra vez, para quererle, yo?

¡Cómo vives, ay, hombre; sin recordarle nunca!
¡Eres duro y hostil, a Jesús no encontraste!

Una voz y unos ojos descendidos del Cielo.
Una palabra en ascuas que se nos queda aquí.

Ascendió, le perdimos, y tú no le recuerdas;
y yo nunca le olvido porque le supe eterno.

¿Quién podría olvidar al que llovió su verbo
sobre la grey podrida,
sobre la turbia sangre?

PRESENCIA DEL ALMA

No basta que me quieras, que me cojas tuya
en un ramo granado de ardor que siempre acude
al zumo que tu beso en mis entrañas hinca.
No basta nada nunca, parece que el desierto
lo invade todo ardiente de zarzas crujidoras.
Yo lavo el suelo espeso con llanto que sacude
raíces de mi pelo sujetas a las nubes.

Apenas hace siglos que tú, y yo, desnudos,
estábamos cantando loores; que las selvas
danzaban sus criaturas de ramas y de silbos.
Los cielos eran tiernos: en humo que se hería
sangrándose por nieblas si yo los desgarraba.
Tú ibas fuerte y bello: ¡qué hermoso, amor, que eras
el más veloz amante que soñara una corza!
Yo he sido tan hermosa, tan digna de tus brazos,
que nunca comprendimos quién acababa en quién.

Y no es bastante amarse. No basta que tu boca
pronunciara mi piel en mil rudos acordes.
¿De dónde habrá venido esta mujer de niebla
que nadie ve ni tacta; ése tú que se evade
de ti corpóreo y tenso...? Otros nuestros tan leves
que no pesan ni el aire. Nuestras almas, ¡ay hombre!
Nuestras dos almas juntas, que se aman furiosas
y se claman en lucha,

y las sombras descuajan,
para no verse nunca, porque no pueden verse.
Hombre y mujer de humo, de ilusión dos semblantes
que sólo Dios conoce porque es suyo el hacer.

¡Qué fragor este nuevo a que tira la sangre!
Sin aplacar deseos, sin olvidar torturas,
¡otro dolor nos cae del Edén tan negado:
dos imágenes nuestras que ni siquiera vemos!

Allá en el Jardín, ¿tú recuerdas tu alma?
Cuando sembramos solos, ¿tú me viste la mía?
Y así que descansamos en los mármoles tiernos,
después del culto horrendo a la muerte, ¿recuerdas
si apareció mi alma por el mar o la arcilla?

No la he sentido nunca. Ni la tuya ha venido
a conmover mis brazos jamás antes de hoy.
Llevábamos dos almas sin estremecernos, lisas,
iguales a dos aguas que resbalan durmiendo.

Ahora nos sacuden más fuertes que los besos,
que tus torrentes cósmicos, que tu engendrar de hombres.
Dos almas entre nieblas halladas de improviso
cuando quieren brotarnos, apoderarse férreas
de los cuerpos amados que apacentamos juntos.

Fluidas y olorosas, augustas almas nuestras
ajenas a la tierra, deseando dejarla.
Yo tengo que cogerme a la mía y me lleva
en pos de ti y la tuya, levantándome en vuelo.

Me zumba su misterio, no abarco lo que traen,
lo que llevaron dentro de su ciego callar.
¡El alma que me embriaga quiere irse contigo,
arrebatar la tuya y ascender al Jardín!

Son dos hallazgos trémulos, dos palomas en cría.
Son dos espejos cándidos, dos arroyos extáticos
que Dios ha sacudido para verse dos veces.

Nuestras dos almas, hombre. No les basta el amor
que desterró el Edén hace siglos de sueño.
Ellas quieren...; ¿qué te pide la tuya
que la mía no para de golpearse dentro

de mi corazón harto de contenerla ardiente?
Ya querernos no calma. No nos colma arrojarnos
al asperísimo y bronco trabajar de la carne.
Ellas sueñan, almas tiernas de vida
que acaban de brotarse, de saberse, gritándonos
su derecho a ser dueñas de nuestros dos alientos.

PLEGARIA

Dispones que tus susurros lleguen
a distanciadas memorias.
Estoy más cerca que las montañas,
que los árboles que te buscan,
unida al cielo por istmos de angustia,
y no te oigo venir.

Cuando los huracanes pulsan
largos penachos de selvas,
yo escucho cómo caminan.
Y jadeando pavura por el viento negro,
víctima de su opaca furia,
llamando al que lo creó.

Te hablo con una voz mate,
cortada de la angostura
que es mi amarga verdad.
Soy leño para las lumbres todas,
débil piedra que las hachas quiebran,
pero te amo, Dios mío.

Tengo tu amor entre mis hombros,
una carga de amor sufriente
que abrasar aspira, lo sabes.
¡Oh qué hoguera en tus montes soberbios
la que enciende mi lumbre arrebatada
por Ti y por tu voz!

Acércate sin arcángeles,
no adelantes presencia a mis ojos,
ven contigo sólo. Visítame.
Tu gran cuerpo incandescente y fúlgido
llameará conmigo sobre tus bosques libres,
incorporándome a Ti.

HORROR A LA BESTIA

¿Por qué supe de ti, oh bestia impura?
¿Acaso te salvaste del oscuro silencio
llevándote conmigo por las quemantes tierras
que Dios nos destinara en su arrebato?

Esclavos nos hiciste, y te quedaste esclava.
Ya nos sacude todo con idéntico brío.
¡Los huesos silban mayos en un celo
que el alma sufre inmóvil!

El alma, sí. Va siendo mía.
La llevo sobre mí, ella me unge.
Soy charca de su luz. La quemo toda.
Pero te odio a ti, que eres la brasa.

¡Tener un Paraíso sin saberlo!
Ser dueña de la paz, sin conocerla.
Tan nueva mi raíz, que la quebraste
lamiendo sus cabellos.

Royéndonos estás, y te roemos.
La lucha es para mí, que te conozco.
Que te he traído aquí, que me gobiernas.
¡Oh alma de mi cuerpo, alma mía
que Dios me deja ya poblarme toda!

Te domará mi vida, te domará mi muerte,
maldita bestia dulce, embriagadora loca
que muerdes mis entrañas, tu manzana fragante.

CONTEMPLACIÓN

Desnuda la noche estalla
prietos ramos de luceros.
Junto a mis sienes relucen
relámpagos, de silencio.
No tempestades, no lluvia:
pastora del firmamento
lloro porque desterrada,
ante los álamos secos
que un terremoto de nubes
va convirtiendo en espectros.

Clamores, piras de brisas,
arroyos se desperezan
y ecos de frondas sacuden
madejas de primavera.

¡Cuánta noche me cobija
estos ojos derramados!
Bocas de insectos devoran
la carne tibia del campo,
mientras mi cuerpo se sueña
inextinguible y callado
cuerpo de la eternidad,
dulcísimo olor cercano.
Y la luz se eleva queda
enalteciéndose en arco.

¡Quién subiera hasta la noche
con la noche rodeada
al cuerpo en túnica fresca!

El alma tierna que hube
se ha consumido en pavesa.

VISIÓN

Como saco de cilicio el sol de negro.
Los ángeles con trueno en sus bocas.
Los caballos derramando destrucciones.
De muchas aguas con ruido tu gran Voz.

Juan me ha visto...
¡siempre perseguida por la bestia!
Con la tierra separada en dos mitades
sorbiendo el río que corría tras de mí.

No he dañado ni al vino ni al aceite.
Y por tibia nunca habrás de vomitarme.
¡Que el dragón se corroa con su fuego,
y los ángeles rujan sus trompetas!

Juan me ha visto...
¡Ay de los muertos, Primogénito:
ayúdame a escapar!

CANTO QUINTO

MEDITANDO LA MUJER, AHORA

Esta corriente oscura atravesando mi cuerpo
no pasará a otros seres, es solamente mía:
la nazco yo, la broto: espesa sombra dura
que acabaré yo siendo, fundida ya con ella.

Otras veces he sido resplandeciente ascua
iluminando a todos: luz de lumbre perfecta.
Los seres que mataron, hechos carne podrida,
oscuros de metralla, reventados en niebla,
han legado a mi tiempo de vida
este horror de su sombra purulenta y nefasta.
Apagóse mi risa, me fundieron la estrella,
y ahora soy la muerta que los contiene muertos.

En provincias de mí viven ramas de fiebre,
y en aquellos contactos que imagino, crepitan.
¡Oh, qué triste me siento la juventud en rezago,
al mirar a esos hombres que murieron conmigo!

Yo no quiero gozar. No podría embriagarme
con mis brazos aún tersos y mis hombros redondos,
ni con estas rodillas de belleza segura
que me aferran la sangre, cuando quiero saltar
porque me asusto, débil, al admitirme viva
y capaz de reír mientras lloran los hijos
de esas mujeres muertas, cuyos huesos blanquean
entre los sucios campos de las guerras cobardes.

¡Quién pudiera soñar hasta crear la escala
que enlazara contigo, Tú, el Señor de mis sueños:
y descendiera el ángel que en batalla dormida
me desangrara el hambre de verte que padezco!

Esta negra morada de tu creación me pesa,
porque no la dominan mi juventud, mi ardor.
Asomada a la fuerza de los que nada saben
y se mueven a oscuras, yo deliro mi angustia.
Y te llamó, callada, por las enormes fuentes
de tu garganta abierta en mi pecho sin jugo.

¡Llévame de la sombra, húrtame de mi sino!
¡Ay Señor de la muerte: sácame de tu boca!

Mirada desde arriba, ¿qué bulto es la muerte?
¿Qué la agilidad del cuerpo en movimiento?
Esta prisa de amar y de odiar, ¿qué levantan
sobre la sucia y llana, sobre la impura tierra?

El correr por coger, el asir desmedido;
esta hidrópica ansia de tener los futuros
agusanados cuerpos que olerán a su podre,
¿qué dirán, desde arriba, al que sereno mire?

Mi sonrisa y mi llanto, el gritar, la blasfemia,
este negruzco hilo de la poesía inútil...
¿Para qué se producen, para quién yo la mano
enterada que estoy de mi muerte absoluta?

...¡Pero tu Reino augusto me tienta, me enloquece!
¡El soñar que mis ramas acarician tus nubes
y una palabra célica misericordia irradie
al caer sobre el fango, limpiándome con fuego!

Desde arriba, tan alto, ¿cómo podré ser vista?
Es mejor que resigne mi ambición a la tierra.
...¡Oh, que quiero saltarla y saltarme, volarte
siendo más que tu polvo: el viento y tu relámpago!

SÚPLICA FINAL DE LA MUJER

Señor, ¿Tú no perdonas? Si perdonara tu olvido
ya no pariría tantos hombres con odio,
ni seguiría arando cada día más estrechas
las sendas de los trigos entre zanjas de sangre.
La fuente de mi parto no se restaña nunca.
Yo llevo las entrañas por raíces de siglos,
y ellos me las cogen, las hunden, las levantan
para tirarlas siempre a las fosas del llanto.

Señor, mi Dios, un día creí que Tú eras mío
porque bajaste a mí alumbrando mi carne
con el alma que allá, al sacarme del hombre,
metiste entre mis huesos con tu soplo de aurora.
Mas, ¿no perdonas Tú? Y no es gozo el que tuve

después del gozo inmenso en el Jardín robado.
Me sigues en la tierra, retorciendo mis pechos
con labios de criaturas, con dientes demoníacos.
No hay lecho que me guarde, ¡ni de tierra siquiera!
Los muertos me sepultan, y obligada a vivir
aparto sus plomadas y vuelvo a dar la vida.

¡Oh tu castigo eterno, tu maldición perenne:
brotar y aniquilarme lo que broto a la fuerza,
porque un día yo quise que el hombre por Ti hecho
repitiera en mi cuerpo su estatua, tu Figura!

¿Sembrando he de seguir, pariéndote más hombres
para que todos maten y escupan mis entrañas
que cubren con el mundo los cielos, tus estrellas,
y hasta el manto de brisas con que Tú paseabas
por tu jardín soñado, cuando yo era suya?

¿Por qué me visitaste, Señor? ¿Por qué tú Espíritu
entróse a mi angostura dejándome tu Hijo?
¿Por qué te lo llevaste a aquella horrible cueva
que el odio de los hombres le abriera como tumba?
¡Oh! ¿No perdonas, Dios? Pues sigue tu mirada
teniéndome presente: joven, bella e impía
delante de tus árboles, que yo ya ni recuerdo...

Pues soy vieja, Señor. ¿No escuchas cuánto lloro
cuando el hombre, dormido, me vuelca su simiente
porque Tú se lo ordenas sin piedad de mi duelo?
¿No ves mi carne seca, mi vientre desgarrado;
no escuchas que te llamo por bocas estalladas,
por los abiertos pechos de niños, de mujeres?...
¡En nada te ofendieron, sino en nacer!
Soy yo la que Tú olvidas, y a ellos los devastas;
me obligas a que siga el lúbrico mandato
de aquella bestia horrible nacida en contra mía.

Tan vieja soy y labro. Tan vieja y cubro muertos.
No estéril porque quieres que sufra mi delirio
de un solo día hermoso del que guardo el aroma.
Ni Tú, Señor, lo olvidas. Que por ello me quejo.

Soy madre de los muertos. De los que matan, madre.
Madre de Ti seré si no acabas conmigo.

Vuélveme ya de polvo. Duérmeme. Hunde toda
la espada de la llama que me echó del Edén,
abrasándome el cuerpo que te pide descanso.
¡Haz conmigo una fosa, una sola, la última,
donde quepamos todos los que aquí te clamamos!

Yo nunca fui dichosa con la bestia maldita,
y siempre te soñé entre tus árboles cándidos.
Con tus coros de cisnes, de almendrales floridos,
y aquel olor de lirios derramándose.

Tan vieja..., tan cansada... Espuelas que me raja
son las piernas del hombre. Líbrame de ese yugo.
No puedo amarle más ni enterrarle. No cabe
ni yacente ni vivo sobre la tierra negra.
Porque Tú perdonaras, porque al fin olvidaras.
¿Quién si Tú eres Todo, de no ser Tú podría
darte un Paraíso por el perdón que te pido?

ILUMINADA TIERRA

1951

CARMEN CONDE

ILUMINADA TIERRA

POESÍA

1951
CASTILLA

LA ENAMORADA

CANTO PRIMERO

AMAR

¡Son oscuras memorias; la sangre, que no piensa,
recuerda sin saberlo, y te busca, te busca!...
Parece que la llaman desde la orilla o niebla
donde crecieron juntos los álamos del sueño
y donde galoparon, con hombres a su lomo,
caballos que reían igual que las mujeres
que sueñan el amor, como valquirias negras
por dentro de los ojos, por donde muge el sueño.

Porque los sueños balan cuando relinchan altos,
y las mujeres aman cuando en el agua sueñan;
¡claros caballos blancos los que las llevan ágiles
por dentro de las aguas, en el soñar, de noche,
mientras las casas quedan atadas a la aurora,
que nunca se retrasa en conducir la luz,
aunque despierten juntos el amor y quien ama!

Acuérdate del día en que se hizo todo:
todo lo que es la lumbre y sus rojos carbones

que nos están quemando —como si Dios pusiera
arcángeles y peces en los hombros del Caos;
y nosotras, ¡mujeres!, y vosotros, ¡caballos!,
viniéramos del baño en el mar de ceniza
que dejaron los sueños, la eternidad confusa
que es abrirse a la luz, al amor y a la muerte.

FUGA EN LOS JARDINES

Las más jóvenes, deseándoos, avanzan
por estas avenidas de árboles fragantes.
Evaden primavera que a las flores oxida
con un ardor oliendo a frutas, a corceles...
¡Qué salvaje presencia la de las hembras púberes
entre glicinias cálidas, entre celindas vívidas!
Exigen que las amen, que las sigan corriendo
para volcarles júbilos sobre la orilla ebria.

¡Muchachas, corred más: corred hasta la aurora!
Estos grandes varones de los pechos revueltos
ansían desgranaros, ¡oh mazorcas crujientes!,
con su hambre de bocas y su hambre de frutos.
Hasta el río, que es tajo delimitando sueños,
huele a amor y a festines...

Han temblado los álamos al estallar unánimes
los oscuros latidos de dobles ruiseñores.
Los regazos del musgo, el frior de los juncos,
contemplando el encuentro aceleran su verde.
Es un cántico trémulo, en gargantas sorbido
por el amor abierto en mitad de la selva.

¡Corred siempre, muchachas, que el seguiros excita
el ardor de cogeros, suyas todas, a hombres
que de fieros esgrimen el ademán tan sólo!
Y envolveos en ropas de blanco lino puro
para mojar con ellas esos cuerpos calientes,
y amanecer ceñidas, ante el amor que vibra,
por el celo del agua posesor de las vírgenes.

DESPUÉS DEL RÍO

Os alcanzó la sombra cuando volvíais del agua:
otra túnica vuestra que desgarra el cortejo.

Asediados los chopos por esbeltas presencias,
rumorosas de brisa apagaréis los brazos.
¡Qué donceles os aman, ensuavecidas hembras,
bajo la noche incisa en el jardín ardiente!

Vuestra risa no suena... ¿Es que cortan rosales,
que sacuden las hojas de los olmos antiguos?
¿O es que todos galopan por colinas augustas?...
¡Nada turba el silencio que prosigue anhelante!

Derramados jardines en la corriente, huyen
fugitivos de escorzos que codicia la sombra.
Sólo ciervas heridas antes los ríos dudan...
Las muchachas, vosotras, os alzáis con las fuentes
y se os llevan las aguas en desnudez litúrgica:
ofreciéndoos en ritos que consuma la tierra.

¡Ay, qué ardor el que gime en la oscura marea
de este bosque vertido por la luna que brota!
Amanecen escarchas en vuestros hombros ácidos
con la luz de la espuma de oleajes sagrados.

COMIENZO DE LA NOCHE

¡Oh río en penumbra!
Labio celeste: ávido
sorbedor de tierra seca.
Dedos que se ofrecen trémulos
de la orilla al contacto...
Lento venir y mansa
la espera de llegar acorde.
Río henchido de doncellas
que te navegan unánimes.

Chasca tu besar riberas
orlando desnudos cuerpos.
Siestas que se mojan tuyas
tomándolos están, fresquísimos.
Río con mujeres dentro,
¡qué río de ansiedad te rindes!

Lengua para la arena: musgo
florido del sentir desnudas
plantas de las nadadoras.

Al sol que se dobla exhausto,
las hojas de los chopos abren
su volar de campanillas...

¡Noche del jardín,
oh noche del amor: escurres
de este gran río tu bulto!

DONCELLA ENTRE LAS HOJAS

¿Quién asoma los ojos entre las cañas líquidas
que adelgazan la música de su alegre corriente:
es la esposa del aire, que si canta consigue
que se expriman los cielos?...
¿O es alguna bañada en resplandores mágicos,
embriagada de amor bajo las ramas próvidas
que la entoldan de frutos hasta abrigarla en zumos?

Han llorado esos ojos porque vieron dos cuerpos
que dormían un sueño pleno ya de sí mismo.
¡Oh la voz que se rinde sollozando en los labios!
Unos ojos que acechan el abrazo del sueño
que une más a embriagados de quererse sin tasa,
se perfilan alertas, centinelas de niebla
sorprendiendo al amante que descansa sus besos.

Los rocíos acuden. Sacudidos de polen,
sobre la selva hinchen los fecundos vergeles
de las flores que ansían recobrar su frescura.
Y los ojos con fiebre se cerrarán llorosos
de haber visto el amor sin tenerle consigo.

¡Ay la pena de hallarse con el amor ajeno
cuando pesa la densa juventud impaciente!

CANTO A LOS SERES MÁS HERMOSOS

¡Ser hermosos está como la fruta!
Vulnerables desnudos sometéis,
precipita el amor toda su sangre.
Ser hermosos y amar; ser elegidos,
ser amados, llevar esa coraza
que es la luz de lo bello irrebatible.

Aceleran, por tomaros, los arroyos
el abrir entre juncos su impaciencia.
Musgos nacen en márgenes adustas,
desmayadas después con el contacto
de los cuerpos hermosos que son vuestros.
¡Qué nostalgia sentimos; desolada
la memoria golpea su corteza
al miraros fluir sin retroceso!

Ser hermoso es temblar lleno de zumo.
No hay cristal que no empañen los reflejos.
Ser hermoso es el ala sin descanso,
es el cielo desierto de cometas:
¡un océano de cielo en desmesura!
Ser hermoso es cerrarse contra todos
y bastarse a sí mismo, por perfecto.

ADOLESCENTES

Sobre la eterna piedra del mundo tan compacto
la traza débil, fresca, de tu desnudo cuerpo.
Todo es muy duro y agrio, se rebela enemigo,
y te alzas tan joven y segura, tan tierna...

No es verdad que las flores luchen siempre calladas.
Ellas gritan su olor y se mueren temprano,
cuando tú, que eres más, sufres doble que ellas
y además mueres tarde, porque ya te marchitas.

LA IMPACIENTE ENAMORADA

Porque si vinieres, y ya ni yo te espero,
quizá se prenderían mis cortezas.
Te pude soñar tanto, estabas luminoso
allá lejos de todos...
                              ¿No era tuyo
un sueño incomprensible al que yo me asomaba
alargando los brazos, que no son de ceniza?
¡Eras tan ágil tú como son los caballos
que corren y se saltan obstáculos de piedra!

Entornando los ojos, si quisieras verías
que alucinada iba a tus propios umbrales

una criatura rápida, con muchos junios firmes,
ardiéndole los pulsos con tensa madurez...
Sería en tu misterio la que soñabas siempre,
que te soñaba vivo, suntuoso de sangre
generosa y audaz: hombre que me vencía
para cogerme suya, sometida y secreta.

Galopando resuelto a través de tus bosques
me llamabas creyendo que tu sueño fui sólo.
Porque no me creíste tan verdad como un ciervo,
no pudimos hallarnos, no pudiste ser mío.

CANTO SEGUNDO

FIDELIDAD

¡Cuánto rumor de ti lleva mi sangre!
Espesa de tu voz se me despliega
en ala de inquietud, me sobresalta.
Un olor de flores sin espinas
aísla mi descenso de tu alma.

Nadie que diga «Ven», llega a mi oído;
camino en soledad yendo con muchos.
Me alejan ya de mí porque nos llevan
por noches sin abrir, por avenidas
de horas y más horas, y más horas.

Quisiera —¡todavía!— que tu brazo
cerrara su calor en torno mío,
y un dulce resplandor de amparo ancho
cubriera mi dolor de estar presente
por medio de mi cuerpo, aquí, tan lejos.

...Y sólo es tu recuerdo lo que bate.

ANGUSTIA

Algo quedóse atrás... ¡Cómo brillaba en la sombra!
Tu corazón y el mío, tan unidos, tan puros.
¿Por qué tú no empujaste a los turbios recelos
para que no se fueran tu corazón y el mío?

¡Dejándonos extraños, y enemigos; hostiles,
como dos luchadores de causas diferentes!

¡Qué poco sabe un hombre de la mujer que ama,
y cuán difícil ella para enseñarle a ver!
Son dos mundos ajenos que nunca se penetran,
ni cuando se poseen; porque cada uno de ellos
lo que está poseyendo es su cuerpo y su alma,
sin enterarse nunca de lo que siente el otro.

SUEÑOS DE LA ENAMORADA

I

Golpeaban
la urna de la mañana.

Mordientes peces venían
para mojarse de playa.

Golpeaban
contra la arena del viento
los pies desnudos del alma.

Golpeaban
riéndose su locura
por la fresca dentellada,

y las aves, menos aves,
en vez de volar nadaban.
Golpeaban...

Salí a buscarte, amor mío,
por si tu sed me llamaba,

y me vi sola en el mar
desnuda y verde de algas,

golpeándome los vientos
con la furia de sus lavas.

De mí tiraron los peces
que hasta entonces golpeaban.

Me llevaron los viajeros
de las tierras más lejanas.

Golpeaban a la luz.
A mi pecho se tiraban,

enjambres de oscuros sinos
que mi sangre destajaban,

golpeándome a mí sola
porque no les rechazara.

¡Qué firme pisan mis ojos
la arena que el mar desata!

Urna de voces el día
siempre tiene su mañana,

golpeada...

II

No sé si eres verdad cuando pareces
una forma posible en mi presencia;
posible de cogerte, de tomarte,
bebiéndome tu ser como un deseo.

Te tuve yo conmigo en largos sueños,
hiciste para mí hondos viajes.
La nave de tu voz se hundió conmigo
en mar del que no salvan ni los ángeles.

¡Qué enorme es el naufragio de tu cuerpo
pensándotelo yo, la ahogada tuya!
¡Qué espeso es el murmullo de tu boca
pegándose al ahogo de mi pecho!

Acaso no eres tú quien vino y dijo...
¿Conozco la distancia entre tus venas?
¡Soy niebla para ti, soy pasajera,
fantasma de tus ojos habitados!

Abierto quedará para que vengas
y pises sus arenas de milagro,

un camino de amor nunca vivido
que pudo ser tu patria o tu destierro.

III

Apareciste en el sueño.
Tu rostro iluminándose de llanto,
junto al mío, sobre la almohada.
Traías pena y sonrisas de disculpa
de no supe cuál ternura
mía y tuya...

Porque siendo tú no eras, tú de pronto,
intentaba yo rehusarte mi piedad
—esta flor secreta mía—, y alejarte...
Y como volviste a ser quien eres desde siempre
me desbordó tu claro ser, tu eterna vida.

¡Amor, mi solo amor, sueño de anoche;
que nunca me despierte sin soñarte!

AMANTE

Es igual que reír dentro de una campana:
sin el aire, ni oírte, sin saber a qué hueles.
Con gestos vas gastando la noche de tu cuerpo,
y yo te trasparento; soy tú para la vida.

No se acaban tus ojos; son los otros los ciegos.
No te juntan a mí; nadie sabe que es tuya
esta mortal ausencia que se duerme en mi boca
cuando clama la voz en desiertos de llanto.

Brotan tiernos laureles en las frentes ajenas,
y el amor se consuela prodigando su alma.
Todo es luz y desmayo donde nacen los hijos,
y la tierra es de flor, y en la flor hay un cielo.

Solamente tú y yo (una mujer al fondo
de este cristal sin brillo que es campana caliente)
vamos considerando que la vida..., la vida
puede ser el amor, cuando el amor embriaga;

es sin duda sufrir, cuando se está dichosa;
es, segura, la luz, porque tenemos ojos.

Pero ¿reír, cantar, estremecernos libres
de desear y ser mucho más que la vida?...
No. Ya lo sé. Todo es algo que supe
y por ello, por ti, permanezco en el mundo.

PASIÓN

Hermosísimo cuerpo deseado,
qué cansancio me duele de esperarte!
¡Cómo gasta mi sangre tu presencia,
y qué fría se mueve sin tu logro!
Yo no habito mi carne ni mi mente:
soy la ausente que puebla una morada
donde nunca la luz puso cortezas.
Otras manos golpean cerraduras
sin hacerlas saltar de su alvéolo...
¡Qué tormento de amarte, sin que sepas
que aniquilas a todo el que me ama!

SUMA TRANSIDA

Encerrarte en palabras...
Que tú, ¡tú!, quepas en verbos, nombres
y adjetivos intactos:
Que yo lo pueda decir todo
lo nuestro, esto que hacemos
y estaremos haciendo siempre,
eternísimamente:
hablar, callar, ser tú y yo
siéndonos nuestros.

Darte una dimensión humana,
representación de ti en la tierra
estatua, color, arrebatado paso,
y sereno mirar con esos ojos tuyos
y míos: nuestra mirada del mundo.

Que un día, los mortales sin remedio sepan
cómo tuviste sangre,
y abierta pasión por todo;

y te diste cantando, sufriendo,
a mis brazos locos, y lentos, y débiles,
y fuertes, y fríos, y pobres de luz,
pero enamorados tuyos.
Para saber que has sido verdad,
¡que has sido, pero no eres entonces!

Buscar las palabras de cuando no vivas,
para que vivas mientras se hable.
¡Dios de dolor, nunca decir podré
cómo eres tú, mi amor, amor mío,
criatura de glorificación que hallo
derramada en océanos,
cielos, campos, ríos y árboles;
y hasta en palomas tristes que en la aurora
te despiertan a mi amor por ti!

TIEMPO EN SER

IMPRECACIÓN

Años cuarenta aquí, debajo de tu olvido...
¡No me digas que sabes que me mandaste llegar!
No sabes nada de mí, ni lo sabrás ya nunca,
porque estos años que cuento no valen siquiera
lo que una cosecha de trigo.

Nadie comió de mí,
nadie tomó mi sombra...
Vinieron hambrientos y se fueron con hambre;
trajeron su sol y se llevaron su brasa.
Me dejaron sola, callada, cansándome
de ver y de oír, de amarlos a todos.
¡Cansada de quererles, sin decírselo a nadie,
que el pudor de mi amor es un hierro de fuego!

Aunque ahora te hable, yo no creo que oigas.
Tengo una voz muy mate, y no suena contenta.
Es la voz de una amante, que no tiene ilusiones;
de una mujer domada,
de una madre en herida,
de unos años, cuarenta, llamándote a ti.
¿Dónde estás? Cuando te lloro en mi alma
abres como una luz en mitad de la carne,

y busco gozar de ti, poseer tu hermosura,
nombrarte los momentos de secreta alianza.

Son muchos años ya; me canso de tenerlos
porque van, ¡ay de mí!, hacia lo más temido...
¡Qué buen momento éste, qué inefable descanso,
si recordaras algo que yo ocupo en tu mente,
y me dejaras irme,
y me llevaras sola,
y me durmieras pura y serena y tuya,
en un mediodía tibio con tus claras palomas!

ENCUENTRO CONMIGO

Detenida en un día.
En una hora de luz, en una cima de soledad,
en un silencio solo.

Hallada en el propio corazón,
como si hallara en el camino de la tarde
a otra mujer cargada de frutos.

Si ella esperaba verme,
yo no supe nunca que íbamos a encontrarnos,
y me quedé asombrada.

Me olvidé de lo antiguo.
Verdad que llevaba una ruta precisa, mía,
y que olvidé caminarla.

Estaba allí conmigo,
y sonreía tristemente, con lentitud purísima.
Me sonreía a mí, sólo a mí.

¿Y mi vieja costumbre de amar,
mis deseos de amar con los labios y los ojos,
mis deseos de seguir amando?

Todo apareció distante.
Diferente se puso la vida, nueva, gemida
como criatura recién nacida mía.

También eso trajo
¡un alumbramiento infalible, no como aquel
en que mi vientre volcara hijo sin luz!

¿Por qué vino ella,
en el alto sinfin de la cima inesperada,
cuando yo callaba sola?

Y me habló. Su voz era
arrancada de mi pecho en ruinas
y de mi sangre triste.

No podré relatarlo...
Inútil tratar de contar lo que se dicen
dos personas que no se conocen.

Y se encuentran, así,
definitivamente así, en una hora fijada
por la mano de Dios.

LA OTRA EXPERIENCIA

Lo contaban despacio:
la muerte es así, y así; de este modo.
Quererse pasa delante de la muerte
y olvidar es igual que morir.
Todo es aquello.
Y yo no lo oía, no lo oía nunca;
¡aprendí a querer, a olvidar, pero a morir no pude!
Porque morir no era aquello, sino esto:
no desear vivir, estarme triste, tristísima,
con una calma vacía de impulsos;
olvidándome a mí misma.

¿Por qué no quiero moverme,
ni ir, ni volver, ni sacar la cabeza
del corazón cerrado?
No hacer nada, por fin; ¡un día
no hacer nada yo!
Y quedarme en paz lisamente,
aquí, en esta casa diminuta
próxima al sitio de sol donde este pueblo
va juntando sus muertos.

¿Por qué me esperan los vivos
para que yo haga cosas posibles,
mientras ellos no hacen milagros por mí?
¡Si yo no quiero vivir en el mundo

de las cosas que tienen que ser así,
como la muerte!

LÍMITE

Encerrada en el bosque de un cuerpo existo.
Atada a los brazos y a las piernas
de una mujer que es firme, recta y dura;
de una mujer que ya lo ha sido todo
y que no se cansa de tenerme con ella.

¡Y golpean sobre su pecho, llamándome!
«¡Sal de aquí, salvaje encerrada criatura;
sal y vente a los campos y a los mares;
a la tierra desmesuradamente áspera
de todos los delirios que te esperan!»

Tristísima sonríe porque hunde entonces
sus dos manos en mí... «¿A quién escuchas?»
Tengo miedo de herirla, si en locura
de libertad derribo su presencia.
Y cubro mis oídos con las manos
que arañan el dolor de mi violencia...
«¿A quién escuchas tú, la que yo guardo,
más que de los otros, de sí misma?»

¡A quién escucho yo!... Me lo pregunta
con odio de saberlo; y me retuerzo
las iras de correr, de abandonarla
hueca ya de mí y sola en ella.
¡La enorme tierra espera que yo salte
y coja entre mis brazos una selva!

...Y no me muevo de ella.
No la empujo de mi cuerpo dislocado.
¡Sigo quieta entre sus miembros que endurecen
el miedo de perderme si la pierdo!

Vedla aquí en mis ojos: se sonríe.
Oídla aquí en mis labios: ni suspira.
Se tiende en sus nostalgias más salvajes
cuando iba tras de mí para cazarme
con cepos de pasión desmesurada.

Esas voces limpias que me piden
las oye con horror desde su infierno.
Perduro en su morada, que es mi cueva,
convulsa de domar tanta agonía:
¡con ciega mansedumbre que corroen
ardientes brazos míos que le niego,
y este seno que no se enciende suyo,
y esta voluntad que me robara
al viento de las mares sin orilla!

DESEO

¡Si yo fuera sombra!...
¡Una sombra levísima!
Erraría entre vosotros y vosotras,
castamente desnuda.
Aunque en éxtasis de fuego me vistiera
uno de vuestros cuerpos
—siempre el más hermoso—,
para olvidar mi espíritu.

Cuerpos y este cuerpo, limitando
entre el cielo y el mar: tierra dolida
de no soltarse a sí.
Opacas claridades oponiéndose
al rayo de mi afán por abatirlas:
¡acrecentad el paso irrevocable
invadiendo con tácita espesura
esta sombra que puedo seros bosque!

CON EL CORAZÓN A SOLAS

¡No sé por qué esta tarde, tan hermosa y ajena...!
Y tú en la otra orilla, y yo en la otra orilla...
Un mar de tarde indiferente y suya,
otra eternidad de luz que nada sabe.
¡Todo el cielo con la tarde extraña siempre
y tú y yo en ambas orillas de la tarde!

La vida entera así: orillas que se oponen
para que gire en medio el mar de lo distinto.
Un alma crece aquí, más allá la otra alma...

Y todo misterioso, moviéndose en contraste.
¡Qué largo refluir el de la tarde al mundo
pequeño, tan caliente, del corazón unísono!

Como un parto brutal, cuando se muere el hijo
y la madre se encuentra tan inútil y sola,
estamos contemplando que la tarde consume
su luz de tarde ajena, de tarde para otros.
(¡Cuánto pude quererte, muerta vida mía,
si nunca te llevaran de este mar de la tarde!)

En vano en la otra orilla penachos de canciones,
y el mismo amor viviendo esta orilla sombría...
Todos los senos frescos de las madres logradas
abiertos al ardor de unos labios recientes...;
y el mundo de mi sangre abandonada y ronca
de padecer la muerte, se calla hasta la muerte.

La tarde sigue ahí, consumiéndose lenta,
viéndote a ti vivir, mirándome esperarte,
que para ti es vivir en tanto que me esperas...
Tarde de luz que nunca se termina esta tarde,
criatura tenebrosa a pesar de su oro,
igual a desgarrada maternidad sin fruto.

Apenas si la oigo, aunque lleva consigo,
como todas las tardes, una selva de voces.
Me he quedado vacía, flotando en la conciencia
de aquello que era mío y que me tuvo siempre...
(Uña niña que vino desde mi vientre casto
hasta la tierra negra donde no la hallaré.)

¿Y qué importa la noche, si será como ahora
interminable esclusa de luz desconocida?
¿Y qué quiero buscar, si no la he visto nunca
porque la di, muriendo, para perderla entera?
¿Y qué vale llorar en esta orilla estéril,
si estás tan lejos tú, en el otro camino?

Persiste. No se irá. ¡Es el mundo esta tarde!
Larga como el dolor de recobrarlo todo.
Lleva fuego de yelo en su cansado paso
y unas rosas podridas entre madera blanca,
que gimieron de mí, ¡oh cuánto tiempo hace!,
cuando ella, ¿lo sabes?, ni los ojos abrió.

Prietos ojos que nadie pudo ver que se abrían,
y que hubieran mirado como te miro ahora.
Con la luz que remansa, los recuerdos afluyen
albergándome espesos como la misma tierra...
No volveré a llorar, aunque te sepa sola
en esos pozos negros que pudren a los hijos.

¡No volveré a llorarte; tú sabes que no he sido
más que tuya, de ti, de tu misterio frío!
Cerrada a todo fuego que me trajera aleve
una criatura nueva que no te repetía.
—Puedes quedarte, tarde, con tus orillas dobles:
alguien airea en aquélla como en ésta amo yo.

Pero estoy ya tan sola y peso tanto dentro,
ni siquiera impaciencia por dormirme palpito.
¡Cómo duran las tardes, cómo dura esperaros,
amor y noche, ajenos, acercándoos a mí!
Aquella carne en cifra que mi boca no dijo...
¡Aquella sangre mía que toda se perdió!...

¡Fuera la luz; no quiero otra vez que mis ojos
te sigan recibiendo como si no nos buscáramos!
Una tarde oceánica, un abismo de tarde,
tragándome entre llamas como barco que el fuego
se empeña en transformar en cenizas furiosas,
con entrañas de loca por aquello y por esto.

Y si te apagan, ¿cuándo volverás a decirme
que tus dos avenidas, tus orillas opuestas,
acercan sin remedio lo que más se desea?...
¡Ay tarde de este día, eternidades líquidas
volcándose ante mí, la que no se ha olvidado
y le aúlla el dolor porque es hijo perdido!

... Lentísima prosigues. Diabólica reluces.
Un infierno de luz que todo fundirá.
Mírame contemplarte. A solas con tu cuerpo
que se derrama encima de mi cuerpo abrasado.

UNA CRIATURA SOLA

Toma de mi pecho tu ventura.
En amor el donante es un esclavo.

En tus ojos, que son todos los ojos
de este mundo de ver que ve la vida,
yo retengo la luz de un océano.

En tu rostro se suman los semblantes
de todas las criaturas que han nacido.
Por tu voz de milagro se derraman
los amores que todos padecieron
y que son, como tuyos, el que abraso.

¡Qué prodigio tenerte conteniendo
a todos los amantes que murieron
y que nacen amando hasta la muerte!
Y coger, de tu alma enamorada,
este cuerpo de luz que es nuestro sólo.

DOMINIO

Necesito tener el alma mansa
como una triste fiera dominada,
complacerle con púas la tersura
de su piel deslumbrada en mansedumbre.

Es preciso domarla, que su fiebre
no me tiemble en la sangre ni un minuto.
Que la aneguen los fuegos del aceite
más espeso de horror, y que resista.

¡Oh mi alma süave y sometida,
dulce fiera encerrándose en mi cuerpo!
Rayos, gritos, helor, y hasta personas
acuciándola a salir. Y ella, oscura.

Yo te pido, amor, que me permitas
acabar con mi tigre encarcelado.
Para darte (¡y librarme de esta furia!)
una quieta fragancia inmarchitable.

ASPIRACIÓN

El mar desparramó sus oleajes
batiéndome con ellos fieramente.
No culpo al mar, ¡qué sabe el agua
si yo necesitaba que bruñera

mi cuerpo de mujer, tan indomable!
Todo contra mí; loca de olas,
callaba resistiéndolo sin queja:
¡rómpete ya, mar, contra mi pecho;
derrámate de ti, yo te contengo!
...Y vino como Dios una mañana:
«Despiértate a la luz. Este es el día.»

    —Este día sereno en que ni el soplo
    del céfiro suspira ya en mis sienes,
    es el ángel que anuncia tu inviolable
    mansión sobre las olas que vencimos.
    ¡Paz en ti, paz de ti; todo lo tuyo
    es firme sin aceros que lo griten!—

No me saltan los verdes que la espuma
guarda puros en blancos sostenidos.
Oh, qué firme la torre que yo tuve
y que pudo latir sin derrumbarse!
Eras tú la morada prometida;
eras tú, residencia del pasado
y del día de Dios, cuando me dijo:
«Ya no hay mar desde el mar.
Toma tus ojos,
y déjalos soñar como a los peces.»

ALAS EN SUSPENSO

Fuerza que va volando tú serías, oh ave,
el más apasionado deseo de ventura.
Y sigues en la orilla de noche que no llega
durando con la tarde, por luz, más que la vida.

Mi amante sueña hallarte conmigo en su misterio.
Mi amor se lo promete oyéndote cantarle.
Y estamos junto a ti, que vuelas sin descanso,
más aire que del aire tú tomas con tus alas.

Fragancia equilibrada, ave que yo no tengo,
aunque te mire dentro de unos ojos amados,
eres como te quiero: purísima inalcanzable,
flor de plumas que vibran en invencible altura.

¡Pájaro de la tarde, retárdame la noche;
no me quites de ti, que al dormirnos te pierdo!

Cerca de ese horizonte que te limita fugas
estábamos el amor y quien te vio nacer.

Breve lumbre del aire, curva de una sonrisa,
alas que yo quisiera para lograr tu cielo...
Cántame eternidad desde la tarde eterna,
cuando la luz se calla para que tú la cantes.

LLUVIA AJENA

Cruzan flores por el ausente mayo.
Vuelan aguas transidas de reflejar el cielo.
Es un doble latir el de la tarde esclava...

Algo gime en el aire, una rosa o un labio.
Sobre el río despiertan los jardines sujetos
a los ciervos que huyen desde que fueron ciervos...

Temblorosa se brinda esa criatura densa
porque le brotan días que nunca tuvo suyos,
y hay amor en su cuerpo y hay amor en la tierra.

Hasta sus ojos nubes, ojos claros de vida.
Junto a su pecho, ronca, la derramada sangre.
Bajo su espalda fuerza que de una mano fluye.

Hay amor, hay amor... ¡Oh jardín de aquel mayo!
En la boca se enciende el sabor de los juncos,
de las flores o aves que se fueron y quedan

en este día largo que la arena recoge
con ansia de desierto que nadie apacigüó
bebiendo, como bebo, tanta lejana lluvia.

YENDO

Yo no tengo la luz, sólo con ecos
de la luz me revisto las sienes.
Busco, sí, que relámpagos claros
aureolen mi ser de caminante.
El buscar una luz aquí en el mundo
cuesta darse a la sombra implacable.

¡Oh, qué dulce, apagada y confusa
desde el fondo callado y sombrío!

Renunciar a llevar resplandores
por la tierra en fatiga de pasos,
sonriendo, llorosa, a la muerte,
suplicando, con ira, a la vida.
No tener, porque sí, más ventura
que esperar a la llama soñada.

—¡Oh qué amarga la boca, si pide,
y qué secos los ojos cerrados!

MIENTRAS SE ESPERA

Crecen montes en la ausencia plana.
Sin cortarse a su hontanar, los ríos
descalzan el paisaje silencioso,
que es el alma en memoria del presente.
E igual que la creación, que no se acaba,
todo pasa de ayer al día que viene.

En medio del fluir, como una piedra
recargada de secreto fuego vivo,
espera el que recuerda sin descanso...
¡Oh las cimas negadas del olvido,
oh la fresca noción de tantas aguas,
caminando en unión de claridades!

Tiempo lento que sólo en soledad
es posible tragarse como un sueño,
es aquel de la ausencia del amante.
Tiempo extraño que duele desde dentro
aunque fuera del pecho sea suave...
¡Oh la ausencia de amor con esperanza!

REPROCHE

Cada día.
Este día.
Aquellos días...
Dentro de la piedra ya no hay tiempo.
Los árboles se suben con sus días, y las aves

también suben sus días...
Memoria de volar que es luego puro
balance de oleaje entre los vientos,
que no recuerdan nunca cuántos días.

Nos llevan.
Nos cortan.
Se va el tiempo...
¿Y fuimos y ahora somos, y seremos
lo mismo que el pasado que no cuenta
en este gran presente que se escapa?
Días y más días. Infinitos
cayéndose al no ser de nuevos días,
que ya no contendrán ningún recuerdo.

¿Por qué te vas de mí,
por qué aligeras
ese por venir del que sabemos
que tiene largos días sin nosotros?

CONFUSIÓN

Ahora empezarás, mi vida,
a no dejarme vivir.
A que los días y sus noches sólo sean
el ahogo feroz de tu encuentro.
De tu incorporación a mí,
de tu revestimiento de mí.
¡A que mi sangre no sepa detenerse sola,
y se arroje a la tuya, a ti,
con la furiosa alegría del dolor de amarte,
del éxtasis de saberse tuya;
y de la angustia,
del tremendo milagro oscuro
que es pertenecerte!
Ahora, sí; ahora.
Cuando no me busca nadie, ni yo busco.
Porque tu voz llena de altos ecos la tierra,
y tu olor los jardines más sombríos,
y de tu pecho caen las campanas de mis deseos
de ti, de mí que por ti me recobro
y aprendo, vida mía, alma mía, amor,
que es verdad que soy de carne,
que es verdad que duelo,

y gozo, y sufro, y grito
porque soy tuya.

¡Momento agotado del mundo,
éste en que te sé lejos de mí!
Apúralo todo, regresa a nuestro abismo
y déjame en ti sumida,
fuerza que se te dio sin lágrimas
de rebeldía; aunque con llanto de violencia
por verse tuya,
yo que no era de nadie,
¡ni siquiera mía nunca!,
esclava tuya, entregada tuya, amante.

INDESCRIPTIBLE

Esperar es peor que nacer,
porque solamente espera el que se muere
de esperar sin hacerse con la vida
otra cosa que esperar. El esperarte.

Y atada a esa tu espera, que me gasta
y que gasta tu vida sin traerte,
aquí me estoy muriendo de ansiedades
porque acabe, tremenda, esta esperanza.

Cada día, oh tú que te retrasas
sin saber que nos vamos alejando,
es menor la distancia irreparable
de pensar, de esperar, que nos aleje.

Y aquí sigo esperando, nada intento
por huir al tormento de tu espera.
Ya no sé si allá fuera de mi vida
quedan otros o no, queda quien ande.
Solamente por ti, por cuando llegues,
a solas esperándote te espero.

MADRUGADA

El flexible lenguaje de la noche
es el arco que junta en el misterio

a los tímidos hombres que no sueñan
en la luz, en el sol, cuando es el día.

¡Oh en el día de sol, cómo se velan
los que duermen dichosos y confían
en la noche de olor, en el relente
de los astros cerrándose a la voz!

Corpulento batir de tantas alas
que no llevan arcángeles ni a glorias,
marejadas de oscuros navegantes
que no van, que no llegan al viaje.

Déjalos, si su sueño no es el tuyo,
déjalos noche entera de secreto,
¡Oh felices que piensan mientras calla
el tremendo mensaje de la noche!

TACTO

Conozco el perfume de las rosas,
el sabor del vino,
y la áspera dulzura del raso,
por las yemas de mis dedos.
Tengo en mis manos, seguro,
el secreto de las cosas
que no van a los labios ni a los ojos;
que tan sólo se tactan.

De mi carne imperfecta
mis dedos se salvan siempre
de contaminaciones.
Podría, cerrando los sentidos,
fijar el color y la esencia
de un misterio indeleble:
si se acerca a mis manos y deja
que ellas pregunten y digan
con su piel inmortal.

ENIGMA

No debe ser el dolor, porque doliendo se muere.
Tantos jardines sin lluvia no huelen nunca en la sangre
y de mis labios se vierte un aroma bien amargo.

Tampoco serán las fuentes, el agua nunca es oscura.
Cuando se está así cansada..., y no es el dolor, y nadie
es el dolor, ¿qué criatura
me duele como me duele?

¡Oh si fuera la esperanza, cómo la conocería!
He sido joven con ella, la tuve en mi cuerpo entera.
Ni la esperanza, ni el odio, ni la fría indiferencia.
Es una brasa invisible, una sima en el terreno
que parecía seguro, paso para la inviolable
simiente de eternidades...

No es una luz de mañana, que en la mañana se suman
ardientes noches sangradas de olvidos como cipreses.
¡Inútil buscar del nombre que me revele mi nombre!

En el umbral de las sombras prefiero cerrar los ojos
y que ellos solos y adentro indaguen nuestro destino.
Si fuera el dolor sería casi la muerte, sería
casi la vida muriendo.

¡Y no es el dolor, lo llevo
y no es el dolor...!

MELANCOLÍA

Los llantos que descuelgan sus escalas
de los ojos a las bocas, no son llantos
que en las cuevas del dolor cuajen entrañas.

Los llantos crecen solos y en secreto;
son delgados o son recios, pero callan.
Los llantos no se ven ni se contemplan.

Muchos de ellos cayeron en la noche
sin que hubiera una mano que arriesgara
su calor, por cogerlos sin matarlos.

Hubo llanto que abrió junto a la aurora
y creció con el sol hasta anegarle
en la frente del sol que tiene llanto.

Otros llantos rodaron olvidados
por las tardes más frías del otoño
sin hallarse con ojos que quisieran

ofrecerse por fosas, ofrecerles
una clara morada consentida
por la voz y el suspiro más doliente.

Yo conozco, lo sabes, muchos llantos...;
para mí, porque sí, han ido yendo
desde el sol a la sombra, multitudes.

Y no oiré, nunca oiré que un llanto nazca
solitario, secreto, pudoroso:
una virgen de llanto para nadie.

DEL ANDAR Y SENTIR

ISLA

El agua te rodea, se te amolda.
Siendo tú en tus límites,
por donde no eres tú, el agua:
tus contornos.

Para tenerte a ti misma,
tendrías que salvar el agua, mojarte de ella.
Ser tuya.
¡Qué silenciosa batalla
la vuestra de seros ajenos,
participándoos!

Que si alzada, grupa de cordillera,
eres del agua que te rodea,
te abraza pura y tuya
sin dejarte escapar a ti misma.

OBSESIÓN

Remanso. El río lo busca.
Cuando viene por los campos solemnes,
por las adustas selvas,
sueña ser remanso... ¡Un solo instante
quieto y suspirándose a sí mismo!
Por ello corría ajeno y loco
siendo en labios humanos *corcel*,
relámpago, palabras de veloz huida.

¡Y con un sueño suyo, un sueño breve y hondo
ser para sí remanso; quedarse
amparado en quietud:
solamente remanso!

FONTIBRE

¡Si no lo cuentas todo, si manas con secreto!
Las rocas solitarias te derraman.
Orilla silenciosa te sigue alimentando
del mismo nacimiento seguro y misterioso.

¡Qué voz tendrá este río así que se deslice
por tierras que no saben de dónde les llegó!
Acércanse mujeres con cántaros rojizos
y cogen de la playa de este labio
delgado y poderoso, que adelanta
rumor de beso alegre de ternura.

¿Por qué no dice nadie la verdad de este agua?
¿Por qué no se revelan sus manidas?
¿Es que el agua no sabe en cuál luz nace agua
e ignora que aquí es niña y en el mar desfallece?

Es hermoso su tumbo decisivo en el Delta,
cuando llega cansada de arenosos meandros
y la siguen tapices con paisaje de templos,
arrastrando su cola fabulosa de imágenes.

¡Cuánta hermosura vieron esos ojos del río,
y entre cuáles batallas recibieron la sangre
de los iberos locos contra locos iberos!

Los viejos lo conocen desde que fueron niños,
mas él quedóse infante sin aumentar volumen
delante de los hombres que vienen a su boca.

La carne resquebraja su transitoria orilla,
y el río sigue niño entre los hombres
que escurren juventud para que el agua escape.

Es lejos donde el río consigue sus edades.
Adolescente trémulo, refleja enamoradas
provincias que se entregan con su rumor de iglesia...

Agosto pone muda la roca más fluyente
aunque la charca siga abierta como un ojo
al que se asoma el llanto de su guardada ninfa.

Es del costado diestro que nunca secan vahos
de donde el pozo come su mundo derramante.
Una mujer explica el avatar del río:
cómo en invierno irrumpe por rocas elevadas
y llega turbulento, nutrido de los montes
que guardaron su nieve en mineral entraña.
«Ahora no le oís porque duerme su Julio
—es igual que una madre justificando al hijo—,
y mañana creeréis que asomado no estuvo
aquí donde se toma para la sed de barro.
Es después, con el frío, cuando bramando viene
y alborota al nacer como si fuera un hombre.»

Solamente es aquí donde lo ignoran grande.
Y ni él se imagina lo profundo que irá,
porque su humilde fuente no violenta la traza
de tanto apartado mundo montañoso.
Hasta llegar a él, otros ríos alegres
por peñascales saltan concertando verdores.
De las sierras resbalan sus caudales estrechos,
pero el Ebro no cae; asoma sólo el Ebro.

¡Qué dulce era tu agua refugiada en mis manos,
ancho panal del río que en mi mar te desplomas!
Nunca supe que el agua se bebía en mi cuerpo
transformándome en copa de soleada arcilla.

¿De qué nivel oscuro, por qué prodigio subes
hasta alcanzar mi voz, oh río, en tu mañana?
El viejo te contempla y a su infancia sonríe,
que como yo te quiso recoger en un sorbo.

Todos van y tú quedas. ¡Todos nos acabamos
sin reflejar el cielo, ni los campos, ni un alma!

MONTSERRAT

Secretamente suya, la verdad de esta tierra
es que es el agua aún, es el agua ondulada
por una piedra inmensa que se cayó de cimas,
que son las de la isla que emerge en cordillera.

La vemos que está quieta, y que en sus circos ágiles
se mueven arboledas y reptan los senderos.
¡Y una noche imprevista se licuarán sus olas
y todo este paisaje se volverá océano!

La piedra se hizo monjes que vigilantes rezan;
eternizóse en rostros que las luces esculpen.
Allá lejos, enfrente, una espina de montes
es el collado augusto de este valle, que luego
recubrirán las aguas que ayer lo recubrían.

¡Ah cómo nunca engaña el paso de las mares:
el suelo que se extiende y exhibe su temblor
nos cuenta que contuvo un remanso del agua
mediterránea y griega, con olivos y pinos!

Solamente quisiera que cuando todo vuelva
a ser como fue hecho en el alfa del tiempo,
mis ojos adivinos comprobaran las olas
que en esta hora ven transformadas en piedra.

PARÍS

No me pierdo extraña.
Encuentro mi raíz entre la otras
que por siglos enseñan sus boscajes.

Aquí y allá, de donde vengo,
corre la misma sangre, la misma idea.
¡Un universo que ya no es nuestro universo
me pertenece y le pertenece a este mundo!

Me lleva una voz que sabe
la lengua común Occidente.
Y no me sacude el frío del Norte,
ni la pereza asiática. Yo soy
una criatura de aquí, de esto
que no tiene rostro ni palabra siquiera,
del pulso invisible de la ciudad,
de su ritmo, de su anchura...
¡Oh tierra penúltima mía,
la ciudad que no recordaba y encuentro
dentro de mi cuerpo que olvidaba
y vuelve a ser tierra de Europa!

(Saint Julien le Pauvre.)

EL INVISIBLE

Este diminuto parpadeo
del ave en mi cenit, es solamente
un eco de la luz que se desliza
por ancho ventanal de lumbre sola.

¿Qué pájaro cantó que no lo tuve
tan pájaro de mí, como crecido
del árbol caudaloso de mi sangre?

¿Qué pájaro calló, que yo lo oía
tan pájaro sin mí, agonizante
del sueño que cortaba con su silbo?

MONASTERIO DE PIEDRA

Estamos en el agua, no en el vino,
a pesar de las viñas que decoran
la distancia cubierta por el sueño.
Porque el agua es aquí sola presencia,
esclava y dominante apasionada.

Agua tú, agua yo, desde el comienzo
solamente es el agua quien habita.
Se despide de sí, agua que busca
otro ser de su ser: un océano,
y se queda rendida sin hallarse.

Estamos como Dios: dentro del agua,
y con ella, con Él, agua salvada.
¡Oh silencio de amor, silencio eterno
que es amor, por callarse junto al agua:
entra a mí, quédate; hazme del agua!

SANTA MARÍA DEL BUEN AIRE

El gigantesco ramaje de mil jardines me hiende,
redes donde la sangre del verde país palpita,
eco donde las ninfas viven para que narciso
nunca se acabe. Y lo nazco
junto a un agua que reciente

agua creadora del mundo,
conmigo enciende creaciones;
¡conmigo las canta el agua!
El agua está renaciendo
para que Dios se repita.

¡Oh Dios del jardín y el agua que en mi cuerpo naces, verde
con bosques sobresaltados por un ramaje que canta!
Ningún secreto me turba entre las flores: soy ellas
como fui ciprés y lira del álamo de la aurora.

La vestidura deleble, esta túnica sensible,
tómase de los olores y el sabor de los latientes
árboles crecedores de infinitos; aguas locas
de horizontes con orillas
de mis brazos..., que son tierra
para su rumor sediento
del Río que no se acaba.

RICHMOND PARK

Ciervos que no se desgarran
del paisaje que los nutre.
Plácidos ciervos que empapan
una lluvia sin escorzos.
Por este Parque sereno,
espesísimo de árboles,
caminamos con silencio,
con los ciervos, cuerpo a cuerpo...
¡Aquí no bala el temor
con sus trompetas de caza!
El gris diluye su azul
vertiéndose por los ojos:
lejanos ojos tranquilos
de los ciervos de mi cara.

ENTRE LA NIEBLA

Es como un azul que se deshila
ardiendo fulgurante oscuridad.
Penetran en la luz las tibias voces
y pájaros de musgo resplandecen
con fuentes invisibles, por la niebla
que dulcemente asfixia, inexorable.

No súbitos clamores, nunca gritan
los seres en su sorda trashumancia.
Lejanos, encerrados, ellos pasan
y borran su pasar: se desvanecen.
Las calles fluyen siempre a sus jardines:
los puertos del silencio sin fisuras.

¡Qué extraño este latir tumultuoso
que vaga, soñoliento, por el mundo
cubierto del azul lloviendo grises!
¡Qué cálido ausentarse de la niebla,
en bosque de memorias relucientes,
a claras cordilleras de embriaguez!

EXTRANJERA

Tanta la lluvia oscura apacentando ciervos,
acuñando los bosques seculares del agua,
suena en mi corazón solitario y caliente
como diluvio nuevo que no borra un edén.

Si camino (las luces que concilia en la noche
esta enorme ciudad sin realidad posible
a mis ojos que duermen su vacación de España),
voy creyéndome fuera del imán de la vida...

Derramados paisajes se balancean dichosos
sobre los suelos negros con su collar de fuego.
¡Entre lenguas extrañas ruedan nombres de cosas
que mi ignorancia escucha, siempre dentro del sueño!

Arboledas, jardines... Prodigiosas criaturas
con su cáscara tenue de porcelana rubia.
Si me encuentran campanas, ¡oh qué salto del aire
sóbrenadando cielos para que yo los roce!

Extranjera de aquí aunque vivo entre larga
deliciosa quietud para mi vida hirviente:
¡si la lluvia dejara que en mis horas de Londres
yo la oyera distante, en sus brisas, no abierta!

MI VENTANA

En lechosa claridad, flotante el árbol;
y todo, sin moverse, en mi ventana.

Los ojos que recuerdan dimensiones
de aquello a que nacieron, se desnudan
y vagan: nuevos ojos de la tierra
envueltos por la sombra transparente.

¿Quién vive más allá de la difusa
mañana del jardín no vislumbrado?
¿Qué flores se derrumban asfixiadas;
qué pájaros no cantan, aplastados
en medio del fumante mundo inmerso?

¡Ay dulce resplandor que sobresalta
un roto cielo apenas iniciado!
Tan blando es el sonido de la luz
que sólo yo la escucho desde el sueño...

Y está segura ahí, sobre la niebla.
Está la luz del sol, la eterna y mía
alondra de la luz que me recobra
con brazos fugitivos de agua en humo.

UMBRAL DE MI SUEÑO

Quisiera en tu corazón la noche
sembrando dulces estrellas,
y que un sueño muy profundo
no acertara a estremecerlas.

Nadie entre tú y la noche;
solamente espesa niebla,
porque en su fondo los bosques
son arrecifes de hiedra.

Hasta las voces que flotan
pierden su corpulencia,
y arroyos descaminados
vagan como si no existieran...

Y tú, durmiendo tranquila
en un sueño al que no llegan
ni palabras, ni memorias...
Una muralla de niebla.

(Londres.)

AMARGA DEUDA

Si no voy a tener más palabras,
otras palabras que no haya dicho,
quiero callarme definitivamente.
Si no voy a decir palabras
llenas de luz, celestes,
no volveré a hablar. Todo se dijo.

Los metales suenan opacos.
Las fosas no se pueden contar.
¿Qué voy a decir yo nuevo;
qué alegres palabras de amor
puedo gritaros yo, aunque quisiera?
Todo se gritó ya.
Todo se dijo.
Arriba, donde se mira
cuando el corazón es pizarra
y la sangre plomo negro,
están esperando mis palabras
de aleluya, de confianza...

¿Quién tiene eso mío de mi boca,
mis palabras relampagueantes,
mis buenas, ardientes palabras;
y se lleva éstas, rojas, grises,
estas piedras con nombres de muertos,
que se caen, a pedazos,
de mi voz vieja de dolor y miedo?

CANCIÓN A SOLAS

Le conocía. Se iba
siempre con otra mujer.
Nunca su voz y la mía
intentaron aprender
si una palabra podría
acercarnos,
alejarnos,
a donde todos los seres
alaban su amanecer.

Lo que miraban sus ojos,

también lo veía yo.
Lo que escuchaba despierto
era mi sueño mejor;
nunca alargaba su mano
sin encontrarse el amor,
aguardando,
suspirando,
como una triste criatura
con un dulce resplandor.

Si yo no fuera quien soy
le hubiera llamado a mí;
porque él caminaba a ciegas
de su fin y de mi fin.
Pero nacimos de acero,
con un solemne sentir
acallado,
sostenido...
Algo que vale lo mismo
que no se puede vivir.

NORMA

Olvidar, hay que saber olvidar.
Porque si los días ponen en nuestro cuerpo
una línea más, una curva nueva,
y se llevan sus manos a otros cuerpos
donde dibujan otras formas
o cincelan mejor las que encuentran,
hay que olvidarse de los hechos
que van fraguando nuestra estatua.

Ir con el ánimo ágil, con la mente libre.
Todo lo que venga nuevo, olvidarlo.
Cada día un nuevo ser. Distinto,
para que el mundo del dolor añada
una llaga nueva, mientras la otra
se curó y está fuerte en su carne.
Para que la dicha florezca sin peso
sobre la fresca delicia de su llegada.

Olvidarse y ser otra. La misma siempre
en poder amar y sufrir, en esperar
y en decir adiós a la vida íntegra.

Pero no recordar a cada instante
que hubo algo mejor o peor, algo que ya no es,
y lanzárselo, cruel, a lo que quisiera
sernos bueno o malo..., ¡recién nacido
para nosotros!

MAÑANA

Toda fiesta comienza por las flores
y por las aves y por las márgenes del río
que se va por una vertiente límpida
a la que no llegan seres...
Huele el mundo alborozado y joven,
en alegre estallido puro.
Flores, aves, corrientes claras,
y amor: ¡y amor grande que no muere!

¿Para qué recordar el sueño largo
que se traga con ceniza oscura?
¡Velad, amantes; velad el día
y que la luz eterna,
toda la luz garrida se levante
y sea sobre el amor bandera
de paz y de confianza siempre!
¿Que yo no florezco con el bosque,
ni me voy con el río ni las aves?
¡Si ya no soy de aquí; si soy eso
que es lo que veis dentro del aire!
Córté mis cadenas de criatura
y aguardé, confiada, que vosotros
remontarais la ola de mi olvido.

SIN PROFECÍA

La mano de Abraham. Ella sola.
Juntas, todas nuestras manos juntas
son la mano derecha de Abraham.
Su mano izquierda,
esa mano azul del frío, arqueándose,
es mi mano. Toda yo soy esa mano.
Pero no tengo a Isaac, no.
He liberado a Isaac, que corre
amarillo y gris; un Isaac de tres colores fríos,
huyendo de Abraham.

Si nos quedáramos quietos,
aguantándonos el humo de las jaras,
firmes, convencidos,
la mano de Abraham caería rotunda:
sobre un Isaac fresco y candoroso, un hijo
que yo no soltaría, estad seguros;
porque la Voz diría en su momento:
«Gracias, Abraham-mano derecha.»

Y el hijo rompería a reír conmigo,
aunque vuestra mano-Abraham
empezara a quedarse fría, otra vez azul,
y una conciencia absurda se preguntara
que por qué no se consumó el mandato
de matar a Isaac eternamente.
Pues así, ¿comprendéis?, no estaríamos todos
sentados junto a la hoguera apagada
sin saber qué hacer con el cuchillo,
ni con la piedra de inmolar,
ni con el muchacho tierno, con Isaac,
ni con las dos manos del sacrificio.

EVIDENCIA

Los hombres miran allá y no ven hombres.
Las mujeres solamente ven niños.
Los caminos se cubren de madres viejas,
de madres muertas,
de madres clamando a Dios
porque sus hijos
seguirán estallando las noches.

No se abrirán muchachas.
No crecerán muchachos.
Por el sucio campo, viejo y amarillo
de Europa,
ni una gota de agua,
ni una bestia apacible:
madres, hijos pequeños y sed.
¡Horrible sed de amor, de fuentes, de ríos,
de lluvias con campanas de truenos!

Lo veo y lo digo.
¡Funeral boca mía

con calor para vida eterna, y fuerte
vida de amor sin fin!
Ellos no quieren oír, porque lo saben.
Ellas siguen pariendo, aunque lo saben.
Las madres viejas y secas
con rugosos pezones que gimen,
saben que el abismo se ha vuelto a abrir.
Y que a él, a la nada sin luz,
vamos todos jadeándonos.

Es por ello tan sólo, Señor,
que mi voz sin ventura te invoca:
que detengas la vida, la ciegues, pues Tú
ya conoces el Caos.
Y tu caos
tiene hervor de futuro implacable.
¡Y es tan lento saber y callar,
y dejarles que vayan, que vayan siempre allí, sin fe!

AURORA AJENA

Amanece un día, todos conocen un día así,
en que la luz y el sonido son otra cosa...;
sonido y luz como si no fueran.
Y aunque se mire y se escuche
no se ve ni se oye nada como ayer.
¿A dónde fueron mis ojos, para no ser míos?
Mágica música del mundo,
¿dónde estás?

Tumultuosamente vacío quedó todo.
¿Quién hablará de una flor, o qué ave
pasaría volando por el cielo?
Un silencio de oscuros pechos
se derrama entre nosotros. Gimen
como ven; se burlan
todos los que nacen ahora, aquí, allí,
donde nada existe nuestro.

¡Tended un puente de ayer a hoy;
salvadme si podéis; salvaros si podéis,
de ahogarme en mí misma,
de ahogaros en vosotros míos!
¿Qué va a quedar de aquí, de todo esto,
si yo no dejo una luz que alumbre?

Y no la tengo. Es imposible que luzca,
cuando ni veo, ni oigo, una luz en mi frente.
¿Y vosotros, qué hacéis por mañana, vosotros
que ahora cantáis ajenos, locos de vida:
sin enteraros de que está amaneciendo,
lentísimamente amaneciendo,
un mundo que no querrá sobre su cuerpo
ni la brisa del nuestro?

DIOS Y MAR

Como nadando, abandonada
al agua gruesa del mar.
O mejor que si nadara: flotante
en ondas firmes, en ondas fuertes,
en una inmensa ola azul
que se juntara
con otra inmensa ola azul. Hasta los cielos.

Así, en tu mano.
Igual que en el mar, en la mano tuya:
abierta, infinita mano ilimitada,
que sostiene mi cuerpo sin tensión...
Tú, el mar. El mar, Tú.
La ola, tu mano; la mano, tu ola.
Abandonándome a los dos, ciega
y sorda y vuestra. Con fe.

No hay peligro de ahogarse,
ni de morir sin alegría de que la muerte
no sea bellísima liberación
hacia Ti!

El misterio de la confianza
reside en nadar, en flotar, en abandonarse
plenamente a Ti,
sola y eternamente a Ti.
Al mar.

ENTRAÑA

Preferiría no recordarte.
Cada día tuyo yéndote de ti, sangre mía,
es un clavo frío en mí vientre.
No podemos hablar en tu idioma

ni en el mío: tenemos lenguas distintas
y un silencio común y trepidante.

Por eso no sabes lo que dueles,
lo que me desgarras;
cómo pesas en mis senos, en mis lomos.
Porqué no te lo digo, porque no lo entenderías.

¿Nunca se pueden cerrar los ojos
y dormirse entre dos manzanas, Señor?
¡La del Paraíso y aquella otra
de la joven dormida cien años hasta un beso!

IN MEMORIAM

Vuelta paloma que vino
otra vez a mi alvéolo,
quiero tus alas quemadas
en el luto del espacio.
El hombre que te regía
los vuelos, ya no te espera.
Es mi memoria terraza
de tu natación celeste.

CIFRA

Se tiene ya miedo de que las cosas se deshagan
antes de convertirse en un pasado caliente
al que se vuelve la cara con llanto de nostalgia,
mientras se enfrían las palmas de las manos
y hay un rumor de seres invisibles
que llaman por su nombre a los que nunca vimos.

Todo cuanto grita no nos pertenece,
y si se calla súbito, su silencio me espanta.
De atrás adelante hay un látigo ardiente
que por encima nos cruza, con amenaza si alguno
intentara levantarse un minuto siquiera
para ver desde dónde y a dónde va la sangre.

No dudo yo (¿cómo dudaría si soy creyente
de lo que no es ya y de lo que siento tan próximo?);
es que prefiero quedarme sobre los dos abismos,
para verlos a un tiempo, para que no me recojan
como un ser acabado en una sola presencia.

Vosotros, quedaos; id vosotros; id todos.
Mi madre no me sirve y no tengo hijo.
¿Qué sería yo si no me entregara
a la plena consumación de mi tiempo, a la sombra
que no oculta luz, que no viene de luz:
que es brutalmente sombra?
¡Esa sombra total que suma siempre las luces!

LA FRENTE EN LLAMAS

No sé de dónde arranca mi fe en tu presencia.
Aquellos que te niegan en vano dicen *no*.
No pienso que tu forma parezca forma mía...
Los dos nos transcurrimos como mares,
o como el mar y el cielo; o como estar callados,
metidos en silencio que es dos veces silencio.

PACTO

No me libres del Mal. Ayúdame a vencerlo.
El mal sirve de criba a los que son violentos.
Menguada es toda alma que pone en sus empeños,
para salvarse pura, escaparse a un desierto.

No te prives de hacerme sufrir cuanto sea
motivo de apretada purificación. Que vea
mi orgullo de criatura que en el yermo y la aldea
a un alma la hace hermosa la tortura más fea.

No atiendas a mi ruego. Aparta de tus sienes
las ramas de mi ahogo cuando yazga entre fiebres
el cuerpo en que yo moro. Envíame tus sierpes
y dame voluntad para domarlas siempre.

SE HICIERON PAÍS LAS SOMBRAS

¿Por qué ve más cierta la cosa el ojo en sueños,
que con la imaginación estando despierto?
LEONARDO, *Memorias*

I

Juntáronse las claridades
cegando los ojos impacientes,

y no sobresalió ya nunca
una imagen posible, un punto luminoso
con definida figura.
¡Tanta claridad cegaba!
Imposible ver más allá suyo.

¡Ojos ciegos de luz inmensa,
anegados en mares de luz sin fin!
Sombras y sombras tragándoselos,
dejándolos vacíos;
y ellos, palpando en torno suyo
—¿*dónde asirnos, a qué cosa firme*
podríamos cogernos nosotros los ciegos?—,
esclavos sin liberar,
sumisos.

Y apenas un desgarrón comienza
a zozobrar en luz,
¡qué hermosura de sombra impávida
dando a la realidad su vida;
cuánta seguridad, por ella,
en lo invisible antaño!
Ya no ciegan claridades tensas
la mirada descalza.
Todo se ve, se coge, se contiene
por virtud de esta sombra.

II

Inundado.
Este torreón de mi frente
sufre invasión.
¿La tuya no gime, inundada
de sombras prietas?
¡Es el concéntrico grito
de la luz, quien sacude
los cimientos oscuros!
Más allá de lo que es el horizonte
está ardiendo la verdad.

Y no es mejor soñarla.
No cojáis la verdad.
¿Cabe en la luz, es luz ella acaso,

o un sombrío tachón en el alma,
tajándola viva?
Nadie se acerque, nadie;
arropad con las sombras
el cuerpo sin amparo del alma
que espera la luz siempre.

Oíd cómo crujen los lienzos
del continuo desvelo.
¡Ah, cuando se mira, a oscuras,
se ve, por fin, lo que hay
dentro de la luz no manifiesta!

Sí. Ya no hay secreto. Hay
un tembloroso lugar sin secreto.

III

Horadando invisibles
que una gruesa muralla cubre
con pájaros de luz compacta,
avanza la quieta locura
de saber, de escuchar...
No música ni olor, nunca los ritmos
que aclaran el sentido de las cosas.
Cara a cara con misterios
que nadie puede tomar.
Secretamente oscuro, y de un grito
todo levantado en certeza.

¿Hubo manos, si frágiles perfectas,
que cortaran el roce de la tierra
volviéndola a su escala fabulosa?
¿Qué contacto anudó por su milagro
el fluido enlazarse de las sombras,
vertiéndolas, exactas, a una aurora
que es lago de reposos intangibles?

IV

Dentro suyo, del murallón espeso
de las sombras, estará todo
lo que se sueña claro, purísimo.

Avenidas de alas, deslumbrantes,
inacabables mareas de claridad.

Una voz sola, bosque de voz en suma
de planetas de voces,
gemirá de gozo invencible;
de gozo inexpugnable y excelso.
Lejanas, estas sombras que ahí
arremolinan sus greñas,
parecerán confines sin nombre,
sin música. Nada.

Adquirirán volumen los sueños,
y cada luz tendrá imagen feliz.
Formas que no se piensan acá
deslizarán por la augusta
majestad de lo claro su bulto.

Sí, lo sé. Aquí se detienen los ojos.
Pero donde no calan
está el país de lo soñado intangible.

V

¿Quién sabe de la luz si no la encuentra
entregada al volumen de una forma?
Sin la masa del cuerpo que reciba
su frecuencia tenaz, ¿qué luz tendrían
para amarla, los ciegos y videntes?

Es el muro de opacas certidumbres,
la invencible materia inacabable,
la que expresa, por luz, lo que los ojos
van buscando, obsesos, por el mundo.

Transparentes países se le ofrecen:
un cristal, un espejo, hasta los ríos...
Si no fuera por ellos, ¿quién vería
a la luz en la tierra de los hombres?

¡Oh la posesiva que se rinde
a las plenas presencias de la tierra;
y se escapa, fluyendo, en los cristales,
y de magia a los crédulos imbuye,
y es tan sólo verdad en otra cosa!

VI

Ahora que mi mano solivianta
el nutrido juntarse de la noche
y una llama prendida en la distancia
se cimbrea, gozosa, despertando.

Quiero huirte, rasgar tu encrucijada
soslayando el volcán de tu amenaza.
Y mirar desde el pozo que era mío
este inmenso cercado de las nubes.

¡Claridad derramándose en los ojos,
abierta claridad, sonoras luces!
¿Quién llamaba en el túnel de lo negro
si es la luz quien devuelve lo soñado?

Ya volví del empeño de buscarte;
jamás tuve otro norte que tu era.
¡Ah mi lengua de fuego, mi Tobías,
comeré de la tierra iluminada!

VII

De donde no supe ver, de alguna cueva clara
metida en claridad: de una luna de lumbre
saliste tú sombrío, saliste oscureciéndome
lo inmenso que llevaba mi frente vencedora.

¡Qué torpe ese designio de confundirlo todo
y darme, por la luz, una brasa de sombra!

En isla convertida la claridad primera
—¡oh náufraga de mí, abandonada suya!—,
un sordo palpitar de estremecidas noches
en pleno mediodía se levantaba bronco.

¡Cuán duro el empeñarse en apagar el tiempo
para que el reino negro se tragara la luz!

Fue lento el transcurrir de turbios avatares,
muchos días caí con los ojos cerrados...
La cueva de la luz incrustada en el Día
está dentro de mí; soy yo misma esa cueva.

VIII

Tardaba en llegar la luz
a sus clamantes yacijas.
Inapaciguables sombras
runfaban sus oleajes.

Todo lo que traspasaba
el puro dintel del alma,
ninguna paz contenía
para compensar lo ausente.

Vinieron voces y cuerpos,
látigos de tentación...
Siete campanas de ecos
vociferándome acerbas.

Hubo quien rasgó en mi oído
su túnica de lamentos.
Crujieron mis manos frías
los cuellos de mis deseos.

Embriagadas aleluyas
de fieras profanaciones.
Muerta de ansiedad sin freno,
mis arcángeles gritaron.

Hasta que llegó la luz.
Una rama crepitante,
una selva que deslumbra.
Toda oscuridad vencida.

POESÍA COMPLETA

VIVIENTES
DE LOS
SIGLOS

1954

Caspar David Friedrich: *El mar de hielo*
[*El naufragio del «Esperanza»*]
1824, óleo s/lienzo, detalle.
Kunsthalle, Hamburgo.

ESTAS SON LAS PATRIAS...

AGUA

Desde remotas edades
o desde turbias entrañas,
estaba viniendo el río...

Lento al nacer, agigantando el paso,
por ir a donde esperan a los ríos.
Y tú, te arrodillaste.
Tú, criatura igual al río,
a la selva y al aire;
doblando tus rodillas que cantaban,
metiste tus dos manos en el agua que corría
entre musgos como cabelleras.
Y cerraste los ojos para beber en tus manos
el agua cogida al agua.

¡Oh, no era, lo sabíamos,
que alguien por vez primera se arrodillara
para beber! Todo tu cuerpo cumplía
el hábito del rito milenario.

¡Con qué delicadeza aligeraste
la sed que amontonabas!
¡Qué tremenda sabiduría, mortal,
para acercarte al río!

Las márgenes
se unían dulcemente acariciadas

por tu boca radiante de frescor.
Bebías sin reposo, porque el río
te hiciera su país;
para que el mundo
borrara sus contornos verdaderos.
Tus ojos no veían, pues cerrados
estaban sobre el agua; ni tu frente
sabía de otro olor que el de los juncos.

¿Cuántos ríos se han bebido, codiciando
tomar el de la vida, sin saciar
jamás la vieja sed?

Era perfecto
el verte arrodillar, hundir la boca
entre márgenes; las dos manos
abriéndose en la tierra, igual dos aves
que quieren descender en la olorosa
y húmeda vertiente conseguida.

El campo estaba allí, desde lo antiguo.
Los árboles y tú, hasta palomas
volando entre vosotros. Respiraba
su música la fronda. Era de tarde.

Caballos relinchando, toros negros,
y blancas mariposas en el aire...
Suave en su latir, desvariando,
el río para ti, todo tu río.

Entonces tú venciste al fugitivo
y entraste en su manar con arrebato.
El fondo estaba allí, cerca sus guijos
y yerbas que movía la corriente.

Tan cerca tú del suelo, resbalándolo
por peces diminutos que escapaban
del cuerpo sin flotar; desnudo torso
dejando su tibior sobre las algas.

Rozaban tus cabellos y tu frente
las piedras que eran madre de las aguas.
¡Oh mayo de la selva estremecida,
crepúsculo de silbos y de cánticos!

Sabías tú beber, y no sería
tu río el que bebieras si mañana
las márgenes sorbieras; si volvieras
al río con tu sed, tu sed eterna.

Tu cuerpo no seria el que ahora mismo
brindabas al beber, como un amante
que deja que lo bañe su delicia.
Efeso fue verdad, vaticinándolo.

¿Qué suma de arroyuelos,
qué delgados,
qué fustes del paisaje te bebiste?

¡Oh manos apoyadas en la hierba!
Apenas entreabiertos, ¡oh tus labios!
Tu aliento, apenas en el río; ¡oh tus ojos
lejanos y no tuyos, abismados
en gozo del frescor que se renueva!
Si pude o no llamarte, si mi boca
te dijo que envidiaba tu abandono
llevándote del agua su misterio...
¡Si hubiera yo pedido al mismo río
aquella saciedad que te colmaba...!

Mis sienes retumbaron, caracolas
de dura tempestad. Pensé tu cuello
cercado por el agua...
Los pájaros huyeron con la luz
y el bosque se pobló con su silencio.
Estaba sola yo; te contemplaba.
¿Dormías; dormías ya sin sed;
qué lecho nuevo
el río para ti transparentaba?

Orillas de espesores vegetales,
junquillos delicados, soñolientos...,
cubiertos de verdor, les susurrabas
que nunca un agua igual habías bebido.

Afuera de vosotros, derramado,
el mundo daba paso a la corriente,
del río crecedor desde tus labios.

Contéstame, mortal:
¿de dónde vino

tal ansia de beber, que se incrustaba
de modo tan exacto a este paisaje?
Piedad para mi sed:
¿de cuántos ríos
tuviste que tomar, para que éste
rindiera enajenado su fluencia,
cupiera todo en ti, se hiciera tuyo?
Bandadas de palomas; a oleadas
los peces se ceñían a tus piernas.
Raíces de los cielos tus cabellos,
vasija del misterio entre tus flancos.
La atroz e indestructible mariposa
comiendo de mi ardor...

                              Yo te veía
cubriéndote las aguas la estatura..
Si, súbita acuciante, nos cayera
la voz desde lo arriba, ¿tú la oirías?
La voz es una lluvia que no moja.
La voz es como un fuego que no quema.

La sueño yo a la voz, y hasta la veo
en *blanco* resplandor que nunca es blanco.
¡Deslúmbrase la luz, y yo la sueño
en tronco de flexible arquitectura!

Si corro y me separo, si me voy,
si nunca más te miro, ¿me despierto
debajo de la voz que resplandece?...

...No sé. Yo no bebí.
Mantengo secas
las pieles de mi sed. Yo te contemplo.
Y urge, para *ver,* que no se mire.
Y urge, para *oír,* que no se oiga.

¡El río late allí, el río lleva
su espeso y apretado nacimiento;
el limo lo reclama, la maraña
de líquenes aguarda que él la inunde!
Las flautas sigilosas, los arrullos
acercan la nocturna primavera.
Si sueño que no sueño, si me escapo,
y hundo entre las aguas..., ¿viviría?

¡Hermosa y más ligera tu presencia
apenas no la goce; si te dejo

por irme pronto a mí,
qué jadeante
resuello éste del río en mi memoria!

Atado perro gris, tigre sin uñas,
resbalo hasta tu cuerpo sumergido;
te llamo y me respondes desde el agua.

¿Dormías ya sin sed?...
Yo soy el Río.

FUEGO

¡Flamígero edificio!
No interrumpas, mortal, este castillo
que se devora a sí mismo.

Nacidos sin llegar al nacimiento
total, acaban su esplendor
y se consumen
los mismos que no cesan de brotar.

Hay sombras
taladas por hachazos de violenta,
fundente luz...
                    ¿Y tú te acercas?
¿Te unes al estrépito del fuego
y ofreces tu criatura de agua y tierra
apenas si alentada por la brisa?

¡Gallardo el cuerpo tuyo, codiciable
la tea que eres tú;
huye; no quieras
salvar la demoníaca residencia
del fuego desatado con tu ofrenda!

Porque podrías entregarte
a este brazo atroz, que sin sosiego
va desintegrando la materia
que constituye el mundo;
y entonces devendrías en ceniza,
en esencia impalpable...
Ya cenizas

serías por un tiempo breve y turbio.
¡Cenizas de tus manos, llamarada
de polvo que se abate!
¡Ceniza de tu pecho, el impaciente
que tanto quiere amar, y que en el fuego
cumpliera sus promesas!
Acércate.
No lo rehúyas, si es que hoy
prefieres el delirio incandescente.

El fuego brota libre en los volcanes,
Aullando por la tierra que lo ata.
El fuego lo sujetan las criaturas
que temen su voraz acometida.

Extenso y vertical, si vuela el fuego
transforma en sus cenizas a las cosas;
reduce a sus cenizas a los cuerpos,
cenizas son del fuego los amantes.

¡Mas no te rindas tú!
¡Huye, desata
distancias que lo alejen a este fuego!

Mirándote soñar en sus rescoldos,
espero tu mirada de regreso.
Quisieras serlo todo para él
los árboles, el trigo, los maizales...

Si irrumpe en tu mitad
—pues la celeste
se quema desde siempre en soledades—,
serás lo fragmentado en infinitas
partículas de ti. ¡No lo requieras,
que no cabes en ti si él te violenta!

¿Descubres cuánto frío en torno tuyo,
allí donde él no llega?
¿Adviertes esas sombras tan macizas
de lo que no se quema?

¡Oh, sí; es frío todo,
negro y compacto, rechazable
lo que no puede arder!
Mundo mineral que no se funde
con todo un sol vertiéndose...

Pero si tú lo buscas,
si hasta él tú te llevas,
¡alegría
del fuego que completa su hermosura!
Nos quedamos sin ti los elementos
que por ti se abrasan.

¡Oh país sin frescura,
sin robustas aulagas;
llanura de reptiles cuyo grito
por el fuego se arrastra!

Líbrate, mortal, de que esa fuente
no se vuelque en tu cuerpo.
El frío es el no ser, la sombra junta.
Y la vida es el fuego.

¡Pido por el loco sobresalto
que es salvarte de la llama!
Y aquí, en mi corazón,
tú y yo, ¡tan solos!,
¡árdenos, abrasa!

AIRE

Comenzaste temiéndole:
¿nos llevará este viento, o su embestida
hará que se salga el mar?
¡Oh infancia distante,
y tan traída!

Sí; te amenazaba el viento.
Su voz de arenas roncas
te mordía el oído.
¡Ahora no resiste,
empuja ciegamente;
se va a salir el mar!

Y el desierto, y las casas, y el cielo;
¡todo lo saca el viento!
Duérmete, niña; duerme
al amparo de esta voz, menos oscura,
que te afirma protección.
Olvida al viento.

Suave, repletado de intuiciones
de olor, vino ahora el viento. El aire,
la brisa, el céfiro...
fantasmas de jardines que soñaba
la adolescencia ácida.

Rumoreando
querellas que otros seres confiaban
al ala que mojaban océanos,
el aire te traía sus presencias
sucesivas, deslumbrantes.

¡Cómo ciñe a los cuerpos con su mano,
que modela con túnicas, ardiente!
Una estatua detenida en ancho paso,
con los hombros enhiestos,
con los senos erguidos,
las rodillas seguras y firmes,
tiene el viento arrollado a su empuje
por toda la eternidad.
¡Victoria del salobre viento
que así toma a los seres!

Porque nadie los toma como el viento,
que derrumba, enlaza y sobresalta,
extendiéndose luego entre los pasos.

El viento es un país,
un anticipo
del todo en que se forman los planetas:
Los cuerpos lo reciben,
lo resisten;
o nadan en su cresta, se deslizan;
o giran en su voz, y se deslíen
cenizas de los seres que no son.

Provincias, soledades
son del viento,
inmensas parameras de la carne.
Su lienzo lo desgarran los que gimen:
lamentos de dolor en la frenética
angustia del vivir.
¡Gloria del aire!

Descuelga su estatura,
precipita

los criares de sus lechos pedregosos
alzados en colinas: cordilleras
que asoman por las islas sus presencias.

Confunde su clamor en tempestades
que el viento le socava a los confines.
Aceros y cementos, hormigones
se quiebran al contacto de sus dedos.
¿Qué pides tú al alud
que no te hunda?...
¡El viento nunca escucha el desconsuelo!

Y lleva entre sus dientes el tasajo
del llanto funeral...
Muerde los gritos
de todos los que mueren...

Lo sabes tú, mortal: oyes que lloran,
escuchas del dolor largos suspiros.

¡Ninguno como él;
ninguno puede
hacerse tan pequeño ante los ojos,
moviendo los capullos de las rosas!
Ni nadie es tan delgado,
tan huidizo,
sonando en los arroyos por la noche.

Se estruja en caracolas, en oboes;
escurre las espigas;
se apodera
del órgano con salmos;
de gargantas
de vírgenes en celo... ¡Paso al viento
que viene de las dunas
calcinantes!

¡Paso al aire
que tiembla de jardines,
y de mármoles!

TIERRA

¡Enorme, y tan pequeña;
tan inmensamente chica para un hombre
en unas horas de vuelo!

Pero, andándote,
puesta entre dos que se aman,
o echada encima, final,
¡qué inacabable, tierra, eres!

Cogida entre los dedos, en puñado,
nada; no eres nada.
Y fuera de las manos, a tu correr,
pueblos, ciudades, paisajes...
De oscura y sin sentido te conviertes
en naciones, provincias, cordilleras...
¡En tierra de los hombres!
En el motivo que tenemos
para estar aquí, siendo criaturas.
Más aún: para ser tú misma.
¿O eres nosotros, sin ser nuestra?;
¿o es que somos lo tú sin sernos tuyos?

No; yo no pregunto. Afirmo
aunque interrogue. Sé que somos
todos la misma cosa... Y hasta me encuentro
socavada por raíces, y crecida
en los altos palmeros.
¡Qué locura de flores inunda
el arroyo purpúreo
de mis venas con musgo!
Y es mi voz —y la tuya, mortal—
la que toman las frutas
al quejarse, mordidas.

¡Gran presencia, perenne,
de imposible esquivar!
De ti a mí, de mí a ella, en el arco
de luz que refleja
a otra luz que no acaba.
La amas, lo sé; y te quiere la tierra
como a un hijo que es padre
a la vez; que lo es todo.

El viento, la mar, hasta el fuego
son ella; la llevan y traen,
transforman, convierten
en aire, en agua y en brasa.
¡Sólo ella no arde, se funde
o calcina, quedándose

como tierra quemada, o que vuela,
o cubierta de agua...! Pero tierra
para caer, infinita de exactitud,
sobre cuerpos que fueron
todos los elementos juntos.

Brindada en valles en rocas;
ofreciéndose en jardines...
¡Sáltala, mortal; extiéndete en su espalda
juntándole la tuya!
O únete con ella, pon tu pecho
por encima del suyo...
Respírala. ¿La oyes
caminando tus huesos...; escuchas
que recuerda tu aliento?
¡La creías tan tuya, y mañana
te devorará íntegro!

Ajena, sí; enemiga.
Plantada de calientes suavidades
que poco a poco roe.
Ese nardo que escala
tu ávido olfato es el áspid
que envenenará tu gozo.
Y la turbia magnolia,
o el jazmín sinuoso,
son remedos de ti, de las secretas
potencias que asumes.
¡Cuánta aleve invitación recibes
de lo que fuiste y serás un día!

La amas y crees, porque sueñas que vales,
con tus sueños, la tierra.
Porque palpas en ti, porque mides
el soplo, el calor, hasta el agua.
—¡Soy yo los elementos —te dices—;
la tierra misma soy!
¿Es bastante ser tierra,
la hostil y devoradora criatura insaciable?
¡Oh, si la olvidaras;
si, libre de su peso supieras, por fin,
que no seréis jamás lo mismo!

Unida por los otros,
accede a ti; te alcanza.

¡Corre por la síntesis, es manos
y ojos, y corazón que sabe
su hambre de eternidad; su ciego
golpeteo de eternidades!

Pero «eso» no eres tú;
cierto que es ella y no tú,
aunque en tu cuerpo
se diera cita contigo, mortal.
No eres la tierra en que jadeas inseguro.
La tierra sí que es tú; apréndelo.

Sembrados en tropel,
gruesos rebaños
resuellan en su masa, te reclaman
estrellas sin nombrar...
Hay un confuso
nacer y desnacer entre tus brazos.
¡No lo aprietes, que tú
no eres de aquí, que eres lo otro
que ella tiene en ti sin retenerte!

Tú te vienes y vas, ¡oh, tan de prisa,
que debes repetirte en mil millones,
si quieres que ella tenga tu presencia
por una eternidad de nada eterno!

¡Qué suma de criaturas, porque ella
posea una criatura un solo instante!

ORIGEN

Busques por donde busques,
encuentras que todo es suyo y que todo
le pertenece sin límite.
Fuente y resumen,
debatido y batiente,
mortal, a su sima concurres;
de su cima te viertes.
¡Anillo de llamas y de vientos,
anillo de mares,
de tierras resplandecientes!

Embriagado de luz,
de vitalidad oceánico,

crees que te alejas, liberas
porque en otros como tú te hincas,
vertiginosamente.
¡Y está contigo, dentro del otro
que te toma o se entrega
para hallarse con él!
No hay escape posible, mortal.
Ríndete gozoso, acepta
que la suma te invada
tumultuosamente.

Un contacto levísimo, el roce
de un ala...; o el gemido
de un ave que muere.
La bárbara trompa del viento
desconcertando el ritmo
de canciones dichosas.

La jadeante música
de inmensa llanura, anegada
por dura tempestad...

Sí; todo es suyo. Lo mana,
rezuma o precipita su ternura,
o su delirante cólera.
Tú estás allí, sometiéndote
al árbol con sed o al diluvio.
Y si contemplas,
encuentras su heredad inmensurable
dentro de tu corazón.

De noche, al alba,
en plena mitad del día...;
si ciñes o si te ciñen
brazos de amor..., ¿de quién te crees
que suyo no lo sea, como tú?
¿Hay algo en la tierra,
el fuego siquiera,
que no le pertenezca entero?

¡Su vasta posesión!...
Es dueño
de todo lo que existe;
de cuanto puede existir, si deja
que nazcan de sí las cosas.

No busques libertad que viva
por sus propios recursos.

Es dueño de ti y de ella
aunque no lo comprendas.
¿Y adónde irías, si el mundo
te entregara el misterio,
de vuestro ser?...

¡Oh dichosa prisión de su boca,
que no dicta el secreto!
¡Clausura indecible
de todas las claridades!

Es cerrando los ojos hambrientos
como se *ve* su bulto.
En el alma se siente su peso,
y en las sienes retumba
el silencio elocuente...
No confieses su voz; la conocen,
como tú, en las tumbas.
Sí. Hay que morirse, lo sé,
para hablarle despacio.

Para hablarle despacio, morirse.
¡Vivir es escucharle!
Monólogo es su luz; su tierra, impura,
y bendita de pan y de flores.
Para sí mismo quiere
la gruesa voz del cosmos.
Tú, escucha; comprende; coge
su eterno monólogo.
Ya llegará la hora
de todas las respuestas; el día
de todas tus preguntas.
La exacta mitad, la dicha
dialogante, compartida.

Apriétate a ti mismo, gira
semejante a un planeta.
Verás que en todo vibra
su callada presencia.
¡Cállate y escucha;
no mires, no fuerces el oírle!
Menudísimo murmullo, su respuesta
no la alcanza el empeño...

Sí la abandonada entrega;
la ardiente contemplación.
Lentamente, mortal que no te encuentras
invadido de amor,
ve olvidándolo todo...; rechaza
el recuerdo más leve.
Húndete en el mar, descansa
en la corpulenta ola.

¡Oh dulce criatura terrena,
abandonado cuerpo;
cómo te enseñan a ver
la luz dentro del agua!
Suyo, palpitante o laxo,
¡suyo como el mar y el cielo!
—¿Adónde iré —te dices—
para encontrar su forma?
Y está cubriendo prados,
cadenas de montañas, ríos;
cubriéndote en el sueño,
en la vigilia,
con manos de creador inagotable.

Empéñate en sacarle
de tu propio entresijo.
Arráncalo de ti, destaca
de tu criatura el vasto
elemento que es él.
Colócalo delante
de tu misma estatura.
Sin palabras, abrazado a tu cuerpo
en violencia del suyo.

Verás cómo se yergue ante tus ojos,
recompone el deshecho
lugar de tu batalla...
¿O prefieres, mortal, que su hallazgo
no restalle violencias?
¡Oh silencio purísimo!,
¡oh concierto!; ¡oh el ansia
sometida al oscuro
palpitar de la espera!

Rechaces o concilies,
escuches o le interrumpas,

de todo participa su sustancia.
No hay escape, mortal
—ni tú lo ansías—,
aunque parezcas libre.
¡Redonda plenitud, aire que arde;
marea que la brisa desintegra
poblando con su vuelo el cielo ajeno!

Esfera conteniéndote; el Origen
y causa de tu ser... ¿Cómo te encuentra,
aun antes de morirse, el que te cerca?

¡Palabras o silencios;
acuciantes o tiernas exigencias
amorosas!...
Cerrad vuestro clamor,
sed como es el dueño
de todo lo que es vuestro sin reserva:
en todo cuanto es, y en lo que vuelve,
fluencia inagotable de presencia.

..Y ESTOS, LOS DESTIERROS

HAMBRE

¡El ancho mundo frío
que se mueve contigo te ignora.
¿Quién eres tú, de dónde sacas
tanto rostro gastado?...
Tu piel está seca...;
tus ojos, marchitos...;
tus labios, con grietas...;
tu voz es un grito.
Nadie te conoce, nadie.
A ninguno preocupas.
Y hubo un tiempo (lejano, remoto, olvidado)
en que un hombre te hizo
del pan y los peces regalo.
¿Recuerdas, mortal? Se llamaba
lo mismo que tú: era pobre.
Si te dicen que hay rosas
—¿qué harías

si te dieran las rosas?...—,
o que el aire de mayo
es de flores...
¡Tú conoces que es tacto mortal
la corteza de mármol de un ángel!

Apoyando tus dedos, los torpes,
en la rosa o la estatua,
no sueñas...
Al hallarse contigo,
sobran flores y piedras.
Es de plomo caliente, lo sé,
tu camino diario...
¡Qué cansado y qué triste
vas andando la tierra!

Y naciste suave, tan blando
como una magnolia.
No tuviste los pechos rotundos
de una madre repleta;
ni el varón que sembrara tus huesos
era fuerte y resuelto...
¡El milagro eras tú; tan redondo,
tan almendra de amor en el páramo!

¡Oh tus labios, gimiente nacido,
nunca ahítos de leche!
En tus sueños bebías sin tasa
de unos senos de madre infinita.

¿Qué tremenda obediencia cumplimos
al quedarte con hambre?
Nunca anduvo feliz y saciada
por tu cuerpo la sangre.
Y está lleno de peces el mar,
de corderos el campo.
Los sembrados rebosan la espiga
que no cabe en tus manos...

¡Oh la tarde en Bethsaida desierta,
con criaturas creyentes!;
¡oh la voz que dejó en libertad
de crecer a los peces!
Cuando creas oírla y confíes
que vendrán a saciarte,

¡oh mortal!, yo le tiemblo a tu sed,
a que colmes tu hambre.

DESESPERANZA

La maleza que nadie corta
te está esperando a ti... Desciende
al insondable y sombrío recinto
a que aspiras, mortal, porque estás triste.
Triste, como sólo el hombre
puede alcanzar el fondo.

¡Qué insensata presencia persiste
arriba de tu silencio:
campos y manantiales,
huertas y los jardines
que su flor levantan, ajenos!
Tú, con tu maleza;
sorbiendo el olor espeso
de oscura vegetación.
Ninguno puede, aunque lo intente,
sacarte de tu pozo.
¿Adónde irías, deslumbrado,
si recuperaras el aire?
¿Qué sería si accedieras a emerger,
para ti, el mundo de nosotros?

Has caído de golpe, mineral,
como caen los pedazos de monte
cuando estalla en hoguera. Persistes
allá abajo, empapándote
con el agua viscosa del fondo
al que no llega luz.
En vano por la tierra pasan otros
que llevar sus sonrisas,
o que bailan
cantándole al amor. Tú permaneces
metido en tu yacija.
¿Quién podría,
tocándote las sienes, aspirarte
a lo cierto luminoso?... ¡Cuánto pesas
caído entre tu sombra!

Nadie puede, mortal, con una sombra
que el cuerpo se empeña en sostener.

Rodeado por ella, poseído,
en vano arriba te soplan primaveras
desde azules pistilos.
Inútil relinchar de los caballos
en sus prados amarillos.
O que mujeres descalzas,
o que mancebos ligeros
dancen al amor entre los álamos,
y viertan juventud sobre tu encierro.

Te agarras a tu maleza.
Las greñas que te cercan, punzantes,
semillas son que a ti te reconfortan
el inmenso dolor de que te nutres.
Abajo, en tu cubil, sólo tu sombra
afirma que eres cuerpo. Porque dentro
de ti sólo hay ausencia.

Las bestias microscópicas del llanto
contigo no concilian su vivencia.
Ni el bosque de raíces del sollozo
arraiga fresco en ti...
Doblado sobre ti, arracimándote;
brindándole al dolor tu mansedumbre,
persisten en callar.

¿Qué dardo pudo
clavar así tu sangre, congelarte
en esta resistencia del torrente
brutal, pero glorioso, de la vida?

Ni rostro vas teniendo. La maraña
te sorbe y te disgrega. Hasta en tus ojos
restallan las sombrías oquedades,
que pueblas con tu sombra...
¡Quién pudiera gritar, y que el deshielo
rudamente te arrastrara!

Hundido más en ti que en esa sima
que invades sin luchar por escaparte,
te veo y te veré desde mi alma.

¡Desgárrate, mortal;
desgarra, cruje,
extiende el lienzo fúnebre que cubre,

tu hora de vivir! Esta maleza
viscosa, que te crece y que te asfixia,
la tienes que cortar.
¡Llora y te salvas!

DOLOR

Te ahogan con su música los órganos.
Rocían tu estatura. A oleadas
desploman sobre ti enormes ríos,
caudales de espesísima fluencia.

Te escalan humaredas. Desde el suelo
hogueras invisibles apresuran
columnas hasta ti, buscando ciegas
las piedras de tus ojos...

Martillos sobre yunques que se hunden
golpean en tu cuerpo, que resiste.
Las fieras te dentellan, y tu carne
gotea por las venas descuajadas.

Galopan sobre ti, arrancan hojas
del álamo fragante de tus hombros
las turbias mansedumbres embotadas
que toman de la fuerza su presencia.

¡Mortal que así te ves,
tan combatido!
¿Qué esperas más de aquí, a quién invocas?
¡El áspero sonar de las campanas,
la tosca ligereza de este humo,
el diente que se incrusta, tus arterias
rasgadas y vacías!...
¿Quién te hinca
las flechas, una a una, entre los pechos?

¡Si huyeras del montón que te acomete,
buscando el gran vacío serenado!
O acaso el no escapar sea una huida...

¿De dónde llegarán tantas avispas,
esas masas de insectos que, voraces,
te muerden todo el ser desvertebrado?

¿Qué charcas las remontan, fructifican?
¡Oh mortal, que no ves ante tus labios
una copa de fresco zumo ácido!
Y es ayer, es mañana, nunca es hoy.

¡Y cantan, no sé dónde, los arroyos
que en las flores acuñan claridades;
hay jardines con pájaros y fuentes,
soledades de campos inefables;
hay doncellas que buscan el amor,
y varones que sueñan con el hijo!

Sólo a ti, macerado de inclemencias,
no restañan ni lavan tus heridas
esas manos de hierbas olorosas
que contienen el mundo entre su cuenco.

Huyen todos de ti, hueles a llanto.
Islote de negrura desolada
escapas de la luz...
¿Por qué golpean
en la oscura corteza de campanas
que rompen tu cabeza?...
¿Quién cabalga
este potro tenaz de atroz galope,
que corre por tu sangre?...

¡Mortal, contempla
el yermo que eres tú sin la sonrisa!

Y no cierres los ojos, no te niegues
al oro de la luz; la fugitiva
espera que la dejes en tus sienes;
dos gajos de granada humedecida.

Mas hondo picoteo en tus entrañas
separa en dos mitades tus cimientos.
Afuera, soledad; aunque discurran,
naciones, y rebaños, y florestas.
Y dentro, ¡oh mortal!,
dentro no quedan
provincias, ni sembrados, ni arroyuelos.

El mar es un país. El mar espera
que vuelvas hacia él tus pobres ojos
y adviertas, consolado, su presencia.

¡La tierra no te enjuga la amargura;
la pisas y te grita, te apostrofa!
El mar es un perdón, un blanco sueño...
Acércate a su ser, y que él te acoja.

DESAMOR

Como si fueras redondo
y bruñido... ¿O eres
bruñido y redondo, mortal?

Todo te resbala, de todos
resbalas también.
Fugitivas
te alcanzan y dejan las sombras,
huyendo
contigo y de ti...
¡Qué lejos de todos, de todo;
qué ajeno te sientes!

¿Te vieron, las viste...; alguno
te supo decir, o escuchaste
la dulce palabra de vida? ¿Callaron,
siquiera un minuto, los labios,
que no te nombraban, por darte
tu nombre celeste?

Mirabas las nubes; el suelo
lo hundían tus pasos... Recuerda
que el sol no lucía, y tus ojos
lloraban desiertos.
La noche era larga y angosta, la noche
jamás era tuya.
¡Qué dueño tan solo y tan hosco
de ti mismo eras!

Cercados los pechos, los muros
de hermosas criaturas.
Las frentes cerradas, las torres
de claras ideas.
La húmeda sal de los besos
no funde: es de piedra.

Las lenguas que hablan los seres
no tienen acceso.

Extraño revuelves, gravitas,
te hincas extraño.

Es turbia conjura de sombras, mortal;
te ignoran, te evitan.
¡Transcurres, pisando una tierra
que nadie recorre!

¿Y cantan parejas de aves;
retozan los gamos; los peces
desovan en algas; el polen
inunda los cálices?
Palmeras a orillas del agua,
¿reciben simientes?

No hicieron tu doble;
existes
tú solo en ti mismo.
No hay hembra en tu predio, mortal;
no brotas tú el fruto.
Ni cantas, ni saltas, ni bramas...
¡Qué lejos
de todos, escueces!

Callado y lloroso recuentas
cenizas de ensueños...

Pudiste ser otro; amarte
y amar, ya despierto.
Y no te llamaron, no hubo
la voz desbordada
que al rapto volcara tu sangre.

¿Qué arcángel demente persigue,
arrasa tu huella,
cuajándola seca y helada?...
          (¡Tampoco podría, mortal,
          quererte yo misma!)

OLVIDO

Las aguas son profundas, se destacan
las sólidas orillas que contienen.
Hay flores junto a ellas, flores blancas;

y álamos y chopos... Dulcemente
se mueven las corolas, se desplazan;
y el viento de las ramas se desprende.

Senderos tenebrosos, que no acaban,
acechan desde el mundo eternamente.
De cuevas insondables que los manan
afluyen como arroyos... ¿Quién no teme
andar sobre las sombras que se agachan,
persiguen y se arrastran como sierpes?

Romeros florecidos sobresaltan
a enormes mariposas que los mecen.
Cantuesos y tomillos, fuerte jara
rodean este agua; se someten
a montes sin raíz, de tierras altas
pobladas por la luz de ramos verdes.

¡Dejad la soledad, dejad que el alba
se una con la noche, que desciende
del cielo su criatura iluminada!
¡Silencio por los ojos, por los dientes
que muerden su penúltima palabra!
¡Callada, por piedad, la triste gente!

Acércate, mortal. Es tu morada;
la rítmica mansión que se estremece
suavísima, distante..., y que reclama
el cuerpo de dolor que te contiene.
La lenta crece aquí, crece y socava
la tierra de raíces y simientes.

Dormido quedarás entre las aguas;
tus pulsos latirán, finas corrientes
que fluyen desde ti para colmarlas.
La hoguera de tu voz ya no estremece
tambores de la aurora; ni arrebatas
la noche en espesura descendente.

Ya todo se salvó; se abrió la blanda
ciudad de los que flotan sin moverse.
La brisa huele ajena, solivianta
las márgenes cercadas por el verde
destello de la selva, que descansa
cayendo, como tú, viva y gimiente.

¡Oh rítmico latir de tantas aguas
que sueño a tus desvelos les ofrecen!
Crujiendo van tus pasos la hojarasca
de trémulos jardines. Los cipreses
exhalan su estatura lanceolada
tan lejos de tu ser que no les sientes.

El tiempo y las criaturas ya no cantan;
unidos o dispersos, retroceden...
Las aguas se amontonan; en rodajas
podrías tú partirlas si quisieres.
Son duras, son profundas y compactas;
apresan tú calor y lo disuelven.

¡Entrégate, mortal! Tu alivio avanza
buscándote a la par que lo requieres.
Mansísimos aceites son las aguas,
con flores y con árboles, que hiendes...
¡Qué pozo de frescura inmaculada!
¡Qué cielo te enajena y te revierte!

Castilla, Primavera de 1954.

LOS MONÓLOGOS DE LA HIJA

1959

CARMEN CONDE

LOS MONÓLOGOS DE LA HIJA

CASTILLA
1959

Cubierta de la primera edición.

CANTO UNO

TEMOR A LA IMAGINACIÓN

Está la tarde tan gris...,
madre mía, tengo sueño.
    —Hija, ¿por qué no te duermes?
Madre, porque tengo miedo.

    —¿Tienes miedo de dormir?
De dormirme tengo miedo.
    —¿Qué cosas temes del sueño?
¡Del sueño todo lo temo!

    —¿Temor del sueño, si nunca
te vi despierta en mis brazos?
«Quiero dormirme», decías
por las noches, muy temprano.

«Dormirme, madre, dormirme;
coger sueño con las manos.»
Yo te quería despierta;
tú te negabas a estarlo.

¿Y ahora me dices que temes?
Dime, hija, ¿qué ha pasado
en tu corazón dormido,
que lo quieres desvelado?

Los monólogos de la hija fueron el homenaje a los ochenta años que el 24 de enero de 1959 cumplió la madre de su autora. (N. E.)

¡Ay, madre!, que se acabó
todo lo que fui sacando
de la vigilia del alma
para mis noches de encanto.

Que ya no encuentro los cielos,
ni las mares, ni los pájaros,
ni aquellos ojos de amante,
ni aquellos labios esclavos.

Que lo que espera es de luto,
que lo que llega no es blanco;
que las palabras que oigo,
ni las palabras que hablo

son palabras que me alivien
los fulgurantes espantos,
que redoblan en mi cuerpo
como cascos de caballos.

Y tengo miedo de irme
una noche, con los barcos
de pavesas y de aulagas,
con mástil empavonado,

por aguas gruesas de aceite
en rumbo de acantilados
que destrozan con sus dientes
a los que los van singlando.

No me dejes que me duerma.
Despierta, yo los rechazo.
Son unos largos cuchillos,
unos cuchillos tan largos

que cortan el sueño, ¡así!,
mordiéndoles un tasajo
que chorrea vendavales
de sangre color topacio.

¿Por qué mi sueño encontró
tan erizado archipiélago?
—Hija, porque estaba allí,
dentro de ti, esperando.

¡Yo nunca me lo encontré,
nunca le tocó mi mano!
　—Porque buscabas estrellas
　y ahora las has olvidado.

¿Cuando se busca en el cielo...?
　—Siempre sé que ha contestado.
Pero yo dormía, madre.
¡Yo nunca le he preguntado!

　—¿Y por qué no le preguntas?
　Anda, ven a mi costado.
　¡Después de todo, una madre
　es la madre al fin y al cabo!

　Esos sueños tan voraces,
　¡los sueños me han devorado!
　—Y las vigilias, y el ir
　con los ojos deslumbrados;

　¡y querer que todo fuera
　como soñabas! ¿Te canso
　recordándote que ibas
　como un ángel descielado?

Eres mi madre, te escucho.
¿Por qué te callas el llanto?
¡Si me volvieras a ti,
al vientre deshabitado!...

　—Cuando se nace una vez
　ya no hay muerte en el espacio.
　Si te incorporara a mí,
　¿encontrarías descanso?

No lo sé, ni ya lo espero.
¡Era tan ancho y tan alto!...
Sólo sé que lo perdí.
Despierta no he de encontrarlo.

Despierta quiero quedarme.
Me moriré despertando.
¡Yo tuve un sueño de Dios!...
Con Dios estuve soñando.

SOBRE LA REALIDAD, EL SUEÑO

¡Arroyos corren, arroyos
sueltos por la madrugada!
—Son caballos que caminan
desde el campo, con su carga.

El agua llegará hasta aquí.
¡Hasta la terraza, el agua!
—Si te callaras oirías
que son carros con cebada.

¡No son carros ni caballos!
¡Sé muy bien oír la clara
inundación de los ríos
cuando corren en bandadas!

   —Eres como fue tu padre:
su verdad, se la inventaba.
Caballos, carros, el campo
con su trigo y su cebada.

¡Qué loco incendio de voces,
ardiendo en la madrugada!
—Son los carreros que gritan,
porque no dirás que cantan.

No sé si cantan o ríen,
yo sólo escucho las aguas.
Se desprendieron del mar,
pero ya no están saladas.

   —Si fueran aguas habría
un húmedo viento, y blancas
gaviotas en las calles
porque viven en el agua.

¡Si dices que son caballos,
si oyes carros, y es el alba!
«Levántate, marinero,
que tiene flores la escarcha!»

CONTRAPUNTO DE DESTINOS

Lo que piensas, que es pensar
en cosas de fantasía,
nos llevará a la desgracia:
a tu desgracia y la mía.

Eres joven y aún no sabes
lo que se debe pensar
para vivir en el mundo,
para vivir y acertar.

Te pasas las horas muertas
leyendo libros de versos.
O la mano sobre mano,
ni despierta, ni durmiendo.

Y yo, que sólo te tengo
a ti para navegar,
¿cómo quieres que no llore
si no te veo trabajar?

¡Porque no irás a decirme
que sirves para el trabajo,
si leyendo te me pasas
todas las noches en blanco!

¡Y si tuvieras malicia
para moverte en el mundo!
Pero si todos te engañan;
si vas de un tumbo en un tumbo.

¿Qué te dan esos libracos,
o esas hojitas que escondes
después de haberlas escrito
hasta los mismos rebordes?

Yo quisiera que aprendieras
lo que una mujer precisa:
el arreglo de la casa,
el coser y la cocina.

Si no lo sabes hacer,
¿cómo lo podrás mandar?
¡Y sólo te tengo a ti!
De mí no sé qué será.

(De mí no sabes tampoco,
y eso sí que lo sé yo,
que si soy como tú dices,
es porque lo manda Dios.

Dios me manda que yo ame
todo lo que veo delante.
Lo mismo si es una flor
como si es un elefante.

Que entienda lo que se dice
en el silencio profundo,
pues todo tiene su voz
en este dichoso mundo.

¿Qué me importa que las cosas
sean o no sean *así?*
Lo importante es que si son
yo las tenga para mí.

Sobran mujeres sencillas
y sobran más, complicadas;
que cosan, laven, cocinen,
que trabajen y que paran.

Déjame con mis delirios,
déjame que no te estorbo.
Soy más pequeña que tú.
Tú eres un trago; yo, un sorbo.)

LOS ANTEPASADOS DESDE DENTRO

¿Tú los recuerdas; los viste?
¿Cómo eran: grises, blancos...?
¿Eran hermosos y tristes?
¿Eran fuertes y gallardos?

¿Tenían en los ojos luz,
o la sombra los cubría?
Sus bocas al palpitar,
¿eran cálidas o frías?

Al abrazar tu cintura
con los brazos de mi padre,
¿comprendiste que eran nudos
que Dios ata y que deshace?

Y cuando ellos, desde él,
se volcaron a tu sangre,
¿adivinaste que yo
nacería de tu carne?

Si estabas sola vendrían
para que no lo estuvieras.
Y si miraste al cielo,
ellos serían estrellas.

No es posible que olvidaras
su voz y sus ademanes.
¿Eran altivos, flexibles;
cómo estaban en mi padre?

Alguno descuidaría
su secreto junto a ti...
¿O vigilaban sus gestos
transmitiéndolos a mí?

Al despertar por la noche
en el hombro conocido,
¿nunca violaste el secreto
del que veías dormido?

¿De dónde vinieron ellos
hasta quedarse ya en él?
No eran pocos, no eran frágiles.
Lo que pesaban, lo sé.

Estaban sobre la corriente,
dos orillas sujetando.
En una crecían los bosques;
en la otra, los naranjos.

Y ellos, arracimándose,
pasaron por ti, que eras puente.
¿Escuchaste que nació,
en un clamor, mi simiente?

Ajena, no; ¡no me digas
que se te escapó el tumulto
de la espesa muchedumbre
que eran ellos, todos juntos!

Vamos a cerrar los ojos,
cogiéndonos de las manos.
Dime, madre: ¿no recuerdas...?
Por mi padre ellos pasaron.

Alguno se quedaría
junto a ti, cualquiera tarde,
contándote en voz muy baja
que yo me llamaría Carmen.

Y que en mí se juntarían
para alborotar sembrados,
igual que un viento de estío
cuando desteje los prados.

¿Es que no abriste los ojos
y descubriste a uno de ellos,
para decirme a mí ahora,
para decirme a mí luego

de quién me quedó el temblor
ante todo el universo;
o de cuál de ellos tomé
aliento para mi pecho?

Si yo me hubiera encontrado
siendo arco entre dos tierras,
¡yo sabría quién pasó
arrojándome su siembra!

¿O es que dormías, tan joven
en tu sueño de mujer,
que no sentiste a ninguno
en su grave acontecer?

Aquí me dejas hambrienta
de palpar eternidades.
Ellos y tú, y mi muerte...
Ellos y tú, y mi padre.

PARTO DE LA MUERTE OTRA

Para nacerte otra vez,
quiero que vayas delante
de mis pasos por la tierra,
que, aunque pequeña, es muy grande.

Aquí estás acompañada
con mi presencia diaria,
pero huérfana de ti
yo sería, si quedaras.

Por esto quiero que andes,
pasito a pasito paso,
delante y siempre delante,
sin prisas y sin descanso.

Así cuando yo me asome
al otro lado de aquí,
estarás tú preparada
para volverme a parir.

CANTO DOS

ADOLESCENTE EN EL HUERTO

Estaba viendo las nubes...,
estaba mirando el cielo...
Debajo de mí la tierra,
como un caballo corriendo.

Se iba tan lejos, se iba
como locos pensamientos,
arriba de los arribas,
de donde nacen los vientos.

Mis manos bajo mi nuca,
mi cuerpo junto a un almendro;
cantaba una acequia, cerca,
como un chiquillo contento.

Naranjas desde las ramas;
cuajados, los limoneros;
y un mediodía de amor
entre mis labios sedientos.

Yo no era la que era,
la que soy iba naciendo.
Tú me llamabas, y yo,
aunque sí te estaba oyendo,

me abandonaba al estar
en tan rotundo silencio,
para oír sólo de mí
el pulso vivo latiendo.

«¿Dónde estará esa criatura
—decías—, que no la encuentro?»
¡Viendo nubes desde aquí,
mírame, estoy en el cielo!

Pero no te contesté.
¿Para qué? Yo y mi silencio
éramos una unidad
de concentrado misterio.

COMPARÁNDOLOS A ÉL

Es aquél —te lo enseñé
cuando tú me preguntabas
por mis suspiros de noche
y mis horas trastornadas.

¿Es aquél? —Yo te lo traje
envuelto en capa de llamas,
con un lucero en la frente
que entre todos descollaba.

Es aquél —yo te decía
esperando que encontraras
en sus ojos y en sus manos
las rosas que yo sembrara.

¿Es aquél? —Me repetías,
mirándole, tan extrañada,
que se fue poniendo oscuro
hasta quedarse sin llama.

Que se fue quedando frío,
sin lucero y sin dalmática,
sin su jardín en las manos,
con los pies de tierra blanda.

Cuando quise recogerlo,
pues todo se desquiciaba.
¡Es aquél! —grité de pronto,
porque otro se me escapaba.

HORA EXACTA DE LLEGAR

Alguna voz, desde lejos,
me pidió que la esperara.
Y yo, que soy impaciente,
la esperé sin esperanza.

«¿A quién esperas ahí,
tan sola, tan intranquila?»
No lo sé, pero dijeron
que esperara, desde arriba.

Miraste sobre mi frente,
más allá, sobre los cielos...
Luego te pusiste seria,
y acabaste sonriendo.

«¡El que espera, desespera!»,
gritaste mientras te ibas.
Y yo me mordí un sollozo
porque esperar no podía.

Porque esperar era malo,
porque esperar era loco;
¡porque el amor, si se espera,
es un dolor como pocos!

¿Quién desoía la voz
que dijo: «¡Espera!» en la aurora?
Yo me senté en una piedra
a esperar, horas tras hora.

Y llegaron los abriles
y se me fueron los junios,

y luego vino el otoño
y el invierno, y en ninguno

de los meses de esperanza
llegó la voz con su cuerpo;
y me fui quedando yerta,
debajo del firmamento.

«¿Esperarás todavía?»,
pasabas con pesadumbre
de verme, quieta, esperando
al amor de la costumbre.

Entonces, me levanté.
Ya me iba. Estaba escrito.
¡El mundo se me volcó
sobre la boca, en un grito!

LA NIÑA OCULTADA

«Cuando yo era como tú...,
cuando yo era más pequeña...»
Me daba risa escucharte
desde mi infancia, tan llena

de su frágil estatura,
con tanto invento allá dentro,
que en vano tú te empeñabas
en que creyera tu cuento.

¿Que tú, mi madre, decías
que fuiste chica también?
Daba risa el escucharlo,
pero no podía ser.

¿Niña tú, que eras tan alta;
niña tú, que eras tan recia?
Oyéndolos me reía
de tus dichos, peripecia

que no alcanzaba a entender
por mucho que te empeñaras.
Yo era una niña. Muy bien.
Tú una giganta. Ya estaba.

Y, de pronto, una aventura:
un retrato de tu infancia.
Allí estabas tú, pequeña,
rodeada de distancia.

Te miré, luego, el retrato;
después te volví a mirar...
Tenías los mismos ojos...
¿Es que sería verdad?

¡Era verdad, sí, lo era;
fuiste niña tú también!
Me puse loca de risa,
mirándote tan mujer.

Luego me miré al espejo,
empezando a comprenderte...
Lo que tú tenías en mí
era tu viejo presente.

Y me puse ya muy triste,
dejé mi infancia en un marco:
éramos las dos iguales.
Tomé tu mano en mi mano.

RIESGOS DE LA MADRE

Cuando salías sin mí
tardabas mucho en volver.
Entonces estaba cierta
de no volverte ya a ver.

Seguro que no sabrías,
si dormida te encontraba,
abrir de nuevo los ojos
por mucho que te llamara.

No me atreví a confesártelo,
aquello me daba miedo:
¡que no te fueras tú sola,
que no te venciera el sueño!

«Eres mayor, hija mía,
tienes que pensar en mí...»

Pero, salías, ajena;
¡te ponías a dormir...!

¿Cómo podría explicarte
los peligros que acechaban
a tus pasos, si te ibas;
al sueño a qué te entregabas?

Yo era *mayor*, no podía
decir que tenía miedo.
El miedo es algo muy sucio.
El miedo quedaba ajeno

a nuestro vivir diario,
hecho de esfuerzos muy duros.
Tú salías, tú dormías.
Yo sufría un dolor oscuro.

¡Cuántos años han pasado
desde entonces! Y confieso
que tengo miedo por ti,
desde cerca y desde lejos.

Si sales, te veo en el suelo.
Si duermes, no te despiertas.
¿Eres mi hija, o mi madre?
¡Cuántos dolores me cuestas!

CANTO TRES

EL TIEMPO FUGITIVO

Cuando lo supe era tarde.
¡Tarde para ti también!
Siempre es tarde, si se piensa.
Si no se piensa, ¿qué es

vivir sin pensar en todo,
vivir consciente y alerta?
Temprano, ¿hay algo, pronto,
cuando mejor se desea?

¡Y si viera que en tu mundo
estabas buena y contenta...!
Pero si no eres dichosa;
si, más que yo, tú te quejas.

¿A qué venimos, a esto
de sufrir, con la esperanza
de que el dolor se transforme
en un dolor que no cambia?

¡Era tarde, era tarde!
Te lo dije, por si acaso
tú tenías el recurso
que no tengo yo en mi mano.

Sonreilloras, taciturna,
yendo detrás de tus años.
Cierro los ojos. Me callo.
No sirvo para el fracaso.

En algún punto celeste
(digo, por obviar *lo otro)*
se espera siempre, lo sabes,
que lleguemos, poco a poco...

Y vamos. Estamos yendo
como dos trozos de piedra
lanzados por una honda
que no descansa en su guerra.

Lo peor de lo que ocurre
es que es igual para todos.
¡Si hubiera alguna criatura
que se salvara en el cosmos!

PUDOR

La ternura es una herida
que nunca cierra sus bordes.
Láminas de plata cubren
corazas de verde cobre.

Para mantener intacto
el fluir de la ternura,

se extienden los finos lienzos
de una sutil amargura.

O se bañan los metales
con ácidos corrosivos,
para alarma de los blandos
que, así, huyen fugitivos.

Hay que lograr que la sellen
el silencio, la clausura.
No se puede dar al mundo
una siembra de ternura.

Guardaste tanto la tuya
que nunca mojó mis labios.
Tuve sed. Me señalaste
una copa de buen ácido.

Bebí como bebo siempre:
con desmesurados tragos.
La verdad es que no apagué
ni la sed ni el arrebato.

Algo se me puso frío
donde acabó la bebida.
Y se abrió, como citada
por lo agrio, la otra herida.

¡Ternura, diría una voz,
si las voces fueran ojos!
Dolor de ser —me contesto—
un estremecido tronco.

Escondemos a porfía
las dos secretas reservas.
Somos ásperas, sufrimos
todo el pudor de la tierra.

DOLOROSO SILENCIO

Tengo un collar de palabras
que nunca ceñí a tu cuello.
Estoy cierta de que tú
no lo sabes, y lo siento.

No somos hembras de adornos,
y nos gustan; pero puestos
en otras más entregadas
a su lujoso aderezo.

Y conservo, entre palomas
que baten sin alejarse,
una joya casi tierna,
casi blanda, casi táctil,

que si sacara a la luz
y la pusiera en tu pecho,
quizá pareciera humana...
Por esto es que la retengo.

¡Cuántas frágiles miserias
dentro del caparazón!
Otros las llaman tesoros,
o les dicen *corazón*.

Día a día, en tantos años,
basalto se irán volviendo.
Los hombres son esas cosas
que los hombres van pudriendo.

Por ello, para entregarles
intactas presencias largas,
hay que no ceñir collares
al cuello, con las palabras.

Las aprieto, colocando
contra mis labios un mármol.
El más agudo cincel
no es más frío que mi llanto.

MIS OTRAS YOES

Se fueron todas. Descansa.
Estamos solas las dos.
Has sido fuerte. Venciste
a la loca que fui yo.

A la niña, a la muchacha,
a la joven; a la vieja

que seré, si no me voy
o si es que tú no me dejas.

Todas trajeron su carga,
mientras la tuya aguantabas.
Y todas me abandonaron,
mientras yo te acompañaba.

No vi nunca que supieras,
de verdad, como se saben
las horas densas del mundo,
cómo fuimos todas, madre.

Estabas tú en tus estares,
exigiéndonoslo todo.
Y yo dejé que pasaran
los años, uno tras otro...

Tengo los cabellos grises
y el latir reconcentrado.
Nos has vencido. Persistes
a la sombra de mi árbol.

¿De qué bosque cortarían
la madera de tu cuerpo?
¿Por qué no fuiste tú allí
para arrancarle mi aliento?

Débiles y vulnerables
fuimos todas las que he sido:
confieso que estoy cansada
de todo lo que he sufrido.

¡Y lo trágico es saber
que de todas las que fui,
a ninguna consumé,
ni a ninguna vi morir!

ETERNO PUERTO

Verdad es que vaya y que vuelva.
Pero verdad es que mantengo
mis amarras bien mojadas
para la tensión del puerto.

Cierto que no volvería
cuando me estoy alejando,
pero cierto es que regreso
y regreso, suspirando.

El ir es una embriaguez;
el estar yendo, un hechizo.
El llegar es empezar
a pensar en lo perdido.

Cuando más lejos estoy,
tú me sientes necesaria.
Me recuperas y olvidas.
¡Nunca sabes lo que gasta

esa marea sin freno
de tu inconsciente marea!
Yo me voy, yo me vengo.
Tú me esperas, tú me echas.

Si no fuera porque sé
que nos separan y juntan
las zanjas de los que cavan,
hora a hora, sepulturas;

me quedaría en el ir,
o en el nunca haber llegado.
Pero, como sé que sé,
vuelvo y voy, corro y me paro.

Me paro y me echo a andar.
¡Cómo ando si me paro!
Tú que te quejas de mí,
nunca sabes que he llegado.

He llegado hasta una puerta,
y en una silla de hierro
me he puesto a esperar que pase
(sin que lo veas) mi entierro.

Comprendo que no es sencillo
ni gozoso ser mi madre.
¡Por eso Dios no ha querido
que yo lo sea de otra Carmen!

CANTO CUATRO

HOMBRE EN SU CIELO

Él salía a la terraza
sus palomas a volar,
y con madera de pino
le gustaba trabajar

en hacerles palomares
para el logro de sus crías.
Viéndolas surcar el cielo
largas horas se le iban.

Un cielo puro apretado
de azul cobalto infinito.
Y unas palomas volando
sobre un hombre pensativo.

Las tardes vivas de mayo,
las ardientes otoñales;
los crepúsculos de junio,
noviembre de vendavales.

Todos los meses del año,
las palomas con su cuido:
agua para el baño alado,
para sus picos el mijo.

Y a caballo en una silla,
o trazando trampolines
a nadadoras celestes
de los ansiados confines...

Él dejaba sus tristezas,
y sin turbar el silencio
conversaba con palomas
que le llevaban muy lejos.

Cuando alguna se perdía
en un vuelo dislocado,
él se ponía de luto
como un amante engañado.

«¡Esa paloma —decía
con la voz en un murmullo—
me falta más que ninguna,
echo de menos su arrullo!»

Y era verdad; todas ellas
eran distintas, llevaban
una marca en el amor
que el hombre les consagraba.

¡Cuántas veces al volver
de su vuelo extraviado,
recuperada, feliz,
nos los vimos entregados,

ella a su palomar
y él a ella, tan rendidos,
como dos enajenados
que se salvan del peligro!

Se asomaban en la tarde,
desde sus puentes aéreos.
Miraban: ojo caliente
y tumultuoso pecho.

Era la hora del vuelo,
la mejor hora del día.
Él abajo, contemplando
con la más pura alegría.

¡Allá van los palomares
precipitándose al cielo!
El hombre, quieto en su cuerpo,
pero volando con ellos.

Le picaban el cabello
como una yerba de plata,
y a sus manos se venían
para quedarse posadas.

¿Recuerdas que muchas noches,
cuando ya las encerraba,
era como resignándose
a doblar también sus alas...?

HOMBRE EN SU MUNDO

Le gustaba mantenerse
a oscuras, solo y callado.
Llegabas: «¿Estás aquí?»
«Ya lo ves. Estoy pensando.»

Tardé mucho en comprender
aquellos sus pensamientos.
Eran sueños, eran cosas
que se salían del tiempo.

«¿En qué pensarás —decías—
con la luz siempre apagada?»
«Es como mejor se piensa...»
(¡Pero era que soñaba!)

¡Alguna vez él me dijo
que si pudiera él hablar
de todo lo que no tenía
palabras para expresar...!

Y yo me reía entonces,
fabulosa de palabras.
Porque yo desconocía
cómo duele lo que falta.

¡Cuánto vine y cuánto fui,
cuánto hablé mientras callaba
al amparo de sus sombras
silenciosas, reposadas!

Cuando me encuentro algo oscuro,
antes de ponerle luz
pienso decir en voz alta:
¿Estás aquí dentro tú?

Suspiro y acabo con sombras,
con silencios, con reposos.
Pero para estar con él
tengo que cerrar los ojos.

DEFINITIVO ENCUENTRO

Tuve que verte partir
partiéndome las entrañas.
Tan lejos fue tu viaje
que me olvidé de tu cara.

Muchos años se pasaron
sin recuperar tu voz.
Era como si nunca tú fueras,
como si no fuera yo.

Anduve tan cercenada
hasta de haberte tenido,
que un día sentí la duda
de haber contigo vivido.

Eran tiempos de penuria
en los recuerdos más hondos.
Como si todas las naves
naufragaran en un golfo.

Y luego, retrocedimos;
o avanzaste, revelado.
La verdad es que te vi
como recién recobrado.

En todo te entrometiste,
de todo participaste.
Había que contar contigo.
No era posible olvidarte.

Si alargaba una mirada,
en su fondo aparecías.
Y si era una palabra,
para hablarte la decía.

Comenzamos a explicarnos
unas antiguas razones.
Se acabaron las distancias,
ya no había confusiones.

Las veces que yo lloré
porque no te comprendí;

las veces que tú sufriste
porque no te obedecí.

Los malos momentos nuestros,
el chocar de dos volcanes,
todo quedaba resuelto
entre la hija y el padre.

Con un sentido distinto
y ya con tu compañía,
supe por fin lo que es
tenerte, porque volvías.

Aquel abismo insondable,
las leguas de eternidad...
No son nada, son el humo
de una rota oscuridad.

He recobrado tu rostro,
el acento de tu habla;
cuando vuelvo la cabeza
nos cruzamos la mirada.

Un fatigoso viaje
el nuestro, que se acabó.
Pensaba al irte: perdí
lo que menos tuve yo.

Era necesario, veo
al final de tanto tiempo.
Para poder conocerte
tenías que llegarme muerto.

EN LA OSCURIDAD, LA LUZ

Como mejor te recuerdo
por encima de los años,
es de noche, es a oscuras,
tu mano encierra mi mano.

El mar bramando alborota
o el huracán se desata.
Es de noche, es a oscuras,
tu mano a mi mano agarra.

Se oyen gritos en la calle,
suenan tiros o tormentas.
Es de noche, es a oscuras,
mi mano en ti se sujeta.

Me tiendo, niña, a tu lado,
los dos del lado derecho.
Es de noche, es a oscuras,
tu mano cruza tu pecho

y asoma sobre tu hombro
como un áncora del cielo.
Me cuelgo con las dos manos
a tu mano, a mi sustento.

Piense lo que piense, veo
a una niña con su padre.
Es de noche, es a oscuras
y hay una mano que salve.

¡Tengo miedo de la noche,
me asusta la oscuridad!
Brota una mano del mundo
para volverme a tomar.

Cierras los ojos, sonríes
porque ya va siendo tarde.
Alarga tu mano mía
para que con ella hable.

NOSOTROS Y ELLA

Caminando con nosotros
(antes tú y luego yo),
la vida de esta criatura
para nosotros pasó.

De ti a mí, luego a ti
—como yo— ya te perdió.
Pero contigo y conmigo
ella sola caminó.

No tuvo nunca, ni tiene,
distinta conversación.
Habla de ti, te recuerda;
habla de mí, de los dos.

Dice «Luis», dice «Carmen».
Vuelve a decir que pasó
esto o aquello, lo otro,
hasta lo que no pasó.

Era pequeña contigo;
y luego se maduró.
Era madura conmigo;
y luego se envejeció.

Busca los ochenta años
y los quince que perdió.
Desde entonces es la misma
que a los dos perteneció.

No la pidamos que olvide
o que admita que olvidó.
A tu costado o al mío
ella siempre amaneció.

Es insistente, se empeña
no una vez, o tres o dos.
Ella lo repite todo
con muchísimo tesón.

Te desesperas, me aflijo.
Nos fatigamos los dos.
Ella impávida, clavada
a su mismo diapasón.

La hemos hecho así nosotros,
la hicimos con mucho amor.
Ahora que vives en mí,
estás sereno. Yo, no.

CANTO CINCO

TARDE DE FIESTA

Los barcos de los domingos,
anclados fuera del puerto,
con marineros del Sur
y con grumetes traviesos.

Los barcos de velas gruesas
que venían de muy lejos,
cargados con té y canela
o con cristales y espejos...

Los domingos se acercaban
(como islas en un sueño)
aquellos barcos tan limpios
por el soplo de los vientos.

Eran ágiles, hermosos
y audaces, los marineros;
como a mujeres amaban
a sus esbeltos veleros.

La tarde se deslizaba
hacia un mullido misterio,
los luceros escalaban
el enrojecido cielo.

El agua sonaba antigua
junto a los barcos repletos,
mientras la noche caía
en precipitados lienzos.

Los peces, el vino, el pan,
sandías incandescentes
destacaban en la tela
cruda de largos manteles.

Yo soñaba sin oír,
apenas sin entenderles...
Hablaban todos del mar,
del amor, de las mujeres...

De los niños que esperaban
sentaditos en los muelles,
que llegaran con sus padres
aquellos raudos bajeles...

Y luego venía el volver
llevados por timoneles
que sumergían mis manos
para refrescar mis sienes.

El sueño que había empezado
en el barco, dulcemente,
llegaba ya hasta cubrirme
como un manto de confeti.

Puntos y puntos giraban
(¡ay, vertiginosamente!)
dentro de párpados tiernos
la espuma de la corriente.

El domingo abandonaba
los barcos a sus rompientes,
y una memoria de rumbos
en mí zumbaba insistente.

PLAYA DE LA ALGAMECA

Aunque lo monté contigo,
ahora lo veo de frente;
abrazada a tu cintura,
los tres sobre la corriente.

Éramos dos a caballo,
tú delante y yo detrás.
A todos nos rodeaba
una altísima pleamar.

Que empenachaba de arcángel
con su blanquísima espuma
al fabuloso corcel
galopándonos la luna.

«¡No tengas miedo —decías—,
que sé montar el caballo
encima de tantas aguas,
como si fuera en el campo!»

Sigo viéndolo que corre
de frente siempre hacia mí.
Yo voy contigo, lo sé;
me agarro loca a su crin.

Lo rodean clamorosos,
se lo saltan oleajes;

vertiginosa la playa
espera que él la cabalgue,

y siga corriendo altivo,
frenético, en vendavales
arrollados a su cuello,
que es el cuello de las mares.

¡Blanco más blanco que aquél
ya no hay blanco que más nazca!
Un caballo a medio mar
y un mar que el caballo salta.

El hombre que lo domina
lleva una niña a la grupa:
finos cabellos dorados
sobre pupilas oscuras.

¡Aquella cerviz con mechas
de espuma, aquel relincho
con algas que retenían
caracolas, sol, erizos!

Cuatro columnas herradas
con el azul de los siglos,
desgajando de la arena
cuatro relámpagos líquidos.

De frente venís los dos,
llevándome, aunque no me veo.
Caballo y padre en el mar,
ronca campana hasta el cielo.

HERENCIA

Confianza en las criaturas,
confianza ilimitada.
Crédulo con la fortuna,
un manantial de esperanza.

«Ellos te engañan, lo sé;
te confías, y te engañan.
Todos no son como tú.»
«Y tú, ¿por qué no te callas?»

«Porque veo que les das
más de lo que tienes; harta
vivo siempre de escuchar
que te buscan, que te llaman

cuando precisan de ti
para sus cosas más caras,
y que luego, conseguidas,
sin pensar en ti, se marchan.»

Sonreías. Tu bigote
y tus cejas se arqueaban
en unas finas sonrisas
que tus ojos alegraban.

«Déjales, mujer —decías
con una voz que imploraba
caridad y comprensión
para aquellos que atacaban—.

Déjalos, van atendidos;
yo les di lo que esperaban.
De todos seré el más rico
(si la riqueza te agrada),

ya que sólo el pobre pide,
suplicando lo que falta.
Y duele mucho pedir,
pues el no tener amarga.»

«Pero ¡si somos tan pobres
o más que todos! Repara
que si no es por tu trabajo,
¿cómo sostendrías tu casa?»

«Si la sostengo y vivimos,
es que puedo, ¿no? ¡Malhaya
el que vive y guarda aún
para después! Si mañana

será de día otra vez.»
«Pero ¿y el día de mañana?»
«No me hables de ese día,
por amor de Dios. Que nazca

y tendremos nuevamente
lo necesario en la casa.
Ellos, los otros, llevaron
su parte de mí. Y Dios basta.»

Así, por toda la vida.
Sin cambiar la jornada.
Todo se dio. Nunca tuvo
otro caudal que su alma.

Tal vez porque el oro noble
y las bellas piedras raras
constituyeron oficio
entre sus manos honradas.

Quizá porque ver a hombres
y a mujeres, con el ansia
de llevar joyas preciosas,
costara lo que costara,

quitó de su pensamiento
la más mínima nostalgia
de retener para sí
lo que el fuego devastaba.

«¡Estás contento, se ve!
¿Con qué sueñas, por qué cantas?»
«Soñar sueño siempre yo.
Y cantar, cualquiera canta.»

«¡Cualquiera canta, cualquiera
en plena noche o en el alba,
si tiene (y tú no lo tienes)
resuelto el día de mañana!»

Te ponías un poco pálido
porque la ira saltaba,
que entre nosotros (tú y yo)
sobra sangre alborotada.

«¡Si yo volviera a empezar
—a media voz confesabas
en mi oído comprensivo
que con tu voz concertaba—,

sería otra vez igual,
si de nuevo comenzara!...
¿Lo reprochas? ¡Dios te colme
de desprendimiento el alma!

Los hombres son como son,
yo no les pido; me basta
darle todo lo que tengo
al que su mano me alarga.»

Bueno fue. La vida coge
del que sabe dar, y acaba
con su corazón de mosto
echándole mucha agua.

Confiado y remontando
cada dolor su esperanza,
sólo tuvo en este mundo
una hija que lo canta.

VOZ A VOZ

Ya nadie nos interrumpe
monólogos como éstos.
Por ello, tal como vienen
mis recuerdos, te los cuento.

Algunos son tuyos también,
si en otros vas no lo sabes.
Lenta y triste los escribo
para todos, para nadie...

Debe ser que me despido
o que tú vuelves de nuevo.
Nada comprendo, soy dúctil
en los dedos del misterio.

No es que me ponga a escribir;
es obediencia a un mandato.
Cansada, olvido fatigas;
fatigada, me arrebato.

Otros queman sus cenizas,
y algunos ni las conservan.

Yo tuve siempre a la mano
montones de leña fresca.

Cuesta que el fuego consuma
madera sin madurar.
Sin embargo, ¿ves la llama
que no para de abrasar?

Por mi memoria se llega
hasta más allá del cuerpo.
Por mi memoria, tu puente,
la tierra pisas de nuevo.

Es posible que tú ahora
entiendas ya lo que digo,
y escuchándome te encuentres
en mi lengua confundido.

Son cosas que sé que pasan
con los que, faltos de tiempo
para entenderse, tuvieron
que esperar un nuevo encuentro.

Invisible permaneces
porque yo sigo entre vivos.
Ello no impide que hablemos
parlamentos muy sentidos.

Se pueden decir las cosas
y que nadie las conteste,
y saber que las escucha
el mismo que las merece.

Cierto que a nadie le dicen
lo que nos dice a nosotros,
tu silencio, mis palabras,
tu presencia en el monólogo...

Ni a ti ni a mí nos aflige
lo que a los demás importa.
No creo que sea victoria,
ni creo que sea derrota,

este callar, o este acento,
este unánime entender.

Las venas saben su ruta;
el alma, su menester.

Jamás en tan peco espacio
ha luchado otra criatura
por ir cortando, a sollozos
con los seres, su atadura.

Apenas si quedan trabas,
o tan frágiles las siento,
como unos lazos de niebla
que va deshilando el viento.

No hay distancias. Sólo un grito
que la espada cortará.
Es la hora, o no es la hora.
Sólo nos queda esperar.

RECAPITULACIÓN

Los hombres, cuando recuerdan,
dicen cosas que no sienten.
Vivieron sin enterarse
de aquel pasado en presente.

Por su lado pasan seres,
circunstancias, plenitudes.
Ellos esperan a ver
la verdad, en sus ataúdes.

Los hombres que nunca creen
en los vivos, sí en los muertos,
son esas cosas que llevan
de hombres trajes compuestos.

Tú creías, yo he creído,
no debemos ser humanos.
Sueños de seres, ficción
que es el humo entre las manos.

¡Recuerdo, que me advertías
con miedo, como el que mata
sin querer herir; y luego
nunca supe de qué hablabas!

Nada de lo que aprendimos
pudo sernos útil nunca.
Porque de ser como somos
los dos tuvimos la culpa.

¡Amor y fe por el mundo,
fe y amor entre criaturas!
Y no esperábamos nada,
ni pedíamos a ninguna.

Duele, lo ves, no lo niego,
duele amar; y si se goza
duele el amor que se ama.
Duele beberse su copa.

Se acerca un momento, breve
como toda eternidad.
No sé, si empieza mi sueño
o acabas de despertar.

EN UN MUNDO DE FUGITIVOS

1960

Carmen Conde y
Antonio Oliver
en Cartagena, 1932.

...el que toma la dirección
opuesta parece que huye.

T. S. Eliot

HABLANDO A LA NADA

No es no ser la locura, sino ser en la ausencia.
No es la muerte morir, que es lo ser sin presencia.

No es amor el amar porque amante se tiene.
No es sufrir el dolor que a la muerte nos lleve.

Nada es nada, y lo es porque, siendo otra vida,
no es la vida que va, ni es la risa la risa

con que canta su voz el que joven se siente,
con que vive su todo el que todo convierte

en sustancia de ir, de locura o de muerte.

Yo no sé, no lo sé, ¡cómo voy a saberlo!,
si es que vive o no vive el que veo ya muerto...

Lo que quiero decir, si es que digo yo algo,
es que no estoy aquí, ni siquiera os hablo.

Soy un sueño de mí, estoy siendo en un sueño
donde loca de luz, donde a ciegas me empeño

en andar por la tierra, resbalar por el cielo,
sin saber si es cristal o es de agua este suelo.

441

Nada sé ni sabéis; nada es todo incesante.
La locura, el vivir, el pensar, el soñarse...

1953

Ahora es más lejos la puerta,
¡y tan grande...!

Estirpe, generaciones de ardientes criaturas
volcándose allí, en su madera impalpable llamando
para llegar, si los que llaman avanzan,
a lo noble impedido de asir.

Perfección de esta ausencia:
ni un rayo de luz, ni una brizna del aire se pierde
por este cuerpo inmenso que es puerta que sube
para acabar, ¿quién puede saberlo?, en un punto
que es alguien.
No vale gritar que se muere
por pisar el umbral, por correr ciegamente
a través del dintel inasible, el arco de estrellas
que borran su curva, girando.

No sirve el esfuerzo, no el ansia;
empeños de siglos se arrojan llorando a la tierra,
y arañan, escarban, golpean...
Cada día más alta, más lejos;
cada día más imposible esa puerta.
¿Quedarse en silencio, quedarse muy quietos...;
no intentar que se abra;
no pedirle: mirarla tan sólo a ella sola?
¿Querer que nos deje pisar sus estribos,
soñar sus negadas y exactas
vivencias celestes?

¡No saber qué querer, y quererla,
y lanzarse encendidos, radiantes
a su limpia verdad que se asedia;
a su ajena verdad caminando sin límites!
Cada noche más lejos...,
¡tan grande y tan alta, tan puerta de alguien
encerrado en su no como en un cielo!

1952

¡Toda una noche en el mundo!

Oyendo el aullar de crines con perros desbocados,
porque la luna está allí, un poco más arriba solamente,
y silban su ventura inmortal los muchachos
con rosas en la espalda, con rosas que no mueren.
Porque las rosas, ni de noche siquiera,
dejarán de ser rosas con su olor de ser rosas.

Hay que seguir sin quejarse.
Los perros, sí; aullar es la ley de los perros,
aunque la luna gotee su cera delicada en el aire,
y los jóvenes muerdan sus bien sostenidas rosas.
Que ellos, sólo, se quejen de la noche;
que brinquen y aúllen; caballos de colas espesas
con ásperos cuellos de perros aullando.

Hay que saber estar de noche en el mundo;
frenéticamente aquí.
¡Que aúllen, que muerdan, que rajen la noche de luna
—¡oh la impávida cera fluyendo!—,
porque estamos —¡ay, cuánto, Dios nuestro; ay, cuánto!—
toda una noche aquí!

Eternamente aquí, de noche
—esta noche—, en el mundo.

1952

Abruptas tierras mías, se os descuelgan las aguas
en ríos que ninguna voluntad desvaría
del tajo que desgarran sobre la carne dura
de los roncos basaltos de donde brota España.

Levantados tormentos de las montañas fieras
que vigilan los valles por donde el agua fluye,
sin temor a que el hombre, que se le rinde amante,
le profane su hosca, su solitaria fuga.

¡Cómo hueles, mi tierra; cómo eres de seca
bajo los soles ásperos de tu centro y tu sur!
Y aquí van los canales, como lluvias que cuajan
y que no se desprenden de las que el aire flota.

¡Oh tu cielo de pórfido, que en azul resolviera
los ramajes del agua que mis ojos inundan!
¡Oh tu ruda y violenta, tu aparición ansiada
debajo de mi vuelo que hacia ti se encamina!

Este mar tan lejano, con sus grises de ensueño,
las orillas delgadas que sus olas devoran,
es el mismo que va entre edificios viejos
ceñido de la historia que mi Historia penetra.

Caminar hacia ti, que eres suma de tantos,
hallándote en el mar, en canales, en torres,
es un ansia de sol que descortece y queme
las nostalgias de ti, la irreductible y tensa.

Amsterdam, 1954

Sórdida cordillera —¡cómo cuesta vencerte!—,
delimitando, estricta, diáfanos mundos.
Acá se juntan prados con su flor en los dientes;
allí se descoyuntan manantiales sin rumbo.

Crecida estás en medio como una firme espalda,
un rotundo costado de cuerpo gigantesco.
Ajena a lo que, ajeno, por ti se nos separa;
metiéndote en lo azul igual que un puño inmenso.

Ganados y pastores un flanco mordisquean;
raudales desde fuentes al otro lado brotan.
Y para ti las águilas o halcones que aletean,
y sobre ti la eterna verdad de una derrota.

No te escalan, seguros, sino tiernos corderos.
No se posan en ti más que aves caudales.
Sólo nubes y tú, sólo vientos certeros.
¡Solamente el hendir de huracanes!

1952

Yo sé tu soledad. Ardientes vendavales
azotan la incruenta verdad de tu desvío
de todo lo que falso e inútil rueda ufano
cercando el solitario país donde tú sueñas.

No quiero que te crean sin lucha, porque afrontas
la dura realidad que clava sus centellas
en esa pobre alma que nunca se arrepiente
de amar en la distancia y huir en lo cercano.

Tú cuentas con tu ser. Yo sé que existes y eres;
que sufres por saberlo. No importa que otros sepan
y callen; y retuerzan, si hablan, tu ventura
de ser tan solitaria y eterna y fugitiva.

Escúchales si dicen que el mundo es una historia
contada a los atentos en ir volviendo hojas...
¿Qué vas a contestarles, tan ciegos en su empeño
de no escribir la vida, de oírla desde fuera?

La vida se cincela con lágrimas que abrasan,
con fríos desengaños y hambres de infinito.
La vida no es pasado; la vida, si es el hoy
es tiempo que se acerca cubriendo las distancias.

1953

Dijeron que si pájaros, o nubes, o las lluvias;
acaso una bandada de rosas sin jardines...
Lo cierto era el olor, lo infinito indudable
que todo se movía, cantando, en sus contornos.
¡Lo que nadie negara, porque verdad del cielo
era que todo olía a lluvia en tierra seca!

Una mujer dichosa, o un pan recién sacado
de las hornazas tiernas con fuego en sus rescoldos.
Un varón eminente, de hermosa arquitectura,
o un caballo ligero, una yegua, un potranco...
Algo que no era eso que siempre está dispuesto.
Lo que todos se sueñan por dentro de los ojos.

Y el día se conmovió, y la noche dio un grito...
¡Un galope, un rugido, quién supo lo que era!
El corazón, callado, contuvo su voz gruesa.
La boca dio sus labios a la palabra exacta.
Era igual que los pájaros, que la lluvia o las nubes.
Cierto como un ensueño, verdad como la vida.

1952

Intranquila de ti, tan intranquila
que no puedo soñarte cuando duermo,
y la sombra de Dios limpia mis ojos
y te velo despierta, como un sueño.

Y te velo callándome la viva
clamorosa nostalgia de tu cuerpo,
en un largo silencio acrecentado
por auroras sin vuelo ni descenso.

Yo no espero la paz que me atosigo
en buscar con el alma que te entrego.
¡Tanto amor para ti, que no me llamas
aunque grito debajo de tu cielo!

1953

Cansarse por tener contra el impulso
una blanda montaña desolada:
todos los que saben lo más cierto,
todos los que cantan la verdad,
todos los seguros de salvarse.
¡Qué arideces de aguas escurridas,
qué pedruscos desnudos de paisaje!

Cansarse y resistirlos, ciegamente;
oírlos en montón que a nada ceja;
muchos y más muchos, provisores
de sanas salvaguardias celestiales;
muchos y otros más, siempre creciendo
en prados de balantes confianzas.
¡Ancho mundo del aire desatante,
al que yo volaría si pudiera!

Cansarse y esperar a estar cansada
de tanto padeceros, ¡oh los ciertos!;
que ya la tierra extienda sus dos brazos
y en ellos quepa yo, la desterrada.
¡Celestes mensajeros del olvido,
purísimos arcángeles del frío:
venid pronto por mí, cansada estoy!

1953

Los ángeles volaban sobre la noche, iban
sumidos en distancias no humanas en su alcance.
Absortos, embriagados de alas infinitas...
¡Qué imposibles y hermosos, qué invisibles los ángeles!

Las torres y las aves, las escarpadas cimas
eran islas en medio del volar incesante.
Abajo, donde el mundo porque es tierra vacila,
los dormidos y tristes quisieron levantarse.

¡Era un volar tan cierto, rozando las colinas
con la más silenciosa caricia de las aves!...
La noche, la mañana, la tarde... Sin fatigas
colmaban en su vuelo indiferentes ángeles.

1952

Una se va gastando, cada día, en la vida...
Todo lo deseó, a todo se fue acercando.
Vino desde el misterio sin saber qué traía,
y todo, aunque lo amó, lo ha ido abandonando.

Larga carrera ardiente, espeso vivir de fiebres.
Nadie perdona nunca el quedarse en la sombra.
Y una tiene que ir, como van las corrientes
por la tierra feraz: volviéndola más honda.

Se vive con lealtad, cada sangre recibe
un aluvión de impulsos, un grito de ventura.
Aquellos que se van, al amarnos exigen
que sea inextinguible la luz que irradia una.

¡Oh, pero el que vive por tantos que no viven
no puede persistir en un amor cerrado!
¡Está la inagotable pradera irresistible
del mundo del ensueño, eterno y renovado!

1952

El desaliento no es recio
como un huracán de fuego
que todo lo empuja... Crece
en menudísimos hilos,

en inacabables hebras
viscosas, entretejidas
a las venas, asfixiando
la espesa circulación,
el lento y penoso río
de la sangre... Gota a gota
ésta escurre su volumen
por túneles y encrucijadas.

Se la escucha
desde la almohada del sueño
que no invade la consciencia;
se la siente
en las manos, y en los pasos
que no llevan por el mundo.

Cerrados los ojos, flota
por encima de la frente
un silencioso y lejano
saber que se vive aún.
¡Y si se abren, se mira
como si no se viviera...!

1955

Mientras dormimos todos las mares se levantan
y luego retroceden a orillas que no existen;
los ríos se deslizan, sin fatigarse andan
por una tierra inmensa, alucinada y triste.

Conformes, obedientes los bosques al designio
que les dicta crecer sin descansar, sus troncos
levantan más el cielo; ¡acongojado ritmo
el del árbol que escala horizontes remotos!

Arriba, en torno nuestro, todos los seres crecen.
Debajo, a nuestro lado, sufren y se desgarran.
Las rudas marejadas en playas resplandecen;
las fuentes en arroyos y en lirios se desatan.

Aman y se duplican, lloran y se desploman.
Es la vida y la muerte, es el agua y el viento.
Jinetes delirantes a sus corceles doman.
Mujeres sometidas desnúdanse en lamentos.

Pero, dormimos muchos; dormidos en la tierra
toda la noche duermen los que sueñan su vida.
¡Qué implacables nos vuelan los enjambres de abejas,
para el panal sin cera y sin miel de cada día!

1952

La lumbre gira así, y así, pues va buscando
cómo quemarlo todo y que nada se escape
de ser ceniza fría, de ser ceniza espesa;
que nadie lleve un tronco fragante, sin arder.

La lumbre es un país, una altiva nación
donde los seres viven para llamas eternas.
Con brasas invencibles, con ráfagas de fuego,
ardemos, consumamos un destino de lumbre.

Frescura de los bosques, que el vaho de las llamas
embebe chirriante para comer su jugo.
Las márgenes delgadas, los arroyuelos niños,
todos en largos tallos de la lumbre se embriagan.

¿Cómo escapar, decís; cómo ser agua dura,
cómo un verdor compacto, lo que no funde el fuego?
Habéis nacido aquí, de un rescoldo obstinado;
seréis ceniza ardiente, seréis país de lumbre.

1952

Ahora estamos aquí, mándame, es sencillo.
No me creas rebelde porque escape a la turba
y niegue mi atención a los secos y obtusos
que dicen que comprenden..., ¡solamente lo malo!

Yo tu orden la acato. Mírame obediente;
mírame cómo entrego, abatidas, mis manos.
Di tus solas palabras: ¡no te muevas, respires!,
y moriré asfixiada, que morir es muy fácil.

Lo tremendo es vivir, esto sí que me cuesta.
Acarrear los días, al costado tan frágil,
y ponerlos unidos, como cuerpos de arena,
en ese río lento que los lleva impasibles.

Que me ordenes espero. Ya no soy impaciente.
He quemado mi pecho en huirlos a todos,
y una orden me clava; como lanza segura,
que busca de la sangre el rendido tributo.

No me importa correr, o aguardar que me ordenes.
Si aquí tengo que estar es mejor que te oiga.
Lo imposible es seguir siendo corza en la selva,
o mirar con despecho, o reír amargada.

El mandato es tu ley, tu potencia. Tú mandas
y obedecen los sordos, los impuros, los nobles...
¿Por qué callas tu voz que es un fuego de gloria,
y no buscas mi oído, tu entregado alvéolo?

Tenderé sobre piedra mi estatura de espino,
y esperaré contigo, aguantaré tu orden.
Lo espantoso vendrá cuando los hombres quieran
pisotear la inmóvil escucha de tu voz.

1952

Una ha contado todas las estrellas y se ha olvidado del número.
Noche tras noche, todas las noches de esta larga vida,
las ha contado a solas, acompañada, triste o alegre,
en una ciudad, en el campo, sobre un navío, durmiendo.

¡Parecían tantas estrellas, y son menos siempre!
—¡No podré terminarlas, hay más estrellas que cielo ahí arriba!
Y no; eso era un ensueño. No hay tantas estrellas, no.
Apenas para llenar un breve cielo, un ardoroso cielo que tiembla,
húmedo de sol todavía, con el temblor que deja en la luz
haber mirado al sol, que es más luz que todos los ojos.

Otra las contará, yo así lo creo; siguen quedando
locas en este mundo, locas que son capaces, como yo era,
de alzar la mano y contar, revolviéndolas,
muchas estrellas de noche, estrellas de amanecer, estrellas.

1952

Montañas de los días, días tan largos
que pesan sus telúricas entrañas

sobre los hombros que se curvan, cediendo
porque no pueden más; porque se entregan
hasta romperse...

Tomo una laja de ese tiempo, me corresponde
llevármela conmigo.
¡Y soy alegre,
y vital y crédula; confío
en vosotros y en mí! ¿Comprenderéis
el hosco sacrificio de mi espalda
doblándose rendida por el peso
de puñados de días en montaña?

No puedo ya conmigo, me rebelo
al verme vacilante; me desgarran
los saltos que contengo, los sollozos
que cambio por amor, por confianza.
Y nadie encuentra en mí lo que yo doy,
pues nadie me refleja lo que toma.

Quisiera yo entenderos: ¿es que es poco
coger mi corazón y regalároslo?
Las frutas que os entrego, ¿no alimentan?
El agua que os ofrezco, ¿no os conforta?
¿Qué tengo que cortarme, que arrancarme
para daros mitad de lo que soy,
pudiendo ya vivir conmigo y vuestra?

Me duele la ignorancia de mi alma
que os busca, macerada, sin hallaros
sonrisas ni ternura...
¡Y os di la vida,
os di mi pan, mi vino; hasta mi sueño
os di con todo amor, como una madre!
No acierto, no lo sé, os lo confieso,
con caminos seguros de hallazgo.

Compruebo que me quedo a vuestra orilla,
mirándoos caminar, indiferente.
Me disteis sin piedad, por todo un mundo
de fe que os entregué, hostil presencia.

¡Malditos sean los días,
y malditos
los hombres que no dan, que sólo toman!

Llegué a dudar de mí, dejé que el peso
de piedras sin tallar me atosigara.
¡Felices los que hicieron de mi cuerpo
quietud de mineral, en vez de vuelo!

1954

No quiero decir tu nombre.
Solamente alabarte.
Porque te ven mis ojos y mis oídos te oyen,
y te respira mi boca el denso aliento;
y eres para todos, todos te poseen;
de todos los que ven, oyen y huelen,
eres tú.

Tu nombre, no; tu hermosura.
Tu desencadenamiento.
¡Te callo, sí; te callo, no pugnes!
¡Oh mi bien sin fin ni principio!
¡Oh mi amante amor tan compartido!

Llegas cuando duermo y me murmuras
todo lo que llevas dicho a tantos
que te ven y te toman
a manos llenas, a cuerpos llenos...
Nada te oprime, eres libre señor de ti;
todo lo arrollas, suavemente mojas de belleza.
¡No diré quién eres, no diré tu nombre:
palabra azul y verde; palabra mortal y viva!

Y te hundo en mi pecho,
en esta cueva roja que se hincha
porque es tu vela mejor y más liviana.
Álzate por mí, llévame lejos
de los dos, adonde alguien
que no nos viera nunca, al vernos juntos
creyera que eres mío...

Dirá gritando el alguien ése, entonces:
¡es una mujer que lleva ahogada!

1953

¿Qué fue lo de vivir con tal empeño
de hallar el cumplimiento más rendido;
qué fue aquel mantener tenaz del sueño
mejor y más veraz que lo vivido?

Renuncio a mi presencia indiferente
en este mundo hostil, y tan ajeno,
que ignora —y lo comprendo— el accidente
de seres que no son acierto pleno.

Me iré sin que vosotros, los que andáis
costado a mi costado, retengáis
el soplo desigual de mi andadura.

Y aquí se quedará lo que al futuro
dirá que estuve aquí, con un seguro
destino de pobreza y de amargura.

1957

Aquí están las mañanas con sus palomas lúcidas,
con sus jardines ávidos y sus arroyos breves.
En bosques humeantes, en arboledas fluidas,
entre los juncos negros de consumir las noches.

Cantando desde aves, buscándose los ríos,
suben claras antorchas y ríen entregadas
estas auroras tibias, que confunden sus bríos
con mediodías gruesos poblados de campanas.

Son los primeros días, las horas iniciales;
el universo aprende que tiene días anchos.
Aquí están las mañanas, vendrán luego las tardes
y las noches de luna con aljibes de fango...

Ahora, no; ahora, los que caminan oyen
cómo la voz del campo crece dentro del pino,
y va en la tierna boca de ese viento salobre
que llega desde el puerto como un amargo vino.

Si nadie las estruja, las mañanas doncellas
desnudarán su cuerpo y tomarán del musgo
este baño de escarcha que en lo verde destella
porque es túnica limpia para el soñar impuro.

Hombres van sonriendo, hembras van deseando;
dichosas bestias plácidas en la hora infinita;
creciendo en las palmeras sus horizontes largos;
volcándose en la luz, campana que gravita.

¡Que nadie las detenga, que ninguna palabra
silbe su lazo oscuro para coger los torsos
de estas mañanas dúctiles, azores de mañanas,
que vuelan, que trascienden los cielos más remotos!

1952

ETERNAL PRESENTE

Cuando dejen de volcarse los racimos agrios
de estos días repletos del más grueso zumo de amargura,
comenzaré a respirar. A respirar con toda la boca abierta,
tragándome a bocanadas el aire
para llenar mi pecho de gozo.

¡Ah, qué bueno es el aire; qué dulcemente
se traga el aire, y me llena el corazón
de su fruta amarilla!

Se acabaron —ese día— las horas de muerto
al lado de mi habitación;
de muerto que impide que me ría o que cante
o que pida el vino oscuro y seco,
el vino del amor trastornado.

¡Ya es otoño de nuevo!
¡Otoño dorado y espumoso de hojas secas
que se caen lentamente en mis brazos,
abiertos entre los árboles
para que se llenen de hojas!

Rotas, por fin, rotas y para siempre
tantas horas que estrangulaban con su metálico
collar de verdinoso cobre.
Derrumbados los muros de cuchillos cortos y romos,
acuciantes para agonías
que no se terminaban nunca jamás.

Ahora ya soy libre. No me llama nadie,
ni llora, ni reprocha a mi lado o a mi espalda
como si yo fuera la propia vida hecha mil pedazos.

Ahora, salgo y entro y duermo y me despierto,
y como y escribo y hablo y callo cuanto quiero.
Busco y no hallo, escucho y no oigo. Estoy sola.

Mis piernas no me llevan al dolor, ni a la alegría
de alejarme del dolor.
Mi lengua yace entre mis dientes
que no crujen desesperaciones...

¡Oh, que se me fue el tiempo de ser libre y dichosa,
dejándome encadenada para eterno,
y sin saber ni poder dejar de ser esclava de mi angustia!

Pero yo recobraré mi inocente crueldad de niña,
mi derecho a meter las manos en el gozo
y estrujarlo y hacerlo mío entero, mío solamente,
aunque otros se mueran porque soy feliz.

Quiero que se derramen para siempre
los odres augustos de la tristeza. Y que me entreguen
su remetido hueso tibio las horas
que no tuve en mi espalda
como una carga de estremecimientos.

Sí. Quiero ser cruel y ajena,
fríamente dura para que la piedad me abandone,
melancólica y gris,
como a un perro que toma su sol en paz.

Para mí no es noche oscura desde que gozo tu lumbre.
Para mí las sombras todas tienen su hueso de ti.
Para mi noche de vida tengo la luz de tu verbo,
y en mis dolientes mañanas las noches son un incendio.

¡Cercándote apasionada, sigo tus pasos en sueños:
porque solamente sueños me pueden aproximar!
No contemplo, para ver; ni tomo, para tenerte.
Para saber, sé que ignoro; para aprenderte, me olvido.

Nada sé ni nada soy: nada tengo y me enriqueces
con tu voz que busco a ciegas y que me llama sin eco.
Eres la ardiente noticia, nunca oscura, de la Luz.
Y soy dos ojos cerrados y una boca que suspira.

Aunque quisiera decirte, ¿qué te dirían mis labios,
que no estuviera en tu mente, hecho ceniza de siglos?
Por eso dejo palabras, cortezas de sombra, y rezo:
¡Criatura de Dios, perdona que me atreva hasta tu nombre!

Casi se sabe ya todo, y entonces..., ¡a tierra!
A tierra, a meterse en la tierra porque suenan
las pisadas de ti, la impura y sádica
que se goza en romper contra nosotros
ese cristal del cielo, que también es ajeno.
Casi todo era nuestro, casi ya lo sabíamos.
¿De qué sirvió saberlo, para dejarlo intacto?
¡Otros vendrán a ciegas, tardarán en saberlo,
y apenas sepan..., ¡a tierra!, a que les coma la tierra!

Bueno; yo no resigno
mi protesta y mi asco; es inhumano
hacer de nosotros *eso,* cuando fuimos hermosos,
cuando fuimos tan sanos, jóvenes y valientes
¡para aprendernos tales enseñanzas divinas!

A mí la muerte me gusta, si se presenta en silencio,
y se nos lleva ignorantes, sin experiencia...
Tan verdes,
como el agraz o las hojas
de insípidas primaveras.

El gran esfuerzo de ser y de saber,
¿se merece que todo se rompa así,
de un puntapié o de un brusco
empujón contra las piedras?... Es odioso
verla llegar reventando sus cuatro caballos negros.
¡Cuando las manos ya saben
ahuecarse para el bulto
de cualquier flor, o trémulas
sobre una cabeza querida!

¡Cuando los labios han roto
con mil juramentos, cánticos
que saltan como los pájaros
en los arroyos de estío!

No puedo celebrarla, ni quiero, pues rechazo
que venga del Bien: la aguanto
como un rayo del Infierno.

¡No me cuenten que es el fin
de la criatura la muerte!
Es el fracaso del ser, del ser creado, lo digo.
Y si viene, ya que *sé*, no la acato:
ella vence
y soy su victoria. Soy
la que le dará derrota.

No. Las cenizas, no. Las cenizas nunca fueron
otra cosa que cenizas.
¿O es que algunos ojos vieron cuerpos de carne
o de luz en las propias cenizas?
¡Fantasmas, divagaciones
de los que siempre transforman
las pobres arenas en oro!

Para probarlas las tuve, apretándolas, un día.
Nada. Polvo gris, o negro, o morado (¿de sangre...?),
que me volaba después, sin rastro jamás.
Las cenizas, ¿fueron cosas? No. Nunca.
Las cenizas son cenizas: deleznables, fugaces...
Cuerpos no fueron. Lo niego.
Porque los cuerpos...
¡Qué gloria la de los cuerpos, Dios mío!
¡Qué arrebatado prestigio
el de tus eternos cuerpos!

Duros y elásticos, tiernos y prontos a la caricia;
cuerpos de amor, cuerpos puros
y llenos de luz, cuerpos de gloria. ¡Tu obra!
Caminando con presteza,
caminando con el viento y el agua, ágiles
en su caminar certero.

¿Quién los vio junto a la orilla de una costa,
quién olvidó su bruñida
coraza de reluciente piel?

¡Canto a los cuerpos eternos, canto
a lo inmortal de los cuerpos!

...¿Y son ceniza esos cuerpos...;
serán ceniza mañana?

¡No, no es verdad; yo lo niego!
Los cuerpos no son ceniza; los cuerpos
son de amor que no se acaba.
Las cenizas son... cenizas.
Eso es: otra sustancia.

Háblame de amor, que vino el tiempo
que todas las criaturas más tememos.
Y siguen encendiéndose los campos,
y brotan los jardines floraciones.

Tú puedes olvidar que ahora es hoy
y yo puedo olvidar que ayer no es nunca.
Cerremos a la vez los dos los ojos
y hablemos como hablábamos entonces...

Hermosa para ti sé bien que soy;
hermosa, aunque oculta mi belleza.
Tú sólo viste en mí que la poseo,
y yo me la vestí resplandeciente.

Mi amor te llena a ti de maravillas,
y exhalas como el cielo resplandores.
Tu voz y mi silencio se conciertan
y el cántico de luz se magnifica.

Costado a mi costado corre el agua
que lleva nuestros cuerpos confundidos.
Los pájaros rematan en las selvas
fragantes, corpulentos edificios.

La noche se acercó... Dime, amor mío,
¿qué quieres tú del mundo, para dártelo?
No pidas juventud, pídeme olvido;
o pídeme que duerma entre tus brazos.

Estemos aún así; siquiera un día
que dure tanto tiempo como un sueño.
Despiértame a lo eterno, sigue hablando:
háblame de amor, amante mío.

Estoy dentro del río negro, del asfixiante río de humo
que no me deja nadarlo y que me aprieta

con unos viscosos limos de sollozos y de lágrimas
que ni siquiera dan la muerte, ni la vida.

¿Por qué, para qué, por cuántos infiernos tengo
que atravesar hasta encontrarme libre
de mi inútil dolor, de mi doliente asedio
que por ningún purgatorio se me tendrá en cuenta?

Todos los tremendos y penetrantes cuchillos
se hincan en mi pecho, revolviéndose
para ensanchar el grueso tajo de la herida
que no se curará jamás, que no hay quien limpie.

¿A quién provoqué, naciendo; qué aborrecible sino
me trajo así marcada para el acoso
que me convierte en el desaforado grito,
que a dentelladas muerdo en mi propia boca?

¡Este saber que solamente existe un medio
de liberación! Que únicamente existe
un solo camino, una libertad sola, un acabóse
para la tenaz tortura, es de mercurio.

¡Ah la gran mano negada, la que si se posara
encima de mi triste cuerpo, sordo a la dicha,
devolvería luz y paz; realizaría el milagro
sacándome, casi ahogada en este río, a descansar en su palma!

Volver por donde se fue, sin dejar de haber sido,
con una carga enorme de vivencias dormidas.
Y una acumulación de futuros contactos
con seres y con tierras que se acercan despacio.

Que se acercan y llaman dulcemente a mi pecho
como si mi pecho abriera una puerta del mundo,
y en ella, gran tambor de perennes sembrados,
resonaran alcores o gritaran collados.

Las tiernas avenidas de corderos, los ásperos
mastines que designan los hombres como espinos
que clavan sus ataques a piernas y a las manos
de todos los que pasan, ajenos, por los campos.

El campo y su mitad de miedo y de belleza,
el miedo y su mitad de riesgo y de aventura.

Paisaje y soledad, silencio y desamparo.
Yo avanzo sin saber, y es mío siempre y alto.

¡Oh campos de mi mar, memorias de una vida
que nunca me viví, que siempre en sueño anduve!
Ya tengo yo la luz que es tu mediterráneo,
vistiéndome del más antiguo y noble manto.

Tierras del Sureste, 1958

Desorientada y, sin embargo, cierta
de alcanzar una tierra de promisión, indefinible,
que está allí, ¿dónde estará?, en los remotos
confines inescrutables.

No, esto no; ni nada de esto o de aquello.
No. Quiero seguirme a mí misma
en este ir a lo ignorado que me espera
cuando nada mío sea, ni quede ya de mí.

Fueran ropajes y fueran joyas las que pesan,
¡y qué gran fuego los quemaría juntos!
Son partes de mí, pedazos lentos y rebeldes que resisten
a su destrucción o abandono...

Clama la promesa en su llanura,
en su cordillera invisible, en su océano;
clama la voz de bestias sagradas, de peces
simbólicos, de aves... Toda una creación sin amo que la rija.

Hay que cerrar los ojos, que sellar el oído,
y que apagar el tacto y que abrasar la lengua.
El olor del desierto es una tea de fuego
que reclama mi cuerpo para que me brote el alma
en un chorro de silencio rojo como el amor más cierto.

El odio es una ciudad.
El odio es una ciudad hinchada por reptiles sin cabeza,
y con víboras de lengua que son bífidas y frías.
El odio se llama puerto y tuvo naves y hombres.
El odio no tiene hombres y contiene sólo cieno.

El cieno de la ciudad del odio está hecho con mujeres,
con largas sartas de púas que se soban a destajo.

No tiene hombres. Han muerto. Están colgando del odio
como las reses de ganchos que sangran sangre de reses.

El odio es una ciudad que tuvo barcos, e historia
de barcos y de aventuras; hasta de largos viajes
con empeño de Poesía...
Ahora, no. No tiene ahora
más que víboras y sangre que curte su costra al sol.

Puedes caminar a solas, porque está deshabitada
la verde ciudad del odio, con sus hombres como reses
colgados siempre del gancho...
Si sufres, como si gritas, acuden con alegría;
y si no gritas te hurgan con sus ganchos, por que grites.

Sí, sí. Anda y contempla.
El odio es una ciudad que tiene nombre y me callo.
Si dijera que se llama... Pero no lo digo, sabe
cómo se llama ella misma.
Rasca su cuerpo costroso de rencor negro y de mugre.

¿A dónde fueron los muchachos que cantaban?
¿Las puras adolescentes que cantaban?
¿Los hombres de una vez, los hombres puros,
y las madres de esos hombres?

A todos se los tragó la ira.
A todos se los comió la muerte.
O están encerrados, juntos, todavía sobre víboras
que se arrollan a sus piernas.
El odio es el Odio: un país. (Una ciudad es muy poco...)
Una nación es el odio. Un universo es el odio.
¿Quién tiene amor?... ¡Que lo grite!

CIELO ABIERTO

¿Dónde está mi caballo, el brioso caballo que debiera llevarme?
¿Yo no soy amazona que galope un caballo
porque rompa de un salto tanto límite negro;
aunque trice las bridas y me quiebre los brazos,
derrumbándonos juntos golpeados de voz?...

¡Ay, que no cabalgué un caballo de espumas
arrancadas por ira y feroz sobresalto
en mitad del acoso, del tropel de la búsqueda!

¿Si será lo placiente cabalgar un caballo
y encontrarnos, al fin, él y yo con Aquello
que es lo nuestro y lo mismo: una voz o alarido,
desgarrante de luz o torrente de rayos?...
Galopáramos juntos, vinculando lo eterno
en el propio arrebato que fundiera la tarde
como deben fundirse los unísonos fuegos.

¿Si no llevo un caballo en galope de Dios
no hay quien llame y contenga: quien nos grite amoroso
porque yo lo sujete y él entonces se yerga,
se encabrite y me tire, pues que soy ya la huida
que encontró su país de relámpagos fúlgidos?

Ahora, me decís.
Ahora, dije yo.
¡Ahora...!
¿Qué me queréis, ahora;
qué palabras
o qué promesas dan vuestras presencias?
¡Si ahora es cuando sé yo que ya nunca
podrá ser un *ahora* como *entonces!*

Porque tuvisteis con vosotros la más lúcida,
la más hermosa fe del mundo libre.
¿Y qué hicisteis con ella, qué conmigo...?
La necia suficiencia de los torpes
cerró la puerta grande de la dicha.

Ahora que sabéis... ¿Qué sabéis,
si ahora yo no sé ni quiero nada?
Ahora yo me muero de amargura
y no os amo a ninguno, ni me amáis.

¡Amor como mi amor no hay quien lo sienta,
amor como mi amor no hay quien lo viva!
¿Ahora ya mi amor; quién dice ahora
delante del pasado: ¡ahora, vive!?

Atrás los que no ven, porque no vieron;
atrás los sin mirada, sin oídos.
Ahora no hay mi voz, no hay mi gran grito.
¡Ahora soy de acero en piedra negra!

Montañas de papel y ríos de tinta.
(¿Es así como se dice? Pues, eso.)
Llevo escritas montañas de papel, con ríos
de tinta de todos los colores.
Se me enfermó de escribir la mano; me duele
de tanto escribir a la Poesía.

Sabemos que es inútil que yo escriba;
que a ninguno le llegan mis poemas;
¡ni a mí misma siquiera ya!
Y los escribo.

Aguanto muchos días en silencio.
Me disfrazo de indiferencia, de ajena;
me enajeno. Y procuro que mi metro y medio y pico
no sobrepase la estatura del absoluto cero social.
Entonces obtengo grandes éxitos humanos;
me estiman las mecanógrafas y los bedeles,
me sonríen los jefes de negociado;
me cuentan sus opiniones los que no llegan a más
mientras yo no pude llegar a menos...

Súbitamente se desgarra algo dentro de mí;
se desbordan los diques,
saltan las esclusas y brota «aquello».
Como una bestia herida por el rayo justísimo
fluye la palabra sojuzgada, la luminosa y pura,
la palabra destructora de mi paz sin lumbre.
Escribo.

—Lo sé, no me lo digáis, es inútil que lo haga.
Mas he venido a esto. Y soy un bárbaro sollozo
que se mete entre palabras ásperas cuya envoltura
me defiende de mí misma.

Si pudiera desentenderme de mí misma,
descansaría largamente... ¡Ah, cuánto lo necesito eso!
Vosotros no sabréis, ¿y cómo?, lo que me agobia el peso
de llevarme conmigo a toda hora en el mundo.
Sin un resquicio para huir, para olvidar, para dormirme
sin un solo sueño, porque si duermo
sueño como si viviera intensamente despierta.
Bien que conozco la última, la más inefable morada
que da su reposo (¿reposo?)

cuando se llega hasta ella. Mas *ella* es la muerte, y yo quiero
reposarme en la vida.

Sí, sí, en la vida; en ésta.
Cara a cara mirar y mirarme en los otros
que amo o me odian.
Tendida en un lecho de arenas doradas, finísimas,
delante del mar, de mi mar, y en mi arena, surestes...
Con el cielo tranquilo, con el aire ya brisa, en silencio...
Dialogar con aquéllos y éstos, cantar con las voces azules
de las tardes de paz y de ocio.

He venido corriendo y de lejos, cargada de fardos
menos míos que ajenos; me duelen los hombros,
me pesan los brazos y llevo
la cabeza con fiebre de siglos.
Cada día me duelen los años que aprieto en mi sangre
como hijos perdidos en ella.

Si lograra quedarme tranquila, creedme,
yo sería otro ser, o sería la yo verdadera, la otra
que me muerde por dentro su pena
al no ser absoluta conmigo.

                    ¡Ah, qué largo viaje sin fines,
                    qué demora tan triste la nuestra!

Traje una palabra redonda y suave como una paloma.
Anduve con mi paloma palabra por las más frescas orillas,
y al final ya no era paloma, era un galgo que se disparaba
igual que las jabalinas de las manos expertas.

Se puso a beber el agua de mis primeros llantos
y entonces se hizo pez aquella palabra que empezó como paloma,
y tuvo para nadar todo un río de lágrimas ardientes
que acabaron quemándolo con su yodo y su sal.

Tuvo que ser león, y se convirtió en tigre y en cordero.
Tuvo que ser de piedra y de barro.
Y también se hizo de espinas y de espigas.
Acabó dejándome sin tierra y sin mar. Muda.

Voy a buscarla otra vez en el vientre de mi madre;
en la semilla de mi padre, que hace muchos años que se ha muerto.

Escarbaré las entrañas, desgajaré los terrones
y encontraré de nuevo mi palabra nueva para mañana.

Seré aguda y fulmínea como debe ser la palabra mía;
y herirá y curará, y ya no volverá a la tierra
porque aquí se murió de pobre palabra triste.

VATICINIO

Crece la angustia.
Solitaria en su cueva de rayos
que fingen ser la luz celeste y pura...
¡Qué tremendo crecer desde la fría
superficie de espejos, no cristales,
donde el odio y lo oscuro se arraciman
y se ven y nos dicen que nosotros
somos ellos!... ¡Ay del triste
que se encuentre ensartado su pecho,
o que vierta su luz en el hambre
de unos dientes podridos que hieren
la trémula verdad de la inocencia!
Palomo ante el altar; cuchillo y mano
avanzan sin piedad desde ese lívido
cubil donde la muerte no es aurora.
El tiempo pasará trayendo música
a todo el que la sueña y que la entrega
arriba del dolor y la ignorancia.
Las alas crecerán desde la noche
y aquello, que es terror, lo que traspasa
los ojos y las sienes, lo que dicta
que es noble y no lo es, será lejano
recuerdo sin virtud:

¡Dientes, que no agujas, lo desgarren;
sombras, si no rayos, lo fulminen!

1952

Las víctimas no hablarán:
se ha puesto el silencio en marcha.
Cielo con ira palabras sella.
Suelo con sangre palabras guarda.

Las madres y las esposas
vestidas de muertos callan.
Tumbas y cárceles gimen,
cerrándose a las palabras.

¿Por qué es hombre el que mata? Dilo,
muerto que fuiste un hombre
capaz de matarle.
Habla.

1939

¡Ay, cuántas tumbas, ramajes de tumbas;
cordilleras, océanos, hipódromos de tumbas!
Tantas son que hiede el pensamiento
de medir el suelo para abrir más tumbas.
Y éstas que cavaron en los cuerpos,
¡son tan grandes, tan hondas duras tumbas!
¿Cómo siendo los jóvenes esbeltos
tuvieron que cavárselas inmensas?

1939

Este silencio que es tronco
de ébano fosforescente,
avanza raudo y segrega
un yerto y viscoso aceite.

Cubiertas de pus las almas,
desgarran, al desprenderse,
el impalpable murmullo
que al pie de Dios las retiene.

¿Por qué el vencedor contiene
un muerto que no floreció
y que su sombra se bebe?

1939

Atravesar el desierto. Atravesarlo en manada,
en grupo compacto de criaturas que se juntan
para sentirse las unas a las otras...

O en parejas, apretándose costados y sienes
en un avanzar unísono...
O en soledad. Un hombre solo, una sola mujer que camina
solamente por la tierra.
El desierto está allí, a los lados, delante, detrás.
Tierra abrasante y abrasada, tierra sin agua, sin árbol.
Desierta tierra para un ser que solo,
o en pareja,
o en manada,
lo camina angustiadamente, para apurarlo y encontrarse
al final, ¡qué espeso moverse de criaturas!, con la muerte,
la única tierra poblada.

Sí. Es el desierto, ¿La vida quizá?... La vida
nunca está desierta. Parejas, multitudes, solitarios
y tierra; mucha tierra alrededor.

Se va dejando atrás lo mismo: el desierto;
y se le recorre, se le da fin, se aboca una a la muerte.
Era la vida, ¡qué cosa sin sentido, tan inútil,
que sea la vida esto de andar por el desierto,
con otros, con uno, consigo misma!...

Es verdad que camino, pero no lo entiendo. Aunque *voy*
y *vengo* de él, no sé para qué sirve tanto desierto.

Un bosque de espesa arboleda en silencio,
salvaje y rotunda espesura de ramas;
callados, quemados, hirientes ramajes del odio
cerrando horizontes de lumbre del sol...
El mundo era eso, muchachos; el mundo
viviéndolo, ajenos, vosotros y yo.

Y ahora: cervatos alegres, caballos ligeros,
renuevos del viento que rompe y descuaja,
torrentes que quiebran su yelo,
manadas de toros que braman su brío,
incendios y truenos, los rayos crepitan.
Ya huelen las selvas a Dios que predica,
los ríos son voces que exhala su pecho.
¡Muchachos, andad! El mundo os reclama
y no vive el hombre cuando ancla su pie.

1956

RÉQUIEM AMARGO POR LOS QUE PIERDEN

Son los de la otra raza, fijaos: los vencidos
son hombres de otra raza en todas las naciones.
Culpables, rencorosos, capaces del engaño;
capaces de traiciones, los torvos, resentidos...
¡Qué raza ignominiosa, muchachos, son los hombres
que aplastan implacables los hombres que vencieron!

En todos los países hay cárceles de frío,
hay muros de ladrillos con vidrios rematados;
hay fosas bienhechoras, hay noches que no acaban
y razas de vencidos y razas vencedoras.

¿Qué esperan esos hijos de madres de otra entraña,
qué aman, por qué odian, qué engaños les ofrecen
a tantos elegidos, los dioses del triunfo?
¡Oh turbios y nefandos, oh crueles y embusteros
que no besáis las botas que os pisan y trituran!

Quizá un hombre antiguo, del tiempo de los nobles,
dijera: «Los vencidos son dignos del respeto
de todo triunfador que César o Alejandro
quisiera le llamaran las décadas futuras.»

¿Respeto y compasión pensáis que se merecen
después de haber perdido su tabla en nuestro juego?
¡Es Dios quien amanece en cada hombre que gana
partidas de aventura, que llaman de justicia!

Son los de otra raza...; dejad vuestros recelos.
Jesús los enunció en bienaventuranzas...
Jesús era un iluso, un hombre que arrancaron
del Dios que lo encubría, las razas de los fuertes.
¡Los hombres que vencieron, ni Césares, ni nada!

1956

Hay dolores fluidos, del color de la sangre,
que transcurren del pecho dulcemente, ligeros.
Y hay dolores oscuros, sinuosos, tan lentos
que poco a poco empapan hasta un henchirnos ebrio.
¡Dolores de locura, como vinos malditos

que nos arrojan, ciegos, a la plétora turbia
de una angustia sin ley, sin un fin, sin un eco!

¿Y ese dolor viscoso, como un líquido negro,
y espeso y resbalante, sangre densa, ya muerta,
que avanza por el suelo de nuestro ser...,
que avanza y deja frío el marmóreo piso
que somos, rezumándolo, los que estamos dolientes?
Dolores que acribillan esta piel vulnerable
del alma en desamparo, cuando Él no la escuda;
dolores que nos hacen poco a poco insensibles,
dolores sin un pliegue, dolores de coraza.

¿Y ese dolor compacto, cuajarón de betunes
que el fuego derritió y ahora va despacio,
dejándonos teñidos de una noche sin alba?

¡Ese dolor del preso, del que espera su muerte
cogido por grilletes, por cadenas sin quiebro!
Ese dolor del cuello que se espera tajado
por un hacha que corta aunque una madre rece.

Ese dolor tan ancho, tan creciente, es el mío:
el que mi nuca sufre quedándose sujeta
por la masa de sangre negra, muerta, incesante...

¡Parad el mundo ciego, paradlo en la mañana
de una mañana abierta como una rosa entera!
¡Pararos, por piedad, que mi dolor se vuelca
y toda soy un charco de gritos de agonía!

1955

Desde el principio del mundo viene corriendo ese muerto.
El que empezó siendo intacto muchacho sacrificado
por su hermano el maldito, y que luego
se puso viejo y tan duro como el metal más sombrío.
Las naciones le abren paso, le dejan que asiente su peste
y crezca la podredumbre porque él recorre caminos.
¡Ah, muerto inmenso y pavoroso, ineludible hombre impuro
que nos hiedes con tu olor y con tu empuje de horrible brío!

Todos le precipitan niños y mujeres embarazadas
para que no se acabe nunca y coma blandas criaturas

con sus mandíbulas hueras, y coja desde las órbitas
de su calavera las imágenes y rompa el sabor de la vida.

Muerto. Muerto. Muerto... Te repetirán milenios,
y tú seguirás andando por encima de los días
y de los mundos de este mundo, comiéndote a los vivos,
que si temen que les muerdas con tu vacía dentadura,
gustan sádicamente de ti, de tu contacto,
y mienten que te llaman, pero se arrojan a oleadas
para que los pises y carcomas, gran podrido diabólico.

1956

LOS QUE LLORAN

Cogían las raíces, sacudiéndolas
con ira y con desprecio. Nadie oía.
E íbamos arriba, confiándonos
por el sol, en el agua, con el viento.

Cuán tersa era la luz mientras caía
encima de nosotros, los felices.
Abajo no había luz, sólo el viscoso
temblor del llanto oscuro que lloraban.

Lloraban por los siglos, los silúricos,
devónicos períodos de la especie.
Lloraban arañando, ya en el pérmico
estrato del dolor, casi en el suelo.

Nosotros, con las flores, con canciones.
Amándonos si hermosos; deseándonos.
Muchachos y muchachas con las bocas
cubiertas de sonrisas y de besos.

Y ellos, en el fondo, minerales
buscando su fluir, aunque en petróleo.
(Los llantos forman nafta, aceites negros
que huelen al infierno, arden y estallan.)

Ninguno los oíamos, y el respiro
profundo y jadeante iba en creciente.
Los que lloran lloraban, aunque el Ojo
y el Oído de Dios les ignorara.

En los prados, en los ríos, las colinas,
las mujeres parían nuevos hombres.
Establos otras bestias alumbraban.
Los jardines tañían floraciones.

Con su lento latir de nebulosas,
¡cuántos astros la noche coronaban!
(Y allí abajo, torciendo y retorciéndose,
¡los que lloran seguían sin consuelo...!)

Los tres mundos flotaban en ajenos
caminares de siglos a milenios.
El de Dios, con sus astros y sus flores;
este nuestro, feliz y sonriente;
y el que repta sin muerte y sin descanso:
los que lloran debajo de nosotros.

1957

¡Hola, muchachos! Os pido silencio
y respeto.
Quiero comunicaros
cosas que van a pudrírseme
si yo no las digo. Me pesan en el corazón
y en la conciencia; son duras
y son tiernas a la vez... Cosas
del tiempo que va deslizándose
entre mi juventud y la vuestra.
¿Que no me conocéis? Lo sé. Vosotros
carecéis de historia; la haréis
totalmente ajena a la mía, la historia
de que yo formo parte y raíces.

Nacisteis en medio, en mitad
de dos fuegos.
¿Era un millón, o un millón de millones de muertos,
el montón de silencios que había
entre vosotros y yo? No lo sé, ni lo saben
las secas hileras de cruces,
las estadísticas de acá y acullá.
Porque, ya lo sabréis, hay otros
que murieron también como éstos.

Entre muertos y huidos y presos
el tiempo navega, y el tiempo
nos va nivelando, y crecéis.

¡Muchachos, ya sois las inquietas
juventudes del mundo!
¿Y qué? ¿Os parece resuelta
la historia que halláis? ¿Os gusta
la vida que hicieron encima
de muertos y huidos y presos?

¡Ni es mío ni es vuestro este mundo!
¡Ni yo lo recuerdo, ni creo
que os sirva a vosotros!
Aunque no conozcáis el sueño de aquellos
que ya somos viejos, o casi,
porque nadie os hablara, imparcial,
de tales empeños frustrados,
no estáis satisfechos. Lo sé.
¡Ser joven, ayer, y mañana, y ahora,
es ser una raza distinta, muchachos!

Una raza que pide nobleza, arrogancia;
que entrega su sangre
generosa y sagrada; que espera
realizar sus ensueños. ¡Los trajo
del país de los niños, donde hay ríos
que reflejan a Dios! Y sin farsas
dedicadas a Dios, que se burla
de los hombres farsantes, conversos
por salvar la pelleja de buey.

Tenéis que escucharme.
Me juego al hablaros así
lo poco que tengo, cediéndole el paso
a los vencedores.
¡Y cómo celebro, al miraros unidos,
mi historia secreta y amarga, mis días
vacíos de luz de esperanza!
¡Se quebró la muralla, muchachos;
saltadla con brío; es vuestra
la historia inmediata!

Ilusiones y fe, alegría
y pura creencia divina
informan el nuevo sentido del mundo.
¡A mí me pesaban los viejos también,
me asqueaban sus mañas, sus sectas
y su turbia ambición! Por eso perdimos.

Por ellos.
¡Perdimos muchachos alegres, hermosos,
perdimos criaturas espléndidas!
Igual que vosotros: muchachos
que amaban la tierra, la nuestra.

Los viejos, los viejos. Resabios y costras
que urge raspar con heroico y viril
ademán de muchacho.

¡Arriba la juventud, sí, arriba;
pero limpia de farsa, consciente!
Los muertos, aquéllos y éstos, los MUERTOS
esperan seguros, conmigo.

¡Qué gran desengaño daréis
al clan de los viejos!
Os miman, os usan en vicios y enseñan
a amar la mentira. Os castran
el alma y el cuerpo, os pudren
con prácticas sucias del sexo. Y empujan,
¡qué risa me da, os empujan después
a fingiros creyentes!
¿Creyentes, de qué? ¿De Sodoma la impía,
corruptora de arcángeles?
¿Creyentes, fingiéndoos esposos y padres
sin serlo de veras?
¡La vida se venga, se niega a seguir, y por eso
os buscan los viejos!
Pero ya no os engañan, lo sé; ya estáis advertidos.
Rompéis las corazas de muelles
colchones infectos;
rompéis la dura osamenta
de ideas podridas;
el cálcico lóbulo negro
del torpe pensar de los viejos.

¡Hola, muchachos!
Irán a buscarme en seguida,
y vivo en vosotros.

¿Me vais a entregar, dejaréis que a mí sola me hagan
fugitiva, una presa o un *muerto?*

                                    1956

CRISIS

Tengo que aprender una tremenda lección que la vida
brutalmente se ha puesto a enseñarme.
Sin dudarlo, ciega y sorda y obstinada,
me arrancaré lo sumado en mi experiencia,
para tirarlo al suelo y pasar por encima.
Olvidar que era mío aquel convulsivo manojo
que se llamó corazón, o amores, y hasta ensueño
(¡qué irrisorios llamamientos!),
con los que fui una mujer joven.

No; ya no soy joven como ayer, pero soy
una criatura joven como ahora, para mañana.
Y voy a liberarme de recuerdos, de vivencias,
y a quedarme vacía, sola, mineralmente fría,
a ver si entiendo este drama de los otros
que ignoran que es el drama lo que viven
y caminan —pero ¿andan?—,
como si dominaran el secreto que mantuve
¡sin descifrarlo nunca!

¡Qué espantosa confusión! Y sin palabras
para cubrirla de algún modo, pues carecen
de palabras y barbotan
interjecciones oscuras. Como viven a oleadas
interjecciones de tiempo.

Sí. Estoy dispuesta a que llenen el vacío
que principio a acometer en mi existencia,
con nuevas explicaciones de las cosas. El absurdo
no era mi país de origen
ni de juventud. Ahora lo sería si no borro
hasta la última imagen de mi vida.

¡Fuera todo aquello, fuera, para que oiga con respeto
esta bárbara lengua del mundo
que irrumpe en nuestros días!

¡Atrás los débiles y tibios, los sensibles, los que oían
aquello que me olvido; los que iban
por donde olvidé que anduve; los que amaban
lo mismo que me arranco!

Sé que cuesta trabajo, lo sé bien a fondo,
conquistar el derecho a la verdad.
Hay que sufrir de firme, morderse
los gritos y las quejas,
el llanto desesperado... Permanecer
en el puesto que un día
tuvimos que aceptar. Porque de allí,
precisamente desde tal puesto triste
conquistaremos la alegría.
Nos venceremos.

¡Oh libertad del logrado
triunfo sobre la angustia!
¡Atrás las horas sombrías
del turbio desazonar, del fracaso
que atacaba el empeño divino
de seguir esperándonos!

Mientras estábamos solos en medio
de los años hostiles y duros,
crecían los jóvenes.

Andando entre ciegos rencores y dudas,
par a par de los jóvenes.

Suspirando por aire desnudo de odios,
por bebernos un agua serena,
¡y sin ver a los jóvenes!

Ignorantes y ajenos, perdidos,
pero andando a su lado.

Cuando creíamos que nadie miraba,
nos veían los jóvenes.

Cuando temíamos que nadie escuchara,
escuchaban los jóvenes.

Cuando menos creíamos en nadie,
nos apuntan los jóvenes.

¿A quién hablo —decíamos— si todos
han cerrado sus bocas
y no nos contestarán?

¡Y responden los jóvenes, ellos
contestan a gritos!

Nuestra voz era un firme rescoldo
y ahora estalla en un fuego.

¡Gracias, Señor, porque los jóvenes
están otra vez aquí!

No les dejes volcarse las sangres
en precipitada muerte.
Que hablen y hagan, que sepan del mundo
su largo esperar y su ansia,
sin romper la justicia ni el duelo.

¡Hay jóvenes otra vez; Señor, no pudras
su bárbara primavera!
Para verlos aquí, madurantes,
¡cuánto tuvimos que vivir de muerte!

Un charco de sangre acomete desde el suelo...
¡Dios vivo, los hombres
precipitan su torpe oposicion a Ti!
Derraman conscientes la vida
para afirmar conceptos.
Una isla es el charco, miradla:
¡la tierra de nadie!
Sus límites van condenados a verse
con nombres fingidos.
La sangre es de un hombre, y vertida
ya es de Dios solamente.
¡Una isla desierta, muchachos,
creedme, es la sangre en el suelo!

    —Yo no odio al que cae, aunque caiga
sin saber por qué cae. Ni odio al que mata
aun sabiendo que mata. ¡Muchachos, la sangre
es de todos! Defiendo su charco, su horrible
extensión en la calle. ¡Respeto a la sangre,
respeto a la vida; respeto, muchachos,
al que muere sirviendo de pasto a los lobos
que fingen llorarle!
La sangre, lo sé, pide a Dios
que la coja en sus manos.

Han llegado las turbas al borde
de esta isla de nadie. ¡Mentían,
yo lo sé que mentían; pero era verdad que era ella
la sangre de un hombre!

¡Cuántos años sacuden sus lanas,
sus centellas, sus crines, sus colas, sus uñas,
su tiempo de ira y de mugre,
su lenta y su rápida
sucesión de distancias adversas y claras!
Y la sangre otra vez. ¿O es la misma,
la que vimos vertida en el suelo,
la que vimos, tan fresca, de otros,
o del mismo muchacho?...
¡Han caído las lluvias de charcos, las islas
de la sangre de tantos!

Muchachos, la vida soñaba —¡qué loca la vida!—
con que nadie la pise en la calle.

Cuando se pone a dolerme esta cosa oscura y densa
        que hunde mi corazón,
y todos los gritos se llaman *tú* y vienes en cada movimiento
        del aire y del agua,
soy un clamor de prisas por la muerte que lo termine todo
        y acabe conmigo,
que te quisiera solamente mía, ¡oh cosa tremenda y de lumbre
que se me pone delante como un toro, quieto y enorme
        que no teme a la lluvia ni al viento, ni brama,
y permanece clavado sobre sus patas de tierra
y con su lomo de tierra negra y brillante,
amenaza de sangre que correrá vaciando este cuerpo
        que solamente tú, pasión de pórfido,
mueves y arremolinas anegándome el resuello!

        Crecen; cada día van creciendo
        los otros, los de *allá;* los de la vida
        que espera que la tomen silenciosas
        criaturas desde aquí...
                        Sobre mi alma
        aumenta el peso augusto de la sombra
        que traga sus porciones de caliente
        presencia donde espero yo mi día.
        Son muchos más allí; son más aquellos

que fueron y me aguardan en silencio,
que todos los de acá, los que me hablan
y cada vez se alejan...
                Como sombras
que duermen en el cuerpo de los vivos,
encuentro que me encuentran, caminando
tenaz y en implacable persistencia.

Una esponja inmensa ha borrado
aquello cuanto escribía
en ese libro oscuro de propósitos y sueños
que acechaban su turno
para manifestarse.
Y heme aquí desconcertada,
sin acordarme ni dirigirme
hacia ninguna posibilidad terrena.

¿Hay quien sepa en dónde caen
los caminos seguros —los que se precipitaban
arrogantes y fieros,
desbordando vitalidad trascendente—,
cuando el que se iba se para?

¡Parada e indecisa me encuentro,
revolviendo anhelosa
entre mis dedos el aire!

        El dolor pide paso, empuja
        violentamente su fuerza.
        Y todo lo cubre pronto
        su montón de ramas negras.
        ¡Ay, quién tuviera el amor
        y no la sangre en las venas!

        Un golpetazo en el pecho,
        y retumba hasta la tierra.
        Los hombres cavan aprisa,
        y una estatura se acuesta...
        ¡Ay, quién levantara ese entonces
        al que ninguno despierta!

        Las bocas dicen su duelo,
        se doblegan las cabezas,
        y un viento de eternidades
        desencadena tormentas.

¡Ay, quién devolviera la luz
al que ya no la contempla!

Todo pudo ser mejor
cuando es tarde, y no remedia
que lo que ya se ha perdido
recupere su certeza...
¡Ay, cuánto duele entender
un mensaje sin respuesta!

Cerradle a tanto reproche
la desventurada puerta,
que vendrán noches sin sueño
y racimos de horas lentas,
y no podremos dormir
ni perdonar más ofensas.

La prisa de los que cavan,
la prisa de los que vuelcan
otra vez la tierra encima
del que hemos metido en ella,
nos quema porque quisiéramos
arrebatarle su presa.

¡Oh, la palabra perdón,
la buena palabra inmensa,
aquella que no dijimos,
la misma que tanto pesa!,
¿por qué la callamos, Dios;
por qué no la hicimos nuestra?

¿Y quién puede ser tan loco
o tan malvado que pueda
pensar que tiene o no tiene
un perdón o una protesta?...
¡Ay, si Aquel que más nos ama
no perdonara al que reza!

Echemos la tierra, sí;
como si fuéramos tierra,
en una zanja de llanto
hundamos nuestra miseria.
¡Que no supimos amar,
y el amor se nos despeña!

29-12-56

No. Que nadie lo altere. Equilibrio del mundo
es no moverse, ni hablar, ni escribir una letra
que sea de censura a las cosas.
Las cosas del mundo son *así*.
Nosotros llevamos un ritmo que a nadie le importa.
¿Que el hombre de América pide,
o el hombre de Europa suplica,
o el hombre... (¿alguno lo ha hecho?) *exige*
derechos de hombre?
¡Qué loca aventura el intento
de limpiarnos de podre!

Aquí, a lo nuestro: a callarnos.
O a gritar, si lo mandan, las veces
que ordenen los gritos. ¿Qué boca que ame a su Patria
gritaría: «¡Yo quiero ser libre!»?
Palabras, consignas de locos; ideas dementes.

¡Silencio! Aún quedan los templos
(y no son bastantes)
para pedirle al Señor que nos guíe.
Que nos guíe y nos espere, que andando se pueden
perder los que intentan tocarle sus manos.

¡Están las palabras tan dichas!
No voy a decirlas yo ahora. Las saben los hombres,
las saben los viejos. Los jóvenes
acaban de verlas, tiradas en tierra
como duros lingotes de hierro... ¡Muchachos,
es hierro, no es plomo; dejad las palabras!

Debemos callarnos. Si intentamos gritar nos empujan
con dedos manchados de sangre.
¡Equilibrio!:
un pie sobre el cieno en corteza, y el otro,
revolviendo en la muerte.

Hasta hace unos días, acaso un momento,
ante nadie contabais.
Os llevaban sujetos aquellos que nunca
fueron jóvenes, o aquellos que siempre
fueron ciegos...
«Venid por aquí, los caminos seguros son éstos», decían.
E íbais. ¿Adónde? ¡Seguro el camino que no alcanzaría
un arrojo de luz, ni siquiera una estrella!
¡Mentira, muchachos; mentira
que fuera seguro el camino!
Vosotros ahora, de pronto, en un rayo,
sabéis caminar por lo cierto.
El joven (lo oís, pues lo grito), el joven
ya sabe, adivina, palpita, se inviste
su bronca seguridad.

¡Confuso es ya, confuso, para que nadie sepa
verdades como puños: ¡que no podemos más!
Con manos de maligna torpeza irresponsable
que siembran las sombras desde arriba... ¡Confusión!
¡Que nadie sepa nunca, si aspira a conocerla;
que nadie la conozca, si busca la verdad!

¿Estamos *engañados* cuando pedimos agua
para lavar el fango de míseras conductas?
Nos dictan —dicen *ellos*— la sangre en vez del agua,
aquellos que manejan un mundo ajeno al nuestro...
Mentiras, son mentiras: queremos por nosotros,
¡no obramos por ausentes ni hostiles! Reclamamos
sencillamente un mundo decente y libertad.
¡Qué sucio y doloroso resulta ver que empeñan
sus fuerzas egoístas en aumentar la sombra
los fúnebres labriegos de campos de cadáveres!...
¡Qué inútil su incesante mentira, su amenaza;
su convenido engaño, la impune delación!...
Hay más que ser un juego para tan locos hombres:
hay toda una esperanza que nadie vencerá.

Arrecian contra el verbo, contra la luz divina
que Dios puso en la mente de muchos que no temen
servirle con su luz contra la sombra impune.
Arrecian y calumnian (las cárceles se hinchen),
y gritan que los matan, cuando matando están.

Hablad lo que queráis. Vuestra derrota es cierta
porque mentís sabiéndolo, y cuando el hombre *sabe,*
¿qué importa que no deje que acusen su traición?
Es poco todavía, muchachos; aún veréis
montañas de vergüenzas y de mentiras negras,
¡acumulando un odio que no las salvará!

Si se le piensa se aleja, y si no se le entrega el pensamiento,
oscura y sordamente nos brama su repulsa persistente
porque no le sometemos este ronco y delicado y espinoso
racimo del andar entre los seres, siendo igual que todos ellos:
una arquitectura vulnerable... Y, sin embargo,
algo que se mueve y que circula heroicamente
desafiándolo todo, hasta su ira.

                              ¡Oh la ira de lo secreto;
la turbia ira cenagosa que nos hunde en ira
como un pez en el aire!
Ira sin posible entendimiento;
ira, misteriosamente ira que no explica a los mortales por qué nació.
Y que derrama y que desata y que destroza
todo lo que somos sin sabernos, porque nadie supo nunca
qué nos vive y nos obliga a la vida que nos mata.

Andando entre lo inmenso indescriptible se nos suman
los siglos de silencio y de extravío, que no llegan
jamás a una verdad, mientras los ojos
protegen de la luz con tenues párpados
de carne estremecida y delgadísima.

                              12-11-56

En la fosa, donde pudren sus cadáveres
se habían puesto a fumar, se habían sentado...
Llegaron a creer que no hubo muertos,
llegaron a creer que todo es campo.

Y así, con el olvido de *lo otro,*
con esa *desmemoria* de lo vano,
pensaron que sobraban, se cansaron
de ver que habían crecido más muchachos.

Y puestos en montón, como fue siempre,
y puestos en manada, en gran rebaño,
¡desfilan otra vez para la muerte,
desfilan como ayer ya desfilaron!
Qué empeño de cavar en otras tierras,
qué empeño en abonarlas; qué barrancos
de muertos otra vez, de muertos jóvenes:
de jóvenes vestidos de soldados.

Vestidos de soldados, no de ideas;
vestidos de obediencia a otro mandato,
sonríen y se van... No van contentos,
tampoco se rebelan: son rebaño.

Nacieron en el yugo, que les pesa;
pero no se lo fulminan, van despacio.
Irán envejeciendo...; de bisoños,
poco muy a poco, a veteranos.

Veteranos de angustia indiferente,
¡del trémulo dramático presagio!
A zanjas, con gusanos y raíces,
como un peso sin fiel, se irán volcando.

Las madres los despiden, como siempre.
Las madres, navegando su océano
de duelos sin piedad, de duelos secos;
las madres de estos jóvenes soldados,

se quedan sin gritar; y tienen miedo
de que lleven detrás de sus muchachos
a los padres, sus maridos, los culpables
de esta nueva matanza en despoblado.

¿Es ya tiempo de huir, o qué se espera;
alguien puede decirnos qué esperamos?
Es verdad que tenemos muchos jóvenes,
¡muchos hijos que pueden ser soldados!...

Vayamos con los picos y las palas...
¡Ánimo, mujeres! ¡Id al campo!
La cosa es bien sencilla: se reduce
únicamente a enterrarlos.

9 de febrero de 1958

EL MURO

Sí. Está ahí. No lo derribaron,
ni lo derribarán.
Porque somos nosotros, los que estamos aún vivos,
ese muro ciclópeo, enorme,
contra el que todos disparan.
Y por uno que caiga, o por ciento,
siempre quedamos más
sosteniendo este muro
de la loca esperanza.

¿Quiénes hablan de irse?
¿Quién dispuso coger en la noche
un camino ciego, y que se quedara solo
el muro de la sangre viva?
¡Estamos aquí, no nos vamos!
Estamos aquí, estaremos aquí,
vivos o muertos, sumando al futuro
un presente de mármol.
No es la tierra de nadie
salvación que redima.

¡Tú lo sabes, el muro de muertos, el muro
de la calcinación!
Hay que estar en un trozo de suelo,
el más ancho, y limpiarlo de mugre.
Nuestros muertos son todos los muertos.
Son todos,
sin clasificación.

Apoyados en ti esperaremos
a que el hombre que huyera en la noche
regrese a su casa...

¿Qué hace fuera de aquí, qué hace lejos
de su guardia del muro?

Cuando vuelva, yo espero que nunca
levante otro enfrente.

ESO

Todos los hombres son iguales.
Todos se mueven lo mismo.
Las cosas que ves en los otros
y que te arañan el corazón como uñas de gato,
son las que luego haces tú. Las mismas cosas.

Resulta tremendo encontrarse
tantas fallas en los demás hombres.
El egoísmo, la duda, el interés y la codicia,
y el énfasis vanidoso que encontramos
están en ti también; porque lo veo
en ellos y en ti, yo lo proclamo.

A mí no me asustáis ninguno,
porque soy mucho peor que vosotros.
Pero no me disculpo, ni me niego, ni bajo
hipócritamente los ojos.

Lo triste e intolerable —¡convéncete, hombre!—,
es que tú no te ves, que sólo miras
enfrente de ti, desaprobándolo todo.

Hay que humillarse cada día, a cada hora,
delante del más humilde, pero por dentro.

Y enmendar y aprender a ser de otra manera
que suavice el contacto con los otros.
¡Es tan duro vivir con la condena
y la eterna repulsa en el mundo!

El mazo de estos siglos tiene ya dos milenios,
y golpea infatigable sobre los cuerpos vencidos de los hombres,
pareciendo que acaricia, levísimo, a los dichosos,
a los que no sufren de miserables angustias
tales como el hambre, la sed de justicia o el dolor de persecución.

Y, sin embargo...
¿Queréis recordar el tiempo y la voz de ascua del que hizo
que su vida fuera un mazo de percusión profunda,
para saber que hay algo detrás de la lágrima negra,
detrás del charco de sangre fresca y de la costra en la llaga;
más allá del hueso roto y de la cuerda en el cuello;
dentro de la zanja que recibe al desplomado?

Muchas son las veces en que se oye golpear el mazo
solamente en la espalda del mendigo solitario.
Y se teme: ¡Ah, que para los desgraciados fuiste hecho!

Y no. La verdad es que golpea siempre en su sitio,
visible o escondido; vulnerable o secreto e impalpable.
Golpean dos mil años de contenidos discursos,
de chorros de gritos admonitorios metidos en una almendra.

No es culpa del mazo justiciero que finjamos
que se equivoca, o prefiere, de carne para sellarla
con su golpe de dolor y de aviso.
Ojos y oídos, dientes y lengua, corazón y cabeza de hombre,
fueron elegidos, sin clase y sin distingos,
para resonar el duelo.

Se acabaron los tiempos y comenzarán los tiempos.
El que vino prepara al que vendrá para que el hombre
vuelva a crucificar, o adivine de una vez para todas
qué pecho es el suyo, el que le espera desde siempre.

ATRIO

Muchos estaban con las manos abiertas y extendidas,
y otros las mantenían cerradas en puños que quizá amenazaban.
Pero ninguno las ofrecía con gesto noble y entregado,
tal un saludo de bienvenida al hombre que pudiera llegar a ellos.

Era un bosque de manos con voz turbia o ronca o simplemente agria.
Una selva sin fisuras aquellas manos de tantos hombres duros.
Igual a un país las manos, con ríos de sangre detenida a la fuerza
dentro de las palmas...
                    Y de pronto,
brotó el grito.

                    No de una criatura ni de un continente.
Brotó el grito de un astro, el alarido de un planeta viejo y triste.
Porque de aquellas manos partió la jabalina esplendorosa
que se clavó en el vientre obsceno de una civilización hundida.

¡Vítor por el que sepa adelantar sus dedos
y confundirlos con los fríos o tibios o ardientes del futuro,
en un pacto de luz velocísima y metálica
que redima, o que consuma, a los mendigos y a los verdugos!

DIOS DE LA IRA

Tanto dar vueltas en torno a lo mismo...:
¡aquello no, esto no, tampoco aquello! Entonces, ¿qué?
Y desasosegar, y amurallarse de angustias
por si la lívida luz delgada del fracaso que se revela súbita
    y restallantemente,
fuera esta luz copiosa y robusta que aparece
con falsa timidez de penumbra reveladora.

¿A dónde, ya; con todo aquello, y estotro, a dónde ahora,
que no se encuentren los mismos con caras diferentes
y voces de otro soñar, pero las mismas siempre
nombrando, como si descubrieran, lo que ya olvidamos todos?

La farsa se mueve espesa, la farsa con sus fantoches
que repiten y repiten y repiten y repiten... ¡Oh rayos!
La palabra nueva, la palabra por crear aún, la palabra
para el mundo que está ahí; tocadla, ved su vívido
resplandor de constelaciones que llegan como toros
hasta aquí.

El hombre que pontifica desde su discurso huero,
el que predica y no da, el que se rasga la túnica
y oculta (por otra tela) su piel enferma y mustia...
¡Oh, si se murieran de una vez y para siempre!
¡Si no los encontrárarnos más en el camino
que vamos todos regando con nuestras arterias líquidas!

La hermosa mujer lujosa con sus brillantes arreos,
y la púdica que tiene tanta razón a toda hora,
¿para qué persisten tanto, decídselo a las rameras
que pululan, necesarias, entre los hijos del asco?

No, no; ya sé que lo ignoro, y vosotros no podréis nunca,
¡jamás, rayos de Dios!, decidlo un día,
por qué son lo más inútil en estas horas de tránsito.

Las madres no tienen brazos para retener al hombre
ni a la muchacha, los jóvenes que fluyen como mareas
yéndose (¿a dónde se van los jóvenes?) sobre la ola gris
coronada de lujuria.

Nada. Afrontadlo y pedid el rayo. Nada. Y, sin embargo,
Dios vivo.

¡Tú que te lo sabes todo, que lo vienes diciendo todo,
desde las cosas remotas hasta el pergamino de Patmos,
oyes cómo transcurres —microscópico— en la tibia
saliva de los que nacen; en la placenta arrugada
de los que mueren sin aire;
cómo te mueven los labios cuando se besan a ciegas,
cómo te gritan los padres cuando se parten el pecho
contra la roca del sexo que no cambia, que es el mismo
que permitiste rugir por si una vez se te hartara!

Rayos, sí, aunque me odiéis.
Aunque esperéis con delicia que esos rayos me fulminen
delante de vosotros.
Es preferible abrasarse que ponerse frío, y morado
como una turbia medusa sobre la arena...
¡Por Dios, rayos!

CANTO AL HOMBRE

Cuando eres, como ahora, hermoso y fuerte, yo te amo.
Cuando el viento se doblega para ti, cuando a la tierra
tú la rindes, yo te amo. Yo te amo por osado,
y te amo por heroico, por audaz y porque ofreces
tu hermosura y tu valor. Por derramado.
Firme tú sobre las nubes, navegando los espacios.
Duro tú sobre las aguas, descollante tu estatura
en lo azul del océano... Hombre joven que lo afrontas
cual un elemento más, siendo tú el lazo
de elementos de creación. Yo así te amo.

Desde lejos y despacio, torpemente en el comienzo,
tu andadura cada siglo acelerando... Así has llegado.
Y ya domas a los mares y a los cielos; los cabalgas
como potros tan salvajes como fuiste. A los astros
los asedias sin temor. Igual que un astro, que otro astro
participas del secreto compartido, constelando
como ellos mi cenit. Hombre, te amo.

Yo te amo y te contemplo, yo te admiro y yo te exalto.
E ignorando cómo cantan los arcángeles, te canto.
Mientras seas como eres, una luz entre las sombras,
una luz sobre los bosques, un clamor desde los labios;
mientras cantes y sonrías, esperanza de otro tú ya menos agrio,
hombre joven, hombre fuerte, hombre hermoso, yo te amo.

Aunque guardas en tus ojos viejas piedras del basalto
que formaba las murallas de Proverbios y del Cántico,
ya despierta tu mirada a la ternura enajenados
resplandores fugitivos de piedad por lo creado.

Como un hacha cortas tú, y eres tan blando
que te rayan las plegarias y el amor. Eres compacto
y flexible, quebradizo, vulnerable... ¿De qué rayo
fulminóse lo divino contra ti? No te ha abrasado
ni la cólera de Dios, ni su contacto.
Sobrepasas a tu propia lava impura, en sobresalto
de promesas y derrotas... Ajeno y amplio
como tierra y como el mar, como el espacio.

Pero hermoso, pero audaz. Loco de siembras,
que no estrellas, sino mundos, vas hincando.
Empujaste las cavernas, destrozaste las pirámides,
desecaste los diluvios, apagaste los volcanes,
arrancando del planeta a los bienaventurados.
¡No volvías tu cabeza de oro puro a lo pasado!
Por cruel y por ardiente, yo te amo.

¿Quién no aleja para ti lo que has huido;
quién no llora por tu amor lo que has matado?
Nunca yo que te contemplo; nunca yo que me he entregado
a la sangre y al gemir de tantos duelos
como pueblan tu yacer y tus contactos.

Ahora, no. Que te liberas y me llevas por el aire, confiando
en tu propia inteligencia, en tu arrebato.
¡Ah los vuelos que gobiernas con sonrisa y dócil mando
de instrumentos que tú mismo has inventado!
Y te sirven, como sirven los esclavos.

No desciendas, no me abatas. Hombre amado,
te sostengo y me sostiene un interminable rapto.
No eres rojo ni eres negro. Eres el blanco,
el fúlgido centellear de intactos arcos.
¡Atrévete con el Bien, sujétalo con tus brazos!

Hermoso varón que tanto presentía y que he soñado.
Porque eres mi mejor yo, he ahí por qué te amo.
No te quiero cuando débil, sometido, acobardado.
Aunque torvo si acometes, más te busco despiadado
que humillando la cerviz como un toro sin sus mandos.

Que eres viejo bien lo sé. Sé que debajo
de esta túnica de piel que te envuelve estás cansado
de los siglos de rodar para ver de Dios el brazo
que fulmina y que fulmina... ¿Y no es cansancio
contemplar cómo te hundes en mi vientre, deslizando
tu niñez y tu vigor entre mis flancos
para luego desgajármelos despacio...?

¡Ah si halláramos la brisa, si encontráramos el látigo
que flagela y que consuma a los más enamorados!
¡Por todo lo que venciste van tus piernas
de cobre forjando ajorcas para sujetar tu paso,
criatura que apretaría eternamente entre mis brazos!
Más allá de la vida y de la muerte, Hombre, te amo.

1957. Cantabria. Estío.

DERRIBADO
ARCÁNGEL

[1960]

Carmen Conde en
Melilla, 1920.

El entendimiento, si entiende, no sabe lo que entiende.

SANTA TERESA, *Vida.*

I

La luz no está cansada de alumbrar tanto día,
ni el agua de correr, cuando corre en la tierra.
Los cielos no se cansan, el aire no se cansa...,
ni la vida de ser para todos la Vida.
Solamente se cansan los que no tienen fe
ni se sueñan siguiendo por la luz, por el viento,
esas claras arenas de la mar, que no acaba
y es por siempre la mar, agua y cielo, lo eterno.

Ni lo eterno se duele, yo no oigo su queja;
¡nada suena cansado, aunque yo esté cansada!
Aunque mire hacia ti, bosque inmenso de llanto;
aunque escuche tu voz, duelo abierto del mundo.

Fluyentes elementos que hicieron lo invisible,
verdades que evidencian lo pleno de la Nada;
os veo que, impasibles, por mis costados vais:
serenos, eternales; fecundos, implacables...
¡Todo respira vivo, respira sin descanso!

Tendremos que atravesar impávidos
el espeso ramaje de los helados ojos.
Arriba queda luz solitaria alumbrando,
ya ciega de nosotros, un país sin idioma.

¡Oh quienes lo violentan, por hallar su secreto
hueso de amarga almendra que resiste absoluta
la dentellada líquida de aquellos qué lo muerden!

...Y acaso más allá de ese bosque encontremos
una palabra suelta, como en añil paloma,
que nos confunda nombres y sangres en un tronco
donde se apoyen fieras y pájaros en celo.
Recogeremos sueños que estábamos soñando
desde la cueva roja del nacer de la carne;
y soledades ebrias, aullidos de ventura,
coronarán de mirto las frentes que no caigan.

Caerán frentes taladas por el silencio frío.
Desde remotos cielos hay ángeles que llevan
espadas con un tajo que lo rebaña todo.
¿Qué pobres, desoladas criaturas opondrían
alguna resistencia al empuje de un ángel?
Con filo o con sus alas, el enviado vence.
¿Y quién es enviado cuando no es ángel y llega
hasta el umbral ardiente del cuerpo, sometido
a una ley sin cuartel? ¿En qué se le conoce
como sino al que al fin habrá que doblegarse,
perdiendo lo ganado en desgarradas luchas?

II

Lentos demonios claros, tenaces embajadas
que a la carne otra carne emite persistente,
van domando la hostil pesadumbre del alma
que resiste, asfixiada, el sin aire del celo.
Ni con treguas de luz, ni con dulces engaños
puede el ser apartar ese anillo de fuego
que le ciñe, queriendo arrastrarle a su cima.

Entonces se debate un gravísimo empeño:
entregarse al dolor de entregarse vencido,
o sufrir por vencer al que vino a vencernos.
Oleaje de hermosas ansiedades que rinden
su placer en la playa del rechazo consciente.
¡Oh la gloria de abrir al demonio la puerta
y cerrársela al fin, condenándonos dentro!

Tanta desventurada, tanta lúcida lucha
de aplacar, derramada, esta sed irredenta,

va royendo el deseo, va royendo el desvío...;
porque amor, en la sima, no es amor: es un llanto;
y al amor, con amor, sólo amor lo contesta.

Cálida y hermosa criatura avasallante,
apártate de mí..., aunque ya, si te pierdo,
habré de recordarte en lo no poseído.
Mil veces mi deseo entregóse a tu boca
sin cortar las distancias que pongo entre nosotros.
Si quiero que te vayas, no será por hastío,
¡que ni tomé tu amor, ni te di mi criatura!
Es que quiero librarme..., es que no quiero dárteme...
¡Sepárate de mí, líbrame de tu cuerpo!

Serás blando regazo, serás inolvidable
jardín de musgo denso agarrando mis plantas.
Serás un agua fresca, una sal perfumada,
serás pozo de nieve, hoguera de romero...
¡Todo lo que serías me funde y me condena,
porque te cedo, intacta, a mis fieles designios!

Míralos en mis ojos. Se llaman tentación.
Ese es tu nombre mismo: tú te llamas pecado,
y no tomarte duele, porque me atraes siempre.
Ascua de tu repulsa, frenesí de tu enojo,
macerado latir de un rechazo sombrío.
Cuando me dejes sola y seas ya distancia,
sé bien que dolerá no abrasarme contigo
en esta atormentante presencia que condeno.
Es la vida un extenso panorama de angustias
que siempre lleva nombre entre el sí y el acaso.

¡Ay cuando no te llames lo que te llamas hoy
y que a nadie confía mi boca trastornada;
cuando estés sometido y yo no tema tuyo
el ardiente aguijón de tu voz que me cerca!

La luz no servirá para el azul purísimo,
ni el aire se hendirá con tu palabra hambrienta.
¡Sombras y sólo sombras!... Apagado irá el mundo,
apagada iré yo; y tu lumbre, dispersa,
se quedará temblando sus ramos devorantes
hasta que vuelva a hallarme en una mujer nueva.

III

INVOCACIÓN

Lo ponderado celeste mío;
tú, solamente tú: mi cristal.
Renuncia a entender, renuncia a saber.
Actúa en silencio.
Hay momentos con plomo,
días ligerísimos,
celestes como tú,
que un ala pequeña apoyando
arrancan a volar
desde un hombro adorable:
el tuyo.

Eres íntegro vuelo.
Vuelo de mi corazón, que te ama.
¡No mires hacia mí; levántate,
levántate contigo!
Te llevo y me llevas;
vamos, oh amor limpio,
vamos.
Dejándome, dejándote
aquí, sobre la arena.

IV

Todos creyeron en ti, y te tuvieron un día
entre sus brazos rendidos del peso tuyo caliente.
Palpitan los fantasmas en torno de tu cuerpo,
y llevan con sus nombres un tiempo ya fundido
al que ni tú (que sigues con tu calor de fuerza
avasallando siempre al que te acercas) puedes
recuperar en alguien que te subyuga hoy.

Puse entre nosotros hasta flores.
Y todas las barreras las saltaste.
¿Qué impulso vegetal, qué selva llevas
moviéndote los pulsos que amenazan
romperse contra mí, contra mi pecho?

¡Alta y clara tu sombra desde el aire!
¡Firmes piernas y pasos decisivos!
Si vinieras a solas, si no fueras
un tumulto de amor, un terremoto,
tendería los ojos a tu orilla,
cerraría mi boca con tu nombre...

Una flor en mis labios tú serías,
una flor de fragancia persistente:
maravilla, ¡ay no! ; que serías un nardo,
un alhelí o clavel, lo que dura más tiempo.
¡Oh salvaje presencia deslumbrante;
obstinada, confusa pesadumbre
dé una luz conteniéndose violenta!

No creo que quieras ser
para mí el Mal.
Confianza en la luz tengo yo siempre
y tú eres claridad, aunque te nubles.

Estoy sola, lo ves; sola con todo
lo puro inmarchitable de mi alma.
Me viven los que fueron,
los que son todavía,
breves hojas de mi, débiles ramillas
que nutro con mi amor no manifiesto.

¿A qué tu golpear infatigable
a esta losa de un pecho, resignado
a no ser sino losa?
Sí; quisiera. Querré siempre
hacer con esta piedra una trémula ara
y que ángeles de Dios, nunca demonios,
tórtolas y peces, recentales,
vinieran a inmolar sin sufrimiento.

Mi pecho fuera altar y entonces todas
las aves que yo sueño posarían
su vuelo tembloroso en mi colina.
Mi pecho fuera piedra desbastada
por brisas del Señor,
y muchedumbres
de flores crecerían primaveras,
jardines de color, lagos y músicas
con bocas jadeantes de alabanzas.

Ni pecho fuera mío sin temores
y tú te meterías en su sangre
llevándome contigo hasta la muerte.
¿Qué esperas para huir?
Y si no huyes,
¿por qué no te deshilas en ternura?
Por eso que no das y que sería
grandeza de los cielos ya piadosos,
te ofrezco mucho yo:
¡todo un olvido
cubierto de tu voz enamorada!
¡El manto de tu voz, una avenida
de aguas con más oro que la aurora,
cayendo sobre mí, cayendo tibio!

V

Los débiles imploran.
Los débiles exigen que los fuertes
se rindan ante ellos.
Ser fuerte significa en este mundo
sostener el pudor del sufrimiento,
de la debilidad...
¡Fortaleza que te increpan, cuerpo y alma,
eres frágil, y bien que lo sabemos!

Ellos se resisten a aceptar
que haya débiles como ellos,
con pudor de ofrecer a los que miran
una vida enferma,
un corazón temeroso,
una mano que tiembla al alargarse
con un vaso de agua...
Son los débiles que esperan que les demos
hasta la gota postrera del aliento,
aquellos que, balando su renuncia
a salvarse por sí,
vienen y piden
—cuando ya nos vacila el alma entera—
que seamos para ellos los más fuertes.

¡Fortaleza del ser que no se aviene
a exhibir su dolor o su nostalgia!
¡Quién se hiciera sólo un día,

solamente unas horas,
criatura debilísima, venciendo
a los fuertes que sufren sin quejarse!

No quiero apretar las manos
para no estrujar cenizas.
¿De qué liviana materia fueron
las cosas que toqué?
¿Cómo al asirlas me gritaron:
«Nos vamos a quemar dentro de ti»?
¡Si yo buscaba
una forma perfecta, incombustible,
una forma de luz que persevere!

Debieron fingirse ellas
más fuertes que el metal...;
hasta dirían ante mi que el propio fuego
habría de cerrarse en su presencia...
¿Cómo, si no lo hubieran dicho,
pudiera yo tocarlas confiada?

Nunca digo al amar a los que elijo,
que pasa una corriente irremontable
por toda mi criatura condolida;
que nunca temo al fuego, pero quemo;
que soy volcán de luz, aunque en silencio.
¡Que todos los voltajes diminutos
fracasan contra mí..!
Nunca lo digo.

¿Cenizas solamente? ¡Ah gozo vivo
de hallar, por fin, junto a la aurora
un ser que no acabó siendo ceniza!
El llanto que nublaba el horizonte
velaba su verdad, pero existía.

¡Tú, tú! ¿De qué sustancia
fuiste hecha tú, criatura eterna?
Ni lumbre, ni calor, ni lluvia ardiente
pudieron nada en ti. ¡Qué hermoso día
aquel que nos unió en el destierro!

Callabas y me oías lamentarme
de tener en mis manos las cenizas

de todos los que amé fuera de ti...
¡Y qué orgullo tan puro es el saberte
sin corrupción posible!

A ti no llegan las turbias oleadas
que a otros consumieron; sobresales
del mar y de la arena.
Bendita la memoria en que te vives
naciendo para mí, sin acabarte.

VI
INVOCACIÓN

El rayo de mi voz cubre contigo
la distancia suprema de la vida:
de la luz y verdad que significas,
a la sombra y temor que me persiguen.
Lentas horas de ti, horas ligeras
de ti también cuando no sabes
que una mano golpea la madera
de mi puerta sin guarda decidido.

No es que te pida, amor,
no es que yo quiera
que defiendas del Mal mis tentaciones.
¡Pero aguárdame siempre, con tu fe;
no batalles por mí, pero confía;
y a mis brazos tendidos da los tuyos
por encima de brazos y de manos
que hasta bosques levanten clamorosos!

No solloces ni grites tú: sonríe.
Lo que no arde jamás es cielo eterno.

VII
LUCHA CON LA TIERRA

¡Qué colosal engaño el que pretendes
verificar conmigo!
Primero, íntegra y hermosa, extendida;
te ofrecías a mí, y te empeñabas
en darte mía toda.

Nadie puso jamás mayor pasión
dándose a quien nunca le tomaba,
por temores de ahogarse con tu ofrenda.
¡Ah, que te comprendo; engaño falaz, hermosa!
Después que yo te tome
me cogerás en gran silencio
y me llevarás contigo, a solas,
debajo de todos...

Allí me comerás secretamente tuya,
convirtiéndome en oscuros granos;
harás de mi...
¡Dime lo que harás cuando yo sea
tuya tan sólo!

«¡Ahora, ahora!» Oigo que me llamas roncamente.
Eres un largo placer,
un vertiginoso placer: divino olvido
de aquello que seré, cuando ya sea
simientes tuyas.

        A ciegas trabajando
        la vida fecunda y tremenda...
        Yo no quiero ser simiente,
        ¡no me resigno a vivir como simiente!

        Necesito el aire, todo el aire del mundo
        para mis hojas verdes,
        para ser una flor en la mejilla del cielo.

        Simiente, no; nunca dentro de la tierra,
        ¡yo no quiero vivir encerrada en la tierra!
        El aire se hizo para mí,
        para mis ojos la luz fue hecha;
        todo lo que se mueve es mío.

        ¿Qué haría yo si fuera un día,
         lo que no sea yo misma siempre?

Aquellas olas del mar inolvidable baten
como las olas del mar presente.
Porque el mar no se aparta de sí mismo
y sigue siendo mar que permanece
hasta cuando lo mira sólo el recuerdo.

¡Urna de cristal, de diamante bajo la luna,
era aquella noche el mar que digo
que es mar aúr, mar de siempre;
una fragante eternidad salobre
como mar de Calpe en la memoria!

Y no era vigilia, no, la que lanzara
mis ojos a la mar, dentro del mito
que es el mar con luna para el cuerpo:
sueño con raíces de largos tallos fríos,
algas del país de las estrellas.

¡Batid, olas y otra vez olas que son y que no son
aquellas olas en mi deslumbrada boca;
en mis ojos cerrados
a toda luz no vuestra, no del mar,
no de Calpe, no de mi sin fin nostalgia!

Estarse como río o cordillera,
quedarse en flor sencilla, en pura abstracta.
Lograr que se desgajen de la vida
sus esencias perfectas...; que no guarde
ningún rasgo infalible: *así*, o *así*.
No. Nada de esto.

Entonces, resbalar; o fluir; comunicarse
con otro mundo ajeno, inesperado.
Allí donde las cosas desconozcan
mi nombre de la tierra que abandono.

Aprender a ser hoja, a ser un ave;
sentirse cambiar porque unas alas
súbitas broten entre el vello oscuro
de un cuerpo de gusano que libera
su blanda condición por vuelo corto,
aunque vuelo al fin.
... ...
¡Es mejor ser mujer!
Alzar la piel sumisa e infatigados brazos,
y la boca irredenta de amor,
y los ojos abiertos o cerrados de sueño,
o mirando lo que va a ser el sueño...
Y reír y cantar y llorar muchos días oscuros,
porque alguien no oyó que su nombre
se gritaba en silencio densísimo.

¡Es a ti a quien se llama, precisamente a ti!
Ser mujer es llamar y oírse llamada siempre
por voces que no nacen ni de labios...
¡Cuánto jardín se crece entre los pechos tibios;
oh, qué arroyos se truecan en lienzos, refulgentes
a la luz del mediodía intocable!
Nunca los montes, nunca;
jamás los bosques sin mí podrían verse
como mujeres altas o doncellas que se escapan
perseguidas por aves, por caballos;
perseguidas por ti, cuyo nombre gritaba
sin que oyeras, ¡oh amante, que te llamaba el mar!

... ...

Tanta misión oscura debajo de la tierra
cuando del aire penden los frutos de los astros.
Es la plenitud del mundo la que me siento,
y mía es la gozosa gracia de saberme lograda
mejor que entre la tierra, o en el aire, captando
el derecho a ser yo cuando perfecta forma.

Vienen a traerte un cuerpo
al que no vaciaron de toda su densidad,
porque no hubo nadie cerca de ese cuerpo
capaz de apacentarlo y de colmarlo
como a un rebaño joven y a una sed milenaria.

Sólo abrieron los ángeles
una herida delgada en su piel,
y por ella, rectilínea, se fue cayendo toda
la que a este cuerpo tenía en pie: su sangre fresca
de rocío y de luz; una madeja
de oro sin hilar.

Pasaron los hambrientos, los que nunca
logran vivir sin sed, cerca de quien te traen.
¡Cuántas bocas se abrían en bostezo gimiente;
cuántas lenguas chascaron, apegadas rabiosas,
a su ansia de agua, cerca ya de este cuerpo!
Y aunque era fuerte y nutría, no abastó generoso
más que a aquellos que supo con un hambre implacable...
¡Tuvo desprecio inmenso por todos los que un día
colmarán su hambre y su sed!

VIII
PADRE: EVOCACIÓN

El oro está fundido.
No vale el crisol. Se deja.
Un resuello vivaz e inextinguible
mantuvo despierto el horno.
La densa cabellera de aquel viento
la ahuecaban sus manos...

Juntos los dos hemos fundido
muchos vasos con oro.
Recuerdo que mis ojos se ponían
dorados con el fuego, y que mi frente
también era de oro...;
prieta hoguera latía entre nosotros
no como distancia, como suma.

Mientras hervía en su crisol, alegre,
los ojos de las manos sonreían,
porque era igual que un riño todo el oro.
¡Tan negro luego allí, dentro del molde
desnudo de la luz que lo exaltaba!
¿Es oro todavía siendo negro
en barras de metal que lo reciben
tan frías y tan áfonas...; es oro?

Él dijo que también es negro y gime,
vertiéndose al canal donde una forma
le espera para hacerlo suyo un tiempo.
El fuego se apagó...,
el hombre se apagó..., y sólo queda
la remota ilusión de haberlos visto
de fuego junto al fuego, resollando
un horno y su huracán,
los dos nutridos
por alguien que era yo, aunque no soy.

IX

Era un rostro que a fuerza de conocerlo
estaba olvidado ya.
Al hallarlo súbitamente

viniendo a mí, a mi encuentro,
sentí que me buscaba desde antiguo.
Y luego pasó sin verme,
como si fuera un rostro ajeno.
¿Es posible que no me viera,
que no reconociera mi rostro?
¡Si a una leve distancia
me confesó que iba buscándome
a mí, y sólo a mí!
¿Quién me borró delante suyo, a un corto paso,
que me traspuso indiferente?

¡Cuán extraño ha sido esta mañana
semejante encuentro, frustrándose!
Ir ajena, tranquila, sin esperar a nadie,
y hallar el lanzado paso
de un ser que el rostro transfiguraba
al hallarse en mis ojos...
«¡Es ella —decía—, ella es!» Y cerca,
no aceptarme ya.
Seguir con la misma expresión de hallazgo
para otros que cruzaban su camino,
sorprendiendo, como yo,
una búsqueda que no se cumpliría
en alguien exacto.

Empezaba en sus ojos la voz, y gritaba
sin que el aire escuchara mi nombre.
Yo era simplemente un cuerpo,
un calor animal..., algo que tomaría
otro calor salvaje.
¡Qué espléndido saltar los muros blancos
del choque sombrío entre dos júbilos!

¿Qué voz es aquella que recoge
millares de voces clamando por lo mismo,
que se oiría, aunque fuera dicho
en un suspiro breve, junto al tacto: *eres mía?*

Y unida en tantos cuerpos de voz
aturde ineficaz; en mi no cuenta.
Hay que pedir sin hablar, sin que del aire
se tome otra porción que la precisa.

Suya, suya...; desenfrenada audacia
la que se grita sin temer al fracaso
de que no se le responda.
¡Apenas un murmullo, un temblor de labios,
una brisa, un latido minúsculo!

Para oír *eres mía*
me basta cerrar los ojos.

Es una angustia sin razón, que nace en madeja viscosa
de la profunda y secreta provincia del cuerpo,
donde no viven nunca placeres que canten.
Y sube, se enrosca, apura los respiros de la boca
y los otros que ensanchan el pecho sin salir por los labios...
suben corpulentos unos deseos torvos
que no tienen carne donde meterse,
ni huesos que mover... Que son deseos huecos, y pesan
para acabar en grito que no se grita;
en dentellada que acierta a desgarrar
solamente a la propia criatura que muerde.

¿Quién hace estos días así, qué mano
abre días así, pozos de días así?
Ella se ríe cerca, dentro y alrededor del cuerpo
que la sufre, que la aumenta. Ella sabe
y no dice de dónde vino ni a qué. Está.
Y cuando una angustia está presente
no hay mundo que pueda con ella un minuto.

¡Aun si se supiera de cuál entraña nace...!
Si alguien descubriera su misterio y la acusara,
podríamos, buscar la clave augusta
que redimiera su maldad infinita y ácida.

Pero no la conocen los seres puros,
nadie, con mano limpia sabe nada suyo.
Por ello está aquí derramándose espesa,
subiéndonos, remontándonos... Tomándose su horizonte verde.

X
AUTOBIOGRAFÍA

En este gran salón donde la noche
penetra con su luz de ensueño puro,
quisiera rescatar de tantos ángeles
la luz que por velar ya sé perdida.
La luz que sólo yo sabía mía,
aquella que luché porque alumbrara.
Redonda luz de infancia ajena a todos
que tuve por cilicio. Hasta apagarla.

Extraña niña ardiente castigada
por olas de rencor, inextinguibles;
soñando con las rosas, con fantasmas
colmados de purpúreas vestiduras;
cerrándose al ataque con silencio
y tensa voluntad de mundo propio.

Pequeño corazón el que mantuvo
lo oscuro del dolor que perseguía...;
las ansias de escapar eran su agua
y tuvo sed de fuentes celestiales.
Lo crezco desde entonces, grande y duro,
como una piedra roja sin misterio.
Ninguno de mis seres, ni siquiera
la joven que fui pronto me perturba,
la pura maravilla de mi infancia.
Creyente de imposibles aventuras,
fanática soñante de delirios
que nunca realidad alcanzarían.

¡Oh espíritus, volved! Traedme sienes
que turnen su verdor con las marchitas
que empiezan a pesar sobre mi rostro.
Llevadme con vosotros al trasmundo;
llevadme, que olvidé cómo se iba.
Anduve con los ojos muy cerrados
y nunca me perdí. Llevadme ahora,
que no puedo soñar, de tan despierta.

Perdono con dolor a los que entonces
sus látigos en mí ejercitaron.
Por serles transparente mi presencia
quisieron concretarla con mi sangre.

Dormida por los siglos se ha quedado,
sin nadie que libere tanto sueño,
la niña que me dio lo que yo he sido.

El día se abrirá. Los días abren
del fondo silencioso del pasado...
¡Oh noche, que me urges las antorchas,
yo quiero que tú seas irredenta!
Amada adolescente, que amó loca,
secreta joven grave en sus pasiones,
mujer que renunció porque tenía
temor de contener cuanto contuvo:
os queda como a mí aquella niña
que no despertará más en mi cuerpo.

XI

Porque se oyera siempre el mar como aquel día...
¿Qué corazón pudiera yo brindarle al mar
porque se oyera como lo oí, mío y compartido,
mar de azul que no acaba, oh mar azul que sangro?

Un mar que tuvo voz para contarme a solas
tanta historia caliente de cuerpos en el agua,
que es del mar y no es del mar, que lo es del cielo,
y nunca baja al mar, aunque esté dentro.

¡Qué sed tengo de ti, cómo quiero beberte
desde tus propias fauces, en el umbral de entonces!
Búscame, yo te llevo, hazte mío y tómame
como tomas las barcas y las orillas trémulas.

La gran oleada de ti la empujas tú,
y yo respondo.
Obsesivamente tú una vez y otra...,
delante de los ojos, repitiéndote incansable;
dentro de la sangre, golpeándome contigo.
Un mirarte y considerar tu volumen
como la cueva ardiendo en que podría,
con sólo cerrar los ojos,
meterme sin vacilación, perderme en ti,
¡oh Creta de relámpagos;
indescifrable, indescriptible Creta!

Igual se miran las aguas que nos llaman
para llevarnos consigo.
Es así como se mide el mar —¡si se midiera!—
para arrojarnos a él.
¡Inmensa cueva palpitante, carbón no negro
donde quemo mi oleaje de ansias,
mi resistencia flamígera;
mi desesperación de no consumirme,
aunque me muero por arder contigo!

Yo sé que apagarás tu griterío rojo,
y que te dejaré que seas
más que un bosque fresco, una mesa
donde partir el pan del camino eterno.
Mientras llegas a ser eso,
en tanto que te niegas a fundirte,
me veo esclava a medias de tu fluido
vital y denso, del torrente
con que nublas mis ojos, anegándolos.

Aprieto los puños y los labios, y eres
un violento trepidar dentro del cuerpo.
¡Oh jadeante lucha,
indefinible rechazo al persistente
volver y volver, como ola,
a inundarme entera!

Yo sé que acabaré con todo eso;
que ni siquiera recordaré que hoy
me subes tu dogal hasta la frente...

Pero hoy, ahora, en este instante mismo,
¡cuán densísima tu presión me toca,
desde tus ojos sólo,
a mis ojos sólo!

Aunque te diga No, empéñate en el Sí.
Y si te empujo, procura tú vencerme.
Así que te rechace de mi vida
azotará mi espíritu el perderte.
Intuyo que una hoguera tan perfecta
nunca nadie podría ya encenderme....
Y es duro y es cruel que yo batalle
quitándote de mí. Resueltamente

cortándome de ti, para librarme
de este sordo luchar en que me vences.

Sólo pienso en ti. Repito tu presencia
en un continuado nacer de tus palabras.
Imágenes que son imágenes ya fijas
de tanto recordarlas me turban y enloquecen.
Te veo como un día que fuiste una brevísima
criatura sorprendida por labios repentinos.
Te veo en alta noche, temiendo que tus ojos
mintieran por amor que era yo la que buscabas.

¡Oh, cómo te contemplo; oh, cómo te persigo;
das vueltas en el aire, en rueda que no para!
Yo sólo pienso en ti. Te odio. Te deseo.
¡Libértame de verte en todo lo que miro;
auséntame de ti, martirizante imagen,
que te ven en mis ojos anhelantes, los ciegos!

Hay tibias rosas negras, y pájaros las cantan
cuando no espera nadie que el día tenga flores.
Un olor de jardín que yace solitario
vagando llega acá, donde mi voz espera.
Para decir que un sueño vale más que la vida
si no se sueña todo, tengo pura la voz;
y nunca se la doy a pasajeras almas
ni la meto en las bocas que desdeño cerrar.
sí; tengo con vosotros, rosas con aves dentro,
un tremendo convenio de dulce esclavitud.
Que la noche os inunde, o que la aurora os oiga:
yo sola sé que sois mi silencio perfecto.

Hay manos que no cogen ni frutas ni jazmines,
que nunca acariciaron un hombro ni una bestia...;
que no saben sentir más que el pan de su hambre.
¿Qué van a hacer con ellas los ojos que miraron
al mar que no se coge, a la luz que se escapa?
¿Quién ofrece estas rosas que nacen en lo negro
de una noche cantada por aves que se ignoran?

Un silencio se pone sus cuerpos definidos
y avanza entre los seres que le llaman con nombres.
¿No pensáis que yo sea un silencio clamando,
ya que os sueño despierta y entre vosotros duermo?

XII
INVOCACIÓN

Cuando no estemos aquí los que así nos amamos,
alguien encontrará los nombres
que nos junten más allá de todo esto,
donde llamarse no importa a nadie
mientras que aquí todo tiene un nombre.

¿Cómo esperas tú que nos llamen;
qué palabras buscarán para que otros
más lejanos todavía,
puedan sacarnos del olvido irrefrenable
y digan de nuestra luz: así era?

¡Así era! Entre mis lágrimas sonríao
pensando que exista la audaciosa criatura
capaz de creerse con lenguaje
para llamarnos a ti y a mi de un modo.

Como meter una flor en un pájaro,
o una sonata en el hielo...
Tú y yo en el infinito espacio,
adonde no llegan voces,
y entre los vivos inacabables.

Tengo un miedo que me deslumbra,
un miedo de insomnio, porque nos corten
de nuestra fija proximidad.
Porque una noche cualquiera
tu brazo ya no me parezca el mío,
ni tu respiro
crea que nace de mi cuerpo.

¡Esa maldita distancia entre los días
de cada morir, me aterra!
Pues, ¿cuándo encontraré el camino
que nos vuelva a juntar?
¿En qué círculo de Dios podré alcanzarte
cuando podamos reunirnos?
¡Oh tu alma mejor que la mía,
tu límpida alma sin los pesos
de mis errores mortales!
Incorporarme a ella,

estar contigo como ahora estoy,
esto sí que nadie en el mundo
sabe lo que para mí es no saberlo.

Y aquí, ajenos al milagro que pido
para cuando no vivamos esta vida,
nos juntarán en un nombre...
¡Que ese nombre, Señor; que esa palabra humana
pueda lograr tu misericordia!
No nos separe nunca:
ni aquí, ni allí, ni siquiera
dentro de Ti mismo.

XIII

¿Dónde estás, por qué no cantas?
Ya nadie busca el canto o la sonrisa
incitándolos a mi boca.
Tristes criaturas produzco ante mí
porque estoy triste y sin voz dichosa.
¡Oh, quién me tuviera a la mí de entonces,
a la mujer que era ante los otros:
haciéndoles sentirse fuertes,
felices y dueños míos!

Porque ahora que no soy el mar,
bañando de luz a las piedras,
nadie quiere encenderme en gozo,
entregándose, como yo hacía,
para sacarlos de la sombra.
Me dejan luchando sola,
exigen de mí que venza sola;
me increparían todos ellos
—¡aquellos que yo iluminé!—
si flaqueara...
Golpeando mi pecho
(¡Dios mío, cuán fatigado pecho tuyo!),
gritan airados: *¿Dónde estás;*
por qué no nos amas ni nos cantas?

El grito removió las raíces,
y despeñó los corazones afligidos
a un torrente de miedo.

El grito nos dijo a todos
lo que puede revelar un grito:
ese rabiosamente encerrado secreto
que todos llevamos, negro,
clavado al pecho como acero hirviente:
como sólo puede desclavar un grito.

Revueltas en sus cabellos
gritaron también las raíces.
Frenéticas galoparon hacia atrás,
hollando generaciones
cuyos huesos eran ya raíces
que gritaron como tú en mitad de la muerte.
Nada más que caballos,
solamente caballos salvajes,
siguieron tu grito de horror.
Pero en los bosques crujieron
galopes de fuegos, lumbreando
crines y colas de mármol...
La muerte se agazapaba trémula
porque ya no era tuyo tu grito,
y aquello, lo que te descuajó,
estaba allí; lejano, desconocido..., *cosa*.

¡Tierra para tus dientes!
En ella meterás tu cuerpo,
que ya no es cuerpo sino de voz:
que es todo grito, un solo y pavoroso grito.

La claridad navega en dos espacios:
el sueño y su amanecer,
la tarde y su despertar...
En el azul se rinden las miradas;
queriéndose salvar de tanta incierta
marea de la luz en manso ritmo,
que llueve dulcemente en los cristales.

Lentísimos instantes que refluyen
de toda irrealidad a más irrealidad.
¿Quién es quien sabe
en este atardecer, que no amanece?
¡Oh clara la virtud de luz secreta,
de luz sin descifrar, aunque tan clara!

Aturdidos los pájaros silencian
el grave desconcierto que destaca
un mundo de criaturas contra el cielo.
Volúmenes ardientes y cuajados,
volúmenes de piedra qué se apagan.

El sueño espera siempre. Preguntáis:
¿a qué sueño se va desde la hora
sumida en luz azul?...
¡Queréis saberlo!

Es la hora delgada de la tarde,
la que quiebra en los brazos su cintura.
Resonaron los árboles sus pájaros
y el silencio me sube desde el suelo.
Vivo arriba del mundo que cantaba
bordeando los límites celestes.
En el cauce callado de mis venas
nadie habla, ni yo canto tampoco.
Es serena la estancia, se vislumbran
edificios lejanos con historia.
A mi madre la siento sin palabras,
y al ausente le temo ausente siempre.
Sólo vive conmigo lo que es mío,
y que calla por mí, que todo callo.

XIV
JÚBILO DE INVOCACIÓN

Acaban de nacer para mí las flores.
Acaso inundaran los jardines hasta el cielo,
y es ahora cuando las tengo mías.
Son mías las ramas del almendro, blancas;
y las azules, y las rosas, de cerezos y perales.
¡Cuántas ramas con botones encendidos
entre las flores blandas oponen sus espinas!
¿Cuándo vienen las rosas; no es en la Primavera?
Toda mi casa henchida está de flores.
¡En mí misma no caben ya más flores!
Y vienen de ti, que eres un jardín repleto
de ramajes divinos.
Dios te bendiga por florecerme.

Esto hiciste siempre tú:
llover sobre mi cabeza ramas bellas
que me protegían, de la luz y de la lluvia.
Rodearme de flores, sostenerme con rosas.
Y en el sueño, cantarme con agua del mar
hondas jardines puros.
Dios te bendiga por inundarme.

Dios te dé flores y agua y sueño,
porque tomé tuyos esos dones celestes
y te dejé sin riqueza...
Aunque mi corazón no se acabaría nunca
si un pájaro, creyéndolo un charco,
quisiera beberte a ti en él.

XV

A toda lucha esperas, oh palabra inaudible,
para colmar, de espesos misterios mi victoria
sobre mi propia vida, indómita fragancia
que yo te rindo en dócil mensaje de ternura.
Solamente las dos, en cuevas diferentes,
sabremos qué costó que *aquello* se alejara...
Gracias porque tus ojos no digan, ni tu boca,
esa palabra-abismo que a mí me tragaría.

Las alas, con sus dardos, campanas clamorosas,
rebaten en las noches profundas y sin torres;
con voces profanadas otra voz se rebela
y a mí me increpa dura, porque quiero salvarte.
¡Salvarme yo por ti, levantarme contigo;
mirarme desde ti, arrayán y paloma!
Aquello que se cae, se cae sobre el fuego
y en cenizas me entierra para que yo no lo vea.

Lacrados los arroyos por la lumbre que bulle,
los árboles escapan hacia su tierra intonsa;
ni rebaños ni peces, ni las aves ni el musgo
ofrecen su cobijo a mi hambre desierta.
Es cuando tú, palabra, te creces en silencio;
cuando sin nombre llamas a quien sabe escucharte.
Es cuando ya los vuelos se rinden a la aurora
que yo trasciendo absorta, sin salir de mi cuerpo.

¡Atrás las muchedumbres de aves venenosas,
de fieras con presencia de jóvenes criaturas!
Ya sé que sois la fauna del sueño de mis ojos,
que al veros en vigilia os odian sin temeros.
Tú dime que has hallado por mí una ventura
casi celeste, única, cernida de pureza.
Es tan sólo por fe como habrás de salvarme,
de que puedan vencerme las alas condenadas
a volar sin reposo, buscando una creyente
que se olvide de todos para volar con ellas.

Yo dejaré que el otro diga
los nombres de todas las cosas.
Llamar con exactitud
es casi divino...
Indago lo que contienen
las horas amarillas de la tarde,
y el agua sin frescor
de las mañanas.

¿Hundisteis las manos
en el agua de una mañana tersa
y la hallasteis fresquísima?
¡Eran vuestras manos
recientes del sueño y del reposo,
jamás el agua!

¿Y las horas de la tarde,
fueron azules o rojas...?
¡Amarillas son siempre,
como flores que se aprietan
y desangran contra el corazón!

Sabiendo todo eso
renuncio a nombrar lo evidente.
Lo que vale del pájaro
no es su pluma ni su peso,
sino su vuelo.
Su ir de ave a un cenit.
Y de los seres que nos habitan,
su gracia o su milagro.
¿Preferís que se llamen todos
algo definitivamente suyo?
¡Bendita la incertidumbre, rayo
de intuiciones ardientes!

El otro sabe. Dejo a su cuidado
mi propia designación.
Para mí, el mundo
es una selva misteriosa
realmente deshabitada...
El ángel que me cercó,
el malo, el derribado,
tampoco lleva un nombre perfecto.
A veces es el que no es, y otras
es todos y es cada uno.

¡Andar con los pies descalzos
por senderos abiertos,
entre malezas desarraigadas!
Saltarse las fuentes,
fustigar con cabellos
el aire desnudo del día,
y hallarse abrumada
por tanto querer del mundo
sensaciones perfectas...

Ir así por la vida no sirve
al que enuncia las cosas
con su boca tranquila.
Si pegáis el oído a la luz,
a la sombra, al misterio,
no sabréis cómo se llaman, lo sé.
¿Y qué cosa merece que nadie
coja su nombre y lo abrace
con un limite eterno?

¡Oh celestes cabellos que entregan a las aguas
todas las doncellas que tienen hijo dentro!
Porque una transparencia que empujan los rosales
se mece sobre el río, floreciendo su olor.

Inapresable estrella sobre un fondo de lirios,
que en el oro dejaban las manos sin presente...
Para esta Primavera que llega con el cielo
ofrecen sus colores jardines desde el agua.

Toda nube que vuela es un ángel esbelto.
Coros de nubes lentas cantando epifanías
nadan en la espesura de un sol atormentado
por el temblor augusto de las selvas compactas.

Montañas son, no aves: claras cimas salvadas
de las nubes que borran este marzo afligido;
montañas que persisten sobre el valle de sombras,
aunque las aves, nubes, las bañen con su hielo.

XVI
ESTANCIA ETERNA

De día otra vez mañana: mañana será otro día.
Nuevos racimos oscuros para estrujarlos, y tierno
reciente licor delgado; espeso vino maduro.
Mañana yo no estaré. Y tú no estarás mañana.

El cielo que nos recubre seguirá siéndose cielo
para cubrir a otros seres, nuevas uvas, viñas prietas.
Licores que beberán frescas bocas que mañana
vendrán a cubrir los huesos que cubrían nuestros labios.

El mismo silencio éste. Las mismas flores aquí;
en esta mesa los libros y la huella de mi pecho.
En esos cristales turbios de poniente, nuevos ojos
encandilados de sierra, con su luna doble de oro.

¡Qué nostalgia de ti y de mí, y de este día
volcándose al infinito!

XVII

Tus ojos son las fuentes donde beben los tigres,
que cuando tienen sed no respetan las selvas;
y arrancan, mientras rugen, esas flores sencillas
que entre el romero mueven su poderoso olor.

A tus ojos se vuelcan las entrañas del monte,
y por nacer en ellas, ¡oh líquido delgado!,
consienten que las lenguas vellosas de las fieras,
lamiéndolos con furia, sequen ríos de ojos.

Tanto como el romero florido, cuyo aceite
persistirá en la piel de los fieros sedientos,
huelen cortas raíces y esbeltos anticipos
de las flores oscuras del secreto deseo...

La luna se deshoja como un ave en tu agua.
A los tigres con celo esa luz los persigue
como loco fantasma de una caza suprema
que en el río, tus ojos, es posible alcanzar.

Tengo frío ante ti. Porque fuentes tan frías
no se encienden sin ángel que su calor otorgue.
Y ese ángel que a ti, a tus charcas bajara,
no lo oigo cantar ni lo siento fluir.

¡Ah tus tigres con sed! Déjalos que nos beban,
y cuando ya mi boca reseca se deshaga,
suéltalos sobre mí, no detengas su ataque:
para tus fieras tengo una cierva en mi cuerpo!

No te conocerán. Sabrán tan sólo
que tientas con tu voz, con tu sonrisa,
y que caes, y que caes...: te derramas
del aire de tu olor. Que eres pecado.

Abrirán sus ventanas a la noche,
creyendo que eres tú lo que es oscuro;
y una sombra en la selva, temblarán
de que seas, que no seas ¡Oh, si fueras!

Tu contacto, soñando que llegaras,
pensarán que es de fuego, que es de nieve...
Y tus labios, tu paso, tu gemido,
sentirán, al soñar, como despiertos.
¡Qué delicia de ti, que no conocen
ni siquiera los mismos que te inventan!
Solamente mi amor, que no te busca,
te tomó, rechazando tu presencia.

Un furioso aletazo de huracanes
cayendo sobre mí.
Ardiente fuego espeso derramarte
caía sobre mí.
Yo no lo busqué, venía
de entre la densa tierra impura.
Entonces lo miré, y era
un pedazo del cielo desgarrado.
¿Qué mujer podría resistirle
sin antes doblegarse con su peso?

¡Cayendo sobre mí,
hincándose en mi cuerpo yo veía
su punto vulnerable:
era yo siempre!

Cuando se escucha con los ojos cerrados
sin pensar en nada, entregándose,
llegan murmullos tenues al oído,
temblores diminutos del misterio...
Hablan para nosotros los ausentes
que no veremos nunca,
y un mar confuso comienza a iluminarse
por medio de palabras,
apenas pronunciadas suavemente
y que cuesta coger, si no se cierran
con energía los ojos.

La dulce marea crece, sobrenada
los límites del mundo que nos cerca.
Hay secretos que tienen ya su cifra
limpiamente clara;
nombres que se aferran a su imagen
y un ardiente temblor de lumbre mística.

Ya no suenan las aves,
ya no bullen los ríos;
altos insectos pican en las ramas
de una vegetación invisible.

Dejarte perder me duele, porque duele en la tierra
que una raíz se seque sin romperse en el tallo
y alumbrar en la flor, para que el aire sepa
lo que la tierra sabe, porque tuvo raíces.

Resignarme a que fluyas por otros cauces, me duele;
porque yo soy un cauce del grueso de tu fuente.
Y para correr en otros tendrás que derramarlos
o que volcarte hondo, rompiéndolos por dentro.

Es que soy tu medida, es que ninguna tierra
será capaz de darte lo que yo te daría,
si en lugar de negarme a que germines, corras,
yo te hiciera mi agua, calentara tu grano.

¡Qué delirio de fuerza que se opone a tu empuje;
qué frenética paz que no quiere cedérsete!

Te incendiabas de poniente.
Un obstinado vaho melancólico
a su niebla te vertía...
Eras una antorcha deslumbrada.
Afuera te salían tus látigos de chispas,
y entre la tarde y yo
de luz roja te abrasabas.

Era por tu voz que no fluía,
contra tu pecho que casi no alentaba,
como un fiero poniente, en Primavera,
desde los secos cielos
tus cenizas decretaba.

(Para ti florecerían los rosales
si yo fuera jardín, entre mis hombros.
Y si fuente junto al bosque, tú serías
la estatua que se viste con el agua.)

Tuve dolor de ti; tú me doliste
sin boca que el dolor te descubriera.

XVIII

Mis contornos se borran...
Ya no limito con lo que mi vida
tuvo como fin o límite...
Planeando sobre el tiempo, no me vivo
en presente consciente.
En cada movimiento se insinúa
un desmayo infinito.
No nacen ya porqués, todo se borra
en renuncia inmedible.

¡Oh cuánto camino todavía
entre vosotros que no me conocéis
tan cansada y doliente!
Creía que una mano, bien cogida
no me dejaría caer nunca.
Y no caí, ¡oh no!, estoy derecha;
pero la mano no me salva
del abismo.

¿Quién diría la palabra mágica
para fundirme la estrella?
Quiero conocer los hechizos turbios
que secaron mi voluntad.
Vencer, si es que no soy una losa,
tanta pasividad secreta,
tanta renunciación.

Recuperar mis límites,
morder otra vez los frenos.
Llorar porque mis labios sangren
de que el hierro los subyugue.

Derribado no es vencido,
que vencido no te quiero.
Derribado, puedes alzarte y recobrarte
para embestirme de nuevo.
¡Una ortigante amenaza,
tenaz enemigo en suspenso!

Vencido tú,
¿qué sería de ti y de mí,
sin dura contienda ya?
¡Oh, no vencido:
derribado, sí! Ya lo estás. Eres mío.

Mío tú y yo no tuya,
aunque exhausta
de resistencias perennes.
Posible de flaquear, al borde
de que vuelvas a hendir mi muralla.

¡Oh derribado mío, amoroso y posible
asaltante que contengo!

La muerte es una distancia
urgente de cubrir, como el amor.
Hay quienes andan despacio
por temor a llegar, mientras que otros
con una prisa inconcebible
se van locos de vida hasta la muerte.

Cuando escucho el vertiginoso,
el imparable correr
de los que arrancan del mundo

quitándose de un tirón brutal
sus rostros de vivos,
¡tengo miedo por ti, viviente que amo!

¿No extraña encontrarse
con esas máscaras agrias
de los ya no calientes?
¡No os confunden
los rasgos en caricatura
de quienes murieron, vuestros?

Veloces se quitan los rostros;
sin piedad para nosotros,
que tenemos que verlos.
Y ofrecen algo que no sabíamos,
que nunca al mirarles sospechamos
que llevaran debajo de la sonrisa...

Prisa. Infinitamente acelerados
corren los muertos
dejando atrás sus cuerpos y sus sombras,
sus ciudades y su amor, sus todos.

Y nos obstinamos en ponerles flores,
¡pobres celestes inmoladas!,
y lágrimas; ¡y eso que no se sabe nunca
cómo se arriesga a dolernos tanto!

Ahí va volando: sordo, impuro;
sin otro pensamiento que su vuelo.
Desciende sobre mí, que lo rechazo
y miro con deseo..., que lo resisto.
¡Qué espacio para él: si fuera mío
sin yo temerle luego a mi conciencia!
Sonríe levantándose, sonríe
dejándome crecer junto a la huida.

¿A otras tienta así; quedan mujeres
que giman prisioneras, que batallen
con limpia castidad desconocida?
¡Volando se sonríe! ¡Quién pudiera
reírse ya con él hasta que el llanto
huyera de este mundo que yo piso!

XIX
PASIÓN DEL SUEÑO

El mundo está ahí, fuera del mundo.
¿Para qué caminarlo, si de pronto
vemos que ya no está; que hay que buscarlo
más allá de este mundo
entre la espesa noche que gime
latigada por la luz creciente
del día que nunca le falta al mundo?

Tuve cita con él. Vestí de agua
y con ramos de acacia mi cuerpo,
y no se me acercó en esposo joven,
seguro de su amor... Vino temblando
como en un simulacro de entrega.

¡Oh mi inocencia, abatiéndose a la oscura
servidumbre de un destino que no era!

Siempre sueño con un caballo salvaje,
o con un agua que puede ser el mar;
o con una casa enorme, solitaria,
por la que te busco o me buscas, sin vernos.
O con precipicios de los que no me salvo
mientras tú los sobrevuelas, incólume.

Voy por mis noches como van los planetas,
que ruedan callados, junto a nosotros,
que no entenderemos su música.
A veces me muerden unos perros gigantescos,
que inmovilizan mi cuerpo, aterrado.
Y otras noches se abren ante mí sola
grandes luces de mármol,
que son, serenas y continuas, anchas luces de Dios.

Nunca estoy sin soñar. Vienen las flores,
y la música, y el sol hasta mis ojos
volcados hacia adentro, como vasos.
Es mi tierra de origen lo invisible,
mi infalible hontanar. ¡Y tanto sueño
que nunca te hallaré, Carmen del mundo!

Lo que se acerca tiene empuje de ola
y su vítrea transparencia.
Olvidado país de aquellos ojos líquidos,
llegando como ola, golpeando en el mar.
Turbio azul que se crecía verde
del incesante oleaje.
Ventana a los secretos de las algas,
confusamente vivas allá abajo.

Mágico país de gruesas olas,
traspasadas por mis ojos sin sosiego;
tranquilo fondo lento de corales
y de peces ajenos a mi vida.
¡Con qué seguridad de conteneros,
de proclamaros en mí, os veo en verdes
cristales; si fluyentes, movedizos!

Ola azul, verde ola contenida
en hondo rebuscar otros confines,
y un cenit tan sólo para el caos...

Nunca sé si era el mar o si eran párpados
cubriendo una mirada con sus algas.

En los sueños no hay mañana, es todo ahora;
todo es intacto presente.
En los sueños se goza de las cosas
con más dilatada entrega.
Limpia, como una lente pura,
la imagen brilla dulce poseída...
Soñando con el mar o con canales
no se tiene el temor de que se alejen,
dejándonos la tierra sin aurora.

Por los sueños avanzan grandes dichas
que no tememos nunca que se acaben.
Y en el justo minuto de su gloria,
desde el sueño nos vuelven a la vida.
Siendo entonces, ¡oh Delfos de la noche!,
cuando más el soñar pide unos ojos
que se cierren amantes y entregados
por soñar, por vivir, jóvenes siempre.

Nunca sé lo que es. Y si vive conmigo
es porque le dejo y me deja libre
de mística comprobación.
Siento que voy a lograrme
en una forma deslumbradora
y me apago, fría, en su lumbre...
¿Qué celeste mensajero corre
a levantarme, luego, del férvido
paraíso que se escapa
y deja de ser, siendo mío?
No acierto a nombrarle. Sí es.

No puedo cortar la rama
que me retiene el espíritu.
No puedo romper la red
que me sujeta a la vida.
Y soy un cuerpo aterrado
porque no quiero sufrir,
y llevo un alma abrasada
de verme vivir en lucha.

Estoy con vosotros, hablo
y sueño cuando no os miro.
Me llaman voces ausentes,
y soplos puros del aire
limpian de llanto mis sienes.

Soy una esclava que busca
tener libertad, si acaricia,
asfixiada, sus prisiones:
que son cadenas de rosas,
que son criaturas felices,
todo lo que pesa y duele
dentro del gozo infinito
del que me quiero arrancar.

XX

Cruzábamos las sombras diferentes,
bañándolas de espuma derramada.
Quien dijo mi camino supo hacerlo
por fuera de la tierra y de su aire.

Rotunda soledad vino alumbrando
y espadas de fulgor cortaron nieblas.
Mi cuerpo se durmiera con la suya
y el suyo despertó sin su cobijo.

Estalla claridad, la ardiente agria
campana de la luz sobre los seres
que ya no llevan sombras anudadas,
ni ramos cimbreados desde el suelo.

Soy una vasta posesión, y soy
un pequeño secreto huerto oscuro.
A todo le digo sí, y a todos
me niego contumaz y exasperante.

Disipo mi caudal, y se lo niego
a manos que mendigan de las mías.
Trasluzco mis pecados y me oculto
en una claridad sin tentaciones.

Me canso de negar y a lo que acudo
no accede a dar la fe que se me debe.
No puedo requerir, y dura niego
lo que se mueve en mí por desacuerdo.

La ancha soledad de incomprensiones,
batiendo sus tambores enlutados,
es mi valle de sed, es mi arrecife
en un mar de arenas inclementes.

Cegado resplandor de tu contacto,
¿quién se alumbra contigo, quién te alza,
bañándose de ti como en el río
se bañan las imágenes del alba?

Vibrándote el amor, ¿dónde lo puso
mi empeño de enfriarte el pecho vivo,
si ya no tienes ara donde alzarte
oveja del quemante sacrificio?

Yo fui quien te alejó; yo, la asustada
de todo el purgatorio de tu celo.

Y yo misma te evoco en mi paisaje,
radiando plenitudes de tu cuerpo.

¡No vueles sobre otra, no la induzcas
a pecar como a mí, por si te elogia!
Asume tu derrota, que desangra
el mágico esplendor de tu victoria.

XXI

Tu corazón de noche alumbra soledades
que no florecerán con sus aguas los bosques.
Tu propia luz descansa en silencio caliente
sin que la voz del mar la agrupe en su oleaje.
Eras lo que no es, y se guarda secreto,
porque decirlo es un oro que se pierde.
Eras un invencible contra cuya violencia
levantaban su cuello los castos temores.

Y ya no vuelves a ti, has gemido derrota...
Pesadumbres doblaron tu arremetida audaz.
Una niebla que vino (¿qué marea la puso
entre las dos orillas, que se buscan ávidas?),
una niebla llevó tu fragor a otro cielo.

¡Cuán hermoso tú fuiste socavándolo todo
y arracimando horas acuñadas en ti!
No se puede olvidar que si bruñías suelos
con las sandalias rojas de tu pisar de lumbre,
eran lagos de fuego los que nacían fieles...
No es posible negarte aunque caído seas;
la tierra de esta carne conserva tu escultura
y dentro de mi alma sigues volando; sigues
con un vuelo distinto, cuyas alas persisten.

Es la primera vez que viniste tan firme.
La vez única, eterna ya en el mundo,
de las veces de amor.
¿Por qué lo realizaste, cuando gemía mi alma
por verse pura y suya, alma limpia
de toda la inquietud?

De la escala superada me arrancaste,
y allí el ángel vencido no eras tú.

Aquél me hizo subir, a cada golpe,
sobre mi corazón en pugna...
Tú tirabas a la encharcada tierra,
imitando a las tórtolas, gemías,
atrayendo, implacable...

¡Venías enarcándote, un tigre;
runfando como el mar de grises prietos,
que en negros oleajes se destrozan!
Y mi cuerpo olvidado,
ni siquiera nombrado por el deseo,
te recibió como un amo
con poder para mover mi sangre.

¡Ah; que por misericordia célica
me escapé de ti, te sacudí violenta
y te alejé íntegro:
porque contigo yo iba a quedarme sin mi alma,
desgranándome en tu boca,
desintegrándome en tu sangre!

Como no estás, como no eres mi azote,
he aquí que añoro tu simiente
y aquel flamígero tumulto de tu acoso.
¡Derribado mío,
oh mi vencedor, que no acato!

Es la cadena impía que nos ata,
esta condenación de tu certeza.
Y no podré liberarme de tus tentaciones,
no podré pisar el manto de tu piel vencida,
sin saltar roída por los dientes
de tus grandes fieras místicas,
de tus enormes bocas implacables;
que junto a mí eran horribles y nefandas,
y que ahora que no estás tú, ahora...,
¡qué dulces abismos,
qué perfumadas selvas pequeñas
son tus fauces, que la nostalgia
abre y cierra, oreándome
delante de la memoria mía de ti!

¿A qué pecados empujas o de qué pecados eres
la representación maléfica?

¿Qué desazonada mengua única interpretas
o qué cuerpo frenético te vistes?

¡Oh, si lo supiéramos,
si un momento solo de nuestra lucha airada
fueras aquello o esto; si tuvieras nombre,
un concretísimo nombre tuyo
que me sirviera para residenciarte en algo!

Porque eres cada tentación mía,
¡nunca una sola, la misma!
Sino en la amplísima tormenta de mi alma
lo vas siendo todo, lo vas dejando de ser todo...

Y te rechazo y me buscas,
te llamo y te golpeo,
y cuando no estás en mí lloro por verte.

Y si me libero floto en agua azul,
en pleno lago de pura delicia;
en un perdón celeste que me cae
como un fruto a la tierra, fertilizándome.

¡Nombre tú no tienes, porque eres vastísimo
y ya no cabes en mí: te he derribado!

Quieto me ves y no respiras. Quieto
me turbas con tu espera, porque esperas.
Tú sabes que si dudo, si tropiezo,
caeré como una piedra entre tus mantos.

Sonríes en silencio, con segura
certeza de mi débil resistencia...
Que yo vacilaré lo sabes siempre
y aguardas, en silencio, que eso sea.

Arcángeles custodios velan cerca
y soplan con sus céfiros mis labios.
Sentado en una piedra del acoso,
relámpagos de ti me soliviantan.

Te digo que dormir sin otros sueños,
que estar soñando en paz, es mi plegaria.
¡Oh mal presagio mío, bórrate
y déjame soñar sin pesadumbre!

En ascua desvelada tú me miras,
y cada vez seré menos dichosa
si tú sigues en vilo de esperanza
de hallarme sometida sin ventura.

¿Qué milagro podría retenernos:
a ti, con tu misterio inacabable,
y a mí, con mi luchar desesperado?

Contémplame llorar, no te lo hurto.
¡Me quiero ir de ti, aunque no pueda
rompernos, sin la muerte, tanta vida!

XXII

Apenas si las palabras pesan
cuando las dicen los ojos.
Los ojos, sin moverse, fijos, hablan,
volcando el cuerpo en otros que se embeben
el mensaje estremeciente.

No toméis palabras nunca
cuando queráis decir algo.
¡Todavía es más ingrávido mirar, sólo mirar,
y por esa mirada oírlo todo!
Dejaros contemplar con un lenguaje de lumbre.

¡Tristes labios tembloteando su voz,
que no coge una boca que los desea!
Tristísimos labios debajo de los ojos
que siguen contándolo, apresurándolo...
Sí.
Ese montón de palabras que sujetan sin oírse.

Hay que pararse un día.
O un minuto cualquiera.
Detenerlo todo, aunque fluyente.
Y decir: Ya está. No sigo.
Que vuelvas o no vuelvas con tu vuelo,
eres lo que dejo tras de mí.

Porque cortar las alas, arrojarlas,
pasó. Y tu insistencia
es sólo rumor de caracola,
cuya mar se busca, se espera,
como si no fuera eso
un eco inventado por nosotros.

Mi pie te tuvo sujeto,
derribado en ti mismo, único.
Y ahora no quiero mirarte
ni saber más de ti. Ya no eres.
Es que he dicho a mis deseos:
Es ido el ángel de tentación, y ellos
respiraron tranquilos.

Porque conmigo a solas yo los transformo
y no se abalanzan al cuerpo
de tierra con alas de lumbre
con que viniste tú.

¡Ya nunca más en la tierra!
Después del largo viaje
en que mi alma fue cuerpo,
y en éste cupo un enorme
dolor por lo vivo,
¡nunca más sobre la tierra!
¿Por qué voy a imaginarme
seguir viviendo la vida?
¡La eternidad es el olvido,
es el silencio, es la nada!
Que no me turbe la loca
esperanza de este mundo.

Cerrar los ojos, despacio...
Bajarme desde la frente
a la boca desbordada...
Adiós a los otros todos,
adiós a la mí que huye...
¡Ya nunca más en la tierra!

Perdón por tanto cansancio.
Yo estaba alegre. Creía.

XXIII

Están golpeando. Abre.
A los que llaman así, desde la angustia,
hay que abrirles, abrirse, dejarles
que lleguen hasta nosotros.
¡Abre esa puerta de mares,
que no serán nubes jamás!
Y vengan a mi corazón los ávidos,
lleguen hasta mí los tristes.
No tengo mi amor tan tierno
—una débil maraña de ternura...—
que pueda ofrecerlo conmigo. No.
Solamente estoy yo, consciente,
dispuesta a morir por vosotros,
aunque no os ame.
¡Ah el amor, el amor infinito
es un mágico olvido del mundo;
una ola que envuelve, que lleva
la loca memoria! No amo.
Y os abro. No golpead más. Os abro.
¡Entre la turbia criatura
del galope con siete venablos!

Un prodigio de luz temblando queda
encima de mi amor, sobre la aurora;
y llegan hasta mí, en oleadas,
deseos sin perfil: lumbres redondas.

¡Con soplos de una voz desenfrenada,
oh frío resonar de mi esqueleto!
Hablábamos de huir de lo imposible,
y estabas junto a mí como lo eterno.

¿Qué tiempo más veloz que tu sonrisa,
o cuánta lentitud para mi eco,
si dejas que tu luz se me trasvase
y vuelvo luz a ti como una esclava?

¡Espaldas azotadas por el frío
que sube desde tierra hasta mi frente!
No podrán soportar la servidumbre
de tu sed, de mi sed; de tanto fuego.

A la distancia en que te veo ahora
careces de color en tu mirada,
y el rostro pertenece al sueño puro
cuando tú no eres tú, aunque lo seas.
Carecen tus cabellos de su brisa,
y puedo no saber ni cómo hablas...
¿Es que existes, si yo no te imagino?
¡Paz en mí, te borré, ya no te veo!

...Aunque estás, yo lo sé; invulnerable.
Sonriéndote de mí, casi llorando.
Con los ojos clavados a los mios,
con la voz latigándome recuerdos...
Sí. Eres tú. Puedo pintarte
sobre espejos de luz contra mi frente.
¡Inquietante mitad de eterno día,
fugitiva verdad de noche incierta!

Quien no es, porque es sin serlo nunca,
pensarán que soy yo los que me piensen.
Y es verdad que no fui, porque mi vida
juega a ti, juega a mí; se desintegra
y concurre a su luz, que es solitaria.

Es un reino seguro.
Un inviolable reino.
Nadie lo quiere,
nadie lo busca...
¿O quién es el que grita
por arrancármelo?
¿Hay un solo ser, una criatura
que quiera echarme de él?

¡Yo vivo sola y mía;
yo, la más pobre mortal, habito
en un reino espacioso
al que nadie conquista!

¿Quién escalaría las torres,
quiénes sitiarían mis puertas?
¡Ah, qué loca locura
la de temer por mi reino!

Mío, sólo mío; para que yo duerma
y sueñe con mareas de criaturas,
cuya olor desvanece.
¡Yo sola en mi reino imposible,
dentro y fuera, mío!
Nadie quiere velar.
Nadie quiere sufrir
por hambre eternamente hambrienta.

Castilla, 1950. Primavera.

EN LA TIERRA
DE NADIE

1960

CARMEN CONDE

EN LA TIERRA DE NADIE

Cubierta de la primera edición.

I

En la tierra de nadie, sobre el polvo
que pisan los que van y los que vienen,
he plantado mi tienda sin amparo
y contemplo si van como si vuelven.

Unos dicen que soy de los que van,
aunque estoy descansando del camino.
Otros «saben» que vuelvo, aunque me calle;
y mi ruta más cierta yo no digo.

Intenté demostrar que a donde voy
es a mí, sólo a mí, para tenerme.
Y sonríen al oír, porque ellos todos
son la gente que va, pero que vuelve.

Escuchadme una vez: ya no me importan
los caminos de aquí, que tanto *valen*.
Porque anduve una vez, ya me he parado
para ahincarme en la tierra que es de nadie.

II

En la tierra de nadie se padecen
soledades agrestes y rencores.
Al que vive de espaldas al rebaño
no le sobra su pan: los sinsabores.

No le llegan frecuentes ni halagüeñas
protecciones de mundos poderosos.

Sí le acechan calumnias y amenazas
de los míseros fuertes cautelosos.

Pocos van con el agua o con el beso
a orear estas frentes combatidas
de los solos y tristes, tan cansados,
que sufrieron de amar tanto la vida.

Cuando brota una voz en esta tierra
enseñando de un alma viva herida,
es de Dios la señal: es la alianza
entre el cielo y la tierra prometida.

III

En la tierra de nadie se está solo,
siendo el blanco de dos fronteras bélicas.
Todos son enemigos que acometen.
Todo son vigilancias que te acechan.

Y tú vas (si eres tú) enajenando
libertad o la vida... O la hipotecaS
a los hierros dispuestos como cepos
que te fijan al suelo, que te apresan.

Es inútil —lo sé— que vociferes
o que ruegues: ¡voy sin bandera!
Hay que ser de un color, de una facción.
Puedes tú, menos libre, ser cualquiera.

Es la tierra de nadie, la sagrada,
la que nadie tolera sin parcelas.
En pedazos de nombres, como esclavos,
si la pisas tendrías que romperla.

IV

En la tierra de nadie siempre hay huellas
rotundas y recientes, resonando
los pasos fugitivos de criaturas
o ciervos asustados, galopando.

Te agachas y compruebas en el barro
el surco de la angustia cenicienta:

aquí uno se detuvo, se ve el peso
de una marcha forzada y polvorienta.

Encima de estas huellas hubo un ansia
buscando; a sus costados, la alegría.
Al ansia se abrazaba una estatura
que acaso, en esta hora, ya está fría.

Poblada está de pasos esta tierra
de nadie y de nosotros, los tenaces
que esperan que la fe tenga un sentido
profundo, cual los duelos más feraces.

¡Oh viento de corceles desbocados,
tormenta con las crines de basalto!
A esta tierra de luto, que es un pozo,
lluévela con tu ejército de rayos.

                          V

En la tierra de nadie no hay colinas,
ni sembrados ni bosques ni arroyuelos...
Son estériles campos y avenidas,
son del yermo sus pájaros, sus cielos.

Igual que en una larga galería
transcurren los viajeros de esta tierra.
El fango es su inestable solería,
el viento es el azote de su sierra.

A izquierdas y a derechas del que anda,
las selvas, las corrientes, los frutales...
El agua que se bebe es agua amarga.
El pan que se consigue deja hambre.

Y vamos como vamos, desbrozando
la espesa telaraña de los días,
en un sueño de amor...; atosigando
los tallos silenciosos de la dicha.

¿Quién sabrá, si es que va por los alcores,
lo que importa morirse en este valle?
Ni un respiro de brisa entre las flores
arrasadas de la tierra que es de nadie.

VI

En la tierra de nadie se acumulan
ardientes soledades que acribillan
los puñales, ligeros, que estimulan
roncas voces que vidas eliminan.

Hay que ser o no ser, y sin fisuras:
que vivir o morir es el dilema.
Uno va, ¿cómo va?, por la espesura
del acoso brutal del alma en pena.

¡Qué desgaste de bocas sin sonrisas,
qué llagarse los besos en los labios;
cuánto polvo sin agua, cuánta prisa
por hollar con la sangre el lodo fláccido!

Es andar y tenerse bien erguido,
es nacer a la duda a cada instante.
Es tesón de llegar a donde vamos,
con el sol, con la tierra, con el hambre.

¡Miradme atosigada por jaurías,
sentidme rechazada por rebaños;
oídme sollozando letanías
de semanas, de horas, de mil años!

VII

En la tierra de nadie se levantan
las sombras como sola compañía.
Las sombras del silencio solitario...
Las sombras de tu sombra y de la mía.

Se paran y suspiran, pobres sombras
que no encuentran pared para el reposo.
Nosotros aguantamos desamparos
y ellas, como nuestras, con nosotros.

Criaturas a merced del que nos mira
pensando: ¡son un blanco peregrino!
La espalda, que no el pecho, es quien recibe
la curva trayectoria del cuchillo.

Las sombras se desangran, aferradas
al polvo cenital del gran desierto.
Los cuerpos que las llevan las levantan
e intentan acercárselas al cielo.

El cielo está cerrado casi siempre,
sellado con sus lacres de luz roja.
El suelo es lo propicio, lo que abre
sus brazos de ceniza, su gran boca.

VIII

En la tierra de nadie me detengo
y miro con amor a mis costados.
Son ellos, son los míos, son los otros,
son aquellos y estos, los amados.

Esquivos y agredientes, porque estoy
a la misma distancia de sus predios.
Los ojos se me hielan, la sonrisa,
y el llanto me regala sus consuelos.

Quisiera que supieran que les amo
aunque nunca me una a sus debates.
Quisiera que entendieran que soy libre
de amarlos a distancia, desde el margen.

¿Por qué si no me junto a unos o a otros
rechazan mi presencia o me persiguen?
Es tan fácil decirles: ¡soy la vuestra!
La mentira no es el puente que me sirve.

Inútil, bien lo sé, por eso voy
despacio por mis largas andaduras...
Me duele que me nieguen o me ignoren.
¡Estaba yo tan llena de dulzuras!...

IX

En la tierra de nadie se valora
la hermosa compañía de los seres.
Nostalgia corpulenta crece inmensa,
amargándonos el agua que se bebe.

La ausencia de los hombres se nos llaga
y come, duro cáncer, lo que somos.
Queremos estar fríos, mantenernos
la heroica voluntad de estarnos solos.

Solos con amor, que no entregamos
por no desbaratar nuestra estructura.
Es triste no tener sino la lucha,
en vez de luminosa, cruel y oscura.

¿Será que no sabemos de otras tierras,
o que ellas ignoran que existimos?
¿Será que para ser ante los otros
es preciso el morir, el consumirnos?

¡Qué turbio aparejar de dos corrientes
si, cansados, hacemos que confluyan!...
Es mejor resistir, cerrar los ojos,
dejando que los otros nos destruyan.

X

En la tierra de nadie yo he citado
a muchos que admiré, por si acudían.
Riéronse de mí, la pobre ilusa,
y se fueron, dejándose mi cita...

Era sólo por ver si resistían
que nadie les llamara por sus nombres.
Por ver si estando solos mantenían
el orgullo divino de ser hombres.

Quería yo querer, tan ciega andaba,
que el milagro quemara mi ceguera
y los chorros de luz arrebataran
esta seca y ardiente polvareda.

Miraron hacia mí: ¿con quién estaba,
qué potencias avalan mi aislamiento?
¡Qué absurdo es el tesón de andar sin trabas
y sin glorias que acudan al encuentro!

Los vi que se apartaban: a derechas
y a izquierdas, cada cual con su querencia...
Un nuevo Sebastián cosido a flechas
brotó la soledad con mi presencia.

XI

En la tierra de nadie lloro tanto
ansiando que me llueva compañía,
que hasta un pozo llené con este llanto
y hasta flores nací, lágrimas mías.

A veces oigo hablar en las orillas
que ciñen mi gran suelo calcinado.
Son voces sin amor, corrientes frías,
o un lamento de amor desesperado.

Contemplo las mitades pululantes,
escucho lo que exhalan por sus bocas.
Ni una frase de paz que se levante
volando como un ángel sobre rocas.

Es duro caminar por mi camino;
es triste resignarse al desconcierto
que estar en soledad, como yo vivo,
provoca en el vivir que yo sustento.

XII

A la tierra de nadie, donde espero,
no os invito, criaturas, a buscarme.
Es nación sin gobierno, que prefiero
porque es el gran país de los sin nadie.

No os convoco (¿os llamé?...), aunque me oigáis
clamando por vosotros —porque os amo—.
Que a mi lado no cuento que vengáis
teniendo el bienestar en vuestra mano.

Solamente (¡perdón por la ternura,
pues me brota y traiciona su virtud!)
quisiera que advirtierais la pura
corteza que defiende mi actitud.

Andad como podáis, que vuestro impulso
será medido luego... Y este otro
me irá llevando lento con su curso,
bastándonos al fin el frío reposo.

XIII

En la tierra de nadie es el espino
la sola floración vertiginosa.
Fugaz su primavera sin latidos,
en blancura de rosas microscópicas.

Entre espinos la carne se estremece
junto a flores que brotan las espinas.
Un olor misterioso permanece
como un óleo que baña las heridas.

Es temor de sufrirlas lo que aleja
del espino florido al que lo mira;
es temor de sufrir, aunque se acerca
y arrobado de blancos canta y vibra.

Hay que andar sin reposo, hay que irse
por la seca corteza requemada...
Que un olor o un color tenue deslice
su presencia doliente y deseada.

¡Un alcor de rosales, una selva
de cedros o petunias, de alhelíes!
Caminando sediento, se ama y sueña
con lo blanco fugaz, porque sonríe.

XIV

En la tierra de nadie, roca blanca,
nube o astro, ¿quién sabe qué contempla?
Una cima de gloria se levanta
sobre un grito de luz que la sustenta.

¿Eres Tú lo que sueñan los mortales
cuando tristes no saben lo que sueñan?
¿O es el sueño sin Ti, que así Te vales
para hacerte sentir mientras Te esperan?

Soledad de criaturas, pero un mundo
que nos ciega al mirarlo abiertamente.
Es un pozo de Ti, lo más profundo
y lo alto también: eternamente.

¡Cuántas olas pujando contra orillas
que el camino sujetan al desierto!
¡Cuántos labios con sed, duras semillas
que florecen su amor dentro del viento!

XV

Detengo el caminar por estos versos
que recogen pedazos de memoria,
porque es mucho y es nada tanto tiempo
ofrecido a la fuga de una historia.

Aunque dije y diría, ¿qué palabra
es la exacta versión de lo infinito?
Aunque anduve y conté, ¿cómo se habla
para hacer que se entienda lo inaudito?

¡Oh, qué tierra la mía, tan extensa
y tan breve que cabe en mi persona!
Una zanja de fuego es su defensa
y un espino sin flores la corona.

Que los tibios y ajenos no se mezclen,
que ninguno me escuche cuando clame.
Estoy sola y lo sé (¡que no se acerquen!),
por la tierra de Dios, tierra de nadie.

Castilla, Primavera de 1959

LOS POEMAS DE MAR MENOR

1962

CARMEN
CONDE

LOS POEMAS
DE
MAR MENOR

Cubierta de la primera edición.

ANTE TI

Porque siendo tú el mismo, eres distinto
y distante de todos los que miran
esa rosa de luz que viertes siempre
de tu cielo a tu mar, campo que amo.

Campo mío, de amor nunca confeso;
de un amor recatado y pudoroso,
como virgen antigua que perdura
en mi cuerpo contiguo al tuyo eterno.

He venido a quererte, a que me digas
tus palabras de mar y de palmeras;
tus molinos de lienzos, que salobres
me refrescan la sed de tanto tiempo.

Me abandono en tu mar, me dejo tuya
como darse hay que hacerlo para serte.
Si cerrara los ojos quedaría
hecha un ser y una voz: ahogada viva.

¿He venido, y me fui; me iré mañana
y vendré como hoy...? ¿Qué otra criatura
volverá para ti, para quedarse
o escaparse en tu luz hacia lo nunca?

HISTORIA

Este mar es un mar arracimado
en dos brazos de tierra, clamorosos

de jaloque y leveche...; es un espeso
vino viejo de sales y de yodo.

Es un mar para jóvenes intactos;
y es un mar para seres que ya saben
lo que el mar lleva en sí desde la tierra.
Es un mar sin jinetes, no galopa.

Y este olor de milenios a que huelen
sus orillas de pinos y palmeras
es del mar sobre el mar; es ya celeste
como manos de arcángeles quedadas.

¡Oh su luz y su son, sus grandes nubes
que el levante desprende de los cielos
y que vuelca en el campo, como ríos
que regresan de Dios, el mar de bronce!

INCORPORACIÓN A TU ESENCIA

Densísimo, que sin moverme apenas
dentro ya de ti, sostienes mi andadura
cargada de pesantez.
No solamente tierra en declive me soportas,
sino edades: milenios, como los tuyos,
flotamos en ti... Suave y tiernamente
me llevas en mediodías
inacabables de sol.

Para aliviarme de este peso de mí
entrego a tu densor fabuloso
completa inmovilidad. Y ando.
Ando sobre tus lienzos crujientes de algas,
por tu zafiro líquido, por tu derramada esmeralda,
como por el puro mármol azul del cielo.

¡Alta galería quieta de tu firmamento,
acercándoseme íntegra!
¡Ojos los míos que se abren ciertos
dentro de ti; videntes de ti, tuyos
y realizados ojos de la inmortal espera!

COMPROBACIÓN

Te sigo, con la nostalgia de siglos
que no fueron ni serán míos...

¡No tener una edad inacabable para quererte!
Permanecer a tu orilla como a la de un joven
que corre hacia sus límites, mi limitado hoy.

No tuve ni tendré una eternidad de ti.
Un minuto tuyo soy, y ello me duele tanto
que sufro al amarte, y te daría
más tierra de mí, quedándoteme.

Sí. Te contemplo y oigo. Huelo tu simiente
y, pobre Sarah que soy, no te devuelvo
lo que me vienes a dar.

REDIMIDOS POR EL MAR

Quieta, porque te miro siempre, hasta durmiendo,
veo a los otros llegar hasta ti
quitándose sus vestidos diferenciantes,
y penetrando en tu pulpa sostenedora...

¡Si no esperara el milagro, lloraría!
Pero el milagro es siempre, porque los bruñes
y pules como a pedazos de piedra, y fúlgidos
ostentan desde tu luz la propia lumbre.

Hermosos, son hermosos los que te incorporas.
Criaturas que deslumbran, por tu contacto.
Hombres y mujeres recién hechos,
perfectos de carne y de alma, destellando
sobre tu propio destello.

¡Alegría de que vengan aquí los míseros
de belleza, los lentos de la tierra, los torpes
y los sanos! ¡Alegría para mis ojos, tus dos fuegos,
que se salvan, por el milagro tuyo
—¡oh mar piadoso y mío!—,
que vuelve de oro al plomo y al barro!

PACTO

Pactemos, mi mar.
Corrobórame íntegro el pacto.

Cuando me vaya a la selva de casas
y de acuciantes urgencias anónimas,

has de acudir, tal y como te veo,
apenas mi corazón desmaye,
levantándome ante mí, arcangélico azul inmenso,
bañándome el duro mundo de mi contorno humano.

Y por las noches de ti, apenas callen
sus extensos rumores pinar y viento,
has de evocarme tú, has de escucharme,
diciéndote:
¡Quisiera yo ser eterna sólo por verte!

ABANDONÁNDONOS A TI

Blanda e insumergible plataforma líquida
por la cual caminamos, leves,
en confiado avance dentro de ti...
¿Fue en Tiberíades tan densa la sal del mar
como la tuya?

Ajenos a cuanto no seas tú, vamos
por el llano campo de ti, el submarino
predio del Mar Menor, y Palestina
se enciende de palmeras y de almendros,
en hogueras punzantes de nopales.

Cabras de gris pelaje ceniciento
balan con sus crías al amparo rumoroso
de arboledas primigenias... Duerme el vino
en los odres de tierra, y arcaduces gimientes
rescatan al agua dulce de su encierro.

¡Ay mis ojos ardientes, mi voz de lumbre
por pedernales tiernos a tu contacto, oh mar mío!
Quedarme quieta es el ir entre tus manos
que despiertan al sueño.

DEVENIR DEL MAR MENOR

Creciendo en densidades, de tal forma
que en un siglo cercano serás sólido.
Plinto gigantesco y azul con suave rosa
mojándote la piel en el crepúsculo.

Toda tu blandura maleable,
la que ahora soporta nuestros cuerpos,
cuajará entre sus sales olorosas
y una pista bruñida serás íntegro.

¿Quién irá por tu suelo, el ya tan prieto
como ahora es de líquido oleoso?
¿Qué criaturas oirás que se deslicen
embriagados de ti, por tu infinito?

Te presiento en la piedra de ti mismo,
mineral tu presencia, la que en lenta
fugitiva evapora, suavemente,
su corpóreo espesor de algas y yodo.

SERES EN EL MAR

Desnudas las exiges, por vestirlas de ti
a las criaturas.
Por echar en sus hombros estos mantos
transparentes y puros, transformando
en el alma la carne;
arrebatándoles el polvo milenario de la gleba,
lavándolas del surco, del polen fermentado,
del ácido frutal de las cosechas.

Joyas son de ti cuando las bañas.
Purificadas de sus siete toros negros, si las tocas.
Destellantes de virtudes casi humanas
por tu divino contacto.

Corroes sus cortezas,
disuelves sus maduras y escamosas túnicas.
Salvas, como el bautismo de Juan,
todo un génesis de culpas.

Sí. Desnudos nos espera tu ronca y delicada caracola.
Para nacer nuevamente en el mar que tú eres
a una paz del espíritu, liberto.

Como lavas microscópicas dejamos en tu orilla
las sucias arenas de pecados tristes.

LOS MOLINOS DE VELAS

Ellos, siempre tres, son tus ángeles costeros.
Los tres grandes molinos que te vuelan,
se arrebatan de sol, giran ebrios de azul,
salobres velas
en las manos del viento que te baña.

Molinos que en el campo son navíos
y que aquí, ya veleros anclados, te aureolan.
¡Cuánto barco en tu pueblo de oleajes,
derramándose el campo en blancos lienzos!

Agua dulce en la tierra de sembrados,
agua y sol en tus límites extremos.
Ellos giran y giran; remos, jarcias,
sin timón —que eres tú—, sobre los cielos.

HORIZONTE DOBLE

Campo y mar tan unidos en un cántico
pocas veces halló el hombre en el mundo.
Marinero y labriego, juntamente;
con la tierra y la red, oficio unísono.

Los sembrados del mar y de los campos
a una misma familia se le ofrecen.
Las praderas azules de las aguas,
y la tierra mollar que el sol embebe.

Una sola mirada abarca el todo:
el milagro del pan y de los peces.
Andando está el pastor sobre las aguas,
y el árbol de su cruz muy cerca crece.

Palmeras en bandadas, algarrobos,
olivos y almendrales; los granados
amparan al que come de las aguas,
mezclando sal del mar a oscuro aceite.

¡Oh tierra de este mar, roja y profunda,
floreciendo molinos y salinas!
¡Transciendo la perenne arquitectura
de tu ser y no hacer, tu fuerza viva!

EL PATRÓN «MEÑO»

Vino un hombre del mar, labriego tuyo,
a traerme noticias de tu fondo.
Y de inmensa pradera fabulosa
de color y de vida hizo el regalo.

¡Qué bandadas de peces se repliegan
en los bancos de arena caldeada,
cuando sopla el levante, cuando el cielo
se hace nube de grises pertinaces!

Refugiados allí sueñan y esperan
que en la luz se desaten los azules
para, alegres, ligeros, juguetones,
dispararse a la altura, meteóricos.

Se levantan en ágiles conciertos
y se saltan las barcas que los celan.
Es la fiesta de ti, como bengalas
son tus peces: los mújoles perfectos.

Los labriegos esperan con sus redes,
el buen copo se fragua muy despacio...
Un cigarro en el mar, mientras se aguarda
y se piensa en las cosas, lentamente.

En otoño es el tuyo un mar de oro,
apretado de pesca; en el invierno
te prodigas tú menos, dice el «Meño».
El silencio absoluto es una ley.

Primavera se lleva tus tesoros,
y te quedas vacío de habitantes.
Marineros y peces se te alejan
y te entregas a ti, a tus esencias.

El verano es espléndido de dones.
El verano es la vid llena de ramos,
que en las bocas exhalan sus licores.
¡El verano es el jugo de los mares!

  —El Patrón es un hombre requemado
  por el sol y la sed, fuerte y tranquilo,

que a los suyos conduce en grandes barcas:
como flota de paz en el trabajo.

Son cincuenta los años que rotura
esta gruesa heredad de aguas copiosas.
Se sonríe y me cuenta, cual un niño
que conoce a su madre como un hombre.

¡Elogios de tu luz, mar de mi ocio;
la cifra destellante de tus minas;
relatos de tu ser, de tus criaturas,
el hombre de los barcos me revela!

DÍAS DE LEVANTE

El levante no admite señores sobre ti.
¡Él solo te señorea!
Desierto gris, o pardo, sosegado torso tuyo,
y el levante
runfándote su amor, contigo.

Yo, sí. Yo, que floto sin moverme,
dentro del viento y de tus aguas,
dormidamente quieta, respirándote...
Soledad de la luz con nubes, en lo alto.

Ni una vela se asoma, ni un dulce remo
crepita, goteándote fresquísimo.
El levante lo exige, todos huyen
y te entregan a él, ¡oh mar condueño!
Ya no soy la que fui; salgo cubierta
de tremendas soledades levantinas.

BODEGÓN

Sobre mi mesa diaria, aprestada sobre el mar,
hay los peces preparados por Alberto
y los peces adobados por Fuensanta.
Vino y pan, con el manjar dulcísimo
que se hacen por estos campos.

A mi mesa de aquí no viene la carne.
El pescado que en brasas olorosas concentra

sus más gozosos jugos,
alimenta mis días del soñante ocio.

Velan mis amigos con solicito cuido,
ofreciendo lo discreto al paladar.
Discretos y sabios, conocedores perfectos
de la mesa levantina.

Delicada transmutación de este paisaje
es la mesa que Alberto con Fuensanta
a diario me colman de dones.

¡Muerdo el Mar Menor
y me trago su sangre!

ENTRE LA PLAYA DE LA HORADADA
Y EL PUENTE DE LA GREDA

Cuando aún le sobra al día para seguir siendo hermosísimo
una sangre color de rosa que tiñe delicadamente al mundo,
y vivifica alcores, arrebola calas a donde el mar se reclina,
y pone entre el gris inesperado de unas nubes sus manos,
vuelven del trabajo los labriegos...

Con sus cortas camisas sudadas,
con sus remendados pantalones sucios de tierra,
pero con los cuerpos bañados de olor de mar,
y los ojos azules de cielo iluminado de rosa,
y un cansancio indiferente a todo lo que no sea ir
en demanda del sueño...

¡Oh las tardes lentas del Mar Menor!
Las indelebles terrazas del agua mojándose de luna
y latiendo, arrítmicas, los atardecientes sin oleaje.
Las mujeres caminando despacio, atónitas de maternidades
que no cesan; y los niños de fugaces formas ágiles
con un pedazo de futuro entre los dientes.

Rosa suelto en chorro de frenética belleza.
Rosa del día de trabajo y del ocio que contempla,
y de las playas menudas y agrestes por donde escapan
eternos ojos en purificación de vida.

¡Oh mar de mi tierra, oh mar de Palestina!

ALBAÑILES EN MAR MENOR

Porque todo está igual, porque siempre será lo mismo,
pasan y sonríen, pasan y se alejan con sus días iguales
sobre espaldas cansadas de doblegarse al sol y al trabajo...
Levantan casas para los otros, para los que vienen de lejos
buscando descanso u ocio, contemplación o sueño,
éxtasis de mar y de cielo azul, rosa y violeta.

Viejos y serenos, jóvenes y ardientes, nuevos y acezadores,
todos los que llevan y traen piedras
son los mismos que levantaron, hace milenios,
pirámides y templos para sacrificar a los dioses
por mandato de otros; con el mismo sudor y sed.

Sin la orden de construir, ajena e indiferente,
todo estaría, todo, como el primer día de la creación.
Suelo y cielo, mar y pinos, frutos y aves, tierra en barbecho
y tierra removida de hoy,
en una calma extensísima y vacía, calma ignorante de sí.

Esta gran paz de gloria inmortal se tiene
(¡oh sublime dolor de tantas certidumbres humanas!)
a costa del esfuerzo y de la renuncia de los que cogen del surco
un pedazo de pan frente al mar redondo,
que es, ahora radiante, mi mar aborigen.
Soy la nada.

LUNA EN EL MAR MENOR

Estamos todos callados escuchándote que hables,
y aunque no entendemos todos, tú nos vas enumerando
tan viejos misterios tuyos, hueso puro de la vida
que el sol consume incesante al costado de tu voz.

Es una historia del padre y es viva historia del hijo
la que influye tu oleaje, ardiente espesa palabra
cubriéndonos con la espuma de frenética saldumbre;
o con la calma, flotando como el color de la luz.

Hueles y sabes molusco, amargas olas, traspasas
empujón dulce que invades como un amor...;
que mareas como una altura, que hiendes
como una espada de luna...

Cerramos todos los ojos. ¿Quién es el que viene andando,
que apenas pisa las olas?...
¿Quién multiplica la pesca y arrebata muchedumbres?
¿Eres un mar, o aquel lago que secó el sol de la ira?
¿Eres el mar, o un espejo que del cielo ha descendido
para que nosotros, tuyos, queramos soñar el mar?

¡Luna de ti, la vibrante y pronta pisada luna,
en estas noches de espera, goteando van las barcas
en un camino que sigue fuera del mundo, mar mío!
¡Luna de septiembre, última,
ya no impávida ni ajena,
en este misterio roto de tu distancia...!

Cuéntanos del mar; si puedes, luna, contarnos
cómo hicieron este mar:
si a la vez que tú, si antes;
si cuando abriste tu cáliz estaba ya aquí,
mirándonos...
Si fue después cuando oíste
el rumor de su estallido... Cuéntanos.

Estamos quietos, oyendo
debajo de luz; callados
y temblorosos de luz.
¡Tan cerca estamos del mar y de ti,
callada luna!

VIAJES POR TI

Confundiéndose el agua del cielo con el agua del mar.
Nadándolas en el barco que avanzaba en el silencio
con enajenado éxtasis, con frenético empeño
de que nunca acabara, de que siempre estuviera allí,
conmigo, apretándome en vertiginoso rito,
las dos aguas gemelas, las dos aguas idénticas,
las dos eternas aguas puras en las que mágicamente
se desintegraba la luna.

Y hoy, radiante día de septiembre único,
¡alegría de las dos mares azules, una y dos en la misma,
orillas de «la Manga», ardiente de tierra!,
que las retiene y separa, que las divide y las une
en la doble interminable «junta» que es la clave
de este mar tan íntimo y complejo.

Hoy, sí, las dos mares mías en su doble contacto,
en doble entrega alterna y unísona de ímpetu,
las dos mares amadas como si fueran una, la que son,
la mar enorme que es el cielo para todas las aguas,
con el sol y la luna, con el viento y la pesca;
con este ritmo volcánico, de socavado ardor
en dulce geología casi mística.

Noche y mañana del mar, día redondo y espeso
de sol y de fantasmas que resbalan por la luz azul
de una larga travesía en barco que se calla
para que yo escuche, mío, duro y compacto,
el pulso atroz, delicadamente lleno,
de un mar de sol, de un mar de luna;
de un soñar o recordarse en el sueño,
de un vivir o quemarse en la luz...

Tú, tú, siempre tú, el ajeno y nuestro a toda hora,
limpio y fragante, oloroso y ligero, recio y poblado;
todo un universo dentro del fanal sin posible evasión,
que es el voraz abrazo de esta tierra.

CONTEMPLACIÓN ABSORTA

Apenas si las distancias, apenas si entre los campos
se suman el mar y el cielo componiendo lejanías...
Todo está cerca, las manos alcanzan a todas partes.
Sólo es profundo el estar junto a ti, tú no lo eres.

Lo que tú tienes de hondo no es la suma de tus aguas,
sino el grosor de su pulpa, la espesura de su cuerpo.
Lo vivo tuyo se abarca buceándote unos metros,
pero lo eterno óen lo breveó necesita de milenios.

Es lo que produces tú, lo que a tu costado acude.
Una distancia se mide, la profundidad se aprecia.
Nunca el mágico soñar, el desvarío que arrolla
fugitivas realidades que rechazas por inhóspitas.

Ante ti se desintegran las frágiles avenidas
de cosas y de criaturas que son cosas más que seres.
Tu sal excesiva opone el suelo a la planta débil
para mantenerla firme, y que flote descuidada.

Eres pequeño y robusto como un campesino antiguo
que llegó desde las tierras de Ulises y Nausicáa.
Nadie te agota, y vinieron a dársete muchedumbres
de labriegos que alimentas con peces de tus «corrales».

Profusamente habitado por una fauna preciosa,
palpitas junto a los campos de almendros y de olivares.
Siempre iguales, siempre juntos. Indiferentes al tiempo.
Sois la eternidad perfecta. Vine y me iré. Quedaréis.

¡Quedándote eres profundo como sólo un mar lo puede;
como solamente un cielo que te crece de la boca!
Apenas si la distancia cuenta contigo, mar mío.
Todo está cerca y lo mismo: un gran sueño con orillas.

VEINTE DE SEPTIEMBRE, EN LAS ENCAÑIZADAS

Es día que en septiembre se celebra
cada año.
Bol de golas, oferta de cosechas de la mar.
En la mesa del rico, convidados
los que siempre comieron sus relieves.

Volvieron las repletas pantasanas,
sobraron los palangres este día.
¡Los peces conseguidos sin esfuerzos,
a oleadas rebosaban!

A unas breves horas se rendía
todo un año de noches en el tajo.

(Rayando casi aurora de grises invisibles,
salimos a calar.
¡Y el súbito levante frío
nos obligó a zarpar!)

Verano de 1959. Lo Pagán, Mar Menor.

SU VOZ
LE DOY
A LA NOCHE

1962

Damiá Campeny: *Lucrecia moribunda*.
1804, mármol, detalle.
Palacio de Llotja, Barcelona.

Muchísimas palabras no se pronuncian nunca.
Se van acumulando para labios futuros
que las desprenderán dulcemente del tronco,
para que busquen dueño, o amante, o se deslicen
por un aire propicio, naciéndose a sí mismas.

Existen dos palabras que fueron siempre mías,
y una más que, siéndolo, jamás llegué a decir:
son *padre*, y *madre*, e *hija*… Tres palabras aquéllas
que no me pertenecen, que me han abandonado
dejándome en el mundo con la muerte delante.

No volveré a decirlas, ¡tan hermosas palabras
que llenaron mi pecho y luego se movían
como grandes palomas en un cielo de mayo
al que vienen las lluvias con el sol en la hierba!

Sentiré que me ahogo de llevarlas calladas.
Tanto como las dije (estas dos, no la otra,
que *hija* se quedó sin decir, en su bloque)
durante el largo tiempo de mi vida terrena.

¿Cómo podré guardármelas, habiéndolas besado
en la carne caliente y en su mármol de luego?
¿Es que podrán secarse, por calladas, ahí dentro,
donde la sangre espera que se vuelva a decir?

¡Oh bosque de palabras, las dichas y la otra!
¡Oh silencio de tres; de estas dos tan ardientes
que me cavan el alma como si fuera entraña
que hubiera de parirme al padre y a la madre!

24 de mayo de 1961

Conozco un silencio nuevo.
un silencio que yo no había estrenado todavía:
fluido, frío, agilísimo silencio helado y mortal
que lo invade todo, que lo desintegra todo, que pone
en mi contorno su rostro lívido y deforme...
No: sin ninguna forma, amorfo silencio fijo
y brutal. Silencio uno y único desde la sangre
hacia afuera.
Y también desde lo fuera, porque aquel respiro
ya no lo es. ¡Todo es silencio!

Me corroe, me disgrega; me haría que le gritara
si yo no amara el silencio, por perverso que sea.

¡Oh voz querida y acuchillante voz que no cesaba
de taladrar mi silencio necesario y fructífero!
¡Oh voz callada, por mi dolor abierto
en otro silencio, el tuyo, que aborrezco y sangro!

22 de septiembre de 1961

Como corderillos negros —blandos e invisibles—
agrazapados en todos los rincónes del universo,
suavemente se allegan..., suave e inaudiblemente
corderos menudos e incontables..., corderos negros e invisibles,
blandos corderillos que no se ven...
                    Y rodean, oliendo a noche oscura,
rodean implacables —y blandamente—
el cuerpo quieto y abandonado a la razón oscura...
Y vienen y lamen los brazos y sus manos heladas,
las piernas con sus pies crispados y fríos,
lamen hasta que la sangre detenida en todas las venas fluya
y se deslice —callada sangre vieja y triste—,
hasta llenar las fauces delicadas y tibias
de los negros corderos apelotonados con avaricia voraz
alrededor del cuerpo...

¡Oh la memoria límpida, diamantina;
el aullido del duelo recuperando a su presa!

23 de septiembre de 1961

Sólo, ya, dejarse caer. Sin voluntad que entorpezca
la vertical, mineral vuelta a la nada.
Con los ojos cerrados, mientras murmullos dulcísimos
acuden desde la sangre arrullando la desintegración.
Regresando, o conquistando el espacio nuevo
en donde se hincará la temblorosa planta inhábil.
¿Recuerdos o vaticinios? ¡Ah! Inexorables dudas vividas
que amortiguan este caer sin pausa,
este profundo y elevado, este caer de todo un mundo
que, silencioso, iba en el cuerpo que se sabía caer.

¿Dónde, a qué plácida memoria; a qué playa sin olas;
a qué bárbaro océano quieto, puro, extático?
¿Quién espera el arribo, quién anuncia el ingreso;
de quién será la voz, el grito, el ronco gutural aullido de bien venida?
Flotar, ¡delicia sin rostros!, flotar en la sombra
líquida sombra densa;
consintiéndole al corazón su costumbre de miedo,
y a las manos su retorcimiento de angustia;
y al rostro, ¡reciente adquirido rostro desconocido y ajeno!,
ese color violáceo que baña
—cual un agua espesa y cárdena venenosa—
los ojos y la nariz, la profunda boca ardiente ya no.

Brazos amados que no acuden porque se saben inútiles,
labios que no ofrecen porque todo sobra cuando se cae
—se regresa o se avanza en conquista del espacio otro—,
rodean el cuerpo, que es piedra en la tensa cuerda disparante.

A otro mar, sí; ¿a dónde? ¡Si no lo sabemos! Ir.
Yéndose despacio, habitada por recuerdos que punzan;
como se van las cosas sobre los mares... Como se van
inexorables las ramas sobre los ríos... Irse,
¡ay este día o esta noche!, al encuentro, acaso,
de lo que fue o sería. ¡Oh partida!

24 de septiembre de 1961

La herida tiene párpados que crujen duramente,
y los baña de sangre en obediencia amarga.
Si es el alma quien duele, ¡qué enorme cuerpo el alma
para sangrar por él, para saberse herida!
No sirven hemostáticos, ni el oxígeno carbónico
para cerrar, para dulcificar párpados y respiro
del que se muere, hilo a hilo, infinitamente despacio…
¡Nada! Tal es la creación. Una nada con hambre
de sí misma.

De pie, el tiempo viendo morir. Viendo morir la vida
de donde se vino en tiempos, para morir un día.
¡Viendo morir, os digo; viendo morir la vida!

Odiando a la muerte, bestialmente odiando.
Con desesperación sin alma, sin límites, abrasadora.
Viva. De pie. En silencio. Con la boca fría
y ardiendo, y en plegaria, y en imprecación.
Viva.

26 de septiembre de 1961

¡Espérame!…
¡Cógete a esas ramas de la orilla,
que se detenga tu barca!
¡Por este minuto siquiera, espérame!
Un minuto dura lo que
una eternidad, cuando es la vida
lo que se juega en él.

¡El río te arrastra implacable,
incesante río contigo y siempre,
llevándote de mí!…

Por ello, recuérdame, deten tu barca
y agárrate a las cañas, juncos o álamos,
a lo que crezca por donde vas.
Dame tiempo a quemar mi cuerpo,
a perderlo de vista,
a que se lo ponga el río,
la cólera del aire, la nieve,
eso.

Entonces, juntándome a ti,
fluiremos juntas.
Hacia donde te lleve el agua
—que es de donde vinimos un día,
¡madre mía, hija, sangre!—,
juntas y perecedoramente eternas
tú y yo. Vamos.

27 de octubre de 1961

En la casa se mueve un silencio
ocupando tu viejo lugar…
La ausencia de tu voz, pueblo que era
de infinitas palabras, de la memoria ríos,
se palpa en las cosas; arde
en el frío del alma triste y desconcertada
al saberse huérfana irremediable tuya.

Todo lo que pasó *entonces*
—cuando tu corazón batallaba por quedarse,
hasta a pesar tuyo, en el mundo—
desfila, con trágico ruido, por la casa…
Tu chorro de voz valiente se hizo resuello
dentro de tubo ronco, que estallaría
en represión brutal, definitiva.
Sobrevino el silencio y entonces
ya no eres tú más. Eres *lo otro*.

Y a lo otro le hablo despierta,
para incorporármelo al fin;
porque dormida, vienes como te tuve e incluso más,
gran madre mía.

Madre pronuncio, madre y ausencia
amontonándoseme al pecho cada día
con empujón de siglos.

29 de octubre de 1961

Al arrancar el árbol
—que era un viejo y poderoso roble firme—
dejaron abierto el hoyo,
despiadadamente…
No se precipitó la sangre toda del mundo
a llenarlo, no.

Quedóse en carne viva y llameante,
en abrasadora llaga,
en torvo cono cósmico
que fulguraba siglos de dolor mordiendo llanto.

Nadie se atrevió, ¿y quién podría?,
a intentar una siembra de yerbas,
a impedir que la lluvia
colmara, súbita, el hueco ferocísimo.

Sale el sol, cae la nieve,
llueve, y tiemblan entre los terrones ásperos
charcos temblorosos, lívidos
resplandores desgajados del cielo…

¡Memoria del árbol arrancado por Ti,
Potencia invisible y pensante,
para hacerme esa barca, el vientre nuevo,
donde pondrás otro día, ajeno y tuyo,
derrumbado mi cuerpo naciente otro!

1 de noviembre de 1961

Tengo las manos llenas de horas negras,
de fúlgidos cuchillos empavonados.
Por mis costados fluyen
las venas que cortaron, pues a cortar vinieron,
estas hojas finas e insensibles,
los enormes cuchillos del llanto.

Tenían que acudir desde lo eterno
—porque forjándolos están eternamente—
con su misión desgarradora e implacable.
¿Cómo, ni quién podría, huir de estos cuchillos?

¡Oh, no los odio, no; ni los huyo, ni intentaría
desviarme de su tajo!
Sería no querer tanto ni tan hondo:
no saber amar como amo, huirles a su filo.

Cortad, cortad. Tengo la pena
revistiéndome íntegra. Tengo la carne
propicia al buen baño rojo y tibio
de la sangre dócil.

Sí. Soy la vuestra. La suya.
Soy la que puede doler porque ama.
Venid, quedaos entre las horas de ébano.
Removeos en mi corazón. Os acato, cuchillos.

2 de noviembre de 1961

Apoyarse en el cuerpo caliente,
abierta y extensa, palpitándolo en su latido,
mano mía que nada supo, hasta hoy,
de la tremenda carne fría, más allá del frío,
que es la que reviste a aquello
que fuera hasta entonces la vida.
¡Oh pobre mano desheredada!
Inocente ala que avanzara tantos años por el mundo,
retrasándose en saber, en nacer,
en estar despierta
delante de lo inmortal: delante de la muerte.

E igual, la boca.
Los poderosos labios ávidos y duros,
dueños de su sonrisa y del sabor gozoso
de palabras y contactos delirantes.
¡Ah, que al fin supieron que hasta el mármol
puede quemar como no quema el fuego,
ni el arrebatante amor!
En una frente hundidos, rechazados por el hielo
mientras la mano rezumaba nieve
sobre otras dos manos inmóviles...
¡Boca mía caliente y ancha, despojada de la inmensa
alegría de besar y nombrarla a ella!

Mano y labios —ojos secos y ausentes,
ojos ya ciegos de luz redonda, desterrados—
definitivamente huérfanos.

1 de diciembre de 1961

DEVORANTE ARCILLA

1962

Carmen Conde en Santander,
septiembre de 1957.

CÁNTICO

¡Cuán delicada luz es la del joven
y qué perfumada sombra la suya
junto a la mía, opaca, envolviendo el ascua
del indomable anhelo!
¡Cuánta fragilidad en su paso,
en su atención a lo inaudible
que le atrae a mi distancia!

Joven y lejano, remoto y esperanzado
muchacho que inauguras vacilante
tu diálogo conmigo.
No quiero respirar por no mustiarlas,
por no despojarte de hojas;
porque me gusta el verdor que trepa ávido,
alcanzándote los ojos.

Limpios ojos tuyos, sin cenizas
de hogueras; sin racimos
de imágenes temblorosas.
Ojos tuyos intactos
sobre tu boca, que no prometió
ni mintió seguridades.

¡Y tu pecho nuevo y fresco,
la yerba olorosa de tu cabeza,
la firme inseguridad de tu paso...!

No duelo nostalgia de juventud;
si fuera joven, no te amaría.
Es porque llevo tiempo en el corazón y en las sienes,
por lo que tú, inesperado joven,
apareces adorablemente imposible.

Un chopo junto a la orilla
de mi agua cargada de paisajes,
oscura de cielo oscuro de amanecer.
O un delicado caballo moreno
piafando en los tréboles húmedos.
La copa del álamo que verdea alegre
arriba del oro otoñal que se deshoja
enfriando los jardines.

Eso eres tú. Te oigo afirmar que eres futuro
mientras no hay un presente que te ignore
ni te iguale, del cielo a la tierra.

Bendito sea el arranque
de tu vida deslumbrada y cálida,
ansiosa de apartar lo que conoces.
Corre, huye, no detengas tu paso
junto a ninguna fuente.
No mires los estanques —mis ojos—,
ni siquiera los ríos —mis brazos—,
muchísimo menos la mar:
mi boca tibia y melancólica.
Espérate a, ti mismo
en las locas encrucijadas del futuro.
¡Vete ya contigo!

¡Cuán dulce es el saber que eres ligero
y sin memoria y sin piedad; que eres un ciervo
atravesando los montes!

Ágil muchacho esquivo,
impreciso y cierto, vulnerable y duro
como una palabra que no me atrevo a decirte...
Como una pena clamorosa
que me acumula el corazón.

1

El mundo se queda atrás, y hay tanto mundo
sin recorrer aún...; arden las razas
queriendo separarse de las razas
que ayer querían fundir en una sola.

Los negros y amarillos, los cobrizos;
los blancos y los otros, los que nunca
tuvieron el color de la azucena,
¿adónde quieren ir?
¡Ah, no es al mundo
que vieron al nacer! Quieren estrellas,
planetas desde el cielo para ellos.

La tierra se acabó para los hombres.
Las flores repudiaron el rocío.
Torrentes o las mares; no es de agua
la sed que rugen ellos, vulnerados.

Roída por los dientes del estruendo,
sorbida por la luz turbia de gases,
no sirve ya, no la desea
ninguno de los hombres que ella hizo.

Se ha comido a si misma.
De su sangre bebió y extinta casi
sucumbe sin posible agua.

Desintegra delirante, con tumultuoso ritmo,
a sus tiernas criaturas.
Seca, requemada, impura, acaso en sacrificio
del día de nueva pureza,
en los astros que de ella arrancan, arde
junto al cielo a que se afana, ronca
de turbias llamaradas verdes.

2

¿Quién se apiadará de ti?
¿Qué manos te cogerán, trizada,
reagrupándote en el nuevo caos?

Aquí (¿qué es el *aquí?*) te obligan
a fuga de constelaciones otras
que el hombre orbitó desde ti.

La palabra cedió su primacía,
su mágico redoble de creación.

Actos, conciertos de voluntades múltiples,
encaminándose al vertiginoso fin,
son el lenguaje del hombre
cuya niebla es la memoria
de una eternidad de angustias...

Eso está aquí, aquello es esto;
hemos robado a la luz su carrera
y al sonido su rapto.
Somos —enuncian riendo los hombres—
más veloces que el viento y la imagen,
que obedecen sin limites.

Todo lo perdiste, Tierra; todo era
esclavo tuyo, y ahora
la esclava que se revuelve eres tú.

3

Sobre el confuso silencio fragua el caos,
conmocionando futuros, su estructura.
¿Qué es el sabio en su ciencia, qué el oscuro
delante del mañana?

El mañana de ayer era una fruta
madurando precisa, sin fisuras,
su jugoso llegarnos a la boca.

No se inventa de pronto, lentas vienen
plenitudes exactas a su signo.
Son los hombres que siguen a los hombres
los que ofrecen, rotundos, este ahora.
No se crea otra vez, nadie imagina;
se comprueba y repite, infatigable.

Por un largo camino de experiencias
accedieron estrellas su transcurso
al espacio que Dante recorriera.

No es la voz que temblando su presagio
anuncia a las edades que descubre
un espeso universo de planetas.

Es la lenta y tenaz, la inapelable
desintegración de la materia.

4

Todo es a la vez. Al mismo tiempo,
naciones, océanos, cordilleras
corren bajo los ojos de los hombres,
que, desde un punto elegido,
mandan en el espacio;
ven lo que se ve desde lo eterno,
fijándolo al papel, petrificándolo.

¿Es el tiempo de Dios el que alcanzamos,
sin intentar aproximárnoslo?
No es por la oración ni por el éxtasis
que a su búsqueda se precipitan.

Han de hallarlo, seguro, en una estrella
inesperada y persistentemente.
Todo Dios en su círculo de cielos,
redondo e inaccesible hasta mañana...

¡Oh rumor de silencios que desploman
su cifra sin misterio, en el encuentro!
¡Cuánto Dios incendiándose de síes,
sus nebulosas licuando!

Fijo en su control de aceros múltiples,
el hombre —su razón— acosa impávido
el rodar sin desvío de planetas;
cogiendo con sus números el ritmo
de la inconclusa creación.

A Dios se llegará si se le asedia
buscándole en las manos sus estrellas.
El hombre lo olvidó, y ya es Dios mismo
que padece por ser Dios en el hombre.

5

Debajo de mis plantas se acumula
el impulso tremendo de partir.
No llegar ni cesar del ir corriendo
hasta un inaccesible continente.

¿Es a mí a la que esperan las estrellas
que no quiero alcanzar, por retenerlas?
¿Es de mí de quién parten los futuros
que nunca contendrá mi día pleno?

Ya no sé lo que busco, pero voy.
Ya no sé qué esperar, aunque esperando
soy amor sin amar, soy anticipo
de una cierta llegada a esotros mundos.

¡Quién pudiera arraigar en lo que soy,
tierra firme en la tierra, tal un árbol!

¡Qué tormento el de ir, porque estoy yendo
conmigo y con mi fin hacia el misterio!

6

Desamparada.
Como si desconociera el suelo
que tengo que recorrer a solas
con mi cuerpo aterido y palpitante,
del que urge desprenderse...

Triste y vacía, devolviendo el paso
al enjambre de inquietudes, va la tierra
enajenando mi memoria... Voy
porque no puedo parar, porque la vida
su látigo de alambres ruje. Quiero
dormirme sin volver, hundir la boca
en el agua compacta de los nombres.

7

Cuando te perdí lloraban
conmigo y por tu amor todos los seres.

Era el llanto de luz, era del agua
espesa de la mar, lo que llorábamos.

Despacio e inexorable te perdiste
para siempre jamás, nunca tendría
rendida entre mis manos tu presencia
corpórea iluminada, ascua de hechizos.

Desierta me quedé, suena en mi pecho
violenta soledad de lo anegado.
No encuentro más en mí lo que tú eras
porque tú confundiste a Dios contigo.

¿Qué hay detrás de lo nuevo, si es que hay?
¿Qué me espera mañana, si lo alcanzo?
Se han quemado mis ojos en lo oscuro
buscándole a la luz su hueso vivo.

8

Hasta el hombro llegó este brazo ardiente
en busca de lo no, de lo perdido.
Era lava ya fría, eran escorias;
un sembrado de polvo fugitivo.

Me quedé soportando la amargura,
la intranquila mitad que nunca tengo.
Por mi brazo corrían vendavales
como potros de sol piafando duelo.

¿Por qué no me aferraron otros brazos,
obligándome a ser lo que no cesa?
¿De quién me desgarré sin advertirlo,
transformándolo en pavesa?

Y yo sigo viviendo con un cuerpo
que resiste a mi alma desmembrada.
Somos dos en estar siendo una sola,
en tanta soledad desconcertada.

Esa gloria de ayer, aquel enjambre
de tanta deslumbrada abeja,
trabaja en una flor que nadie alcanza;
que crece con el sol dentro de tierra.

El brazo se resiente de la roca,
la mano duerme allí, fosilizada.
No hay formas ni color, sólo una negra
ciudad de piedras agrias desecadas.

9

Abandonar el mundo para buscar los mundos
que están siendo a la vez que estamos siendo.
Esperanza del ir, vívido impulso
que afrontamos sin miedo.

Estas flores de aquí, las aves puras
que aprendimos a ver como inasibles,
ya no son las que fueron, pues hay otras
que veremos allá, en lo imposible.

Otras voces esperan de nosotros
que oigamos lo que cuentan de sus lejos.
Otro amor y otro bien, lo insospechado
a nosotros está viniendo.

Parada en el umbral de lo infinito
como pueda, detendré al tiempo.
Quiero ver y escuchar, quiero olvidar,
cuando lo sepa este secreto.

10

Por muy pequeña que nazcas, te veré.
Por infinitamente pequeña que aparezcas
en cualquiera de mis venas,
te sentiré como si enorme y ancha,
arrolladora e irradiante;
igual que un estallido de fuego
en mitad de las mares.

Nadie como yo para esperarte,
abiertas las manos, dilatados los brazos,
entregada a la escucha, al olor, a la imagen
o al presentimiento de que estás aquí.

Aquí, en mi corazón. En tu corazón.
Tú.

¿Por qué retrasas el florecer o el tumulto
de tu adviento de gloria?...

¡Náceme como un trigo a la tierra,
como un río a la mañana!

11

El hoyo profundo abierto, brutalmente, ante mis ojos,
no me aleja, me acerca poco a poco más,
sin que la ausencia de lo que precede a mi búsqueda
sea una distancia nunca...

¿Conocéis esto los mineros? ¿Los que perforáis con dinamita
el amasijo descuidado de los montes?
¿Sabéis que un hoyo acerca siempre más, cada vez más,
en vez de alejarnos del fin que nos aguarda?

Vosotros los hombres de la madera tierna, los carpinteros,
que amoldáis la selva a vuestras formas,
dictadas por el oficio necesario,
¿qué sabéis del veloz acercamiento plástico
al que nos dejó ante su umbral,
puntiagudamente solos?...

12

¿Y por qué volver de allá
cuando, por fin, se abran las estrellas,
dejándole paso libre al hombre,
que se las proyectó visionariamente?
¡Tan indecible exclaustración cósmica!

La gozosa e inefable, la fabulosa
imposible imaginación de aquel futuro,
hecha realidad, libre del peso
a que nacimos obligados,
verdades cuyas leyes aprendemos.

¿Regresar después de haber ansiado
con todo este lastre gravitante del mundo;
ascender con vértigo mayor que el de la luz?...

¡Oh, no! Quedarse yendo,
infinita e inacabablemente,
hasta que nos encontremos Contigo.

13

Hacia la opaca masa del transmundo que llamamos
eternidad, sin saber qué es lo eterno.
Buscando el océano de visiones prometido
desde Patmos un día; atravesándolo
con la mística furia desenfrenada
que obedece la sangre sobre la razón, lúcida
y ecuacionante de misterios.

A donde no existan huellas,
a donde el sonido caiga en lluvia de otras flores,
a donde el olor sea tacto de voz.
y la Voz una estatua flamígera, una espada
otra vez; un arcángel de palabra solamente.

¿Cómo serán los círculos y esferas
que nos rigieron el ritmo?
Ya no geometrías, ¡quién sospecha
esa ley del Número lejano!

El número, sí. El número triunfa
con su fuerza incesante y creadora.
El número, lo absoluto. El número
glorioso de la angustia y de la duda.

14

Nos esperan criaturas ni soñadas,
vegetación que nunca imaginamos;
quizá hasta unos mares, cordilleras
que no siendo de tierra escalaremos.

Olvidaba que libres de este peso
que aquí nos esclaviza, en astros flotaremos.
Vivo el ansia tremenda de que retornen
contando su periplo los que se arriesguen.

Quiero ir yo también, quiero encontrarme
delante del misterio, revelación perfecta.
Los sueños no figuran, es esto más que ensueño.
Estamos alcanzando lo que nos justifica.

15

¡Oh praderas de luz! —pero ¿serán praderas?—.
¡De música montañas! —pero ¿se oirá la música?—.
¡Floración de frutales! —pero ¿la fruta existe?—.

Se nos acercan tumultuosamente
todas las respuestas que en milenios
con incertidumbre esperaba el hombre.
Y yo quiero saber, quiero acercarme
con mi sed de infinito a donde el agua
se detenga, concreta, sobre la espesa lengua...

Entonces,
la Resurrección.

16

Se dice *árbol,* y no es.
Se dice *árbol despojándose de hojas doradas y bellísimas,*
y tampoco es.
Se diría, gritándolo: ¡Es el otoño en los jardines,
en los bosques amarillos y verdes,
en los quietos estanques, en los arroyos, en la cordillera...!
Y no. No. Tampoco es.

¿Cómo se diría, para decirlo, esto que se ve
en mitad del mundo de octubre?

¿Qué suma de palabras únicas, recién nacidas,
haría posible que esté árbol
con su lluvia de oro viejo cabe el tronco, mientras la cima
es verde aún, alegre, bulliciosa,
fuera el árbol único también, el inesperado
árbol recién revelado a las criaturas
que no saben gritar la hermosura sin márgenes?

Árbol, otoño, lluvia de hojas... ¡Oh, no!
No es eso. No es así.

17

¡El habitante invisible,
profundamente alojado!...
Su sinuoso aparecer cuando menos lo espera el día,

el momento, la situación, el ansia....
Entonces, él.
Con su delgada voz inaudible, amarillenta, viscosa
¿Para qué?
¿Para qué, para qué, para qué; acaso
lo sé yo; acaso lo supe alguna vez?
¡Nunca! Pero vivía: vivíamos.

Tú estabas aquí también; tú, sí; no lo niegues.
Tú mismo.
Dichoso, aprobatorio, exultante; poderoso tú.
Y ahora, débil y viejísimo, resbaladizo en mi propia sangre,
¿para qué?, insinúas.

¡Ah, los para qués de los que clavan
su indiferencia en pleno gozo, destrozándolo;
los que a la mínima insinuación de brisa
sueltan el chorro feroz de un fuego negro!

Así, tú. Pero en mí, la crédula confiada,
la apasionadísima yo de tantos lustros.
¿Por qué —te pregunto llorando— aprietas dudas
contra mi corazón? ¡Ay! Dime.

No hay paz ni batalla, ni siquiera
una inquietud que se mantenga.
Contigo (*¿para qué?*) todo resbala,
lacrándome la luz sobre los ojos.

18

Los hombres temblorosos de injusticias
y los que claman por justicia, sin lograrla.
Los hombres cercenados, cercenantes;
los que vinieron a devolver lo arrebatado,
y los que persisten en arrebatar.

Todos serán injustos, fueron lo mismo.
Todos víctimas y verdugos todos.
Porque el dolor es el dolor que todos sufren
—unos antes y otros después—
cuando el cuchillo cambia de mano
y de pulso la fiebre,
y los ojos se quedan quietos y fríos, muertos
frente a la sangre precipitada.

El dolor es potencia del hombre;
su sostenida predestinación,
a la que no renuncia la criatura:
dándolo, recibiéndolo, provocándolo...,
infatigablemente.

¡Qué cansancio de llantos continuos,
de lágrimas que se agarran como uñas a los ojos!
De temores que suben desde el vientre
hasta llenar de gritos los labios.

19

...Y sin embargo, la fe de esperar; la esperanza.
Estar en alerta esperando
lo que se teme no llegará nunca.
Crédulamente triste y desengañada...
En espera.

Ha de venir una hora de Dios.
Ha de llegarnos el mundo que imaginamos todos
—cada cual desde un planeta distinto—,
esperándolo.

Sin sombras y sin luz, sin peso.
Una irradiante felicidad que se propague
como la palabra que nos devuelve la Luna,
pero sin que nos la devuelva.

Porque no es posible creer con amargura
que sólo fuimos miserable carne en pugna
cuyos gusanos abren la última existencia cierta.

Hay algo más, y lo buscan los que asedian
las desolantes galaxias extrañas y remotas
que ahora son nuestra meta.

Hay algo para mi fe, aunque lo crea
sin llamarlo y sin ponerle su contorno.
No es que yo sueñe, ni que sea cobarde para
agarrarme a una idea de salvación.

Es que es verdad. Es que yo lo sé, y voy
(con los ojos cerrados y las manos juntas)
a donde me aguarda mi propia forma celeste.

20

¡Una y otra vez esta gran loba,
una y otra vez!
Lamiéndolo todo con lengua ardiente y áspera,
con su rasposa lengua velluda;
tercamente lamiendo hasta
arrancarle su sangre a la piel.

Esta loba negra y fúlgida,
reluciente y peraltada de estrellas...;
dulcísima y voraz, infatigable
loba, hermosa amante, ¡oh amada loba mía!

　　—Fuera, la oscuridad total; el vacío
　　que sostiene a los astros.
　　Acaso el verdadero mundo, los infiernos
　　y los paraísos, el limbo y el blando purgatorio
　　de la esperanza...
　　Aquí nosotras dos: mirándonos—.

¿Qué busca en mí, por qué no acaba
de beberse mis venas? ¡Si la odio,
si no me agota resplandeciéndola en delirio!
Porque me tiene
lentamente sujeta a su boca implacable.

Años y años de amor, de fría furia
que me abrasa los ojos; que me cruje los huesos
en un abrazo místico y torvo.
Esperándola cuando la luz se enfría,
yendo a su encuentro por predestinación inexorable...

Horas y horas, ¿quién las mide
con mi corazón de plomo?

　　—¡Loba y yo,
　　la noche desierta humana!

21

Todavía es el mundo más grande.
Cinco mundos aquí, los continentes
y las razas distintas..., ¡qué pequeños son!

Enormes ventanas se abren
a la mirada presente. El caos
tiene sentido. La nada es el todo que se descifra
con la gracia del número.

La mirada se pierde, vibrando
en el inaccesible conjunto de órbitas
que enlazarán con la que giramos...

Celeste camino que espera
la planta vulnerable del hombre invencible.
¡Alegría del misterio, cuya profundidad diáfana
reclama al hombre desde Dios mismo!

No terminamos aquí. Seguiremos siempre
por otros espacios. Ya tiemblan
los que retrasan su vertiginosa carrera.

¡Hay más allá, hay más allá! ¡Hay
una creación fuera de la nuestra!

Cósmica promesa enajenante
que no alcanzó a soñar el que asediaba
a la impasible divinidad.

Clara razón que nos acerca
fulminantemente a lo Exacto.

22

Las locas estrellas cantan en un concierto que nadie
acierta a escuchar, y hay ojos
encima de las estrellas latiendo flores de lluvia.

Rebanadas de zodíacos cuyos signos ignoramos
flotan como las mareas que llevan arriba naves.
Tienen hambre los seres mientras contemplan el cielo,
pero el cielo no se come y el rayo devora niños.

Crepitan entre los dedos geografías agotadas.
Collares de ríos fluyen a través de geometrías.
Enormes cifras asumen toneladas de ecuaciones
y un edificio sólido congregará a los relámpagos.

Esto es mejor que nacer, porque de esto participan
cícladas de naciones alucinadas cantando.
Hemos llegado en el tiempo que minimiza a los tiempos,
proyectándolos gozosos a la no medida humana.

¡Somos capaces de ir adonde están los planetas
y las campanas de rosas de las estrellas más blancas!
¡Paso al amor de partir en busca de lo absoluto!
¡Paso al amor, porque amamos
en el Amor que es lo eterno!

23

Las intactas nebulosas, las sin nombrar galaxias...
El camino sin hollar por donde la luz se mueve
sin encontrar la materia para poder reflejarse.
Todo aguarda; llegándonos está su bulto
transparente e informe, pura
vibración que es parabólica...
Iremos allí, iremos
adonde habita el futuro.

¡Quién te desprendiera, cuerpo,
de tanta gravitación!

Apoyando, en tierra la frente sobre la húmeda yerba,
entrecerrando los ojos y conteniendo el aliento,
es como se comprende lo que nos llega de arriba...
Cuando se flota en la mar, cuando se entrega a la mar
el cuerpo... En la espesa mar también se entiende el arriba.
Porque hay mundos que nos hablan desde raíces y algas,
con una voz ardorosa que no escuchamos aún.

24

...Y ya, ahora
—mañana es hoy para esto—,
empieza a desencadenarse el misterioso lenguaje
prisionero de la esperanza.

Suave y despacio la mano acaricia la imagen
de algo que no se sabe si es un astro
o criatura, pero que empieza a palpitarnos
dentro de la carne propia y temerosa...

¡El alma conoce el camino que encubrieron los ojos
mortales! ¡El alma tiene conciencia de su destino!
Otros fueron ya, hasta contaron moradas y reinos,
dibujando con su voz el contorno que es sin límites.

El alma, motor en acto, poderosísima alma
empujando tenazmente desde que vino el principio.

25

Acaso un resplandor sea todo, solamente
un resplandor marmóreo.
Y si una música,
acordes de inaudible extensión inmensa
que derrumbe murallas. Otras murallas.
Algo en viva potencia desconocida
hasta para sí misma.
Revelándose cuando lleguemos.

Anhelar su presencia es el destino nuestro
presente; lo qué debemos sentir, si somos.
Crecimos más que el huracán y que las aves
más altaneras. Rozamos con la voz el infinito.

No apartamos de la Verdad nuestra andadura,
porque con ella avanzamos en plenitudes de paso.
¡Lloved sobre las flores, relampagueantemente;
esclareced el confín de inacabable cenit!
Pues somos, porque lo quiso Dios,
su propia fábula en tierra.

26

Amo esas cabezas que no descansan nunca
de pensar en descifrar los secretos. Las que asedian
insondables honduras, las que se rompen
contra el feroz acantilado de lo imposible.

Amo a los hombres que acosan sin piedad
su propia limitación, destrozándose altivos
en las rocas del insomnio que ningún licor embebe.

Amo a los místicos del rezo y a los místicos
de las ciencias exactas; a los creyentes enloquecidos
de todo lo que no es aún, pero será algún día.

Amo, con una dulzura que nadie tuvo mía,
las frentes que se arrebatan en números,
que crujen en laboratorios, en cámaras pneumáticas,
celando la razón de ser para ser eternamente.

27

Amarse, amarse hambrientamente, amarse
los unos en los otros, con amor que permanezca
tembloroso de hambre que no se sacia nunca, aunque se ame
a dentelladas luminosas y a sombríos latigazos.
Amarse con la agonía entre los labios, sin gritos, secos de
amor, por tanto amarse.

Y después, el frío.
El frío, calcinándolo todo, cuerpos de amor y palabras
de amor, y el sosegado dormir después del amor.

El frío, que vuelve coriáceas las miradas
de los que se amaron como lianas y como leones
en las selvas oscuras del amor violento.

Dejarse morir de frío, cayendo poco a poco
en el mortal desaliento que es el frío sin amor...
Cuando todavía resuenan en los huesos sacudidas
delirantes de gozo, mientras la memoria rompe
contra el mañana su empujón de niebla.

¡Ah, pero los hombres saben siempre que no se acaba
porque se acabe el amor; que existe espacio
al que volver con la celeridad del pensamiento!
¡Y que en el fin de ese vuelo todo es perfecto y puro:
la cegadora pureza que limpia de besos la carne,
que enciende otra vez los ojos
en una contemplación infatigable y deslumbrada!

28

Los que no creen en el camino que hay para ir,
que se aparten.
Los que perdieron su camino antes de emprenderlo,
que se quiten de en medio.
Que ninguno sin pasos obstruya el avanzar de otros
cuya razón de ser se cifra en caminar no vacilantes.

Hay caminos y hay pasos, y hay que recorrerlos todos.
Espera la Verdad para recoger en su boca
la palabra en hoguera del cansancio amontonado,
que pesa sobre la espalda de los que andan.

Los que sonríen amargos y los que niegan lúbricos,
¡dejen ir al que va, antorcha encima de la cabeza!
Ni llanto ni piedad ni desprecio valen lo que el camino
sereno e implacable, desnudando naciones.

¡Gloria al que va, gloria a los hombres libres
que buscan arrebatados la verdadera luz!
Si se quedan atrás los que nacieron perdidos,
¡que no pierdan a los que son exactos!

Todo lo de nacer y vivir con el pecho abierto
para que la muerte acuda saliéndose gota a gota,
es un ir, es el caminar delirante.

Limpia ha de estar la tierra para que el hombre llegue
a donde le esperan —¿es que no lo oís?—
con fulminante tumulto de astros.

JAGUAR
PURO
INMARCHITO

1963

Henri Rousseau: *El sueño*, 1910, detalle. MOMA, Nueva York.

PRÓLOGO

Muchos hombres duelen como golpes que se amoratan
debajo de la piel, y son semejantes a tumores
que lentamente se abren para manar sin descanso
un turbio y sanguinolento humor...

En vano cogemos el agua fresca y transparente,
los lienzos finos y los óleos tibios que derramamos
sobre las heridas agudas. ¿En vano todo? Hay que cerrar los ojos,
no querer aspirar lo fétido, pero curar;
curar la podre, restablecer lo puro
en los cuerpos que corroen pus y anticipos mortales
e inapelables.

Apartarse horrorizado, o asomarse constatando esas heridas
denunciándolas a gritos con clamor farisaico,
es más venenoso que la propia gangrena.

Hay que lavar, hay que despojar a esos bultos
de su cargazón que late a empujones de fiebre.
Una mano vale lo que una palabra resplandeciendo amor,
lo que una promesa de futuros.
Vale curar a un hombre, lo mismo que hacerlo.
Y, a veces, más.

Por ello, no dejemos a esos enfermos solos. Ni a los muertos.
Ellos y éstos necesitan el agua o la tierra
que les debemos. Acudid a la cita. Limpiad.
Enterrad. Seguid viviendo entonces
con la seguridad de que cumplís como personas.

Señalar las llagas y no curarlas,
gritar el duelo y apartarlo como se aparta una basura,
no es de hombres. No, eso no vale.

¡Telas claras, agua y sol, palabra y mano
que lleguen allí, al foco de la lepra, y actúen
intrépidamente!
Esa es la verdad. Ese es el camino.

Si alguien le llama amor, creedle.
Y si otra cosa le llama, creedle también. Lo que importa
es ir al hombre y ayudarle a que brote
de sí mismo, como de un vientre inmortal y ávido.

Si dijera lo que siente, si supiera hablar ese hombre
de todo lo que le muerde su corazón pisoteado,
se salvaría.
Porque la palabra redime, purifica, libera.
Lo trágico es que por él hablan siempre
los que no saben cuánto duele la injusticia,
ni el hambre, ni la angustia del rencor... Aquellos
que viven de otras cosas, que no son sino voceros
fingiéndose protagonistas del llanto.

Prestad una voz verdaderamente honrada
al dolor de los hombres si queréis hablar por ese
que sufre en sí mismo y en los suyos
el grotesco empujón de la impiedad del mundo.

No basta, no, decir: «Hablo por los que callan
o no saben decir su tragedia».
Abandonadlo todo. Seguir la idea significa
dejárselo todo, hermanos.

Al triste hay que buscarle en su antro, que es, de principio,
nuestro propio ser frente a la verdad.
Hay que buscar al que sufre
cortándonos la lengua falsa y vana, la fútil palabrería
que no es pan, sino pólvora;
que es siembra de impotencias, no de simientes
prietas de amor.

NICARAGUA Y SU GARRA

Las lagunas, la estremeciente espalda de la cordillera andina
dulcificándose por lagos y por istmos;
la pugnante vegetación brotando, asomándose,
creciendo desde dentro del mar... El encuentro insólito,
después de tanto océano días y más días
en que ya no se pensaba en la tierra,
con la tierra en su máxima frondosa irrupción.

El viejo murmullo de hablas no usadas, recogidas
en instrumentos que las conservan hasta
modificándolas para suavizarlas.

Estas quietudes extrañas de hombres y de cosas,
de universales presencias no petrificadas,
sino contenidas; suspensas entre cielo y mar.
Todo lo que sin poderse precisar cómo ni dónde
huele a corrupción.
A naturaleza pútrida en el mismo olor fragante
de una fruta, o entre la urgiente lozanía
de un pedazo de arrolladora vegetación...

La sospecha del temor a fabulosas criaturas de la selva,
el jaguar, la serpiente, y el dueño de las ciénagas
y el déspota de las aguas: caimán y tiburón.

Hay un olor que se insinúa fugitivándose insoluble
entre los seres menos propicios.
Ese olor que recuerda los jarrones olvidados y repletos
de flores descompuestas...
Al morder una piña, al tactar una orquídea,
al deleitarse en el jugo de una papaya o de un mango.

El mismo, acaso, que repta por nuestros tobillos al encontrarnos
con la negra de pies vendados, torpes e informes,
que avanza con ellos teñidos de químicas rojizas
por angosto mercado de materias medio putrefactas,
también mezcladas a baratijas cuya inútil fragilidad
mueve a compasión llorosa.

Y unido a todo esto,
el uso de enormes lustrosas máquinas,
de aparatos de civilizado uso,

por hombres oscuros e ignorantes que no saben
servirse de ellos mismos como del supremo lujo del universo.

Sí, todo en un heterogéneo mundo
al que minoritariamente sacude y desgarra
el telúrico indagar de unas conciencias
depuradoras y críticas, surcadas por la red arterial
de un confuso riego poblado de incontables
misterios de apremiante cumplimiento ciego.

Managua (Nicaragua), 3 febrero 1963

El ininterrumpido,
el clamoroso de sacudidas que se propagan
infatigablemente; el goteronear fundiente
del Sol, ¡ah vivísimo joven del rostro ígneo,
sobre mis ojos cegados por tu hermosura!
Y el misterio.

No sé, no conozco, no intuyo. Temo.
Vengo de lo seguro, de lo olvidado mío
y vuestro; pero ignoro. Lo ignoro todo, y busco
con esta mirada que se ahoga en círculos
de todos los resplandores,
una tierna evidencia fraterna.

Esa línea inmóvil, la inviolable cordillera que se moja la orilla en lagos
y en redondas ofídicas lagunas,
me fascina como a una loca ave insegura.

¡Qué serenidad indiferente, dormida y ágil
para el ensueño total, reincorporándose
mi criatura secreta, la del pánico a la selva y al tigre!

¡Cuánto tiempo recién creado, y en marcha,
la de estos volcanes plácidamente en amenaza!

Managua, 4 febrero 1963

No en mitad de la plaza, no en jardines,
sino en toda la ciudad, señoreándola sumisa suya entera,
el dueño ancestral, jaguar puro inmarchito,
todo él también entregado

a la posesión posesiva y poseyente
de un mundo que le circula y pertenece
como su misma piel flexible e imperforable.

No en la selva inexplorada, aunque en los siglos
viniéramos los otros, los sin fieras de patrimonio exterior...
Aquí, en las calles que se cuentan
en breves cadenas de mezquinas casas
que salpican, apenas si unos pocos, edificios absurdos.
Porque lo suyo, lo de aquí, es lo recio y ancho de dimensiones,
no lo alto y desgarbado de estatura.

En toda la ciudad, el tigre.
Estremeciéndose, runfando como hervoroso océano,
como la brutal vegetación que es, en arco
de disparantes fauces. Solo y enorme todo él
en una dimensión que si creciente, breve.

No es que le busquen o huyan, le tienen;
le son; le obligan y le obedecen, mandándole
multitud oscura, elástica, profiriente en ceñuda mudez...
Para él, todos y ninguno: ciudad-jaguar,
hombres-jaguares, lagunas, cerros, lomas y calles.
¡Qué imponderable reto a la civilización caduca
la fulminante majestad del tigre!

Managua, 4 febrero 1963

Una mañana cualquiera,
entre las cuadras eso y aquello, arriba y abajo,
quizá hacia la montaña o al lago, pues que no entiendo la cosa,
he visto a un indio viejo sentado en el bordillo de un portal.

Fino, hermoso, con los ojos de laguna insondada
y una distancia en la frente semejante a las colinas
que se arriman, tranquilas, al Momotombo,
indiferentemente tranquilas,
sentado y ajeno. Indio que mira lo pasajero
de cuantos desfilábamos ante sus ojos.

Esa es la *distancia*. Así se ausenta un hombre.
Viejo, quemadas sus ropas, descalzo,
silenciosamente puro en su anulación...

Igual que las lagunas, exacto a la cordillera,
pero unidad; pero resumen. Muchedumbre
de indios en uno solo. Tribu que desfila,
inmóvil, en él.

Sol que ofusca, sombra que viste los cuerpos
como paño levísimo. Árboles clavados;
pájaros sin alas, como los niños, al sol, mudos.
El polvo, el ruido, la despiadada ciudad con basuras.
Él, allí. Quieto. Allí, allí, allí,
un indio en la calle —¿por qué no toda ella cubierto campo de lava?—
por donde yo perdía, asfixiada, mis pasos lentos
de viejísima española emergiendo en Managua.

Managua, 17 febrero 1963

El indio no tiene prisa, pero yo sí.
El indio y la india están sucios, hambrientos, enfermos,
sentados en cualquier pedazo de tierra, labrada o inmunda,
sin prisa. Resignados o ausentes de ellos mismos.
¡Pero yo no puedo verlos así más tiempo, no, no puedo,
porque se han puesto a dolerme como llagas;
se me hincan igual que machetes en el pecho y en la espalda,
y necesito que anden,
necesito que caminen, que se muevan y sonrían y recuerden,
estos indios sentados y mudos y serios,
y podridos de sol y de duelo callante!

Ya no tengo familia casi sobre estos indios.
Ahora pertenecen a descendientes suyos —y míos lejanísimos—
que no les recuerdan o que les niegan, pues que les dejan morir.
Solamente los poetas, mis hermanos, gritan inútilmente...

Junto mi clamor al suyo, lo sumo, lo suplico incluido en el suyo,
para que el indio sonría, se levante, ande, cante de nuevo. ¿Cantó acaso?
¡Porque verlo sentado en una mancha de tierra,
cerca de una vaca enferma, de una mujer deshecha,
de unos chiquillos como pájaros flacos que no tienen alas,
no puedo sufrirlo, Dios de todos los seres de tu mundo,
no puedo más, Señor!

Managua, 17 febrero 1963

ESCALA EN PUERTO RICO

Al llegar dudaba yo si alguna vez me había ido,
pues me encontré, simultáneos, aquellos mismos amigos
que en mi adolescencia hallaba
donde la Poesía habita.

Estaba *Pedro,* sentado, contemplando el mar, absorto;
y estaba *Juan Ramón,* enfermo, cargando inmortalidades...

¿Cuánto tardaba en volver al paraíso?... Estoy
temblando de averiguar la dimensión de mi ausencia.
Porque me siento en retorno, recuperándolo todo:
desde el volcán a la fiera,
desde el pájaro a los bosques,
desde el caimán a los frutos...
Por aquella cordillera sobre trémulas lagunas
que como bocas se cierran con un cuerpo tierno en medio.

Ellos dijeron palabras de sombras intraductibles
y yo no opuse preguntas. Reconocí quiénes eran.
Amigos que regresaron antes que yo, y ahora acudo
a borrar mi larga ausencia de celeste desterrada.

Puerto Rico, 24 febrero 1963

Al pisar esta ola que se alimenta de tropical playa sedienta,
estoy pisando, ya, el umbral de mi patria distante.
Y siento en mi corazón, que se creía dueño de la indiferencia,
una sensación repleta de certidumbres lúcidas.

¡Oh tierra prodigiosa, criaturas inefables y pródigas
que me dais con vuestro apoyo un amor y una ternura
que me liga en voto eterno a vuestra dulce amistad!
¡Si no fuera porque mi patria es una red de arterias
que me invade como un mar sólo puede,
yo me quedaría aquí, al amparo de vuestros pechos!

Esta nave es mi patria, España, que fuera vuestra
y que seguirá siéndolo porque la habláis
dulcísima y lentamente, paladeándola
como yo con vuestros frutos: sangres todas
del universo ardiente que el mar reúne y funde.

Al partir de Puerto Rico, 24 marzo 1963

EN EL MAR DE LA VUELTA

Nicaragua me hizo suya en áspero deslumbramiento
que en la dulce voz de sus hijos atenuaba el contacto...
¿Qué remotas raíces arrastran mi sangre ibérica
hacia la desértica hermosura de Nicaragua?

En mí palideció todo después de conocerla.
¡Quién detuviera su paso hacia un mañana otro
que no fuera el propio suyo! ¡Quién pudiera
purificarla en sí misma, consigo sola, suya
la imprescindible purificación social tremenda!

Salvaje belleza autóctona, crudelísima riqueza
que en la tierra hinca su garra fabulosa de la sangre
que por ella se derrama con tal largura de medios,
¡quién detuviera de ti tu propio volumen grueso,
para eternizar lo eterno de tu poderoso aliento!

¡Ignoro si volveré, pero si vuelvo otro día
será como renacerme desde un recuerdo a la historia
de este tan inesperado retornar al Paraíso
que fue mi vivencia en Nicaragua!

Mar Atlántico, M/n. Covadonga, 24 marzo 1963

Mientras el mar transcurre costado a mi costado,
pequeña que una es ya y se pierde en lo infinito
y se admite como parte, que participa de ello
al igual que las estrellas, que el siempre eterno oleaje.

Soy mar dentro del mar y hasta un astro soy del cielo,
porque en mi ser se confunden estas dos inmensidades.
Y pienso (yo, la mínima) que mi Dios mismo se mueve
moviéndose en el mar con un ritmo tan perfecto.

Si no mirara las verdes, las oleosas montañas
que no alteran al barco en que navego,
no sé si estoy dormida porque un sigilo unánime
protege con amor mi más gozoso ensueño.

Navego y me navega una singladura máxima,
que en los océanos hiende un breve encuentro conmigo:

aquel con todo un mundo que a sí mismo se busca
luchando heroico y tierno con los más poderosos.

Volviendo de Centroamérica,
M/n. Covadonga, 25 marzo 1963

A dos simultáneos precipicios me he visto asomada:
el de unos hombres tristes, derrotados, deshechos,
escoria de los hombres, horribles y desnudos
hombres sin otro amparo que la ruda inclemencia;
y el de unos cuantos hombres perfectos, cautelosos
de su dignidad en vanguardia, de su minoría culta,
que luchan brazo a brazo, contra viento y marea,
para salvar del lodo a su pueblo irredento.

Asimismo en mi vida pude oler tanta podre
dentro de la floral abundancia selvática,
en un orden de fieras ordenanzas del mundo
vegetal y zoológico, hasta de las mismas aves.

E igual que en todas partes, triunfadora la ley
que oprime y que desangra al cuerpo que se entrega.
Pero a la misma vez, ¡qué tesoro de anhelos
para todos los débiles, que se mueren a mares!

Matar o pervivir, ser o no ser un hombre;
ser un hombre que mata o un hombre que se vence.
Porque los tigres muerden si la sangre se escapa
de una mínima herida... ¡Hay que salvar la carne
condenada a la muerte, para ganar la vida!

M/n. Covadonga, 25 marzo 1963

Todo amenaza desde todas las encrucijadas; nadie
brinda seguridad total, cierto y seguro amparo duradero.
El más chico peligro, el que ni siquiera cuenta,
es el del alacrán... Y, sin embargo,
el alacrán mata si no se llega a tiempo.

El hombre está inseguro, pero más en sí mismo;
por ello asalta y muerde con su machete y su bala.
Otros hombres conscientes, arrojados y bravos,
trabajan por salvarle de la ciénaga, y luchan
contra palabras y actos, obstinadamente.

El trópico no para, es un hervor de sangres
que arremolinan lumbres delante de los ojos.
La selva y las lagunas crecen inapresables,
y criaturas hambrientas se doblan con tormento
hasta caer deshechas...

Pero vigilan seres con esperanza dura,
con esa medalla roja del corazón propicio
acuñándose el futuro infatigablemente.
Hay unos que son la tierra y la alimentan, y hay
otros que comen de ella; y hay
los que salvarán a todos a pesar de ellos mismos.

M/n. Covadonga, 26 marzo 1963

Inabarcable bestia gris, bestia dorada
y verde y azul, infernal y celeste bestia insomne
que todo lo posees, que a nada cedes
si no es a tus leyes inmutables.
¡Oh, cuánto te amo, y te contemplo lúcida,
hasta perderme en ti, consciente entimismándome!

Estoy contigo en todo, pisando las mil patrias
que a tus manos se cogen, como playas o rocas,
y oigo tu voz de España, que es la voz de alguien muerto
que tú vas salobrando para que no se pierda.

Al regresar a ti recuperé mi forma.
Perdida sé que fui por otras tierras tuyas,
y ahora que me llevas, me devuelves a mi agua,
te soy más tú que nunca lo fuera otra criatura.

Fabulosa y terrible constelación disuelta,
volcánica placenta de mañana, ahora
palpitamos unísonas, temiéndote entregada
como ni tú podrías poseerte a ti misma.

M/n. Covadonga, 27 marzo 1963

No hay tiempo ahora, no es el tiempo que conocemos
en la tierra. No se sabe si una hora vale aquí como en el monte...
Contemplando el transcurso del mar a los costados
del barco, pasan eternidades...

Y para una misma por sí misma, se viajan
los siglos de la sangre amontonada
dentro del cuerpo... Apenas si desciende el sueño unos minutos
acude el sobresalto de sentirse alzada
por el pecho blando, por el respiro enorme,
por el palpitar del mar debajo de nosotros.

¿Quién no le escucha, quién no intenta con su riesgo
penetrar al indescifrado? ¿De qué tremendos ojos
se escurrieron las lágrimas de los continentes?
¿Cuándo emergerán las tierras que el mar guarda en sus cuevas,
para aumentar el llanto gigantesco?

¡Dulce desvarío inacabable, delicado indagar de un secreto
que se levanta y hunde, respirando
como solamente puede respirar el Mar!

M/n. Covadonga, 27 marzo 1963

Gritaron sobre la noche.
Altos gritos, claras voces
a todo gritar gritaron,
gritaron sobre la noche.

Lo que gritaban no sé.
Me despertaron del sueño
creyendo que eran caballos
despeñándose del cielo.

Ramaje de gritos turbios,
barro disuelto en las aguas,
aves remontando el vuelo
con las alas enfangadas.

Pregunté —estaba sola—
por si alguien contestaba:
¿Por qué aúllan al nacer;
es de Dios esa garganta?

Y entonces vino la risa,
mareas de carcajadas.
Porque gritar gritarían
los muertos siempre en el alba.

M/n. Covadonga, 29 marzo 1963

Vengo viviendo en ti, cercada tuya,
sin posible evasión, acorralada insomne,
para alejarnos pronto, en unas horas cercanas,
y medirme en alturas que ya no te alcanzarán.

He yacido en tu pecho, elevándome el fosco
o delicioso respiro que movía a esta nave.
Las noches y los días fueron muchos y pocos,
porque nunca agotaron a mi amor en tu cuerpo.

Nos separará la tierra, porque ella es destino
y tú eres lo que sueño y algunas veces tengo.
Y en la tierra hablaré de nuestra larga vida
que cupo en unos días de inescrutable fuerza.

Hasta luego, mi dios. Volveremos a hallarnos.
No sé si a tu nivel o viéndote de lejos.
Que seguiré en tu pecho, tan blando y tan hirsuto,
eso lo sabes tú sin que yo lo proclame.

Mar Cantábrico, M/n. Covadonga, 30 marzo 1963

DESDE LA VIEJA TIERRA FIRME

Mientras contemplo el fuego que devora los troncos de unos árboles
palpito sol enloquecedor, selva de sol sin tregua.
Arde en mis pulsos roncos la memoria tuya, tierra
de la fiereza loca, del imposible equilibrio.
Oigo, latiendo al fuego, que empuja las mazmorras
de tus volcanes jóvenes contra tus lagos viejos.
¡Cuánta mar no haría falta si toda esa mar buscara
apaciguar las llamas que nos crepitan!

Antes de conocerte, de aprender tu lenguaje
radiante y turbulento, fulminador y turbio,
me encontraba desierta, olvidándome exhausta
en un mundo de piedras, este mismo de hoy
que en el fuego desgarra su secreto macizo.

Ahora cantan las llamas, cantan los pozos, cantan
los que llorando oigo a pesar de que canten
con la voz de aquel sol, de aquel viento sin tregua.
Ahora vivo otro mundo, ahora ardo otro fuego.

«Brocab», Navacerrada,
Sierra de Guadarrama, 13 abril 1963

Las islas llevan sus garzas suspendidas sobre lotos
y el Lago las apacienta, velándolas tiburones.
Rompen las verdes ramas desde abisales semillas
y su floración irrumpe como racimo, invitándonos
a soliviantar los frutos, a jugarnos vida y alma
sobre este mundo tremendo que tiene rostro de niño.

Navegamos o flotamos, ¿cómo saber qué se hace
mientras veloces contornos dibujan nuestra mirada
poblándola de misterios, despertándola en temores?...
Blanca ciudadela breve, levísimo jardín minúsculo,
sospecha de dientes fríos bajo el aceite del agua...
Las naves vuelan, esquivan, acercan, dejan, persisten.

¡Islas para enamorados, para dolientes; las islas
derramadas del volcán, interruptoras del Lago!
Los hombres saben, y llevan con seguridad los barcos
que descorren entre islas delgados pasillos verdes.
¿Quién ha brotado del árbol, quiénes susurran las frutas?
Las flores, ¿qué pecho eligen para enarbolar blancura?

Atónita, desquiciada, hecha mil Cármenes voy
de isla en isla, ¡y hay trescientas, acaso un millar de islas!
para escoger una garza, para cortarme unos lotos,
porque en el Lago las islas me han devuelto el Paraíso.

«Brocab», Navacerrada, 14 abril 1963

Toda mi vida otra, ¡oh mi distanciada vida adolescente y joven!,
requiriendo a la selva, acuciando al siempre fugitivo fuego...
Y de pronto,
clarinazo brutal de color y de sonido, de ímpetus,
Nicaragua.
Los contrastes más rudos y la suma delicadísima
de insoñables suavidades.

¡Oh país de las lagunas y de las colinas que no acaban
de terminarse nunca! ¡De la extática cordillera amenazante,
del intacto amanecer del mundo!

Te he mirado, como si me estuviera enterando al verte
de que el universo asoma su cabeza hirsuta,
y sin embargo tierna,
por el ojo tremendo de una criatura sin terminar tampoco.

Misterio contemplarte, misterio que infunde silencio absoluto.
Espesísimo, lacrado, rojo y violáceo, azul misterio.
Con un rumor galopante, atosigador; con un jadeo que se moja de espumas
y se tira, roto, pero fiero de músculos todavía,
a la orilla de los lagos, cabe volcanes y grietas
en verde vegetación a desencadenada noche.

Cifra de nuestro encuentro: me llamaste, acudí y ahora te nombro
con un ascua, toda tú, abrasándome los labios.

«Brocab», Navacerrada, 28 abril 1963

Y no anduve tu selva, con mis propios pasos.
Fueron los pies de otros, y sus oídos, ojos y manos vivientes
los que para mí recorrieron tu desconocida confusión intacta.
Vinieron a contarme, me fueron revelando... Minas de oro que devoran
a las tribus de indios misquitos;
trepidantes manadas de hombres amarillos, acuñados ya,
que chupan la sangre de los excavadores ignotos.

Apenas tus campos. Tampoco, ay, el Chontal idílico.
Fueron las voces de otros las que para mí redoblaron
trotes y galopadas de caballos como dioses,
las que empujaron rebaños de cruces orientales que triunfan
sobre el agrio rumor de un cielo calcinado.

¿Cómo, si te conociera cual ellos, tus poetas, te conocen y llaman,
te diría yo?
Porque se amontonan en mi garganta presentimientos lúcidos
al amparo de tus olores nocturnos,
cuando el concierto de perfumes estalla en la sombra
de tus caminos, al volver de Matagalpa,
y una extiende la mano y se moja de frutas.

No es bastante ese todo;
faltan corroboraciones místicas de nuestro mutuo hallazgo.
Sabernos, las dos, por qué fuimos llamadas
a tan poderoso choque. Por qué la convocatoria
de nuestras fuerzas
tuvo que ser ahora y no antes, y cuándo, de qué forma
volveremos a hallarnos. Y para qué, si no me dices
cuanto no pude oír de ti misma.

Cierto que no me invadía el ansia de recorrerte
con precipitación.

Que prefería soñarte desde una cima, quieta y deslumbrada
mientras se orbitaban las músicas
de una extraña promesa indescifrable.

¡Oh retumbar del sol, peregrinante zumbido de magnéticos redobles
contra mis sienes quebradizas!
Desconcertante *diálogo* en el cual suplo, a empujones de sangres,
la revelación total de un mundo nuevo.

«Brocal», Navacerrada, 28 abril 1963

A uno y otro lado, la exuberante verdura pródiga;
y en medio, el polvo; la descarnada tierra del tránsito.
A un lado y otro, las diminutas casas de madera infecta.
En medio, la pedregosa cinta del camino áspero.

Arriba, el sol; abajo y arriba y a los costados
y hasta debajo de la carretera hosca, el sol. Todo es sol.
Plomo incesantemente fundido contra el hombre.

Sí, charcas de agua coronadas de insectos voraces;
muchedumbre de *corales* viboreando en la maleza,
y la lenta e infalible progresión de alacranes...

Pero el milagro del sacuanjocho; la plurivalente
cartografía de orquídeas, el híspido
y pesante jícaro. Todo, en un solo tramo del mundo.

¡Momotombo, Mombacho..., islas, Granada!
Una boca se ajusta y una trepidante aleta
remueven el agua y trizan criaturas.
Managua, León. ¡Se clavan machetes unos hombres
mientras otros inventan palabras
de indescriptibles sueños!

El indio contempla su flaco ganado, y la india
pone y pone, indiferente, inditos escuálidos.

«Brocal», Navacerrada, 28 abril 1961

Esta cita solemne con tu vigor salvaje,
con tu dulzura cálida, con tus esquivas lumbres...,
¿con quién se concertó desde el comienzo mismo
de mi inquietud latente por penetrar los mundos?

¿En qué ramo de venas se deslizó la orden
y con cuál corazón palpitaba el empuje
de cortar las amarras y consumiendo mares
allegarme a tu luz, porque tú me esperabas?

Todo precipitóse a consumaciones íntegras.
Me quedé sin el tiempo en pasado, y tuve
una hermosa visión de lo inimaginable.
¿Qué abrirá desde ti para mi día nuevo,
al vivir que suscitas en el mañana mío?

Madrid, 14 mayo 1963

Tensa tierra estallante de animales y frutas,
un líquido tejido oloroso es tu aire;
un paño azul de Siena, un manto primitivo
de peregrinos lúcidos es tu cielo descalzo.

Abrasantes sembrados con un ganado encima
que ni pasta ni sueña, está como enclavado;
arboledas escasas, y de súbito selvas
que se tragan la luz y el paisaje y las almas.

Me detuve un momento, ¡un minuto de vida!,
porque tu voz mandaba que quieta te mirara;
y sentí que nacía para quererte, y éramos
mi pasado y mi hoy una nueva armonía.

Como te amaba entonces te amo en la distancia:
cuando envuelta en palabras que me hablabas por otros
iba andándote ebria de tu fuego y de tu calma,
o me tenías fija, intacta ante tu pasmo.

¿Eres una nación o eres el Paraíso?...
Si me has llamado así, yo que fuera arrojada
del otro, del eterno invisible, creo
que lo he recuperado penetrando en tu cerco.

«Brocab», Navacerrada, 15 mayo 1963

Todo un día en tu umbral; estuve contemplando
desde San Juan del Sur, primera puerta tuya,
la costa luminosa, los montes alejados...;

lo que ya eras tú, dulcísima apariencia
de ese mundo secreto que aprietas tú contigo.

Soñándote ante ti; aguardando el instante
de zarpar de aquel puerto tan antiguo y menudo,
para pisar Corinto, el lugar decretado...
El más callado mar deslizándose abajo
y el *Canadá* flotando ajeno y consentido
(no era aún el momento, había que desearte)
embarcando el café desde inmensas gabarras...

Atónitos los ojos. Ensimismado el cuerpo...
¡San Juan del Sur, Pacífico mar de Dios, te veo
en imborrable día que embebió meridianos!
Lentamente gocé de una víspera, el día
27 de enero del año en que te nombro.

«Brocab», Navacerrada, 15 mayo 1963

Corpórea corpulenta estatua negra ardiente
desgarrando el olor de universos de olores.
En un mundo invisible de silencios espesos
la noche me paró con su garra de bálsamo,
clavándome en colinas sobre ciudad anegada,
todo lenguaje oscuro de ciclópeos olores.

¡La noche de los montes camino de Managua,
verbo de multitudes de especies irradiantes;
una respiración de monstruosas flores,
un crepitante aliento entre fauces de fieras;
de plantas insaciables de tierra y de huracanes,
de peciolos soberbios, de casi lácteos cálices;
un colosal fragor devorando perfumes:
robusta lumbre fría de sexos vegetales!

¡Arrebatada mía cabeza que me gira,
garganta que me seca hasta el nombre que llevo!
¡Olor de aquella noche, vuelve y retumba duro
removiendo el doliente jardín de la memoria!

Castilla, 14 octubre 1963

ENAJENADO MIRAR

1962-1964

R, $\frac{\phi 2}{2}$

1944

Maruja Mallo:
Trazado armónico (El racimo de uvas).
1944, lápiz s/papel.

Voy a recoger mis ojos,
abandonados en la orilla.

C. C.

PRÓLOGO

¿Son míos esos a quienes voy desde que veo y quiero ver más,
o han abierto, flores fabulosas, para que los busque
desde todas las imágenes por ellos mismos creadas?

¿Los contengo, o estoy alojada en sus órbitas ardientes
y nunca podré extrañarme de sus cuencas abisales?

¿Me miran o los miro, persiguiéndolos en todo lo que hallo
en los rostros humanos, en las cabezas de los animales,
en cuanto huele a selva o a lumbre; en la propia luz?

Mi fatigosa caminata, inmóvil, por esta vida prolija,
llevándolos y llevándome. Abiertos en lagunas, pozos;
cerrados en lágrimas, en éxtasis, en paroxismos.
¿Son míos ya, soy suya; a qué esperamos para volcarnos
este líquido amargo y enajenante que mutuos poseemos?

Los llevo aquí, en las entrañas; no los veo, pero están.
Por eso lo conozco todo, lo veo todo, lo sé todo. Por ellos.
Porque ellos ven a través de mí lo que ya han hecho.
Y soy sus ojos, como soy su lengua, su sangre, su aliento.

¡No los dejé nunca a ninguna orilla, deliraba al decirlo!
La orilla soy y eres, somos a la vez los mismos ojos.
¡Abiertos a la par en ti y en mí, mirándolo con amor, con gozo,
inauguramos la eternidad viéndola juntos, con los mis ojos!

ADOLESCENCIA

Intactas, recientes, desprendidas
de un compacto rocío desde el alba,
esferas de luz, gotas purísimas
de agua celestial, tales mis ojos;
estreno delicado de sus límites,
tactando lo entreabierto a su contacto
en tímido anheloso y aprehensivo
hacerse con la luz ya reflejada.

Dulcemente esos ojos inauguran
inasibles contornos fugitivos,
los escorzos de cosas no con nombre.
Van ligeros, hambrientos, devorando
lo que asaltan ignoto; incorporándose
tanta masa de formas, galopante
de criaturas distintas, y enloquecen
al hollarse con ellas, moldeándolas.

Peso delicado, quedasteis alojados
en ardientes entrañas, presionándolas:
como en cera o arcilla, indelebles,
con asidua presión vais dibujándoos.
Lo cóncavo y oscuro iluminóse
con un fuego tranquilo e inagotable.
Gota a gota el gran peso fue cuajando
en dos ojos abiertos, dos mitades.

Apenas si rozadas, de una en otra y
buscándoles su origen, susurrándoles
palabras como nombres que abarcaran
las islas prodigiosas del misterio, que
cerraban sus corolas contra asedios o
pugnantes adherencias cuya urgencia
crecía con la edad. Tiernos capítulos
del ser hacia su forma expectativa.

(Y entonces principiabais vosotros
una lenta y fecunda gestación
minuciosa, invisible, diminuta
como flora de mínima estatura...

Ni siquiera en ión vuestra emergencia.
Ni de luz, ni sonido, aunque fuerais.
Empezabais a ser para este día
en que dentro os contengo, porque os soy.)

¡Oh, sí! Participando inciertos
de todo lo pequeño y accesible
al rodeo voraz que le prestabais,
atónitos de hallar fuera, en el mundo,
algo que cubriera las distancias
de lo oscuro a su luz, a su descifre:
de aquel duro camino que emprendíais
por buscaros en donde ya no estabais.

Prorrumpiendo la flor, abriendo el pájaro,
las aguas concertándose en la copa
de unas manos o labios, o unos pechos,
o unas piernas o cóncavos crisoles.
Resbalando en su música el latido
de las voces extrañas que nombraban,
de los dedos ajenos que rompieron
la cintura de amor, frágil y queda.

Se agruparon un día los arcángeles,
oferente la escala que accediera
a la exacta morada consentida,
designada o creada, que en moradas
nadie sabe si hizo o si recibe.
De palabras guiados, de canciones,
con promesas y rostros refulgentes
que queríais huir porque os cogían.

¡Ay la núbil mitad, la deslizante
criatura que llevabais prendida
de aquel hosco y quemante, de aquel turbio
y limpísimo arroyo de miradas!
Atrás se nos quedó porque llamaron
naciones de la vida, las fronteras
de urgente transponer tumultuoso,
brotándole a la luz múltiples toros.

De todos se partió. A todos íbamos.
En enjambre de hojas se abatieron
los esquivos y a tientas recorridos
bosques llenos de audaces concurrentes.
Olvidarlo cumplía, la memoria
selló su gran esfera que ahora rompo.
Ya repletos soñantes de futuros
dolisteis como alas.

                    Comenzabais.

1962, diciembre, Madrid

DESCUBRIMIENTO DEL MUNDO

ANTE EL AMOR

Acertaba a ser hermoso
mirarlo todo, mirarlo
con una mirada-lengua
que estableciera el contacto
necesario entre las cosas
y los seres, necesario
para conocer: *es dulce,*
o sencillamente *amargo.*
Tomar los ojos e ir,
con urgencia, a comprobarlo.

Una sucesión de encuentros,
luz del puro sobresalto:
con las manos extendidas
irse en hallazgo de hallazgos.
¿Eres tú? ¡Oh, sí que eres;
somos los dos, nos hablamos;
desde tu cuerpo a mi cuerpo
nos estamos asediando!

E íbamos caminando,
solitarios,
en dos animales jóvenes...

Allegándose al arrimo,
hambrientos
de una piel o un hogar.

Con esa larga sed pastosa
que no calma
ninguna sed del mundo.

¿Quién los recibiría,
quiénes
acudirían con zumos y con panes?

Viscosas selvas truncas,
verdinegros arroyos,
charcas con pájaros atónitos...

Lejísimo e inalcanzable
el límite forzoso.
¿Por qué sólo allí,
    por qué?

Soltáronse ellos,
dejáronme sola.
Llamándoles hube

de ir por el mundo,
con voz desterrada,
desierta de luz.

Volved, mis contactos
con seres y luces:
¡volved, que no veo!

Volviéronme ellos,
trajéronme abiertos
sus párpados puros.

¡Qué fábula loca
de imágenes vino
ardiendo en miradas!

Infiernos y cielo,
arcángeles lívidos
y exánimes vírgenes.

Caballos y barcos,
mujeres y hombres,
rompieron en mí.

Con dedos de lacre
retengo su huida,
los sello en mi cuerpo.

Y cuando se estaban quietos y tranquilos
al dorado amparo de mi frente ancha

parecían grandes y profundos pozos
convocando aguas de corriente limpia.

Todo lo reflejaban apareciendo ajenos,
a todo se entregaban con adhesión despierta.

Igual que los niños o que los potrillos,
curiosos de toparse con el universo.

Fueron silenciosos en aquellos días.
Solamente entonces guardaron silencio.

Yo me agazapaba también a su amparo,
jugando a no oír que llamaban siempre.

Hasta que la dulce y lenta, la tibia fragancia
que exhalaban ellos, latiendo despacio

se quebraba en gritos de amor impaciente,
y entonces prorrumpía yo en mis ojos.

Aprendiendo a mirarse en otros ojos,
        contrastando
el espacio y el tiempo confundidos.

        Exactamente
igual a si se mira con fijeza
        e infatigable ansia

el compacto desfile de las nubes
        o el oleoso
removerse profundo del mar.

        Desfilaban
los pedazos del mundo confundidos,
        fluidificándose.

Crestas de naciones y aletazos
        de océanos:
tumultos de humanidades iban.

Y nosotros,
callándonos el soplo, sorbiéndonos
    la mirada,

donde discurrían las edades
    y la muerte...
Por la que venían los dioses todos.

¡Oh largo y atosigante, estremecedor latido
sacudiéndonos unánime, lanzándonos fuera de nosotros,
al cobijo de una mirada-látigo!
Del mirar inacabable de que es principio este mundo.

Ni una mano se adelantaba al encuentro
de otra mano...; quietos y mudos, ojos solos
vertiéndose, vaciándose, volcándose, deslizándose
a lo largo, de la mirada que se abría paso.

Tocaba tierra, derribaba cielos, suscitaba gritos
o gajos temblorosos de un gemir entreabierto.
Tambor de la sangre roncamente batido
por el querer sin saber cómo se quiere.

Por eso y con todo eso había que cerrar los ojos,
descansarlos en lo oscuro llameante:
en la húmeda cueva desierta de palabras,
población de palomas con el coral de plumas.

La voz no servía,
la voz traicionaba.
Mirarse era entero
tenerse en la entraña.

Hablar se perdía,
callar aumentaba
el gozo de estar
en una mirada.

Los ojos sabían,
los ojos tomaban;
el llanto en los ojos
si labios hablaban.

Amor de silencio;
amor sin palabras;
amor desde el Dios
que ojos clamaban.

¡No miréis a otros,
no digáis miradas,
que si no os encuentro
me muero sin habla!

Cerrados o abiertos,
volando o en calma,
si queréis, tomadme:
yo soy la mirada.

No existía más mundo que vosotros míos
ni otra criatura pronta a dejarme clavar
esos dos diamantes con puñal de párpados...,

que si levantados porque yo tuviera
delante y abiertos espacios vibrantes,
cuando se apretaban todo perecía.

Los límites justos de mi vida fuisteis.
Nadie pudo nunca suplantaros.
Nada podrá mereceros cuanto os merecí.

Con la dócil fuerza que los astros giran
e irrumpen los ríos llevándose tierras,
troquelando imagen a imagen, sin pausas,

hicisteis aquí la presencia eterna.
Dejasteis en mí, rodeándoos íntegros,
mis ojos en forma de entrañas.

¿Cómo guardar el secreto
ante vosotros, fijos ya en mi cuerpo?
¡Gozosa sabiduría la vuestra, calofriante
conocimiento dilatado
del presente y mañana míos!

Aunque os dijera yo misma
que no os amaba, que prefería irme

andando por los caminos para sorprenderlos
y sorprenderme con su misterio revelado,
¿quién os podría engañar? Mentía.

Mentía sin saberlo. Mentía equivocándome
de mis propias verdades.
Piafaban mis años, yegua impaciente de henos
tiernos y jugosos, creía que galopar sería
librarme de lo cavado aquí.

Y gritaba otro amor, buscaba otro amor;
y no, no era verdad; por ello me quedaba fría,
ajena e inquieta, cautiva
de una esperanza quebradiza cual hielo reciente,
porque yo era la vuestra indomable.

Marcada, sellada a fuego:
cosa que os pertenece.

Comprobaros sobre mi ser
cualquiera puede.

No tengo nombre, me llamo
ojos que no perecen.

Si en otras entrañas hundisteis
dibujo que nadie mueve,

en las mías, como sus alas,
firmes se estremecen.

1962, diciembre, Madrid

PLENITUD

RAÍCES Y FLORA

El increíble bullicioso movimiento
de los escuetos hilos vegetales,
reptando, pugnando fieros
hasta escalar la luz.
Y en ella, dueños los ambiciosos del aire,
tanto amontonado florecer.

Desde un átomo del hombre, semillante,
al de una mujer enamorada.
Así, la gestación de plenitud: el ser.
Yo, esta que se evoca a través de la arena
y del agua espesa de la mar.

¡Oh gozo delirante, oh cóncavo fluir,
oh larga travesía velocísima:
un fugitivo instante cósmico!

En el viento, en el sol, bajo la lluvia cálida,
la perfecta aparición del mundo.

FRUTOS

Glorioso aprendizaje el de mi boca
en el morder y deshacer de frutos
cálidos y fríos, arroyos de dulzura,
y el áspero o el ácido, hasta el amargo y verde.
La madurez difícil o la inmatura extraña
delicadeza núbil de lo que se anticipa.

Frutos en sazón, bordeando el rechazo;
y frutos incipientes, acuciendo el deseo.
Un edén de sabor, de perfumes, de zumos...
La muchedumbre atroz de la riqueza eterna.

Árboles colmantes del hambre que se trajo,
desde el primer Jardín, la criatura arrojada.
La gloria de los frutos,
el licor delicado de la pulpa que sorbo
entre mis fuertes dientes codiciosos.

Fresas y racimos de tersas uvas, manzanas,
peras y papayas, las piñas, los melones,
los mangos, aguacates, hasta el maíz es fruto,
granadas amarillas en antorcha, no esfera.

¡Bendita sea la luz que se cuajó delicia,
el placer de beber, de comerse una fruta!
Coger el propio mundo y meterlo en la boca
e incorporarlo entero a la sangre que sigue.

CONTEMPLACIÓN DEL OTORGADO REINO

¡Todo está bien hecho así, todo es perfecto!
Ni una trama sola que equivoque sus hilos.
Ajustan los puntos, coinciden los ángulos; y esa dislocada forma
que nos parece fugitiva de quién sabe qué acoso,
es la órbita exacta de un futuro inmanente.
¡Gloria de respirar la radiante ordenación del caos!
¡Aleluya la vida, aleluya vivirla
con el ímpetu ardiente de la felicidad de ser!

Alargas las manos y se te colman de hojas,
se te aumentan en frutos, en minerales, en brisas...
Ciñes un cuerpo caliente que te responde cierto,
acaricias el lomo vibrante del animal que te ama,
y eres la plataforma de un ave,
la riquísima cueva de donde nacen ríos,
y el árbol que se mueve por todos los quietos árboles.

Te quedas a la orilla del mar o del camino,
y escuchas. Todo es seguro, continuo, inequívoco,
porque todo está aquí hirviendo a borbotones,
para entregarse tuyo tomándote a bocanadas.

LO QUE SE EMPIEZA A PERDER POR FUERA

Cuanto más abarcan, con hambre, los brazos,
    más asfixia la carga.
Si el contenido rebosa del corazón,
    ¿para qué intentar su aumento?

La plenitud es el inicio fulgurante
    de la desintegración.
¡Ah la eternidad! Sólo reside lo eterno
    en lo fugitivo.

Lo fugitivo representa la idea
    de la eternidad.

Entonces, repletos, ahítos,
ya no tenemos nada.
Se nos deshacen los tesoros y alivian
la tremenda impaciencia.

Salen de nosotros las cosas,
se extrañan por fin.

¡Oh liberación insólita e inesperada,
descarga luminosa incandescente!

Allí está nuestro y ajeno
lo que ambicionáramos.

TIEMPOS DEL DESCONCIERTO Y DESACOMODO

Haberlo deseado y amado, violentamente, todo,
y tenerlo, vencido, roto en cenizas ahora.
Formas ante ti, en gestos estatuas quedadas,
en el mármol sin luz, en la férrea seca piedra.

Amor, ansiedad, galope desenfrenado de la sangre nueva;
el ronco rebato de la plenitud contra lo huidizo.
¿Qué la luz, qué el silencio rodeándose al cuello
del tejido flamígero y fulminante?

No cabe aquí ya el mundo, falta espacio dentro y fuera;
el contenido es vulnerable y la vasija no cede.
¿A quién se busca ahora y quién es alguien que sea
en esta hora precisa para sopesar los cuerpos?

Más allá, más allá; en donde la lumbre arda
sobre las lenguas de dioses, arrancados del misterio.
¡Oh fuego que consuma y deje arrasado el frío!

Todo se mueve en largas espirales de diamante,
orbitándose fuera del mundo.
Espesura de brazos hurgan sin fatiga el cielo,
descuajándolo de historia. Las cataratas de astros
en gélido tumulto sobrevienen...

¡Y ya no es el deseo, no es el amor; no es ni siquiera el odio!

IDENTIFICACIÓN CON EL PROPIO SER

MADUREZ
LAS VISIONES INTERIORES DEJAN PASO
AL MUNDO EXTERIOR

La tenue línea rosa mojada de océano
al atardecer sereno, en la hora que no acaba

en realidades; sueño de esos montes que reflejan
un sol incierto y puro que se sueña...
Ni las manos se oyen. Paladeante oscuro
el gemido de la mar que acude
y retrae su grosor, su dulcísimo,
su dilatante golpear hacia la sangre hija.

Así, en lenta trasvasación liberas
tu más escondido ser. En linfa derramada afluyes
a tu origen. Hay sol en tu cuerpo interior,
iluminadas naves que regresan al puerto...
Las redes colmadas, precipitantes peces turbios
boqueando en los dedos del afán inseguro.

¿Qué se levanta y salta sin temor ante ti,
cuando contemplas en silencioso éxtasis
el roce salobre y el rosa de los prados,
y la línea finísima que no delimita mundos?

¡Oh el golpeteo rítmico, contrapunto a delirante
indecisión, a cada instante vencida y renovada!
Metiéndose en la luz, precipitándose íntegra,
¿se hallará lo que nos urge desgarrar de nosotros?

LAS MIRADAS HACIA ADENTRO

Con la mano enfriada,
apartándomelo todo.
Y dulces los ojos que se cierran
para rodear un punto.
Porque hay que reconcentrarse alrededor de lo que hemos hallado.
Porque no se puede eludir el hallazgo.
Porque dentro de los ojos empieza todo.

Más que una cordillera,
más que el desierto,
mucho más que las tres cuartas partes
de lo que no es la tierra.
Una inacabable extensión de inimaginables planetas.
La dislocante parábola de una línea recién nacida.
El trémulo, pero exacto ondular de algo que va recto a su fin.

Es así y no se parece a nada.
No lo hizo nadie y es suyo.

Es mío. Es de todo el que mira
con los ojos cerrados, dentro de sí mismo.
Y nadie intente soslayarlo, si es que lo ha visto.
No podría nadie dejar de afrontarlo si lo encuentra.
Inútilmente buscaría evadirse de su consumación.

¡Glorioso trance indescriptible,
consagración de lo presentido,
suma transida de transfiguración,
sólo y sencillo amor que cuaja!
Por eso mirar es poco si se mira afuera,
si se intenta rodear una forma concreta,
cuando las fuerzas que quiero ver son invisibles.

SE COMIENZA A VER OTRO MUNDO

De dónde sacamos lo que somos, venimos siendo,
está ante mí o yo delante suyo,
oscilando, rompiente, vuelto a empezar a cada átomo
del tiempo inmensurable...
　　　　　　　Vengo a verle
convencida de su paternidad y de su gloria,
que me inunda de mi propia original sustancia.

Mi mar es más antiguo porque lo recuerdan más siglos
que a éste, salvaje juventud de aguas que son tiernas
placentas de los hombres...
　　　　　　　Necesita las lluvias
para aliviar sus lomos ásperos y grises,
en tanto que en mi mar solamente la brisa
unge delicada el torso azul compacto.

Cuando lo pienso, extraño su olor de mi cuerpo;
comparo las dos mares con mi cima y mi sima
y encuentro que la sangre nutre peces edénicos.
(¿Se habló del mar entonces, cuando el Edén se abría
y se cerraba híspido ante mi celo virgen...?)

Hundo en la mar mi cabeza, abro los ojos
entre paños de mar y me veo deshecha...
Empiezo a construirme, me levanto criatura
con voz e ideas sólidas para cantar al mar.
Ya la tierra es pretexto necesario a la húmeda
planta que se apoya disparándose al cosmos.

EL UNIVERSO TIENE OJOS QUE
SE CONOCEN SIN VERLOS

Nos miran;
nos ven, nos están viendo, nos miran
múltiples ojos invisibles que conocemos de antiguo,
desde todos los rincones del mundo. Los sentimos
fijos, movedizos, esclavos y esclavizantes.
Y, a veces, nos asfixian.

Querríamos gritar, gritamos cuando los clavos
de las interminables vigías acosan y extenúan.
Cumplen su misión de mirarnos y de vernos;
pero quisiéramos meter los dedos entre sus párpados.

Para que vieran,
para que viéramos frente a frente,
pestañas contra pestañas, soslayando el aliento
denso de inquietudes, de temores y de ansias,
la absoluta visión que todos perseguimos.

¡Ah, si los sorprendiéramos, concretos,
coincidiendo en la fluida superficie del espejo!

Nos mirarán eternamente,
lo sabemos.
Y andaremos reunidos, sin hallarnos como mortales
en torno a la misma criatura intacta
que rechaza a los ojos que ha creado.
¿Para qué, si no vamos a verla, aunque nos ciegue,
hizo aquellos y estos innumerables ojos?

HACIA ELLOS VAMOS

Todo cuanto hacemos lenta o precipitadamente
es ir hacia vosotros, los ojos invisibles.
Seguros e inmutables, aguardándonos vais
de frente o de soslayo, abiertos o cerrados.
Todo lo que brota, lo que se mustia, es ir
al encuentro glorioso de vuestro fluido hallazgo.

Vamos con la vida, nos vamos ya muriendo.
Nos acercamos ebrios o resbalamos lúcidos.

Apenas presentimos que sois, que estás abiertos,
caminamos fatales, convictos de sapiencia.
Avanzamos a tientas o corremos cantando;
con frutas en la boca o con yerba en el pecho.

¡Alegría de veros un día, una mañana,
de noche o madrugada, pero veros al fin!
Hermosos presentidos, hermosísimos ojos...
Mirada planetaria, pestañas de cometas...
Entornadas mitades de la luz, lumbres grandes...
Hogueras del amor que arrancamos del cielo.

Miradnos ya de frente, miradnos con la fuerza
que pusimos en veros cuando nunca os veíamos.
Somos ésta y aquél, somos todos, los mismos;
seremos los de ayer, los de mañana somos:
la ciclópea materia que os hizo y nos hicisteis.
¡Miradme, soy la vuestra! ¡Sois los míos, mis ojos!

EXACTA EDAD

TODAS LAS MIRADAS SON ÁRBOLES QUE SE DESHOJAN

Las miradas son árboles que se deshojan.
Hay que penetrar lo compacto,
que taladrar el misterio para descubrir el suelo
cubierto de álamos, de olmos,
de palmípedos cedros.

La prieta vegetación humilla bajo el peso del tiempo
su copiosidad radiante, de éteres húmeda...
¡Ah el precipitado ímpetu
de las ramas, de las miradas
cortándose de sus troncos!

Apenas algo, apenas el ácido vaho que dilatan
los dientes del rebaño implacable
cuando muerde el pasto...
Humareda invisible de verdor desgarrado,
cálido penacho de olores.

Las perdemos, cortándonoslas inconscientes
de larga contemplación.

Y nos quedamos en tierras desiertas,
en arrasadas orillas,
en fingidos oasis sin agua ni palmeras.

¿Por qué, hasta cuándo, en qué momento
se reunirán todas esas miradas en haz trepidante,
para hacerse breve rayo definitivo?

¡Este viscoso suelo resbaladizo,
las mareas de hojas que eran ojos
agarrándose a las cosas, a los seres, a la ilusión de ver!

LOS SERES Y LAS COSAS HUYEN O SE BORRAN

Viajando cielos de púrpura contra la caza de un ave.
Atosigada del fuego, dislacerándome el frío,
y sin lograr que al alcance de mis manos paralicen
su fugitiva derrota las cosas y las criaturas.

Huyen, se borran, inciden; aparecen, desvanecen
sus contornos palpitantes. Hacia la sombra voraz
se precipitan veloces, e inhumano es el cántico
que apenas si capto, y roe.
(«No me retendrás, te puedo; eres frágil, vulnerable.»)
¡Mis vegetales sentidos, mis pobres domadas bestias!

Desde mi fin disparándose en miríadas de criaturas
que eran yo y que no eran, sigo siendo, aunque sin ser,
hasta aquí, hasta este día del exacto fundamento.
La juventud, como un chorro de vino frío espumoso;
la madurez, un espeso aceite caliente rojo;
y esta vacilante historia entre la vejez y el sueño
detiene, fulmina, rompe contra la verdad su barro.

¿Estabas ahí? ¡Contesta! ¿Qué esperas de mí? ¡Sonríe!
Háblame, que tu silencio es un collar de basalto.
De cobre son tus tejidos; de pórfido, tu andadura.
Mineral ausencia tuya entre mis venas, que ceden.

¡Persiste aquí! ¡Aleluya! Pero ¿ya te escapas? ¡Canta!
Tengo en las manos un hato de riquezas imposibles.
¿Por qué me las cambias, di? ¡Soy rica aún, no te vayas!
Respiro, huelo, despierto con hambre y con sed. ¡No muero!

COMENZAMOS LA SOLEDAD ILUMINADA

La relampagueante puerta.
Entre el sí y el no, taladradas de síes las manos.
El esfuerzo inacabable de ir sobrepasando vacilantes impulsos,
hasta quedarse libre de todos, y acceder.

Se creería que entonces,
cuando a solas miramos nuestra propia soledad opaca,
desfalleceríamos siquiera un minuto.
Y no. A costa de la pasión alcanzamos
el auténtico estado de gracia.

La fabulosa riqueza,
el tropel de incitaciones hacia trémulas dichas,
se ha quedado en la playa seca, si ardiente ola tremante...
La no serena pero aquietante alma
sus frágiles miembros despereza.
Hay que avanzar, entrando.

Sí, porque al otro lado...
—¡ah, qué avasallante idea, cuán dulce es imaginario!—,
al otro lado está la luz.
Nuestra soledad abrirá a su luz perfecta,
a su madura luz tan cálida,
como a un redondo buche de paloma.

Ánimo, espíritu.
Ha llegado tu día. Córtate al fin los brazos
que rodearon cuerpos perecederos.
Llama. Van a abrirte en el acto, con amor y ternura.
¡Empuja esta puerta!

SÓLO DIOS BASTA

Si se acierta a resumir en un solo latido el mundo,
sólo Dios basta.

Si conociendo el amor en su vasta extensión se agota,
sólo Dios basta.

Sólo basta Dios al que le buscaba hambriento
en su magna extensión humana,

en su resonante oceanía, en su húmeda selva,
en su escueta serranía híspida.

Sólo Dios basta cuando se sabe, hasta la cruz, amarle
en cada creación suya.

Antes de amarlo todo, no. No bastaría Dios nunca.
Sin penetrar y penetrarse de humanidad que rebose,
no basta Dios.

Porque Dios está en las cosas lo mismo que en las criaturas,
en el odio y en la pasión, en la fría indiferencia
y en la pasiva locura de la meditación.
En el puro arrebato, en la sorda resistencia,
en todo y en nada siempre vase entremetiendo Dios.
Y si se logra abarcarse a sí mismo, fiel, concreto,
se halla a Dios.
Si se gira, huso de lumbre, a su candente contacto,
se encuentra a Dios.
Si se apoyan las manos en el pecho y se respira hondo,
se encuentra a Dios.

Sólo Dios basta cuando se amaba tanto
que sólo bastaría Dios.

EXPECTATIVA Y CONFORMIDAD

Ahí abajo estoy yo, ahí, en esa redonda lente;
cóncava y curva se alterna anegándose en la mar.
Cuando la era del mar a los hombres sobrevenga,
descubrirán que mis ojos viven en el agua aún.

Ahí arriba estoy yo, allí, en la ovalada cripta
del aire que digo cielo, rebasado por audaces.
Cuando la mar le sonría desde abajo, ya poblada
por marenautas tranquilos y seguros, a mis ojos
los encontrarán las aves, todos en el mismo aire.

No se muere ni se nace, sino que se continúa
contemplando desde el mar y la tierra, desde el viento
o de esta entraña feroz que es un sueño sostenido.

Contemplo cómo en el mar fácil se hunde mi cuerpo,
y cómo lo recupero para mis pasos errantes.

Nado, medito y espero, conformándome con ser
el anticipo de mí para el mundo de mañana.

1964, agosto, Santander

DESPEDIDA EN UN ALBA

¿En qué nos detuvimos
cuando mirábamos, quemando lo que veíamos,
con manos que ardían
hasta fundir lo tactado?

En un hombre padecido,
en un niño sollozante,
en una triste bestia sometida,
en la mujer que se aguantaba, rebelde.

Nos detuvimos en las flores,
en los trémulos árboles;
jamás en la fealdad,
ni en la soberbia, ni en lo superfluo.

Éramos criaturas hacia la luz;
llameantes y aferradas
alucinaciones de hermosura.

Éramos y seremos hasta el fin
cortezas de un cuerpo invisible:
hambrientos e insaciables ojos.

Si nos separáramos como tantos días temo,
¿qué tendríamos que hacer para encontrarnos;
en cuál encrucijada, lo sabéis,
habríamos de reunirnos?

En el mundo de acá iríamos sueltos,
cada cual por su sombra como huérfanos;
con nostalgias de formas contempladas
como a Dios se contempla, sin hollarlo.

Más arriba del sol, donde otros soles
dilatan sus corolas, sus magnéticas
praderas destellantes, ¿coincidimos
en una dimensión abarcadora?

¿O nunca más, cortándonos del todo
que ahora somos, alzaríamos
la dicha de vivirnos tan unidos?...

¡Ay, cuánto os amo yo; cuánto me amáis;
nuestras bodas gloriosas se celebran
coincidiendo en visión, fugaz trasunto!

Ojos diluyéndose en las sangres,
concentrando su furor, reposan...;
resuenan cual el mar dentro del cuerpo,
cuentan lo que ven desesperados.

    —Oye, amor: también yo he visto;
    ¡solamente a ti no te veía!—

(Refugiada en las cuevas que albergaron la vida,
recuento las imágenes que me poblaron turbias;
me remontan milenios de voces saturadas,
de torvas civilizaciones...)

    —Mira, amor: yo llego de ellas:
    de mis ojos podrías arrancarlas.—

(Rechazan proseguir, se han alojado
en celdas microscópicas, dolientes.
No son gotas, y en gotas transcurriendo
mi devenir se incorporará a la tierra.)

    —Oye, amor: estoy de paso;
    precipito o regreso mi andadura.—

La noche se propala con su cántico oscuro,
despertando a vigilias en ventanas de sombra.
El rumor de las fuentes que prorrumpen del aire
consolida este mundo terrenal que jadea.

Nadie crea que sueña cuando cierra los ojos
y se niega a mirar lo que a su lado tiembla.
Ruda espesa verdad de respuestas gravita,
aunque la mano quite su rama de las sienes.

Hielos besan los labios, se estrujan en contactos.
Resbalando en el fluido de infinitas memorias,
va la noche arrastrando al que confía en ella...

Era ayer solamente cuando brotaban, tibios,
la noche con el cuerpo que ahora se le entrega
como se rinde el pasto al diente del ganado.

¡Lúcidos amantes, despertaos!
¡Criaturas que reposan en las cuevas
que líquenes compactos acumulan:
despertad, porque la mar se acerca!

Hay naves en deriva de vosotros,
hay peces que se rompen en mis manos.

 —Guardabais silencio, engolfados
con el poso de imágenes vuestras,
y el caos se ordenaba en un sistema
sobresaltado y alucinante.
¡Es la hora de ir; alzaos, hijos
de la mar que socava eternidades!—

A la altura abatid; brotadle al cielo
en cóncavas exclamaciones.
Os esperan allí; calientes aves
arrullan el camino que afianza.

 —¡Soy tan vieja de amor! Agolpo siglos
de traeos a mí cuando soñáis.

Y si no creyera que soy tus ojos,
y que tú eres los míos,
y que todo lo que contengo
te ve.

Y que tú contienes
cuanto yo veo o creo que estoy viendo,
¿qué haría con mis ojos que te buscan,
te identifican,
te delatan,
como lo único que se ve en la tierra
cuando no se ve nada,
pero se sabe que más allá hay algo
que poder mirar?

No sonrías triste, no juntes tus párpados;
contémplame,
para que yo te contemple.

No soy tú, pero salí de ti, y te duelo
como me dueles tú.
Mírame y déjame mirarte:
somos la misma cosa
que se duplica para verse.

¡Es tan dulce saberse imagen tuya,
avanzar por tus pupilas!
¡Es tan hermoso decirte:
«Te veo, amor; te veo
como si fueras el jardín que huelo
y respiro cada día.»!

¿Me ves como yo, me miras:
me perdonas que te acose tanto?

Agosto-septiembre, 1964.
Santander-Navacerrada.

PAUSA

Voy a la melancolía
como a un balcón. Miro a la tarde
que se enciende en sus nubes y fulgura.
Pienso en recuerdos que no tienen
pensamientos siquiera. Arde
peso en el corazón, y sufro
porque vivo en memorias.

Sola contra la luz, en claroscuro
de violetas violentas; desde el viento
se deshilan las nubes. Caen
dulcemente las sombras...

¿Con quién dialogaría —digo—
si a mi lado vinieran
tantas bocas posibles,
al ayer relegadas?
Y no escucho a ninguna,
ninguna voz acude convocada.
Es muy tarde, hace frío,
atardece, se estancan
los oscuros mensajes del tiempo
que me inundan, arrasan.

En algunos rincones del miedo,
sin embargo, se canta.
Vivos hilillos de música,
hebras de la luz, resbalan...

¡Oh mi lentitud! Despacio
mantengo contra la tarde el alma.
Nadie sabe que espero; estoy
mudamente aferrada
a esperar. Pero ¿qué forma
sobrevendrá; qué larga
resurrección será inminente
desde mi sangre...? ¡Extraña
parálisis de amor: alumbro sombras
manteniendo nostalgias!

Resbalan blandos los suelos
socavando mis plantas.
Alimento que el frío
mi contemplación deshaga.

Alguna vez, remotamente,
quise estar sola; cansada
de amar: como la fiebre, el fuego
y las fieras aman.
¡Qué lejos se fueron todos, secos
tantos sarmientos; llamas
restallando en mis brazos,
que en brasas se alargaban!

No. La melancolía es fluida
como el aceite; plástica
como es el cieno oscuro
cuando los pasos fallan.

Ya se quemó la luz. No veo.
Dentro de sombras. Tardan
los que rompen contra los cuerpos
sus botellas. Asaltan.

¡A mí, todos los vencedores
de la luz: corred, no aguarda
mi dura melancolía
que olvidéis mi garganta!

2 diciembre 65, Madrid

EPÍLOGO

Por detrás de mi frente sobrevinieron lluvias...
Lluvias que anegaron, barrieron mis recuerdos.
Y estoy nueva en el mundo, a nadie pertenezco;
porque broté del barro y encuentro sólo al sol.

Contemplad cuán gozosos revuelan mis cabellos,
aireando mis sienes, las recientes nacidas
desde aquel pozo aquél con sus lascivos líquenes
resbalándome encima, recorriéndome el cuerpo.

Pájaros y mariposas picotean mi pecho
cuando voy recorriendo, tan loco paraíso;
soy de fruta y de flor, me alimentan la sangre
innumerables gotas del agua que no acaba.

Tardé miles de días en aprender las lluvias,
en dejarme trizar por las aves hambrientas.
Amanecí tan joven con mi reposo alegre
que tuvieron los suelos que inventarme una selva.

A nada se parece lo que por mí se hizo.
Hasta la voz del hombre punza en viento de mayo.
Las rojas piedras cantan como si fueran flautas
y arenas dulces grises los tigres alimentan.

Es nuevo el mundo mío, me vuelco a un océano,
parpadeante mundo de corolas rosadas;
despiertan a mi voz adolescentes ágiles
y yo no sé que vivo mientras canto y deliro.

¡Ah mi frente reseca, la lluvia la hizo fértil
de futuros que saltan hechos yeguas en celo!
He olvidado que vine (pero ¿vine algún día?),
aunque gozosa canto acumulando vida.

A una le gustaría que la dejaran tranquila
en mitad de la sierra, acompañada de pinos...
Corren aguas que nadie ni se bebe ni toca,
porque manan las fuentes de frescor inmutable.
La soledad no existe si se está en la montaña,
ya que todo se acerca en oleadas rítmicas
y nos invade eterno transustanciando gloria.

Amamos lo distante que nos parece un sueño;
no cortaríamos nunca el contacto hermosísimo
con el ser que guardamos, para que no se nos gaste
en esa lucha fría que persigue vencerlo
o aniquilarlo haciendo que rompamos su molde.

A una le urgen pactos con todo el universo
que se encierra en un cuajo de montaña salvaje.
Se nos va distanciando lo que menos se acerca
a cuanto deseamos lograrnos en el mundo.

Silencios apartados, alegrías de estar
cuerpo a cuerpo en la tierra que no se para nunca.

OSCURO SOBRESALTO

Inmutables. Cuajados de estupor amarillento
sois, ojos del odio esponjoso y ávido,
una carga terrible para los que miráis.
¿Nada que podáis amar, ni siquiera tibiamente,
pudisteis encontrar en lo que ante vosotros vive?

Ojos quedados en una mirada de ira fría,
ojos que no tuvieron capacidad para amar,
ojos que quizá no hayan podido ver otros ojos
que se cerraran rendidos con su cosecha de imágenes...

Los ojos de los que odian han traspasado los cuerpos
hacia países de hambre que justifiquen su odio,
y los hallaron por fin sobre todo un universo
que se puebla de faisanes y de corzos incomibles.

¡Quién os pudiera entornar, estremeciéndoos gozosos
por el regalo de luz que atronara con jocundos
banquetes de miserables y sorprendidos hambrientos!

Os tengo que padecer como reproches punzantes
a mi esperanza de amor; como si fuera yo el trigo
y las viñas y la lana, y ese toro que no inmolo
porque no puedo calmaros,
¡oh dientes que nos crecen en los ojos!

VIDA INTERIOR

Cóndores o águilas, palomas o cisnes...,
¡cuántas aves volé y a cuántas asfixiado!
Los dulces cuellos frágiles, sus rudos cuellos fieros
entre mis manos trémulas quebraron su estructura.
Gemí por su agonía, que era la de mi impulso:
la doliente renuncia a tantas vidas mías.

La bóveda del pecho resonando aletazos,
entre los ojos cielo que reclama a sus ángeles.
Los coros de las voces que no cantaron nunca.
La amenaza rapaz sin proclamarse arriba.

Dentro de mí, pugnando por violentar espacios,
por hincar en corderos las garras taladrantes
y al cándido vellón teñirlo de crepúsculo...
Por zurear amor, enrojeciendo ojos;
por deslizarse, ingrávidas, sobre la luz descalza.

INMINENTE FUTURO

Tendría que inventar la yerba que piso dulcemente,
inventar el olor de esa yerba, y cómo sabe
mordida por los dientes inmersos en su jugo...
¡Y tengo la yerba aquí, yerba nacida
antes de que naciera yo para pisarla!

¿Por qué intentar acomodar mi cuerpo
a unos suelos que ignoro si son firmes,
e imaginarme entre cosas o entre seres
en nada semejantes a los míos?

No, no he de pensar; temo que entonces
mi pensamiento rompa el hallazgo del mundo
que no se extenderá bajo mi espalda...

Para amarte a ti más, distancia enajenante,
viviré donde admitimos que existías.

Desde muy lejos nos llaman acariciando la tierra
que nos escala las piernas y se recoge en el vientre.
Resonantes las voces del cobre y del aluminio,
retorciéndose en alas sobrevuelan la sangre.

Vacilaremos un día, porque también nos sacuden
remotos gritos del tiempo sin nacer, días de mañana;
y tensos, como es el arco que a la fuerza se distiende,
entre las horas del día palpitamos indecisos.

¡Oh pasado de mi raza, me torturas
porque calientas mi cuerpo con el tropel de tu brío!
Futuro de la humanidad, me turbas
porque estoy yendo hacia ti desde que vine a la tierra.

Mis manos entre vosotros y mi pecho separándoseos
arrojan sobre este día de mi ser feroz tumulto.
Soy la síntesis ardiente del ayer y del más tarde,
y por ello es inestable mi palpitar en el hoy.

Agárrate a ese pedazo de la tierra
que no te reclama todavía.
Vívela, gózala, arde en su lumbre;
proclámate viviente.

Viviente transido, pero eterno,
porque sales y entras y abres paso
a todos los que fuiste en los fueron,
para ser otra vez en los que vienen.

Híncate en el suelo, abre los brazos;
húndelos en nubes y en el aire,
viviente que se sabe siempre vivo
viviendo seguirá eternamente.

El cuello del amor, su pico tibio,
la mágica extensión de su contacto...;
el áspero perfume de su selva
que cruje en el collado de tu cuerpo.

Recházala al dolor su zarpa en púas,
redóblale a la luz su acometida.
La tierra no es hostil, aunque cobije
simiente que devora a sus criaturas.

Los hombres dejan detrás su semilla estremecida,
delicadamente frágil y sin embargo tan dura;
pasan sólo un instante bajo tus ojos y es
una vida larga y turbia el pedazo de su tiempo.

Han contemplado la tierra, han removido las aguas,
y, a veces, por un suspiro del amor se han destrozado.
Crearon guerras inútiles, prometieron la alegría,
pero cavando las tumbas con la sangre alborotada.

Alargaron a los débiles una mano que mataba,
se querellaron airados contra los fuertes, y un día
restañaron de los ojos un llanto de cobre negro
para buscar que en la pena se justificara el odio.

Los ojos que no se cierran los vieron, compadeciendo
gesticulaciones torvas e hipócritas mansedumbres.
Mirándolos con ternura abonada de oraciones
las pupilas de la luz destellan misericordia.

Alguien camina cansado, camina sin horizontes...
Le duelen estas pisadas entre la espalda y el pecho.
¿Por qué no le dices tú que le queda poca tierra
que recorrer todavía y le bañas de venturas?

Es pronto o es tarde aquí. Nadie lo supo. Comprende
que con tu silencio a cuestas no hay manera de saberlo.
Están los campos en flor, los pájaros se derraman
y en el río corren árboles al encuentro de la mar.

¡Detén el agua, levanta hasta tu misma estatura
tanta amontonada lágrima que se le cae a la lumbre!

Endureciste tus manos y retiraste las aguas.
Consumiste de las nubes hasta su mínimo vaho.
En la tierra crujieron cicatrices de la sed
y transpiraron los hombres hasta su asfixiada sangre.

Que no llueva decretaste porque tú puedes mandarlo.
Y de los ojos cayeron lágrimas como centellas.
Entonces todos los ríos de este pedazo del mundo
reventaron de sus madres y rebalsaron los pueblos.

Pero no llueve en los pastos y se derrumban las reses,
pero no llueve en los montes y los árboles se queman,
pero no llueve en ciudades y las criaturas jadean,
pero no llueve en la tierra porque no quieres mirarnos.

Esas aguas que retienes las recogeremos muertos,
porque no supimos ser tan limpios como son ellas.

Si mantuvieras tus ojos secos de llanto y cerrados,
en el tiempo de una lluvia arderíamos como teas.
¿Cómo quieres que sepamos qué buscas con tu sequía
si el cielo gobiernas tú, y las mares y los vientos
que nos niegas; cómo quieres que no beban
las bocas que al agua misma cogiste para nosotros?

Rasa tabla de basalto el cielo seco, tirante;
crepitadoras cortezas de sequías vocativas;
ramalazo del delirio de la sed en nuestros cuerpos,
¡rompe tu mirada en lluvias y cólmanos de frescura!

Estuvo el ave aquí.
Todo se vistió de plumas, se mojó de alas,
y blandamente guarda su presencia tierna,
siéndole friso eterno a su gracia.
Nadie tuvo un ave que siendo libre
asintiera a quedarse cerca y alcanzable
para la mano que se ahueca temerosa de quebrarle plumas.
Nadie.

Ahora en el jardín se mueven dulces
estas lentas rodajas de la balsa,
adormeciendo cielos... Ella no está, vuela más lejos
y hay una suprema esperanza de que vierta
otra vez su presencia inasible...

Si volviera,
yo alargaría mis pobres manos, cansadas
de no cogerla nunca;
y ella se iría otra vez, se iría siempre.

Pero estuvo aquí, por un instante
se mantuvo serena, erguida, vivísima,
con un ojo encarnado que me penetraba
de blancuras hasta el corazón.

Por un instante de esos de Dios, que es velocísimo,
el ave, desde mis ojos, era mía.
Todo ya es su memoria; la memoria del ave,
mi resurrección.

El prieto manzano está ahí,
pero yo no lo recuerdo.
Sorprendidas dejaron mis miradas
su cúmulo de frutos,
la rotunda armazón de tantas ramas.

Sí. Dijeron que un día
desgajé de una de ellas la redonda
lisa forma de un destino
que se me incorporó.
Lo olvidé, como se olvida el aire
que nos está alimentando.

Palpándola morosa, pensativa,
no la reconozco...
Es hermosa y suave; es como creo
que son las cosas de Dios: esféricas.
Puedo morderla, la rompería
llenándome de ácido la boca.
La contemplo, y ¿para qué clavarle
mi fuertes dientes de loba,
sin hambre?

Con ansia de comérmela, no creo
que a Dios le importara mi resuelta
aprehensión de su pulpa.
Sin hambre sería incongruente
destrozar su armonía;
la silenciosa y agrupada forma
en su rama potente y firme.

Allá en el Jardín, junto al cerezo,
nogal y melocotoneros;
junto a la balsa que refleja álamos,
vive bien el manzano.
Lo alfombran las criaturas de la huerta,
las hortalizas humildes,
pobladas por sus hojas y su flor.

Bajo el cielo en diamante de esta hora,
bulliciosa de brisa,
hervorosa la tierra que fermenta
multiformes y exigentes vidas,
es hermoso mirarlo sin hambre:
dejarle su paz al manzano.

«Brocal», 18 agosto 65

Cuando era montaña, cordillera, cima
y llanura, pradera de tréboles, pozo,
torrente, río sin orillas accesibles, brasa...,
te faltaban brazos para contenerme.

Pero he reducido mis límites; soy breve
y compacta; quepo en tu puño,
apenas si reboso de tu boca
o te asomo en los ojos. Comprueba.

¿Cómo es que no puedes abarcarme
y te peso, te peso tanto, te peso
que te hundes conmigo, y he de alejarme
para habitar en una gota de agua
que le sobra a tu sed?

Para cuando vuelvas...,
para cuando traigan otra vez hasta mí tus voces cálidas
y ese ronco mugir de tus deseos
que se comen, tan ácidas, mis playas,
estrenaré la vida nuevamente.

Me vestiré de blanco por las noches,
mezclaré con mis cabellos flores rojas,
respiraré despacio..., pues conteniendo mis suspiros
durarás más tiempo entre mis labios.

Tú vienes y te vas...,
te vas y vuelves ciego de furores corrosivos,
y luego descansas infinito entre mis pies.
Creo que te pierdo, pero regresas;
creo que te quedas, y galopas;
no te tengo y me rodeas clamoroso
para dejarme sin ti.

Yo me vestiré de novia con mis flores
y esperaré temblando de codicias,
y tú me invadirás.
Así lo digo mientras huyes como un dios
y sólo soy tu amada, la que buscas
cuando no tienes a nadie y te destrozas a ti mismo,
porque tienes que volver a mí.

Aquí el montón de años, retumbándome.
Vivimos la mitad y no nos queda
el tiempo de emprender lo nunca hecho...

Trajimos esta sangre espesa hambrienta,
el cuerpo de huracán, un arrebato
capaz de reventar diques de fuego.

Mas algo diminuto, quizá alado;
mas algo sin perfil, algo sin peso,
frenó con hierro, acero y con basalto
aquello que era yo, la que no he sido.

Aquello que era yo..., ¿me recordáis
cantándoos amor cuando llorabais
vencidos por la ira de los otros?

¿Quién guarda entre sus brazos mi memoria,
la joven estatura de un impulso,
el cálido beber de mis suspiros?

Aquella que era yo buscadla pronto,
que espera en los jardines y en el río;
que os ama de su luz, que os ama tanto,
que no podéis amar porque sois viejos.

Qué viejos somos ya: todo recuerdos.
Te quise, me quisiste, estoy queriendo
medir aquel amor que me desborda.

Mi carne es tersa aún, ágil mi paso,
mis piernas y mi espalda son de aire.
La voz no se ha cansado, va ligera.
Y quedan por amar tierras y aguas,
naciones sin nacer, de amor salvaje.
Me duelen las entrañas en protesta
de amor que no se sacia de entregarse.

«Brocab», 15 septiembre 66

Ya se dijo todo. Las palabras
comieron de la vida: están repletas.
¿Quién acierta a decir, y qué diría
si palabras ahítas dijera?
Esperad a que nazca otro lenguaje.
Aprenderé a aplicarlo, y que le sirva
a un nuevo contenido de esperanza.
Hoy silencio es la ley. Prestad escucha
al nacer de una pura palabra.

1964-1965, Castilla.

HUMANAS ESCRITURAS

1945-1966

Carmen Conde con
María Cegarra Salcedo,
el 25 de marzo de 1935.

CANTO A AMANDA

Retrato del cielo, la
amistad verdadera.
QUEVEDO
(Sentencias, 544)

Los años que transcurren junto a ti
son sueño del que nunca he despertado
sin el hallazgo, Amanda, de tus ojos.
El alma atribulada, el cuerpo enfermo,
un vasto panorama de amarguras
fundían por tu voz sus hielos agrios:
el tiempo de pavor, el tiempo ausente,
los días del temer desconocidos
ataques sin razón; y la amenaza
de verme entre la tierra y su gran cielo,
los dos indiferentes a mi angustia
delante de la vida hostil y ajena.

Amanda, por tus manos me han venido
no sólo pan y luz para mis sombras:
consuelo de tu boca siempre noble,
la dulce providencia generosa
que puso junto a mí hasta a mi madre
el día en que a mi madre hiciste tuya.
¡Llegamos ante ti como dos hijas,
tu casa y corazón abriste pródigos!

Supe como nadie qué es un alma
alerta a regalar todo en la vida.
No puede ni el amor dar la ventura
si nace en corazón no generoso.

Sé que no eres sola en ofrecerme,
que alguien junto a ti se muestra pronto;
mas junto entre tus manos estas mías
y estrecho con las tuyas las del hombre.

Hacer que viva un cuerpo cuesta menos
impulsando en el alma su destino.
Aquello que yo hago en tu morada
es todo lo que puede un ser que vive
dispuesto para hacer lo que es su vida.
Y es ello porque tú dispones mundos
que dóciles se ofrecen a mi obra.
No he sido yo tan yo nunca en la tierra.
Nunca me ofreció nadie esta holgura
que deja que me nazcan los poemas:
que empuja a mi creación, que la libera.

¡Qué poco es el hablar! Aunque yo hable
de ti tanto y de mí, ¿quién más podría
saber lo que eres tú para mi vida?
Y prestos a los dones, ¿qué criaturas
por mucho que me dieran borrarían
el tiempo de tu don, de tu presencia?

La noche, cada noche en muchos años
se cierra con tu voz y con tu imagen,
abriéndome el reposo y el olvido...
¡Mañanas nunca hubieron sin hallarte,
sonrisa y mano hermana regalando
el día, otro día, muchos días
sumandos de los años en tu casa!

Sí. Tuve un hogar. Y fui dichosa.
Por eso que lo tuve y lo he querido
entiendo del remanso que es el tuyo:
la torre defensiva, el baluarte.
Por eso que ahora el mío es sólo un sueño
disfruto éste que vivo a tu cobijo,
y tengo que pensar en que algún día
yo debo de partir del que me aloja.
¡Perder aquel pasado y el presente!

Un sueño es el vivir. Aunque yo tema
que acaben por crecer entre nosotras
las calles y las plazas que distancian.

Un sueño es el morir. Y sé que entonces
quien quede aquí verá que nada acaba.
Me duermo a tu calor: fui una niña
que nadie supo ver. Sólo tú sabes
mi ansia de reposo y confianza.
Defiendes con arrojo mi flaqueza,
y velas junto a mí para que el Ángel
no corte su contacto con mi alma.

¡Bendita tu piedad! Nunca creyera
tener necesidad de que una mano
pusiera protección sobre mi frente.
Tú fuiste un arrayán en mi clausura,
la firme voluntad en mis temblores.

Floreces junto a Dios, eres un puerto.
Derramas tu virtud, eres un óleo.
Si lloro con angustia tú te yergues
y acabo sonriendo confortada.

Te lego mi caudal: todo lo hecho
contigo y desde ti, en el paisaje
que empieza con tu voz y tu mirada.

Gracias por la luz que me descubres.
Creíste tanto en mí, me diste tanto,
que soy toda de mí. Te reconozco.

14 junio 1945, Velingtonia

CANTO A GABRIELA MISTRAL[1]

Una montaña no cuaja dos voces,
    ni un río.
Ni es la misma tormenta
la que oímos si el rayo nos triza las noches.
A Dios no se le encuentra en la tierra,
    porque vamos a Él.
Y las grandes criaturas que son Dios en nosotros
    nunca nacen dos veces;

1 Del libro *Homenaje*, edit. en Madrid en 1945, con motivo del Premio Nobel concedido a la
poetisa chilena.

ni el río, ni la montaña...,
ni siquiera el pájaro, si es pájaro de nuevo,
    el mismo pájaro.
No he de hallarla otra vez en el mundo.
    Grandioso monte cálido,
    selvario de poesía, volcanes.
No he de hallarte, Gabriela,
porque en el tiempo distante nos vimos
    y corremos ahora
    dejándonos atrás...

¡Cuán joven mi tronco a tu voz!
    Dijísteme, *hermana*,
y las savias, campanas movieron en mí:
sobresalto de augurios
que ya cumplo viviendo.
¡Tanta colina pequeña yo;
infatigables arroyos que caían
de tus laderas pródigas!
Sin saberlo, inmersa
en tu cima, en tu marea, en tu paisaje.
Que tú hablabas, y soñaba esta criatura
    oyéndote la voz, sin la palabra.

Gabriela, oráculo de sinos:
tu tristeza es un manto de espesuras.

Embriaguez de tu canto,
avenidas de ti en planicies músicas.

Alaridos, negras aulagas
de tu llanto y tu sed de amor sin celo.

¡Oh mujer de los hijos derramándose
    por la tierra en virtud!

Gran madre noble
que no canta a los suyos de la entraña
cuando quiere cantar a los nacidos.
¿Qué ofrecen a Dios las que paren
    sin saberlos cantar?

Tú los nombras
y en anillos de luz suben gozosos:
musicales y alados los niños
en torno al resplandor de tu garganta.

Tú enlazaste, Gabriela, con todos:
nacidos y por nacer, muertos sublimes
y aquellos que nunca sabremos si Dios
ha librado, con luz, de su huesa.

¡Qué marea de Andes,
qué Pacíficos nadan tus venas;
cuánta llama recorre
las praderas de ti!

A lianas gigantes tú hueles,
que te trepan y enroscan sangrándote altura;
a leones y a ciervos; sacudes
tus melenas ya grises, solemne, pausada,
levantando de Chile sus cimas
por mirar desde allí.

Castilla te escucha.
Una vieja y redonda moneda
cuyo borde es Vasconia la fértil.
La Castilla doliente, remota y quemante Castilla.
Y su lengua retumba en la tuya,
vivifica las frondas del verbo.
¡Otra vez América!
¡Castilla es, por ti, en el mundo!

Mi propio lenguaje
quiere oírse en tu voz inmortal.
¡Háblanos, mujer; varona
de Castilla de Chile!
Es un tronco tu voz.
Es tu voz una torre.
Un campanario tañido por siglos
de criaturas silentes.

Hay retablos en ti, primitivos pintores
encendieron tus piedras labradas
por los monjes callados y en rezo.
Y te corren gacelas, caballos; te ciernes
de las aves que arañan las nubes.

Es tu voz una selva.
Es tu voz la que inunda
los sembrados de voz de los hombres.

Las palabras germinan, son ácidos panes.
Tus palabras nutrieron la tierra.

Desolada y agónica,
hoy te busca tu halda,
se recuesta contigo.

Has abierto la puerta del mar,
   aureolándote viva de olas.
Ya no queda, Gabriela, ni un verbo
que tu boca cansada, que tu mano de Sarah
   no haga curvo de amor,
   no lo dome.

Tengo abierta en mis ojos tu risa,
la que a niña devuelve tu tiempo compacto.
   Tu llamada ungidora
es la cierta llamada a que acudo.

Unas manos calientes, intactas y pobres,
sin más don que ser mías, te extiendo.
Por encima del mar y la tierra,
por arriba del luto y su humo,
apartando la cáscara amarga del llanto,
      yo te entrego mis manos,
      ¡tus manos, Gabriela!

1946

AL ESCULTOR JOSÉ PLANES

Aquí padece el cuerpo de la piedra
la furiosa pasión del que la ama:
dentelladas violentas de un deseo
que en la forma soñada se desata.

Nunca carne se vio tan requerida,
ni con tanto dolor se acariciara...
Sólo el mar por el viento, sólo el cielo
sufren más por amor que no se calma.

En las manos del hombre que, implacable,
quitando va a la piedra su silencio;
hay acantos y mirtos desde Grecia
cuyo mar es su mar de nacimiento.

1949, Castilla

HABLO A DON MIGUEL DE UNAMUNO

Al contar nuestros muertos...
Al ponernos en pie para ir pronunciando sus nombres,
no diremos el tuyo, señor don Miguel de Unamuno,
Rector disconforme de España,
pues no estás entre ellos.
Tú vives, peleas, disientes, suscitas;
se rompe en ti la soledad.

Podemos ahora nombrarte en voz alta
y a gritos incluso:
¡Don Miguel de Unamuno de España!
Y a todos nos lates el pecho, tan recio retumba tu nombre.

¡Cuando ibas secreto en nosotros,
cruenta ira al rezarte en silencio y tristeza!
Mas eso ha pasado. Comprende.
Los muertos se van con los muertos...
Tú hablas, respiras con nuevos pulmones.

Ya sé que no en todos se quema tu *aire*,
pero es aire que vibra, es aire que azota
y restalla con brío al invocarte a ti:
el siempre polémico, el gran convincente, el nunca vencido.

Óyenos nombrarte;
romper las cortezas que aíslan
para unirnos en ti.
Amemos a España con muertos y vivos,
que amar es crecer, costado a costado, llorando,
cantando, olvidando, creyendo en mañana
como lo querrías tú.

Ni empiezas ni acabas la losa de piedra
que no podremos grabar,
de nombres de ausentes queridos; aparte de todos
y distinto eres tú.
No muere la vida, no muere la historia, no muere el que entrega a la Patria
lo que le entregaste tú.

¡Miguel, el arcángel que pesa las almas!
¡Miguel, el del libro que todos sabemos!
¡Miguel, el poeta que murió recluso!
¡Qué buenos Migueles para acompañarte a ti!

En pie y esperanza te hablo
como en Murcia-frutal, ¡hace tantos años!,
en Murcia-Alquería que dijiste tú.

¡Qué fuerza la tuya, qué empujón del mundo,
cuánta luz abultas,
cuántas Salamancas tú!

¡Unamuno y España, Unamuno y nosotros!
¿Quién se ha muerto aquí?

Noviembre 1954, Madrid

ELEGÍA

¡Os llamábais...!
Conjuro tiernamente vuestros nombres:

Ramón o la centella que deslumbra,
igual que una centella te quemaste.

Justino el pensativo, delicado
doncel de los ensueños sostenidos.

Miguel, incandescente, sacudiendo
ramajes de su hoguera sobre el mundo.

Andrés o la pasión reconcentrada.
Gabriel o los arcángeles votivos.

Ninguno se calló, la luz reitera
palabras de sus labios en nosotros.

Espíritus de aquí, perpetuáis
aquello que os legaron y os tomamos.

La muerte os levantó desde la tierra;
la muerte os ensalzó las estaturas.

Pequeños y voraces, los insectos;
enormes y diabólicas, las fieras;
acaso en vuestros cuerpos juveniles
el huevo de sus odios deslizaran;

los dientes puntiagudos de sus bocas
acaso en vuestros pechos se clavaran...

¡La muerte os liberó, pronto y piadosa,
de todo lo que duele y no se sacia!

La muerte es un país donde los hombres
descansan de vivir; donde los hombres

empujan a sus vivos deslumbrantes
y cierran, con amor, sus puertas negras...

Vosotros no vivís la dura muerte,
que es la vida del polvo y de la piedra.

Pasasteis por aquí, como los truenos
resbalan su fragor en primavera.

Desnudos de mentira, resonantes
de claros sacrificios redentores.

Cantasteis inefables, distraídos
del oro y del afán que todo mancha.

Arriba de vosotros, sólo el cielo.
Debajo de vosotros, cielo siempre.

¡Oh cielo, adolescentes de Orihuela,
vibrante de esta lumbre levantina!

Unidos por la voz, por las palabras
que enseñan a los mudos a nombrarse,

hermanos, camináis por nuevos pechos
que baten su clamor para llamaros.

Mirad a los que encienden sus antorchas
y alumbran con respeto vuestras tumbas.

Son jóvenes también, son como sois
allí donde la edad no tiene días.

¡Qué siembra de ilusión, qué gran simiente
fueron vuestros huesos delirantes!

El hombre no termina cuando muere,
si el hombre levantó voz consagrada.

Amigos, yo os oí; por mí pasaron
las ráfagas de voz que os azotaban

la tierna juventud; que estremecían
los años fugitivos que durasteis.

Amigos, no es morir lo que os parara
el paso moldeador de la aventura

de ir enriqueciendo en torno vuestro
el mundo en que nacisteis para otros.

Morir es negación: estar ausente
del alma de los hombres y del tiempo.

Vosotros pervivís en Orihuela.
¡Vosotros pervivís en todas partes!

Miguel, te conocí junto a este río,
los ojos en azul desmesurado.

Ramón, el que a su frente atormentaba
un genio fulgurante, prodigioso.

Justino, amigo mío, no tuvimos
un día de la tierra para vernos.

Andrés, que tanto amé, yo te contemplo
erguido en tu poniente que no acaba.

¡Oh mágico Gabriel, árbol edénico,
el máximo ciprés de toda Oleza!

Si vine y os canté donde la tierra
también guarda una sangre de la mía,

¡hermanos inmortales, sed propicios
a estos que os repiten en la tierra!

21 febrero 1955, Madrid

A JUAN RAMÓN JIMÉNEZ

¡Ah criatura infinita que recorre la orilla
tumultuosa de la divinidad!
¿Quiénes te pidieron fácil y dulce, dómito y maleable
como un oro que acaba de nacer y ya es riqueza de los hombres?
¿Qué seres obcecados quisieron que tu acceso fuera un ágil
caminar por la ventura consentida?
Si a ti, al fatigante látigo de dormidos, no se llega
si no es para cantar —como tú lo haces cada día,
rendido ante la belleza—, cediéndote el orgullo.
Pocos, mejor ninguno, de los hombres que crean,
han tocado como tú la gran rosa caliente
de lo que nace sin más razón que la gracia.
La gracia, sí, tu valva de origen;
el espacio sin límites donde describes
inacabables órbitas.

Allí hay que buscarte, descubriéndote; tomar tu nombre
de tus propias estrellas; o, si se puede,
irse a otras más altas.

Arrancando de ti, desde tu tronco, que es frágil y es duro
como un junco o un astro,
hechos para sostener el arco del cielo
y la eterna verdad del agua pura.

¡Cuántas generaciones de viñas tiernas olvidaste por otras!
Reponías el tiro alegre de unos corceles por otros
dispuestos a correr más que ningunos!
Corceles, muchachos: poetas que te buscaron
y hoy se llaman con nombre de olvido.

Palabra corroborante la tuya, palabra
que limaba sus propios contornos de niebla, entregándonos
la prístina verdad.

Muchos fuimos palabra de ti, madurante palabra que hoy
confiamos sin proclamarla tuya.
Porque tú la supiste desde el principio del mundo y te hiciste
clamoroso de arcángeles: orbes de luz y de música
que en hogueras se precipitaban.

¡No interrumpido creador, no vulnerada torre, poeta
de un idioma sellado por las lenguas de fuego;

pájaro de voz inmortal, cántico
de más allá de ti mismo!

...Ignoro si tu alma pudo siempre llevarte,
vibrante peso de gloria insatisfecha.

1958

RÉQUIEM POR CAYETANO

«Déjame llegar», dijiste al viento,
que era el viento del Sur, el viento fúnebre.
«¡Creí que no llegaba! (Y era el viento, era el viento
                                        [del Sur el que oponía
su pecho contra el tuyo...) Quiero agua.
Dadme agua, que abrasa mi resuello
de vencer a este viento!» (¡Sur de muerte!)

¡Oh deliquios del agua en tu garganta,
amigo de la sed sin resquebrajo!
El agua te inundó, igual que el viento (aquel viento
                                                    [del Sur,
el fratricida); el agua de tu sed nunca saciada.

«Déjame llegar, que allí me esperan
las cinco campanadas de la tarde.
Las cinco salitrosas: horas turbias, las del viento
de las cinco de agosto irremontable.
Me esperan, y llegar contigo, viento,
es lucha desigual para mi cuerpo.»

(El alma lo venció, el viento quiso
dejarte en el umbral de tu seguro.)

«Dadme agua», resuenan galerías
de tu limpio transcurso por la tierra.
¡Qué tumultos de ti, alegre y joven,
tan ancho como un río, y tan ligero!

Porque tú, tan sediento y tan ansioso
de beber y gustar frutos terrenos,
solamente del agua y de la fruta
rebosaste medidas de codicia.

Los jóvenes, atentos a tu espera; puntuales
los jóvenes y tú; también la muerte.
El aula en que tu voz resonaría
volcó a tus pies su núcleo de criaturas.
La muerte dio su grito; y tú, en silencio,
caíste allí delante de tu aula.
Ni el agua te salvó de las campanas
que en tu hora de Dios se convirtieron.

Amigo, ya lo sabes; sabes todo
aquello que pasó por aquel viento.
Historia es de tu muerte: el viento, el agua.
Historia es de tu vida: la nobleza.

Los hombres como tú fuiste en el mundo
se mueren como tú: de un estallido.
Porque frutos tan cargados de elementos
vitales, inocentes, primigenios.

(Y aquel brazo de viento te oponía
su bárbara presencia; y lo venciste.
Venciste acometida en descampado,
llegando hasta tu fin, la nave inmensa.)

Tú fuiste siempre en ella aquel muchacho
que a sus libros amó como a las novias.
La risa fue fortuna repartida
por tu dulce piedad, tan sigilosa.
Por tu enorme piedad para los hombres
que, en sonrisas, tus dones recibieron.

Amigo de los años más difíciles,
de los muchos sencillos días nuestros:
cuánto duele saber que, ya por siempre,
quedarás sin oír lo que recuerdo.
Porque yo, como tú, siento el pudor
de las tiernas palabras que confiesan.

Buscaré con tu imagen en los llantos
otro viento del Sur, para arrojarle
el más duro reproche a su elemento.
¿Por qué fuiste su presa, que ni el agua
que amabas ciegamente lo contuvo?

¡Oh aquel viento del día diecinueve
de las cinco campanas de la tarde,

cuando ardía León en el Zodíaco,
cosechando criaturas exultantes
y anegadas por plétora de vida!

Enorme privilegio, empero, el viento
otorgó a tu caer de fulminado:
en la propia asamblea de las luces,
investido doctor ya para eterno.
Sin luchar contra nadie, sin batallas;
sin odiar y sin ser jamás odiado.

¿Quién ofrece a los vientos de una hora
que con nubes ofusca las mareas,
otro ser como tú, amigo mío;
otro ser tan sencillo y tan extenso?

Muchachos que acudís a donde el verbo
se dispara en volutas y en columnas
de tiránica clausura de la forma;
muchachos que acudís a donde cátedra
establecen los sabios de una España
que ni muere ni oculta sus heridas.

Pasó junto a vosotros, le escuchasteis
sus lecciones de paz y de concordia,
uno que no habló sino palabras
de firmísima benevolencia.

Experiencias de vida amontonaron
sus rocas de bondad y de templanza
para el noble contacto con los seres.
Sabía de la Historia más que os dijo:
supo de la Historia para amaros.

Y ya todo pasó. Quedó en Ciriego,
a la vista del mar que él contemplaba
con devota intuición de eternidades...

¿Y ya todo pasó?... Nos queda el viento,
aquel viento del Sur; nos queda el agua.
Nos queda una memoria irrevocable.
Tenemos al amigo en lo sellado.

19 septiembre 1958, Castilla

RÉQUIEM POR EL DOCTOR LUIS CALANDRE[2]

Ni campanas ni yunques: corazones en duelo
perdiendo a su pastor, también de los espíritus.
¡Cuánto paciente amor, qué inteligente y lúcida
su medicina humana completando la docta!

Se llegaba ante él con una gruesa carga
de oscuros sobresaltos o de tenaz asfixia,
para dejar la brilla de una mar acuciante
y acceder a la luz de una esperanza cierta.

Era un hombre sencillo, siendo complejo y vario;
era parco en decir, conteniendo pasiones;
tuvo nobles silencios y suaves palabras
porque señoreaba su sangre, sometida.

Siempre entregó su ayuda, su consuelo, su dádiva.
Jamás escatimó ni su propia existencia.
Estaba cierto o no; dudaba o no creía,
¡y él era tan seguro como sólo la fe!

Íntegro, invariable, acogedor y puro,
trabajando en la incierta criatura de los pechos.
Tierna sabiduría, amansada ternura,
para calmar el áspero batallar que nos mueve.

Palabra sopesada para no herir a nadie
(y un torrente domado de pasión consecuente).
En los ojos la llama de inteligencia aguda,
y en los labios sonrisa disculpadora, leve...

Pesara el tiempo o no, permanecía en su sitio;
supo perseverar inmutable y salvado,
en tantos años duros de los que bien se saben
el valor de la vida con dignidad en la frente.

Igual que nos vivió —con discreta armonía—
se nos quiso alejar, impidiéndonos verle
ya su rostro postrero, ya su sonrisa última...
San Miguel el Arcángel ayudóle en su tránsito.

2 † 29 septiembre 1961.

En sus manos besé, cuando la muerte estaba
devorando tenaz su ancho gesto de amigo,
lo mejor que se puede besar en unas manos:
la arrogancia del hombre que nunca quiso nada.

Nadie eleve la voz para llorarle, nadie
diga largos discursos acerca de su muerte.
Era un claro varón mediterráneo, un médico
del corazón y el alma, nuestro Doctor Calandre.

Madrid, 4 de octubre de 1961

MELILLA, CIUDAD DE MI INFANCIA

Más que en donde nací, aunque sé que tu vida
no contuvo jamás esa larga memoria
de Asdrúbales y Austrias, ni tuviera viajes
que en mármoles fijara singladuras,
¡oh ciudad de mi infancia, oh Melilla, te quiero!

A lo que en ti nací nunca vino la muerte;
de lo que nutriste tú se alimentan mis días;
soñar, soñar, brotarte en llamaradas
y retener tu sol, tu viva mar, tu tierra,
que nada rechazó de cuanto yo le puse.

Seis años fuimos juntas por donde no caminan
sino los tiernos niños, que todo se lo esperan
de Dios y de sus ángeles... Hasta me diste un perro,
que es el noble regalo que al humano le entrega
Aquel que lo hizo todo, desde Caín al rayo.

Te digo que te quiero. Aunque tú no lo oyeras,
gritando fui tu nombre por palabras y libros.
Pude saber de mí, recordándome tuya,
porque tú eres nostalgia que me gotea lumbre.

Y he podido volver a recorrerte. Pude
reconocerte toda como mis propios miembros.
Aquella callecita, la plaza, el parque, el puerto...
Y las niñas amigas que guardo en mis poemas.

Cuando anduve por Grecias, Europas y Turquías,
cuando abrí en las Américas unos ojos de pasmo,

nada te me borró, Melilla de mi niña,
de la Carmen más pura que en tu mano cuajó.

Prorrumpan las ciudades de milenios sonoros
a devorar mis días de juventud, y maduras
edades de experiencia que tacta sus confines.
Pero yo soy de ti, la mejor yo me tienes.

El amor, la amistad, navegaciones trémulas,
lectura de la Biblia; sabiduría de muertos
que crujen por las ramas de los resecos árboles.
A todo me asomabas, de todo me enseñaste.

Digo que te amaré de lejos y de cerca,
como se puede amar lo que no se recobra.
Estás en ti, te he visto hace poco, y te veo,
y te veré si Dios me otorga que regrese.

¡Oh mi ciudad de infancia, mi Melilla primera;
oh mis casas pequeñas, cómo os amo; y sueño
tener otra casita a la mar asomada,
porque la mar me lleva y me trae en su furia!

Díselo, cuando digas, a otras niñas. Les dices
que tuviste conmigo una ardiente semilla
que tanto removió tu fermento de sangre
que te guarda clavada como un hijo a la entraña.

1966

A RUBÉN DARÍO (1867-1967)

Libros deslumbrantes eras.
Rotundos sonoros versos.
Eras un grave retrato.
La torre más torre de Dios.

Cuando un día,
coronando la sierra de Gredos,
te trajeron a carne y a hueso:
cuajaste en un hombre,
de caliente y fraterna presencia.

—Francisca me hablaba de ti;
a vivo te me traía.

Tan firme y rotundo que, a veces,
latían tu frente y tus manos.
Amigos, bebimos champagne de Francia
con ella. Los tres.

Ágil lumbre consumiendo niebla,
en Metapa irrumpiste, Rubén.
Desgranaron mis dedos la tierra
que cuajara en tus labios. Tu tumba
me abrumaba de ajena.
Porque tú aún latías allí;
porque tú eras fuego y no cosa
de metálica fama batiente.

    —¡Cuánto hablamos reunidos
    (digo Francisca, tú y yo)
    por la Casa de Campo!
    De tu Europa, de América,
    de viviendas humildes y blandos salones...
    Junto a Nervo prendimos un fuego
    —con libros de versos y cartas—
    que ofreciera, en París,
    a Francisca calor.

En algunas poesías te ciñen
casacas, galones de oro;
en otras, fulgura
un manto de ajenjo francés.
¡Clarines, timbales, los pífanos claman!
Y gimen suspiros de brisa,
trémulas lágrimas tiernas...
(Prefiero, perdona,
que no te retumbe la lira.)

Me gusta que digas que amas y gozas
y alabo tus nobles palabras de esposo:
aquellas que, un día,
rendiste a Francisca con fe.

Leyendo en tu Archivo, te encuentro
muy noble señor.
Trabajabas tan duro, consciente;
hablabas despacio... Sonámbulo
serviste al amor y a la vida.
(También privaciones constantes

cercaron tu casa...
¡Y aquellos que te rebanaron
de lo que tú mismo fuiste!...)
Lo supe por *ella,* y más tarde,
en toda la americanidad.

¡Ahora dicen que tienes cien años!...
No saben el tiempo que puso
Nicaragua para hacerte a ti.
Tú traes milenios. Los siglos
junios fueron tuyos.

   —A la fuente de la eterna sombra
   casi acabo de acompañar
   a aquella a quien tú le pediste
   que te acompañara...
                   ¡Por ella,
   y no por tu fama,
   yo aprendí a quererte, Rubén!

Madrid, España, 1966

Declaro que se ha muerto y que su tumba
está dentro de mí; soy su mortaja.
A nadie se enteró porque su tránsito
descanso fue de locas esperanzas.

Rodean el contorno de esta fosa
—caliente está la vid que escala muros—
los pámpanos más tiernos y jugosos
que arrancan del silencio su tumulto.

Cuando me vaya de aquí,
¡qué cargada de vida, qué repleta de vida
me enterrarán!
Ni siquiera una décima parte de Carmen alienta
lo que Carmen podría vivir.

Cuerpos y cuerpos, jardines,
cabelleras de olorosa hierba;
volcanes de tremenda voz.

Pero yo, limitada a lo mínimo.
Yo, atragantándome de mí.

A ESTE LADO DE LA ETERNIDAD

1970

El matrimonio en el Sardinero, Santander, 1946.

PUERTO DEL AMOR

Ancho país de la voz caliente.
Espacioso universo de la sirena.
¡Alegría de partir la noche!

La corpulencia del sonido
elevaba el cielo para desbordarse,
y el humo apretado huía
desencadenando sus músculos.

Nosotros en tierra, pequeños
con nuestro inmenso delirio incalculable.
Viendo la cicatriz del mar,
la sombría luz,
la erguida, irrefrenable voz del barco.

Cartagena, 1930

«Cuando mi vida se acabe,
cógeme tú de la mano».[1]

LA SANGRE DE TU HERMANO

Todos los silencios reventaron
como cuerpos inmundos.

1 *Loas de Oficios*, 1968. Antonio Oliver Belmás.

Reventaron los silencios que tenían
de sonidos purulentos
su estructura repleta.
¿Quién hubiera pensado
—temido, imaginado, presentido—
que los silencios hedieran;
que al estallar unánimes
los silencios, olieran
a este escándalo que muerde?

Oídlos, escuchadlos: son los mismos
que la atmósfera lamían dulcemente
en una tarde gris y larga...
¡Dejad a los ruidos que piafen,
que rujan, que ladren, que mujan
su viscosa espuma neutra!

Al fin se nos descubren: son impuros,
son los falaces silencios.

20 septiembre 1961. Madrid

Pasan y pasan, tantos pasan
que no recuerda nadie los pasos que pasaron
por donde pasarán, infatigables, otros
que no recordarán, que nadie espera.

Y sólo hay que pasar. Ahora mismo
y luego y siempre más, hasta que el suelo
se puebe gota a gota de las plantas
de todos cuantos van y nunca vuelven.

Si nunca vuelven esos, los que fueron;
acuden otros, sí, los que van yendo.
Y es suma de pasar pasos que pasan
y van sin retroceso a donde todos.

Seremos esto mismo. Estamos siendo
lo del ir sin cesar, lo de dejarnos
los pasos señalantes en la tierra.
Los pasos que a otros siguen obedientes
y piden que los sigan, implacables.

26 septiembre 1961. Madrid

¡De la esperanza...! Se trata de la esperanza.
De esperar, sin saber qué ni para qué se espera
algo que no se ve ni se desea, a veces nada,
porque vivir desesperadamente no es hermoso ni bueno.
Por esto, sólo por esto,
hay que tener y mantener la esperanza.

¡Ya tengo esperanza! ¡Ya es mía, la forcé, la esperanza
de algo (¿de qué, para qué, por qué espero?),
de algo que no voy a tener nunca jamás,
porque yo (¡pero, no: estoy mintiendo!)
creía estar sin alma para esperar. Y, sí.
Yo ya tengo esperanza.

Que la noche es demasiado honda y confusa;
que los brazos la remueven con ira, con amor y. hasta con furia
de posesión estéril. Y que la noche
no es camino: es pérdida de amor en el bárbaro hueco
al que se vuelcan simientes baldías.

No. La noche no es camino tampoco ya. ¡Ah, si la aurora
fuera resplandeciente como la hizo Dios,
como la repetíamos en ardoroso cántico de juventud!
solamente el mediodía, el límite exacto, la tregua
es lo perfecto.

¿Y la esperanza, ahora? ¡Oh sí, la buena mar,
el confuso predio del futuro, el plancton fértil
de las almas mínimas v dolorosamente tiernas!

29 septiembre 1961. Madrid.

Diluidas temblorosas estas corolas del sueño
a donde suben los plasmas de las remotas vivencias
hasta inundar de presagios al tálamo, aunque éste
pronto olvida y se desprende de la turbia acometida.

Oh la memoria veloz, férrea sutura del tiempo.
Es largo brazo que atrae a lo que se empeña en ir.
Mas el furor de existir la paraliza y afluyen
desazonantes mareas de una avasallante ira.

A la vigilia que emerge propulsándonos descargas
de realidad sin fisuras con su exigente presencia,

allí nos ponen en serie: a que nos echen la vida
como a la plaza los toros para que mueran de pie.

18 febrero 1965. Madrid

A LOS HOMBRES QUE OTROS ODIAN

I

Este espeso jugo de ciruelas
que es tu voz, hermano negro.
La densa melaza ésta que es tu voz,
que tú la cantas...;
que resbala de tu boca y se aglomera
en el espiritual canto de duelo.

¡Cómo fluyen los zumos de la gruesa melodía
que deja en tu fría piel una nieve de corales,
mientras caballos ceniza y jinetes amarillos
cocean sobre tu carne espumas acometientes!

Este espeso zumo de ciruelas
que es tu voz, hermano negro...
Esta caliente melaza de tu voz
me sobresalta...
¡Cántales que llevas luz que no ven porque son ciegos,
abriendo tu paso ardiente desde tu voz, que es tu duelo!

Que es mi duelo atosigante porque te veo morir
y mis manos no te alcanzan ni detienen a tu muerte;
porque no tengo caballos contra caballos ni puedo
ser amarilla de odio contra el odio que te tienen.

Esa voz que se desploma desde tu boca a la tierra;
ese panal de tu voz escurriéndose en sollozos...
¡Cómo te oigo cantar en la tremenda agonía
a que te arrastran los blancos como yo, pero sin mí!

Marzo 1965. Madrid

II

Perseguido, perseguido por los lobos,
estoy contigo

Soy cobarde al dolor y al sufrimiento
y le temo a las bestias
que son hombres, pero
estoy contigo judío perseguido,
y llevo mi corazón a ti.

Te han buscado en el vientre de tu madre,
en la tibia semilla de tu padre,
en la propia placenta de tu cuerpo...,
perseguido judío por quien clamo
pues si Cristo murió fue por los dos.

Te cabalgan los siglos rechinantes
que mi sangre no vivió,
y te buscan los lobos, te recomen
las entrañas que te sangro.
¡Qué calumnias levantan en tu nombre
diciéndose paganos o creyentes
los que beben tus venas desgarradas!

Te persiguen; te muerden, te defecan,
y es lujuria de muerte la que agitan
hipócritas purulentos.
Es lujuria resentida que no crea
recia vida que viva sobre ti.
Persiguen de la muerte la derrota
que sigues siendo tú!

Marzo 1965. Madrid

Llegaban de muy lejos, muy cansados,
y quisieron detenerse
para tomar aliento...
Se encontraron conmigo
que estaba parada en el mundo
y que volvía
volvía de otros lejos
sola y triste. Vulnerada..

Ninguno habló, callamos todos,
y sobrevino su pobre olor de gente sudorosa
y sucia, con miedo,
acorralada...

Como era el campo y era de noche,
«Si vinieran los perros o los toros —pensé—
los correrían: ¡huelen tan mal!
a su destino de parias...!»

Encendí para ellos una hoguera enorme,
yo misma me ofrecí para arder.
Y descansaron seguros, protegidos por el fuego,
quemándoseles la escoria turbia.
de sus cuerpos porosos y feos, sin otro amor
que éste que le dábamos: la lumbre
y mi incorporación.

15 julio 1965. Madrid

Tienes la soledad a montones. Estás más sola que nadie,
y te zumban las arterias enmohecidas de impulso.
Si alguna vez hubo alguien que se creyera más sola,
quisiera que conociera tus soledades voraces.

Podrías, si es que quisieras, acudir hacia los otros
y romperte contra ellos esta soledad tan sola.
Es que te gusta, confiesa: te gusta que siga a solas
este vivir solitario de la vida que amontonas.

¡Quién abarcara la tierra, y de empujón avariento
te poblara de criaturas ebrias de amor ese páramo!

23 julio 1965. Madrid

No nos sirve la voz. Su sed no apaga
este magma furioso que embiste.

Delgadísimo leopardo y corpulenta serpiente;
las anémonas carnosas que sollozan en lo oscuro;
tanta verde población del desconsuelo tenaz,
inquisición descarnada que se acumula allá dentro.

Hacer de nuevo, crear; pero crearlo de nuevo
es idéntico a lo hecho, a lo dejado detrás:
Arena descalza y huella junto a la mar que la borra.

Todo lo vivido amarga, retama, pisoteante;
oscuro licor que embebe, como a la muerte la vida.

Girasoles de silencio. Cuelgan cortadas y negras
las cabezas del pasado pinchando contra la piel.

Nos está sobrando inmenso el sol y la luz-cordero
bajo un cuchillo con hambre
rociándonos despacio...

16 octubre 1965. Madrid

Como estábamos juntos éramos
la misma gente:
muebles y calles, casas
y ropas ajadas;
frío entre el frío y áspero
verano implacable siempre.

Un año corrí más. Corría tanto
que llegué a la montaña y pude
mirarlos de lejos... ¡Erais
un montón de criaturas espeso!
Como en la mar, ya no erais nada.
Tuve miedo de mí, porque tan sola
me convertí en vulnerable.

Vulnerable quedé. Lo sigo siendo
aunque al llano volviera;
aunque anduviéramos
vosotros y ellos, los otros y yo...

Nunca acabará que estuve lejos.
Por mi propio correr
lejos de todos.

18 noviembre 1965. Madrid

Quizá no te pregunten, no, por ella:
digo por la sangre de tu hermano.
Te mirarán los dedos, que van secos,
con las uñas tan limpias...
Y luego, hasta la frente las miradas
subirán muy despacio, recorriéndote
hasta llegar arriba, a la cabeza
resueltamente allí, tan bien plantada.

Tendrás que responder a mil preguntas
de todo lo que hiciste o que no hiciste
andando por aquí, indiferente
o con voraz pasión desenfrenada.
De la sangre, ni hablar. Hasta tu sangre
ignora que otra existe derramante.
Tú sabes del dolor, sabes del llanto.
De tu hermano sí sabes: pero vivo.

Escúchanos si puedes desprenderte
de todo tu contorno en llamas pálidas.
Te hablamos desde charcos coagulados...
Nosotros sí sabemos de la sangre,
¡de infinitas las sangres de este mundo!
Y vamos a decirlo: con la boca
más amarga que tuera, más amarga
que el tacto abrasador de las ortigas.

30 noviembre 1965. Madrid

Si envolviera mis días la niebla,
cuánto feliz y en qué paz
mi tiempo transcurriría.
Tanta claridad,
gruesa sombra tanta,
con furia golpea mis costados...
Niebla gozosa, acude;
dilúyeme contigo.

Yo pido la niebla.
Que empape este mundo la niebla
y me vuelque en su vaho.

2 abril 1966. Madrid

Salieron espinas
a la voz de los hombres de ahora.
Y no sólo espinas como en los rosales,
sino garras moradas y verdes.
Tienen garras las voces de hoy.

¡Cuántas veces sentimos herida la nuca,
y un zarpazo brutal en la carne,

porque ellos nos gritan!
¡Qué aceros nos hincan, qué púas nos clavan
sin que lo comprendamos nunca!

Nos brota la sangre, y seguimos.
Nos laten naciones del cuerpo, y seguimos.
Luego viene el caer desgarrados al suelo,
a servirles el pasto de entrañas.

«Brocab», 7 abril 1966. Navacerrada

Te han visto y no quieren mirarte.
Ciñes del sudor la túnica
y llevas los pies tan descalzos
que ni a ellos la piel se te agarra.
Llegas de estratos mugrientos
y a los limpios los manchas.

¿Qué hacen los tristes viajeros
de esta obscena tierra con amos?
Si cantas, alargan los dedos y ponen
su flaca moneda en los tuyos.

Cántales letras viscosas
que alaben sus cuerpos nutridos.
No les digas que te roe el hambre,
que todos tus muertos te pueblan
les daría miedo, les daría asco.

Tu país es el rojo bocado de piedra
que no se menciona ya.
Busca el río para que tus miembros
desnudos reluzcan allí.

Acaso te vean entonces...

«Brocab». 9 abril 1966. Madrid

Venía golpeando la sangre
antes que la golpeara yo.
A empujones de savia, como en los árboles:
resbalando en la piel, como los ríos
van por la tierra.

Todos igual, pugnando todos
por desgarrar de la carne
y aparecer rotundos en mitad de la vida
para otra vez derramarnos
si es que nos continúan.

Nacer y desnacer. Ir a la muerte
con simientes de otra vida.

11 julio 1966. Madrid.

Teníamos miedo.
Oídnos los sonrientes y seguros de la vida:
nosotros tuvimos miedo. Mucho miedo.

Era una soga viscosa la que nos ataba,
una movediza soga
que tan pronto prendía la garganta
como nos rompía el vientre.

Palpábamos membranas sordas
alrededor del pecho.
Por los pútridos pasillos escurridizos
sobrevenían silenciosos tumultos.

No me da vergüenza gritároslo
¡tuve un miedo abierto en cien charcas!
Tristemente miedo
por mí y por los otros...

Hoy hace sol, corre el agua
y ululáis vosotros.
En la sangre, tan ronca, perdura
la memoria feroz de, aquel miedo.

3 junio 1966. Madrid

Era como son aquellas cosas
que se viven soñando despertar.
Como la luz cuando en la sombra cae
desplomada de ardor.

¿Quién diría, si acertara a decirlo,
lo que es vivirse

consigo, enajenando
lo propicio a lo incierto?

Andar y mantenerse inmóvil, irse
por una misma siempre;
abrir el alma
al viento de la cumbre desolante.

4 junio 1966. Madrid

Tal vacío atroz, derrumbamiento
de todo cuanto estamos manteniendo
a costa de un esfuerzo de locura,
nos tira hacia la tierra con tal fuerza
que no podemos retener la vida.

De prisa, más de prisa que nos faltan
muchos días para poder hundirnos
en blando terrenal pozo de niebla.
Tenemos que acabar la encarnizada batalla
con la muerte...

Ya sé que nadie escucha lo que pido,
gritándole al desierto con mi furia
el hueco de mi alma, este vacío
hirviente y desollado por ortigas.

2 octubre 1966. Madrid

Me he dejado una gota de sangre en la mano derecha,
una sola gota
cuando de mi corazón brotaba el chorro
de toda la sangre que me habitaba.

La dejé aislada, limpia ásperamente
la parva carne de mi mano
que su continente era.
Quise verla así, redonda, gruesa, aupada...,
gota goterón, casi negro,
poblada de mi vida, núcleo suyo.

Era hermosa y lucía, pedrusco ínfimo
de rojo infatigable, empeñosa. A veces

turbia, ahora oscura.
Fuera de mí y fuera yo de ella,
confrontándonos.

Con la otra mano firme, estrangulé
lo que el corazón cedía brusco y harto.
Seco entonces, asfixiantemente,
ya no era mi sangre más que gota.

¡Anda y late, empuja, brama
como lo hiciste dentro, cuando podías
rebullirte en torrente!

Ahora está muda, ajena, solitaria
gota goterón sin mí.

3 febrero 1967. Madrid

Se han resistido milenios
sin querer reconocerlo,
empeñándonos a cada instante
en revelar solamente lo espléndido.
Y ya no se puede más.
No se resiste ni un día.
Da asco, inmenso asco tumultuoso, asco que revuelve
     cortezas y légamos...
¡Estamos podridos todos!

No se salvan ni los pájaros.
Hasta las flores inspiran náuseas.
Quizá las raíces escapen
de este vicio atroz que es el podrirse.

Lo demás, aguas y estrellas,
sirven para que le estallen
su virus de asco a los seres, a las cosas, a las propias
     palabras hedientes.
¡Todo huele a podrido, todo!

Fijaos cuán triste es que se diga,
que se comprenda y denuncie,
porque yo, loca frenética,
¡yo estaba cantando a lo hermoso!

¿Y qué es lo hermoso; existe lo hermoso todavía?
El sol y la paz, la ávida furia de las mares,

el precipitado palpitar de los bosques, y la extática
lumbrerada del amor al mundo...
¿Qué hicimos de todo aquello?

Jadeamos violencia oscura, lasciva, rijosa
lujuria de violencia.

23 enero 1968. Madrid

FURIA DE LA NOCHE OSCURA

RONCA TURBULENCIA

Este pueblo fragoso de mi sangre
se arrebata por ti, hombre perdido
en una lejanía indescifrable.
Y junta con mi voz brota la tuya,
retumba resonándome la vida.
Es un pozo de amor, casi la noche
del tiempo que rebota entre mis labios.

Es la noche total. Siempre de noche
desde cientos de años. No recuerdo
que haya días y sol, que mueva el viento
unas nubes de luz sobre la tierra.

Alguien puso la noche sobre el pecho
y la frente, los hombros y las manos.
Alguien puso la noche en mis entrañas,
en las piernas, la boca y en mis pasos.

Empujo, desgarrándome de sombras,
este muro brutal. Quiero clavarle
roncos gritos de sed. Nada se rompe.
Es de noche otra vez. Nunca hubo día.
Nunca he visto la mar, nunca los árboles.

Resigno la cabeza. Metería
Mi cuerpo en algún río..., si lo hubiere.
Si yo fuera más leve volaría;
y si más recia fuera, estallara.

Es que soy ya la noche. Soy de noche:
de una furia de noche que no acaba.

3 febrero 1968. Madrid

Desde ahora lo sé. Ya nos conozco.
Pensé: ¿cómo puede dejar que cada día
sea peor que el de ayer; no nos contempla?
Y, súbitamente, entiendo
que nos ves al nacer: toda de un golpe
la vida que espera o nos deparas.
«Es así. Conforme. Que la vivan.»

Y vuelves la cabeza para seguir mirando
a cada uno que nace. Indiferentes
te son los días ya, pues los conoces.
Y olvidas prontamente. «Nos veremos»,
debes pensar. Y hasta creemos
que sí, que nos veremos cualquier siglo.

Atroz mi desamparo. Me ha brotado
igual que las lianas en la selva,
asfixiándome el árbol de esperanza.
Te lo sabes tanto tiempo que ni miras
esta dura agonía de los cuerpos
y este ronco resuello que es el alma.

Olvidaste lo mínimo, la lucha.
Pero citas al juicio, inapelable.

1 febrero 1968. Madrid

Así. Aplastada contra el suelo de tal forma
que si intenta levantarse, a respirar tan sólo,
arrancará pedazos del suelo
pegado a su espalda...
Ahora hunde tus pies en ella,
inmisericorde. Es lo tuyo; parece
que asfixiar a los tuyos prefieres.
Devorarlos despacio... Mordisco a mordisco,
con gula de niño que ignora el amor
que le tienen.

Cada cual a lo suyo, comprendo.
Los fuertes, a pisarnos el pecho con furia
o con sublime indiferencia.
Los débiles, aguantando en rabioso dolor casi frío
que les rompan los huesos y el alma.

Es la ley que se usa en la tierra,
pero que yo no esperaba de ti.

Cuando ya contra el suelo sea masa
tan fina y viscosa, delgada maraña de piel y de sangre;
¿tampoco la muerte, verdad?
La muerte absoluta, el descanso sin límite,
el omnipotente olvido.

Temo que no, porque soy
arrebatada creyente voraz
y espero (¡todavía espero, sigue esperanza en mí!)
que despegues mi cuerpo del cieno,
que me arranques del suelo y me lleves
delicadamente en tus manos.

¿A dónde?
Quizá hasta tu boca
para nombrarme otra vez, acaso
para otro amor tuyo no tan fiero...

4 febrero 1968. Madrid

Han picoteado la cabeza tanto tiempo
que, por fin, abrieron en mil ojos
brotando de ella ebrios...
¡Cuántos pájaros
emergieron de ti!

Huyeron locamente. No te duelen las heridas.
Ni la sangre
que fluyó de su nacer fuera del cráneo
te resbala siquiera.
Se ha quedado
inundando de piedra a tus cabellos.

Salen y entran turbios vientos
que retumban alegres contra el hueso.
Se le enfría el cerebro al cuerpo inerme.
Hay silencio en su cima. Ya no cantan
los que huyeron felices en dejarlo.

Hubo pájaros, sí, en la cabeza.
Fue un nidal de sus plumas, de sus trinos.

Torvas noches, madrugadas
sufrieron el picar de tantas vidas.

Libertad consiguieron.
La cabeza
vacía se quedó ya de sus pájaros.

25 abril 1968. Madrid

Si os pusieran el peso que nos ponen,
¿qué diríais vosotros;
vosotros los audaces, los resueltos
como también lo éramos?
No sabríais ninguno por qué llevo
tanta amargura a cuestas.
¿De dónde cogen piedras, nos las cargan,
y por qué las aguantamos?

Amándote tantísimo, ¡oh la lumbre!,
nos aplasta tu oscuridad.

3 mayo 1968. Madrid

¡Si resigné los frutos,
si no empujé las semillas,
si mantengo callados los años del amor,
si apenas paso mis manos por el agua
reuniendo los cuerpos que se me llevó del mío...!

Hierven en las venas los zarpazos
de la fiera agonizante, y queman
las tristes desuñadas garras.
Hay cosas sin nombre y sin luz que rugen
en lo que se deja o se toma del mundo.

Hoy vorazmente quisiera
respirarme entera entre los árboles.

5 junio 1968. Madrid

En la oscura boca infecta de la sangre
grita recallado su dolor una criatura.

Las gentes no la escuchan, van corriendo
al recuento revuelto de codicias.

Nadie sabe ni le importa qué se encierra
en la lóbrega luz, negra tajada
de un dolor sin piedad para fundir
goterones de cobre incandescente.

¡Que rebosen de fuego las entrañas,
que los miembros se quemen en halagos!
El que muerde su angustia, que reviente;
y el que goza, que ruja de frenético.

En la cueva infernal quedan pedazos
de este ser perseguido por la noche.

7 julio 1968. Madrid

Esa fuerza terrible en curva o en rayo
ha juntado a este niño en bulto mínimo,
catapultándolo.
Va a llorar, a gritar; a darse en monte
de alaridos sangrientos.
¡Es la vida!, dirán mientras le roen
los párpados y las ingles.

Delante de sus ojos van sajándole
un pedazo a la tierra despeñada.
Que se aprenda, que ayude, que mastique
la turbiedad de la muerte.

Le esperan las patadas, bestias mazas
que precipitarán su cuerpo cárdeno
a la negra matriz que vomitara
su tan innecesario germen.

¡Es la vida!, le gritan y él retuerce
sus ardientes arterias, enemigas
de vivir y morir sin su concurso.
Del aullar porque mueren los que ama;
del tener que aguantar, como una piedra
que no revienta nunca.

15 julio 1968. Madrid

En esta heroica porción de vida
descargaron montañas de dolor,
y aún combate el volumen aplastado
para no desintegrarse.
¡Qué loco delirante es el principio
de la ciega resurrección!

A buscar otra masa de materia
hendiéndola por silbos de orificios;
pugnando por seguir en catapulta
que alguien, disparó y él continúa.
¡Qué oscuro el insistir brutal del ansia
por no desaparecer!

Punzan la razón las insensatas
tenacidades innumerables.
Se mira como van los siempre espesos
guadianas hambrientos de la especie.
Y un puñal de cien filos nos desgarra.

19 julio 1968. Madrid.

Hija tengo, metida en la tierra,
que no conocí.
La pasaron dolores sonámbulos,
manos duras; y tiernas del padre frustrado
de mi vientre a ese vientre feroz
que es la tumba.
No le pude mirar sus ojitos
Porque estaba ya aquélla esperándola
con sus dientes de loba.

En lugar de su llanto, al brotármela,
otro llanto rompió contra mí:
el del hombre su padre que, entonces,
como hijo quedó en mi existencia.
Y sin hijo me encuentro otra vez.

Siempre anduve doliéndome niños.
De mi obra a los niños les di.
He vivido de madre era mi sueño
porque a madre verdad no alcancé.
Leedme y sabréis cuánto es hondo

mi escribir de los niños de España.
No aquí.

Porque vivo de duelo por siempre
y no quiero escribir de esos niños
que ya tanto canté

He perdido a la hija y al padre;
han volcado mi vientre dos veces
a esta tierra mordida con ira,
con quemante pasión de retorno...

¡Que nos junte y nos erice la loba,
que me muestre, si ahíta, a la hija
que no conocí!

24 abril 1969. Madrid.

«HAY UNO QUE SE QUEDA...»

Pétreo magma
rajando sangre en todo su contorno
mudos aullidos mordientes.

Limpio intacto por fuera el cuerpo,
alta la cabeza herida,
los ojos en la luz cavados.
En la tuera de la boca hasta sonrisas.

Perennes las manos hincan uñas
para cercar el basalto
acosándole su núcleo;
y lo hurgan, a su alrededor desgarran,
se trizan sin destrozarlo.
Se le asedia la entraña al dolor, desollando
su erizado cubil.

Le arrancan pedazos calientes
del que ya no está fuera.
Recomponerlo con la propia vida
para unirlos, retroceder al hallazgo...
¡Jadeante silencio telúrico,
abrasiva interjección!

Todo es mineral de otros mundos,
mellante bocado a los astros.

20 noviembre 1969. Madrid

RÉQUIEM POR NOSOTROS DOS

«Todo cuanto los dos hemos callado
lo tenemos que hablar!»
BÉCQUER, Rima XXXVII

Sí; mas no soy yo la que se ha muerto,
tú
me precedes allá.
Y no oigo tu voz aunque perennemente
intente escucharte.
Cataratas espesas de palabras
que no dijimos nunca
retumban en mí.
Batida por tu duelo me despierto:
soñaba con tu voz que me desvela
en lo breve que duermo...
Levanto a mi costado tu estatura,
te siento llorar v borbolloneo
la angustia más ronca...

¡Si Dios prorrumpiera
en para qué vivo yo,
cuando eras tú el que luchaba a tajos
para lograr vivir!

Mi pudor a gritar lo que más amo,
la selva que crece entre mi sangre
asfixiándome brotes al delirio...
El anillo feroz de voluntaria
condición represiva yugulando
todos los desbordamientos.
¿Por qué tuvimos miedo del impulso,
y por qué podamos la arboleda
de nuestras enajenaciones?
El ardor se domó, caballo o ángel,
para en piedra tallar.
¿Qué temías de aquella juventud
que tan sólo era tuya?

Una rama de fuego, quizá que un rayo,
frenético océano te cercara...;
y empeñaste en domarlo
toda tu razón y tu implacable
temor por mi arrebato.

Los vientos, cuando oponen
otra fuerza a la suya,
descuajan lo que encuentran a su paso;
o se estrellan, destrozándose.

Las aguas que discurren por su yerba
van serenas, tranquilas.
Y saltan mientras rugen, si tropiezan,
desbordándolo todo.

Tú que amabas al viento y a las aguas,
nunca supe jamás por qué opusiste
tanto dique a su fuerza.

    Nada tan cruel como hablar sola
    a una ausencia, y si callo
    me muerden las palabras; niños muerden
    a sus madres los senos.
    Como a Dios no te veo, y te llevo
    en mi alma y mi cuerpo.
    Tu dolor de morirte a cada instante
    me dejó taladrada.
    Cuando pude acercarme a los recuerdos
    que hurgaba la memoria,
    me di a caminarnos por tu obra,
    reuniéndonos completos.
    Fue nacer y morir mil agonías,
    fue encontrarte y volver a darme entera,
    y meter la cabeza en una tumba
    que me espera contigo y con mi madre.

    ¡Qué tremenda pasión la de aquel tiempo,
    en que solos tú y yo, como un arroyo
    que en la luz corretea enamorado,
    descubrimos el mundo que perdimos!

Porque vino la guerra, loba hambrienta,
hediondo chacal, tigre punzante,
y trizó nuestra joven andadura

incendiando el hogar que nos juntaba;
nos ató como esclavos a la noria.

No perdono, no quiero perdonar
una guerra que nunca se ha acabado.

Noble amor, credulidad inmensa;
recia amistad que mantuvimos.
En mi corazón se salvan
los lazos inviolables de la unión.
Que si horas oscuras o verdosas
opusieron sus manchas amarillas,
a través de mis llantos no las veo.

Yo te quise, tu amor se salva intacto
de todos los fragores de la vida.
Me quisiste también, estoy segura
de que nada quebró lo que fue nuestro.

Ni la muerte maldita que mordía
tantas horas de ti y tantas horas
de mi inútil presencia contra ella.
Ni el cansado luchar para que el cuerpo
retuviera su soplo. Ni mi odio
a cuanto precipitó tu ausencia.

Por encima del polvo y de la sangre,
más arriba de nosotros mismos
juntos quedaremos en el surco.
Cuando busquen hallarse con nosotros
tendrán que remontarse al viejo tiempo:
dos adolescentes embriagados,
sujetos por los versos a los cielos;
libres de la tierra, por palabras:
barcas de la luz que nos llevaban.
¡Qué muchacho tan puro eras tú,
qué muchacha tan
—arrebatadamente—
inocente y amante te fui yo!
(Nunca los ahogamos, los guardamos
con cuanto no nos viviera).

Y fuimos caminando, algunas veces
aislándonos en cada uno
porque sí, porque el mundo nos sacude

con su vendaval de absurdos.
Cuando hasta abajo mirábamos,
a las aguas que nos llevaban,
solamente veíamos mirarnos
a la yo y a aquel tú que fuimos nuestros.

¡Que el dolor y el frenético aletazo
que intentaba quebrantarnos,
nunca jamás ganó su lucha;
nunca jamás podría tajarnos!
Porque esto que lloro, que te has ido
a la fuerza brutal no por tu ánimo,
esto lo que ha hecho ha sido unirnos
más indisolublemente.
No se habla con los muertos, bien lo sé;
sólo se habla con nosotros mismos.
Hundimos en la entraña fieros hierros
para desatar la sangre,
y que brille entre los dientes su tejido
con cruda desesperación.
Si fuera yo la muerta, ¿qué dirías
a mi recuerdo salvaje?

1969, invierno

CANCIONERO
DE LA
ENAMORADA

[1971]

Cantaba la Enamorada
en el fanal de su cielo.
¡Cuánto pájaro volando
por el cristal dei ensueño!

Los que cantan no se oyen;
los que escuchan, ay, no cantan.
Era hermosa la canción
de la ardiente Enamorada.

Cantando dijo: —Mi amado,
sólo vivo para amarte.—
El aire vistió de plumas
la alameda de la tarde.

Cuando canta una mujer
los árboles la acompañan,
y el agua que se desliza
es tropel de muchas aguas.

—Amarte porque eres mío
y te canto por amado.
Cuando estás lejos de mí
con mi cantar yo te llamo.

¡Ay qué distancia la tuya;
desde cuán lejano monte
las nubes de tu presagio
forman mi solo horizonte!

Amado amante que llamo,
¿por qué no vienes conmigo?

Cantaba la Enamorada
sobre un cielo de oro vivo.

—Voces de amor en las cimas.
Campos de luz en la tarde...
Cantando dijo: —Mi amado...!—
El eco le dijo: —Amante.

El vino quiere morir
en una sangre rebelde,
y ser sangre derramada
en los apretados dientes.

Ebrio quiere que te sientas
para que sueñes conmigo,
y me jures un amor
duradero como el vino.

Bebe para que soñemos,
que quiero entrar en el juego.
A mí me gusta olvidarme...
Tú no tienes pensamientos...

Ay que se lleva la tarde
mis suspiros sin consuelo.
Para que lloren mis ojos
les deja el aire un pañuelo.

Ay qué soledad me acrece
entre las venas la sangre.
Si me muriera esta noche
nadie vendría a llorarme.

Que junto al mar lo pedía,
que lo soñé entre la sierra.
Morirme, morirme aquí
sin que lo sepa la tierra.

Ay qué secreta me duele
hasta la luz de mi alma.
¿Por qué no salva querer?
¿Por qué el amor no me salva?

Gritabas tú como el mar
cuando te estaba esperando.
Batías contra las rocas,
saltabas entre peñascos.

En mi pecho te movías
palabra de mundo nuevo,
como se mueve la luz
y canta el pájaro ciego.

Playa de loco oleaje
la arena de mi suspiro,
sintiéndote combatir
en mi corazón cautivo.

Miño del atardecer
con dos hileras de pinos,
    ¡ay qué dulcísimo río!

Hondo entre piedras guardado
con un silencioso sino
deslizándose al encuentro
de otro río delgadísimo,
    ¡ay qué dulcísimo río!

Que salta como una corza
que se entrega a su destino,
    ¡ay qué dulcísimo río!

Nunca pude comprender
cómo está alegre la Ría
si lleva voz de mujer.

    Por mucho que la naveguen
    y sus tesoros le quiten
    los que el agua le remueven,

nunca podría saber
cómo lleva su alegría
si tiene voz de mujer.

    Los marineros, que canten;
    que canten los pescadores
    y los delfines que salten.

Aunque lluevan las riberas
balidos de recentales
y mugidos de terneras,

    nunca se sabrá en la Ría
    —por mucha mar que la anegue—
    cómo vive en su alegría..

Porque el agua es verde tajo,
y los peces soliviantan
y los hombres son esclavos
de una ley que les quebranta.

    Ay qué trabajo en la mar:
    ser marinero y querer,
    ser pasajero y pasar
    por un nombre de mujer.

Por las finas galerías
de tus venas, voy cantando.
Ay amor, cómo te canto.

Si duermes o si vigilas,
por tu corazón resbalo.
Ay amor, cómo te nado.

Si corres o si te paras
soy tu respiro delgado.
Ay amor, cómo te amo.

Arriba, sobre tu frente.
Abajo, cabe tu paso.
Ay amor, siempre a tu lado.

Por el riachuelo, ay madre,
    por el riachuelo,
nado tras un amante
    que nunca encuentro.

Buscándole por el agua
    vienen los ciervos,
y temen que yo le oculte
    dentro del viento.

Dime, tú que has amado,
  si hay quien avance
dentro de la corriente
  sin abrasarse.

Porque le pido al día,
  voz anhelante,
deje que me consume
  junto a mi amante.

Ay amado, ay amante
Ay amor, ay de mi alma.

Por el sueño te busqué,
por el sueno te encontraba.

Los más veloces corceles
sus crines alborotaban.

Los arroyos de la aurora
sus cabellos derramaban.

Ay amado, ay amante.
Ay anor, ay de mi alma.

Te llamé. ¿Era tu nombre
la fruta que rezumaba

del horizonte de almendros
el rocío de su rana?

Me llamaste. ¿Era yo
la misma que se ocultaba

sin entregarte su sueño,
el sueno que te buscaba?

Ay amado, ay amante.
Ay amor, ay de mi alma.

Tengo una flor en la mano
que no me entregaste tú
ni creció por tu cuidado.

La quiero llevar conmigo
cuando me llame la voz
que tampoco a ti te he oído.

Fruta no es la mañana
aunque nazca en el jardín.
¡Tu voz sí es una manzana!

Repleta de jugo cantas,
parece que canta Abril.
¡Tu voz sí es una manzana!

Yo quiero cantar de ti
que eres fruta y no mañana,
que eres un año de Abril.

¡Tu voz sí es una manzana!

Eres pájaro temprano
buscándose un horizonte:
arroyo recién abierto
que se desliza del monte.

Servís la flor conseguida
en un jardín sin clausura;
estanque del agua alegre
doblando su vestidura.

Fuiste mi amor, fuiste río.
Los dos fuimos la marea.
No recuerdo que te quise...
Olvida que no te quiera.

Cuando llamaba la lluvia
se equivocó de ventana.
Creyendo que sonreías
su boca se adelantaba.

Y tú no tienes sonrisas
porque te pesan los sueños.
Ay, que te busca la noche
para llevarte con ellos.

Engáñala, te lo pido:
una sonrisa le basta.
Y cuando lluevan mis ojos,
nunca cierres la ventana.

Corrimos el viento y yo,
juntos y alegres corrimos.
El viento no se perdió
pero yo sí me he perdido.

Porque me paré en la fuente
donde un pájaro cantaba.
El viento gritaba: *¡vente,
el agua vive hechizada!*

Cantando pájaro y agua
cogieron mis ansiedades.
Era una tarde muy clara
cuando empezaron mis males...

Páiaro y viento, enemigos,
los dos asieron mis manos.
Los dos eran mi destino,
a los dos quise encontrarlos.

Y el agua que me bebía,
porque estaba ya cansada
era un agua que se iba
dejándome enajenada.

Busca la cueva del Eco
y grita tu nombre en ella.
Los pájaros te conocen
y la fuente te recuerda.

Las arenas de mi luz
como nunca están sedientas,
de tu cántaro de amor
que ni los suspiros llenan.

El agua, si la conoce,
ya no es agua que camina.
Cuando ella toca una flor
todo el jardín se ilumina.

Porque la luz de su mano
es un ala sensitiva
que se detuvo un instante
por darle brisa a la vida.

Siempre buscabas mi sombra
con la tuya enamorada:
por los caminos con luna,
por el agua remansada,

por los jardines del río,
por las colinas del sueño...
¡Siempre buscabas mi boca
que tiene tu nombre dentro!

Todo el amor que se hizo
está quemando mi beso.
No queda amor en el mundo.
Que todo vive en mi pecho.

Cuando los amantes busquen
quererse como jilgueros,
tendrán que meterse en mí
que soy un bosque de viento.

No está la muerte tardando.

Amor, que ya no te siento.
No está la muerte tardando
y todo mi sufrimiento
es un canino muy largo,
amor, porque no te siento.

No está la muerte tardando.

Y llamas a la tormenta
lo mismo que llamarías
a una criatura contenta,
traspasada de alegría
por una pasión violenta.

¡Qué caminito tan largo,
ay amor, que no te siento!

No está la muerte tardando.

Para que canten los vientos
lo mismo que canto yo
voy corriendo por los llanos
hasta que se apaga el sol.

El amante viene alegre,
la amada canta embriagada.
Y las fuentes de la tierra
a rni cuerpo se derraman.

Ya viene mi enamorado,
ya corre para encontrarme.
¡Vientos, arroyos, jardines,
entre vosotros alzarme!

Porque todo precipita
su cálida torrentera,
cuando mi voz, tu paloma,
zurea mientras te espera.

Así que la noche empieza
viene el mar hasta mi encuentro.
Ninguna mujer le dio
lo que él toma de mi cuerpo.

Le sobran playas, corales,
al mar le sobran sus olas.
Y quiere que a mí me bañen
sus encendidas corolas.

Las flores del mar aúllan
cuando las pongo en mi pecho.
Soy la secreta hechizada
de un largo presentimiento...

Una fruta que me diste
la convertí yo en paloma.
¿A quién le entregó mi nombre
la campana de tu boca?

Porque me llaman los sauces,
y me requieren los trigos,

y hasta las nubes volando
saben que vivo contigo.

Una mujer no diría
lo que pasa entre nosotros...
¡Caminos, fuentes, jardines,
ciudades que son del polvo...!

No vengas. Y no te vayas.
Cállate. Pero, ay, dilo.
¿Que piensas si no me ves?
¿Qué temes si estoy contigo?

A nadie quieras así.
No me hieras con tu fuego
Déjame que vaya sola.
Si puedes amor, lo quiero.

Por tenerte sin tenerte
no sé qué vida daría.
Es tu voz una arboleda
y mi cuerpo corza herida.

Aquella barca tenía
una vela desgarrada,
y yo la quiero curar
porque estoy enamorada.

Su marinero me dijo
que el mar arranca las velas,
y yo no le temo al mar
ni le terno a las estrellas.

Porque estoy enamorada
de aquel marinero loco
que va con barca que lleva
su velamen como un potro.

Soñarte yo te soñé.
Viniste por mí dormida.
Desde mi sueño canté
a tu voz estremecida.

Cuando despierta de ti
te buscaba por los otros,
nunca pude conseguir
que me fingieran tus ojos.

Cuantísima madrugada
sin quererme despertar,
por no quitar de mi alma
la locura de tu estar.

Soñándote desde el sueño,
despertándome de amor,
eras, mi amante, tan dueño
como del día es el sol.

Qué largo trabajo tuyo
hasta lograr socavarme,
y que el amor me consuma
y que no pueda olvidarme
de que estás en mis entrañas
recomiéndome la sangre.

A la sombra de tu mar
mi caballo se paró;
que beba de tu oleaje
mientras cantamos tú y yo.

   —Mar de mi amor desbordado
   que no conoce su orilla;
   amante de agua verde,
   espada de luz fundida.

Caballos que beben tú
a la sombra de nosotros,
cómo galopan mi cuerpo
los látigos de tus ojos.

Déjala correr, es agua,
Agua que corre y se pierde...
Hermosa, ligera, cálida
un agua del sueño es.

No la detengas, no mires.
Ella se va sonriendo

porque es dichosa y no sabe
que al agua le tienes miedo.

Qué libre voló, volaba
un pájaro que voló.

Cerrada fuente empujando
un río que no nació,
y el viento suelto en la noche
cantando su ronco son.

Qué libre volar quisiera
el alma que lo escuchó.

Abierto bosque de sombras
en el valle se perdió.
Ave con plumas de fuego
en los álamos cantó.

Qué amante boca dormida
tan cerca del corazón...
Qué libre voló, volaba,
un pájaro que voló.

Ya sé que me acabaré,
que tú no serás un día...
Que todo cuanto ahora digo
irá perdiendo su vida.

Si no quitaras tu boca
de mis ojos; si tu mano
jamás soltara la mía,
amor mío enajenado.

Quisiera perderme ahora,
morirme sin despertarme.
No quiero olvidarte nunca,
bebida de amor, amante.

No te he mirado bastante.
Tu rostro escapa a mis ojos.

¿Cómo podré retenerlo
cuando no tenga tu rostro?

Voy componiendo tus rasgos
tus ojos, sonrisa, frente...

Hay que pararte más tiempo
para saber cómo eres.

Voy a mirarte despacio,
a no perder ni tu aire.

Se me escapa tu sonrisa,
tus ojos desaparecen.

Espera que yo te vea
hasta quedarme contigo.

Así. Reposa. Sonríe.
Amor, qué pronto te olvido.

Si tú trajeras caballo
que ligero llegarías,
con escarchas de la luz
qué caballo te traería.

El campo como una flor
en tu cuello yo olería,
y los arroyos del mundo
para ti despertarían.

Tu caballo para mí
de arcángel te me daría.
Si tuvieras un caballo,
amante, tú correrías.

Al amanecer vendrías,
si recordaras, con flores.
Cuando los pájaros nacen,
si me quisieras, con flores.

Con flores para mis brazos,
al amanecer. Cantando.

Si recordaras que fuimos
un solo ser, tú, con flores;
desnudando los atajos
de retamas, tú, con flores.

Con pájaros, no: con flores.
Al amanecer vendrías.

Si dormida me quedara
que nadie vele mi sueño.

Sólo con ramas de pino
ponedle sombra a mi cuerpo.

Que las fuentes no se callen,
ni los pájaros ni el viento.

Dejad que todos me sigan
en el profundo misterio...

Una tarde se abrirá
la palabra que en mi sueño,

dulcísima espada fría
socavará mis cimientos.

Desnudadme de mis lienzos.

Si dormida me quedara
que nadie vele mi sueño.

Hemos vuelto de todo y tú cantabas
esperando el volver de nuestro día.
Generosa presencia va sembrada
en los tristes que dudan de la vida.

Tú no pones frialdad en tu mentira.
Tú no entregas verdad que atosigara.
Qué elevada mitad de la alegría
de una eterna mitad de luz más clara.

Nada niegas de ti. Ardiente lava
nunca quemas la tierra recorrida.
No preguntas, no pides... Y esperabas
que el amor te creciera hasta la cima.

Mis toros no pastan; velan
y protegen mi andadura.
Enormes toros ciclópeos
cuyas potencias retumban.

Yo camino con sigilo,
tengo miedo a su hermosura.
Uno de ellos se destaca:
brinda protección segura.

Toda la manada aguanta
su embestida. Y mi ventura
de que me lleve consigo,
como un lucero despunta.

Vamos, unidos, aislándonos
el milagro; y la espesura
de un mismo destino abre
de amor la fábula pura.

Que son caballos de niebla
que pastan líquines ácidos.
Que tu voz es una selva
y yo la escarbo con látigos.

Que no te quiero perder
y que por eso te nombro.
Que la noche no rezuma
más estrellas en su pozo.

Si en tus ojos apoyara
mis labios, se escucharía
el borbotón de tu sangre
—grueso arroyo— y de la mía.

2

Amigo, todos tendremos
nuestras flores en las sienes,
sobre los hombros y el cuello.

Has de recordar, amigo,
que hasta el aire perderemos
después de habernos herido.

Considera que entraremos,
yo te lo recuerdo, amigo,
donde todo olvidaremos...

Amigo, no te separes,
que tengo temor y frío
de meterme en esas mares.

Nadie se acuerde de mí
cuando no pueda acordarme.

No todos sabrán que fui
extensa como la tarde,
solitaria como el mar
aunque lo surquen las naves.

Yo quisiera que después
alguien pueda descifrarme
come un mensaje de piedra
que fue encerrado en el aire.

Sólo un hueco en el vacío
para poder alojarme.

La noche no es una noche,
que las noches son muy largas.

La noche no es un jardín
ni es tampoco una ventana.

Algunos creen que la noche
se muere si la desgarra

una embestida de toro
o una hoguera arrebatada

Otros piensan que la noche
es de cobre y no de plata,

y que corroe su cuerpo
el ácido de una lágrima.

Ninguno acierta con ella,
con la noche alanceada.

Yo la conozco. Me tuvo
duramente atravesada.

Las voces llegan descalzas,
con túnicas amarillas.
De los jardines del tiempo
las palabras se deslizan.
Cómo cantaba una voz,
qué levantada su brisa.

Otra voz que regresaba
de su oscura galería,
húmeda de tentaciones,
casi ardiendo, se movía.
Oh la sonrisa de lumbre
que a su paso precedía.

Hubo una voz sin recuerdo;
una voz que, desgajada
por una mano de ecos,
derramada fue en la playa,
Y cómo la lleva el mar...;
y cómo la toma el agua...

...Aquella voz temblorosa,
corza de viento quebrado...
La otra voz que se agostaba
como la hierba en el campo...

Oiremos las voces vivas
del tiempo que no ha callado.

Hojas con lluvia en el suelo:
la tierra recibe hojas
de los árboles despiertos,
de las desveladas rosas.

La luz es una mujer
que el agua embebe y desnuda.
El campo solo se extiende
en una inmensa pregunta.

¿Quién pisaba los helechos,
quién los pétalos de aurora;
quién camina entre las fuentes
de esta lluvia turbadora?

—¿Qué doncellas o varones,
qué corza corre, o qué gamo;
quiénes visten de la luz
los más temblorosos paños?...

Llueve en la tierra llovida,
sobre las flores, las ramas;
lloviendo llueven los cielos
sus verdes praderas cálidas.

Callados pasos venían
por mí ancha madrugada,

entre silencios espesos
que la luna descuajaba.

¿Qué criatura que no tú
pudo saltar la ventana

y crecer, rama de fuero,
en un vaso de agua clara?

Las voces buscaron luz;
las voces desenfrenadas

quisieron decir un nombre
y cantar su loca fábula.

¡Que no eres tú quien camina,
que estoy soñando tu planta,

y es una hoguera que vi
cuando estaba ya apagada!

Quiero dormirme sin sueños,
sin oírte cómo avanzas...,

sin despertarme de ti
que eres torre en una plaza.

Eran sombras, no eran seres.
El único ser tú eres.

Aunque pasen como olas,
y se vuelvan piedras altas,

sombras serán, que entre seres
el único ser tú eres.

Y no lo sabes. Y buscas
entre las sombras un ser.

La tierra no está en la tierra...,
la tierra vive en el agua.
¿Quién anduvo por el cielo
    sin soñarla?

Jardines de peces negros,
de empavonadas aulagas,
en el acero del cielo
    se nos clavan.

Y algunos van por el mar,
por la tierra, preguntando
si es camino de otro mundo
    el ir nadando...

Ay de la tierra perdida
en montañas de marea.
Ay del que sueña su cielo
    en la tierra.

Amigo, tu voz me trajo
todo lo que dice el mar,
lo que cantan los que cantan,
lo que piden al cantar.

Todos dicen, todos cuentan,
sólo tú puedes hablar.
Amigo, nunca me dejes
sin tu voz para soñar.

El agua corre, las aves
se hicieron para volar.
Amigo, tu voz la llevan
arcángeles sin nombrar.

Dichoso como el olvido,
ligero como el que ama.

Así quiero que me llegues,
así quiero que te vayas.

Ay qué largo es el camino
y qué corta tu esperanza.

Lo que espera, espera siempre,
nadie espanta a lo que espera.

Están abiertas las fuentes...;
si el agua se estremeciera;

si los jardines alzaran
su vuelo de primaveras;
si los leones, si el tigre,
si los búfalos...
　　　　　¿Qué fieras
consentirían que *aquello*
no llegara; que la espera

del que sufre tembloroso
se cerrara; no se abriera

con el ansia que se abre
siempre una zanja en la tierra?

Que si te duermes no amas;
no duermas, amor, no duermas.

Vela, que velando vives,
y el vivir amor te entrega.

Amar y dormir no es vida
para el que amante te sueña.

Estar despierto, entregarse
al amor, mientras se vela.

　　(Porque dormido yo temo
　　que me olvides, si despiertas

　　y en vez del sueño de amor
　　es a mí a la que encuentras.)

No se detiene si avanzo.
Sobre una tierra implacable
camina hacia mí, despacio.

Si me duermo, me vigila;
si estoy despierta y si canto.
Como si fuéramos una,
por un camino muy largo
viene a mi encuentro...
                              La llamo
y no apresura su andar,
y no detiene su paso.

    Hay días que yo quisiera
    que se pusiera a mi lado,
    que se juntara conmigo,
    que me apretara en sus brazos.

    Y otros en los que mirarla
    me produce sobresalto,
    porque se acerca, se acerca...,
    y me envolverá en su manto,

    sin que mi voz la detenga
    ni la desvíe, en exacto
    apoderarse de mí
    cuando yo más la rechazo.

Desde la noche o el día,
como dos fuerzas de Dios
ella y yo nos contemplamos.

Quise olvidarte. Latían
sobre mi pecho las rosas.

¿De qué embriagantes misterios
me rodeaban tus sombras,
que soñando con negarte
te afirmaba...; estaba loca?

Loca, sí, y de esta agua,
que no pétalos; gozosa
de sepultar mis sentidos,
de enajenar mi persona.

Loca yo, la que decía
que eran flores..., y eran rosas.

Rosas como lumbres frescas,
bultos de olor; ardorosas
como bocas que se entregan
o se niegan; como bocas.

Cerrar los ojos. Así.
Cerrar la vida a la aurora.
¿Eran tu voz, tus palabras...?
Dímelo. ¿Qué son las rosas?

Si eres tú quien está donde no llega
otra luz que la luz de la mañana.
Oleadas de sol y de arboledas
se despiertan a ti, porque te cantan.

Qué tremenda distancia,
qué inmposible sondeo;
a cuántos soliviantas,
oh tú,
con tu silencio.

Prefires que las voces
se quiebren, sin comerlas.
No tocas las palabras.
No evitas las sentencias.

Estás o no lo estás,
¿quién puede asegurarte?
Lejano, tan lejano.
Distante, tan distante.

Rompen a caer las sombras
anegándose en la tarde.
Todo es silencio y es tiempo.
Todo es quietud. Nunca hay nadie.

Nunca hay nadie en los jardines
cuando la noche se acerca.
Zozobra la luz, se hunden
ecos sin voz... ¡Quién oyera!

¡Quién oyera aquella voz
o aquella queja, aquel canto...!
Las sombras apagan hablas,
lo oscuro quiebra lo blanco.

Blanquísimo y delicado
es el arroyo perdido.
Así se pierde el amor.
Así se encuentra el martirio.

La tierra rampa los árboles
y se derrama por ellos
en atropello de hojas
que inundan el mundo, y lamen
el azul seco del cielo
al que humedecen, y cae
luego en lluvias gruesas, leves,
con duros truenos violados,
con roncos clamores cárdenos.

¿Quiénes correrán las aguas;
tras de las aguas, quién corre?

Retumban las pisadas de invisibles criaturas
persiguiendo en las aguas cuantos los jardines tensos.
Aquel tan largo y ceniza,
con ese brazo que fluye,
van a perderse en el pecho
de un amante trastornado.
Y esa curva que es tan pura,
con ese hombro deshecho,
se confunden en delirio
con otros senos de carne.

¿Quiénes correrán las aguas;
tras las aguas, quién corre?

Si son corceles, sus colas; si son leones, sus garras;
si son ángeles, ¿quién busca
el agua que va en las aguas?
Esa cintura cercada
por una mano, se ahoga.
Aquella garganta bebe
del jardín lleno de sombra.

Que alguno diga, «Soy yo
el que corre y no se cansa».
Que todo prorrumpa en luz
y se enarbolen las aguas.

Cuando se empieza el andar,
ay amor que tanto anda,
todo resuena a cantar.

Se canta porque es estar,
ay amor porque nos vamos,
y todo el ir es llegar.

Llegamos hasta enlazar,
ay amor porque lo hacemos,
allí donde ha de quedar,

para en la ausencia clamar,
ay amor, ¿por qué la muerte?,
la que era furia de amar.

Lo que era vivir de vida
que atravesaba los cuerpos
—firme, dura, consentida—,

recomiéndonos por dentro.
¡Ay amor, que nos perdimos
y del mar a la mar fuimos!

Yo sólo sé del amor
que me tuvo enamorada.

¡Qué pequeños son los astros,
y qué lentas las mañanas,
cuántas horas en la tarde
para una noche tan rápida!

Yo sólo supe querer,
quererlo todo con ansia.

Esperar, mientras moría;
morirme, porque esperaba.

Ir y venir, despertar;
cerrar los ojos, callada.

—¿Me llamas? —decir al viento.
¡Eres tú! —y nadie hablaba.

¿Qué puedo saber de amor
si he vivido enajenada?

El tiempo no corre, gime
porque lo estruja mi alma.

Y luego se va despacio,
y nunca empieza ni acaba.

¿Es que voy a agonizar
dentro del tiempo...?

                    ¿Quién canta
para que mi amor no venga,
para que mi amor se vaya?

        (Amante no fui. No amé.
        Estuve sola. Soñaba.)

Las ramas crujen, avisan
al que va por los caminos
que el viento va más aprisa,
o que hay aves; con sigilo
se mira por comprobar
si algo amenaza dañino.

Pero tú nada avisaste,
el viento tragó tu silbo.
Cuando quise rescatarte
tú ya no estabas conmigo.
Era madrugada ardiente,
pasaba ya de las cinco.

En las noches del dolor
se expira cuando alborea.
En las noches del amor
se duerme cuando clarea.

Ay qué distante espesor,
qué remoto se tantea
lo que fuera dulce ardor

confundido con estrellas.
Madrugada del clamor:
cinco campanas y media.

No pude reconocerte,
no te parecías a ti,
eras pedazo fluente
de un yelo terroso y gris.

Luego fuiste transparente,
delgadísimo, sutil:
te fui sintiendo en mi vientre
pedazo puro de mí.

Las cinco y media de muerte
de un Julio que aborrecí.

Ni tus ojos ni tu frente
se me quedaron ajenos,
tus manos seguían calientes,
tus pies ya no estaban plenos.

Salían de entre mis dientes
los sollozos de mi pecho,
te rodeaban ardientes
para tenerte de nuevo.

Te habías ido tan lejos,
tan imposible el traerte
que nos volvimos muy viejos
de golpe, los dos, enfrente.

No deshinquéis el cuchillo
que lo podríais matar:
la aguda hoja retiene
el roto chorro arterial.

POESÍA COMPLETA

CORROSIÓN

1975

Carmen Conde,
mayo de 1972.

INTRODUCCIÓN*

Biblioteca Nueva se complace en haber publicado las obras de dos grandes autores españoles, desde sus primeros volúmenes, la poetisa Carmen Conde y el poeta Rafael Alberti.

Respecto a Carmen Conde, nuestra labor editorial culminó con su volumen *Obra poética* (1929-1966), en lujosa versión tipográfica, anticipándonos al reconocimiento del extraordinario nivel creativo que se tradujo en otorgar a la autora el Premio Nacional de Literatura, año 1967.

En cuanto a Rafael Alberti, el proceso editorial ha sido inverso, es decir, que precedió en 1926 haberle concedido el citado Premio Nacional de Literatura a nuestra publicación de su *Marinero en tierra*.

Reciente aún la incorporación a nuestro Catálogo de *A este otro lado de la eternidad*, ahora nos complacemos en incluir la última creación de Carmen Conde en este volumen titulado *Corrosión*.

También hemos de consignar que, a título póstumo, asimismo hemos publicado las *Obras completas*, en edición de lujo, del marido de la autora, el poeta y profesor universitario Antonio Oliver Belmás, fundador del Archivo-Seminario Rubén Darío y encargado de la Cátedra especial del mismo nombre en la Facultad de Filosofía y Letras de la Universidad Complutense.

Si Juan Ramón Jiménez descubrió a Carmen cuando aún su libro primero estaba en la imprenta, uniendo poemas de la joven, nacida en Cartagena, a los suyos propios *(Ley* y *Diario poético)*, pasado el tiempo, Dámaso Alonso acertó a escribir de ella palabras como éstas: «Dudo que labios de mujer española hayan hablado alguna vez del amor con tanta verdad, con tan despreocupada castidad esencial, con tan sobrecogedora belleza...» «Como en la poesía de Aleixandre, pero de un modo muy distinto, las formas del mundo se confunden, se trasmutan, se equivalen. Allí, lo mismo en *La destrucción o el amor* que en *Sombra del paraíso*, hay una negación de lo humano. Esta poesía de Carmen Conde es, aun en el dolor, iluminada, vitalista...» «En cada uno de estos sentidos, Carmen Conde da a manos llenas tesoros de su claro talento, y en cálidas ondas, el palpitar apresurado de su corazón. Con *Ansia de la gracia* se colocó en primera fila en nuestra poesía

* Texto aparecido en la 1.ª edición de *Corrosión* publicada en Biblioteca Nueva. Madrid, 1975.

actual. En los libros que han seguido a *Ansia de la gracia,* una creciente ansia, un creciente furor, la dominan. ¿Adónde ha de llegar? Como ella ha dicho, en su alma se mueven *grandes mundos que buscan su palabra».*[1]

Por ser tan preciadas palabras españolas de la máxima calidad, no agregaremos más, aunque también sean de valor excepcional, tanto propias como extranjeras. La obra de Carmen Conde es bien conocida y valorada en la América hermana y en la del Norte. Un profesor de universidad norteamericana abrió con la suya (en la Facultad de Filosofía y Letras de la Universidad Complutense) la relación de tesis doctorales sobre los libros de nuestra autora. Ya pasan de la docena, formándola estudiantes y profesores tanto de U.S.A. como de Europa. Japón y Rusia también han traducido a Carmen Conde.

Entre las actividades literarias de ésta se cuenta la novela, el cuento para niños y el teatro, el ensayo y la prosa poemática y narrativa. Carmen mantiene viva su vocación y aunque jamás dispuso de todo su tiempo para entregárselo —humanamente anduvo siempre en vela y en vilo—, se diría, ante la extensión de su obra, que únicamente se hubiera dedicado a escribir.

Queremos recordar uno de los libros más importantes de Carmen, aparecido en 1947: *Mujer sin edén.* Por su profunda y dramática significación obtuvo en su tiempo los mayores y a veces conflictivos comentarios. En este año de 1975 recupera su actualidad, ya que texto y autora resumen, y contienen, una eterna verdad vital apasionada: «Una intensa vitalidad humana, afirmada contra la muerte, está lanzando ardientes llamadas a los seres y trata al mismo tiempo de indagar la razón de su existir, las posibilidades universales de su raíz hincada. Es un frenesí, un terrible amor, antes a un hombre, ahora a todo. Es un gozo de sentirse parte de la Naturaleza, fatalmente traspasada, reclamada por la Naturaleza invasora... «Sí; pasión, pasión de mujer, pasión personal: de Carmen Conde».[2]

---

[1] Analizando el crítico, doctor eximio del saber literario, los poemas que componen el citado libro, dice también: «Pocas obras... más ligadas en su desarrollo interno, más personales que ésta. Mientras las aguas de nuestra lírica se encrespaban, la autora estaba pasando de la adolescencia a la plenitud femenina. En el libro adivinamos un orden casi cronológico. Y al refluir de las páginas, los poemas que al principio eran como breves apuntes sin desarrollo, se van haciendo más largos y trabados: el ritmo, contenido primero (y no sin vacilaciones), crece luego, amplio, fluido, isócrono compañero de la expresión; en fin, del tierno sentimiento adolescente de las primeras poesías pasamos a la intensidad candente y a la profundidad de las últimas. Es, pues, este libro como una imagen del destino poético español entre las fechas en que fue escrito» *(Ansia de la gracia,* publicado en 1945, contenía poemas de 1930, 1944 y 1945).

[2] Dámaso Alonso: *Poetas españoles contemporáneos,* págs. 359 a 365. Editorial Gredos, Madrid, 1.ª edición, 1952.

I
PRÓLOGO
(1961-64)

Abriendo la ventana, desgajándola
de noble luz maciza inexplorada,
el muchacho irrumpió con su presente:
traía entre sus manos dos palomos,
blanquísimos palomos de ojos vivos;
dos suaves y breves, dos celestes y blandos,
dos palomos de un cielo inesperado.
¡Oh redondos sus ojos rojizos,
sus miradas volcándose a la ofrenda!

> —*Reposaban tranquilos ya en mi mano*
> *recobrada con paz su única tierra.*
> *No temían de mí, sabían todo*
> *y latían seguros, confiando.*
> *Dulcemente, temblando de ternura*
> *yo curvé mis caricias a sus plumas...*—

El muchacho llegaba de muy lejos,
del trasmundo venía con palomos.
¡Qué divina pareja silenciosa,
qué emoción su contacto; qué imposible
el abrir a palabras su no vuelo,
la suave y la quieta entrega blanca!

Ojos puros y sabios contemplándose
en los míos, llamados al misterio.
Dos palomos pequeños, reclinados
en mi mano ahuecada como madre.
Dos palomos de luz..., ¿o quiénes eran
los que trajo el muchacho aquella noche
que en mi alma fue día iluminante...?

14-11-1961

CANTO A LA VIDA

Ah, que eres hermosa y que entre los dientes crujes
igual que las ciruelas todavía no en sazón.

A heno mordido hueles por los toros de junio,
sabes a sal del mar en la boca del hombre.

Ah, que eres tan dura como son los basaltos
y las uñas te atrancan de la piel sangre fresca,
porque te dejas tierna si nos sientes rajarte
y toda tu dureza se nos funde en las manos.

Ah, que tienes garra de pantera encelada;
la castidad del lirio al arrimo del río,
porque tu cuerpo es grande y a la vez es tan mínimo
que si en los labios cabes los brazos te rebosan.

Cuánto de hermosa llevas, cuánto pesa tu cuerpo
de hermosura sin fin; cómo fulges hermosa.
Cómo sabes de amarga y de dulce y de ácida;
cuántos zumos de ti en tu sola hermosura.

Me duelen las palabras que amontona mi lengua
sin tiempo a libertarlas en un cántico ebrio
para que diga, ardiéndote, el amor que me puebla
la vida entera tuya, la que te vivo y clamo.

Pues aunque no me calle, ni siquiera en la muerte,
no te podré gritar lo que te estoy queriendo.
Y, sin embargo, dueles; me has hendido los senos
y mi corazón te mana en un chorro de plomo.

Cercada de tus noches o desnuda de lunas,
constelándote ríos, peraltándote mares,
aulagas y azucenas, retamas de planetas,
con el tomillo negro del silencio creciéndote,

para abarcarte íntegra; oleadas de siglos
palpitando en criaturas quisieron estrujarte.
Y es tan breve el estar a tu costado áspero
de romeros en flor y despiertas ortigas.

Si enajenando gozos yo me ahogo en el duelo
que tantos días clava mi corazón, tu almendra,
estalla tu canción de abrasadores astros
metidos en los cuerpos adolescentes lúcidos.

Oh, llorarte y temer que en el llanto se hundan
potestades del bien, teologales consignas,

y verte luego abrir en inocentes rosas
para que yo las sorba insaciable y sedienta.

De las noches te arranco, de los días te libro,
con mis remotas luchas no compongo el futuro.
Te estoy amando así, pecho a pecho en un rapto,
con los ojos en Dios mientras quemamos juntas.

Yo sé que no te vas; aunque implacable irte
se empeña en enfriarme este largo arrebato...
Yo sé que duraremos de otra carne, otro mundo,
que eternidad es lo nuestro, lo que nos trajo y lleva.

Ah, mi hermosa y mi cálida, vida mía y del mundo;
avasallantes potros, galopantes leones,
aves de vuelo estático, repicar de gargantas
entre la fronda grácil de pardos ruiseñores.

Toros y peces, huertos, jardines, campanarios,
lágrimas del dolor y del amor el llanto.
Sol de Castilla en julio, sol de enero en la mar
de mi costa nutrida por lo primero y único.

Te quiero inagotable. Te quiero porque sufro.
Te quiero porque diste la forma a mi alegría.
Oh la gloria de ti, oh la luz densa tuya
bañándome la voz para nacerte absorta.

Puedes perderme ya, dejarme entre las piedras;
anegarme en olvidos; desintegrarme en ecos.
Lo que yo te he cantado, el amor que te doy,
esto ni con la muerte lo borrarás, tú, Vida.

18-7-62

Adolescente tú, muchacho:
¡el que reluce mojado por el agua del mar!
Es a ti a quien hablo en amoroso silencio,
a quien dirijo mi cántico;
el que admiro. Muchacho intacto de vida,
radiante y luminoso.
Porque tu vida recién estrenada y ávida
del mundo, me atrae para contemplarla.
He sido tan joven como nadie jamás lo fuera

y me duele dejar la tierra. Lo sigo siendo en ti
sin volver a serlo.
¡Vive, ríe, corre, salta, ama y delira,
que así proteges mi gloria de divinidad!

No canto a las muchachas ni a los niños,
solamente a ti. Porque a ti no te tuve nunca
y tu adolescencia me la debe Dios.
Te amo, me enamoras como un astro o un río,
pura y limpiamente e inagotable amor.

Pasaría mis días mirándote, cantando a tu alegría,
y acercaría a tu cuerpo de oro
todo el trigo y el heno oloroso
para que fueran plinto de tu verdor crujiente.
¡Cuán ajeno y distante sonríes a tu savia,
te derramas a enajenados contactos
que no colman tu ímpetu!
Yo sé, yo podría, yo sería tu continente preciso;
pero te exclamo, te sueño, nunca tuve riqueza como la tuya
y te veo a distancia.
¡A la distancia de una realidad que no alcancé en mi vida...!

Hermoso y flexible animalillo habitado
por un alma intonsa, por una lumbre incipiente.
Cierro los ojos y te meto en mi pecho,
sobre el que tampoco puedo esperar siquiera
que ponga sus rosas
una delicada despedida sin nombre.

«Brocab», 25-7-1964 (Navacerrada)

II
DIGO PALABRAS PORQUE LA MUERTE ES MUDA
(1969)

Pongo las manos donde las ponías tú
por si arañaran algún rescoldo que no se hubiera apagado
y pudiera incorporármelo al mío tenaz de ti.

Deslizo los dedos por la mesa, los papeles, las carpetas
y sonrío, aprendo a hacerlo ahora que te busco,

a tu desorden tan vituperado por mi orden
cronológicamente horrendo y doloroso.

Las huellas no persisten. Una quisiera hallarlas
cicatrizándoles cuanto quedó fijo.
Miro las paredes que tanto mirabas tú sufriéndolas,
y no recupero tu mirada.

Por fuera no te encuentro. Feroz asedio vano.
Es dentro de mí, célula por célula,
dándome la vuelta al cuerpo esta ronca sangre
que ya no tiene buen soporte,
como me aboco a ti.

Pero sigo acariciando los brazos de tu sillón mío ahora
en el que te morías gota a gota ante mi angustia
infinitamente volcada.

Perduro quieta, arregazándome en tu vacío
porque, a ojos cerrados, te tengo en mí.

13-12-1969

Como tuve tantísimas palabras tuyas siempre
—tibias y tiernas, aves recientes;
y duras y frías o azotadoras como látigos agudos;
y dolorosísimas, entrecerradas, agónicas, sangrándonos entrañas...—,
esperaba recuperar algunas en horas de hambre
para seguir oyéndote despacio, sola total en mí,
y poder contestarte a todas inaudiblemente,
sin acicates disparatados.

Tenso el tan mortal oído inútil.
Fuera de mí la voz, que retengo dentro tuya, no suena.
Corroe la distancia sonidos humanos y humano tampoco ahora eres tú.

Mas no es un fallo ni una trampa ni una deserción.
Porque no necesito lo que va o no va a venir de allá.
Ni de acá ni de ningún otro mundo que señales certeras no ofrece.
Te oigo. Hablaste donde hablaste hondo: en mí.

Estoy sola y te escucharé mientras quede en mi sangre
un solo movimiento, cada vez más lento y más mínimo,
porque a eso llama tu voz...

Como tampoco me oyes tú, quieres
que te conteste de más cerca.

14-12-69

En todas las mesas del mundo, redondas, cuadradas, ovales, en inmensos
                                        [paralelogramos,
millares de hombres escriben sus notas de paz y de guerra,
furibundos o tristemente dejándose engañar sin esperanza.
     Pero yo no te tengo conmigo ya.

No queda un rincón de la tierra que no profanen el crimen y el sabotaje estéril,
ni un solo laboratorio repleto de indefensos animales de ensayo
sacrificados por la ciencia para salvar vidas en podre
mientras las guerras matan a los muchachos.
     Y yo no te tengo conmigo ya.

Las palabras barbotan regueros de amenazas sucias y viles y amarillas de asco,
amenazando amenazantes amenazadoras, porque amenazar es su sola amenaza.
Y hay micrófonos que las recogen propagándolas en serie de metal resonancia.
     Y tú no estás conmigo ya.

Hablan tus amigos de acá y de allá como si vivieras y no contarán con que vives,
pero teniendo presente aquello por lo que luchabas como un héroe
que no condecoraron porque no sabían que lo eras sobre ti mismo
y que por eso valías más, por tu desesperación sin tregua.
     Y nunca estás conmigo ya.

Tu hermana va y viene aturdiéndose para no reconocerse sola de ti, el más
                                        [querido hermano suyo,
y yo la veo como un pájaro que se emplumó de blanco y ríe como si fuera blanco
y no supiera haber llorado tanto por ti y contigo, aunque ría.
     Pero tú no estás conmigo ya.

Yo todavía estoy aquí no sé cómo ni por qué, pues no habrás olvidado
lo que te dije al empezar *Brocal,* al empezar a querernos,
y pienso en la distancia y en la muerte y en la vida que se nos quedó entera
     porque no estás conmigo tú.

Sí, sí; todo en el mundo estalla o ruje para estallar hambriento
porque el pedazo de pan y la tajada de la justicia no caen maduros
por convicción humana, y hay que clavar la pólvora en el odio.
No lo olvidaré nunca. Lo supimos juntos tú y yo.
     Pero hoy, ahora, yo estoy sola y sin ti.

15-12-69

Lento, muy lento, muy callado, con los ojos dulcísimos húmedos,
deslizándose casi aéreo por un pisar inaudible deslizadizo,
se acerca hasta rozar los ojos con su mirada amontonándolo todo
y se para.
Lo estaba viendo venir desde la eternidad revuelta,
con precisión indiferente, continuando la vida que se fue
y avanzando en la que ninguno convocó ni quiere porque
aborrecemos la muerte.
Y ya está aquí. Parado. Puede que se tienda
o que mueva una gran cola de humo neblinoso.
Estará horas y horas recordándolo todo sin ladrar ni abrir las fauces
en un respiro de sombras frías. Mirándonos los dos.
¿Te acuerdas? Me revientan risas de color de espalda
mojada por los golpes aquellos de las lilas con charquitos en los tallos,
y él levanta otras charcas donde arden pequeños insectos
que vociferan veranos roncos de sensualidad de costa intacta,
atrozmente callado.

No; si no es un perro: si soy yo la que me veo desde fuera
royendo las muñecas sin pulso regular, atropellando
la fatigante monócrona tarea del nunca dejado de oír corazón aquél.
Tampoco voy a ser yo, porque yo no me salgo de mí para mirarme,
pues que me veo alrededor de mi cráneo, ranita cóncava,
subiéndome a mi propia cabellera, ayer de mar y hoy de ceniza.

Lo que constato es que no se va y no quiero que se vaya tampoco.
Quiero remontar el tiempo hasta que se destiempe este dolor que tengo
y que el perrazo tierno oferente de quietud tumultuante
viene a traerme entre sus patas de humo.

¡Ah, que no se pueden comunicar los tristes
con un larguísimo mirarse a los ojos a medio deshojar de ayeres,
mientras alguien se mueve en un espacio que no lo es todavía,
pero que se insinúa con amortiguada perduración!

¿Gritar, correr, hundir los puños en tanta abrasadora ausencia
que soy yo, yo y sólo yo, que siempre fui yo loca de ansia,
y me miro en este hermoso pedazo de bestia tierna,
fundente delicuescida inamovible sin palabras ni suspiros,
en acecho de lo no, de lo no ya eternísimamente...?

16-12-69

Flanqueándote, precediéndote desde todas las crujías
para adelantarte, poder ofrecerte asilo, rompiente
si se te desbarata la ola temida, el maremoto
que te podría arrancar de las raíces, que, sin saberlo nosotros mismos,
eran yo con mis arranques flamígeros de vida
extendiéndolos ante ti para que quisieras destrozarlos
y triunfar.
Pervivirme. Permanecérteme.

Y en un minuto de flaqueza derrumbante,
en una asfixia
—protegido tú por mí en otro que creía más fuerte y experto para salvarte—,
de sueño exhaustivador, por demorado en ahogos,
te me fuiste, te anegaste en una orilla inesperadísima,
dejándome inútil de ti para la eternidad.

16-12-69

Entre la espesa vegetación oscura,
asomando el incendio voraz de su cabeza intranquila,
una cierva.
Ignoro por qué la veo sin descanso:
siglos de horas en que permanezco quieta, muda,
enlutada en mi vigilante ausencia.

Obsesiva cabeza deslumbradiza,
cierva roja flamínea, a llamareantes y rítmicos embistes
sin herir ni un racimo de la verdosa marea
que tampoco es verde ni azul.
Marea
de otras criaturas que pararon su galope de oro
para embaucarme inexorablemente.

Dorada testuz, ojos lumíneos, andadura que, inmóvil,
se recibe como un empujón de calcáreos fuegos
desparramados en mi encuentro:
¿quieres moverte, hermana
de los místicos solitarios en trance de macizo empuje,
hacia esta bebiente admiración sedienta de tu hermosura?

Cierva descerrajando para mi estupor este misterio
del que participamos ella y yo a solas.

24-12-69

Ahora,
tendidos sobre la tierra erizada de cristales en punta
reptando con uñas y dientes, retrocedemos.
Tenemos que empezar
a retroceder. Cueste lo que cueste.

Desollándonos los ojos,
trizándonos los colmillos, retroceder.
Retroceder hasta las catacumbas más sombrías
que aún gotean despacísimas, unas a otras,
lágrimas de la sangre de los mártires.

Nosotros,
los implacables jueces de los injustos.
Nosotros, los que no perdonamos a los que matan,
a los que roban,
prevarican y mienten,
enseñando las faringes purulosas,
tenemos que hincarnos a las raíces,
que comérnoslas;
que dejarnos la piel pegada a las piedras,
y retroceder.

A ver si nos sacudimos dos mil años de duelo,
de farsas infamantes,
de fusiles, de puñales y de lenguas de víboras
que disparan sus venenos oleosos.
A ver si entre las uñas
se nos funde la blanca tierra
y florece como floreciera entre las manos
de los hombres sencillos que,
por serlo,
recibieron a un crío que en volver
se empeña.
En volver y volver y volver
a madres que los matan y tiran a la basura,
aunque con su Vida
jamás se acabará.

Uñas,
tendidos boca abajo, uñas y dientes
y ojos en desgarrante parpadeo
hasta llegar al Origen y,

ya sangrándolo,
alzarnos.

Nochebuena 1969

Apoyada en la insegura superficie de una planicie ardiente
aquella delgada lámina de agua, tal un pequeño mar clarísimo,
recibió mi presencia trémula, indecisa, ungida de angustias oscuras...
Porque me encontraba allí conmigo, más la remota mujer impaciente
con las manos tendidas y ávidas
queriendo desconchar su propia imagen
del agua inmóvil.

Bermelleó una obsesiva desvariante urencia: confrontarnos
desde abajo, la que pasó y arriba esta que soy ahora
con la frente arrasada de vigilias y ojos por los cuales
ha pasado la muerte tantas veces
quedándose adherida como insatisfecha amante.

Oh, dejad que mis manos desprendan con sumo esmero
a esa que está agarrada al epitelio del agua, desfasándose
de la yo que la mira y sonríe compasiva.
Ya tampoco en mis dedos punzaría, matándome,
ninguna espina de las rosas
que hieren para salvar su hermosura.

Porque tengo en los dedos mármol del que no lee ningún mortal
que no se estremezca...
Quiero llevármela, sí, asomarla a la limpia trama desnuda de pasados,
intactamente presente:
cabello gris y de mapa aún, como en *Brocal,* persiste
dulce y fino cabello acariciado *(Carmen, ¡cuán suave es tu pelo de yerba!),*
con un rostro al lado que yo sólo veo joven,
incendiado de amor de oro, oro de corza que brotando
va tenaz a la pura selva tensa.

25-12-69

Me identifico contigo, apenas si hay diferencias...
Porque, ¿acaso cuando huyo no lo hago como tú,
desembocando en galopes, crines, relinchos, los flancos
refulgentes pavonados o del color de la miel?
Digo de una miel rotunda de avellanada presencia,
con su corola de abejas obligándonos a huir.

Pesabas tú más que yo, pues yo era el viento; lo dijo
aquel joven carbonero de los ojos tan azules:
«Esta muchacha es el viento», encandiló su sonrisa;
y yo me llevé mi calle con sus ramajes de sombra.

Reteñías en mis claustros, primitivo y sabihondo;
trompeteabas las albas más como gallo que potro.
Tuviste greñas de oro, ¿o eran cabellos míos...?
¿Cuál de los dos eras tú?

Te gusta saltar las zanjas y nunca ganaste cotas
que no jugáramos locos a competirnos gozosos.
Oye, amor: ¿por qué no vuelves cualquiera noche de insomnio
y nos estallamos juntos para completarnos uno?

Allá en tu prado si pastas tienes que estarte muy solo.
La verba te secará la hermosa boca sin freno
mientras a mí se me vuelcan ríos de norias de agua,
porque sin tu yerba, yo, ni siquiera la sed siento.

Ni siquiera la sed siento, la sed se acabó contigo,
y el agua no es agua ya.

                                        27-12-69

No. Si no es más que esta finísima sierra infatigable.
Si es con una suavidad delicada, a veces hasta gozosamente líquida,
con la cual va troceando todos tus miembros;
llegándote,
como si fuera la hoja del viento de las altas montañas,
hasta la arquitectura vulnerable
del hueso vivo...
Y entonces, disgregándote en tantos y en tan menudos corpúsculos
tuyos, que te constituían,
empiezas a preparar tu propia resurrección
todavía distante, insegura, quién sabe siquiera
si resurrección o aplazamiento.

Agudo trabajar minucioso el de las *fugas*,
inteligentísimo;
organizado caos de lo que eras, compacto bloque humano
con todo un orden preconcebido y al cual
para nada contribuiste nunca.

Sientes que se te desliza un brazo, que un hombro
sin obtenerse alas se te va de tu cuerpo...

Y después acontece tu propia cabeza,
un sostenido planear de cabellos la empuja
y sobresalta el revuelo de sensaciones mudas,
persistentes, encadenadas unas a otras:
en tornillo sin fin, disgregándolo todo en marea untuosa.

29-12-69

Busco, rebusco con ternura recién aprendida
—áspera, melocotón con vello intonso este hallazgo—,
dentro y fuera de mí, tu ámbito invulnerable,
alguna entraña mía a la que nunca rozara la sangre
para rodearte con ella, para hacerte con ella
una frontera que no cruzará ni un latido;
para devolverte aquí, a donde nos compartieron tantas vidas y en donde
vivíamos en uno creyéndonos dos y hasta ajenos, enajenados en nosotros,
para que esta brutal masa de tiempo rocoso
que se puso a crecernos entre días y noches y madrugadas de púas,
se acabe, se funda, no sea
lo que no puedo aceptar que seas tú.
Mis dedos son frágiles, aunque mi pecho es tan duro como el tiempo
y no te devuelve:
te contiene herido, te contiene lloroso,
te permanece.
Y no hay manos que te nazcan nuevamente,
no hay mañana ni hoy. Ayer.
Ayer que llevo como un lienzo entre los brazos extendidos
hacia ninguna parte. Camino. Quiero decir: caminamos.
Pisamos tierra guijarrosa, punzante de cardos,
y no sangramos ya.

30-12-69

Te lo dicen todo, te lo van diciendo todo con sus voces más cálidas
mientras el tiempo transcurre, ausentándote.
Porque magma infernal para ti todavía,
ni siquiera lo sientes caérsete encima.
Fatigados por investirse de ti para aliviarte,
suspirando se yerguen arriba de tu cabeza...
Y se van yendo... Todos.
Descansas porque la soledad es una angustia que calma
como a frondoso río el mediodía de agosto.

Reparas en lo que tienes:
abundancia en dolor, desánimo, alejamiento...
Cierras los ojos
para no encontrar vacía la luz que imágenes te llevó,
irreparablemente aplastadas.
Entonces, ahora sí, entonces sobreviene el gotear oleaginoso
de las horas sin destino: tiempo de cicatrización física,
biológica, demencialmente humana.
Y te rebelas.

No; olvidar, nunca. Padecer. Que los dedos escurran lágrimas
y sangre los ojos, y entre los labios duros se descuajen besos
que tenías aún frescos, y que no darás a nadie.

Te llaman de lejos, te sonríen, necesitan que recuperes
la persona que acabas de inmolar por tus propias manos en ti,
porque ellos también sufren amputaciones trágicas.

31-12-69

III
CORROSIÓN
(1970-72)

Sombríos siniestros buceadores de espacios abismales
han trastrocado los cimientos más oscuros
removiéndolos con criminal empeño incomprensible...
Entonces
los esqueletos de cosas que ni siquiera bestias podridas,
entonces los pétreos caparazones que nunca viera la luz
arrebatándose en velocidades ascensivas
para hacer negra absoluta el agua que lo cubría todo
benigna y mansa.

La volcánica furia metódica de una lava que sube, y sube,
remonta
las espirales cenagosas de los turbiones planctónicos;
y la huesuda risotada de los saurios a punto de emerger nuevamente,
echándose a andar por orillas requemadas de basuras sin origen.
Todo en vertiginoso ascender y ascender, borrándose a sí mismo.
Todo podrido y sin crear, magma y despojo.
Todo con firme loca seguridad de infierno.

¡Ah malignos espíritus que gozáis trizando límpidas claridades,
abocando a las pobres criaturas empujadas por un compacto dolor viscoso
a una locura sin fronteras azules ni rojas ni duras ni espesas!

¡Ah desuñados desuñadores de entrañas que reteniendo la luz de gloria
se revientan en cieno, empapado del lacre negro
que la voz estampa del acosante grito!

2-1-70

Apenas, o todo lo más, si un mínimo gusanillo que se desliza,
que se insinúa entre la red o selva acaso pasto
del cerebro en prolongada vela infatigable.
                        Un levísimo ser que triza
indescriptibles partículas del pensamiento. Apenas.

Morosamente se piensa en la feroz corriente opulenta y miserable
de la vida en que estamos: no inmersos, sino instrumentos
que reciben y emiten su peso sin señorearla...
                        Nunca otra cosa que transmisores
forzados a obediencia drástica; caparazones fungibles sólo.

El huésped inquieto, otro esclavo a invisible escala,
corretea por el cerebro constelado de órdenes que no nos pertenecen,
provocando ideas que abarcan cuanto obligado a vivir.
Ya no estamos unidos el otro tiempo y nosotros;
somos dos cosas que sirvieron a ciegas y que seguimos sirviendo...

Si creciera dentro del alvéolo, y a veces preveo que va a agigantarse,
devoraría la acumulación que asfixia, maraña de biomas líquidos
o coriáceos, la intraexistencia de la corriente. Entonces
                      me liberaría con su hambre saciadora
y podría desligar a la mí de la yo: al puente del paso inexorable.

¿Cómo lograr inducir a una criatura que cuida tanto su invisibilidad
a que prorrumpa en destrucción anticipada y absoluta...?
¡Noches y madrugadas alrededor de la idea, ofreciéndosela
como un suculento pez que se finge inocente
para que la descarga mortal lo arrebate y devuelva al principio!

5-1-70

Una pasajera,
alguien que espera el paso de su tren,
el desatraco de su barco,
el aviso de vuelo de su avión.
                                        Solamente esto.
Después, por un instante, el hueco que dejará
su cuerpo que la distancia empequeñece y borra.

Por estas mismas pisadas pasaron ellos.
Pasajeros con su propia cita
—hora, día, estación del año...—,
inapelable,
                    que fueron dejándonos
vacío el lugar que yo he llenado
durante, digamos,
unos cientos de años...

Ni equipaje ni las manos vacías;
lo justo posible de llevarse:
                                        mi propia ausencia.

Nadie impide la arrancada,
ni detiene la nave, el vuelo, la máquina.

Oid cómo ruge la sombra
antes de sumárseme.

                                        10-1-70

Con suma delicadeza roe,
                    roe, roe...,
la gran fiera de lánguidos sumisos ojos
el hueso desigual que sustituye.
Hueso que va perdiendo su envoltura blanda,
aunque padecida, cruje sordo,
                    roe, roe...,
y ni siquiera espera que le descansen.

Ayer le tocó al otro, lo fuimos viendo,
                    roe, roe...,
girar entre los dientes que no fallan
su golpeteo. Ahora nos va a tocar a uno
de nosotros. Ya llega. Abre las fauces oscuras
y nos precipita a ellas con certeza.
                    Roe, roe...
Porque nunca falla esta mansedumbre desgarrante.

¡Cómo se quedó de limpio, de afilado,
el hueso que tuvo luz...,

               roe, roe...,

para nuestro amor!
¡Y cuánta destrucción le vimos
al cuerpo querido que se consumó en la hoguera
de días y más días que desgajaron
las vidas que su vida ataba con inviolable mano!

             Roe, roe...

¡Hambre desde la creación, hambre
que ni el cielo calma!

             Roe, roe...

                    1-10-70

Transparencia vegetal invulnerable
la del ala que insiste en la memoria,
tibia y tierna, refrescándole
al recuerdo sus sienes.

             Implacable
el lento inexorable advenimiento
de una y otra vez, de día o noche,
madrugada, atardecer, al mediodía,
la tarde condensándose en su núcleo...

Es ave y es insecto; o vuela y vuelve,
o se adhiere tenaz al pecho lento,
crispando a sus élitros en música
que del costado fluye...

No es lícito el huir, el despojarse
del pico o aguijón: temblando y firme
resisten los ataques de por fuera
los miembros castigados, las entrañas.

Gran desfile carnívoro del mundo
vegetal y animal por esta pobre
vejada arquitectura que somete
voluntaria obediencia a los recuerdos.

Nadie hable
de intentar no sufrir. Ya padecida
la existencia que trajo:

ésta que muere
llevándose consigo vida intacta.

10-1-70

Se la veía por un boquete redondo menudo,
desde la tibia asechanza.
Y habla que acercar los ojos
cerrando uno al rozar con las pestañas
áspero alvéolo de madera...
La nada y lo nadie detrás de la cabeza.
Enfrente,
creciendo, abovedándose, siempre más clara y rotunda,
la selva.

Se podía salir a lo libre, pisar el umbral;
abandonar el mínimo e interior espacio.
Y era más hermoso y liberador
contemplarla prohibida y lejana:
inalcanzable.
Sólo túnel que arrancaba desde los propios ojos
y avanzaba sumergiéndose
en la multitud compacta y copuda arbórea
de la selva.

Se esperaban fieras y asustadizos animales ágiles
galopando la trémula huida.
Aves oscilando de inaccesibles sequoias,
insectos mutantes, desterrados ángeles,
que devoraban inmensas flores del color de la púrpura;
y plácidos reptiles desgajándose de la mar
a la selva.

Todo era expectación convulsiva, palpitante
retumbar de las sienes
junto a los ojos de anaranjado ver.
Allí, en lo imposible ortigante,
comenzaba un planeta distinto.

El aliento al rozar la barrera consentida,
subía empañándonos el mirar...
La neblina transparentaba feroz inversión de imágenes
que no acertábamos a cuajar nunca.
Se diluían nacientes.

Más, más. No nos desprendíamos de la tortura,
del alucinado mirar de esperanza.
¡Promesa de resurrección absoluta
a dos millones de pasos...!

A un grito, a un gemido, a un suspiro inaudible,
permanece la selva:
                    la libertad.

12-1-70

Presionar temerosa y palpitante contra el espejo
la boca.
Unos labios nuevos, de piel tensa y casi a punto de estallar
sobre el cristal testigo,
inventándose el beso que, un día cercano,
se diluiría en cristal ya no devolvedor de imágenes,
sino cauce suyo: cuerpo de amor.

Calentándolo y enfriándolo al permanecer allí,
¡qué vecinos acusadores ojos más arriba, inminentes,
empeñados en no ver el rostro habitual,
sino otro que no se presentía siquiera!

Una muchacha casta y curiosa de conocer qué y cómo
haría *la otra boca*, al empujar a esta boca
con la dulce acometida de una búsqueda sagrada.
Señora y ajena la frente entre sus rocas puras,
orillas a las que afluían rubios cabellos aéreos.
El espejo, impasible; ¿cómo otra cosa?
Ni puerta ni muro: simple devolución friolenta.

Quedó (primer ensayo solitario) el beso allí incrustado.
Una flor invisible para los otros, no para su donante.
Una corola titilando los chispazos mínimos de ternura
desamparada en campo soberbio de respaldo metálico.

El primer contacto con lo imposible...
La mística entrega luego realizada entre gemidos
y lágrimas que los párpados cortaban en tajadas.

Para muchas veces ya, interponiéndose entre la verdad humana
y aquel intento adolescente,
un espejo sencillo, humilde que, sin embargo,

reflejara también el cielo del sureste clamoroso
por encima de la frente, los ojos dilatados, las sienes que se doraban,
y el beso inicial...
El primero de los besos.

13-1-70

Hay quien decreta *volver a empezar*.
Interrumpir el tejido de la historia que un ser
o un pueblo va coagulando violenta o mansamente,
y con ruda zanja abrir el telar de la otra orilla
del tiempo...
A eso le llaman, cerrando los ojos,
«volver a empezar».

Ahí tajas tu vida. Aquí la otra comienza.
Tú eres la misma criatura de entonces y de ahora,
pero te dotas el libre albedrío omnipotente;
vuelves la espalda y afrontas futuros. Empiezas a existir
como si fueras o pudieras ser.

     —La memoria de los cromosomas,
     la fuerte adaptación al medio,
     todo cuanto han puesto en tus genes
     nada significará—.
     Vuelves a empezar. Consientes—.

Cuán hermoso mañana que con nadie te enlaza.
Embriagadora sorpresa contigo procuras,
renovándote.

     —No tuvieron en cuenta
     este dolor que, súbito, se te agarra a la espalda:
     mano ancha y dura que te golpea y dice:
     ¿de dónde sales tú, no me recuerdas ya?—

Una sombra, un manojo de oscuridades,
el paso inaudible de lo que no anda ni se mueve,
lo estás volviendo a oír.

Hay que volver a empezar, te dijeron piadosos, pero
¿cómo se empieza la vida, si entre estos dos pedazos
sangrando íntegramente estás tú?

13-1-70

Ahora,
cuando nada esperabas ni a nadie,
entreviste la verdad.
No tú a solas contigo y por ti; sí fúlgidamente
su bronca revelación te alcanza
cuando soñabas su hallazgo que nunca sabías cómo;
esperabas, creías que a colmarte acudiría la verdad
como a un gran vaso de vino nuevo: bullicioso y fresco.
Y la verdad te ha dejado en un absoluto vacío intenso.
Denso y desarraigante.

¿A quién podrás preguntarle por qué vino así;
qué es, al fin, verdad eso
que los hombros te quiebra
jugoso tasajo de corpulenta esperanza
ya sin ningún fundamento...?

¡Porque tú esperabas, creías...,
ibas, sin vacilaciones!

Es ahora que sabes cuando ya no hay caminos:
un camino solo, sí,
que no recorrerás por ti con tu cuerpo.

1-4-70

Lava o mano que recorre desde los pies la cabeza,
fuego que todo lo arrasa,
deja carcomido el cuerpo, en cuajos sangre cobriza;
escamas a desgajones:
corrosiva y devoradoramente.

Monte y suelo,
aplastando lo que en medio se mantiene
sin mínima finalidad. Sórdido puntal resiste
desenfrenado taladrar furioso.

Aullando las naves van,
que vientos secos de niebla
a dientes recorrerán los huesos ya despojados.
Arenas azotarán,
calcinarán los tornados,
acometiendo armazones harto mellados sus fustes.

Y esto seguirá aguantando
que el cielo le trice el cráneo;
que sorbeteen la sangre
vegetaciones que huyen.

2-4-70

Hay quien lleva en su cuerpo árboles.
A quien le crecen mínimas vegetaciones invisibles.

Por algunos corre el agua y se les lleva
minuciosas estructuras, arrasándoselas.
Mientras en otros
se agrupa el agua en el cuerpo, hace su poza y entonces
el árbol puede crecer abasteciéndole jugos.

Cada cual tiene en su carne una floración distinta.
Están leñadores bárbaros que a machetazos la talan
mientras sonrisas de otros agregan su corriente al agua.

En unos trizan los dientes los tallos duros, cortezas;
y en otros crecen espinas entre párpados crustáceos.
Criaturas asoman cardos desde sus sienes, y avanza
una selva rumorosa bienoliente,
picoteadores riachuelos...

Ninguno es total desierto, arenas muertas ni páramos.

2-4-70

Si hablo palabras yo es porque la muerte es muda.
Otros nos dicen lo suyo, como el barro o como el hierro,
y la saliva segrega taponando los desgarros
cuando la muerte nos hiere sin adelantar noticia.

Las aborígenes plantas, las mareas y los vientos,
la encenagada candela de las selvas pertinaces
nos van diciendo que son, aunque no perviven nunca,
para la muerte que muda tampoco escucha ni oye.

Para mellarle la boca es un acierto bestial
este dejarse abatir sin oponerle resuello:
aparentar que se duerme cuando galopa tajando
con avarientos cuchillos.

Se vuelve feroz el hombre, y chirría y vocifera,
atrayéndose hacia sí lo que rechazaba loco.
Y sólo los animales hunden testas resignadas,
escondiéndose y a solas para en dignidad morirse.

Al hombre le pertenecen las palabras del horror,
que solamente es humana esta aversión de la muerte,
y cada cual entretiene el su temer que le nombren.
Si hablo palabras yo es porque la muerte es muda.

7-4-70

No podrá decirnos el país que atravesara,
que le fue carcomiendo los ojos.
Absortos nos hallamos delante de la criatura
despojada como va de cuanto otorga la tierra.

Los párpados han sido. Fueron párpados
encima de los ojos y ya no son ningunos.
Y todo el cuerpo es lava con un extraño viento
que arranca el oleaje a su cintura.

Parecería despierto si se abrieran sus labios,
trasluciendo blancura los huesos persistentes.

De esta flor son tan leves sus pétalos sonoros
y exhalan de su mano pavorosa eternidad.
Aunque abrasado el brazo, mantiene en vívida mano
la flor inatacable, oliendo frágil y fresca.

Antes de acometer su desintegro
nos reveló que durmió y que soñado...,
y que el alguien que entró en aquel sueño suyo
entrególe la flor cuyo tacto era música.

Respiro se le quebró, porque miró y tenía
justamente su mano la alucinante cosa
que trajo flor de forma: la que salvó en su sueño
y desgajársela no pudo.

Estuvo, sí que estuvo. Todo lo atestigua ahora.
Seca, empavonada, aullante y silenciosa,
tan quebradiza y tan tierna como lo que fue su carne.

«Si un hombre atravesara el Paraíso en un sueño
y allí una flor le entregaran...»,

que oliera al despertar, entre sus dedos,
¿qué diría este hombre, ya despierto?

No habla. No habló; como Lázaro
que rescatar no pudo abrasadas palabras.
Pero ha soñado, sí; alguien que no recuerda
le dijo: «Tómala en memoria de Aquí.»

Y él despertó seguro de haber tragado lumbre
y vio la flor abierta como un dios, en su mano.

10-4-70

Corre un opulento río viboreando praderas.

Ante el empujón de niebla al sueño se rinden ojos.
Tamborean mis escuchas... Ignoro quiénes cabalgan
las presurosas manadas que, violentas, se detienen.

Bosque, de vahos se empaña; y a mis hombros los doblega
la nunca quebrantadiza y llamareante noche.

23-4-70

Cuando se echa a andar entre los otros,
integrándose en grupo,
se empieza con la alegría de ser
parte del universo
de las criaturas humanas.
¡Y es largo el camino, tan largo...!

Si un día se vuelven los ojos,
hay menos acompañantes
llevando el mismo paso...
De pronto,
se está completamente solo caminando.
Y solo se camina ya.

Pasan las tierras y las bestias,
los pozos crecen lagunas,
se enajenan los ríos,
correteantes.

Se ensancha la distancia de la niebla
entre los no y el que anda.
Que tampoco, en un momento cualquiera,
vuelve a encontrarse consigo.

«Brocal», 14-7-70

Tabla de agua,
inestable superficie que repite temblando
una triste indecisa imagen.
¿Cómo acometer un solo movimiento
si ello implicaría desaparición
del vacilante soporte fragilísimo?

Oh, no; quieto el doliente cuerpo
que se encuentra repetido a su pesar,
amenazado de sombrío naufragio.
Tan quebradiza lámina líquida
es solamente un instante.

Sería glorioso
(¡pobre planta de amor
regada por los ojos que lamen
la titubeante mancha
del ser que quisiera cogerse a sí mismo!)
agarrar la cabeza de agua,
los hombros y el pecho de agua,
levantándolos estatua.

¡Vientos que empujan corrosivos,
precipitando peligrosos ácidos
a la doble criatura asediada!

Vacía se quedará esta charca,
la tabla insidiosa, el espejo,
si la imagen concurre a su cuerpo.

«Brocal», 14-7-70

Todos han visto la yerba
y se gozaron pisoteándola...
Otros más tiernos se descalzaron
para que a sus gargantas subiera
húmedo frescor de criatura férrea humilde.

Trémulos belfos de toros negros
se escondieron en la población compacta
de diminutas crujientes hojas,
para unificarse con la dura tierra.

Inquietas campanillas tiraron de corderos
para mordisquearla y que subiera el vaho,
ensanchando el volumen de la tarde
en su temblorosa oscuridad temblando.

Todos la vieron entre las piedras,
sobre terrones, asomándose a los huesos...
La corta yerba de tres hojas,
la acribillada yerba.

Crecerá súbita un día, harta de quemarse
y de que la trituren bestias,
que la desgarren criminales pasos.
Y todo lo asfixiará, se tragará este mundo,
que no la defiende, aunque la nace.

¡Oh desbordante marea de la yerba,
clorofilándolo todo hasta matar la vida;
triunfadora venganza del olor mortal de yerba
aplastando ciudades,
obstinadas criaturas de absoluto inútil reino!

«Brocal», 14-7-70

De entre la absoluta distancia crecida entre nosotros
irrumpiste tú anoche hacia el alba en mi sueño.
Traías en tu mano derecha hermosa
una incesante rama de flores.

Frenética alegría que tambaleara al mundo
me precipitó a tu encuentro,
y alcancé tu cabeza con humeantes labios,
lágrimas de lava acumulé en tu rostro.

Nunca jamás despierta lloré riendo tanto
por encontrarme al amor en mitad de la muerte.
Retrocedí avanzando, una mar en mi cuerpo
asolándolo todo volvió a crearte joven.

Las flores que trajiste perdurarán hincadas
para el glorioso magma de la resurrección.

«Brocal», 15-7-70 (Navacerrada)

PAUSA ANTE EL ORIGEN

IRREFRENABLE

*«Algunos días por mi corazón la Tierra
pasa igual que el Mar.
Desembarca oleadas de memorias
que no sé si son mías,
que no sé si las sueño.*

*En estos días por mi corazón en vilo
el Mar lo empuja todo.
¡Soy tierra aquí en lo alto, mas aquello!
Aquello es el Mar, huele a semilla:
a hombre que me hizo y que me tiene».*

(C. C.: Ansia de la Gracia, 1945)

I

Mar antiguo, mar intacto.
Sobre la tierra mollar a la luz le brotan alas
mientras las figuras pacen un verde rosa tan tierno
que se funde con el agua rota en orilla de barcas.

Mar antiguo, mar intacto.

Las norias callan en rojo sus bancales removidos.
Hay una tarde muy larga deshilándose en palmeras
y un molino abate lienzos en sus aspas renegridas.

Mar antiguo, mar intacto.

Amontonada la infancia con la juventud, madura
a fuerza de padeceres esta edad sin retroceso:
mar antiguo, mar intacto, naces a mí como un dios.

II

Amor amor amor que sí que a él lo quiero.
Es tan puro el amor que al amor nos entrega
que nunca vio la vida más divina locura
que el sentirse de amor con mil rostros de lumbre.

Escapa, corre, huye; galópate embriagada
antes que se te incorporen líquidos ácidos verdes
que confunden a sustancias de la juventud embridada
en cortezas muy oscuras de saliva con su légamo.

Amor, amor, amor, se te incendiaba la boca
y, sin embargo, el amor te la dejaba tan pura
que, realzando tu blancor, a los cielos se le opone.

3-5-70

III

Todo es calma; así es lo otro que se mueve sin descanso
en esta franja del mundo al que vuelve mi oleaje.
Nadie quedó de aquel tiempo en que aprendí a conocerte,
mía tierra, mía luz, mía mar, mía esta sangre.

Amasarte como pan, como vino incorporárteme.
Ningún alimento pudo renovarme cuerpo y alma.
Vuelvo a comerme de ti cuanto transformas, y bebo
la salobre luz de aurora que al atardecer segregas.

Qué seco mundo recome tu antigüedad milenaria,
asumiendo a las criaturas que se acercan a tu mar.
Y cuánto pesas en mí, la más vulnerable tuya,
cuando derramas la pulpa de tus sales en mi boca.

¡Oh estatua derribada en una pereza ignea!
¡Oh varón, hembra entrañable en unidad inacabable!
Esta mar es una lava y es un hijo, una columna;
este vivir junto a ti es sabor de viva muerte.

Desde la entraña aterida casi calcárea memoria,
retumba mujer volcánica su lejana adolescencia.
Hundiéndose en ti proclama que nada muere, que es
este magma de creación que eres tú, la mar más suya.

IV

Junto a ti carecen de sonido las palabras,
de mínima significación.
Eres como la muerte: un muro
para que nos estrellemos.
Sí, como la muerte que renueva la vida.
Transformante actividad infatigable.
Resurrección.

¡Ay, pero en otro y en otros
que nunca conoceremos y nunca
avivarán la conciencia
en que habita este instante!

V

Refrenadas floraciones de rosas
pueblan tus entresijos;
y el oro con el gris, el ocre con el plomo,
la amarilla y gozosa intensidad del verde
bañan tus montañas, Cartagena.
El Algar con La Unión con El Estrecho
en este palestiniano
aquilatar de barrocos,
que son las orillas terrenales
de La Mar Menor.

Deviene alucinada esta criatura absorta
que recuerda o presiente
la vida que vivió o que acaso
tendrá que revivir un día,
con el sol que desgarra a la tierra su vívido
violeta espeso, zumo
de un morado violento.

Rib.ª de S. Javier, 17-9-71

VI

Un peso enorme fecundan las palabras.
Intento extraerlas delicadamente
para no interrumpirlas:

El mar está ahí, frente a frente;
y como la muerte, aguarda
mi proximidad...

No escucha que gimo
y revuelvo mis tristes arenas.
Pesan sobre las palabras
juntas la mar y la muerte.
Quiero gritar, desprendérmelas,
porque, ¡cuánto me roen a Dios!

> *«A la luz de la tarde,*
> *como cuerpo y espíritu,*
> *tierra y mar completándose.*
>
> *Como espíritu y cuerpo,*
> *tierra y mar invadiéndose*
> *en espacio y en tiempo.*
>
> *¡Oh fragante equilibrio:*
> *el del mar y la tierra,*
> *el de cuerpo y espíritu!»*

A. O. B.: «Costa en Cabo de Palos»

VII

Que siempre brotando está,
desde la vieja raíz que carece de principio.
Siempre pugna por crecer y se contiene
apenas difuminado..., contornos casi invisibles...
Parece a quienes lo encuentran
perennemente inconcluso.

Asimismo sus orillas:
almendros y las palmeras, los alcornoques y olivos,
de naranjos la humareda
de dulce creación gestante.
Apenas si cordillera del torvo metal hundido,
si los pozos de las minas,
tan estrechos.

La Galilea de sales, de azules hervor la mar,
salobrándonos asciende,

y boquean fulgurando los peces recién nacidos
mientras su rastro de escamas
abrasa el sol de los tiempos.

Saldumbre entre los almendros, olivos contra peñascos
que escapando de la costa se proclamaron islotes.
Nunca terminado. Nunca.
Ni nunca *hasta aquí*. Ya hecho.

VIII

Íntegro quedaste aquí, mi muchacho silencioso.
El muchacho ensimismado, retraído.
Soy la tuya que tuviste, como nadie
tuvo jamás su criatura
de pasión; de cuánta fe
y esperanza entre las lumbres.

Oh nuestra mar contenida en viejos saberes ciertos,
conmigo concurre ahora a todo lo abandonado.

Nunca volvimos atrás. Todo intacto lo dejábamos.
Vine sola a recogerlo, oloroso y tierno aún
porque lo aprietan mis brazos.

IX

Pugnando por taladrar tercamente el suelo gris.
Apareciendo en el aire en un largo tallo verde.
Rompiendo las grietas secas para abrirse su camino
tan invisible y delgado que el viento apenas lo advierte.

¡Y todo para oponerse
a la indestructible angustia!
Mas, apenas enunciado,
                    plúmbeo, feroz, aplastante,
el desencanto.

Cántico, acción y creaciones de la incalculable ansia
arguyéndole a la nada, sajando en sus pétreos pliegues.
Los ojos desmesurados, las tensas manos aullantes,
quitando a lo sin color
concreta de lumbre llama.

X

Nunca estuviste conmigo como te sumas ahora.
Me precipito a tu encuentro en el temor de encontrarte
con el corazón rompiéndose entre tus labios ya fríos
y el terror contra tus ojos, amarilla flor viscosa.

Abro en el sueño la puerta de tu hallazgo porque encuentro
que vuelves dichoso joven sin temor y con sonrisas.
Al empujarme las sienes la aurora nueva, te veo
como te dejé aquel día: cerrado, ajeno, concreto.

¡Cuánto vienes y te vas cortado de luz y sombra;
cómo oscilas en mi alma pedazos de nuestra vida;
cuánto padecemos juntos, aquí, conmigo, en la mar!

Lo Pagán, 20-3-70

Un instante tan sólo para dejar de ser.
Pronuncie el olvido su ola de aceite
y tampoco habrá sido.
Brotándolo,
se contraen las entrañas donde estuvo su gajo.

Otro montoncillo de genes,
y otros más; casi los mismos.
Se lo tragó el silencio.

Hasta el ruido de sus pasos.
Dentro lo todo que invade e invade, nada persiste.
Hubo apenas si adarme de tiempo
para que fuera *él*.

Sobresaltante, estruendosa y áspera
la voz de instrumento o garganta
va exhalando los nombres.
Nombres goteadores,
autofundiéndose.

Marzo 1971

No. Si no hicimos nada.
Amar, doler, sufrir...
Llamarnos Pedro, Juan, Mateo, Lucas, Pablo,
Marta y María, y Magdalena.

Y, muy borrosamente ya..., tú conoces el nombre.
Lo conoces todo. Eres
antes de ser. ¿Cómo inventarte
si inventado naciste y de tu proclamación vivimos?

Por mucho que te calles voy oyéndote
enrejado a mis palabras:
prisión de ti, barrotes a tu ausencia,
calabozo fungible
del que no te escaparás sin llevárteme.

Así están entre nosotros las cosas:
el que se lo llama todo
y la nombrada que espera la desnombre
el mismo que la nombró.

25-3-71

El silencio es una costa de la sombra
en la que no desembarcan voces nunca;
acaso, en un instante,
el sollozo ronco de alguna imprecación.
La arena se funde mínimamente, invisible
como la luz para los sordos;
y crecen las algas furibundas frías
de prolijas constelaciones.

Vulnerar el silencio tendido a lumbres
es perforar la tradición sagrada
de tenaces vegetaciones.

Romper el silencio oscuro equivale
a profanar milenios de monólogos
que van cuajando en ónice.

Costa o volcán, cualesquiera idea
que se atreva a decir qué es silencio,
se condena sólo al nacer.
Ni mirarlo siquiera es posible,
ni acercarse a su cuerpo.

Quizá en un rapto, en una tromba,
quemarlo con ácidos, nuclearalizarlo.
Romperle el alma en carne pútrida.

Benidorm, 10 abril 1971

No se pueden cantar las cosas inanimadas
cuando se nace para participar de la vida a zarpazos;
a querer y que te quieran exhaustivamente,
aunque, a veces, te reservas el placer de no entregarte
ni de tomar.
De encerrarte en el cuerpo que te pertenece a ratos,
encastillándote en él.
Porque es tu carne caliente, desesperada, rugidora y noble,
pero que maldices si ahítas,
porque tú eres si tu soledad es.

Un monte, una casa, la piedra que permanece
no te dicen mucho...
Tampoco todos los que abocan a tu paso, tengan
o no tengan
problemas sociales o humanos.
Tienen que llevar otro mundo
más grande que el de su parda realidad,
para que tú los desees, los cerques de ti,
los necesites y logres que ellos
te necesiten furiosamente.

Las calles, las plazas, las casas, los caminos
han de estar ligados a las criaturas;
animados por su olor, sudor, arrebato, y por su sueño
de un algo que no conocemos ninguno...
Inventariar el mundo es el desmedrado oficio
de quien carece de imaginación. ¡Para él las cosas, las nóminas
de cosas! Para ti, para vosotros,
crearlas todas: volverlas a nombrar.

28-12-71

De tanto oler a podrido, de sándalo son los olores.
Aguantar montes de embustes arrebató la verdad.
La ferviente adolescencia defendida en la memoria
con su desprecio arrasaron vanos proclamantes nuncios.

Podríamos considerarnos unos tristes dimitidos
relegados a la trampa de la historia,
si no nos doliera aún, ferozmente todavía,
cuando nos pisan el cuello.

Se permanece en la orilla de ferruginosas yerbas,
chapoteando en las ciénagas
contra la desilusión atroz.

28-12-71

Si todos se hubieran muerto,
o exiliado,
o acabado en las cárceles...,
¿con quiénes aprenderíais cuanto despreciáis?
Porque aunque apenas si les conocéis,
si cruzáis las palabras precisas con los supervivientes,
ellos están aquí.

Fueron testigos y fueron parte.
La fuerza misteriosa de algunos designios
se acumuló salvándolos (¡es un decir!),
para veros nacer y crecer.

¿Qué aprendisteis de ellos?
A odiarlos.
¿Qué sentís por ellos?
Desdén de ignorancia.
¿Adónde camináis obtusos?
El hombre es una máquina de absurda repetición.

Haréis las mismas cosas.
Caeréis los mismos jóvenes.
Os perseguirán, encarcelarán, os matarán por la espalda
y devolverán, acaso, vuestras ropas agujereadas
para que aprendan —o recuerden—
y sigan temiendo.

Es sólo cuestión de miedo.
Y, con miedo, ya lo iréis comprobando,
todos seguirán igual.

30-12-71

Siempre hay que pudrirse la derrota,
sin renunciar a una sola brizna de la conciencia
que mantuviera, aunque soterrada,
cuanto se significara por dentro.

En el cuerniloco festival de los avatares,
niños y más niños llamados acuden
a cubrir las bajas de los muertos,
de los ausentes por la prisión o el exilio.

Vamos envejeciendo todos a la vez,
mientras los hijos se aferran a su juventud
como a una bandera de enganche
hacia otra nueva cruzada...

Irguiéndonos ante el muro nos mantenemos
para que nos vuelvan a eliminar.

30-12-71

«OSIRIS»

I

Me miras
desde el principio del mundo,
de cuando sólo bastaba una palabra
para trocarnos en diferentes.

En tus ojos reside inteligencia.

Sabes que participamos juntos
de idéntica materia.
Por ello tu libertad te alza
frente a mí. Somos
dos partes otras de Dios.

No intento, ni lo resistes,
doblegarte a mi amor; el tuyo
tiene uñas y dientes.
Soy la que respetas, si respeto
tu indomable aislamiento.

Por eso cuando acudes voluntario
para apoyar tu peso en mí,
regreso contigo a aquel barro
que no tenía nombre cuando éramos
gato y mujer la misma tierra.

26 abril 1971

II

Querer tiene cristales y una pulpa suave
que dulcísima alivia el empuje del fiero
acontecer ardiente del querer sin reposo.
Querer es cataclismo, aunque quieras a un perro
o estés queriendo a un gato...
Si has querido, tú sabes
que estar queriendo duele: es carbón encendido
y no se aplaca nunca, ni hay agua que lo apague.

Querer es el mordisco al pan tierno, y con hambre.
Querer —¿cómo lo digo...?—, querer es un infierno.

Y si no se quiere así, a tragos de locura,
no se vive ni muere. ¡Se pasa de este mundo
como una luz pequeña, que ni el viento la advierte!

Ribera de S. Javier, 20 septiembre 1971

III

Se tiran al fuego los leños
y arden voraces las primaveras
que dentro se refugiaron
(amontonándose, remetiéndose, escondiéndose)
para que el viento no las deshojara
definitivamente.

Se queman los cantos de los pájaros,
las minerales resistencias de la escarcha.
El fuego canta alegre, amante hambriento
de cuanto palpita y crece.

Las tiernas mañanas soleadas
que el hermoso animal que no olvido
absorbía entresoñando;
y la consumación de la tarde honda
que se empeñaba en no perder, libre criatura
que mi amor retenía con respeto,
devorando está el fuego.

Delicadas floraciones de estos leños
llamarean también;

y un tumulto de roncas vibraciones
se debate, sollozante, en la hoguera.

Frutas gozosas habitaron
lo que ahora es chorro ígneo.
Se encajan con furor amargo
los dientes que alegres las mordieron.

Amenazante ofidio gigantesco
es todo el fuego ya.
¡Oh, sí; que cunda el avaricioso atroz
de lo que no está en presente!

21-11-71

IV

Cuando intento aplicar una sola palabra exacta,
la que puede transformarlo todo en alegría
y también en dolorosa injusticia...,
pienso en ti que fuiste lo primero.
Porque jamás conocí a nadie que, como tú,
fuera la expresión hermosa
y salvaje
de la palabra libertad.

Cuanto te quise, y te he querido mucho, era
porque pronunciarte
significaba proclamarla a ella.

Madrid, 14-1-72

No. Si no nos conocen.
A casi ninguno.

Alguien tuvo la precaución de ir sembrándose
astuta, cautelosamente,
para que su esperma fructificara en identificaciones.
Los más, sonrieron asqueados de las fichas

y de las huellas,
y se dejaron ignorar. U olvidar.

Proliferó la semilla de tal modo
que florecieron millones de nuevas criaturas
—eso sí— con el cerebro lavado a conciencia.
Cómo no miraron atrás de sus años,
no nos encontraron.
Además, hay que consignar este dato:
nos mantuvimos ajenos a promociones decretadas.

¿Sabes tú lo que sólo nos separa...?
¡Aprendiste tan poco,
fue tan mísero tu equipaje!
Aguarda a que pasen las décadas
y ya estaremos muertos, y tú, viejo repleto
de tus mostrencas banalidades.

Entonces calcularás, sin creértelo
—tan necio te parecerás—:
«¡Vivía cuando yo era joven; pudimos incluso hablarnos...!»
Y sonreirás gloriosamente absorto,
rascándote el hocico.

21-1-72

Si con ira..., ¿para qué con ira?
Debiera estar gastada cuanta se trajo al mundo.
No se gastó el amor. Sigue fluyendo
de una inacabable corriente inabarcable.
Con amor que nada pide y espera.
Con amor.

Pisa tenuemente las aún tiernas huellas
y humedece las duras, rehace fugitivas.
Se detiene junto al árbol y recupera fuerzas;
moja sus cansancios en la orilla, cobra frescura
del río nunca inmóvil.
Si pájaros cantan, cerrando ojos oye,
y si sólo hay silencio,
se dedica a pensar.

Siempre hay flores locas cabeceando a gritos
de su olor y su tacto.
Los caminos no acaban, perdura el viento, el cielo
esperando persiste que levanten los ojos.
¡Hay que hacer tantas cosas
para decir que se ama!

Andar y andar siempre, no detenerse nunca,
mantenerse viva el ansia
de seguir caminando.
Si no encuentras alguien que te alargue en sus manos
la fruta más crujiente y fragante de todos los jardines:
«He llegado pronto; antes que llegaras, junio»;
o *«He llegado tarde; estamos en invierno».*

Todo es un viaje, todo es obediencia,
aunque a veces quisiera el amor arrasarla.
—Que el amor pace furias que socavan su entraña...
Mas, sin ira; sin ira. Con amor que no acabe.

22-1-72

NO NACIDA

Opaco.
Porque nada de cristal ni espejo.
Pasó por el cuerpo
sin poder abrir los ojos,
cual pasa por el ciego espacio
esquirla de astros que vagan.
Ni siquiera luz
ni estremecimiento.
Es mucho después. Cuando en la Tierra
caen pedazos de piedra de rayo,
se sabe
que un algo murió mientras nacía.

Si fruta hubiera sido,
o cordero humildísimo...;
alguna planta como la patata ingenua,
de las hambres recurso diario,
acaso sí viviera
en linfa transformada.
Pero como no lo era,
como no pudo ser sino aquello que no fuera,
a nadie aplacó
ni a criatura alimentó en el mundo.
Germinó, y al abrirse,
prorrumpió en su muerte.

Pugnaron tales cosas,
eternamente pugnan.

Maceradas personas llorarán su desdicha.
La vida es así. «Muerte para los vecinos era»...

¡Pero esa muerte
antes de salir a vida...!
No se pronuncie que se la comprende.

Sobrevinieron más.
Muertes de vivos que fueron vivientes,
no de los creados para no nacer.

¡Dolía; Cristo, cómo dolieron!
Mas se pueden recordar los rostros, la voz; el calor de las sangres
concertándose a ciegas.
Hubieron las horas, los días, las noches.
Habíamos tenido tiempo.
Acudiendo al recuerdo, volvían
otra vez a vivir con nosotros.
Caíamos del luto en sus ojos, en sus bocas lo oíamos,
compartiendo lo roto y los hechos.

Mas si se *nace* muerto
no se existe dos veces.
Y una no olvida, perdona ni quiso otro ser
que un no cuajado en serlo.

Permanece despacio la carne.
Se planta ante el crudo espejo este cuerpo
y se piensa:
                    pasó por aquí; aquí se hizo, dentro.

Porque a una la siguen royendo las hambres brutales
que nada sacia nunca:
                    las de haberse asomado a sus ojos.

Julio de 1972

Nunca encontré presencias invisibles
acorralándome.
        Caminábamos a la plena luz
        del sol.

Una extraordinaria música avanzaba
conmigo unánime.

Nuestras frentes se embebían
las brisas múltiples.

Ninguna insidia revestían selvas,
ninguno océano.
    Gozábamos las fuerzas duras
    de la vitalidad.

¿Quién nombraba a los fantasmas turbios
desgarrándonos
    sin poder apresarles las fieras
    gargantas inaudibles?

¡Alegría de andar por los ríos
tirando de sus fuentes!
    Jamás por jamás el duelo
    corroyéndonos.

Jamás para siempre, otra vez,
aquellas vidas.

18-7-72

Uno tras otro, se vienen yendo,
uno tras otro...
    Y quedo aquí.

Hiciéronme nacer implacables
para verles irse,
    quedando aquí.

Diéronme la fuerza inagotable
cuando la pedían ellos,
    dejándome.

Diéronme el amor, la infatigable
voluntad de quererles
    desde siempre.

Todos, uno a uno, todos
uno tras otro.
    Porque yo sigo aquí

y nadie sabe
    si permaneceré aquí sola
hasta que vuelvan ellos.

18-7-72

IV
EN ESTA HORA DEL MUNDO...
(1973-74)

A MIGUEL

> *«En esta hora del mundo*
> *en que nos encontramos,*
> *lo difícil no es morir,*
> *sino seguir viviendo*
> *y luchando.»*
>
> MAIAKOVSKI

No se puede evitar que resbalando vaya
a caer, invisible, en el hueco del pozo
que no sufre sondeos, al que nunca se llega.
Pensándolo de lejos, al irnos acercando,
por nombrar de algún modo llamaríamoslo sima.
Puede ser otro, y esta embriagadora planta
o animal monstruoso que rudamente hiede
a pantano crecido de lotos.

Alguien mirando estaba, corroído de angustia,
por sus ojos de miedo...: sigilosa amenaza
sus costados remuerde.
Nadie intenta cogerlo y si estruja su bulto
igual que el agua escapa, hasta su hora fluye.

No se puede olvidar. Porque si hincado, muerde
con presura acuciante
reptando por el alma sus rotos dientes fríos,
se le ve resbalar dentro de los espejos:
una hebra de humo oblicua larga y frágil
retallando en el rostro, vegetando en los ojos...
Perdido pueblo atroz en la ciudad que somos.

En una flor cenizas: en las paredes moho.
En el papel más blanco, amarillor vetusto.
En las manos las venas aumentan su presencia.
Los cuerpos continentes de hermosura, rotundos,
altivos cuerpos, ceden su flora a raíces.

Lo que su gloria criba continúa implacable,
no cediendo a la luz ninguna de sus gotas.
Las paredes revientan, se van desmoronando
y el suelo las asume podridas, desgajadas.

Removeréis la tierra, aventaréis la arena;
distribuiréis las piedras que crecen a diario.
Si hacéis brotar la flor, alcanzaréis que el huerto
otorgue nuevas frutas amparadas por hojas.

Todo lo arrasarán. Todo irán convirtiéndolo
en pasto licuado del abismo con hambre.
Ni palabra ni rosa ni canto ni sollozo
asfixiarán el rostro que acusa en el espejo.

—¿Cuándo empezó? —diréis, ojos frente a los ojos.
—¿En qué momento fue; en el sueño, despiertos?—
Estáis sobre su boca, debajo de sus labios;
os abraza lo efímero: la voracidad sin freno
que se encona implacable. Precipitándoos.
....

    No lo sé, no; no lo sé.
    Pero hay oscuridad,
    una inmensa escurridiza atosigante
    oscuridad.
    Sí, lo sé. Hay oscuridad.
    No la producimos.
    Nadie la confiesa.
    Pero algo, pero alguien, pero alguno,
    yo no sé si quién,
    mana oscuridad,
    oscurísima su oscuridad.

    Ni de dónde viene.
    Ni de dónde sale.
    Llega, envuelve, reboza, oprime
    la oscuridad.
    Nos aleja de nosotros; aunque estemos juntos
    hay entre nosotros
    algo que es oscuro.

    Hay entre nosotros
    sin que lo toquemos,
    pero humedece los rostros y el pelo y la voz
    la oscura oscuridad

que nos cerca, que nos baña;
que es tan terriblemente oscura
que ni la vemos,
porque ciegos nos va dejando.

BRAMA DEL ACOSO CIEGO

Lo justo,
considerado desde la humana cabeza creada por ti,
sería
poder comprenderte;
y que no fuera peligro de repulsa tuya
la aceptación
o el rechazo.

Desde siglos
fueron embarcando tus feroces exégetas
en que significa
peligro mortal eterno
intentar la interpretación
—la asequible a nuestro juicio—
de tus determinaciones.

¿Por qué,
nos preguntamos entre barrotes ardientes,
he de aceptar radiante
lo que no sé qué es
ni por qué?
¡Ah, la quemante,
la flamígera espada del descanso,
de tu presunto rigor!
¡Ese terror de púas acribilladoras
con el que amenazan en tu nombre!
¿Comprendes, aceptas;
accede a entendernos el que nos hizo,
lo tremendo del caos
en que nos debatimos para alcanzarte?
¡Si todos los caminos
dicen prohibido; si todo se nos cierra
y no nos deja saberte!

Nos manejas desde el misterio.
Te ocultas y actúas por medio de signos
que son inapelables

e inexcusables
y apisonadores.
Y nos morimos de sed de tu presencia
real o trasmutada.
¿Cómo puede constituir mi rebeldía ofensa
por quererse confundir con el amante?

Un día y otro día,
abrumadoramente eternidad eterna
en semejante debate.
Caen los golpes contra las espaldas secas
o contra los tiernos costados rezumantes de sol.
Y aguantar,
y padecerlos
con seráfica conformidad alabándote.

¿Cómo admitirte
a ti, el amor en esencia y potencia,
hendiéndonos sin permitirnos
que entendamos por qué tú procedes así?
¿Por qué tú te niegas
a intuirnos la explicación de lo que haces
o que nos hagan permites?
Si entre nosotros, humanos,
nos exigimos la verdad de los actos.
Si con el juicio que nos otorgaste
no cejamos hasta abarcarlo todo.

¿Por qué se nos inculpa
de ser desobedientes, rebeldes,
cuando intentamos por todos los medios
cercarte, apretarte entre los brazos? Cogerte vivo
como un ciervo de luz,
para saber —¡por fin, saber!—
que esto del dolor sin cura,
del duro dolor punzante
de la vejez y de la muerte,
son —otros lo dicen—, son
caminos para alcanzarte
—¿dónde, cuándo, en qué?—
y ser tuyos y hacerte nuestro.

Proclamo que no entiendo nada.
Proclamo
que, sin entenderte jamás

y doliéndome por ello,
te quiero.
Sí.
Te quiero.
Y quizá por no verte ni esperarte
creo ciegamente en ti.

Comprende.
Y ayuda. Ese es tu querer.

23-1-73

LA TROMPETA

Juntaos.
Soy yo quien lo ordena.

Juntaos todos los trozos de cuerpos destrozados
en los campos viscosos del furor.
Juntaos también los animales inocentes
reventados en las carreteras.

Yo lo mando. Os convoco a la gran fiesta
de una nueva resurrección.
Porque ahora lo será ante unos seres
otra vez completos, otra vez fragantes
de vida que rutila impetuosa.

Quiero que mi voz la escuchen
moléculas y miembros,
células y átomos
de todos los cuerpos destruidos.

Juntaos otra vez.
            Juntaos.

26-4-73

MAR

Divina la extensión del cuerpo
vivo prodigiosamente
orillas de la mar, único medio
de estar sobre el mundo sabiéndolo.

Brazos candentes al sol, piernas
hundiéndose interminables;
concorde golpeteo fragoroso
sobrevolándonos...
Estar, completa al universo aquí
y aumenta la creación.

Bulto el calor bajo la carne
que las brisas caminan.
Nunca otorgaría nadie este gozo
de no ser, por estar.

Todo es igual sin parecerse
porque indivisible el todo,
aparezca como aparezca. Se aprende
permaneciendo en la orilla
que se succiona la mar.

Un cuerpo, sí; en él se juntan
aire, fuego, tierra y el agua
hirviendo en el vaso, que se rompe
si prevalece uno de ellos.
Un cuerpo aquí, desmenuzándose
para la arena en que yace.

Muchos cuerpos desnudos.
Cuerpos por el sol hendidos
con dientes de lumbre,
mostrando van sus senos y sus sexos,
latiendo bajo las telas
mínimas en cubrirles.
Caminan junto al agua, que los toma,
sean horribles o hermosos.
La luz los corroe;
absorbe votaz desde sus poros,
la tímida y la violenta
palpitación de los miembros.

Oh mar indiferente;
oh sabia mar que aceptas
la vestidura nueva junto al recuerdo
de la que fue y no es, pero que sigues
viéndola radiante en sus cenizas.

Viejo vientre potente de semillas
a las que te acercas aullando,
sorbiéndoles el suelo que es su plinto
de fugacísimas arenas.
Sabemos que no sabes, no eres libre:
¡tampoco te rebelas ni libertas!

Mediterráneo, 10 y 15-7-73

LA ARENA

I

¿No perdisteis nada entre la arena...?

Vosotros caminasteis por las playas
descalzos y desnudos,
llamareantes de sol...,
¿y no se os cayó desde los labios
algo que no pudisteis recobrar?

O desde las manos.
También desde las manos pudo
resbalárseos algo
que la arena se tragó avarienta:
insondabilísima, amontonante, atroz.

¿Ni de los ojos se os cayó a la arena
lo que amando más estabais,
mordiéndolo con la mirada...?

La arena, acribillante pulverizada tierra
que sólo existe para enterrar.

Mediterráneo, 4-7-73

II

La sed más inmensa, la sed insaciable;
la que no se calmará, aunque eternamente
vayan sus fauces abiertas;
la áspera ardorosa, encendida delirante
a la orilla extenuada de los ríos
volcados hasta los ojos en la mar,

es la sed de la arena.
¡Furor de la sed de la arena,
metida hasta en la mar!

Porque no la empapa el agua, aunque la cubra,
sino que de ella se rebosa
y fluye, fluye la mar, de la arena...
A puñados, bocanadas, mezclándole todos los cuerpos
no retendríamos su agua; seguiría
bebiéndosela cordilléricamente.
Agua, agua, todas las aguas del universo
sin, suyas, podérselas quedar.

Sed de la arena. Sed de todas las arenas
hambrientas de sed a la orilla, en el fondo,
entre las rocas profundas de la mar.
Aunque todas las mares se le echen encima
o la estrujen y aplasten con su peso,
no se le acabará su sed.

  ¡Piedad y amor para la arena salobre,
  para la arena sin memoria del desierto;
  piedad para esta hermana a cuya lengua no dejan
  que pueda beber hasta hartarse!

Mediterráneo, 15-7-73

III

Hunde un niño sus manos en la arena,
apartándola para crear un hoyo.
Acude a la mar y saca el agua
para verterla cientos de veces
en el fondo del hueco...
Nunca se queda el agua allí y el niño
todavía no lo comprende.

Clavo un bastón de hierro entre la arena
que no lo mantiene, por profundo que sea
el agujero que hice...
Amontono la arena en torno suyo,
creo un monte alrededor, de arena.
Y el viento derrumba mi trabajo.
Nunca la arena es propicia fuerza.

Pero, ¡ah si el hoyo se traga a un hombre;
si al hombre en el hoyo lo cubre la arena,
y se amontona sobre su cuerpo,
tapándole los ojos, la nariz, la boca...!
No necesita retener el agua
ni oponerse al viento aunque sea leve,
para propagarse invadiendo al muerto.

Mediterráneo, 15-7-73

IV

Sombra del cuerpo debajo de la mar,
sombra tendida en la arena
sobre la que viene y se va, suavísima hoy.
Ángulo recto con el cuerpo emerso,
la sombra del cuerpo sumergido.
Si aquél permanece firme, ésta
ondula, tembloteando entre las dulces olas
que resbalan encima sin quebrarla.

Lajas de aguas claras azules transparentan el sol,
multiplicándolo en inquietos pedazos.

Sobre la tierra bien se conocía compañera a la sombra,
erguida seguidora o precediendo inalcanzable.
En la mar es la hora de encontrársela
como prematura ahogada...

Anuncio, presagio fúlgido acaso, o solamente
líquida memoria adherida a la arena
que no se la desprende...,
que la pone a flote cuando el cuerpo vivo
regresa, brevemente aún,
a su clamoroso origen salobre.

Mediterráneo, 19-7-73

V

Viéndola abstraída más que ausente,
encima acumulándole su arena,
abrumándola de arena,
fue la mar.

Codiciosa
derramóse sobre ella,
rodeándola con furia que ponía a sus costados
arenales penachados por espumas de mareas.

Imposible rescatarla de toneladas de arena,
era inútil la rebusca de sus ojos,
estábamos ya perdiéndola
en la mar.

Arrastraba
aquel bulto atropellado de montaña,
salpicándolo de crestas luminosas,
vertiginosas lenguas de oleajes la sorbían.

Inexorablemente mar adentro la llevaban;
la engullían, tan pesada como era
de su arena. Y soltarla,
metiéndola en la mar.

Mediterráneo, 21-7-73

VI

El cuerpo vacío anda, el cuerpo aunque quieto anda
sobre los ramajes blancos en hierro en el blanco ardiente.

En esta abrupta distancia que es la árida meseta
escuecen entre las sienes turbias memorias del agua
y es lecho profundamente toda la mar de la arena.

El cuerpo va sin su cuerpo, sin su cuerpo el alma anda
desde la piedra más piedra que todas las piedras juntas,
a convertirse en arena que no queda nunca; escapa
porque la arena es la mar, y con el cuerpo retorna;
cabeza antigua parece recuperada del fondo
que irá acumulando arena para que el cuerpo repose.

Líquido fluir de arena desde su encierro en la mano;
fugitivas sus presencias amontonándola siempre.

Castilla, 17-9-73

Hasta que se vio posarse la mano en aquel cuerpo
desnudo,
resbalando despacio, detenida y
ardorosa,
tactando con los dedos llameantes
cada curva,
cada hendidura, cada línea firme y tersa
de aquel cuerpo,
no se supo, ¡oh, cómo saberlo de otro modo!,
el gozo,
la entrega unísona, jadeante desde dentro,
precipitada luego
en una mano abierta, posesiva abarcadora
de un desnudo absoluto,
de un cuerpo solitario entregado a quietud,
a la caricia dislocándose en rapto
de abrasiva toma de la carne muda
que se adivinaba anhelante bajo la palma de la mano,
recorriéndola con hambre contenida
y también con ternura,
porque abocándose la amante en su codicia
de casi tenue contacto
se propiciaba el volcán con sus lumbres que roen el cielo;
y era, sería
una silenciosa repetición de amor,
¡amor, amor, amor!,
para la amante, para el cuerpo,
para el estático desnudo,
para
el deseo jamás consumido,
acaso...

23-2-74

Entre la tierra y la luz, goteando el horizonte,
candentemente fluían, porque aceites derramados,
criaturas inesperadas
que nunca pisaron yerbas ni piedrecillas musgosas.
Prorrumpían en clamores,
avecinando relámpagos desflecándose de lavas,
refrenándole su hervor al mediodía:
palafraneros que impiden que se inicie un galopar.

Petrificante ola oscura, los desecados vivientes,
venid, allegaos, oxidad. ¡Tanto mortal humillado,
tantísima carne hendida!
¡Que advienen las codiciadas, las criaturas turbulentas!

Dormidos las anhelamos siglo por siglo sin colmo
para acceder en sus seres a lo que no imaginamos.
Apagarán las ciudades, liberándoles el agua
que migada en sucio gris se convirtió en edificios.

Pasarán resplandecientes sobre resinas, prendiéndolas;
gruesas cenizas de oro irán hincando sus teas.
Arrasadas avenidas exhalarán su mercurio
y todo se entramará en gruesa corriente híbrida.

    ¡Al mar, al mar, a la mar;
    que levantarán en vuelo!

De los rayos paso haceos: Van las hermosas criaturas
sembrando sobre la escoria
un hambre de eternidad.

2-3-74

ADOLESCENTES

...Pero no saben nunca, no saben que trizan brasas sus pasos,
que de sus labios la noche precipita amaneceres;
que lágrimas duermen sus pechos cual a corzos inseguras,
tensos sus cuerpos recientes para romperse horizontes.
Miran de frente a los ojos, sobresaltando lagunas,
charcas o arroyos (la mar vive siempre en sobresalto);
preguntan, dicen, afirman porque todo lo desean,
catapultando la hoguera de respuestas que socarran.
Aún no tienen experiencia y se la inventan soberbios
cuando aquellos que los oyen se creen vueltos del infierno.
¡Oh cuánto duelen los brazos, impidiéndose estrujarlos,
enseñándoles la muerte que nunca llega a matar!
Sí que se acercan ofidios, lenguas bífidas que néctar
prometen a las heridas que los dientes infirieron;
pastan en prados de espaldas, en laderas de costados,
triscan sobre los hombros y la nuca, desangrándolos.
Aves son, como corderos y serpientes, y hasta peces,
encenagando al romper las aguas más reprimidas.

Dejarémosles fluir fingiéndose que son ríos.
Dejarémosles escapar imaginándolos águilas.
Somos nosotros en ellos, sorbimos sangres mellizas.
¡Toda la vida por ser otros ellos en nosotros!
(...Pero no saben nunca, no saben, que trizan sus pasos brasas.)

Marzo 1974

RECUERDO DE NIÑA CON PALOMA

En la palma de tu mano, que extendida
recoge luz del sol, una paloma
prisionera de su celo se alborota.
Dulcemente picotea entre sus dedos,
arrullándose a sí misma loca gira,
convirtiéndose en un ave ya redonda;
que tu mano es otra ella se imagina
y en las plumas de tus dedos se retoza.

25 mayo 1974

Cuando te siento
cabes como almendra en el puño de mi mano.
Cuando te pienso,
creces inabarcablemente en miríadas de formas.
No tienes nombre fuera de mí
y eres un nombre
que abarca todos los todos
del universo.

31-7-74

El agua hasta el pecho, el agua gruesa y verde
de la mar, y los brazos abiertos
con las manos extendidas, también abiertas
desesperadamente para
intentar que no se vaya la marea galopante
que deja seco el cuerpo en su espalda
mientras delante del pecho azotado
no es una son dos mil montañas
que se precipitan no se sabe por qué ni a dónde.
¡No te vayas, mar, mar mío del que nazco

a cada gota de mis venas;
no me dejes solitaria y pobre sin ti,
que es desgajarnos eternamente!

Huye amontonándose, creciéndose, sobreponiéndose
a cualesquiera voces del mundo.
Huye..., ¿o no estuvo nunca entre los brazos
mientras durara lo que existir se llama?

Oh, no estabas, mar; no estuviste, vida,
sueño de realidades imaginadas como presencia
absoluta y total de un océano.
Y, sin embargo, se permanece, se persiste, se agarra
una hasta a la misma huida precipitada
del oleaje brutal que no descansa, no nace ni se mueve, es
un agolparse de profundas derrotas que recibe el cuerpo
desmoronándose en ellas.

Dulce pensamiento malo, sediento afán de culminaciones bárbaras,
hunde en la cabeza su negro escurridizo pez...
El agua azul y verde y roja, violeta áspera
quebrándose en los hombros se apodera
del triste cuello roto, y sigue.

12-8-74

Vuelven los que se fueron.
Fugacísimo espacio
confluyen al que duerme y le muestran dichosa
juventud venturosa y permanente.
Ese *adiós* que no suena entre ningunos labios,
esa grácil figura que *resucita*
esta noche,
                        ¿por qué y en este sueño?

17-8-74

Porque aún puedo hacerlo, ahora
quiero despedirme de la Vida;
de toda cuanta vida vivir no pude
tan arrebatamente como pudiera.
De los valles, de los montes, de las selvas
y de la mar.
                De todas las mares del mundo.

De las criaturas que contemplé de lejos,
fuera de mí, en brazos de las otras
que no eran yo, que mías no fueron;
de inexcrutables desbordamientos de gozo
sin ninguna represa...
                    Sin otro violento estallido
que el unísono entre aquellos
que muriéndose se aman para vivir de muerte.

De los hijos de los otros, de las semillas ávidas
que no me trajeron la dicha
porque a mí me creció en las entrañas
una hermosa verdad que ciega advino.

Sí. Quiero despedirme de la que fui, no siendo
toda la que soy y supe
al crecer hasta ti, que tampoco yo eres.

17-8-74

No llamo los más tristes
porque, ¿quién sabe cuánto
podré hacerlos más tarde...,
cuando venga otro tiempo?
Digo que son tristes los que llamo versos,
pues no supe otro nombre
cuando empezaba a hacerlos.

Y lo cierto es que los escribo
no pensando en lo que siento;
de ninguna nostalgia
vengo ni me desprendo.
Cojo la pluma y van fluyendo
sin ningún contenido
ni asentimiento.

Regreso de la inocencia
que no marchitó su acento,
a las horas desiertas
de los días exentos.
No pienso ni deseo; desligada contemplo
cómo se me van las noches
de mis ojos abiertos.

22-8-74

Nos vamos al mar.
Se nos anticipa el ánima
para irnos al mar.
Estamos pensando en las olas
alrededor de la espalda y el pecho,
crujiéndonos con su abrazo
que amenaza y promete la muerte...;

en abandonarnos, cerrando los ojos
para oírlo gemir pronunciando su nombre
a las criaturas que estruja;

en cortarlo en lentas
inexpertas brazadas,
mientras penetra en lo hondo, que duele
fresca insatisfecha herida.

Nos vamos en busca del mar.
Ardiente es la prisa por alcanzar su orilla
antes de que la sequen las hambres
del desearlo tanto.

24-8-74

En mitad de la tarde
alguien ha dicho este nombre.

Se mira cuanto palpita, y no hay nadie
que no sea la tarde en el campo.
Se escucha y no hay quien produzca
ninguna voz.

Y han llamado.
Han dicho eso..., el nombre.

Los árboles, no; tampoco la tierra.
Vuelan redondas cigüeñas calladas
y no reptan ni nadan ni corren
en torno nuestro.

Y, sin embargo,
dijeron, lo oímos, el nombre.

Los ojos aprietan su ser, y lo oscuro.
La tarde total en el absoluto campo.
Ni pasos ni roces, ningún ser alienta
sobre el mundo entero vivo.

Pero, llamaron. Sí.
Dijeron el nombre.

24-8-74

Incomprensible presencia de tantos pájaros
volando infatigables alrededor de lo quieto,
de lo pensativo, de lo ensimismado.

Imposible contemplar sus alucinados giros
por no se advierte qué, aunque se ahínque
toda la atención en ellos.

Son pájaros absurdos, aleteantes pájaros
que nadie ahuyenta, atrae...; aves
que nunca aquí volaron.

¿De dónde despegó su circular viaje,
y hasta cuándo girarán, tan ciegos
que no ven la tarde deshecha entre sus alas?

Van a quedarse siempre, no encuentran la salida.
Van a volar así hasta el final del mundo.
¿Quién empujó a venir, para quedársenos,
a estos pájaros mudos que no se posan nunca?

24-8-74

Las ventanas abiertas a la noche...,
los cuchillos afilados, las hachas;
los cristales quebrados...
El ruido minúsculo, ocultadizo, que repta
por medio de la oscuridad.
La voz que se oye sin escucharla
y que dice no se sabe qué.

Miedo.
Un tremendo gemir de las cosas
que no se manifiestan a la luz del día;
que no se conocen aún enemigas
y que azotan sigilosamente.
No moverse, resistir con los ojos abiertos
atropelladamente latiendo
con un corazón parado casi,
cuando alguien avanza poco a poco,
acercándose... ¡sin llegar todavía nunca!,
a c e r c á n d o s e ...

25-8-74

Me gusta su voz y la temo.
Porque golpea en misteriosas memorias
y en asfixiantes presentimientos.
No se dirige a mí, pero me sabe
alerta a su caer, gota cálida a gota,
mientras aprieto los labios para no quejarme
de tanto sentir cómo me hurga,
huye y despedaza.

No la quisiera cerca de mi cuerpo,
porque entonces se lanzarían a ella
esas criaturas inconfesables que llevo
aherrojadas en mis entrañas.
Quiero que brote lejos, casi cerca, pero lejos;
para dejarla azotarme fiera y dulce
sin que pueda alcanzarla en un haz
si mis brazos extiendo.

Me gusta su voz porque retiene brasas
y otoños que se precipitan hacia el mío,
sonriendo y clavando sus hojas
como si yo no existiera.

25-7-74

Volveré la espalda ante ella cuando la vea
para saberla allí a punto de ser mía,
y aplazándomela.
Quiero padecer su imaginado contacto,
negándomelo todavía un tiempo más.

Voy de la tierra áspera y soberbia,
del monte que parece esperar, pero engaña.
Y quiero tomar muy despacio
esa mar que contiene mi sed avarienta
con una pasión sin colmo.

Permaneceremos quietas, cerca y retenidas.
Cuando no pueda más y mi cuerpo trepide
de su voraz deseo, me dejaré caer
de espaldas también a ella:
para prolongar el sueño largamente vivido
de entregarme indefensa a la mar,
a la mar mía.

25-8-74

Olor y tacto. Música los dos.
Un oler suave que adelanta a quien lo lleva,
y tocar su presencia resonante en las manos.

Se completan y se prolongan
en una memoria larga y fina
cual un terrible cuchillo.

Y en la oscura sentencia del Tiempo,
se *oyen* ambos con todo el cuerpo.

25-8-74

Va el cuerpo, prisionero de sus ligaduras
blandas, viscosas y, sin embargo,
no resbaladizas, sino opresivas e indesligables,
rebelándose, revelándose cuerpo insumiso
contra el acoso a sus vertientes.
  El cuerpo
asfixiado de sí mismo, queriendo quebrantar
el ramo de las ataduras.
  El cuerpo
suspirándose libérrimo de su contenido
en impulsos, evadiéndose de su propio bulto,
que lo elevan y cristalizan.
  El cuerpo,
amontonándose encima la mar.

Se puede caminar por ella;
es gruesa y compacta esta mar
en la que se mete el cuerpo quedamente
y aprende a mover su peso
con temerosa cautela... Quiere
deshacerse en el voluminoso líquido
sin dejarle mancha ni trazo ni espuma.
Incorporársele íntegro
quisiera el cuerpo.

Para nunca jamás las quemaduras,
la ruptura de frágiles frenos
que después su precisión recaban.
Para nunca jamás ese trallazo súbito
de la viva razón... El cuerpo
va adquiriendo su paz.

Sólo es la mar, sólo es la mar; sólo es la mar.
Es ella la que devuelve al cuerpo
la inconsciencia que fue desvaneciéndose
arrebatada por labios, besos y palabras.
Dulcemente reasume
el largo viaje terrenal del cuerpo
y lo lava con silenciosa insistencia.

Atrás. A lo profundo del tiempo perdido,
tiernamente se vuelve; el arrullo
de la atroz inocencia
intenta recuperar al cuerpo.

¡No muerdas, como si reaparecieras hombre
o mujer, desatentadamente!
¡Apaga, disgrega, disuelve,
ácido de Dios, al cuerpo!

Nadie como tú, a nadie como a ti, como tú tomas
al cuerpo desmemoriarte, nadie
tuvo ni tendrá semejante entrega. El viento
aprieta su collar de brisa al cuerpo...,
y es una simbiosis en plena vida
la que componiendo estáis.

Libre ya de sí y en el refugio esquivo
del pensamiento,
todo se deshace y todo se construye.

cuerpo
ya no sufre sus manos ni ojos,
vaga
en los firmamentos del espejo fluido.

¡Ay de los recuerdos que agonizan,
del lúgubre canto de las madrugadas!
¡Líquido resbala entre la mar más suya
y olvida; por fin olvida
que hubo de ser para la tierra un cuerpo!
Sólo en la mar, sólo en la mar, sólo en la mar
le es posible libertarse al cuerpo.

Mar Menor, 12-9-74

Apuntalada la sombra en el suelo,
rígidamente extendida,
danzar con alegría en torno suyo;
danzar como salvaje que recobra
el dominio de su comarca,
acribillada antes por voces impuras
creadas por la civilización.

　　¡Alegría de ver que a la sombra retienen
　　centenares de clavos profundos;
　　alegría!

Vienen y miran el suelo
con absorta expresión ignara...
¿Esta es una sombra que arrojara alguien
desde su cuerpo a la tierra...;
cómo puede vivir un ser cualquiera
sin llevarla pegada a su cuerpo?

Y se danza se danza, se salta
alrededor de la sombra sujeta,
de la prisionera sombra
que al cuerpo asfixió tanto tiempo.

　　¡Alegría de verla en el suelo
　　humillada y proscripta,
　　alegría!

Los hombres la miran, rodean:
¿para qué estará aquí?, se preguntan.

Mas, vienen mujeres curiosas
que anhelan su libertad, y gritan:
¡es una sombra que anclaron
porque nunca abandone su muelle,
y que el *otro* vaya
solitario a la mar, a las voces!
¡Ay, quién pudiere ser cuerpo
que no tiene su sombra sujeta!

Y se salta feliz, se hacen círculos
que a la sombra la encierran.
Y se grita con dicha explosiva
que ya nada la mueve, sujeta
a sus cientos de clavos agudos,
inmovilizándola.

    ¡Alegría de no tener sombra,
    alegría de ser cuerpo libre
    y en el sol no ser árbol redondo
    con su sombra, su argolla,
    en las ramas!

Mar Menor, 14-9-74

El *no* rodeado de piedras pulidas,
el *no* brotando de lo profundo del suelo;
el *no* como un cosmonauta perdiéndose
en espacio irreal, retornando.
Proliferando vegetaciones urbanas,
desmenuzándose en lluvias atómicas...
El *no*, criatura que no pierde un ápice
de su feroz poderío. El NO.

Atosigados lo asedian. Inútil.
Es todopoderoso; dispone de metralla
casi invisible, infinitesimal; el *no*
es un artillero capaz de hacer blanco
entre las pestañas de un niño.

Desesperados le gritan, cuentas le piden
por su inexorable persistencia.
En vano, todo es en vano. Para el *no*
invencible, todos los gritos son vanos
estremecimientos del aire.

Contemplado de lejos, un mundo
de misteriosa cohesión; un astro
de imposibles acosos. El *no* es un ente
que sustituye al Creador y persiste.

Mar Menor, 15-9-74

UN MOMENTO EN MANHATTAN

Pugnantes vegetaciones
apretado bosque crean,
arquitecturas erectas
se propagan desde el suelo.
Estatuas son en creciente
que absorben luz y reparten
prismas de sombra, diedras
geometrías de cemento.
No es al vuelo a lo que invitan:
hincan su hambre de espacio
que devora a las criaturas
propagándoles su siembra.
Fuerza son, fuerza avarienta
de traspasar esa pulpa
gaseosa de los cielos...
Impertérritos gigantes.
Dedos que señalan ríos,
que descubren arboledas;
radios circunferenciales,
esferas de las miradas.
Algo hierve muy debajo
de vuestras basas metálicas
y os empuja perforando
la tierra vieja de pastos.
No abruman vuestras presencias,
esculturas sois del viento.
Trepamos vuestras entrañas
y nos parís al espacio.
Todo es fuerza que desata
la oscura raíz marina:
transatlánticos en pie
para acoso de los astros.
Cuánta remota presencia
aparejáis al que os mira
desde las frentes en falo

que en las entrañas rebuscan.
Sangre vuestra soy, subiéndoos;
voz otorgo a vuestra altura;
arriba os llevo mis ojos
para que me los pobléis.

Porque la ciudad es una inmensa criatura.
Criatura que se revuelve, discurre, irrita, se amansa
con jadeante ajetreo.
No son hombres tan sólo y ciudad:
sino piedra en la misma existencia:
ordenada a cordel y, hasta a veces,
dulcemente oblicua, tiernamente curva...

Palpita en cuanto se mueve. Ni esto ni aquello, es
junto y vivo todo como el valle y como el monte.
Unos ríos rectilíneos selvas de calles son estos
ríos de las casas...,
que casas no son, sí fraguas para el cristal y el cemento.

Callan, sí, los rascacielos; no contestan a los hombres
por cuya protesta existen.
Mas no los penséis ajenos o indiferentes: un todo
diseminado o en haz, una formación armónica
para la pujante isla.
Tendones, músculos, nervios de hierro domado tienen
estas criaturas extrañas que participan del hombre
sus roncos ciegos furores.

Reptando soterrada advino urente inquietud incesante
de poder alzarlos donde soportaran los cimientos.
Corrientes oscuras eran de basálticos estratos
las ansias de acontecer por entre socavaduras,
desde la pulpa volcánica.

Igual que tallos feroces dejan raíces abajo
para romperle a la tierra su resistencia, emergen
hacia la luz y se cuajan para ella entre sus flores.
Frutos, no; que no dan frutos
estos del cemento seres.

¿Frutos, no...?

¿Acaso las extensiones que abajo vibran o aúllan
frutos no son que a los ojos se ceden para la altura?

Entera es la tierra el fruto, el que ellos señorean.
Ellos, sí; los rascacielos tienen floración abajo
y nuestras miradas caen por convulsionada ofrenda.

Asiento a tales atroces, conocerlos se incorpora
a la memoria de hallazgos, porque son más que materia:
son seres que se adelantan
preconizando el mañana.

Hubo de ser por un pueblo hecho con hombres venidos
de frustraciones remotas o conflictivas pasiones,
por quien irrumpieran casas prematuramente extrañas:
tumulto para el acoso que derribara al pasado.

Crecen edificios ciegos como algunos ruiseñores...,
pero no pueden cantar ni parpadean sus ventanas.
De las cuencas de los ríos y al calor de sus orillas
surgen sin poder volar.
Manhattan vive agrupado
en edificios-estatuas, afronta a la pedante erguida
con una antorcha en la mano.
Firme y compacta su proa, agudos prismas y dólmenes
a los que el agua duplica. Interminable teoría
no formada por doncellas.

No convivo con las calles ni con las gentes convivo
de esta compleja ciudad cuyo intenso suelo humano
a la claridad prorrumpe por sus fríos edificios.
Las más imponentes masas de planos disciplinados
hinchen una población que se completa a sí misma.

A todo creces opuesta, oh Manhattan, oh ciudad,
y sin que la luz te falte sin el descanso te aumentas.
Yo no intento compararte con Europa ni con Asia
cuando mis pasos transcurren por los cauces de tus calles.

Muchos vieron sólo en ti cruento dolor y la rabia
rebotándote en el vientre... Confieso que reprimí
mis percepciones más blandas, para recibirte a ti,
ciudad recién aprendida.

Lejos, sí, de la armonía de aquellas viejas ciudades
que acumulan en su historia múltiples arquitecturas,
que son los estratos cultos de otros siglos ya fundidos.
Tú eres un magma ciclópeo, de los volcanes fluiste.

Desde arriba conseguí, crujiéndonos, abrazarte;
y te contemplo de lejos ya metida en tus imágenes,
y revierto a tu corriente.

Que no me reprochen, no, el no haberte conocido
en lo tuyo oscuro o turbio,
pues tú sola, geometría, a ti sola, espacio y aire,
he querido contemplar desde tu piso de acero.
Isla con esculturales presencias de inmensos dioses,
yo me gozo en proclamarte como arquitectura olímpica;
de este siglo Partenón, tus casas son cariátides.

No sé si regresaré (Florencia, Constantinopla,
Atenas, Venecia o Roma...) al Manhattan prodigioso
de las líneas colosales.
(¡Oh México, nunca a ti quisiera yo el olvidarte!).
Isla-Faro tú, Manhattan, desde esta mi tierra antigua
yo te pienso y te recuerdo, te re-miro contra el cielo.

Confieso que no busqué a la gente amontonada,
porque ya la conocía; miraba sólo tu altura;
tus casas, premonición de ignorados continentes.

Hija de líneas redondas, prisionera fui del círculo;
y ahora tú, con verticales que consumen el espacio,
aconteces materiales que apenas usados, usaste.
Desafiante al recuerdo que obligar tu ser pudiera
a repetir el camino..., estas formas que dictaste
harto expresándote están.

             Y,
             ¿no piensas tú, Manhattan
             (no piensas, lo sé; lo he visto
             que careces ya de tiempo
             para pensar), que tu ansia
             de conseguir el espacio
             cada día más te aleja
             de tu origen...?

             Las manos que te crearon
             manos de los hombres son,
             que ni ves tú desde arriba.
             Esclavos tuyos inermes
             se lo sacrifican todo

a tu verticalidad: por dentro
causan y curan heridas
que te infiere el uso duro.

¿Qué decides desde arriba:
aprisionar a los astros
valiéndote de los hombres
que se pudren y sollozan,
amargos desesperados...?

Mortal orgullo, Manhattan.
Soberbio serás todo, altivo
siempre pugnando del suelo
que avariento se le agarra
a tus raíces de hierro.

Porque sujeto te tienen
aunque subas sin descanso.

New York, 14 junio 1974

CITA CON
LA VIDA

1976

Carmen Conde en La Unión (Cartagena),
15 de agosto de 1971.

I

Al abrir la puerta, en el umbral retenerse,
todos los campos del mundo repletos de ríos, de árboles,
se le vinieron encima.
Unísonas las balsas se juntaron
sumando un tierno cielo intacto.
Sobrevino un largo apresurado palpitante vuelo
de las aves nacidas en el mismo día:
si unas para cantar en las otras cantaba el aire.

Se olía dentelleado el pasto
por desnudos rebaños temblorosos de brisa,
y alguien, a infinitas distancias, gritaba nombres
nunca dichos todavía en la Tierra.

Ninguna hora precisaba tiempo, que se diluía
en impalpable corriente átona.
De los tibios rumores del crecer de las hierbas
sólo percibían los insectos el tenaz empuje.
Se estaba a la vez en todas las criaturas
y en cada una de ellas,
asumiéndolas con voracidad por ansia
del vivo fermento incorporarse:
que entresijos conforta hacia evasiones lúcidas.

Jadeante se removía, pugnando, la savia
nutrida por telúricas sabidurías

En *Cita con la vida,* el poema VI fue una *anticipación* escrita en los días 3 y 5 de febrero del año 1972. Del 15 al 31 de agosto son los poemas hasta el XXV. Y en diciembre del mismo año 1972, en Moguer, se escribió el *Cántico final.* En los poemas XXI, XXIII y XXV se encuentran palabras moriscas. Algunas las conocía por haberlas oído en mi provincia, lindante con la de Almería; y otras las tomé del historiador Ginés Pérez de Hita, de Lorca como mis antepasados maternos. (N. de la A.)

que la obligaban, empero, a hincar su cerviz en experiencias nuevas.
La memoria perdió su peso mineral, aligerándolo
en la súbita ascensión a lo desconocido, que
poco a poco iría recordando.
Manos invisibles y copiosas rezumadoras de barro
oprimían formas dejándolas, blandas aún, a la orilla
de las húmedas riberas susurrantes.

Había que gritar, que gritar, aullar para que la hermosura
no destruyera los cuerpos en éxtasis,
vaciándolos de vigoroso creador empuje.

Mas,
no al grito, si necesario puñal acometiente,
desatador de actos liberadores, tensa recuperación gozosa
del estático ademán que asume
el apenas entrevisto universo revelándose.
Callar, sí; callar atónita.

Acaso de entre la selva mullida pudiera extraerse
un sonido otro, acorde con la pasmada
enajenación de la belleza.
Más allá de cuanta visión abarca el ojo ávido
existe algo visto por unos ya no vivos,
y el prodigio nos lo sumara acaso.
Mirar, sí; mirar absorta.

Va a caer el día, disco a la exactitud del tiro
que certero continuamente lo lanza.
Atrás; a la espalda, queda impávida una tabla
arrasada del bosque. Y la soledad.
Antes que la noche, apresurándose a hendirla
cuando es vulnerable aun su acometida.

      —Cerrando la puerta inaudiblemente,
      la crédula recién nacida para el empeño
      empieza a mojar sus plantas en el camino.

«Brocab»ß, 15-8-1972

II

No esperaréis que se empiece un camino, el Camino,
despacio y con sosiego. Porque
hierve la sangre con su desbaratada prisa,
con su hambre de lejanías. La criatura brota a correr,

se cansa y acorta el paso. Más allá
se detiene. Y mira.
No hacia atrás, no; aún no lo hace:
sino adelante. Sabe sin saberlo
«que se hace camino al andar».
Por ello quiere correr, bebérselo pronto.
Y se va gastando en carteras locas, entrecortadas
carreras que un día, de pronto,
frenan en seco. Para volver a mirar; sí;
ahora hacia atrás.
A donde se vino.

Mas todavía no es hora para ella,
que camina gozosamente embriagada:
sus brazos, airosos; extendidas las manos hacia el vuelo,
y alta la frente asediada por obstinados cabellos
que de fuego arden lenguas.
Va inaugurándolo todo, concurriéndosele,
elemental figura frágil, fortísima.
Joven.

¡En este pecho entra el mundo!
Lo constatarán aquellos que irán conociéndola
y oirán su voz caliente, resplandeciéndolos.
Cuando ya lo que lejos quedó comience a gemir
alrededor de ella;
cuando las desgajadas raíces viertan su licor pardo
y aúllen en las entrañas,
entonces aparecerá la angustia:

No se resignará con ella; ¿tan mísero ser la angustia!,
sino que la empujará violentamente
reintegrándola a su origen. A su cueva. A su alvéolo.
Y entonces...
Mas, no; no de nuevo a todo lo que sobrevendrá.
Aún no ha llegado el llanto.
Por el camino, sin presentirla, aparece una fuente.
Bueno es el pretexto de la sed.
Y la que iba, acorta el paso.
Se para y se sienta junto al agua
reciente, como ella, en su acontecer.

Primero, el rostro.
La frente, las sienes, los párpados, la boca;
entre las manos juntas, cóncavas,

beben los labios del agua sutilísima y fría
que se escurre hasta mojar cuello y senos.
Así refrescada, reavivada, hay que lavar los fatigados pies.
Rodillas luego de piernas,
y el reposo inunda. vientre y plexo, apaciguándolos.

¿Cómo no bendecir al agua, cómo no pronunciarla con cánticos?
Las palabras, independientes, libres y propias
van cayendo a la fuente: al cuenco
rebosante por la fluencia del chorro puro.

¿Quién corroe la superficie del agua;
cómo y por qué comenzara a llagarse
transformándose en sombría, opaca turbia agua
que si se bebe es amarga como el rejalgar?

¡Oh desasosiego punzante, acribilladora angustia súbita!
No hay quien detenga a los ojos,
quien gobierne sus miradas, ahogándose hacia el camino.

Una se tiene y se contiene; conoce sus provincias
más secretas y ardientes.
Mas no esta desazonada ira, este irrazonable deseo
que se levanta gigante arrollándolo todo.
Se confunden ayer y hoy enlodando un futuro
al que arrancan su esperanza.
Empujar, empujarlo hacia atrás; o mejor aún:
llevarlo todo, absolutamente todo,
a la cima más próxima. Y abandonarlo allí.

¡Fuerzas, volved! Se le niega el rostro
a la fuente ya no propicia.

Se levanta la mujer y reanuda el camino
empujando su no todavía inllevadero fardo.

    —Totalmente de noche. Oscuro el cielo. Silencio.
Los pasos, no tan leves ahora,
retiñen en vasta extensión sonora.
Ha de ser un pájaro, un ruiseñor en celo
el que prorrumpe en el cielo tenso,
clamorosa, arrebatadamente.

    Canta un pájaro en la noche y ella sola lo oye
        mientras anda.

III

—No camines de noche ni vayas sola.
Cualquiera puede esperarlo todo desde lo oscuro
y lo solitario. ¿Cómo te defenderías, dime;
a quién pedirías apoyo si yéndote sola
te sobreviniera lo imprevisto?

—Pues hay, que cantar; yo recuerdo canciones
de mi niñez para espantar el miedo.
Además, ¿qué es el miedo, dímelo, madre,
cuando una va tan segura de sí y de la creación...?

—Nadie.
No es nadie el miedo.

(¿No?)

   —¡Más limpia quisiera el agua
   que me está llegando al cuello
   y viene sucia y amarga!

—¡Oh, cómo se engaña la voz aupándose los sonidos
para entretejer los pasos!
Pero así no se cantaba nunca entonces.

   —Algunas veces se canta
   sin que lo sepa la voz
   ni salga de la garganta.

—Tampoco era así, tampoco; haz un esfuerzo, recuerda.
Eran otras tus canciones o tus rezos
cuando niña...

   —Como me echo en esta cama
   me echaré en la sepultura.
   ¡En la hora de mi muerte,
   ampárame, Virgen Pura!

—¡Ah que no la olvidaste aún,
que tierna sigue en tu entraña...!

   —Hace tiempo que me fui
   por esos duelos de Dios,
   acordándome de ti.

Se interrumpe el mudo hablar que mantiene andando,
pues hay piedras con ojos, ramas que acarician
y un sordo trepidar proclama
que arrecia su golpeteo la sangre.

       —Me sube a los huesos sed.
       La sed me come y recome.
       Ya no puedo desprender
       ni de la lengua mi nombre.

¿Quiénes cabalgan desde las cimas atropellando
manadas de toros que polvaredas azotan?
Rostro informe de la Noche, ¡muéstrate!

       —Perdóname la tristeza
       que no para de roerme
       de los pies a la cabeza.

—No, no debieras irte sola.
Hay las cosas que se saben y otras que son misterios;
pero matan, yo sé que matan. Y tú vas sola.
Sola... Sola...

       —Es muy tarde para hacer
       de este pedazo de muerte
       otra vez una mujer.

Son los tigres ahora.
Latigueantes criaturas escurridizas
los preceden junto a pantanos viscosos.

       —No puedo detenerme.

—No puedes detenerte.
       —Tengo que caminar, que llegar, que poner
       esto en la cumbre.

—Tendrás que llevarlo, sí, intentando dejarlo.

       —Nunca estoy acompañada,
       porque de aquella que fui
       vivo ya deshabitada.

Se desploma silencio.
Ferocidad del hambriento silencio.

¿Qué persigues; grítalo; por qué
os calláis, noche, fieras fugitivas,
torvo ganado sin aurora el que en mis brazos brama?

      —Lo que pasa es que no pasa
      porque todo está pasando,
      y aunque pase lo que pase
      una lo tiene olvidado.

Brutal explosión celeste:
a los cáusticos reptiles sigilosos humillados
y a las calientes aulagas,
doblega a dejar paso, playas a la luz del sol.

IV

   Una mañana es la fruta más rotunda de la Tierra.
   Una mañana se huele como huerta incomparable.
   Una mañana es un hombre y una mujer que se aman.
         Todo un dios es la mañana.

   A la mañana se nace con el rocío en los labios.
   A la mañana le ofrecen calientes campanas rojas.
   A la mañana le tiembla el musgo entre las axilas,
   dorado sudor de trébol oliendo a amor en la boca.

   De la mañana prorrumpen los arroyos sin estribos.
   De la mañana porosa nardos chorrean y cactus.
   De las mañanas emergen los sexos acantilados.
   De la mañana las plantas con el polen de las noches.

   Por la mañana camina, frente alta, oscuros ojos,
   la que, si queréis, nombrad como Dolores o Ana,
   o como Carmen-Narciso;
   o como Sísifo-Orfeo.

V

...Sino todos los pueblos danzando
al son y redoble de ancestrales acordes e instrumentos
que se veneran como a patriarcas.
Corros independientes unos de otros, enajenados
en ritual milenario. Por ellos, como por los cauces,
repta el monstruo atroz que dicen Vida.

Se queda quieta, arrobada en la minima porción de tierra
que sus plantas ocupan:
¿alguien se destaca, consigue bulto uno y propio
deslindando personalidad?
Los ojos buscan, siempre buscan a quien mirar,
para encontrarle. Uno. Indispensable el uno *otro*
para tomar contacto con el universo.
Y giran las ruedas, lo redondo gira siempre, gira
produciendo colores y sonidos, evadiendo
un clima sensual que crece y crece fuego
para los cuerpos ágiles en el salto y en el desvío.

Otros redondeles, monedas de trigo y de cebada,
contienen yeguas y garañones dispuestos
a esparcir sus gozosas semillas.
Algunos molinos vuelan sus blancos lienzos
produciendo rumor de naves bogando,
mientras las norias rebañan el agua a los pozos.
Es Grecia y Palestina a un tiempo
el paisaje mediterráneo que se atraganta de luz
cuyos bordes succionando la mar está.
Repentino hallazgo, por fin, de unificada criatura.
Sobresalto del expectante cuerpo
y loca fiera ansia de correr a su encuentro.
Toda la fuerza de la edad se concentra en los ojos
y logra su destino de aislarle a él, porque es *él,*
sacándole de la muchedumbre.

Diríase la naturaleza en paro. Coagulada.
Diríase que todos desaparecen, que sólo uno queda
para la aprisionante mirada hembra.
Cielo, tierra, arboledas, sembrados
tragados son por el remolino absorbente.
Y no permanece el peso que urgía colocar arriba,
rematando la pendiente...
Ligera, de latidos bruñida, cobre antiguo
para la densa maleza que el amor bate,
ella, a su tiempo, destaca. Se manifiesta.

Los dos frente a frente. En el circo desmesurado
agita su inquieta cola el toro
que no acomete raudo, sino que espera, espera...,
porque al toro le incitan los ritos solemnes
de la anteposesión mutua.
En los circos pequeños de sus cavados ojos

cercados por llamaradas aleteantes,
se reflejan ella y él, húmedas teas
resinosas, simultáneas prendiendo.

Hay que acudir a la dorada arena, a confirmar del toro
su razón de estar y ser.
Un dogal infinito unce todavía de lejos
a los cuerpos que se atraen.

El concierto de astros, contrapunto de estrellas;
el trueno del bramido se retarda,
acumulándose está en la oscura garganta ancha
para estallar —arrancada de poderosos remos desde la arena
volteándola en polvo que enturbiece el universo!—
en un bárbaro trompeteo de pateadas glorias.

Ya se detiene. Se contiene.
Manso, la hirviente lengua adelantándose del atronador cuerpo,
el toro acerca, reúne, precipita.
Suave, mínimo ahora, casi cabe en los brazos de ambos;
y alienta, alienta, asordándolos,
clarineteándoles escucha de ellos mismos.
Los va empujando al mar lamiendo, el horizonte
para que allí rompan a amarse,
sobre la gran tierra del toro.

VI

Distante, abajo..., distante...;
para la tierra sin roturar aún,
en frente del solitario golpeteante eterno,
posible que hasta acechados por multitud de fieras,
por enjambres, por bandadas de aves...
Una mujer y un hombre, incrustados, se aman.

Dos vulnerables criaturas jóvenes e inestables
—que no saben apenas ni presienten qué
existe al otro lado de la tierra y del mar o arriba de ellos,
porque no oyen cantar, ni rugir, ni batir las alas—,
conocen sus propios cuerpos, los acarician: se unen.

Escuchan, sólo un instante, desbordadas mareas turbias;
y la humareda fragilísima de las aves
concierta o sobresale del salvaje fragor ronco
de las bestias que olisquean dorado sudor de miel.

Los dos, ella y él, intransferibles corporeidades
que, por un éxtasis, se confunden en una sola persona
cuajando edades y acumulaciones geológicas
y prorrumpir en otro por la fusión de ellos.

Transcurre la delicada mano sobre la espalda, húmeda
de la brisa del mar y del olor caliente que se amontona
junto a la arena mínima, corroborando
que la vida está allí y que contesta ávida; no se interrumpe.
¡Cuánto el espacio crea para ofrecérselos!

No cabellos tiernos, sino filosas hierbas
recorriendo los torsos, viboreando entre el yodo acre,
la tersa cintura escueta, las dóciles piernas, firmes
reteniendo el impulso de espeso montón de vida
que deja su traza hincada; borra y rehace.

Ahora vierte a los ojos que desde la arena miran
su lento por velocísimo inapelable giro,
una fugaz galaxia acribillante... Gotean óleos
de otros mundos, lustrando a los amantes:
fosforeciéndolos.

Ninguna acuciante urgencia. Retened el momento.
Los cuerpos se glorían extendiéndose en la tierra.
Las memorias no acuden. Sólido está el olvido.
Cielo y mar compartidos. Masa de yerba y algas.
Otro suelo de estrellas, los ojos de las bestias,
los ojos de las aves, el cálido envolvente lienzo
del aire que de la sal sacudiendo va su aroma.

Acallados por amor, toda la piel revierte
de sus palabras confusas. ¡No saben ni acertarían!
Es una oscura y lúcida, una deslumbrada y ciega,
una obsesiva y libre, una tenaz y ágil:
la más elocuente de las músicas.

Cada vez más espacio retrocediendo avanza.
Crecen, vibran unísonos confiscando las olas,
acumulando tierra ante más gruesas mareas.

Son jóvenes aún. A todo confluyen. Aman.
Sobresalen del mundo. Se lo asumen. Lo incorporan.
Concurren juntos al gozo: cintura en brazo cintura.

VII

El amor es una montaña; una cordillera ondulante
es el amor. A su costado crecen y crecen las mares
que, algunas noches, desaparecen sorbidas por el cielo
abandonando en las secas rocas a los que se aman.
Desaparecen también esas rocas,
las criaturas vacilan en páramos que derrite el sol
y caen, se arrastran apergaminadas por la sed.
Van a morir ya, ¡ni respiran siquiera...!
Cuando unas nubes repletas de lluvia fluyen
mansa y dulcemente, requiriendo al mar, que retorna
e inunda los fallos, rebosa y baña
nuevamente la cordillera.
Ateridos en el vientre del firmamento,
cantan dichosos y recuperados los amantes.

El amor es un sembrado de tumbas frescas y regadas
por auroras piadosas cubiertas de flores.
Cayéndose, levantándose, volviéndose a caer, resucitar
para morirse juntos,
entran y salen a las tumbas los amantes.
Pierden la conciencia, olvidan sus nombres, buscan el origen
y se entregan a serlo para los que vendrán después
de tanto amarse.
Nada tan erótico cual la amenaza inapelable
de la muerte ahí, aquí, alejada en el estremecimiento
que la burla, imitándola, y que se escapa
en una risa larga y dolorosa por su júbilo
que terminará en hueso.
Salta el amor, corza y caballo, salta el amor todas las tumbas.

El amor es la ternura más cruel del universo.
La más ciega necesidad de antropofagia.
Se miden los amantes cuerpo a cuerpo en el gozo,
Yo más que tú, mi amor te necesita hasta en la muerte,
y siempre dentro de mí; no me abandones;
¡o mátame si me dejas!
Y se consumen, se consuman, se extenúan
probando su bronco amor hambriento.
Que un día, esto es así, nadie lo olvide,
deja de ser amor aunque tampoco sea muerte.

Vivid ahora, atropelladlo todo, cortad las amarras
y empujad este sórdido bulto estéril
a la roma cima de la cordillera.

VIII

¿Los dos, a una, remontar juntos la pendiente
jadeando por el esfuerzo de llevar a la cumbre
el absurdo peñasco que mineral hizo al destino?
Antes de mediar el camino, sigiloso y hábil
te abandonará siempre el otro.
Estás sola para seguir, seguirás sola hasta llegar,
y, sola —¡ay qué dolorosa certidumbre para el futuro!—,
comprobarás llorando lo vano del esfuerzo.

No dijiste una palabra de reproche al que huía
sin compadecerte. Cerrando los ojos, partiendo lágrimas
de metal ya, sigues hacia arriba.
No es difícil aún, hay sol entre brisas suaves;
un turbio rumor de insectos entre las jaras bulle.
Se salpican de pájaros las ramas del bosque tierno,
y se quejan de celo las invisibles tórtolas.
Subes. Vas coronando la senda. Muda vas y sola.

Surge y te afronta un toro negro de entre los robles;
mordisquea floridas yerbas suaves
sobre sus patas lentas rocosas.
Zumba un estío litúrgico monte arriba, asintiéndote.
Ya es mediodía contra tu cuerpo que padecer sabe
sin ninguna queja; ni comprensión tampoco.

Esperas que desde la cima, vuelvan a regalarte el mundo.
Verás la mar redonda, coraza verde y azul del vacío
reflejando el vacío...
Contemplarás los sembrados que riega el hombre
con su agua y sudor horas tras horas.
Bajo tus ojos, sombríos ahora, circularán corrientes
estrechas o dilatadas en busca de océanos.
Apenas se divisarán las criaturas atareadas,
desde donde vas a mirarlas tú.

Llegar hay que llegar, aunque la vida rompa este esfuerzo
de ir, paso a paso, empujando la piedra
repleta de cuantos metales del suelo.

Llegar, afianzarla y descansar; dormir acaso
al despiadado amparo de la campana del cielo.

En una minúscula charca, súbita cabe los robles,
bebe, picoteando el agua Mínima y fría
un ave colorada cuyos ojos son dos ónices.

IX

¿Esperaba la cima que le aportaras tu carga;
es, sin que lo sepas, un tributo heredado para cumplirlo a ciegas?
Porque he aquí el círculo para su asiento, el lecho
de yerbas de trébol que lo asedia, aguardando.
Llegaste, atropellándote el resuello agónico de la subida
sin descanso. Y, lo ves; sabes que este hueco
es para tu peñasco. Acabas de comprenderlo.

Victoria rotunda la tuya, Carmen, Ana,
Narciso, Sísifo, Orfeo.
Has traído a la cumbre un pedazo brutal de la Tierra
más dura y metálica que de mina pudo arrancarse.
Una mirada grande, respirando tomillos en flor y sales
licúas desde la conquistada cumbre.
Está bien lo que está, lo que se gana sufriendo
y sin quejarse del peso que empujando fuimos.

Un minuto escaso, unas décimas de minuto,
apenas un suspiro más lento que los otros del ascenso;
un relámpago velocísimo, apenas, sí, apenas.
Apenas posado en su alvéolo el peñasco
comienza a rodar, a caer presuroso por la pendiente.

A rodar por la pendiente; a rodar por la pendiente...;
implacabilísimo,
a rodar por la pendiente.
Retumba la montaña, millares de piedrecillas trizan la senda;
y, por fin
—¿quién mide el tiempo, quién mide, quién mide...?—,
descansa la piedra en el principio de todo:
al pie de la montaña.

Los ojos te van rebotando; aterrada otra mía,
hasta juntarse con aquello
que fuiste subiendo paso tras paso a la cima,
para verlo retroceder hasta el comienzo de tu tarea.

Habrá que volverlo a subir. Porque sabes que existe un hueco
—aquí preparado desde que brotó la montaña—
para su definitivo asiento.

X

Antes de emprender el descenso, meditas.
¿Propiamente meditas...? En puridad no lo sabemos.
Descansas, eso sí; descansas buscando sombra de algo
que su sombra cambiante ofrezca.
Lo acumulado por días y por noches, por el tenaz tiempo
se ha perdido...
Una profunda desesperación inmóvil ataca
y muerde tus entrañas. Te sientes pobre
hasta de querer seguir siendo tú misma.
Suele desfilar en un segundo de la agonía humana
río interminable de ortigantes recuerdos.

Mas, ¿qué vas a hacer aquí sentada
a la sombra, que se muda, de este árbol vicio
multitudinario de gimientes hojas?
¿Para qué esta memoria de seres y de palabras
ya marchitas en su propagación...? Levántate
y camina de nuevo.
Desciende poco a poco; no te apresures en volver a donde
sabes que te aguarda lo que ya hiciste.
Recuerda también mientras vas retrocediendo
que todo en el mundo estaba ya hecho.

Andar vivifica; caminando lo adviertes.
Lo que desangra es la inmovilidad, el ser pasivo
en medio de la vitalidad ajena, e inconsciente.
Tomar posesión del cuerpo en movimiento ofrece
otra finalidad de ser, la más radiante.
Y cuando llegues abajo, canta.
¡Queda todavía tanto en tu sangre
para tomarle y ofrecerle al mundo!

XI

Hela aquí nuevamente en el llano. Devuelta al comienzo.
Al renovado ajetreo de las cosas
y de las criaturas que infunden y acaban las cosas

entre los días y las noches, sin incorporársela
definitiva e íntegramente.
Hela ahí proyectada en los actos humanos
en que sí participa entusiasta: el amor, la amistad
y, a solas, en su secreto mundo místico.

La tierra fue perdiendo su densa plenitud; ahora
vuelve, que no principia, la gruesa repleta mar.
Porque ella —nunca lo hubiéramos olvidado—,
porque ella no es de la tierra, es del mar.
De la mar.

¡Oh libertad de las mares, anchísima libertad fiera!
Se abandona el puerto y se la sigue oyendo rumorisquear,
mirándolo alejarse, desde el barco.
Sobresalen, sobrenadan las voces largo tiempo
hasta individualizarse. Quedan, unas tras otras, sonando
eólicamente.

Nadie puede olvidar; si se fue en un barco,
cómo resuenan en el puerto las voces que le despiden;
y las que, ajenas a su partida, van y vienen
alternándose.

¡Cómo dicen; fuera de las palabras, las voces
su propia densidad, su cargazón de entraña viva!
Antes que el cuerpo ardientemente posea
es dueña posesiva del cuerpo de amor, la voz.

Ya entre ella y la tierra candente
ha sobrevenido el mar. No hay piedras
en la mar. Las olas son cimas que deshechas llegan
y si levantan una mole hasta el mismísimo cielo,
la dejan caer, la derrumban
sin humanas ayudas ni esfuerzos.
Aquí no se resbalará el peñasco por la pendiente,
obligándola a subirlo otra vez y otra vez...
¡Oh libertad de las mares, anchísima y fiera libertad!

Mas, ¿y el naufragio que irrumpe, atronador,
desbaratándolo todo, sorbiendo la nave para arrojarla
brutalmente trizada?
¿Y la desorbitada peripecia ni imaginada un punto
de la desintegración del navío?

Remolinos, embudos feroces, galerías interminables
por entre los que se debaten los náufragos
divinamente desamparados.
Nadie acudirá a los gritos, nadie aprestará su ayuda
a los agonizantes. Nadie vela por nadie.
¿Nadie...?

Ella se reconoce llevando una carga informe,
empujándola con un brazo mientras el otro
nada y nada apresurándose.
a extraerla, extrayéndose del caos líquido.
No va sola en su empeño de salvación: lleva
no sabe a quién consigo.

Dentro del mar no se ve el mar; se es lo mismo.
Y ella empuja, empuja, nadando siempre
para alcanzar una orilla cualquiera.

Milagroso hallazgo la isla súbita —¿real esta isla...?—,
a donde arribar con su compañía.
La va a tocar, se alarga alargando su carga
y, de pronto,
mazazo infernal, diabólica frustración odiosa,
llegan las bárbaras olas y vuelcan a ambos,
llevándose —¿a quién?—, y respetándola.

La voz continúa, la voz
remata y arrebata y se disuelve
en una sal de duelo que poco a poco
vuelca el aceite de paz al oleaje...

Otra vez, Señor; otra y otra vez ha descendido
el indomable peñasco la pendiente.

XII

En verdad, de verdad nunca se sabe ni cómo
se escapa del naufragio; qué manos ayudan magnánimas
a retomar la protectora orilla.
Al abrir los ojos pisamos ya la quebradiza yerba
que tiñe con su oloroso jugo nuestras plantas.
Afrontándola como por vez primera,
otra vez la tierra.

Y a caminar.
A recorrerla, desmigajándonosla
nuestra loca ansia de incorporárnosla
en criaturas humanas y en animales noble
inocentes más que niños.
A decir «sí» y a decir «no», a consentir y a rechazar,
porque tal es el juego.

A suspirar entre un abrazo que asfixia
e impulsar a otro que se retrasa;
a reír y a llorar mientras se ama
desfalleciendo en inusitada muerte.
Porque así se nos manda.

Dudosa ante el camino, ¡oh inagotable andar!,
avanza abiertos los ojos, y los labios
respirando atosigados, porque quiere
poder caminar.

De momento, parece ser cuanto se nos pide
en tanto se nos obliga a estar, siendo
aunque ser no quisiéramos.

El implacable mandato otorgado
cual un don indulgente:
este de tener que obedecer.

XIII

Nunca representará un fácil juego aquel
del entrar y salir, casa por casa, vida por vida,
sino dejarse en cada irrestañables tasajos propios.
Tampoco fuera una fiesta la del incendio
devorándolo todo ante cualquier descuido.

O aquellas otras huidas a través de la guerra,
el terror a la traición, muerte precipitándose
por el asediado, con avaricia, aire.

O acercarse al amor con su frutal dehiscencia
y alimentarse de él codiciosamente hasta ese día
en que se muestra ya desucado, amarilleando como
un desgarrado hilo de sol en el poniente.

Llorar, llorar con los ojos secos, ronco el respiro
hasta que en las mejillas se pronuncian surcos ácidos
de una lluvia invisible, mas corrosiva.
Desolado llorar entre cuatro paredes blancas
mientras afuera gritan los hijos de los otros.

Descubrir una lumbre lejana y diminuta
y sacando increíbles fuerzas de no se sabe dónde,
acercarse lentamente a ella..., sigilosa para
que nadie interrumpa la iniciación emprendida.

Atravesar llanuras, a horcajadas riachuelos,
salvar los puentes de rarnajes en las quebradas;
sonámbula enfebrecida, pero la atraen
desde aquel luminoso presentimiento.
Detrás de cada paso la sombra, perro inseguro;
detrás de cada paso la zanja que abre el paso.

¿De qué resolución proveer a los brazos
y cual designio reservarle a la esperanza,
si habiendo ya colmado de vacío el vacío
palpa una mujer sus soledades?

Acometer empero el sendero abrupto
escalando la cima más hirsuta,
llevándole otra vez, como la primera vez hizo,
la carga atroz de que urgía desprenderse.
¡Oh, ya sabe, ya, que sólo tuvo un instante de reposo
antes de precipitársele todo a donde vino!

Pisarlos, sin mirar, los guijarros-dientes,
oyéndolos crepitar bajo las plantas.
Como aprendió a llevar lo que llevara antes,
ahora ni se advierte que lo lleva.

Agrupa los esfuerzos, conoce la montaña
y que en ella, acompañándolas livianos,
siguen cantando los pájaros.

XIV

¿...Y si brevemente dejara
cuanto le gravita, bajo un árbol...?
Podría considerar las distancias emitiendo

sus microscópicas radiaciones.
Tiempo para sopesar el silencio aparente,
porque mientras transcurre
se va moviendo el cambio.

Como eligiera, no puede abandonar.
Ofrecer tan solo al ocio momentáneo
una ráfaga de meditación.
Acaso se enunciaran los rostros convulsivos
de quienes la rechazan,
contrapunto de los otros
que le abrieron un amor que compartiera.

De misterioso inexplicable líquido invisible
proviene su embriaguez, si lúcida incurable.
Inútil heroína pararrayos
de estériles exhalaciones.

Martirios obcecados cuantos suyos
golpeándole sin treguas el cuerpo
para que sufra el ánima, reacia a la injusticia
que combate a gritos.

Podría convenir en que esta carga
que accede a relegar al suelo,
aquí descansaría eternamente quieta
si se desligara de ella.

Nadie la ha seguido, no vería
nadie su rechazo...
Sonríe bajo sus lágrimas, sonríe cuando recoge
aquello a que, por suyo, no renuncia.

XV

¿Habría permanecido cerrada la puerta
que presenció su partida, desde el origen,
llevándose el descubrimiento atolondrado
del encuentro desorbitado con el mundo...?

¿Recordaba los sonidos de aquel día, los olores
del campo dilatándose y luego
reduciéndose a pueblo, ciudad, llegando
a la insalvable montaña esquiva?

(Los nombres de las cosas.
La facultad de otorgar nombre a las cosas.
¿Por qué, se es quien y quién se es
dentro del mundo con las cosas con nombres?
Apenas cinco años en la Tierra
y en un momento insólito,
en un lugar absurdo,
se plantea el problema atroz: darse
cuenta del ser y de su potencia creadora implícita.
Desde entonces.)

Volver, volverse.
Tenía que haber caído la hora exacta,
sin oírla.
Cuando en los oídos zumba sus golpeteos la sangre
impide que se escuche cuanto no sea ella.

Pero todo regresa a su cueva caliente,
al manantial del que tira el Río.
Porque envejecer es breve.
Nada de contar historias.
Ni de evocar los días y los hombres y los árboles.
Encerrar en una esfera las pocas cosas
que son más que cosas, que fueron seres,
para morderlas desde aquí.

Algunas sombras vacilan.
Se aferran porque cuerpos que esperan el buen brazo.
Ni mirarlas. Ni dejarlas saber que se miran
de soslayo: furibundos ojos de alumbre
a ver si las trizan y queman.

        (Apenas si ellos:
        palomas, caballos en sus cuadras del viento.
        Lúcidos seres gloriosos señoreando el campo
                    puro campo
        que, remotos, navíos fingían oponiéndolos
        a las naves del arrasado puerto.
        Al puerto de piedras,
        al calcinado espejo de la futura vida
        que, entonces,
        caballos, palomas rodeaban vaharándola
        como lenguas de bueyes vahararon
        los henos mojados de lluvia.)

Ya no queda nada, pero se está.
¿Qué, en consecuencia con el designio del retorno
hacer con el digamos atroz peñasco,
sumisamente empujado años tras años
sin conseguir inmovilizarlo fuera de ella?
¿Abrazársele para juntos rodar monte abajo,
deteniéndose, incrustador,
allí donde comenzaba a intentar
coronar la cumbre, y abandonarlo...?

    (El caballo permanece en la memoria, siempre
        a la puerta.
    Más caballos son aunque se diga «el caballo».
    Quieto, levantando los cascos y bajándolos
        de golpe
    para que resuene campana la calle.
    Impaciente porque intuye que se ocupan de él
        los hombres;
    que uno se lo está llevando mientras el otro
        padece
    porque se quedará sin él.
    Y al otro extremó de la calle
    la niña se detiene para volver la cabeza
    y mirar hacia aquello...
                Y comprende.)

¡Oh; sí, abajo, destrozados e inseparables,
se produciría la escisión absoluta!

    (Las palomas rebosan del palomar a la terraza;
    son tantas y tan hermosas y alegres criaturas
    que se mantienen rodeadas de aros del cielo
    en sus vuelos concéntricos.
    De pronto, avisadas por infalible instinto,
    todo lo interrumpen y caen, una a una,
    formando una tibia hoguera ancha
    bajo el ruedo del palomar.

    Y en la terraza, quieta y callada,
    la niña contempla cómo se detiene el ágil
    movimiento del ya melancólico recinto...
        Y sabe.)

Cayendo y levantándose malherida, irse
en procura de lo que la estaba esperando.

XVI

No.
Quédate ahí. No pronuncies ni un paso más
Abandona tu equipaje de arena en la orilla
y descálzate.

Cuando el sol abrase y te hinque sus dientes
cegándote,
desnúdate también.

Ya no tienes aquella breve palmera por cuerpo;
ni los vientos, ajorcas de tus tobillos cantan.

Aguarda contemplando; con amor hasta el fin recuerda
lo que hiciste y perdiste, para ganar
dentro de muy poco espacio
toda la mar para ti.

XVII

No lo hagas, no; no lo hagas.
Proclama tus días y tus caminos
con la ciega esperanza a que naciste.
Vuelve, si puedes, al origen. Vuelve
y retrocédete.
Recuperaras el hoy que fuera tu mañana
con larga hambre de futuridad.

Cuando abriste la puerta, aquella esclusa
ante expectante naturaleza,
avanzabas destino, recibiste designio
de realizarte íntegra.
Doliéndote
tú misma como si fueras otra
que padecer oías, cumpliste tiempos.

Sobre tus hombros reunidos ahora,
ceñidos a tus costados ya tibios,
traen rostros alegres los tiempos;
y rostros de muerte cuyo significado
te cuesta captar.
La esperanza es otro sentir;
la esperanza hasta eres tú misma.

Queriendo olvidarte de lo que te asignaron
buscas refugio en la memoria ancha
del sol que se puso despertando sombras
que, amontonándose, hubieron
de aplastarte.

No lo consiguieron, nunca pudieron
arrasarte mínimo resplandor de ocasos.

Ahí yace tu carga perenne, la tuya
irrenunciable. ¿A qué simulas liviana
que la vas a dejar para aliviarte
la tan padecida espalda enferma?
Farsa la tuya,
sonriente el escape al posible hecho
que no se realizará en tu vida.

Anda. Vuelve al camino aplazado
por fragantes evocaciones de viejos
avatares adolescentes y niños
que fábula inservible son. El llanto
conjuga la risa
y ambos se nutren ansiosos y fieros
de una misma entraña crujiente.

Nadie te impedirá que avances todavía
por las marcas resecas del duelo
ni por los cardos de la estulta experiencia.
Anda y eleva tu planto en mitad del desierto
porque muy pronto
dejarán de escucharte, de verte pronto
como la que fuiste y serás. Pronto.

No se puede perder ni un momento claro,
ni una hora propicia para existirse.
Recógelo todo, podrido de musgo y de lluvia
sirve para sembrar la zanja húmeda
de la tierra en rotura.
Antes que venga la noche, siempre antes;
para que el sol te alcance ya en el camino.

XVIII

Ya no se trata de lo personal agudo,
hay que entregarse a los otros;

los que sufren del hambre y la sed
aunque maduren para bienaventurados.
La justicia es un feudo al que acceden sólo
los hijos de los padres que perviven
para acarrear más muertos.

También existen los escondidos
y los que huyen, y los encarcelados.
Las mujeres que trabajan para sustituirlos
cerca de inermes criaturas débiles.
Existen sin existir conscientes;
anonadados de miserable vida impía.
No se puede pensar más que en ellos.

¿Que pesa la propia plúmbea carga
mercurial, de cinabrio, corrosiva, implacable
azotando cuerpo y esqueleto descalcificado...?
Olvidarse de lo propio, coincidir en algo
de los algos en que se desucan otros.
Cuando una se acuerda de lo qué era suyo
prescinde de lo que será siempre lo único.

No lo es todavía, nunca será la paz
que nos acerque y hasta nos confunda
en unísona calma. Escuece en los ojos
el ácido llanto de la inmensa desilusión
de todos y de cada uno de aquellos
cuyas ideas, palabras y gestos
vitoreaban fe en la libertad purísima.

Uno solo no es nada por mucho que sea
(ante sí mismo, ante todos), un uno extraordinario.
¿Por qué el irse sola, para qué encastillarse
en aislarse de todos, absorta en silencio?

Comunicarse; eso; comunicarse con ellos
a ver si entre todos, uniéndonos
abrimos paso a lo que llamaran paz.

XIX

Éste es otro camino
y otra es la noche esta.
Ni ciudad, ni orillas del río, ni campo,

ni riberas de la mar.
Plumas a las sienes hieren,
crecen de los costados ramas,
y la torva canción de las sombras
tiernamente el cabello mece...,
se enseñorea del cuerpo.

Huele a yerba cortada,
a flores sobrevivientes
del largo atardecer, viscoso y frío,
porque el sol no resiste su acoso.
Podrá —¡oh qué firme milagro este eterno
amanecer de cada día siempre!—
nuevamente la luz recobrarte.

Todo lo asume la noche,
la noche consumida por los pasos.
Velocísimo el tiempo mientras andas
y circunvalas tu órbita.
Cuántas veces te fuiste, volviendo
otra y otra andanada.
Cuando ya no camines, detengas
tu humana fugitividad,
podrás cantar entre el vacío;
y hasta te oirán cantar.

XX

Hacia la muchedumbre; el océano de criaturas.
A sumergir un poco de tu vida entre las aguas
pocas veces limpias.
A no respirar durante siglos sola,
a olvidarte de que diste nombres claros
a cosas que borran ahora tu lenguaje.
A confundirte con los disconformes,
a entremezclarte con vociferantes
abandonando estancias de donde cogiste
un hermoso silencio apretujado.

Si creías que viniste desde el terco
empeñarse de oscuras generaciones
creadas única y solamente para hacerte,
llegó la hora de tu confusión
con una multitud que te rechazará

porque tú eres indivisible y en vano
te obcecarías en transferirte.
Apenas los demás te adviertan única,
rechazada por los muchos y vencida,
los menos, los pocos, digamos tuyos,
te acorralarán para destruirte.

—No escogerás nunca bien,
no acertarás cuando escojas nunca.
Y has de escoger un camino
acompañada de otros andando.

Redoblan consignas tambores gritando clarines,
aúllan gemidos, crepitan los llantos de sangre.
Retuercen las amenazas flageladoras
por todos los límites.
                    Escoge.

Sabes poner tu corazón. Lo has puesto
aunque entregándolo te lo acribillan
múltiples injusticias. Padece y sigue.
¿Con quiénes te quedarías hasta la muerte?
¡Con todos los vencidos, con ellos siempre!

—Ahora el dolor ya no duele.
Se permanece firme sufriendo.
Se ha visto claro; la irrefrenable
lucha de defenderse, terminó.

Entre la muchedumbre polvorienta y humillada
de ejércitos de seres explotados por usuras
de amor y de ilusión, sin esperanzas
de humano acontecer, te encuentras tú.

Turbias son las aguas, pues el llanto arrastra
desde la frente hasta el raído suelo,
cientos de años huracanantes
que sangre junto al cieno acumularon.

Hay que llamar a las cosas otras voces,
que suavizar la mano para tocar cabezas
encanecidas en el agrio escarnio
de una interminable derrota.

Cantar y cantar obsesivamente,
aturdir al océano cantando.

Que la metralla del cántico se hinque
en un lodo creador de pantanos.

—En la soledad compartida de lejos
con cuantos se petrifican mudos,
derriban el suspiro delicado
que no taladrará nuestra miseria.

XXI

Ha sobrevenido el Río.
El agua que siempre es el agua misma.
El fertilizante río,
el enjambre de cohesionadas aguas.
La precipitada fuente,
el equilibrado júbilo de la mineral entraña
de este hosco planeta dulcísimo,
solado de ríos que si bullen y corren
es para volver, retomando
su preñar hondamente los predios.

Iba el cuerpo aterido en la zubia;[1]
por ajeno, ignorándola.
Por ensimismado.
Se regusta el frescor que acontece
asaltando, multiplicado por brisas
que al acebuchal[2] conmueven.
Piadoso inesperado frutal día
en que no resucita un instante
aquel feroz, desgalgar.[3]

¿Por qué no abatirse desnuda
a este río que llega, dorándose,
de las crujidoras tierras
de romancero morisco, ofreciéndosele,
tomándoselo...?
¡Va la carne tan pobre de glorias,
tan castigada y huidiza!
Zehobos[4] serán los contactos
que la purificarán.

1 *zubia*, sitio por dónde afluye mucha corriente de agua.
2 *acebuchal*, bosque de acebuches.
3 *desgalgar*, arrojar peñascos, grandes piedras o galgas; despeñar.
4 *zehobos*, cantos de alborada moriscos granadinos.

De goteantes zafiros ajorcas;
van fluyéndose orillas.
No lanzas hostiles los chopos se elevan
o rinden suaves sin aquietar respiro.
No zarzas armígeras, lorigas
amenazantes. La dulce espesura liviana
que el aire menea con tierna
acumulación de sones.
El día se colma de vahos fugitivos
al cuenco profundo escoltando,
donde tiembla, fulgiendo, un temeroso cuerpo
al reposo acosando.

Oh si se volviera a ser agua.
Sí se transfigurara en el agua primera
cuanto del agua se hizo y se es.
Agil y frágil cuanto tenaz y fuerte
arrolladora corriente de río que arranca
todo cuanto encuentra, móvil o quieto,
para incorporárselo.
Si se diluyeran miembros, las sumas
perecederas, germinadoras;
si los ojos las manos las piernas
volviéranse al agua de donde nacieron...
En ese naufragio costoso y luciente
resplandecerían milenios;
la carga más firme, el proel
de macizas creaciones.

Y todo se borra en un tiempo
que es viaje al principio, latente,
palpitando con furia del viento domado
hasta empujar la galera
en su mediterránea mar hasta los bordes.

Apaciguada estatura que emerge
cercada de orillas desiertas de ojos humanos.
La aljuba,[5] que fluye fresquísima,
protege su cuerpo olvidado de todo...
Es a un tiempo alquicel[6] y almaizar[7]
que revela y que hurta.

---

5 *aljuba*, túnica de mangas estrechas y cortas.
6 *alquicel*, vestidura mora blanca parecida a una capa.
7 *almaizar*, tocado o velo de gasa utilizado por las moras.

Caen rotundas las sombras, que pesan
su redondez de mediodía.
Entre el sol y su cuerpo esta agua
hase vuelto tibia.
¿A qué recuperar la fragante bruma,
alcatifa[8] musgosa
recamada de tréboles?
¿A qué no perderse en el río desprendiéndose
de vellosas orillas,
para fragorear en él?

Hay sierras detrás, avizorando mares
de antepasados heterogéneos;
mollares tierras llanas, rojizas acequias hondas
que tripulan molinos;
tres mil años de historia reverberando
latines y algarabías
aún muy próximos. Se es viejo de sed;
alcarrazas encierran la trémula
y escasa bebida que del río se destila.

Huertas arcaicas, vergeles enhiestos
regados con el sudor y las lágrimas
se arrebatan por sus palmerales.
Resbalar por el río, por su lomo grueso
que el limo enriquece de opacidades súbitas.

Hacia la mar, la desembocadura yerma
que galopa hacia el África,
todo este tumulto, el sosiego manso
escurriendo su hermosura va.

Nunca volver, ay, ya nunca
acceder a quebrar epitelios
que sangran imágenes nuevas y viejas,
desde este cuerpo inmerso.

Dormido en el collar de los puentes,
ardorosamente inmóvil suyo,
¿para quién despertar recabando la tierra?

8 *alratila*, alfombra fina de lana o seda.

Desde aquel río del Norte
añafiles[9] deshojan arcángeles
que vuelcan a estotro
jaloque y leveche, sahumándolo.

— Ella escucha despierta en su sueño
de amorosísima dormición.

XXII

No sé si pensamiento o esperanza,
si lo que se idea o lo que se siente;
si lo que se sabe porque se ha vivido
o lo que se vive porque se presiente.

Pues no se busca fuera de sí mismo:
hacia dentro va el consentimiento;
en contra de la jaula de los límites,
de los tercos barrotes del silencio.

A lo sumo más lejos de distancias
una redonda luz, galería en medio
de la mirada que se desvaría
y lo que no se sabe qué, se está viendo.

Brotan de estos circos de volcanes
torpes manotazos a ojos ciegos;
blanda lava de fríos y de estériles
inútiles latidos del deshielo.

Luego aprieta los ijares, asfixiando
lo que en ninguna matriz alcanza acierto,
bronca oscuridad que lo desnace todo
antes de que cuaje en nacimiento.

Torvo más que torvo ejecutarse
en el potro metálico del Tiempo,
mientras quema en la overa la simiente
que pugna descuajársenos del cuerpo.

Creyente de la luz menos visible,
aferrada con los dientes al prodigio
de esto de haber sido, de estar siendo
toda cuanta yo, duro ejercicio.

9 *añalfiles,* trompeta morisca muy larga que se usó también en Castilla.

Aguantando la fiera que más muerda,
amartillando las quemazones
del ir y del venir hirientes pasos
apaleando mis desesperaciones.

No participa, no, del pensamiento;
para nada cuenta con mi inteligencia.
Con todos mis montones de ignorancia
intento levantar pasión de ciencia.

XXIII[10]

Desde el prado en que se asienta la montaña
se dispara el aguijón, resucitando
la aplazada, ¿olvidada?, presencia del peñasco
que se sube, y se precipita solo.
Se sobresalta,
paño puesto a secar sobre la orilla
del Río que nunca dejará de serlo,
la memoria de la mujer que se abandonaba al agua.
¿Todavía, o por siempre jamás había que recuperarlo
para la ritual e inservible representación?

Cubierta del agua-alquicel posa en la yerba
sus plantas ajetreadas, y suspira.
Concordes, aunque ajenos, cantan pájaros
contrapuntando el regreso al destino-Sísifo

Fija morada tiene en un árbol aislado
un ave desconocida, un ave que se presenta
rodeada de bruma cuando aparece, exacta
como cuanto aparece para justificarnos.
De sus ojos colorados cae una ciega mirada
a los ojos, que se resignan, de la que se designa
a este rito llamo cruel de eterno ritmo.

¿Qué se suma a la piedra, si murieron todos;
si no quedan siquiera ni palabras
que puedan resucitarlos?
Nunca pesó más —aún no la lleva—
que está pesando en saber que espera.

10 Al final de este poema transcribo unas palabras del escritor Giuseppe Grazziani en su trabajo «Un hombre feliz decide suicidarse» (II), *Depresión, antesala de la locura*, publicado en el
número 3.164 de la revista *Blanco y Negro*; Madrid, 23 de diciembre de 1972.

Oh río de amor que no lo ha sido.
Oh prado de retozo no viviente.
Oh frondas reteñidas por campanas.
Oh dulzura incalculable en soledad.
Muy despacio —está segura—, queda el tiempo;
todo se abandona con la lenta
plenitud de saberlo ya perdido;
perdido eternamente.

Se retorna. Regresa. Reincorpora
al olvido voluntario y pasajero
caliente humanidad con hambre bíblica
de incandescentes vegetaciones.

—Y es verdad que «el viaje hacia las fuentes
del río de la tristeza,
es larguísimo y misterioso».

XXIV

No conoce si «un trueno en una flauta».[11]
No; no lo sabe.
Lo piensa y lo sueña, pues pensar o soñar
todavía es posible.
Acaso menos tiempo sea accesible pensamiento, sueño
del que le queda a ella
entre vosotros.

Vamos muertos por las letras, por las voces;
vamos muertos
cerca de vosotros sudorosos de trajín,
vociferando con ojos y con bocas tan voraces
como serán los gusanos
que aguardándonos están entre las propias venas.
Semillas de gusanos viborean en la sangre
esperando a que se nos coagule sol,
para estallar convirtiéndonos en ellos,
a racimos.

---

11 Al principio digo «un trueno en una flauta», pensando en la voz de Dios, sin citarla como tal. Estas palabras se encuentran en uno de los «Girones de prosa», el titulado *Este miedo....* del gran escritor Andrés Cegarra Salcedo, de La Unión (Murcia): «...Y súbitamente, encontrarme humillado a los pies de Dios. Y que una voz suavísima y potente —como un trueno sonando en una flauta— diga, llenando de sonora dulzura: *Acércate, hijo mío»* (página 139 de la edición-homenaje al citado autor, Murcia, 1934, prólogo de A. Oliver y C. Conde).

Es hermoso, sí, «un trueno en una flauta».
Y aumentaría su hermosura si sonara
hasta reventar el mar.

XXV

He aquí que la inesperada alfaida[12]
con áspera socollada[13] nos despierta...
¿O son unos alfaraces[14] indómitos
quienes zaquean nuestras turbias sangres,
del uno al otro zaque,[15]
bajo el tremendo alcabor[16] que nos cobija...?
Hambrienta simbiosis sustentamos
aunque no la advertimos
en nuestra pluralidad de intentos desgarrantes.

Empero, la serena dominación; el temple
adquirido por ferruginosos cansancios
que, ya, por fin, son norma.
Criatura y quehacer simbiosados con la piedra;
compenetrados con ella hasta que llegue
la hora de escisión definitiva.
Cada unidad desglosándose, aislándose,
retomando su principio
cumplido el común destino o transitorios designios
de alcanzar no se supo nunca qué,
pero *alcanzar* la unicidad distinta.

Antes de penetrar en la sombría,
en la nada inefable o en el todo cuyos sumandos
con exactitud no correspondimos
—¡sí, antes, ahora mismo, ya!—,
entonemos con ella, con la que fue o sigue siendo
un entrañable cántico:
el que se alzara en otro quince de Agosto
en año ya trasvasado, zaqueado,
antepasado de este futuro.

---

12 *alfaida*, crecida de un río por el flujo de la marea. Para mí, el río es el Segura.

13 *socollada*, estirón o sacudida que dan las velas o cabos, caída brusca de la proa después de haber sido levantada por el oleaje.

14 *alfaraces*, caballos que usaban los árabes para las tropas ligeras. *zaquean*, trasvasan de unos odres a otros.

15 *zaque*, odre pequeño.

16 *alcabor*, hueco de la campana de horno de la chimenea.

XXVI

CÁNTICO FINAL

En tanto se te requiere, contempla lo que fue creado
alrededor tuyo. Solamente el amor por ello
te sacie y alimentará, pues la esperanza
es el manjar concreto, áspero hasta los labios; luego
vivifica en especias que ha olvidado la historia.
A los cuerpos desnudos con brisa los arropa el viento.
El trémulo aletear otorga
anticipado reposo. Como después del amor se duerme.

Estás orillada por hierbas, por diminutas flores;
los insectos le zumban a tu piel olorosa, inseguros
del reino a que perteneces.
Tórtolas atolondradas te reclaman al celo
que te las atrajo, mientras escuchas
la profunda marea de las selvas intonsas
anegadas en ti.

Aunque salten los setos en torno tuyo impasible
ninguno de los potros te hollará.
Y si fueren tigres o linces o cóndores
tampoco herirían tu cuerpo de amor.
Tú, ama. Mantente la ciega esperanza
abundándole al fuego tus manos,
que el fuego te esculpirá.

Cuánto hermosa es la Tierra, si entrevista apenas
cosmogónicamente asumida;
amalgamada en criaturas, en cadenas de seres
que juntan a todos en uno por una sola vez
tantas veces como el mismo Dios.

No intervenir más, dejar las piedras sobre las piedras
y extenderse cual el agua en la zubia,
mirando cara a cara el cielo
mitad celta mitad árabe
que te cubre: a yegua, alazán relinchante.
Amar. Mantenerte esperanza.

Oh, sí, darle un nombre; concederle imagen
a quien sobrevendrá

o a quien abocaremos pronto.
De uno al otro instante vibrarán los zehobos
que por «auroros»[17] evocarás, sonriéndoles.
No sea un nombre mortal; ha de ser sobrehumano
para poder ascenderte consigo.

¡Gloria de palomares y de las alfaidas
coreando contigo, a resuellos volcánicos,
la nunca bastante coreada creación terrenal!

Así rodeada de yerbas te vas albergando
en útero gigantesco rebosando simientes.
Ama con la ciega esperanza que ama
el que bien sabe amar.

Abatirá tu transformación penúltima
la junta del todo en unidad deleitosa.
Cierra los ojos para que la luz te clame
en instante preciso y perfecto.

La frágil, durisima población del trébol
por fin acabó de extendérsete
desde los pies desollados
a la pobre cabeza enajenada.

Ahora,
oye; mira, recuerda...
Porque,
      reincorpórate.

---

17 Aquí figura la palabra «auroros» (*zehobos* en el poema XXI). Para explicarlos, tomo la palabra al autor Rodolfo Carles en *Doce marcianos importantes* (Bocetos del natural), Murcia, 1878: «...El auroro para serlo no entra-fortuitamente; de cualquier modo, en la Hermandad que le da nombre: no basta que quiera ingresar, necesita cumplir ciertas formalidades. La Aurora no es una hermandad que procede a la manera que todas las cofradías de su clase, escribiendo, hablando y enterrando: la Aurora hace eso también y además canta..., por esas calles, sobre todo en los barrios extremos, que es donde generalmente están distribuidos los hermanos.
   »... El coro de auroros... se compone por lo general de quince voces. La obligación de entonar *la aurora* es los sábados, viniendo a cantar la última delante del altar de la Virgen del mismo nombre, en la madrugada del domingo. [...] Las salves son muchas...: de *enfermos*, de *difuntos*, de *resurrección*, de *los quince misterios*. El que dirige se llama *antiguo* y el vicedirector *segundo*. Los demás hermanos *dispersadores*. Los superiores no cantan. En los cantos de *Pasión* se suspende el toque de la campana y así el ánimo Y la imaginación pueden menos distraerse, a diferencia de lo que en las salves es posible que ocurra, yendo, por ejemplo, de las voces a la campana y viceversa.
   »La campana es una gran cosa, un elemento de primera fuerza; timón, eje y guía del coro a un tiempo. El coro se distribuye en: un contralto, tres bajos, un contrabajo, 4.ª y 5.ª; la respuesta; como el *auroro* llama, especie de mitad del coro, la componen; por lo menos, cinco bajos y un contralto y los dos de relleno.»

EL TIEMPO ES UN RÍO LENTÍSIMO DE FUEGO

1978

Carmen Conde en Alicante,
marzo de 1955.

Al poeta de mi otra sangre de Galicia
CELSO EMILIO FERREIRO

PRÓLOGO

A Carmen Conde la conocí hace más de treinta años. Primero fue su voz que resonó en la adormecida y, a la vez, trágica posguerra española, como un trueno vital y esplendoroso, despertando con toda su belleza nuestros aletargados espíritus. La poesía femenina de España, después de ella, fue otra cosa. Ya no se podía hablar de eso, de «poesía femenina». ¿Qué sexo tenían aquellos poemas escritos, gritados casi, por una cartagenera que padeció y vivió la guerra con todas sus consecuencias? Era simplemente un alma que exhalaba su dolor, su amor, en fraternidad, con palabras hermosas, hondas, perdurables... Era un caudal incontenible, que manaba sobre nuestra sensibilidad afinándola, vitalizándola. Reconozco con orgullo que bebí de aquella fuente con fruición y que mis poemas tuvieron desde entonces nuevas resonancias.

Creo que Carmen Conde es la Madre de todas las mujeres que han escrito versos a partir de los años cuarenta. Ella, tan maternal siempre, atendiéndolas a todas, publicando críticas y libros y antologías sobre todas, con una generosidad tan difícil de encontrar en nuestra profesión. Ella, dándose siempre a sus compañeras, aconsejando, comprendiendo, ayudando...

Luego la conocí personalmente. Fue en el estío de 1949, en la Universidad de Verano de Sitges. Iba acompañada de sus entrañables amigos Cayetano Alcázar, director general de Universidad en aquellas décadas y de la mujer de éste, Amanda Junquera, otro ser extraordinario, delicada escritora. Desde entonces ha pasado mucho tiempo. Nuestra amistad ha perdurado contra viento y marea, como ocurre siempre cuando la amistad es auténtica.

Su personalidad humana, como su obra, es algo fuera de lo corriente. Su voz profunda, su inteligencia siempre alerta, su gracejo incomparable (¿Te acuerdas, Carmen, de aquellas charlas alegres en Santander; a orillas del Segre, en Puigcerdá?... ¿Te acuerdas de aquellas noches barcelonesas en las que tu cálida voz entonaba con incomparable gracia aquel castizo chotis madrileño, «Cipriano»?, «Tengo un novio, cajista de imprenta...»), su honestidad a toda prueba, su bondad. Y su genio también. Su noble indignación contra todo lo innoble.

Ahora tengo delante de mí las pruebas de su último libro poético, el primero que publica después de haber sido elegida Miembro de número de la Real Academia Española, echando abajo, con su valía humana y literaria, las puertas de la durante tantos años inexpugnable fortaleza masculina.

El libro, que consta de tres partes: «El tiempo es un río lentísimo de fuego» —bellísimo título, fragmento de uno de los poemas de que consta—, «Los sonidos negros» y «Humanas Escrituras», ésta, entrega segunda de otra ya publicada anteriormente en «Obra Poética», 1967, es una gran muestra de la categoría lírica de Carmen Conde. Resulta difícil decir algo nuevo sobre sus versos. ¡Se ha hablado tanto y tan bien de ellos! Creo sinceramente que este último libro suyo mantiene el mismo tono de los escritos en su juventud, el mismo ímpetu vital, la misma rebeldía, la misma riqueza expresiva de su léxico. En cada rima asoma un alma preocupada por el dolor del mundo, solidaria con todos los hombres que lo pueblan, herida por todos los sufrimientos, suyos y de los demás. Y su amor por la Naturaleza. ¡Cuántas veces la palabra río, mar, árbol se repite en sus poemas! Porque ella misma es un río, un gran río, un mar, un gran mar, un árbol, un gran árbol frondoso, agitado por todas las apacibles brisas y por todas las devastadoras tempestades. Todo; menos una roca. Aunque también es una roca: firme, perdurable, asentada en la tierra, con la mirada perdida era la Eternidad.

Me honra que este libro salga a la luz con unas palabras mías. He hablado muchas veces de Carmen, por escrito y verbalmente. Pero esta vez la emoción es mayor, porque no sólo es un poeta quien escribe este pequeño prólogo, sino además una mujer. Y, como mujer, me enorgullece glosar un nuevo libro de poesías de la primera Académica que España tiene.

SUSANA MARCH

EL HOMBRE

1

Le han buscado por todas las calles,
por todas las casas,
jadeando su odio.
Pero no le encuentran en las casas.
No está.

Ni en las calles muchedumbrosas.
Ni en los cines encubridores.
Ni en las salas de fiestas.
No está, no.
Y le siguen buscando.

No van a los montes ni a las selvas,
no le buscan en las fuentes de los ríos;
ignoran los arroyos, las praderas...
Por allí no le buscan, no.
Y le siguen buscando.

En las plazas con tecleo de aire pútrido,
en los Ministerios desolantes,
en los comedores de cocina falsa,
en las alcantarillas rehabilitadas...
Y no está, no.
Le seguirán buscando.

Detienen a aquél, algún cualquiera
de cualquiera parte. No es él, no.
Y lo encierran.
A ver si acaba confesando que él es él.
Siguen con otros y otros...
No. Tampoco.

Un rostro, una estatura, unos pies
y unas huellas digitales.
Más rostros, más pies y manos;
caras y caras, fichas, protocolos.

No van a las Bibliotecas,
ni a los Museos, ni a los Conciertos.

No le buscan allí, no van; no.
Tampoco; acaso, podrían encontrarle.
¿Por qué, ahora...?

Y está en todas partes.
Caliente, erguido, seguro.
No huye ni se esconde, clama
por que le encuentren y reconozcan
y
—perdonadle el error, perdonádselo—
acudan a él para seguirle
o para intentar precederle, es lo mismo,
yéndose hacia...

Pero, no.
No van a encontrarle nunca.
Así, no.
Porque no es el camino.

16 mayo 1975. «B»

2

Ha preguntado a cada uno de los que encuentra:
«¿Sabe usted por qué?», dice ansioso.
Y le miran, se encogen de hombros y alguno
sonríe desconcertado.
Entonces, sigue.

Sigue andando la tierra, el mundo
de su alrededor. Se para otra vez, pregunta:
«¿Sabe usted por qué...?», y como no le contestan
acaba sentándose en el suelo.

«Levántate», le ordenan.
«Aquí no se puede estar sentado
Interrumpe el tránsito de los que van a pie
o en coche. Váyase a otra parte.»

Se solivianta y corre sintiéndose culpable
de haberse detenido a descansar.
«¡Oiga! ¿A qué corre tanto, es que huye
o que persigue a otro? ¡Contésteme!»

Parece inútil después de haberlo preguntado tantas veces,
hacerlo de nuevo.
Lo intenta, desengañado:
«Dígame, ¿sabe usted por qué...?»,
pregunta ahora.

¡Es el primero que contesta!
«¿Dice por qué?..: pero, ¿qué qué?» —pregunta
por su parte.
Y entonces vacila, se atolondra, extiende las manos
y hasta las levanta al cielo.
De tanto ir y venir por el mundo, ahora, ya,
tampoco sabe ¡qué es el por qué!
Y contempla al otro: expectante, severo
está aguardando que se explique, que concrete
su corta pregunta: «¿Sabe usted por qué...?»

Mas el hombre ha olvidado su destino,
ha olvidado su propósito de saber y sonríe
vagamente, abstraído, inmóvil, mientras el otro
inmutado le abandona.
Tanto preguntar y cuando alguien se dispone
a saber qué es el qué,
¡se ha olvidado de la razón de su pregunta!

Profundamente triste lo que ocurre.
¿Por qué?

                                    17 mayo 1975. «B»

3

Paredes, muros por todas partes.

Si el hombre está encerrado, los ve.
Si el hombre se cree libre no los ve, pero están.
Se camina entre muros, se padece entre muros;
te golpean los tobillos para que no intentes saltártelos
y te sacan los ojos para que no los veas.

Pero están.

Gritas y te devuelven el eco.
Golpeas en ellos y te partes las manos.

Coges un hacha para derribarlos y se te quiebra el hacha;
escribes sobre los muros tu nombre
y, se irá borrando debajo de otros nombres...

Te cansas y ellos se van juntando juntando
y tienes que abrir los brazos
para impedir que te aplasten y, entonces,
entonces te quiebran los brazos
y te aplastan.

Hay muros. Unos que se ven
si estás enfermo, preso, llorando o con hambre.
Y otros, no.

No se ven. Y están.

17 mayo 1975. «B»

Las retorcidas manos,
las desencarnadas manos,
las manos crispadas del que aún las conserva
alargándolas, alargándolas...

Al pozo.
Queriendo llegar a la cara viscosa
del agua acostada como una serpiente
que se enrolla en sí misma.
Debajo del pozo
se tienden las aguas, se escurren
del río invisible que alarga sus manos
tejidas con hojas; raíces y bulbos
para llegar...,
                    ¿a dónde?
Nadie llega nunca,
nada llega nunca;
por debajo del pozo ni encima del pozo
nadie llega nunca...,
                    ¿y a quién
llegar se podría...?

1975. 3 de febrero. Madrid

La mujer de Lot,
el atormentado Orfeo,
y las escaleras que suben y bajan,

y las escaleras que bajan y suben...
No volver la cabeza.
Nunca jamás volverla.

La aérea explosión
materia libera.
A la lira del fuego
acentos sujeta.

¿Y Eurídice;
    qué hicieron con ella...?

Se estaba salvando.
Empezaba a vencer escaleras
cuando Orfeo, la mujer de Lot...,
    ¿quién les daría cabezas...?

1975. 3 feb. Mad.

LOS SONIDOS NEGROS

Desgarrón
bordeándolo sangre.
En los costados de la herida
pulpa afirmándose
fluyente de sí misma,
gotea... gotea...
De los belfos manando
líquida ronca voz.

De oscuros tocones
arrancan despacio
mártires solitarios
su sediento quejido.
Puñaladas sacuden malezas;
ellas mismas, hendiéndose;
se descuajan del suelo.

Fiera que amontona
a sus crías.
Una escarlata yeguada,
ululantes traíllas
galopan, resuellan;
compactas se agolpan
impidiendo que el líquido
acceda la carne a lacrar.

No se encuentra luz.
Nadie.
Hatajo de soledades
anegándola muge,
suscitando
un lúpulo de sangre...
Reptan
invisibles criaturas del llanto,
amordazando,
amordazantes frustradas
porque gargantas,
porque palabras;
dientes
que las trituran;
lenguas
del incrustador lamento
arrasan
quemando el universo de su hambre;
crujiendo ramajes de ascuas,
el largo quejido de los huesos,
quebrantándolos,
resquebrajándolos,
licuándolos.

Advirtió que inclinando una oreja,
después la otra oreja,
los oídos volcaban palabras, palabras
que amontonando se iban
—desperdigadas al comienzo—
a sus pies, en el suelo.

Suelta cada palabra,
poliedro con cien caras:
aquí una imagen
que se convertiría en otra
si le dierais la vuelta.
Hasta ciento, hasta mil;
dependía
de cómo ponerle la luz a las caras.
De donde decía *ventana*
era posible escuchar
como os gritaban el nombre,
abajo, en la calle;
o encima,

rasgando el espacio
cualquiera podría llamaros
—o, simplemente,
un roce de vuelos que
parecería vuestro nombre...—

Hidrópica de palabras la cabeza
—algunas, ya lo dije,
nombre o que podrían—,
y, ya descargada, ligera
miraba con ojos felices
la siembra de letras...:
juntas
a manojos, rebaños,
o una por una: rotas.

                    1975. 4 mayo, «Brocal»

Recorro con mis dedos la experiencia
y ellos quedan fríos, agonizan
las manos que no flores van tactando.
Me hundo aquí, justo en el quicio
del morir en vivir del gran silencio.
        Afuera va la noche, la viuda.
Y cerca no son perros aunque aúllan;
los dientes que devoran gruñen duelo.
        Afuera se levanta la marea
        y traga de la playa el sorbo quedo.

¿Qué puedes tú gritar, insomne cosa
que englute en la marea su alimento
de lágrimas sudores peces rojos,
de negros humeantes pulpos verdes?

Color del no color, del inventado
espectro de colores invisibles
que pudren blanco atroz, purpúreamente.
Espaldas incrustadas a los lienzos
del lívido amarillo de la espera
desgajan de su piel la carne íntensa.

        Un niño se corroe en las entrañas,
        un niño por nacer, una semilla
        que frustra su vigor entre las vísceras.

Las manos limpias son, nunca mancharon
paredes del dolor, dejando huellas;
corteza tras corteza se deshojan
espacios del amor y los calcinan.

Oh fuentes que bañábais los prados
con yerbas diminutas, ¿no fluiréis
jamás para los hombres unas ramas...?

15 mayo 1975, «B»

Quedaos afuera,
en donde os gusta estar todos juntos.
Hacen calles y casas, piscinas y parques,
gimnasios y saunas para que os reunáis.
No miréis hacia aquí. Porque aquí ya no hay nada
que os deje contemplar vuestras gafas de sol.
Aquí está el aislamiento.
La soledad voluntaria.
La meditación.
                    No vengáis a turbar la clausura,
de quienes desean
mantenerse pensando en vosotros,
pero sin vosotros.

Escuchad vuestros discos,
acudid a las músicas múltiples
de los abecedarios de luces.
Bailad, sudad
hasta caer desfallecidos
para volver a empezar.

No turbéis a aquéllos
que escogieron la libertad
de parecer que están muertos
para no simular que conviven.

17.V.75. «B»

Esperan su tren, nuestro tren.
Compran botellas calientes o frías, caramelos,
cigarros,
y comen; a todas horas comen.
A veces
aman sudando entre tantos que aman
con aplicación desmadrada.

Gritan sus propósitos para cuando llegue
ese tren.
O antes de que llegue
en cualquiera de los momentos
en que no sudan ni aman
ni beben ni comen ni todo cuanto se hace
mientras estamos esperando los trenes.

Saben que disponen del mismo destino,
que solamente existen esta estación y la otra
en donde bajaremos.

Saben que hay hombres abriendo y cerrando
zanjas de tres metros,
continuamente.

Pero, olvidan; o fingen que olvidan
de pensar, ¡por un solo minuto!,
en que son esos hombres
que llenarán las zanjas
que están siempre abriendo y cerrando
otros hombres.

17.V.75. «B»

¿Quieres acercarte y mirarás conmigo
por el ojo de una cerradura...?
No sientas temor, al fin esas larvas
alas acaban teniendo.

No existe nada además de ese cuerpo
que ocupó entre tablas desnudas
tan mínimo espacio...
                    Ni oro
ni sedas ni coches ni casas, tampoco valores
de turbia entidad poderosa.

Dejáronle solo y vacía su caja
de cuanto no fuera él solamente.
La tierra, más piadosa,
ofrece gusanos que lo prolongarán.
Y, al fin,
ésta es su enorme riqueza.

17.V.75. «B»

Va por la calle una niña, y delante de sus pasos
los caminos del mundo interminables.
Diminutas las flores que acuden a su encuentro
y ancha mano de luz sus cabellos acoge.

Juegan con ella rebaños limpios, de las esquinas
burlándose indecisiones... Ésta o aquélla; la
otra... Siempre son cuatro y el número
permanece invariable.

A donde llegará se sabe y que alguna
fuente callada la espera. Está su agua muy tierna
y es tierna la adolescente frágil criatura que lleva
hojas de acanto por flores.

¿Cuándo alcanzará la gran montaña
y cómo la traspondrá; madura,
y se envolverá en la mar que siempre,
espera que se la devuelvan...?

18.V.75. «B»

No dejasteis vuestros nombres.
Fuisteis padres, hermanos, maridos,
hijos, amantes, novios...,
y mineralizasteis la tierra ensangrentada
con vuestros esqueletos.
Sin dejar nombres, sin medallas sobre la muerte,
sin arroparos con banderas,
caísteis unos tras otros en montones.

Caíais, sementábais el suelo
sin dejar de vosotros
ni siquiera los nombres.

Ya estáis todos en uno, en un solo nombre
se os junta a millares.
Cuando os llamen trompetas del Juicio
acudiréis en robusta Unidad.

Aquí, cuando os pensamos decimos tan sólo:
    L i b e r t a d .

15. Junio 1975. «W»

Arrancan de la memoria extrañas flores
que pululan el sueño,
nos picotean los ojos,
y acres lágrimas ruedan
mojando las almohadas.

Inútil el debatirse
macerándoles las hojas,
trizando sus tallos tenues
de un impreciso color:
hierve la frondosidad
de tan oscuro mensaje.

Silbando pájaros cruje
una corola muy cerca,
allá se mueven los pétalos
del ignorado perfume
y el sordo aullar de la sombra
comienza a desvanecerse.

Tan acosado dormir
desbarata en agonía
en el vaho de un dolor
que nunca revelará
desde dónde y hacia quién
nos está empujando el sueño.

6.8.75, «B»

Todos pasto de todos, que la tierra
nos exige en alimento.
La vida, serpiente inmensa
atravesando los cuerpos;
o ciclópea corriente
pululando en sí, que abre
y destruye los contactos.

Es un enorme elefante
pateando entre las selvas.
Microscópicas criaturas
mantienen a las que pisan
la manta de henchida tierra.

Pasto de todos, todo. Todos
persiguiendo y devorándonos.

24.8.75. «B»

Una procesión inacabable...
     No se abarcan
ni el principio ni el fin,
     pero hay un hombre
que se lanza a aquel pedazo
     de la gente amontonada
que discurre frente a él,
     sin detenerse.
¿Vienen desde dónde,
     hacia qué se dirigen?
—pregunta a cada uno
     que continúa, sin contestarle—.
Quiero saber qué están haciendo,
     —insiste con desolación acrísima—.

Siguen impertérritos. Siguen
     sin acabarse nunca;
     siguen,
     eternamente siguen
     sin detenerse nunca.

¿Cómo descifrar tanta andadura
cuyos arranque y fin nadie presiente?
Y el hombre que pregunta se envejece
yendo del uno al otro...;
     por su parte,
de jóvenes, ancianos van volviéndose
mientras avanzan...,
     o retroceden.

Porque ya es el devenir, nacer oscuro;
un arranque invisible que persigue
el oscuro también secreto hueco.

—¡Decídmelo vosotros! ¿Por qué os veo,
fuera yo de la fila que formáis,
y ninguno me escucha ni me mira?—.
     El hombre
agita sus clamores entre el prieto
desfilar incesante...

Nadie
le quiere contestar. O puede
que quiera y no consiga revelarse...
   ¿Rebelarse...?

28.8.75. «B»

Cuando no queda nada en los labios
   que en palabras pudiere florecer,
   solamente el piano
      levanta su voz.

Extrae de abisales honduras
   temblantes vegetaciones
   y una fauna voraz
      que al teclado lo abrasa.

Multitudes oscuras prorrumpen
   buscándole al sol su raíz;
   las aguzas empujan
      implacables corrientes.

Gozosas criaturas derraman
   al fragor de las voces
   su gran eco de llanto
      en sobresaltante azote.

Quiebran olvidos criaturas
   que ausentes yacían;
   emergen sus ojos
      de la masa de música.

Todo empieza a vivir. Todo
   vuelve a desvanecerse...
   Solamente el piano
      les mantuvo una vida.

Vida en sonidos tan frágiles,
   muerte que la vida vence...
   Y otra vez el. silencio gotea
      su trémula violácea voz.

Mar Menor, 20.IX.75
A Estanislá, por tantas horas de música.

Porque en cada partícula de piel
    el calor de unas manos
    que no están sobre otras ni se ven
    a ninguna distancia
        —estamos
        esclavos en la hoguera de una leña
        que el agua jamás apagará—,
    remuerde en los fermentos de la angustia
    sus rojos aullidos viscerales.

Porque aullarle al dolor es pobre cosa,
    se le hincan los dientes a los labios
    bebiendo desamparo en el silencio.
        —Porque no supe nunca,
        porque siempre,
        solamente la soledad.

23.IX.75, Mar Menor

No es la palabra mía ni tuya
la palabra total
que lo abarque todo
e inviolable lo encierre,
exacta.
La palabra mundo
y firmamento,
polvo rojo de vísceras
y cuerpo de la mar.

Yo no dije esa palabra nunca
y tampoco tú la dices,
porque si yo me arranqué
mi palabra,
con tinta la hiciste tú.

Tu palabra es de alambre, de yeso;
tú levantas del barro
una palabra oscura y seca;
tú buscas en las cosas,
torturas tu cerebro,
para intentar
decir algo.

He vivido a bocanadas el duelo
y la pasión consciente;
me he cuajado en las noches
que nada concentran
porque de ellas se huye;
y, ni así,
ni dejándome morir
de amor y de muerte,
he podido captar
la palabra Palabra.

¿Cómo vas a buscarla en los libros,
cómo vas a encontrarla
fundida en estaño,
despedazada en signos;
cómo puede caerte
lúcida y redonda,
si tú
no la conocerías aunque la oyeras...?

Estructúrala, descomponla, desgarra
sus delicados tejidos;
vacíala de luz
y de sombra.
Híncale los dientes
mineralmente fríos
y la destrozarás
sin gustarla.

No alcancé a la fugitiva ardiente,
pues tú no me la reconoces
cuando te hablo.
Tampoco la conseguirá
tu desmesurado análisis.
Ella, la Palabra,
es una criatura inalcanzable.

Oh amor mío para ella,
amor tuyo para ella,
nunca nunca
la tuve ni la tienes
aunque nos ahoguemos cada uno en su agua,
llamándola.

29.X.75. «W»

Allá, luz
¿Hay luz que no sea la luz
que los ojos tomó para mirar?
Y sin ojos,
¿qué luz aunque sea luz
del aún no haber visto,
alcanzarse podría y de quién...?

Torturarte saber que no se sabe
si los ojos... si la luz...
Si cuándo y dónde esa luz tan prometida
se encenderá.

Y, el fin.
¿Qué fin es el fin de cuanto vive
sin conocerse nunca, obligado a ser
vida que no se hizo voluntaria?

Aunque la luz espere,
sin anunciarse y sin prometerse
generosamente a todos
los que están esperándola
hambrientos, con sed y con desesperación.

¿Qué luz es aquella
desconocida luz cerrada
al humano entendimiento?

Ir en su búsqueda a ciegas...
Sí.

6.XI.75. «W»

Las roncas semillas de la noche,
la espesa marea de las yerbas,
las viscosas imágenes del sueño
prorrumpieron en luz.

Dura luz de los soles rotundos
que se encrespa en el día;
la tierna ciudad de las flores
precipitando olor.

Aquel ir con las manos vacías,
aquello de volver sin esperanza
ya no es, no será porque la noche
    coagulando está su fin.

La tierra es la boca insaciable.
No recibe cuanto espera.
Inútil que volquemos a los hombres
    porque siempre pide más.

Los hombres se revuelven en el hambre
de la implacable tierra
que pide a los hombres que echen hombres
    a sus rugosas fauces.

6.XI:75. «W»

RÉQUIEM, I*

Trizados se partieron los relojes,
los que dieron *su hora* a todas horas
del día mismo desde el día aquél.

Se pisan los cristales, manecillas,
volantes del metal que amenazaba;
se busca una hora que reemplace
la que nunca volverá a sonar.

Sobrevino un cataclismo no esperado
que marcara a las horas de guadaña
en las férreas paredes del buen tiempo
una hora de clavos, una hora de espadas.

Soplan los clarines en la búsqueda
de lo que suena a silencio indestructible.
Hierve el suelo con relojes rotos,
el dócil almanaque de un día sólo.

Tendrán que superar su propio aliento
y que hallar las coronas de relojes

---

*   «Aún hay esperanza para
todo aquel que está entre
los vivos; porque mejor es
perro vivo que león muerto».
Ecclesiastés. C. 9, v. 4.

que señalen horas nuevas, digan días
para años más nobles del que muere.

En esquinas erguidas de amenazas,
por las mismas que dobló el que se iba,
aparece un doncel que le releva...

Aún no lleva reloj, viene sin tiempo,
a cuerpo erguido va, camina en vilo
y no sabe, no, si él cree que existe.

25.XI.75. Mad.

RÉQUIEM, II*

La guardia mira al muerto que reposa
debajo de su vigilancia.
Muy solos están el uno y otros
que homenaje le acatan.

Pasan entre ellos los combates,
del odio las polvaredas,
gritan contra muros los que no caen
debajo de las estrellas.

Ondean las banderas que cobijan
afán de poderes y de mando
mientras cantan victorias despiadadas
sobre los que están llorando.

Entre el muerto y su guardia está el silencio
gimiendo los desaciertos.
Entre el muerto y el mundo fue cayendo
un tremendo millón de muertos.

CUANDO VA A SER LA NOCHE

Clavan su presencia palpitante
sobre un oro cansado de ceniza,
pájaros oscuros que se mecen
en el dorso del agua estremecida.

---

*   *«El que hiciere el hoyo*
caerá en él; y el que
aportillare el vallado
morderale la serpiente».
ECCLESIASTÉS. C. 10, v. 8,

Silencios sus gargantas amontonan,
inertes van las alas en sus flancos.
Ni ojos que los miren ni una frente
que les piense. Solo pájaros.

La hora está en su fin. Todo se acaba
o todo va a empezar... Si se supiera
que fin y que principio son lo mismo
acaso este presente nos cediera

la almendra de su luz nos entregara
la pulpa del saber a qué vinimos:
si somos elegidos de otros mundos
o somos sus esclavos, con destino

de darnos en sustento de su vida.
El oro es una ausencia, la ceniza
responde al acoso infatigable...
Lo eterno se concentra en su manida.

9.XII.75, Madrid. «W»

ENTRE EL ACIERTO Y LA DUDA

Los inmortales, los imperecederos
contra los tantos
que fugitivos pasan.
¿A cuáles entregarse, por cuál de ellos
la voz total,
el canto que también se muere?

Vulnerable la humana criatura
mortal; y el ansia
de sentirla vivir y de amarla;
de estar con su dolor y rebeldía
como parte integrante suya,
mientras el viento reaparece entre las hojas
de poblaciones de árboles
realzando su estatura,
y el agua
se entrega a ser río porque fuentes
la empujan a la mar;
entre tanto el fuego acomete, transformando
en un oro transaéreas materias
que ardiendo se justifican.

El asombro diario, por vida,
de ver nacer el mundo
para que lo tengamos nuestro.
O el creer que el amor a los cuerpos
que gozan perpetuándose
es mejor que todo lo creado
fuera de nosotros mismos.

¿Cuál es la verdad, la verdadera
realización humana
si en lograrse ha puesto a su voz
un canto múltiple...;
lo que no se consume, lo que nace
y queda eterno y fijo;
o aquello momentáneo como el ave
que llega y se pierde
disolviéndose en la luz...?

CANCIÓN DEL VERDUGO, SI CANTARA

No me conocéis los más, todos
cuantos vivís lejos de las prisiones;
los que nunca tuvisteis hijos
para el verdugo...
        Nadie
sabe que soy el instrumento
de los que aborrecen...;
        que represento
dentro de la miseria que abarca dócil,
a toda la humanidad.

Tampoco yo me reconozco, voy
poniéndole luto a los espejos
para nunca mirarme:
        tantos ojos
clavados en los míos llevo
que verme con ellos me espanta.

21.6.76. Mad.

EPITAFIO

«...Los negros mastines
que azuza la muerte, que rige la guerra»[1]

---

1 Rubén Darío, *Marcha Triunfal.*

devoraron la tierna esperanza
de nuestra juventud.

No pertenecemos
a ninguna de las generaciones
que se invocan fuera
de nuestro acontecer.

La nuestra, la que no se nombra,
es aquella
de la atónita desesperación.

Junio 1976, Mad.

EDICTO

Los señores del mundo sobre las civilizaciones,
las culturas de la piedra; la arcilla; el mármol.
Los que no mueren jamás y engendran descendientes
con idénticos fines y características.
Los que no vacilan nunca, manifestando poderío
y ordenan, someten, fustigan, rompen espinazos
para ejercer sobre las criaturas su imperio.
Dueños absolutos de la sangre, la saliva, los jugos vitales
que se derraman obedeciéndoles,
permanecen inviolables, indestructibles. Mandan a trallazos
y la carne gime pero se doblega; y la sangre escurre pero la detiene
el manantial de la linfa convocado a fuerza
de corretear a su alrededor, exhaustándola de momento.
Amos sin piedad de los que nacen indiscriminadamente
ya que el placer es fuente que gorgotea dichosa y que va
sin temer a la conciencia que es una cuestión, más allá de los amos.
Los señores del mundo, de las especies, de todo movimiento e idea,
son y serán el frío, las hambres, el dolor, el gozo, la envidia y el
                              resentimiento.

16.8.76. «B»

Dos potestades oprimen
la vacilante figura
que se debate entre ambas.
Plantas y frente en tenaz forcejeo
apostrofan airadas

a la indomable energía.
Una criatura indócil aunque débil criatura
ésta que se destroza
y en añicos se quiebra
entre las dos murallas.

     —Contempla, caminante, que entre jaras afrontas
     el alud de los vientos, la enmarañada y ruda
     resistencia del suelo, cómo el otro está en lucha
     contra sí y contra todo cuanto no le contenta.

Hay frondas apacibles
de las que fluyen ríos,
aves que el aire consumen gozosas, recorriéndolo.
Un mundo basculando
entre la paz y el fuego
mientras el hombre piensa sabiendo que no sabe
y que su no saber le golpea las sienes.

     —Los árboles no piensan y las *piedras no sienten.*
     Persiste la verdad de que todas las ideas
     son tan sólo del hombre, con los sentimientos.

Entre dos potestades
que ajenas se mantienen
esta figura duele porque fue vulnerada.
El olor del abrupto romero,
del sándalo,
trémulos acosan la doliente experiencia.

Antes del alba enronquece la noche.
La oímos
espada que hiere y que corta
para que el día asuma
hijos acribillados por sus decepciones.

La noche no deja que el alba
pueda restañar
las sangres que se precipitan
porque filos de frío que fluyen,
acorralándolas.

Por marea de sombra cuajante
en los quicios del miedo,
entre urdimbre remota

gritar no se puede
aunque mate.

Antes del alba las bocas
manan palabras que ninguno atiende,
¡ay!, antes del alba.

Derramándose despacio o súbito,
poniéndole color a lo que a morado alcanza,
llega implacable.
Las calles cubre, los campos
que junto a ellas mueren. Sube
las escaleras. Reptando los pasillos se instala
ante las mesas sobre las cuales se intenta
por poco que sea, comer.
Corpórea masa que se desgrana
en partículas innúmeras.
No permanece allí, sigue hasta las alcobas
y escala los lechos, con trabajo
cuando el sueño
o el amor con su llama acezante
barreras opone. Y si las vence,
fardo tumefacto sobre los cuerpos vuelca
y aplasta los martilleados huesos.
Si despierta el que soñaba quizá una mar desnuda
o cuajada de rocío una pradera,
o que le besaban lentamente entre los labios,
¡cómo crepita bajo el empuje
que le hunde debajo de sí mismo!

            —Esa flor que desprenden de su rama
            para tenerla en las manos, celestial riqueza,
            cenizas consigo trae cuando su perfume expande.

Más denso que la maciza piedra
bañando está lo que a su paso funde.
Hay quien lo recibe en cuajarones negros
y a otros se les acerca desde punzantes hojas.
A ninguno de los vivientes priva
de su trizante presencia.
A veces hasta se aferra bronco
a un gozo cualquiera, arrasándole
huellas de barro para clavar las suyas.

14.1.77. Mad.

Ángeles sois contemplándoos:
Oyéndoos hablar,
viéndoos vivir,
ya no lo sois.

¿Os habitan grandes fieras,
peces crueles
que devoran a otros,
que cohabitan
con el mal irrefrenable...?

Si besos os piden
mostráis las fauces,
arrancáis tasajos
de los que os ven y sienten
desde la otra ladera.

17.6.76. Mad

En momentos que todos sufrimos a solas
se amontonan historias quemadas.
Las del no imaginable futuro se gestan
para a tiempos nacer que no veremos.
Testigos de nosotros, somos
un andar entre otros y siendo
lo evocado haber sido y que luego
volveremos a ser cuando ya no seamos.
Existir para aquellos que no nos conocieron
cuando estábamos vivos, conocernos deseen,
descortecen la tierra que fue acumulándosenos
y busquen allí las verdades.

—Mas, ¿cuáles verdades, si nos alcanzaren
los dedos implacables del mañana...?

5.6.76. Mad.

PAISAJE

Tardígrados en la torre, al pie condritas
que se mezclan con otras piedras negras;
de las minas arrastradas, van llegando.
Esta húmeda tierra que la mar azota

las cigüeñas no aman.
El suelo retuvo la herida de milenios
y torvo, se la respeta.
Allí a la voz por su metal distinguen,
el metal de la voz lo que resuena.
Es un país de minerales duros,
país que de volcanes se ha creado.
En las noches propiciadas por designios
se barruntan las mareas planetarias.
Es de dioses su misterio concebir, tomar parte
de tan fabulosa panspermia.
El sonido de fondo alcanzaremos cuando
sepamos prepararnos la conciencia.

14.3.77. «W»

A los que van resignados o parecen,
con una angustia sorda que a protestar no se vuelca,
les amo porque agolpan
su desesperación anónima y humillada
bajo la fúnebre presión de los que mandan
esto o aquello, lo otro y siempre
sin tenerles en cuenta.
                    Anulándoles.

Ellos son los mártires, las víctimas
de una civilización fracasada
por falta de amor, llena del fango
del egoísmo que nunca se ahíta.

Las madres con los ojos desgajando
Llantos que nadie atiende, porque música
o porque vicio o la codicia, el desprecio
acorralan su cuerpo; paridor de cuervos
las más de las veces.
                    Y los padres
que los hijos rechazan porque viejos;
no saben lo que enfáticos propagan
con tanta juventud perecedera.

        —Hace años, muchos años ya que el mundo
        me está padeciendo el alma.

Sí. Los que protestan son los héroes, gritan
por los que no tienen voz o la represan

para muerte y rechazo, fracasando
por su cobarde omisión.
Hay que hablar y que decir lo que es lo justo,
a ver si por fin alguien escucha
el dolor con que aúllan los que nada tienen.
Es duro ser la voz en el desierto;
al que habla por los otros le sucumben
los unos y los todos. Lo más trágico
es ser hombre convencido de su sino
demoledor de injusticias... ¿Por ello
callan los prudentes, los sensatos...?
¿Los que aguardan relevos de la historia,
para transformarse en déspotas...?

　　　—Pero son muchos años los que el mundo
　　　me está padeciendo el alma.

¡Contigo, mujer, que eres yerta ceniza
de criatura que no tuvo en su vida
más que privaciones;
contigo, niño, que asistes al dramático
forcejeo de tus padres por la defensa
de tu indefensa vida;
y contigo, hermano hombre, percutido
por incontables desolaciones;
con vosotros que fuisteis y seréis la ganancia
de la partida infernal de intereses,
está mi corazón, bien enterado
por su propia experiencia!

　　　—¡Porque hace tanto tiempo que este mundo
　　　me está padeciendo el alma...!

7.3.76. Mad.

Pensar en un solo pensamiento
acudiendo a mí sin mí, sin suscitarlo.
Este clavo crudelísimo encendido
　　　en pura ascua.

Imposible, aunque se intentara
desarraigarse de él, aniquilándose.
Porque él se ha endosado la estructura
del ser que soy sin mí, incorporándonos

a la idea asoladora, a la abrasiva idea
   cúmulo de imprecaciones.

¿Qué aceptación, si os preguntárais,
oyendo la ronca sed de estas palabras...?
¡Quién la supiera, quién la revelara lúcida
convocando a voraz asamblea
   de respuestas!

El pensar es un ácido, despojos hace
de la criatura orgullosa de su cuerpo,
del cuerpo sólo idea de sí mismo.
En vano todo, siempre se citan mareas
y montañas; para golpearnos,
   infatigablemente.

                    31.1.76

Se acerca lo que no sé, y lo presiento.
Con frágil claridad se me aproxima
sin exteriores signos, tenuemente
los pasos del llegar hasta mis huesos.
Ni puedo hallar su nombre sumergiéndome
en la angustia interior que me atenaza:
collar rudo de frío que estrangula,
que pone en pecho y boca amargo lacre.
Quisiera desleírme, toda ausencia
del cepo puntiagudo e inminente.
Se acerca..., ¿a quién me trae
o quién me quita a quién...?
¡Trágica actitud de sin saber saberlo!

                    7.3.76. Mad.

La gran aventura insolente y desafiadora
   de ser feliz.
De sentir el contento de no querer nada
   fuera de cuanto se tiene.
La gran tranquilidad de no querer nada
   más allá de lo que se quiere.
Y gozar del subir entre sombras
   propiciando ensueños.
La firme creencia en lo que está creado

y de lo que formamos parte,
y no temblar nunca ante la cita
con lo que seremos luego.
Conocimiento absoluto, apaciguante
certeza de la Nada
envuelta en la espera de lo que no sea
lo que sabemos que es.
Sonreír y crear, creer, amarlo todo
como recién nacido.
Recientemente hecho para ser amado
en consciente certeza.

31.1.76

ETERNIDAD

Desde antes la muerte estaba aquí.
Los brotes tiernos de los que nacieron
asimiló vorazmente.
Las frágiles horas del tiempo que nadie entre sus manos tuvo,
fueron royendo la vida.
Quienes acumulan sus años inconscientes
de que sus pasos roturan los que otros millones de pasos,
rechazan a los que llegaron primero.
Sin traumas, se contempla amándolo todo;
el ir y el volver, el resbalar del agua que siendo la misma
dicen que no lo es a cada instante.

Surcos remueve la semilla,
lo sembrado con amor dichoso va creciendo;
las sangres tibias, las sangres frías e indiferentes
no producen verdor, nunca germinan.
No propagan la creadora pasión, ni la esperanza
y su dura disciplina de continuidades.

La muerte se acierta a vencer, no temiéndola;
echando a su hoguera ardientes selvas de la convicción
que empuja a vivir las vidas.
Las torvas sonrisas hostiles,
las afirmaciones del escepticismo estoico;
la frívola despreocupación,
sí que son la definitiva muerte.

25.XI.76. Mad.

Cuando erais tan pobres
podíais amarlo todo:
a vuestros vecinos, a vuestro perro; y
sin esfuerzos,
también a vuestros enemigos.

Os golpeaba el frío porque
estabais tan débiles..., pero salíais
a la calle con cualquiera ropa
que aparentara abrigaros. Una vez
vuestros zapatos no tuvieron arreglo
y os comprasteis
unas alpargatas que intentaran
resguardar vuestros pies,
precariamente.

Los ricos que os rodeaban
aguantaban su tolerancia indiferente
disimulando
que os veían a punto de desfallecer.
Vuestro perro os quería y, generoso,
ostentaba un placer alimenticio
con los trozos de lo que comíais.
Era dichoso porque le queríais
tanto como a vosotros mismos.

Es que era un buen perro. Os siguió
por la melancólica desgana
del sufrir que os acosaba.
Pero, ibais tan juntos, tan unidos
que podíais reír de vuestras penas.

Con los años
aumentaron las tristezas tanto
que parecieron insuperables. Y no lo fueron.
Siempre se aguanta más. Ya lo sabíais.

Y empezasteis a moriros, uno tras otro...
Sin embargo,
ya no os faltaba nada, como al canario
aquel de Juan Ramón Jiménez.
Teníais zapatos, varios trajes;
joyas, no. Porque a uno vuestro
insanas parecían, conociéndolas.

Tuvisteis trabajando algún dinero
para comer y beber, salud no mucha.
Ya sin perro y sin gato. A solas.

¿Dónde la armonía de aquel tiempo
en que os faltaba casi todo...?

21.XI.75. «W»

HISTORIA

Me dolía
verla macerar desde el espacio.
Intensamente me dolía
que la acribillara el Odio
que con tantas razones se protege.

Aguantando el tormento de las bombas
que en toneladas nos caían,
veía absorta desde las ventanas
los taladros de luz que iba buscando
en donde penetrar con la protesta
de los indefensos que, abajo,
el metal corroía,

¿Qué más daba morir muriendo ella
cubierta por las sangres desbocadas,
por las sangres maduras o incipientes,
por viejas sangres atemorizadas?

Fresca de sembrados, se abrasaba;
repleta de cosechas que se volvieron
amasijos oscuros...
Cordera perseguida desde arriba
por tremendo degüello implacable.

Pobre tierra que a ríos cede paso,
pobre tierra que en frutos se crecía,
pobre tierra de hombres endiosados.

Con lívido terror la contemplaba
hecha vientre rajado por cuchillos
del estéril rencor. Muchos días

caminando por sus calles con angustia
de hacerle también sangre, la he pisado.
A veces en silencio sin bombas y sin gritos
del espanto, atenazaba
la espera de la muerte.

    Pobre tierra que siempre tiene abiertas
    sus entrañas para el hombre.

La he tocado con manos muy suaves
dándole caricias..., la sentía
agitarse estremecida a mi respeto
de hija por su madre moribunda.
Los granos de la tierra, arenas negras,
a mis dedos se entregaban.
La muerte la roía, era su azote:
desde arriba la pisoteaba.
No he tenido en mis brazos a mi hija
pero la tierra me la devolvía.

    Pobre tierra cubierta de ruinas,
    pobre tierra ametrallada.

Y es ella tan hermosa; tan prolija
de hermosuras es la tierra.
Sus dóciles sembrados, el tumulto
de árboles hirviendo primaveras;
esa grey generosa de las bestias
que a los hombres otorga su alimento;
el latido circular de los que cantan
sin otra recompensa que sus voces.

    Pobre tierra que en zanjas y en redondos
    inmensos agujeros se partía.
    Pobre tierra que amor no apacentaba
    cubriéndola ilusionadamente.

Vigilante en las noches escuchaba
el hiriente alarido del aviso
que a la muerte precedía inexorable.
Resollaban en lo oscuro los adultos,
lágrimas de niños se escurrían
temblorosamente...
Los ojos y los pechos de las madres,
seis brazos rodeando estremecidos

a las noches desdichadas...
En todas las naciones son las madres
las víctimas eternas.

Pobre tierra
¡quedándose con madres sin sus hijos!
Mis manos se mojaban en el llanto
de las vísceras, deshechas
ya antes de estallar contra los suelos.

Largos años zumbando en mi cabeza
las bombas que incansables proseguían
cubriéndonos de estallidos.
Contra ellas era inútil esquivarlas,
o intentar la mísera defensa
del asilo precario subterráneo.

Pobre tierra
resonando el funeral de las huidas.

He soñado extenderme, cuando aún viva,
sobre toda la tierra de mi Patria;
entregar mi calor al suyo intenso,
transfundiéndonoslos.

He soñado sembrar, labrar despacio
con mis débiles y desnudos pies
esta tierra que reposa un tiempo
mientras la vuelven a herir.

He soñado ser sus flores, sus arroyos
recorriéndola dulcemente;
cantarle con ternura, echada en ella,
las canciones del sueño en que fui niña.

Afuera los que odien, los que hinquen
cañones en un cuerpo tan preciado.
Afuera los que rompan su estructura
y afuera los que nunca escucharían
el ahondante rumor de su latido.
Triste consolarla es que le acerque
mi extremo y desvalido amor por ella.
Pues sólo al deshacerme, incorporándome
al haz de su espesor podré ser suya.

Pobre tierra acezada por el Odio,
¡desventurada tierra mía!

La he visto reventar con las granadas,
apegarse en las sangres perseguidas
y abrirse para ríos, monte alzarse;
correr bañando prados y jardines.
Coronada de nubes y de aves
procurarnos el pan y los viñedos.

Pobre tierra del mundo en que nacemos
¡y morimos con luto de rencores!
Ya no sé si es posible que algún día
me entregue luz de paz,
que tanto pido.

12 marzo 1976. Madrid

Soñando inmortalidad
con la roca se enfrenta.

Cuando empiecen las piedras a quebrarse
descarnarán el suelo;
a la lluvia y al viento ofrecerán
soterrados milenios de huesos;
los cimientos de lo que fue y de lo que somos
descubrirán sus rostros
y abrirá sus mandíbulas burlándose
una turba de cascotes entre el barro.

1.6.77

En los árboles
en dura lágrima que apenas si puede
desprenderse de los párpados.
En el sudor del esfuerzo,
en la trémula humedad del rocío
que el cansancio acarrea.
En el grito del animal acosado
y en el gorgoteo de la agonía
que nunca entendemos.
En el miedo.

En la atribulada charca oscura
del miedo que rezuma hedores
de muerte en descomposición.
En las entrañas que el llanto ha remejido
por su fracaso aunque amen,
porque las entrañas se marchitan
como los pájaros.
En los pájaros que, apenas si nacidos
ya no son sino plumas secas.
En los labios que se cierran
y en los que se abren y son gajos
de las frutas olientes a sol vivo.
En la sombra apretada de la noche,
cuando yace el cuerpo
sin encontrar el sueño.
En los círculos rojos y morados,
agujeros para los ojos,
que giran incansables sobre el muro
que, apagado, nos enfrenta.
En las manos que levantan
y tiran, hieren, acarician, hincan
zarpazos de la angustia o el delirio.
En la soledad, en la compañía,
en esa terca y torpe lágrima que oscura
no logra desprenderse de los párpados.
En el gallo del amanecer,
en el cuerpo de la medianoche.
En ti, en él, en nosotros,
en todos y en cada uno
de los sórdidamente vapuleados.

1.12.77

Miguel

Sobre alfamar mullida, amigo nuestro,
extiendo la memoria de tu cuerpo.
A Orihuela la tengo ante los ojos
y el descenso moroso del Segura.
Miramos esta agua rica en limos:
dulcemente resbala, somos juntos
tres amigos que hablan y se dicen
sus recónditos sueños. La poesía
nos acucia voraz, absorbe vida
que nunca morirá si ella la meje.

¿Cuál de nosotros teme al día
que hoy acerca mis manos a tu sombra?

Cuán sereno es el río, ni se oye
su grueso acontecer turbio de zumos.
Tú sonríes gozoso pues te has hecho
en lunas tan perito, como en rayo
serás dentro de poco. Y más luego
al viento entregarás tu lucha joven.

Llevamos tu persona por el campo
tan llano y tan feraz de Cartagena.
Unimos nuestro grupo a aquel molino
abierto en ocho alas del tío Poli.
Tan crédulos los tres, amigo nuestro,
tan locos por verdades inmortales.

Amasaron con sangre tu silencio
que al fin se reventó quebrando diques.
Tú no fuiste poeta enajenado
sino hombre que arroja en la poesía
toda el hambre y la sed del pueblo suyo,
sembrándola de amor a dentelladas.

Veíamos el río aquella tarde.
Oímos el molino en la mañana.
Comimos muchas veces parvamente
el pan y la esperanza compartidos.
Ya todo estás aquí, en limpia alfamar
poblada de tu imagen dolorida.
En grano destrozado contra el viento
su cosecha rindió. Tú no te has ido.

22.1.77

EL TIEMPO ES UN RÍO LENTÍSIMO DE FUEGO

CONCIENCIA

Tajaron tu carne, luego existes.
Acongojaron tu conciencia, luego eres.
Si todo puedes amarlo
sin límites ni fronteras,
es porque vives.

8.VI.75

LA ESPERA

Suyos todos los pasos son;
abren y cierran sus manos las puertas.
La calle resuena su venir ligero
y entre las casas lo retiene y pierde.

Apagan su voz los ruidos que interfieren
el sonar de su hablar a quien le espera:
«¡Estoy aquí, vine ya, soy yo!», vendrá gritando
sin que le dejen oír los que nunca esperan.

Duele el corazón, de incertidumbres bulto;
duelen los ojos por abrirse tanto
y los pulsos de tobillos y de brazos...
Gime la escalera, por fin, su peso
y clamará la puerta cuando la empuje.

Relojes retrasando el minuto preciso
que se niegan a dar. El tiempo
es un río lentísimo de fuego...
La boca traga carbonizado el aire.

Si no llegara nunca, si algún alguien
se ha interpuesto entre el ya y el antes...

Mas, no.
Asciende y golpea con prisa.
Pero, tampoco entra quien esperabas.

4.6.75

EL ENCUENTRO

Atravesar el espacio, una calle de aquel día,
alegre, despreocupadamente:
                                 Y de pronto,
por el otro extremo avanza quien, ajeno,
se cruza con quien va...:
                           choque fulmíneo
lo desconocido y desconociente surge
con garras y raíces.
¿Qué esto que
el espacio interrumpe, la calle enciende
y el mundo transfigura...?
Se iba.
          Verdad que se iba yendo a algo:
otra calle, otra casa, alguien que esperaba
y esperará sin que se llegue a ello.
Con vívida violencia arrasadora
abre el encuentro...
                       ¿A dónde ir se quería,
a dónde en este momento
(mañana, tarde, noche),
y ahora, siempre ya, no va a saberse
caminar para seguir yendo
a donde se iba antes del encuentro?

No memoria, no voluntad; no de reevocarlo ansia:
perpetualizarlo eternidad.
¿Desde cuales astros se estaba derramando
gotas tras gotas inevitables,
esto que es de piedra inmortal:
el encuentro?

LA ENTREGA

Porque el cuerpo,
todo el cuerpo albergándole a la vida
su oscura aunque preclara omnipotencia,
siempre está aquí, estará siempre.
Y quien ama y quien desea, quiere
poseer y entregarse poseyendo.

Tarde y noche, amanecer o mañana,
al amor, el amar reclama al cuerpo

en tenue caminar; o alborotado
por de lavas repleto sendero:
la sombría eternidad que da a la vida
una muerte incrustada.

Un helado volcán; ¿son océanos
lúcidos y vertiginosos
con furia de morirme mientras amo?
Porque así es la entrega del que ama:
una despótica catástrofe.

¿Soy yo así, soy yo esto, se pregunta,
creciendo de salvaje encrucijada,
viviendo de mi muerte que rescato,
con furia de morirme cuando amo?
El cuerpo dócilmente escucha dentro
y otro yo se le asfixia en la pregunta.

Cuán intacto el despertar. Ya despojándose
la invasión de sí mismo, gime el cuerpo.
Vuelve el mar reclamándolo absorbente
y otra vez se desploma y recupera.

IDENTIFICACIÓN

La mano ignora si la otra mano
es o no es ella misma
cuando se le entrega.

La pierna se une a la otra pierna
y es imposible identificar
su propia piel junto a la otra.
Una corriente sosegada
repleta los dos cauces.

Acude el pensamiento en busca de palabra
que corporeíce su empuje;
cuando el pensamiento irrumpe
empleando voz idéntica.

En una asamblea de criaturas
el otro siempre sabe a ciencia cierta
a cual escoge la atención de su doble.

Es como tenerse en un cristal
oficiando de espejo.
Como ser la sal y el agua,
el mosto y el alcohol conjuntamente.

Decirse: ¿eres o soy yo, dónde se acaba
este empezar a ser nosotros cada uno?
Dos en el afán, en la conciencia,
indesligablemente.

8.VI.75

LA DESPEDIDA

Con suavidad desprendiéndose
y sumamente despacio.
De los labios duras sombras
bajando hasta las entrañas.

«Adiós» repitió ya lejos,
y se metió en la distancia.

La sangre avivó un volcán,
las hachas talaron luz;
en cada tierra del mundo
pozos abrieron los rayos.

¡Galopar sin ser corcel,
no siendo ave, volar;
entre el cuello y la cintura
garfios de acero caliente!

«Adiós» escoraba el viento,
«adiós» el fuego y las mares,
«adiós» se trizaba en barro,
«adiós» los huesos rugían.

7.VI.75

LA NOSTALGIA

No que pudiere volver a ser, eso nunca.
Así como se la siente acercarse,
posesionarse de la criatura, invadiéndola
de una tenue música morada,
es profundamente hermosa.

Queda balancea la mente: la lleva y trae
del ayer a este ahora, no revelándose
de *manera* absoluta, no entregando
la entera *presa* intacta...
Delicado temblor de las imágenes
que guarda la memoria, aletea
junto a los ojos de dentro, humedece
de un rocío oloroso el recuerdo
propagándolo fuera, en el ámbito
del ser casi inconsciente aunque tenso.

No que nos devuelva el pasado, ni
que nos amontone los actos definitivos.
Sea ella así de persuasiva en su caricia
intangible, aunque hiera y deje fresca
la pobre herida que conservará
amoratados bordes ferruginosos.

8.VI.75

EL RECUERDO

Quiere la voluntad trazar el mapa
de olvidadas vivencias.
Era, ¿cómo era, si es que llegara a ser
algo que en el corazón persista?
Y la mano se hunde, rebaña,
saca de su profundo escondrijo
el haz del recuerdo, intacto.

Palabras retiñen, se precipitan ácidos.
Tibia paloma de oxidada sangre
pugna contra las sienes... Triunfo
de la memoria titánica.

Unos ojos salvándose del humo,
boca húmeda de confesiones
y el ronco afanar del pecho
rompiéndose contra el otro pecho.

Sí que era verdad, que es
Memoria sometida que recobra
su derecho a oprimir presente.

7.VI.75

EL OLVIDO

¿Cómo era aquel rostro,
cómo la voz aquella...?
Fueron mucho ayer, o hace cien años;
la misma vida fueron y, ahora,
¿cómo serán ahora y cómo
fueron entonces...? En vano
se fuerzan las clavijas del recuerdo.

Nada a qué acogerse,
ni evocándolo.
Cierto es el olvido, lo saben muchos; otros,
no; otros no olvidan íntegramente.
Quedan
migajas de un presente que no es mañana
ni hoy
aunque naciera avasallándolos como idea
de lo eterno.

Forzar la memoria por si acudiere
mínima luz posible que alumbrara
esta persecución que su afán hinca al olvido,
por recuperar el tiempo
que, aunque fundido, persiste oculto.

4.VI.75

EL INSTANTE

Es y ya no es. Fugitividad
en eterna presencia
si la atrapamos por máquina
que la repetirá, reiterará
el instante aquel, un nunca ahora.

Presencia dolorosísima
acudiendo imborrable al impulso
cordial de la memoria
de alguien que no olvida, porque amante.

La luz viajando impasible
lleva en el pico el instante

noticia a un tiempo invisible
de este tiempo fugaz, que se escapa
en un abrir y cerrar de manos,
de ojos y de labios que suspiran,
de frágil corazón perseguido
por otro instante ya perenne.
Le tenemos presente, yéndosenos
con implacabilidad;
y le entregamos vida ardiente
que, como él, es y no es a un tiempo.

Retener, retenerlo reteniéndonos
en imperecedero gesto.
Aquí está el rostro inolvidable,
aquí, con él, nosotros mismos.
¡Qué claridad de amor aquel instante
en que el mundo accedía
a quedársenos inmóvil nuestro!

Era, fue, solamente aquí
en este trozo de papel iluminado
perdura el instante.
Todo envejeció, todo murió.
Sólo nosotros: la mano y la mirada
ante el instante
fugitivo apresado un día.

Búscalo, luz. Tú que le llevas
prendido en tu pico incruento,
vuélvelo aquí.
Movámosle de nuevo
para que sea otra vez.

Yéndose estaba cuando la luz un día
lo fijó a este papel.
Fue posible encarcelar el instante
y quieto está siempre.
No es él quien se fue, él se contuvo
y nuestro seguirá. El otro,
el que encerraba su tiempo en fluir,
el ser amado
que viviendo otro mundo está.

Un solo irrepetible, asolador instante
aquél y éste, ambos

quietos en memoria y ojos.
Quieto,
quieto e irrecuperable instante.

12.2.75

LA ANULACIÓN

Sin preguntas.
Sin afirmaciones.
Imbatidamente aquí
o afrontando los combates.
Ajena.
          Ya,
                    ajena.

Rodeándote de un frío imaginado:
cual un oscuro pedazo de bestia
dentro de los glaciares, que, sin embargo,
tiene agua pura helada legítima
para su propagado sueño.

Mirándote por dentro; rodeándote
con tu propia mirada
para ver que no eres aquella
que estás viendo que eres...

          Nadie
que pueda convencerte de que vives.

8.VI.75

LA ESPERANZA

Madurarán los frutos en estas ramas negras
y un verano de fuego estallará en cigarras
y en grillos clamoreantes.

De las cimas desnudas sobrevendrán los ríos.
La tierra se henchirá y crecerán las mares.

Cantaremos libres a las puertas del antro
donde hederá la podre del maleficio.
Riendo danzaremos, pisotearemos huesos
de monstruos que regresan a sus pétreas edades.

Libertad, libertad desatarán los vientos
y alargaremos manos para coger las aves
en cuyos picos vuelen nuestras angustias.

8.VI.75

1

Junto a la orilla, no: porque ya se es el Río;
sino cerca, más acá de su transcurso,
viéndole correr cercado por sus límites;
pareciéndonos ensimismado
por su destino de nunca detenerse.
Si se es o no se es Río a la mar abocante
—que no es que sea su muerte pero resurrección—,
eso no lo dice ni sabría el que avanza.
Bóveda de pájaros que trémulos dispersan
derrochada armonía que disgrega el espacio
cuarteado de luz o de sombra: agua espejo
duplicando su extensión la profundiza.
El tiempo es el camino que la fuente acomete
haciéndolo tirarse a distancias sin tregua.
Vasta coordinación, quienes la aprecian
equilibrada armonía del caos constatan.
Mantenerse escuchando los hablares del agua
que en grueso tronco crece llevándoselo todo:
descortezando imágenes de población de bosques,
escorzos de las aves cuya voz suma el Río,
es un atrás perenne que fluyendo se fragua
y un devenir confuso que apenas si es presente.
Se sabe de este ir, de su olvidada memoria;
se ignora si este Río presiente su futuro.

2

Contempla la criatura que arropan soledades
claro espejo también de sí misma.
Quisiera ser el Río, quisiera porque olvida
que es parte de este ser de memoria en suspenso.
¿Por qué no se confunden, si son tan semejantes,
mirándose los dos en sus líquidos ojos?
De arriba llueven trinos, de abajo crecen quejas,
y los dos, cerca y lejos, cercenándose sangres.
Es tenue yerba el aire, las semillas del sueño

propagan por la tierra esculturas de frutos,
y es una tarde a noche, madrugada a mañana
mojándose de luz con miembros de ramajes.
No dejarse llevar a lo que no se devuelve,
no quedarse en quietud cuando todo va yéndose.
Si es que ser no es estar, sí que estando se es
quieto aquí junto a él, un infinito Río.
¡Cuántas hojas del árbol que sus ramas repone
para que no desnudo lo acribillen los yelos,
acuden al reclamo del Agua que apresura
su cita irremediable con aquello, lo otro!
Se dejará de ver, se dejará la orilla
donde el pie se repone del fatigar cruento.
Sobrevendrá que el Río va a quedarse tan solo
como el hombre que va, como el mar, como el cielo.

3

Recorriendo la tierra cancerosa de casas,
a la espalda un rumor cada vez más hundido,
gran atasco de ideas que la memoria roe
atropella la voz dejándola desierta.
Las cosas de metal, de cemento, de hierro
destruyen a los ríos, los convierten en fábula.
Acosados por hachas con mangos de hombres zompos,
suplantan a los árboles cementerios de oxígeno.
Quedarse junto al Río o arrojarse a su impulso
sería más leal que sumarse a las cosas.
Las cosas han perdido su castidad de invento
al servicio del hombre: devoraron su alma.
Sin pájaros ni peces, ni sonrisas de selvas
los ríos no pondrán sus lenguas sobre el mundo.
Langostas socarradas por la luz implacable
hallarán a otro Juan y serán su alimento.
Mas entre tanto verlo runfándole océano
a los juncos que doblan su estatura en el torso
del Río en que acontecen milagrosas presencias,
y entrecerrar los ojos que sus pesos padecen
duros montes que buscan ser raíz de lo eterno,
para no saber nada más allá del momento
que converge misterios y abastece respuestas
al costado incesante del que camina a ciegas.

4

Esquivo anochecer fundiéndose en el sol
que baja apresurado tragando el horizonte,
agrega otro murmullo a la corriente cárdena
y apaga el verde olor del día que fluía
como fluyen las horas hasta la hora clave
anegando el reloj que, ajeno, las trizaba.
Abrévanse dos prados del mismo Río absorto
en su galope tenso, predeterminado
destino de correr bebiente de la Vida.
Vense chopos aún (respirando la tarde
que casi ya no existe) amontonando pájaros.
Propaga la quietud sus sensibles corolas
para cubrir heridas de pasos que apoyaron
en las blandas arcillas concretas andaduras
de animales con sed que las aguas avivan,
y el silencio de Dios su volumen extiende...
Apenas si el latido del Río se desgarra
del espeso tejido de la Noche.
¿Quién oye ahora al Río y cuáles ojos
sorberán a tan esbelta criatura,
si no zumba la luz porque tajaron
su ondulada armonía...? ¡Ah lo oscuro,
brotando de sus cuevas espesísimas
cómo embebe a púrpura del Agua!

5

El légamo revierte a las orillas, quedas
cuando descienda el furor de la corriente,
dejándose ser formas que las manos
promoverán a frescos nacimientos.
Las aves duermen juntas, en racimos
de expectante temblor. Y nada turba
lo arrasado que yace acumulándose
para hacerse otro más de tantos días.
Los ojos han perdido cuanto fue su riqueza,
retiñen el oído puras voces cuajadas
en transparente masa... Los dedos tactan sombras
que el paso tambalean...
Exhalando su vaho retumbante irá el Agua
por el cuenco cavado entre frágiles musgos

cuando aquél que miraba o aquélla que veía
marcados sus caminos,
                    se diluyan.

29 febrero-1 y 5 marzo. 1976

Quiero serlo todo, el monte, la llanura, el toro,
el caballo, la asendereada rosa, el rocío,
y el abrazo, la posesión y lágrimas
y el hachazo de la muerte y el desgajón de la vida.

Todos y todo quiero y sé que puedo serlo.
Porque me asfixia el deseo inabarcante que padezco
en mi ambición de ser el íntegro universo.

Reducirse al cuerpo, el límite forzoso
que impide la fusión con todos los elementos
y las criaturas, humanas y animales,
es un tormento de cárcel.
                    Quiero
que salgan de mí los ríos, robustecerme mar,
llover, inundar, meterme en unos ojos
y con ellos verme viéndolos todos.

Árbol y fuego que lo consuma; rayo
que desintegre nubes, tierra que germine
inmensa y eternamente quiero ser.

17 mayo, 1975. «B»

LA MAR CONTEMPLADA

Da respuesta a tu mirar.
        Si tú miraras
sin tener la pregunta,
        seguiría
circularmente quieta.

Es tu ir y venir por tu dentro
el que atrae la palabra perfecta.
Ya sois dos que se hablan y dicen
sus profundas vivencias.

Un volver al origen trepidando
acumulado el ayer que fermenta
un mañana sin sonido ni rostro...
Claros el pensar y el comprender
deteneos allí donde se encuentran.

2.8.75. «B»

Ya no corre la fuente que a la mar
    iba llevando su río.
La tierra se ha secado como tu
    corazón y el mío.

No mira al cielo mi luz
    por buscar su río.
Mi frente se ha quemado como tu
    corazón y el mío.

Si canto no lo hago como ayer
    cantábamos junto al río.
Mi voz se está rompiendo como tu
    corazón y el mío.

¿A quién le dolerá lo que me duele
    a orillas de este río?
Si ya no corre el agua ni está tu
    corazón junto al mío.

¡Ay las aguas que se van adoloridas
    por debajo de la tierra...!
Así cual van ellas, las palabras
    nuestras vidas encierran.

25.XI.75. Mad.

No importa lo que dijeron los dioses
que hablaron y oí con reverencia.
Traje también, como trajeron ellos,
árboles de la sagrada selva.

Las gentes como yo no dudan nunca
de lo que quieren decir,
aunque a veces la angustia sobrevuele

a la indefensa palabra, vulnerable
ante el aliento que abrasa.

Sólo sé de mí en la certeza ardiente
y apenas si entreveo a los que andan
pendientes de un fasto. Sola voy
tras quienes preceden mi camino.
Si una se detiene ante sí misma
preguntándose qué ha hecho
de cuanto vino a hacer, sucumbe
desde dentro de la vida.

29.XI.75. Mad.

Todo nombre que se nombra, dice
a los Efesios San Pablo.[1]
Todo nombre que se nombra eres
siempre que yo hablo.

Memoria puesta en olvido, dijo
antes el Ecclesiastés.[2]
Olvido que se recuerda eres
de mi voz en tropel.

Y añade que no hay memoria
de lo que precederá,
ni tampoco de lo que suceda
en cuantos después serán.[3]

No me cansa decirte, digo
devolviéndote mi voz.
Nombre que me nombró[4] y memoria
del encuentro atroz.

Desnómbrame cuando me veas
que he podido olvidarte,
porque no seré yo sino tú mismo
que buscas recuperarte.

1 Cap. I, v. 21.
2 Cap. IX, v. 5.
3 Cap. I, v. 11.
4 Cap. VI, v. 10.

Asúmeme porque eres agua
de la más gruesa mar;
estoy siendo sangre de la tierra
para poderte alcanzar.

30.XI.75. Mad.

NUEVA RAZÓN PARA PODER SER

1

Lo hecho,
hecho está. Convencidamente
borrón y cuenta nueva,
si es posible
el borrárselo todo de encima
hasta quedarse en blanco.

Atrás lo que obsede
porque ahora
paso hay que darle a otra obsesión
nueva y renovadora, fúlgida
preocupación hallada
entre horizontes durísimos:
uno apurado hasta su hez,
otro que empieza a extenderse.

Saberse
avanzando al encuentro
de lo íntimamente aguardado,
de lo que se adivinaba
como fatal decisivo inexorable.
Palpitar la evidencia
de éste ya no hay más entre los dedos,
porque al Agua
no hay quien la retenga.

Y agua eran
unos días clara luz que le encendían
al mismo Dios su gloria,
y bebérsela otras noches tan oscura
que los labios se vestían con su ébano.
¿Y cómo no beber del agua
que nos hiela o abrasa y nunca funde
la sed gigante que despierta el mundo?

2

Confrontarse con esto
que llega ahora,
sin melancólicas reticencias
del haberse vivido tanto tiempo
condicionadamente;
desmenuzar los de arcilla
crisoles del metal perdido.

Romper ya con todo,
rompernos en un ser reciente
que se dispone a
pronunciar sus palabras más tiernas,
las no aprendidas aún,
las todavía nunca dichas
palabras
de un vivir que se inaugura.

¡Si lo hubiera encontrado
antes de caer en el mundo,
cuando vine y fui siendo
quien ahora rechazo!

Porque íntegra estaba
dentro de aquel pensamiento,
brotando
de sus inmortales cánticos,
vulnerada concentrándome
en sus lúcidas imprecaciones.

3

Desvivirme no puedo y
habré de estructurarme como otra
que yo misma pariera
con todos los dolores que las madres
no le hurtan al hijo:
que madre de mí misma habré de hacerme.

Para cercarlo,
realizar mis empeños
jamás alcanzados

porque yo no era aquella
que rechazando estoy. Porque sé
lo que quisiera haber sido. Porque
nunca ni siempre yo fui
la que llegara hasta hoy.
No alcanzo a comprender
si es que lucho con un ángel que ha tardado
tantísimo en acercárseme;
o que lucho ahincadamente
por lo que quisiera ser.

Pues que habré de forjar en mi criatura
otra con la que ser ya sueño,
¿por qué, si lo rechazo hoy,
tendré que responder por lo que hice?

8.XII.75
(Encuentro con Mahler)

PROCLAMACIÓN

Eres el cielo de los que abajo
de ti generas bullentes vidas.
Para nosotros hay otro cielo
cabe del cual también cuajamos...

Que sois dos cielos y sois dos mares
que nos hicieron y complementan.

Las vidas tantas como creáis
entre los aires y entre las aguas
nunca os alternan: indiferentes,
si devoramos nos devoráis.

Inagotable es el resistiros
sobre los unos, sobre los otros;
porque no habláis sino que hacéis
nuestro vivir y nuestra muerte.

Sólo unos dioses que padecieran
un hambre eterna, igual vosotros,
nos mantendrían como alimento
de sus voraces bocas extremas.

Os contemplamos desde las hondas,
desde las altas cimas oscuras...
Sois uno solo, indivisible;
sois los dos juntos vientre insaciable.

26.XII.75. Moguer

Dentro de la palabra se encuentra todo.
A cada palabra corresponde un núcleo
de potentes semillas. Algunas
ya gestadas en entes que propiciamos
liberándolos de sus cotiledones.

Abrid delicadamente la palabra:
contemplaréis cuerpos de vida, tiernos
cuerpos
de criaturas plurales.
Con tacto infinito en ternura,
tomadlas
para acercároslas turbadas
por su propio nacer, y ya vuestras
aprestad un agudo cuchillo
y viviseccionarlas en mínimas porciones.

¿Qué halláis allí; no encontráis
el universo dilatándose
para reducirse a unidades concretas?

Si la palabra es *cosa* miradla
como inacabable teoría;
y si la palabra es *cuerpo* o *espíritu*
abrasar el firmamento la veréis,
tanto si lo multiplica
como si lo evade o triza.

Desligada del prieto lenguaje, solitaria exenta
quedará la palabra:
irradiando visiones, proliferando
en significados múltiples
ante quienes la mantengan viva.
Una palabra abarca sola
el mundo entero.

Si decimos «sí» o sí decimos «no», ¿a cuánto
está refiriéndose ella

con tan diminuta extensión...?
Inmerso en su vientre vive
el mismísimo Dios que nos dijo
manteniendo en su boca
la palabra *creación*.

No alteréis su enjundia,
no la empleéis como esclava.
Tiene todas las fuerzas y vosotros
sus plintos seréis.

Conocedla por descomponer su trama
y rehacedla sumisa y amorosamente.
Porque si única es un sólido estamento
con otras promueve eternidades.
Mientras late entre labios la vida
transcurre con significación. Si no suena,
muerte o incomunicación rebotan
endureciendo el silencio.

Vida es la palabra, fruto de espesa pulpa
que no comeremos íntegra. Pero, hablad
y escuchad, meted las manos limpias
dentro de la palabra, restalladla látigo,
o hacedla susurro de pájaros, de flores
que al viento remansan. Detienen.
Acariciad sus entrañas profundas
y desleídlas en zumos.

Todo su contenido lleva
al contenido del mundo. Es parte
y resumen. Ajusta
lo inabarcable. *Quiero*
es una palabra activa, trepidando
actos por realizar con furor o ansia
de posesión. Y *nunca* es una palabra triste
deshelándose en anticipos de imprecisa nada.

Ahora se encabrita en un potro, piafa
deslumbradores sones de la naturaleza.
Y *siempre,* concurre a lo que no se destroza
aunque se pudra la palabra en que cupo.
Estrujad la palabra y oiréis un lamento
de toda la Creación en marcha.

¿Visteis, por fin, cuanto tenía,
abriéndola con deliciosa gula de su meollo?
¿La urgisteis con la melancolía
que se sufre ante lo inexpresable?

¿Qué os trajo el cuchillo del análisis
mientras la fraccionabais por conocerla...?
Si sobre la blancura inmóvil
del mármol en que sacrificabais
ella se entregó, sin usura,
vosotros y yo hinquemos en su contorno
los dientes de lobo que hambrea
sin saciarse jamás.

Dentro de la palabra estábamos
pugnando por que nos pariera.

22.2.76. «W»

PUBERTAD

Descubre que emergen sus senos...

Al contemplarlos retiñen
en menudas campanas. Junco erguido
advierte que ya posee un cuerpo
que puede recibir la vida
con la gloria de propagarla,
dándose, resucitándose,
y acelerar su tránsito.

Todo es otro en torno suyo, mira
sus hombros sobre sus senos,
su vientrecillo...
No se atreve
a bajar más los ojos. Teme
que asomen los hijos, invisibles
pero amontonándose para brotarle.

Súbitamente temerosa cubre
las cuevas de sus ojos codiciantes,
porque alguien muy cerca respira...;
el brazo convocado abarca
un junco tembloroso y mudo.
Y cantan los senos, las campanas.

31.1.76

En el largo viaje emprendido hace tiempo
nadie me acompaña, nadie fuera de mí conmigo
afrontará la llegada, estará junto a mí cuando llegue;
sola muy sola cuando mi final afronte...
Tampoco imagino el final a que entonces caiga
cuando deba llegar, cuando encuentre ante el tiempo
que el Tiempo no es porque ya no seré la que fui.
Un final para todos se anuncia y nadie recuerda qué es
pues cada respiro es pasado, final del perdido presente.
No el ayer ni es el hoy, el futuro no será si no soy
y el final que me espera será mi pasado
en un bloque de días y noches que fueron. No son.

¡Qué distancias las nuestras, criaturas amándonos
y universos distintos a solas con ese viaje
tan inexplorante y tan implacable!

3.7.76. «B»

De océanos socavantes a los que nunca luz llega.
De los altísimos lagos que flanquean los volcanes.
Bajo los ríos que arrastran los destructores siglos,
te hundes y emerges tú, aquél que llaman con nombres
que proliferan semillas avariciosas de amor.

Ignoradas dimensiones que pugnan bajo las tierras
por avanzar hacia donde ya no se acaben, reptan
pétreas serpientes talladas en ojos acusadores
que te presienten. Tú callas con improbable sonrisa
ante el celo inquisitivo de criaturas defraudadas.

Que calmaría la evidencia de algo que tú pareciere
como célula inicial, como cueva o como cumbre
y no ese encubierto ser que se desploma invisible
acaudillando temores y torvos presentimientos
que abrasan por abrasarte erigiéndote en su fuego.

Secreto fuego ortigante para las conciencias ácidas
por conculcarse en tu origen que es el suyo, no este luto
de ignorancia acribillada por tu ausencia, ser latente
que ruge por los subsuelos y por penachos de lava
acusándonos qué fuimos, sin saber lo que seremos.

5.8.76. «B»

Sólo el amor levanta montañas.
Altas montañas generosamente limpias
son las que el amor levanta.
Prados se extienden en medio
que pisan locas criaturas
de las aguas más veloces.

El amar
goza elevando montañas.
Y de un confín al otro, si lo quiere,
puede alegre transportarlas.

6.6.76. Mad.

De aquella enajenación cuyo resplandor hacía
que los colores del cielo ardientes permanecieran
fluye una clara resina olorosa a lluvia intensa,
a tierra mojada, a rosas que maduraron, al viento
acumulado en el largo atardecer persistente.

Vasijas frescas de barro son los recuerdos, rezuman
palideciendo los ojos y los labios, anegando
hasta la garganta seca por el temblor contenido;
entibiándose en las manos que retuvieron el ave
del dulce sentir ajeno cuya presencia aún palpita.

La ventana ante la mesa y a ésta quien se soñaba
en quieta actitud vibrando apasionado esperar...
La puerta que, vulnerada, alguien empujaba para
precipitarse a lo azul, a los cristales, al agua
que corriendo llevaría esbelta carga impaciente.

Flores que lo contemplabais,
¿a dónde vuestras cenizas
si es que a cenizas mudasteis
vuestra embriagante hermosura...?

14.8.76. «B»

CEDRO EN «BROCAL»

Cuando tan mínimo te plantaron
holgadas en mis manos cabían las tuyas
y desde la tierra bajo mi ventana eras

dulce figura infantil y temerosa
ante el acoso del viento en Guadarrama.
Año tras año, aunque mirándote,
no te veía crecer; una verde presencia eras
que con ímpetu escalaría la distancia
que nos separaba aún. Ajena a tu empeño iba
de allá para aquí sin el afán advertirte.

Esta tarde de agosto, sorprendida por tu estatura,
las manos alargo para buscarte
esas tuyas, grandes y ambiciosas hoy,
que sobrepasan mi ventana y el edificio
que viene a ser gozoso sumiso tuyo.

Juntas tenemos las manos, que a mi altura
condesciende tu tronco, dejándomelas.
Entre ellas veo el cielo que cubre la tapia
y está más cerca de ti que estoy,
doblegada a mi mortal atadura.

Eres hermoso, Cedro, y señoreas la casa
que te albergó y ahora es tu esclava
cuando mareas de firmes ramas tuyas
la protegen del viento que te combate
aunque se entrega murmureando...

Déjame estrechar tus erizados dedos
un poco heridores, entre los míos;
que por este contacto yo pueda
recibir el latido corpóreo del suelo
que te mantiene poderoso y vivo.

«Brocab», 18.8.76

Caía la lluvia de luz, la catarata
de la luz sobre tu cabeza.
Caminabas ajeno entre los árboles,
cantando.
Una música lejana te seguía
perro de luz también.
Antepasado tuyo el sonar entre hojas
el cantarcillo que derramando ibas.
Creías en ti mismo, arrebatado
por el fuego de tus años. Joven
álamo o chopo, ciprés no todavía.

Seguro tu avanzar.
                    Seguro el acercarte
a la distante madurez dorada
por otra luz no húmeda, quemándose
al acontecer tus pasos.

Amor, te vi cuando la luz cantaba
asomándose a tu boca clamorosa
de acercamiento a la mía.
Eras
el sueño ya cuajado en su criatura.
A los tuyos mis pasos uní, acompasando
el ritmo de mi cuerpo adolescente,
mío porque tuyo era:
vivo estaba.

¡Oh tu voz gritándole mi nombre
a los pájaros y a los arroyos!
¡Oh tu voz que a las calles levantaba
en galopar de caballos, al llamarme!

¿Quién tendría tu voz y quién tus labios
devolviéndome los días de nuestra juventud?
¿Quién, amor mío;
amor que yo mantengo mientras cantan
una canción como la tuya, otros amantes?

18.8.76. «B»

Esperando
esperándome.
Una eterna distancia infinita
entre nosotros.

Me acompañan las memorias mientras ando
consumiendo los tiempos.
Mandan en el ir y en el estar;
mandan,
y nada oponer podemos.
M a n d a n .

Tampoco tú te fuiste por quererlo;
luchabas por quedarte.

Y no te escucharon, nunca escuchan
cuando pedimos el ir o el estar.
Mandan.

Pero, cada paso mío acorta
el reencuentro absoluto.
Nunca nos quisieron eternamente vivos.
Nunca.

Esperándome estás; esperando
llegar hasta ti, voy.

18.8.76. «B»

Para vestirte de hojas seré enredadera.
Subiré por tus piernas, recorreré tus hombros
y al llegar a tu cuello
te rozará mi dulzura para que no presientas
que cercarte el respiro y la sangre
será lo que intente mi amor.

Con tanto vivir como llevo
ahora me empuja esta sed
de hacerme tu enredadera.
De colmarte en verdor que no se apague.
Y cuando despiertes
cerca de mi pecho ante mis ojos,
columna ya serás entre las hojas
que asombrado cubrirá el sol.

31.8.76. «B»

AVES

Amontonada en tus manos la paloma
que, sin quererlo, apretaras conmovida
por su tibio rumor, la matarías...
Indefenso y sonoro el plumaje,
aletear de los ojos encendidos. Si zurea
es amor lo que pide estremeciente,
mínimo corazón atropellándose.
Cuando alguien, tú o yo, la aprisionamos,
su sangre extendemos sobre el mundo.

Si el prodigio de un pájaro alcanzamos,
ahuecaremos las trémulas manos
retumbantes de latidos. Con dulzura
contendremos su cuerpo diminuto...
Si le dolemos sobrevendrá su sangre,
silencioso gotear para la tierra.
Un pájaro es un don si se merece
y una mancha imborrable si se le hiere.

¡Manos cuidadosas ante aves
cuyo vuelo es el ansia de los hombres!

5.2.77. «W»

EL ÁRBOL AQUEL

Mirad el árbol solo,
el de la tierra despoblada en torno suyo;
aunque arada o sembrada la encontréis,
pensad que el árbol sólo muerte espera.
Nada a su alrededor dejaron, nada
con ramajes le ofrece compañía;
ni un arroyo ni un río que le cuenten
esas cosas que el agua siempre lleva,
mientras corre ensurcando con su paso.
Y hermoso es admirarlo así de único
en medio de su campo; espesa yerba
crece en busca suya humildemente
y el tronco le acaricia cuando el viento
cruza por allí, no se detiene.
El viento es un viajero sin descanso
cual el agua y la vida que transcurren
dentro de lo vivo y de lo inerte.
Palpita en soledad drama de ausencias
de seres como él, que ya han cortado.

Apenas si se acercan las figuras
de otros que no pueden ser árboles:
un labriego con su azada o unos niños
que gritando lo ciñen mientras juegan.
Se aborrasca si huracanes mugen
como toros o ciervos en su brama.
Solitario y altivo, indiferente
si la calma en su copa le gotea.

De lejos le admiráis apacentando
su inmensa soledad, su residencia,
y al hacha le tembláis porque sus filos,
a solos que persisten amenazan;
aguardan cautelosos, con paciencia
acercárseles seguros y cortarlos.
Es fiesta para el hacha tal derribo,
triunfo de su fuerza el contemplarle
tendido sobre el campo, su cabeza
revuelta entre crines desgajantes.

Infinita la ternura nos despierta
su imagen desbordando primaveras,
y qué gozo estallante el de sus hojas.
Los frutos cuando advienen le convierten
en un mundo concreto de abundancia
que repara nuestra sed y nuestra hambre.

En las horas del ocio, si es que llegan
aliviándonos el ánima de empeños,
buscar su protección es la riqueza
sin igual en el mundo, porque abarca
lo íntimo del ser consigo mismo.

Con un libro o sin él, estar sentados
al pie de su estatura es un prodigio
de dulce y delicado serenarse.
Miradlo sólo allí. Tierra y el cielo
erguido entre sus manos le mantienen.

9.3.77. «W»

Os encontré súbitamente ajenas
y no os reconocí.
Habíais sido tiernas y blancas, puras,
tan pequeñas y suaves, tan inocentes vosotras
como toda yo era.
¿Y esta ceniza que os mancha ahora,
estas venas que se acusan crecidas
como raíces que se le escapan al tronco,
sin abatirlo...?

Dentro de vuestro calor sigo yo siendo.
Cada movimiento de los que hacéis
soy yo misma en ademán complementario
de mi voz con escorias...

No habláis sin mi deseo y voluntad
que no envejecieron todavía.
¿Por qué vosotras,
las capaces para desencadenar olas dichosas
y huracanes sombríos
del acontecer humano,
os dejasteis poner ceniza y acusáis
la dura descripción del hueso?

No es dejaré en quietudes agónicas,
vivas conmigo os llevaré hasta aquello
que en otros os enfriará ya no aquí:
al frío mineral de la Distancia.

Lanzarote, 8.12.76

ARQUEOLOGÍA

Sobre la guarda hermética transcurren los milenios.
No es solamente el fruto que eterna sed repara
ni tampoco la flor que invade y acaricia,
también es el recóndito regalo del misterio
cuanto la Tierra concede.

De hueco prodigioso a ensimismada ladera,
de entre las piedras secas, cabe astillada columna,
resucitan de allí los lázaros dorados.
Aquellas manos solemnes que los metales batieron
inaugurando bocetos para formas iniciales;
la que en los cuencos áureos circunferencias puso
cuyo origen recoge memorias ya disuelta;
ánforas dormidas, misteriosas,
a profundas arenas aferradas,
oyéndose la mar que cerca se remueve.
Su irrupción en la luz la saldumbre corroe;
atónita criatura detenida en la piedra,
que recibe su torso cincelado,
el secreto mantiene del duelo que clavara
enajenada expresión inexpresiva.

Encima de la tierra que sol y frío queman
resbalan las cosechas innúmeras, e ignoran
los hombres que las celan y gozan que, debajo,
otra población espera eclosión que es retorno.

Quiebran predios arados, azadas los desmigan.
Pasa despacio el tiempo o hiere o precipita.
Del hondo pozo oscuro donde germina el todo
regresan al azar generaciones remotas.

Cada huella de Dios prorrumpe en la presencia
del que tiene memoria y abastece el futuro.

    (¿En quién llorabas tú que no reflejan tus ojos?
    ¿A qué brazo ceñías, incandescente ajorca?)

Porque pasé y os vi zumbáronme los siglos
resonándome el hoy de la noche del mundo.
¡Que no os devuelva nadie al encierro en que estábais;
que recobre su voz la insalvable ignorada
y en cárcel de otro brazo la ajorca resucite!

22.7.73

EDADES

    No pueden volver y aunque volvieran
    para no ser aquéllas sería.
    Dentro del cuerpo abroqueladas,
    diluidas también en las arterias.
    Sucedidas por otra que han creado,
    cobijándosela.

        Intactas se mantienen, congeladas
        en impenetrable bloque.

    Nadie las encuentra ni sospecha
    a pesar de que conviven, nada
    audaz las denuncia al transcurso
    de la vida a que asisten silenciosas.
    Pocas veces asaltan cercados, pocas
    en cánticos invierten sus clamores.

    Las dulces alamedas del ensueño,
    echan a volar sus aves crías,
    acezan a los gamos y ellos corren
    sin rebosar la frente.

Es música descalza la que fluye
sin que el viento se la lleve.
De troncos y de ramas ha ido el fuego
codicioso alimentándose.

11.10.77

VOLCANES
(EPINICIO)

Fuera de los que se aman
permanecen ajenos.
Las rocas calcinadas se van desintegrando
a orillas del negruzco arroyo que destila
volcán sumido ronco, del caos centinela.

Arboleda que yace sus crispadas raíces
después de haber ardido se extiende junto al agua
que ya no la alimenta sino que la corroe.

Tibio espasmo de luz bordeando los cuerpos
que dormidos e intactos reposan bajo lava.
Hubo un largo aullido estremeciente
que más que el volcán exhalaba la historia
de tiempos flagelados por irrazonables furias.

Para huir, los amantes se fundieron en uno
dejándose engullir en arterias de fuego.

Aquel amor, el suyo, aunque petrificados,
no podría arrasarme como rama robusta
o como débil criatura de inocente armadura.
Unidos quedarán, porque al amor la lumbre
vivifica si inflama, que semejantes son.

19.8.77

REANIMACIÓN

Dormido entre mis brazos éramos
el mundo inabarcable que accedía
a hacernos a nosotros infinitos.

Tus ojos en mi pecho; tu sonrisa
cuajada en el amor bajo tu frente,
detrás de la que yo siempre existía.
Un brazo que abarcaba mi cintura,
mis piernas prisioneras de las tuyas,
desvelo en el estar alerta extática.
Reposo de los cuerpos: tú durmiendo
igual que un hijo nuestro, acompasándonos
el tranquilo latir sin inquietudes;
sin soñar a donde ibas un instante.
Sabiendo que eras mío, me veías
contemplarte dormir abandonado.

Levanto aquella imagen con la trémula
emoción de lo frágil, quebradizo
ante el tiempo tenaz para conmigo.
Te retengo en mis brazos. No despiertes
si vas a abandonarme mientras velo.

21.10.77

CONSUMACIÓN

Crece sobre la carne yerba, y ella
apenas si comprende que se vuelve
pasto para corderos.
Membranas sutilísimas conserva
que a lana abocarán.
Su lenta transformación alcanza
velocidad en los espacios.

Sin límites la carne, se propaga
cual una exhalación y llega
a ser todo en el mundo.

No le impiden los brazos a la yerba
que vaya incorporándoselos.
Los ojos fueron astros, yerba ahora,
los ojos invadiéndose del cosmos.

El vientre se deslíe en delicados
tejidos para tréboles.
Gran reposo en las plantas, que caminan
en hojas convertidas las pisadas.

29.10.77

Sobrevendría el hombre que fuera igual al Mar:
con sus oleajes y sus tempestades,
ilimitado y tierno viniéndonos descalzo
sin que nadie impidiera que él se nos llegara.
Gozosamente fuerte, avasallando naves
y acunándolas luego entre susurros cálidos.
Convirtiendo en arenas montañas de criaturas
para entregarlas rudo a las playas formadas
por diminutos granos de tierra que fue cuerpos.

Si fuera como el mar, como la mar el hombre
sólo cielo tendría arriba de su testa:
ni polvo ni angostura con barro oleaginoso,
ni rocas que opusieran sus flancos al empuje.
Amasaría el hombre las tierras en barbecho,
abonaría con algas los bancales resecos.
Poniendo sal iría en ácidos, volcando
con maretazos próvidos las semillas augustas.

Un hombre sería así germinador torrente,
fértiles rocíos en desucadas plantas.

18.4.78

HUMANAS ESCRITURAS[1]

TODO ISLA

Y allí continúa el hombre roca dentro sobre rocas;
anciano más que maduro
emergiendo de la mar;
no digamos que la mar porque abultada de aguas,
sino que azules se extienden agolpándose de cielo.

También Collioure existe para su partida hacia
la fortaleza ciclópea,
como fuera para eterna
de otro español de este siglo... ¡Ay españoles, talados
por turbias mares volcadas de las rocas o llanuras!
Nunca desdeñéis la Historia —concentrada en estos claustros
de los muros minerales—
que rellena nuestros huesos
de puñados de criaturas que al fondo de ella cayeron,
por esta mar y esta roca arrastrando su locura.

La soledad de aquel hombre asomándose a las olas...
Fría soledad de piedra
abruptamente cortada.
Un resquemor de oleajes mordisqueándole flancos.
Las naves en el espacio que no horizonte. Y ajenas.

Lo que llevaban los peces en su lomo era la luna;
no toda la luna entera
sino media huyente luna.
Huertos de peces rodando alrededor de la isla
apaciguando la peña más que lícita del hombre.

Duro regía en las aguas, erguido que no claudica,
atragantado de leyes
y las leyes a su temple.
Recorriéndose los pasos de espesos salones húmedos
con la tiara sombría y la púrpura arrastrando.

Zumbando contra la ropa adustas las soledades,
mejor solitariedades,

---

[1] La primera entrega de este título está en mi *Obra poética* (1929-1966), editada por Biblioteca Nueva, Madrid, 1967.

del abrumado que lucha
cual un oleaje rojo por la sangre que le cuesta
a sus ideas de acero indoblegables y amargas,

esta decisión tremenda que soliviantando a Europa
la fracciona, la convulsa
manteniéndola crispada.
Aunque sordo voluntario a cuanto no sea él mismo,
¡qué duras son estas noches apelmazadas de mar!

Peñascos recorre el tiempo que las algas enmohecen;
los ojos se ven por dentro
metiéndose por sus órbitas;
comitivas de presagios bullen como hierven peces
sobre la espuma del agua golpeteante obsesiva.

¿Dónde estará la justicia, que aunque la proclama él
en ninguna corte grita,
en ningún reino se asienta,
y todo se va alejando con las mareas de niebla
que solamente respetan al fiero enclaustrado en ella?

¡Oh qué hoguera anaranjada en poniente sempiterno
va tersándose en las aguas
que se revuelven abajo,
mientras el hombre contempla requemándose en su fuego
que los días y las noches adquieren grosor de lápidas!

Con cuatro fieles primero que pronto serían tres,
y de los tres no persiste
más tarde ni solo uno.
Todo lejos menos Dios. Avignon era un incendio
y los reyes barajaban sus propios y falsos naipes.

Cuántas calles derramándose con sus lodos en el puerto;
piedras nacidas de piedras
vulnerables más que él.
Acaecieron los inviernos con sus lluvias tormentosas
enfriándose en veranos con sol de plomo rojizo.

Caballos para llanuras esteparias cabalgando
páginas entrecortadas,
pisotean miniaturas.
El hombre solo, insular, agonizando de asco
por las traiciones cobardes que rondan cuevas del agua.

El hombre duro y altivo, con su tiara celeste,
con su púrpura mojada
por corrosiva saldumbre,
permanece enhiesto y libre en su torreón hirsuto
mientras las naves que bogan agitan ante él pendones.

Venid a escucharle aquí: cumple el hombre sus palabras,
las va manteniendo claras,
las mantendrá eternamente.
«Misterios descubrirán de la Historia, cuando suenen
del Juicio Final...» trompetas, proclamando su razón.

Severa la predicción aragonesa en el mármol,
confianza de ternura
en la hombría de este hombre
que tuvo grandes desiertos de piedra para sus pasos
y tapices de mareas acosándole sandalias.

La Torre del Homenaje con salones de dos siglos
férrea morada del hombre
cuyo escudo aún campea
del Castillo en la Atalaya, desde aquel siglo cismático
que Órdenes de Templarios y Montesa precedieron.

Acometemos la Puerta del gran señor de la Isla;
junto a la mar nos conduce,
por la parte de Levante,
a esa Torre de Homenaje, porque nos dicen que en ella
acabó sus días del mundo una mañana de mayo.

Harto presintió su muerte arbolada de amenazas
y, por ello, en una noche
hizo tallar la escalera
al exterior y adyacente a la Torre del Castillo,
por si hubiere de escapar del peligro de su vida.

Entonces resbalaría por la mar en un bajel...;
por el Ródano, años antes,
una barca le llevó
a otro largo cautiverio. Tampoco ceder ahora,
y no abdicar ante nadie de su magna jerarquía.

Dóciles aguas blandas y obedientes, aguas libres
se dejarían hollar
por su andadura incansable...

Pero la muerte interpuso su obtuso basalto, rico
de estandartes aureolando la gloria de aquel coloso.

De Roca en Roca, Avignon y Peñíscola, Mallorca,
hablando en latín pulquérrimo
siete horas triunfadoras.
¡Gran fugitivo este hombre, con dominante obsesión:
la de imponer su verdad sobre el poder transitorio!

    —Existe una delicada presencia junto al anciano,
    la del ya renacentista.
    Don Álvaro, su sobrino.
    Y la misma muerte injusta por culpa de los cobardes
    envidiosos del orgullo y arrogancia de los Luna.

La cabeza del que mira a la mar desde la Torre
revuelve un mapa de fuego,
suscita batallas frías.
Y nunca admite la duda en su decisión roqueña,
afronta la eternidad con pobreza y continencia.

Apenas si las riquezas de esta mar, tan nutritivas,
logran alcanzar su mesa.
El hombre es un puro hueso,
pero un hueso delirante clamando por su derecho
que es el mismo de una Iglesia que no sojuzgara nadie.

¿Era «de Dios la palabra que a los huesos disecados»
le dirigió fray Vicente,
fragoroso en Perpignan,
o la dictaba el temor al que era antes amigo
y defensor justiciero del solitario obstinado?

Atrás quedaron por siempre los sermones vicentinos
pronunciados a favor
del que en Avignon rigiera
con lógica de fanático que señorea su razón
los derechos que, por fin, ni Ferrer reconocía.

El hombre sí que recuerda que fue su amigo Vicente,
que enfermo y postrado quiso
abandonando su lecho,
fulminar agrias censuras ante una enorme asamblea
mientras él le contemplaba inmutable; sin un gesto.

Sólo quedaba escapar por Collioure... (¡qué sino
el que este nombre contiene!)
Irse en busca de la mar,
la mar del Mediterráneo;
cara al cielo y cara al mar sobre su Peña encumbrada
para mantenerse allí hasta el último momento.

Era Papa, él era Papa, Papa por libre elección.
Búsquese en la Historia limpia
la exactitud de los hechos.
Soberbia Roma amenaza, cuajando en cisma, presiones
emanadas del terror que la política impuso.

El Cardenal de Aragón, menudo, enjuto, erudito,
sabidor de teologías,
de Canónico Derecho.
Profesor en Montpellier veintitantos años firmes,
no renunciará a la Nave que tripulara San Pedro.

Colisionan ambiciones de prepotentes señores,
entrechocan proyectiles
sobre Avignon, atacándole.
Don Pedro de Luna aguanta, reprime, castiga, lucha
y nada hiere su pecho coraza de lo español.

Acuden en su defensa aragoneses ardientes,
intrépidos catalanes,
monarcas de los dos reinos.

Y las insidias se estrellan, porque si hacen diana
no hieren sino materia, jamás el alma del hombre.

Podéis verle todavía si a su Castillo acudís,
en una mañana clara
sopesando el horizonte,
en una tarde sombría caviloso paseándose
por sus salones ascéticos que en la mar hincan cimientos.

Una voluntad de toro, de elefante, cien leones,
un predominio de sí,
Señor de sí mismo pleno;
adelantando conducta señorial a la enseñanza
que del señorío hiciera ya siglos después Gracián.

¡Oh la mar de la cultura y de la pasión, la mar
de Peñíscola imbatible,

de implacables deserciones,
rompen sus olas debajo de los ojos del que vino
a poner su confianza en la protección del mar!

Venid a palpar los muros de la prisión voluntaria,
comprobad con vuestras manos
la rugosa fortaleza...
Si es que no halláis al Papa, llevando abiertos los ojos,
cerradlos mirando al mar y entonces le encontraréis.

No es un fantasma perdido en las hojas de los libros.
No es un personaje huero
ni una representación herética.
Cuando queráis defender lo que si en verdad creéis,
os abrazaréis a él: al hombre llamado Pedro.

Peñíscola, Septiembre 1972

ROSALÍA DE CASTRO[1]

(Collage)

Vamos a caminar entre los árboles
de nuestra Galicia, que también la lleva
la mitad de mi sangre...
Busco tu brazo para apoyarme en él
que nada importa
que en el nacer nos separen setenta años.
Puedo repetir con versos tuyos
que «el camino antiguo nos saldrá al paso».
«¡Oh tierra, antes y ahora —decimos juntas—,
siempre fecunda y bella!»
Y ya no importan «en su sepulcro el muerto;
el triste en el olvido y mi alma
en su desierto».

Eres una madre de mi espíritu, llegaste
cuando íbame subiendo la marea
que a firme vocación alcanzaría.
Andábamos a solas entre gentes
mas, «¿qué es la soledad? Para llenar el mundo
basta a veces un solo pensamiento».

---

1 Los versos entrecomillados son de Rosalía de Castro. Véanse sus *Obras Completas* (1947, Aguilar, Madrid), págs. 399, 401, 407, 408, 430, 435, 451, 487, 488, 473, 456, 457, 400, 402.

Un solo pensamiento cuya fronda
inunde tierra y cielo con sus frutos.
Porque tú lo dijiste con tu llanto: «mundos hay
donde encuentran asilo las almas
que al peso del mundo *(este mundo)*,
sucumben».

Mas nunca desertamos a otros suelos:
«Jamás del extranjero el pobre cuerpo inerte
como en la propia tierra jamás descansa».

Huele el musgo que nuestros pies maceran
incorporándolo a la piel hasta mojarnos
su verde expiración el esqueleto.
Tú caminas siendo sombra de mis pasos
«tras otra vaga sombra que sin cesar la huye
corriendo sin cesar...»
«Una sombra tristísima, indefinible y vaga.»

Yo no estoy triste, porque vas conmigo
y alumbro para ti porque viniste
a enseñarme a soñar. Y te comparto
con robles y con sauces cuando dices:
«Yo no sé lo que busco eternamente
en la tierra, en el aire y en el cielo;
yo no sé lo que busco, pero es algo
que perdí no sé cuándo y que no encuentro,
aun cuando sueñe que invisible habita
en todo cuanto toco y cuanto veo.»

Ni tampoco lo sé, nunca es posible
conocer lo que puebla nuestros dentros.
Es la mano de Dios la que nos cede
un poco del misterio que nos hizo.
Si eres triste, mujer tan padecida
por dolores de otros que en el tuyo
aumentan el grosor de tus desdichas,
ven conmigo, que yo, aunque he sufrido,
le invisto fortaleza a la andadura.

Ir por ti es un ir desde alamedas
a cipreses que afilan duros cierzos.
Apóyate tú en mí, verás qué firmes
seremos las dos juntas: hija y madre...
«No va solo el que llora, no os sequéis,

¡por piedad!, lágrimas mías;
basta un pesar al alma;
jamás, jamás le bastará una dicha.»

No tememos que el camino crezca
delante de nosotras, somos una
en andar y en sentir: somos las hijas
de una mar sin piedad, aunque yo tenga
otra mar más suave que me ayuda
a vivir entre fríos, y me alienta...,
«cuando el amor y el odio han lastimado
mi corazón de una manera igual».

«Los muertos van de prisa», lo he sabido
y tu huida retengo, no la quiero.
¿Recuerdas que contabas en tus versos,
«dicen que no hablan las plantas,
ni las fuentes ni los pájaros...?
Lo dicen; pero no es cierto, pues siempre cuando yo paso
de mí murmuran y exclaman:
                              —Ahí va la loca soñando
con la eterna primavera de la vida y de los campos.»
Pues así me dijeron cuando el día
que me enajenó tu dolorido canto.

Canas también en mi cabeza, yo las toco
igual que tú a las tuyas, con ternura,
pues son los juncos frágiles que el agua
de los años crecieron gota a gota
de nuestras propias sangres.
Prosigo, como tú, «soñando...
con la eterna primavera de la vida que se apaga».

Una tarde lejana fui a tu casa
y a tu tumba primera y a la otra
que de flores cubrí antes besándolas.
Tú no estabas allí, nada tuyo brotaba
ni de oscura mansión ni de jardín marchito,
ni debajo de piedra con tu grabado nombre.

Ahora sí que te encuentro, igual que te encontré
en tus libros escritos cuando yo aún no era
la que te lleva ahora reclinada en un hombro
soñando que los bosques murmuren nuestros nombres...
«¡Cuán hermosa es tu vega! ¡Oh Padrón! ¡Oh Iria Flavia!».

Yo contigo, a tu lado, y ya eterna tú hasta
   «de repente quedar convertida
   en pájaro o fuente,
   en árbol o en roca...»
porque tú porque yo ¡cuánto amamos la Tierra!
Aunque tú, como yo, ver el mar has querido
antes de reintegrarnos a la sombra.

27.3.76. Mad. «W»

VIRGINIA

En ramajes diminutos de la sangre
los bosques de la raza que se aferra
a no querer morir y que transciende
de todas las generaciones.

¿Quieres algo de mí que nunca nadie
concediera a tu existencia;
necesitas rescatar de entre las sombras
la imagen de tus días; qué tortura
tu anegado yacer en el secreto?

Tu nombre hermoso Virginia,
distante antepasada de mi estirpe,
acude extrañamente a mi memoria...
Recuerdo que te vi, cuando aún muy pronto
para mirar y entender, no te veía.

¿Cuál razón, Virginia, de que acudas
a inquietarme en este tiempo?
Porque nunca hasta hoy te he evocado
cómo eras en la tarde o en la noche
en que te encontré...
                Junto a mi madre
te entreví —que no te vi— en una cama
que tu cuerpo moribundo retenía.

No sé qué nos dijiste, si es que hablaste
fantasma que me acosa. No recuerdo
más que el bulto de tu ser ya sucumbido.

Porque fuiste nombrada con sigilo.
Porque de ti se hablaba con cautela.
Y sin precisarte en hechos
que tu biografía encerraran.

6.7.76. «B»

HOMENAJE A JOAN MIRÓ

Un punto girando en el espacio
precipita a galaxias tu pintura:
honda germinación hasta tu mano.

Formas que latían en lo oscuro
prorrumpen en luz por ti.

Ya son color, ya son las líneas,
volúmenes sobresaltados
que se evaden del mundo.

Brotando de tus ojos la creación
se impulsa a nacer de sí misma.

Convergen sus costados en los astros.
Las masas adquieren equilibrio
dentro de lo abstracto y de lo ingrávido.

A más allá, a más allá leves acceden.
Llegan clamorosamente.

2.4.78

DESCUBRIMIENTO

Al pintor Antonio Delgado Raja

Es un rostro secreto que yo desconocía.
El espejo me aterra porque me marca el tiempo
y no acudo a él para no comprobarme...
Llegas tú, sonriente y con aire suave
descubres lo ignorado, lo que va por debajo.
(Tus nombres te delatan: *Delgado* por lo leve,
y *Raja* que le arranca al misterio su velo).

¿Es verdad que soy ésta que contempla por dentro
algo que no está pero que es, seguro
de vivir sin que nadie lo vea, si no tú?
Esos ojos son míos, y yo nunca encontré
su mirada lejana; si en mi frente anidaron
los pájaros callados cuya paz tú no alteras,
jamás los escuché si cantaban... ¿O no cantan?
Si es que vuelvo a encontrar otro rostro en mi cara
el que me has descubierto será su antecedente.
Quiero decirte ahora: Amigo, mi retrato
me habla de una Carmen que tú has descubierto.

EL INMORTAL EN SU TIERRA

> *«Nada es la realidad sin el
> destino de una conciencia que realiza».*
> (J.R.J.: «ESPACIO», frag. 3.º)

Sumido bajo la piedra con su nombre,
como las altas frecuencias atravesando los muros,
traspásala indetenible
para emerger. Planea sobre su pueblo
pulquérrimo,
blanquísimo e inflamado de cal y de rojo polvo
en su poniente infinito sobre pájaros y pinos.

Entonces no está yaciendo.
Un otro él silencioso arranca de su gran piedra,
lisa señora del huerto de humildes cruces reunidas
cabe tan universal amparo,
fluye y refluye de alcores,
río penetrando entre árboles
que le miraron pasar sobre la carmínea tierra.

Que cada palabra suya va en el pico de las aves
que en su música la llevan;
pájaros
sustituidos un día por los del *otro costado*...
Volcánica simbiosis con su nueva y otra vida
de este ámbito trasciende
y continúa diciendo.

Al hombre
que nunca se desprendió de su dulce piedrecilla

que le recordaba montes de aterciopelado tacto,
su pueblo le «ve» pasar, invisible pero suyo,
cuando brota en las marismas su madrugada en desvelo.

Al encuentro revertiendo
una conciencia en conflicto sin descanso ni pereza,
desde su piedra contempla
lo que siempre estuvo viendo: pájaro, mujer y flor,
lucha atroz para lo exacto de su palabra desnuda.
Al acercarse al confín
de la noche que esperaba desde siempre,
el hombre nombró a su pueblo, lo divinizó, preclaro.
Y desde la piedra grande que le permite acceder
nuevamente hasta esta luz,
se yergue, surca las tardes:
toca los pinos, el mar, posa su huella de lumbre
en cuanto pensó de lejos,
de lejos en cuanto amó. Vuelve
el que nunca se alejó del haz de su nacimiento.

La mañana es una fruta que gota a gota desliza
alrededor de su piedra el zumo de eternidades.
Nadie turba este silencio que puebla a Moguer y nada
es capaz de destruir este misterio del hombre.

Unos rumores del viento acariciando los muros
contienen la voz ajena arrodillada en el sol;
se sabe que vibra allí, sumido pero emergiente;
se comprueba que la luz si es *esta luz* es por él.

Caminar por los alcores es avanzar a su encuentro.
Compararlos a su cuerpo es mirar a los pinares.
Escuchar a quienes hablan es oírle hablar consigo.
Todo lo que existe fue creado por su conciencia.

Altivo el atardecer desnutriéndose de luz,
precipitándose a sombras que se clavan en la mar;
caminos que se desangran en un morado tan rojo
que parecen arrancados de la tierra, nos le traen.

Quieto es el estar callado junto a su piedra, y quietos
el pensamiento y su afán de poder recuperarle.
Como en el día inmortal de su encuentro: nuestro encuentro
con todo cuanto crearía esta propia actualidad.
Oh sol y noche de ti, al que nada borrar puede,

claridad y perfección del saber amarlo todo,
del poder todo encerrarlo en una sola palabra.

Pequeño recinto austero el que te acoge, y le escapas
integrándote en la anchura y belleza de su nombre.
Ninguno mueve sin ti su paso por estos bosques,
por entre las calles blancas,
por los caminos del polvo enamorado tú de él.
Porque
          ya todo tú eres él,
          ya todo él eres tú.

Desde la mar los antiguos
adivinaban su tierra por la majestad de un pino.
Cual aquel pino que ha muerto por un rayo
eres ya tú:
por ti,
los navegantes de tierra conocen bien este sitio.
Lleváis los dos a la historia
de unos mundos que no eran:
el inmenso de una lengua que hablarnos conjuntamente
y el profundo del saber que tu poesía contiene.

Y tú llevando a la Luz con tu luz; tú deseante
y deseado, prodigio de una creación incisiva;
irradiándote de ti desde tu nunca reposo
entre la piedra y la tierra en que te hiciste inmortal.

Tú ascendiéndote en el aire del romero y tomillares,
oliendo cómo te integras en su sustancia, e invades
cuanto te estuvo invadiendo desde tu brotar al Día.

Lejos quedaron, marchitos, los días del desear,
del entresoñar doliendo por tu pozo y por tu árbol,
por esta tierra amarilla y la misma tierra roja
que circunda tu morada de faraón de este enclave.
Las otras mares aullándote soledad se han apartado
para dejarte volver, niño-dios en hombre exento
de impurezas en su obra,
al costado de tu mar, este mar que oyes tan cerca...
Ni un grano de tierra falta
que no tenga tu voz encima.

Aquí te nombran en todo, eres como tú quisiste
y asomas junto a la Torre, desde el cielo giraldilla

de pan tostado en el horno
que cuece el pan de tu tierra.

Así planeando estás, arroyo de palomares
y praderas entre pinos;
dulcemente estremecido novio fiel de lo difícil,
por cuanto fuera verdad
y cuanto creado fuere,
ensanchando hasta ultramares
el mundo que, gota a gota, tu palabra confirmó.

Pasar y pasar, hacer los caminos inviolables.
Regresarte y perdurar, abarcándote en lo eterno
que prorrumpiera por ti.

Ello se sabe al entrar al universo exaltado
por tu voz que vive en todo.
¿Quién como tú le fijara a lo eterno su agonía
de nombrar por retener,
por crearle al mundo un Mundo...?

Compañía de tu vuelta fue quien aquí te habla.
Es un monólogo herido por nostalgias de lo no;
es un momento, ya innúmero, en el cual te puedo oír
(porque aquella voz madura no se olvida ni se tiene
si no es en la memoria de haberla escuchado en ti):
es quererte incorporar a una bóveda, a un puente
que, como el Agua, nos lleve
por el sueño,
     a tu distancia.

Moguer, 30 de diciembre y 2 de enero (1975-1976).

LA NOCHE
OSCURA
DEL CUERPO

1980

Carmen Conde en Soria,
21 de marzo de 1966.

I

SE EMPIEZA POR EL PRESENTIMIENTO

Anteayer, jaurías.
Ayer,
hoy...,
¿Mañana?
Jaurías que desgajan los miembros
y las mentes
y los espíritus.
Y anteayer, ayer,
ahora,
el sol, los árboles; el amor
sobresaltando la mirada, dejándola
absorta en unos labios
que juntarse desean.
Mas, jaurías
no de perros, que ellos
nobles son hasta que alguien
les incita a morder, devorar,
a matarnos.

Los blancos caminos
de anteayer,

927

ya rojos de vísceras ayer,
multiplicados de muertos
ahora.
¡Mañana!

¿Y la mano que alce una luz,
la mano que se entregue
en dádiva de amor;
la boca con un cántico,
la frente arrebolada
por la dicha...?

¡Muchacho que acabas en arma,
muchacha que empiezas en arma,
vosotros,
los de mañana!

10-VII-79. «B»

REENCUENTRO

Acotado ya el camino, mi camino,
a un joven sonriente encontraré:
¡Cuántos años hace; te esperaba!
Llego cansada y mis cabellos
no son rubios, y los tuyos
han vuelto a serlo. Eres más joven
que al separarnos...
Es que no te ves, eres la misma
que besé, ¿lo recuerdas?, en aquella
terraza con palomas
volando entre la brisa de la luna.

Inmóvil permanecerá el río
mientras me miro en sus aguas.
¡Oh, qué joven y esbelta, qué pura
a tus ojos regreso!
Sonreirá muy dulcemente,
sereno a mis brazos confluirá.
Nunca olvidé que a tus sienes
concurrían las aves, y los vientos
de oro la encendían...

Y meciéndole despacio hasta que el sueño
con él me confundiera, le diría...

28-VII-78. «B».

CONCIENCIA

Todo lo fuimos ya. Grano de sal marina
después de ser agua, diluyéndose
y transformándose en pez;
en mínimos corales temerosos
y en opulentos mamíferos
parte de océanos y sustento
de los que en él se mueven.
Cuajándonos
en valvas sólidas que encierran
y albergan para hacer sus frutos.

Conozco la mar, fui suya
hasta alcanzarle una orilla, conquistando
sitio entre tierras henchidas
de mi paso anterior por sus caminos.
Nada me sorprende, participando crezco
del absorto planeta en su carrera.

7-IX-78. «B»

EN EL SUEÑO

Ciudades de arquitectura no conocida jamás.
Mares que resplandecen bajo el cielo, rebotando
criaturas en multitud poderosa que componen
tigres, leones, gallos de blanca pluma, muy rojas
sus crestas desafiantes sobre los ojos en llamas.
Todo se conoce allí mientras se sueña, se saben
cuántos caminos extraños se internarán en los otros
que sin decir su destino, avanzando nos convocan
a seguirlos... Nos movemos sin hollarlos, planeando
casi a ras de la corteza del astro que va a su órbita.
Simultáneo acontecer el de implicarse las sombras
en volúmenes creados por el sueño y que irrumpen
entre músicas que son no la Música: colores
incluidos en la voz cautelosa de una imagen.

Algo vuelve a vigilias cuya memoria persiste
a entrometerse en el sueño que nos lleva a contemplar
actos que en la realidad —la otra de estar despiertos—,

nunca acertamos a ver como quisimos. El sueño
va llenando unas lagunas e inventándonos un cuerpo,
que ingrávido se consiente, adquiere poder, padece
descubriendo insospechadas confesiones de sí mismo.
Posibilidades tiernas o repeticiones cáusticas.
Súbitamente aquello que ni se ve ni se oye
quiebra la trama, tritura las moléculas sagradas.

21-XI-78

CAMPO

1

Semejante es a un espejo de profundidad infinita.
Llegan los ojos a él y recuperan
sombras acuosas ondulantes,
imágenes superpuestas.

Se levantan sobre el mar unas velas que los vientos
empujan violentamente: rumbo las naves reciben.
En el campo se destacan almendrales florecidos.
Los aljibes encalados torrencial la lluvia esperan.

Cuerpos entre las ramas. Dispersos están los árboles
—entre olivos la distancia impone su ley precisa—.
Los inocentes rebaños destinados por el hombre
a su ancestral sacrificio.
Con su hipnotizante vuelo las palomas rodeando
a los que en su piel reciben poderosa voz terrena,
transmitiéndoles amor...
Alguien recoge tomillo mientras caminando canta.

6-XII-78

2

Muge la bierva, desolada
porque no encuentra su cría.
Balan los corderos y las cabras
ramonean consecuentemente.
Empeñadas las abejas por libar
en la tarde atosigada de latidos.
Quien dispone del viento está durmiendo.

Sin murmullos los árboles contemplan
tanto afán de agitarnos en la tierra,
en el aire, los pastos, en la sangre
que partida con hachas por los hombres
apenas que florece la detienen,
o la dejan correr hacia las zanjas
que no cesan de abrir furiosamente.
La bierva no comprende, muge sola
y levanta su testuz contra la tarde.
En el trigo pesa el sol, cobre fundido.
Va mustiando su olor a florecillas,
propagando de establos acre vaho
entre espesa melaza de la siesta.

Despiertos al amor, adolescentes
enlazados reposan entre ramas
crecidas junto al lecho del arroyo
que viene, que se va y se los lleva...

24-II-79

3

Preguntas por la primavera.
Fuera tú la buscas, dentro la retengo.
Múltiples primaveras
semejantes al vino que en vasijas se guarda.
¿Cuándo es la primavera?, dices
buscándola en los campos, en el río...
La tengo entre mis brazos, vivamente
en mi sangre y mis labios.
El tiempo que nos une y nos separa
te acercará más primaveras
aumentándote la mía ilimitada.
Brotan a los álamos sus hojas,
amanecen sus flores los almendros;
el arroyo que nombras canta júbilos
si te unes para entregártele.
Pisarás yerba nueva, oirás a pájaros
con su celo en los nidos entreamándose.
¿Cuándo la primavera...? Tú la llamas
y a mi cuerpo sacuden siglos suyos.

3-III-79

EXPERIENCIA

1

Antes que vaya a ser,
anticipo
de intuitivo conocimiento.
Temores sin concretar, leve una brisa
que no suscita el aire.

No se intenta saber ni se sabe;
sólo se irá sabiendo
que se acerca lo ignorado...
Desasosiego que no provocan causas
ni razones algunas.

Injustificadas prisas;
ansias de asir lo inasible, todo
lo que se nos escapa.
Vahos amenazan a selvas...
la certeza nos llega.

Cae la maza.

6-I-79

2

Ahogada iba la mano entre la yerba
áspera y suave.
Subía hasta las sienes la marea
de tensa plenitud,
cohesionando
el cuerpo a viva piel de ardiente tierra,
volcándose de sí, desintegrándole.
Ni luz en las pupilas, ni sonidos
de pájaros, arroyos o rebaños;
ni constancia del mundo,
de corpóreas
presencias olvidables.
Violento era el latir apresurado,
fresca fuente a la sed: la sequía
colmándose dichosa del caudal.

No pensar ni decir, con las palabras
no romper unidades del contacto.
Entrar en el volcán desde la yerba...
En el fuego arrojar hora sin límites,
simientes redivivas crepitando.

2-II-79

3

Sí.
Fugitiva e imperecedera
unión de los cuerpos. Instante del arrebato
que a fuego marca
indeleblemente.

Sí.
Repetición de la memoria
del ardoroso encuentro
que espíritu retuvo en comunión
de dos vidas. La misma vida, ágil
ascendiendo al infinito.

Sí.
Lo más temido: acoso hirviente
de implacable destino que rechaza
respiros para su huida.

28-II-79

4

No se ha de conocer aunque se vea
lo que cuesta rendir a lo esperado
la cosecha ganada por el ansia
que óptima prospere sin demoras.
Presentir el mañana de la espiga
y del fruto el temor que lo malogre.

Correrás a tomarla entre las manos
que de trigo y de zumo hacen acopio.
Y sé que acuciará tu don de vida
porque vida a montañas tiene ella.

Cada vez que su olor y su palabra
de sonidos de amor suba a alcanzarte,
si estrujas su presencia nunca olvides
la hora cuya luz cupo en tus ojos.

28-II-79

5

Otras veces con el ángel se ha luchado
y con el arcángel...
en plena oscuridad y a luz del día;
turbiamente si la angustia,
resplandeciendo con el gozo.
Ahora,
ni sombras ni claridades:
lucha a ojos cerrados, sin querer ver ni mirar,
confundido espíritu con cuerpo,
asfixiándolo y a un tiempo
insuflándole boca a boca el aire.

No al no; azotarse con mareas.
Exultar de espumeantes nubes.
Ni mirar si late luz,
ni arropar entre sombras el delirio.

Ángel o arcángel, bajo la conciencia
que se atreva a deslindar del día la noche.
Amanecer en todo.
Mínimo, despacioso, lentísimo.
Así.
Nunca.

1-III-79

ESPERANZAS

1

Declaran suave luz tus seguras miradas
recuperando aves que antes no veías;
los frutos en sazón, los árboles augustos;
la razón otorgada al universo, de serlo.

Parecían perdidos, sueño hondo tragando.
Ni músicas oías aunque hablara el silencio.
La voz oscura sí, la voz que fluye sangre
a tu cuello arrollaba serpiente de tristeza.

Cuán sencillo es ahora. Extendiendo las manos
alcanzar lo que ayer eran sombras y hoy
deslumbrantes criaturas que manan alegría.
Qué lejano el dolor, qué asfixiada la angustia
por ese pensamiento que arranca al infinito
la dulce claridad de esperarnos eternos.

31-VIII-79. «B»

2

Eternamente libres porque vendrá lo cierto,
lo que si no se ve sí se *sabe* que existe;
que navega en la mar que nos baña y acosan
difusas tempestades que gozosos vencemos.

Gozosos manteniéndonos asidos a las velas,
hincando en la madera las plantas que inseguras
ayer nos vacilaban si pasos emprendían
en la arena caliente de una playa cualquiera.

Cualquiera playa era avance de una isla
y náufragos nosotros los más desamparados.
Erguidos aún estamos, atormentadas sienes
y húmedos de sal los ojos y las bocas
afirmando el amor, afirmando crear
que el todo llegará sellándonos su fuego.

31-VII-79. «B»

3

Será todo ventura, ignoro cuál ventura
en el secreto atroz de profunda ignorancia
que en barbecho trabaja; no se le asoma nunca
corola de la flor del *sí*, corroborando

que el esfuerzo era fértil, que la tierra no niega
aunque pasen milenios de no emitir respuesta.

Acosamos amando, el cerco de la idea
que posibles nos hace, no ceja en su presión.

Labrar y sementar. Con la desesperanza
no hay criatura que alcance los montes a mover.
Hay que mover los montes, de raíz arrancarlos
y con ellos andar a cuestas si es preciso.
Una flor no aparece si la tierra no cede
fortaleza de amor a raíces profundas.

31-VIII-79. «B»

MEMORIA FIJA

Aquí está mi mano, olvidaste
llevarla contigo,
y no sé si es mía ahora
que no la tienes tú.
Ni la encierras entre tus manos
y la elevas a tu frente...;
que no escribe mi nombre
en las sienes y labios.
Pobre mano mía abandonada
marchitándose va.
Cuando acabe encontrando la tuya
no se desprenderán.
La mano escribía palabras
que acariciabas tú
con tu mano, distante, que hoy
dentro de la yerba está.
He intentado bañarla en tu letra
por escuchar tu voz,
y emergía con sangre de besos
que no se pronunciarán.
He buscado la huella profunda
de tu mano en la mía...
Tampoco volviste, tampoco
pude encontrarte así.
Si la hubieras llevado contigo,
juntas cantarían en ti.

2-VIII-79. «B»

SUEÑOS

1

El soñar es tan real
así las aguas del río...
Vientos oscuros sacuden
por las noches al que duerme
soñando con los que fueron.

Porque vuelven
cautelosos o seguros,
pero vuelven.

Su complacencia nos baña
o su angustia nos invade...

¡Ah la vigilia, acuden
las memorias de lo no
vivido, sin ser lo cierto!

Soñar con ellos enlaza
con una vida distinta.
No se sueñan realidades,
nos inventan otros mundos,
otras formas... Y destruyen
la inmensa desesperanza
de no volverles a ver.

3-VIII-79. «B»

2

Era y no era... Era
una columna de luz,
el arco de fortaleza,
el muelle que bate el mar
cuando una mano lo empuja.

Y era el mar, la mar sí era.
Una mar azul compacta
que me invitaba a su ser.

Y el que era y no lo era
me enlazaba la cintura...
quería que le siguiera
a su muelle o fortaleza,
a su columna de luz.

Todo temblaba ofreciente.
Todo se hacía una sola
potestad; resplandecía
y en mis hombros apoyaba
ancla carente de peso
y que comencé a llevar
lentamente por mi sueño...

3-VIII-79. «B»

3

Hasta, por fin, la montaña.
En una piedra crecían
ramas prendidas a pájaros
que cantaron suavemente
y con ellos me sumí

en una paz que latía
con empujones de fiebre
abrasándome las manos.

Rumor que se deslizaba,
arroyo sin ningún agua...

Abajo —no había *abajo*—,
una población de nidos
con crías: nunca desiertos.

Ninguna voz ni latido:
solísima soledad.
Cerré los ojos y el monte
me los apretó con jaras.
¿A quién esperaba allí,
quieta y muda en la montaña,
si nadie podría venir...?

3-VIII-79. «B»

AVES

1

Únicamente ave.
Sola llegó, estremecidas alas
por el reciente vuelo...
Pesaba un mundo.

Desprendérmela quise,
retenerla en mis manos,
sin que ella accediera
a incorporárseme.

Oh ave solitaria, jamás mía,
que por mínimo instante
mi hallazgo fuiste.

16-VIII-79. La Manga

2

Al fin sobre mi mano
has consentido
en cederme un instante

el peso milagroso de tu cuerpo,
aire en el aire
tu cálida envoltura.

Leve, sin respiro me contemplas
en ti me veo.
Colorados tus ojos diminutos

enfrente de los míos con cenizas
de tan largo vivir.
Deleite también nuestro silencio...

¿Eres realidad, criatura breve
posando delicada tu temblor
en quien te oye?

Vivías para mí cerca del cielo,
fluías para mí sones divinos
y estás conmigo ahora.

¿Me tienes o te tengo,
vamos o viniste
buscándonos las ramas

que sustentan tu voz
y mi espíritu?
¿Pájaro tú y yo la espera?

Si de nuevo cantaras yo sabría
quién sobrevive a quién.

1-VIII-79. «B»

3

Cien años —un instante—
me cantaras
y nunca me bastaría.

Cien años gota a gota,
los milenios
concentrándose en ti

quiero escuchar tu voz,
pájaro libre,
pájaro-amor que nunca cesa

de cantar junto a mí;
pájaro mío
eres tú la música que gira

acercando la esfera
en cántico de luz,
pájaro mío:

en altas arboledas,
en jardín
reteniendo mi huida.

Cántame siempre
creciendo de los tiempos,
tú el pájaro

que en escucha mantuvo
al joven monje aquel...,
y envejeció escuchándote.

No voy a envejecer
si tú me cantas
y todo lo que vive te resuena,

pájaro de quién,
tiempo de cuándo.

1-VIII-79. «B»

4

Si despierta te escucho
soñar creo
durmiendo bajo tu canto.

Y si dormida estoy,
a vigilias de tu gozo
me precipito.

Derramo las miradas...,
no te encuentro.
Ansiosos de ti los ojos cierro.

Y vuelves a cantar.
Ya no soy yo, soy
para ti el día.

Soy el día de ti, universo
que a ti te nació
y eres tú mío.

Mío si tuviere entre mis manos
por amor ahuecadas,
tu ser de música.

Corriendo por mis venas
tus arroyos,
el temblor de tus plumas.

Retumbas en el tronco
y en la cueva
de mi enramado pecho.

Eres luz y eres voz,
aurora eres
y largo atardecer sobre cipreses.

1-VIII-79. «B»

LA MANCHA
(Agosto)

1

Aquí está el campo en toda
su presencia abrasiva.
Tarde de agosto, al cuerpo
le calcina los huesos.
Desnudez sofocante,
volcánica gotea la solana.
Visiones algodonosas flotan
a ras del suelo, criaturas
que no se revelan oscilan
humareándolo gráciles.
Siglos de sed en la siesta
y el silencio compacto.
Gravitaron ha tiempos los pasos
que huellas de lumbre dejaron.

Viñas verdes aún, sin sus senos;
girasoles que inocentes miran
la siembra del cielo, ondulan
bajo el aire invisible.
¿Cuánto durará la tarde y cuándo
lloverá sus rocíos la noche?
Por ventana minúscula asoma
la rubia cabeza del trigo.
Asfixia, sed, en los ojos tierra
que cierra redondamente
libertad para huidas.
Hermosa lucidez germina:
golpea la piel y los huesos
a terrones reduce.

23-VIII-79

2

Entre el calor, los perros
agitados acezan, buscan
una presa soñada y dársela
a su cazador amo. Jadean

yendo de acá para otro sitio
que de partida sospechan.
Hace calor, es agosto y el aire
quema con sus manos anchas.

El mar quedó lejos, mudo
su robusto oleaje.
Pesa en la tarde memoria de su habla
y en la piel su presura.
Aquí la tierra es todo,
madre y mujer en celo; hoy
veintitrés de agosto, inmóvil
aguarda que luzcan sus frutos
con doradas cortezas bienolientes.
Al sol pertenece y huele
a pan recién hecho.

Mechones de yerba ralean
junto a piedras, a trechos
entre el campo y el cielo.
Total inmovilidad, un pasmo
de fiebre que no grita.
Apenas si las hojas de los árboles
dicen que están vivas.
Apenas si la voz del hombre
o la del niño, lejanos,
las diferencia el silencio.

En esta amplia celda se puede
pensar, oír lo inaudible;
ver, como antaño se vieran,
raras figuras aleteando altivas.
Los ojos extraen del misterio
gigantescos pobladores.

Tarde larga y fugaz en el Tiempo
que sumada a él se vive.
Sonidos que no granan, palabras
que su cerco no rebosan.
Echarse en la paz sin fisuras,
tenderse bajo los árboles
que no menudean y por ello
más hermosos son. Hoy,
de paso, sólo de paso, es
quedarse aquí siempre.

23-VIII-79

3

Siendo se ha ido y se es.
No importa ser eso o aquello, sino
ser un ser completo, quizá sin futuro
de la vida una e indivisible.
Antiguas palabras, imágenes
válidas fueron; lo son aún
cuando se mira atrás. No ahora.

Habría que introducir los dedos
entre las costillas del Tiempo
y extraerle su corazón, aquel
que fuera el suyo nuestro.
Habría que arrancarse la mirada
que tanto guarda y retienen
ojos que delatan
cansancio de contemplar...
Entonces un mundo-otro,
el de cuando ya no se está,
podría entregarse sin riesgos
a borrar lo ya visto.

Quienes traen su futuro enredado
a su presente y no son de ahora,
huelen el milenio acercante,
rozan su pecho aséptico
rechazando el ajeno pasado.
Así es mejor. Que nada nos ligue.
Nada que descubra en lo que es
lo que fuera alcanzado aunque no muerto.

Coger la palabra reciente y con ella
escribir una historia distinta.
Espectadores así los no para luego,
de transición fulminante.
Mañana... Estos ellos mañana
serán los nosotros.
Entonces, cerrado este círculo, otro
volverá a empezar.

23-VIII-79

4

Ventanales cerrados y los ojos abiertos
para beber el campo que el sol desmigajaba.
Desiertos los caminos, los hombres no existían;
acaso un niño solo si es que no era un pájaro.

Pies aprisionados por las cadenas sólidas
de no dejarlos ir canturreando pasos.
Las manos entregadas a su quehacer primero:
despertar de su sueño a iniciales palabras

sin olvidar su estancia acaso en otras manos,
antes de esta vigilia que su fuero imponía.
Las palabras se mueven y nacen y son siembra
que alimenta los campos, la tierra, el pedregal.

Es mejor contemplarla, mancha rubia desnuda;
no intentar el deslinde de las viñas u olivos.
Mirarla desde aquí, detrás de los cristales,
fundiéndose contigo, con tu suelo en hervor.

26-VIII-79. «B»

5

Este rumor antiguo que despacísimo asciende,
invade lentamente la magnitud del cuerpo.
Ronco tropel de sangre alborotando cierra
los ojos interiores que necesitan luz.
Esta angustia del gozo que yugula la fiera
voluntad de oponerse a lo que quiere ser suyo.
Tanta lumbre debajo del abrasado yelo
empeñado en sajarle al amor su alegría.

Palabras olvidadas renacen al lenguaje
ardiente y misterioso que recorre las venas.
Escorzos de sonrisas que apagan fríamente
espejos implacables... Los deslumbrados ojos
extraños y confusos van hallándose allí.
Manantial de zozobras castigando miradas
que fantasmas descubren donde hubo criaturas
hace horas tan sólo, irradiando corpóreas.

26-VIII-79 «B»

6

Pasar sin sembrar del cuerpo
ninguna parte del ser. Tan sólo
bullentes rimeros de palabras
nacidas de la nostalgia,
del dolor y de los días sin tregua
que, voraz, puebla la muerte.
Pasar y no dejar nada
de la propia sangre, del frustrado gozo:
todo de la muerte cuando era la vida
cantando su delirio en gigantesco órgano.
Pasar: que todo lo hecho
—palabras y palabras creadas para túnicas—
acuda a otras manos.
Pasar y pasar como pasaron
los que me hicieron venir...,
y morirán conmigo.

27-VIII-79. «B»

7

Puede un minuto recoger la vida
e íntegra entregarla
sin esperanza, a tumba abierta.
Instante pasajero en lúcida
entrega sin respuesta perdurable.
Darse a mínima parcela del tiempo,
dándose lo mismo que al fuego.

Arder, arder sin cenizas posibles,
sin ninguna esperanza,
¿no sería supremo regalo
de la posesión propia?

Momento fugaz, ala de pájaro
rozando la espiga tierna.
La última explosión de vida
integrádose en ave.

27-VIII-79. «B»

NO INVITACIÓN

1

Si te acercas quizá mi ceniza te unte
de la gris apariencia del tiempo que contengo.
No te quiero a mi lado para no macerarte
con mis jugos de ayer. Por ello te rechazo.

Ignoras el martirio que cuesta abandonarte
cuando mejor alumbra tu voz mi claridad.
No te dejo anudar tus brazos a mi cuello
por si me das la muerte de amor desesperado.

No te acerques..., y ven. Déjame imaginarte
como nunca serás lo que de ti haría
este ansia de ti y de mí que me asfixia.
Eres joven y vuelvo a ser joven contigo.
Los siglos que separan tu cuerpo de mi cuerpo
traen un vino que muerde la boca si te besa.

27-VIII-79. «B»

2

No dejaremos nada que los otros descubran
por mucho que revuelvan papeles y papeles.
No dejaremos nada, lo llevaremos todo
dentro de corazones que viven corroídos

por la loca verdad que nunca ofreceremos.
Vendrán quienes perforan con éxito lo oculto
sin encontrar la prueba que corrobore acosos.
Será siempre verdad en la piedra encerrada

la fiebre de querer y sufrir y callar.
Nadie sabrá que hubimos de renunciar a todo
para querernos más que la sal quiere al agua.
Y quedarán oscuras las manos ofensivas.
Y quedaremos libres del innoble deseo.
Y quedaremos siempre como fuimos: no siendo.

27-VIII-79. «B»

3

No he forzado la puerta, me detuve ante ella.
Estabas a otro lado y no quise llamarte.
Temblaba en mi garganta el grito de tu nombre
y el hambre me rindió a traerte conmigo.

Venías sin forzar la voluntad de nadie.
Llegabas porque sí, por antiguo designio.
Aceptamos el rito y la dicha dejó
eterno resplandor en la frente hostigada.

No contamos el tiempo. Debía ser eterno.
No supimos si yo..., no supimos si tú...
Era cierto que sí, que se cumplía todo.
Rechazo la esperanza que pudiere dejarme
aquella realidad tan perfecta y tan pura
para que no se apague la armonía del tránsito.

27-VIII-79. «B»

4

Sí.
Ahora se choca con una sequedad inesperada,
con un muro que no deseamos saltar.
No existe nada, dentro ni fuera.
Secos.
Hasta la memoria rinde su vela.
N a d a .
Y hace unos días tan sólo...
¿Ayer..., mañana...?
Inquietud, desasosiego de no se sabe qué,
de algo que pugna por hacerse presente.
Ahora...
¿Y si ya nunca?

30-VIII-79. «B»

MAR

Tú me de dejaste en la tierra
siendo semilla tan sólo.

Tú, palpitante origen
de mi terraneidad.

Restos de otras criaturas
antes venidas de ti,
formándome fueron.
Dejaste una sed codiciosa
en mis gérmenes.

Te sueño y deseo tan tú
como en la realidad no eres.
Quisiera moverme en tu vientre
poblado de algas.

Nostalgia irredenta, memoria
del principio en ti
acosa mi alma: lo único
que no me diste tú.

1-IX-79. «B»

TIERRA

No puedo separarte de tu destino o misión.
Eres mi cuerpo y seré de tu tierra, mañana.
Amasijo de aves, de flores, de cenizas tibias
que conllevas tú.

Así estoy creada, con los seres minúsculos
que inacabable absorbes, codicia avariciosa
de incorporarse criaturas, las que hiciste
para dejarlas volar, oler, amar y quemarse...
Ah, esas hogueras tuyas que no se acaban nunca
y alimentamos todos.

En mis manos hay parte de tu corteza,
de las ya consumidas y dolientes partes
que vientos y lluvias avasallaron... Oigo
vocecillas apenas, gemidos apenas; oigo
la muchedumbre que te puebla. Digo:
esto fue de una alondra, esto de flores
consumidas con ansia de volver al origen. Estos
granos son de algún cedro, nogal o ciprés
que lentamente se desmoronaron.

Soy la suma, una suma restada
de tantísimos seres que hubieron
cuerpos cual el mío o el de esos jardines
que sobrevuelan pájaros con alas crepitantes.

Soy mañana, lo sé. Seguiré siendo tierra
de la tierra de ti que no se sacia nunca.

1-IX-79. «B»

PRÓDIGAS VENTANAS

1

Prodigáis en los sueños las imágenes
de lo que nunca conoceré despierta.
Me nutrís de paisajes imposibles;
distancias allegáis insuperables,
ojos míos cuando duermo.

Sois del sueño más que míos. Me entregáis
ardientes posesiones de infinito,
que en vigilia no tengo. Por vosotros
camino en desamparo por la Tierra
que no valdrá jamás lo que yo sueño.

Mis ojos les son fieles a otros mundos.
Esclava soy de noches porque en ellas
se ven libres de ataduras, ellos:
crean, re-crean, se enardecen...
A la masa del misterio me abren paso.

Solamente en el sueño. Ya despierta
mis ojos me abandonan a la tierra.

2-IX-79. «B»

2

Oído, atiende:

¿Qué pasos se acercan
o es el roce delicado de otro cuerpo...?

Alguien mueve
el aire, que revela que le hienden.

Es un ruido..., no ruido; se desliza
sinuoso y blandamente.
Inútiles los ojos, inútiles las manos
y el oído no acierta a descubrir
ese leve sonido... ¿Quién lo hace...?
Esos pasos que en el aire vagan,
¿a quién se acercan o de quién se apartan?

Tensos los músculos se espera
benigna aparición reveladora...
Nunca. Y siguen los pasos yendo...
¿Adónde?
El oído apenas si los oye.

2-IX-79. «B»

3

Aroma indefinible éste que llega
no se sabe por dónde;
tan leve y tan preciso un aroma
imposible de identificar.

En las flores se piensa: no responde a ninguna
ni a las plantas de la sierra.
Un olor sin palabras que nombrarlo sepa,
sin ninguna presencia.
Existiendo por sí, sin ser de nada
ni de nadie.

Olor que persiste, largo espacio invade
de un tiempo irreal.
Cerca los cuerpos, satura las telas
y deja en las manos su húmeda
huella invisible aunque cierta.

¿Qué criatura diluye su esencia
en el aire y qué derrama
para lograr que el mundo sea
un callado delirio de olor?

Los ojos no aciertan, no descubren.
Al oído no asaltan rumores de pasos.
Sólo es lo que es, perfume extraño
sin ninguna apariencia:

un olor.

2-IX-79. «B»

4

Este antiguo sabor en la boca
resucita al primer alimento.
No son frutos de aquí, vienen del Tiempo;
se confunden con el trigo
y con el zumo de la vid; se unen
purificándose.

Hambre llevo y no como por no
deshacer este sabor de siglos.
Ni el agua bebo, mantengo limpia
de todas las especies mi lengua.

La sublimación del gusto, la disciplina
de esforzarse en recuperar
la mesa primitiva, la del campo
cuando caían en él peces y panes.

Nunca sabrán las cosas diferentes
igual que las eternas y únicas.
Aquellas de iniciación, las que salvan
de engañosos sabores.

Libre el paladar de viscosas palabras,
libre del mal que las suscita.
Así permanecerá intacto
el sabor del primer alimento.

2-IX-79. «B»

5

Por tus manos adivinas los sabores,
las suavidades del universo.

A qué sabe la flor cuando la tocas,
lo amargo de la ortiga cuando hiere.

Acaricias sin gastar las formas
sino confirmándolas.
Sabes por el tacto los sabores
que otro sentido capta.

Acariciar las almas que se invisten
de carne, mármoles o piedra.
Conocer por las manos los volúmenes
y calcular las distancias.

Hay días que unas manos invisibles
en las nuestras descansan,
o deslizan temblores en el cuerpo
que ignora si son humanas.

En el tacto reside una potencia
que asume a otros sentidos.
En las manos el pan y la caricia.
Por las manos, el alma y sus contornos.

2-IX-79. «B»

AMENAZAS

1

Los espejos aúllan. No me olvides por miedo,
que nunca yo te abandoné.
Malévolos retienen muy profundas
imágenes antiguas negándoles la luz.
Solamente de una, gala hacen:
la última que ven.

Te llevo vida mía desde que abrí los ojos.
Los espejos rechaza, nos roban las imágenes
sin dejarnos mirar aquellas nuestras...
No te separes tú, la que he llevado
iluminándome el mundo. No te separes, aunque
te martirice de espejos el aullar.
Habremos de morirnos: tú en mi boca,
en mi mano derecha, dentro de mi frente,
digan lo que digan los espejos.

Propaga con amor la fuerza apasionada
que eres mía afirmará, como lo fuiste siempre.
Sin verme quédate si mi imagen no alargan
las otras que fui yo: las sumergidas.

Sígueme muy de cerca, que no pueda la muerte
desprendernos de aquello que esencia constituye
del vivir entregadas a cuanto eterno es.

Si unidas nos contemplan aullarán como lobos:
acabaré arrancándoles imágenes perdidas.
Aúllan provocando que mis manos los tricen.
Rechazan la constancia que en amarte sostengo
desde el día primero que logré descubrirte.
Nada tan seguro, radiante, esplendoroso
como el llevarte a ti abrasándome sienes.

Serenas escuchemos que aúllen y se quiebren...
Si vienes tú conmigo adonde no hay espejos,
no importarán aullidos si conmigo te llevo.

2-IX-79. «B»

2

Palabras tremendas dijeron los dioses.
Los dioses hablaron, no escribieron nunca.
¿Quién oye palabras de dioses ahora?

Nadie las oyó. Creyeron sin oírlas.
Las imaginaron: lumbre para ellos
que les daba fuerzas de poder vivir.
Otros hombres fueron que las escribieron,
hombres y mujeres que tenían hambre
de escuchar lo mismo que pensaban ellos
cuando estaban tristes de haber trabajado
la muerte esperando, la falta del amor.

Manos de dioses no escribieron nada.
Los dioses sin voz hablar no pudieron.
Todas las palabras, todos los escritos
de los pobres hombres han ido naciendo.
Oírlas creyeron y las *transcribieron*
como desearon que se pronunciaran...

Los dioses..., ¿qué dioses para cuáles hombres,
si sólo hubo uno que enviara Dios?

6-IX-79. «B»

VOCACIÓN

Creo en ti pase lo que pasare. Creo
en mí contigo. Creo
en esta larga continuidad de días
sin separarnos nunca.
Inútil saber si nos maltratan
o si nos ensalzan. Nadie
podrá con su veneno asesinarnos,
porque no moriremos; juntas
hasta que Dios con su Mano corte
el amor que nos une,
llevándome consigo. Sólo
la mano o la voz suya, la única
que acabará con nosotras.

10-IX-79. «B»

CREDULIDAD

Sentid y mantened una fe y confianza
en todo lo que va y con vosotros convive.
No desmayadlas nunca, desechad lo que en vano
minar intente el muro que defiende a la Idea.
Alimentad el sueño que acaso nunca llegue
a despertarse fuera del cuenco que lo alberga.
Ir seguro en la vida porque aquí nos dejaron
cual nidos en el árbol que el viento balancea.
No mirar hacia atrás; alerta y vigilante
la cabeza que al alma presagia su futuro.
Tanta pasión se trajo que nadie podrá nunca
secarla cuando arroje cenizas contra ella.
Hay mañanas sombrías y noches con insomnio;
el día fortalece sus frágiles membranas
cuando la luz de Dios, la luz que no se apaga
deposita en los ojos vigilias de esperanza.
Que no vacile nadie si los otros socavan
la hoguera que encendimos, queriendo destruirla.

Aunque los años puedan desgastarnos el cuerpo
jamás, ni hasta en la muerte, vencerán al espíritu.
Haced que todos vean que sois invulnerables
porque lleváis seguro un mundo sólo vuestro.

11-IX-79. «B»

ESTÍMULO

Las ventanas abrid:
tengo sed de la luz, de luz que me consuma.
Por ella moriría, ningún agua la apaga.
Tengo sed de ilusión; por ira, desasosiego,
porque vi la traición, basura entre los hombres.

Un gusano se unió con otros dos gusanos:
viscosos, malolientes, inundantes de baba.
Quiero luz que los seque, luz que los devuelva
al cieno que los dio; que nunca más se arrastren
sobre tierras podridas, su ventura y su pienso.
La envidia, podredumbre de impotentes criaturas
en gusanos transforma su andadura penosa.

Sé que no puedo olvidar a estos pobres pedazos
de materia sin alma que los acerque a Dios.
Ahora está la sed: la garganta se abrasa
en quejidos de asco que sufre pesadumbre
de haber dejado versos sobre irredento estiércol.

11-IX-79. «B»

DESDE LA OTRA LADERA

1

Esta suave luz que apaga las vetustas
arquitecturas nobles de casi cuatro siglos,
se deja humedecer por nubes en rebaño
que entre el cielo y la tierra opone su techumbre.

Amasan el silencio, la soledad obstinada
que vahara los muros, acumula neblinas
y ocultan el transcurso de seres reprimidos
por esta luz sin luz, por lluvias incesantes

y por esa marea de nubes que amontonan
un peso de silencio, de soledad de isla.
Apenas si te veo. Estás lloviendo ajena
a que vine del sol, del grito, movimiento
de camino vibrando la vida extravertida.
Pronto me llevaré este recuerdo opaco
que en la yerba se ampara del tiempo sin medida...
Estuve..., no lo sé, acaso haya venido
en uno de los barcos anclados a tus calles.
Un barco que no fue sino sombra de mares
que os habitan la sangre, aunque no la escuchéis.

28-XI-79. Copenhague

2

Estatuas a caballo... Entre un coro de adustas
figuras venerables, encuentro aquel amigo
que tanto me ayudó a saber que la angustia
es el sello de oro que en el alma alguien pone
para que conozcamos su exacta gravedad.

Sí, era aquel el agobiado hombre
por su triste fealdad y su atroz deficiencia.
Le he querido llevar en mi fiel compañía:
una imagen veloz en cartulina humilde.

Los techos, su verdín; unas torres que punzan
la tenaz opresión de las nubes eternas
y la espiral graciosa con trasgos que la impulsan
y a la vez la retienen con verdadera saña.

Mira esto y aquello; contempla, considera...
Sí, mi amigo; lo veo y me lo iré llevando.
Aquí todo me oprime. Quiero volverme al sol.
Recordarás por siempre lo que vas a dejarte,
porque aquí hay silencio, se oye el pensamiento.
Hay anchura de espacio, nadie grita. Transcurren
y se borra al instante el rumor de los pasos.
Mas, ¡yo tengo dolor de la lluvia sin tregua!

Los cisnes o los patos, las palomas, el aire
deslizan su viajar acatando elementos.
Sólo tú, sólo yo...; nos duelen las heridas
que del sol aprendimos a tratar como a dioses.

28-XI-79. Copenhague

3

Maryland

El suelo desaparece. Las hojas
fabulosas trocaron
su grisácea dureza...
Llamareantes hojas
con el ocre comparten
quebraduras sutiles. Los bosques
en silencio se duelen
porque el tiempo se enfría;
yelos inminentes barrunta.
Transitan las figuras evitando
trizar esta alfamar
del suelo que hojas decoran
con ternura doliente.
¿Adónde caminar sin destrozarlas,
sin vulnerar sus colores?

Ríos cercanos discurren, arroyos
que alimentan a lagos.
En ellos también los árboles
derraman sus hojas.
El cielo de arriba es cielo
con floraciones de agua.
¿Adónde caminar estos días
que son hojas, ¡oh tiempo!, de la misma vida?

26-XI-79. Maryland

4

Asoma, tan hermosa, Gertrudis su cabeza
sobre el adusto muro de un siglo tan largo.
No se escucha su voz; sus palabras de fuego
a sagradas cenizas se encaminan.

No vive aún Rosalía cuando Gertrudis nace.
Treinta y seis son sus años cuando Gertrudis muere.
Doce años transcurren entre aquellas dos muertes
y ninguna vivió sus sesenta años.

Nueve años Gertrudis al nacer Carolina.
Carolina catorce al nacer Rosalía.
Vivieron las tres entre los mismos años.
La que más tardó en *irse* fue Carolina.

¿Es que nada supieron las unas de las otras;
es que no conocieron los poemas que hacían;
qué pudo separarlas que no las encontramos
unidas, al buscarlas en sus tres obras?

La pasión de Gertrudis y sus dolores luego
vertidos en palabras y en oraciones tiernas,
¿es que nunca llegaron a sus grandes hermanas,
y cómo ellas no hablan de aquel fuego tan vivo?

Debería Carolina saber que Rosalía
voz de bosques tenía y de ríos azotados;
un alma melancólica, la sagrada armonía
que poblaba sus versos de lágrimas del cielo.

Rosalía, tan leve cual el ave que deja
el rastro de una luz al emprender su vuelo,
¿no supo que Gertrudis era un genio, una lumbre,
y Carolina un lago, una fuente, un acorde?

Este muro del tiempo no cuenta para mí.
Las conozco, las amo, la certeza proclamo
de aquellas tres criaturas que tuvo la Poesía
despiertas en sus brazos, cantándole a la Vida.

8-IX-79

5

Pararse un momento tan sólo, detenerse
y alrededor del cuerpo mirar, en círculo,
sabiéndose centro del mundo ese instante.
Otros corren con ansia, ellos sabrán de qué;
atrás quedaron otros, lentos iban y acaso
no alcancen jamás a ellos mismos.
¿Desconcierto, sorpresa..., ira porque es sólo *este instante*
y ya nunca más será?
Seguir caminando; al fin de cada jornada,
pararse y mirar... Posible

—necesario— sopesar el volumen de aire
que en redondo, arriba y abajo, oprime, nos cerca.

Mejor es no pararse. Ir, ir, ir; ¡siempre ir!
Sin constatar el contorno, el peso vertical con el que lucha
denodadamente la cabeza.

No detenerse es mejor, más libre, menos consciente
y no doloroso. No al recuerdo,
a la plomiza memoria.
Cuando lleguemos a donde vamos yendo
seremos el comienzo de todos y de todo.

21-XII-79

6

Todo está hirviendo en su caos,
pugnando por ser volcán

que papel abrase; la mano
desea hacerse puente...

El mundo exterior se agita
contra el solo ser que busca

entregarse a la creación
integrándose en su magma.

Si se pudiere ahora mismo
evadirse sin herir

a los que bullen ajenos
de la que están bloquedando

La mano apoya en el blanco
cáliz de las confesiones...:

No, no es así; no es posible
prescindir de los de fuera

que destrozan la fluencia
suavísima y misteriosa,

desde la mente a la pluma,
desde la pluma al papel.

Y la impotencia que estalla
mordedura que tasajos

    hace de invisible carne:
    la del lúcido poema
    que todo impide crecer.

4-VIII-79

II

GENERACIONES O MADRE DE PUEBLOS

1

Amante, yo te abrazo. Soy el Río,
con inmensa nostalgia anticipada.
Volverás a mis sueños muchas noches
melancolías enjugándome.
Las ciudades y los seres se reúnen
en un abrazo eterno que mantiene
voluntad de vivir por el recuerdo.
Ahora me entrego a tu presencia
sintiéndote conmigo ya memoria.
Muy pronto tú serás lo inexpresable
en palabras que busquen evocarte.
De palabras la vida alimentamos
y a palabras nos vamos con la muerte.
Avaro es mi rodeo a tu volumen,
inmenso cuanto llevó sin contarte.

3-I-79. T

2

A la ciudad la levanta ese monte que es un puño.
Toda torre es la ciudad sobre una mano apretada.
El Río no es sólo río, argolla es que la retiene
en indespegable vuelo.

Ángeles planeando «cual el fluido de su esencia»,
ciertos aunque invisibles, ventanas son al misterio
rodeando el traspasado y a la vez impenetrable
volumen de la ciudad: una isla milenaria.
Muchos siglos son respuesta, siempre los escucharemos
si nos entregamos dóciles a contemplar en silencio.
Espejos enmohecidos, artesonados, las calles
corroborándonos van aquello que imaginábamos.

Estamos donde la lucha de intuiciones con ideas
urgencia mayor imprime al desvelo que tortura.
Algo que nunca escapó nos va acercando su sombra,
acumula ante los ojos esplendorosas visiones.
Aquí no se viene a estar sino a ser lo que traemos
acuñado en las arterias que no renuncian al todo.
Porque el todo es ahora luz, montaña, árbol y río
que forjando van lo eterno perdurándolo consigo.
Reflejo cobrizo estático sobre el gris amontonado
por el oleaje lento de sus nubes, sólo suyas,
contemplando desde torres a criaturas que no existen,
aunque en la ciudad persista el óleo de su andadura.

25-XIII-78. T

3

Bien hincados los pies que anduvieron
para detenerse un día,
exactamente aquí.
No por meditar ante frías murallas
—las tuyas no lo son—:
a contárteme con exigencia noble
que reclama el tiempo.
Faltándonos irá el tiempo y lo presagia
la confrontación contigo.
Me rodeo de mí misma, me sumerjo en mi fondo;
retengo el respiro,
reúno los restos preciados
de esta herencia viejísima
con el duro presente amasada
por convocado destino.
Dentro palpita arraigada marea.
Bloques calientes de agua
turban con dura presencia oleosa,

escudriñan morosos
horadando este suelo aprisionado.

Antiguas embarcaciones que tripulaba el amor,
anclas herrumbrosas que ayer
no retuvieron el ansia...;
viejos arcones, que oprimen
algas arracimadas, guardan
telas suntuosas y roídas.
Áureas monedas rodando en el fango
que fluida putrefacción acecha...

A plantas gelatinosas mascarones se adhieren
cuando ayer desafiaron vientos.
Unido todo, inmovilidad que ondula
la fuerza implacable de las aguas,
amasándolo sin pausa.
Desde interno océano emerjo lúcida
desvalijando el concentrado secreto
en su olvido aparente,
hacia un conocimiento que rompe sus amarras.

26-XII-78. T

4

Se cobija el pensamiento
en palabras no alcanzables:
Me acerco a la deseada.
Junto a sus piedras oyó
voces también inmortales.

La brega interior no cede,
paz constituye sabia;
se remansa en ti que eres
haz de tan viejas historias.
Ardiente palabra oíste,
racimo de plurales hablas.

Riqueza del pensamiento
que enaltece la intuición,
hicieron quienes grabaron
sabiduría en la sangre.

Calmada contigo estoy, eres
eternidad que me abrasa.

Dichosa en tu cielo recobro
miradas que en él se inscribieron.
Ángeles tuyos mi alma rodean...
Inviolable el misterio que sella
tu volumen de astro.
Desde siglos te quise
y estoy aquí ya.

26-XIII-78. T

5

Para cada uno de vosotros he sido una
ciudad diferente, me veíais
conforme a vuestro sentir, si reaccionaba
de acuerdo o no con vosotros...
                                    Ahora
de haber sido otras yo no enteramente,
consigo desgajar la verdadera.

¿Quién se conoce por dentro —y le espero—
exactamente igual al que ordenaron
la severa misión de vivir...?

Fiel y olvidadiza, fría y vehemente;
esperanzada inmutable.
Como Yahvé implacable y como su Hijo tierna:
un enjambre de ciudades en mí.

¿Cuál de vosotros sabría recuperarme
en la que nació para ser vuestra?

28-XII-78. T

6

Vibrar del sonido, flexible látigo
velocísimo recorre los miembros.
Es la misma sustancia del cuerpo
el sonido que en ella se incrusta.

Acorde de olor no diluido
de flores y ramas trizadas
que a manos invisibles sucumben,
su música crujiendo.
Presión sobre la piel ejerce
inapreciable contacto, acaso roce
de criatura incorpórea. Ojos
se afanan vanamente en captarlos.

Acude a la boca un extraño
sabor de olvidadas especias;
en la lengua abandona mensajes
de ignorados arbustos...
Todo el cuerpo se siente tomado
por voraz invasión que lo sume
en complejo autoconocimiento.

29-XII-78. T

7

La mujer está sola
en una hermosa estancia de alto techo,
sentada ante gran mesa redonda;
en el silencio y la calma,
la mujer quiere escribir.

Lentamente recorre su deseo
de comunicarse con alguien
que quizá no encontrará.
Recoge el papel sus palabras
y espera otras nuevas...
Otras no serán, sino las mismas:
tiempo, eternidad, la conciencia,
conjuración de sentimientos.
¿Para qué utilizarlas si son tan viejas
y las dijeron cuantos
vivieron antes que ella?

Mas no conoce otros medios
que el de escribir con ternura
sobre el papel intacto.
Y se queda ensimismada, triste
por no interpretar lo que late
en cuanto la rodea.

La mujer deja la pluma:
permanece el papel incólume.

29-XII-78. T

8

Mañana tras mañana
acude a la estancia silenciosa
por reunirse consigo.
Son sus ejercicios de encuentro con la idea
que hace siglos sembrara en su sangre
ardorosas simientes.
Siglos también en desprenderla
de su ígnea corteza.
Empeño oscuro o luminoso
de lograr que la siembra acuda
y convoque germinaciones.

Todo es abono propicio:
pasión, dulzura, acercamiento
que anima el mundo.
Peripecia costosa, desgarrador aullido
de intermitente sacrificio.
Desde la quieta y fugaz orilla
que es su breve reposo,
llanto amoroso y respiro
del que padece y goza...

¿Es antigua la idea, con milenios
la que persigue y la persigue;
la que escarba y encuentra
quien la ampare sin descanso?

Mañana tras mañana... Atribulante
el acoso de algo
que fue y se ha perdido.

29-XII-78. T

9

Nunca tuvo estancia como la que tiene hoy
para ir recorriéndose por dentro:
siempre espacio limitado bajo techo que aplasta.

Puede oír lo que mira, sin trabas caminar.
Su convicción no alcanza a considerarse sola
en disfrutar el espacio, aunque breve sea el tiempo.
Se sitúa ante la mesa, el papel dispone,
requiere pluma y a escribir se entrega.

¿Por qué tuvo negadas las anchuras;
por qué hubo de vivir tan oprimida,
si el mundo entero necesita...?

Sabe que esto es fugaz, que ha de volverse
a limitados contornos. ¡Ahora!
Ahora es la dueña de una estancia
con ventanas frente al duro puño
de ciudad realizada por su Río.

29-XII-79. T

10

Profundo corre este Río y su lomo no se altera.
Creo
que ofreciendo a su orilla otro espejo
se verían
imágenes que los siglos atraviesan
y permanecen.

A ríos y a espejos confluyen edades.
Dándose
a contemplarlas se consigue
recuperar el legado que abandona
el tiempo nunca preso por las manos:
indiferente
a que sigan o se borren
aquellos que comieron de su cuerpo.

Hondo y clavado al costado de la *isla*,
con palomas
que su espalda picotean o acarician,
discurre (¿o no se mueve...?)
hacia la mar océana:
árabe, judío sabio, cristiano
diluidos
entre doscientos mozárabes.

30-XII-78. T

11

Los que llegáis en las noches
deslizándoos entre el sueño,
devueltos a juventud sin cenizas...
Con vosotros se regresa
a inocencia inefable.
Rostros y cuerpos liberados
del tiempo que fue pasando,
resplandecen en la niebla que se esfuma.
No se dicen palabras.
Se piensan y comunican;
restablecen contacto que prosigue.

Vagamente las ciudades
resbalan bajo los pasos
que juntos ellos emprenden...
Nos habitáis con ternura.
Difundís, apareciendo,
bálsamos de un olvido
que se recuerda y devuelve.

30-XII-78. T

12

Los grises de este día que apareció con el sol
difuminan cuanto empañan.
Comienza a borrarse el horizonte
que a la realidad conecta.
Entronca suavemente el sueño con el día
despojado del acoso
que a la existencia turbaba.

El río no se mueve, detenido
por destino de mantener sujeta
a la que el tiempo retuvo.

Encuentros que truecan caminos
del espíritu o del cuerpo,
cuando urge en ansiedades la pregunta
que jamás respuesta alcanza.

El hervor de la espera en abrasada noche
y en madrugadas extensas de vigilia.
¿Sobrevendría el hallazgo en este sitio
que mayor gravedad con su contacto
otorgara a quien contempla el núcleo
de viejas culturas latentes,
cuya memoria corregiría errores...?

1-I-79. T

13

Hebras de luz que se desflecan
por ondulantes asedios...
Inaudibles recorren los seres
que el sueño atraviesan
impalpablemente.
Alcanzamos a reconocerles y entonces
comienzan a desaparecer las tapias,
sin dejar de estar firmes.
Insertos en la aventura brumosa
de reunirnos con ellos,
accedemos absortos a espacios
en cantidades innúmeras del tiempo.
Aquello que es, no lo es; y la conciencia
se abandona a una verdad que el día le hurta.

Niebla que levísima se posa
asordando contornos,
ensancha el abismo... Se nos pierden
cuantos no oímos hablar;
que nos amaron y retornaron.
Ello es tan sutil, va tan aprisa...
Conviven tan veloces con nosotros...
Ondular convirtióse en remolino
de luces estridentes.

1-I-79. T

14

Coros calientes de voces
las arterias asaltan.

Cerramos los ojos, nos mantenemos quietos
propiciando el diálogo
del alma con ellos.
A oscuras, amontonando silencio
para lograr un contacto
de voltaje vivísimo.

Hermoso es que lleguen,
atraviesen los muros,
en nosotros se instalen
y comiencen a alzarse.
Espacios inalcanzables
de ellos entre nosotros...
Con humildad escuchamos.

Criaturas del sonido, corred;
de la pura creación se os desintegra.
No sois del cuerpo, mas por él os oigo,
y exaltándolo su espíritu extraéis.

1-I-79. T

15

Los largos cipreses cerca
de la capilla mozárabe.
Abajo, el Río.

Si a su curso te asomas
moverse no parece;
ves en el agua las piedras
haciéndose monte.
Quédate a escuchar aquí:
arropan lejanos cánticos
el devenir de la tarde.
No todo consiste en ir
y ello bien lo sabe el Río
que no deberá alejarse
de este pedazo de mundo.

—Muchos siglos —dice el hombre
que apacentándolos va—.
Por este sitio han pasado
moros, judíos, cristianos...,
y permanecen mozárabes
que vienen aquí a casarse.

El Cardenal dice Misas...
Hace más de años cuarenta
que no me muevo tampoco.

—Veía desde la altura
esta torre...

—La Iglesia es de San Lucas...—

—...y quise desde el principio
venir a verla...

—Por aquí no viene nadie...
...Todo está tan lejos, los años
van pudriéndose en las cosas.
Hechos polvo, en el jardín
muchos huesos enterré.
Vea estas lápidas juntas:
de un árabe es una y la otra
a un judío perteneció—.

(¿Y Palestina, Damasco
e Israel...; y el monte aquel
que llamaban Sinaí?)

Generaciones o Madre
de Pueblos, uniste tú
en tolerancia apacible
lo que se fuera gastando
y para el hoy está muerto.

Sales al camino; alientas
con infinita nostalgia...
San Lucas y el viejecito.
Río y cipreses. La tarde...
Y este corazón esclavo
del sueño aquel infinito
que en Toledo pudo ser.

2-I-79. T

16

Atesoran los espacios inmensos huertos, dilatan
el llameante color de sus flores y sus frutos;

entre ellos uno blanco, blanco del blancor primero,
túnica transparente arropándola fluida;
estrecha franja una nube delgadísima en lo inmóvil
prendida a la invisible rama del blanco en lo blanco.
Corría un caballo oscuro cabalgado por un ente
que a su inocencia hostigó para que aplastara un perro...
En una alfombra incolora incrustado verde busto
sin relieve, entremezclado con racimos de cerezas...;
todas me las arrojó en manojos bulliciosos
y abrumada me encontré por el regalo purpúreo.

Grité contra el ente hostil que obligara a su caballo
en el perro hincar sus cascos, y sobrevinieron seres
con armas amenazantes para castigar mis gritos
llamando asesino al ente.

                    El blanco aquel me salvó,
cada vez era más blanco derramándose a mis ojos.
No experimenté el temor de los otros que llegaban
contra mí. Grité con fuerza y dolor contra la muerte.
Entonces ya me embebió aquello blanco entre nubes:
¡Hay que sembrar todo el mundo de huertos, hacerles frutos!
....

Cuando desperté, mis manos
blancas flores retenían.

4-I-79. T

QUITAD LA PIEDRA

Afrontadla aunque hieda;
no desoigáis el mandato.

Cierto será que al quitarla
un mundo de gusanos precipite
su invasión en la luz.
    Alguien
dejará sus vendas sucias.
    Alguien
las pisará en el suelo, manchándolo.
Apartada la piedra, él, el hombre
hermético prorrumpirá.
Aunque palabras digan
no podrá o no querrá contestarlas:

silencio macizo en su boca,
masticará el hombre...

Retroceden atónitos
aceptando el prodigio
—que milagro no saben aún—;
entre la verdad y la nada
ven solamente la piedra:
la que movió el tan fácil
empujón de una mano.

Mantener la esperanza fue gloria
más que sobrehumana. Aquel hombre
muerto estuvo tres días, sólo era
de voraces gusanos el haz.
Pronunciado el mandato solemne
piedra y hombre saltaron
de lo oscuro e inmóvil a radiante luz...

Si aquella misma voz ordena,
la piedra obedecerá sumisa
para que el hombre vuelva a brotar.

21-31-X-79.
San Juan de Puerto Rico.

III

LA OSCURA NOCHE DEL CUERPO

> *«Para venir a lo que no sabes*
> *has de ir por donde no sabes».*
>
> S. JUAN DE LA CRUZ
> «Subida al Monte Carmelo»

Invisible si rendija por la que penetra agudo
cálido rayo que incide en inesperado espejo.
El cuerpo en él se comprueba, compañero tiene allí.

Es muro donde la sombra, acribillándola un dardo
que brotó fuera del mundo, imperecedera ave,
ostenta maduro cuerpo ceñido del resplandor

que sus contornos burila, crece despacio y se acerca
débilmente a la cabeza cuyos atónitos ojos
codiciando va la sombra, esquivándoles la luz.

Los ojos no quieren ver, no quieren mirarse abiertos;
sí recorrerse por dentro de los límites tangibles
del cuerpo que los posee y abasteció con largueza.
Naufragar en los sentidos, en las vísceras cuajarse
chapoteando después las aguas de cieno a nieve,
para emerger del espejo hechos ya de aquel fulgor.

24-I-77. Madrid

I

Convocado por la voz, que sin oírla existía,
empujándole al andar, dispuso frágiles plantas.
Horizonte dilatado se curvaba mansamente
y en una inmensa mano se ahuecaba.
El mundo de la mañana se encendía
ante la criatura que aprendiendo iba
por húmeda tierra a caminar.

Nuevo sí, porque al desconocerlo todo
su inicial revelación lo inauguraba
sin compararlo a otro ninguno.
Cielo y mar, playa arena, los guijarros
cedían al nacer de lo recién nacido.
Gozo incomparable del universo táctil,
de lo visible puro, de lo perfecto audible
ante la tierna presencia, esforzándose
con su inhollado cuerpo por abarcar aquello
que ascendía a su cabeza desde el suelo.

Las frías arenas primeras del mundo
que al contacto del sol se estremecen,
de sandía el olor que las mareas exhalan
cuando la brisa altera su gran lomo de fiera.
El chasquido suave de circulares olas
acercando parsimoniosamente
luz que dilata horizontal amparo
en la curva gestante del infinito.

Inseguros los pasos del nuevo ser que absorto
discurre por la orilla del rojo amanecer,

desandan el camino de vidas, sobresaltan
como el amor primero, como el amor...
Es tersa la mañana, tersa lámina imprecisa
reciente de las manos certeras del creador.
La adolescencia acude con crepitante espuma
proclamando inquietudes inéditas.

Qué hermoso es el nacer a la vital aurora
del poder poseerse en el quien se posee,
y qué tibia es el agua que se acerca a la tierra
para mezclar con algas el gozo de aprehender.
Avanza sin temor, avanza ensimismado
rezumando los sueños que lo botaron nave,
trémulo puro ser que estrenando la vida
se incorpora a ordenar en el caos su órbita.

Recorriendo la playa que desierta le abre
una ruta de luz y le brota a los tiempos,
alba hora es su ser arrancando de siglos.
Silencio en despertar, consecuente armonía
desgajándose así de lo que no habla aún.
Sólo el mar y su arena, solamente una playa
bajo inseguros pasos que ignoran el concierto.

¡Que las barcas se aquietan entre la tarde plena,
que cuantos no son la mar a las mares se entreguen,
que no asalten sirenas el aire, que el viento
se condense en la sal, se haga sal, no se funda!
Pronto irá esta criatura recientemente erguida,
de esencia universal alimentándose.

Todavía desconoce lo que conciencia forma,
ignora que el latir de las manos propaga
comunión de los cuerpos en fugaz atadura.
Todo produce recias semillas invencibles
para siembra tenaz de recuerdos que, antes,
constituyeron horas del amor o las lágrimas.

Limpio va de ternuras, con su paso habitando
las selvas caudalosas de hermosísimas fieras
hasta aquel punto clave, hasta la encrucijada
que leones oculta entre erizados tojos
junto al fuego propicio que encarcela los pasos.

¡Ah, si la luz cubriera con ríos de su fuente
este vasto despliegue, volviéndolo a su origen;

ah, si no persistieran los herrumbrosos cepos
en apresar los tobillos inocentes
que aprenderán por ellos a qué sabe la ira
y qué tamaño alcanza el contagio del odio!

El cuerpo se concentra en carrera acezante.
Los campos se deslizan, se difunden colinas.
Ondula en las acequias fugitiva figura
y a tan loco fluir ni los corzos se vuelcan.
No se acierta si es ir o es volver lo que encubre
esta núbil criatura que se completaría
si al final del correr que a su aliento atosiga
hallárase por fin en lo que irá esperando,
mientras en torno rugen calientes huracanes
y algo más que morir parece estar viviendo
impía adversidad y amargas decepciones
en tanto el sol acucia en los árboles brotes.

Oh la fruta de luz, fuerte raíz que pugna
dictando dimensión que a sí misma se acepta
siendo fatalidad y convenido designio.
Oh esta fuga obediente a la llamada brusca
que va precipitando el hambriento alvéolo
que su henchirse reclama de cuanto fue creado.

La luz, sí. La luz absorbiendo maciza
la quemazón del cuerpo, ajenándolo todo;
disponiéndose así para ser cuerpo sólo
que entregue a otro cuerpo su limitado peso.
La sombra incorporándose la luz que derrotara,
se transforma en idea cuyo núcleo desvela.

Recuerda las praderas de yerbas temblorosas
sobre las que piafaban gozosos los caballos,
sus colas tremolando en la cresta del viento.

A sus plantas reclama un camino impreciso
que del sueño despierta igual que una criatura
gritando para oírse, por no saberse sola.

Y a sus piernas que fueron resueltas y seguras
no la apresuran pasos, que fuera llevarían
de la marea copiosa que tan despacio sube...

II

Arrebol entre costas purpúreas, los cuerpos
sobre arena se yerguen y se entregan al mar.
Enjambres de muchachos cual espigas al aire,
de muchachas teorías agitando los brazos
por danzar entre olas esquivando el empuje
que enarbola el ardor posesor de las vírgenes.
De amor torres incendian poniente en la marea,
plena victoria dúctil del amante en la amada.

Mojando labios cántico se difunde aplazando
rojo avance seguro del sol que huye y que vuelve
mientras recoge ahora implacables hogueras
de radiantes espaldas, de los senos y torsos
de aquellos que se entregan a oleajes profundos.
Retiñen todos los seres la clamorosa alegría
sin fatigarse de amar ni cantar, siendo cuerpos
triunfantes del vivir sus elementales fuerzas.
Fundirse en ellas piden, enajenación propulsan:
del exacto momento que sobrevendrá, evadirse.

Pululan en la sangre los que vendrán a nacer,
estimulan las fuentes haciéndolas fluir.
Visceral luz del cielo ya no quema, se enfría
dejando el verbo puro de su origen a todos.
Alegría del vibrar vidas nuevas y plenas
de saberse dichosas de la mar, de la carne
que dócilmente cae en la arena, intuyendo
que el amor siempre es don que mantiene vivencias.
Tarde que adviene a su fin acumulándose noche,
tarde que siembra vida en las orillas del tiempo.

Entregándose consciente de sumisión al momento
todo lo aplaza, borra, su procedencia la asume.
Y acude, uno más, el ser que se enfrenta consigo.
La mañana fue un jardín, rinde su selva la tarde.
Ni un solo caballo acude para reintegrarle allá
de donde vino inocente ante todas las sapiencias.
En masas de arena hunde el volumen de ansiedades
con las que intenta afrontar lo que es y lo que ha sido,
triste por contener algo que en el cuerpo ardiente pugna
por señorearle a él para no perderlo nunca.

Asaltándole experiencias que a otros muchos ya poblaron
toros le cercan, crías de buitres, las panteras
que sajando irán la noche al devorar sus entrañas.
Serenidades derrotan los látigos del deseo.
Vaharando a su alrededor resollar acre de canes
que a sus costados vigilan la libertad que peligra
en los ojos y en la frente de este ser acorralado
por su destino de tierra y su ansia de divino:
maciza conflagración de poderes compartidos.
Porque se acarrea el fin al prorrumpir lo que empieza,
sombra acudirá en estricta connivencia con la hora.

Inútil querer brotar primitivos sones broncos
arreciando en el tambor la música de una danza
que los férvidos de amor cantando pronunciarán.

Imposible el arrojar fuera de sí los latidos
ascendiendo desde el suelo, equilibrio arrebatando
y propulsando pasión de entregarse aún vivientes.

Cerrar los ojos aboca a renunciar a hermosura
de los cielos, de la tierra, del agua, de cuanto corre
y que acumulan la savia que otros corporeizarán.

III

Ya fosforece la costa a donde la mar revierte.
Desde arriba
se deja caer la sombra de quien temiéndolo estaba,
a la tibia oscuridad.
Se desintegran veloces los límites de las olas
y la sombra a ellos concurre,
la sombra que al cuerpo deja.

Ausencia de naves hay a lo largo de la playa.
Ni voces de los humanos
ni graznidos de las aves.
Y la sombra va despacio alejándose del cuerpo
que desvalido se queda, vulnerado sin su sombra.
Es una noche sin luz, triste y acosada noche
para el cuerpo.

El cuerpo mana nostalgia del palpitar anheloso.
Ardiente el cuerpo recuerda

peripecias que sembraron en su carne
memorias caliginosas.
La sombra sigue en descenso deslizándose a la playa
en procura de cobijo
que su ámbito no niega.

Se recorren las estancias diminutas que rechazan
fragmentos de lo inmolado
cuando acendrado el vivir.

En el espacio renace
el musgo que atosigara la persistencia del fuego.
Abajo es a donde ir.

Cuántos días con sus noches incubándose el impulso
de resistir a la sombra.
Desde la cima se huelen las algas que el mar empuja
al pie del cuerpo expectante,
junto al cual está creciendo toda la noche desierta.
Cómo le aúlla esta noche contra las sienes y cómo
teme no recuperar el sol.

El horizonte ya es muro del ébano movedizo.
En el horizonte nada presagia el amanecer.
La sombra se cuaja intensa...
Del sol por el cual se gime
fieros rayos transparentes volverán
al cuerpo desamparado por su frágil compañera
que saldumbre y yodo inundan.

Memoria consciente hierve de lo que hizo y negó
luchando por afirmarse como criatura habitada
por convicciones profundas:
o arder o cristalizar. Ni lo uno ni lo otro,
que considerara obtuso
un fanatismo cualquiera, una obsesión destruyendo
el albedrío o la gracia.

Abajo van confundidas playa y sombra en tumulto
de minerálicos posos.
El cuerpo recibe tiernas requerencias, la memoria
enajenantes tensiones.
Espolón de barco son contra las leves cuadernas
de su pecho que, transido,
absorberá los embates de postergadas nostalgias.

(Aquello cuanto la sombra iba hundiendo con su peso
era carga mercurial abrumándole la espalda.
Porque más que a una criatura a una ciudad se la hundía,
hasta a la nación entera con sus miles de vencidos.
Y era evidencia bien ácida saber cómo se ocultaban
angustiadamente sordos a las llamadas urgentes,
mientras en cárceles víctimas del odioso desenfreno
atormentados sus cuerpos por el hierro de mordazas
sobre la corteza en grietas del acribillado suelo,
por el ir, por el venir retornándose a otros ires
de las furias del rencor que nunca atrapan olvidos.

Llamas de fuego que nunca a desprenderse accedían
de sus urentes hogueras, a la cabeza cercaban.
Imágenes superpuestas sobre los paños de hilo,
blancos como es el blancor a que los ojos no alcanzan,
a la frente daban brisa... Avecillas con su trémulo
palpitar entre las alas, retornábanle dulzuras.
Una voz y otra voz, las voces que le llamaran
renaciéndole volvían en tanto que todo esto
rompía y desmoronaba su tumulto contra rocas.

Aunque los ojos y senos, aunque los vientres y brazos
como le tuvieran antes intentaban recobrarle;
morada melancolía precediéndose de llantos,
larga y lúcida memoria atosigante acudía.
No pensar y no querer olvidándose del tiempo
en que no temblaron dudas cuando viviendo se estaba
negándole a la conciencia las escorias del deseo...

Porque así era el amor, porque fuera ello el amor
y jamás esta roída e indisipable presencia
que en pórfido se convierte para cuajar el aliento.
Titila sabiduría que íntegra volcará
al inminente contacto del inflexible retorno.)

   Oh cuerpo extendido, sabio de tan vastas experiencias,
   exhalándose debajo de su cúpula, despierta
   del hondo pesar macizo que en su mente se incinera.

   Cómo rechaza el no ser cuando va aproximándose
   a la encrucijada-túnel, al pozo-volcán abierto
   para apropiárselo, denso como es mientras le hieren

   los silencios que no otorgan a su corazón aliento.
   Oh cuerpo tendido, bosque de innúmeras sensaciones
   que se resisten a huir de su templo delicado.

IV

Súbitamente retoña un afán que le concita
la aterida voluntad:
escapar hasta la sombra que se desprendiera y yace.
El cuerpo fluye su impulso,
reclama de sus dolientes entresijos arrasados
las fuerzas para saltar.

Ha de abandonar la cima en donde fue espectador.
Y en el aire se desploma
la tensa figura débil, la criatura enardecida
que a juntarse acude ahora con su sombra...
¿Quién no tuvo, irreprimible,
sombra que huyó rechazándole?
¿Quién no gritó por el eco
que le devolviera el gozo de reconocer su voz?

¿Quién no ha sangrado por ver
a su sombra entre las olas que se comen a las playas?
Quien no descienda de allí,
de la cima en que se erguía,
no recobrará la sombra que desligándose pudo
incorporarle a otra vida.

Volver a darle la vida... Y, ¿nueva vida en verdad
oponiéndose a la otra que confusa se despega,
por no haberse consumado íntegramente?
La vida que se aproxima, y creerla es la esperanza,
¿será la que se imagina
esta mente desgajada del magma de lo finito,
del misterio que la hubo?

Boca a boca con su sombra, inmersos en la marea,
piensa que no dejará arrebatarse esta ósmosis.
Tan dulce ser y no estar como siendo, aunque sí estando,
humedece a la criatura
con las frías cabelleras de la espuma que deslíe
con ronco fragor radiante toda su gloriosa cresta
de candor, contra quien rompe.

¿A qué luz si es que es la luz, a qué música adherirse
cuando pueda comprenderse completado el frío cuerpo?
¿De qué cuevas o qué cimas, de qué volcanes saldrá

la voz que a nombrarle acierte?
Y cierra otra vez los ojos
y nuevamente desea no saber, aunque sabiendo
que ser sombra era el destino.

Cuántos espacios que el hombre lúcidamente surcara,
cuántos los ríos profundos que no se embebe la tierra,
y, ay, del cuerpo macerado por su conciencia exigente.
Porque sufre fieras hambres
que ni mar ni tierra sacian.
Ay, del que salta al vacío creyendo que de una playa
su sombra rescatará.

De la curva que convexa une las dos potestades
tenuemente se desgaja la suavidad de la luz.
Músicos que caminaron por el sonido domándolo,
sus armonías devuelven.
Céfiros evanescentes agitan alas redondas.
Sobre la mar que dispersa los sombríos oleajes
resbala palpitando el sol.

El cuerpo asume el rumor de los vientos y del agua.
Deshaciéndose de aquello cuanto fuera, va alcanzando
niveles de una verdad con la cual nunca cruzara
mientras por la tierra anduvo.
La música le retumba en los huesos obedientes
que a la carne imperativos mantuvieron.
Y embebe el cuerpo la música.

Cuando se desatan ojos que del rostro se liberan
accede y respira luz que no la irradia este sol.
Las aves que no veía le alimentan con sus coros
de nítidas modulaciones.
Cuerpo de luz y de sombra que fundidas le trascienden
alza sobre unas arenas inasibles la pregunta
que lo infinito no abarca.

   ¿Y qué le diría Quién si a su pregunta accediera
   librándole del dolor de su ignorancia, entregándole
   glorioso espacio de clara y luminosa sapiencia?

   ¿Cuándo el mercurio que es libre inmovilizarse puede,
   a cuáles se otorgará el consenso de lo eterno,
   a qué palabra acogerse para obtener la respuesta?

¿Cuánto tiempo de este tiempo imposible de rehacer
en tiempo de pervivencia tan compacto como fuera
el tiempo de su consciente enajenación terrena?

V

Unas tras otras respuestas. Absorbiéndolas
eludientes viscosas o frías, y tersas
cual la piedra desbastada por el agua.
Respuestas en los vagidos, en lágrimas ortigantes,
y otras por el beso acompañadas.
Concretas las busca el cuerpo, desligándolas
del espeso volumen a que se adhieren
encadenando secuencias
que prodigan lo aparente y fugitivo
que a humana vida convoca,
o a una charca o una montaña.
Respuestas que constituyen procesos acumulados
de sabiamente esquivarse.
Conocerse quiere el cómo, conocer el hasta cuándo,
el es, el por qué es, y el para siempre
azotado por el nunca:
que sin sombra rostro ofrezcan
a los ojos que, por ver, sufren desiertos.

Sin ser de ayer ni de hoy, débil premonición,
fugaces apariciones sobresaltan.
Cerca de la leña lumbre y lo que arde no acierta
a saber lo que es el fuego.
Y acude la realidad troceando sus imágenes
en no coherente estructura que responda.

Para abstraerse quisiera concertarse la armonía;
con adherencias suaves buscará calmar su ansia,
el ansia desenfrenada de encerrar entre sus manos
aquel atroz no poder desentrañar lo absoluto.
Los ojos, viendo; el oído en un hartazgo de oír
los infinitos sonidos del mundo y de sus cavernas.

En oleajes ofrece la luz del día criaturas
que arrastrando va tenaz la gruesa corriente turbia
que nunca se detendrá, que nos empuja y absorbe.

VI

Lo que fluye, plural se manifiesta
al instante preciso de brotar;
instante de visión de lo alcanzable;
una parte de la luz, o de las ondas
del sonido... Derrota intentar comunicarse
al hermético secreto que nos burla.
Jamás de sus raíces comeremos.

Respuestas en presencias: las de la flor y del agua;
las del bosque y los pájaros veloces.
Respuestas transparentes, descifrables.
Cavando con ahínco en nuestro pecho,
¿hallaremos respuestas que persuadan?

Si nunca a lo incisivo nos contestan,
si todo se resbala o petrifica,
si el ansia de buscar a quien responda
de cenizas nos cubre...
¿Hasta cuándo la dádiva, alimento
al cuerpo atosigado, al cuerpo errante?

Un reguero de dudas en transcurso
camina hacia el origen presentido
dentro de lo recóndito.
Caminos que a camino abren,
unos ojos que desvían
o una música inmediata, un sollozo
que hinca al corazón súbita orden
inminencia posible suscitándonos.

Oscuro permanece el siempre instante
del aquello imprevisto aunque esperado,
porque nada entrevemos que concilie:
tala que tala y en la selva siempre.
Y son respuestas accesibles, decretadas
antes de inscribirlas en el caos.

Mínima fluencia ante el acoso
del urgente inquirir para que el cuerpo
recuerde a través de sus tejidos
aquel orden que estricto lo dispuso.

Y se empeña en volver, ir remontando
la atroz corriente espesa de la vida...
No le importa morir si cambia ello
en respuesta la ignorancia flagelante.

No la imagina y la está asediando
por reposarse en ella; escrutador aguarda...
Saber es amar, como a la inversa; lucha
porque al amor total aspira el cuerpo.
Ama con lealtad, no se arrepiente
de amar en lo creado a lo creante.

En cuenco de volcán se va quedando
sin otra compañía que la sombra.
Abate y alza sus preguntas, llora;
reclama triste que le ayude alguien
a emerger de su propia yacija...
La sombra no es la luz; ésta viaja
lentísimamente si nos llega.

    (Y demoras, ¿por qué?, el fundirle contigo
    en campana translúcida, devolviéndote
    al caminante desnudo, frágil e inerme,
    que seas tú su molde suplicándote.
    Ni le apartas ni le recuperas
    de la masa confusa en que te duele.
    ¡Ah, tu presencia inasible, tu asediada presencia:
    comparécela en él porque de ti ha venido!)

El cuerpo entero es sed, gime penando
e intenta resistirse a los ciclones
que la espalda le azotan provocando
a congojas insanas, derribándole.
Intuye que unas manos se le allegan
y tampoco las ve... Áspero bálsamo
anega sus heridas, las cautera.

Hondamente percibe que a su entorno
vidas incontables se incorporan.
Son las nubes, la yerba, es el sol,
es el viento, es la mar, es hasta el barro;
tigres y gacelas son, el roble, el álamo,
la flor. Es la potencia
de amar y ser amado, ser materia
de todo cuanto vive, sufre y piensa.

Van a contestar cuando sucumba
a la angustia ancestral y la conviertan
en ciegas esperanzas galopantes.
Cubierto por la luz que se propicia
el cuerpo sobre tierra se derrama...
Empieza a germinar entre sus tuétanos
el grano cereal de la respuesta.

Fermentará en lo frágil del cuerpo que se macera.
Hervirá sin obtener desintegrarlo de algo
tan invisible, sutil, que poblándole existió

mientras se iba y venía sin saber jamás por qué,
encima de los terrones, sobre pólvora y cascotes;
del bosque comiendo frutas y arrancándole las flores.

Y nada perdurará que en pedazo suyo, alguien
entre sus dedos acierte a retener. Solamente
suya quedará la sombra de su nombre entre los dientes.

COLOFÓN

Arde vacío el espejo, desprovisto de la imagen
que las mares insondables diluyeron.

«...que si el grano de trigo no cae
en la tierra y muere, él solo queda;
mas si muriera, mucho fruto lleva».

San Juan. Cap. XII, v. 24.

DESDE
NUNCA

1982

Carmen Conde en
La Aparecida (Cartagena),
8 de noviembre de 1931.

Al escribir, no he pretendido hacer obra de escritor,
ni de seguir un plan preestablecido,
sino liberarme de una inspiración que me
bulle en el corazón y aplasta mi pecho.

IBN ARABI

I

Cuando todo está dispuesto, más aún, determinado
al estremecido bosque concurriendo van los árboles
mientras cuerdas de instrumentos para músicas nacientes
destilaban nuevos mundos destilando nuevas voces.
No brotaron cual los seres de la humanidad, venían
desde fuertes elementos que al domarse fueron tiernos
soltándolas a los aires de la libertad primera.
El Viento las toma dócil; delicadísimo; ancho
las derrama generoso en cuanto conoce espacio.
Fue la Música la madre de otras músicas ardientes,
anegadoras suaves hechas de agua y de tierra:
su hermosura concentrada difundiendo.

De la inserción a las ramas de unos pájaros absortos
sobrevinieron los hombres y sobrevino el amor.
Gemir o cantar en coros por cuanto vive y resuena
aunque deshaciendo todo, para rehacer con ruinas
desde oscuros pensamientos...
El amor sí que se fragua con los pedazos del Tiempo
en miembros que seca atroz la seca herrumbre implacable,
que ninguno oye crecer desde su cuerpo inmaduro.

Descolgábanse del cielo láminas de luz vibrando
sobre los ríos y mares encrespados por cenizas
de volcanes revolviéndose contra montes erizados,
asediados por cañadas y por cactus, nunca flores.

Se iba a nacer al sentir, a la prolongada lumbre
de saber que todo es nuestro y que podremos tenerlo
entre los brazos henchidos de romeros o de sándalo,
cuando los labios pronuncian palabras sacramentales.
Así las aves, las fieras, las humildes bestiecillas
que acompañan en los campos o en las selvas amenazan
a cuantos cárcel darán a su gloriosa inocencia.
¿Cómo no amar a los hombres, cómo no amar a mujeres
que propiciando la vida buscan ser correspondidos?
Y si no se vive amor, ¿qué se quiere de este mundo
donde zurean palomas y las tórtolas crepitan?
¿Cuáles son los que a las piedras han de imitar y quiénes
los que prefieren la sed junto al agua si está fría?

Si se encarcelan simientes gimen para que las siembren.
Por siglos conserva el trigo su fecundante poder.
Los campos exigen riego para transformar en frutos
entre las hojas que el aire acompasado retiñe,
el zumo espeso extendido debajo de las cortezas.
Tréboles la yerba brota, zumban jaras y cantuesos,
la tierra en tejido cubren de suntuosa belleza
tremolando sus perfumes que a los insectos atraen.
Desnudos los pies absorben la esencia que se demora
por dejarlos bien ungidos de naturaleza pródiga.
¿Cómo no amar este mundo que ofrece continuamente
su cosecha de criaturas al cielo que lo rodea,
fecundando la potencia de vendimiar la alegría?

Estallan su olor los prados cuando su pasto trituran
dientes agudos que nunca se fatigan de ejercerse,
y los pájaros en ramas de cánticos vespertinos
en su lenguaje acumulan experiencias misteriosas
para el hombre que no capta crípticos significados:
que en el habla del humano y del pájaro se filtran
distintos mundos del ver, el volar y la andadura.
Así los peces no mudos y los insectos; gusanos
y criaturas diminutas no descubiertas por ojos
de muchedumbre que altera cuando pisa o cuanto roza.
Una rueda sin descanso; un tifón que no detienen
ni las lágrimas del llanto, ni admitir que no se teme.

Existimos o nos sueñan ó soñamos lo creado
por esta luz que atraviesa desde la piel hasta el hueso
preparándonos un fin mineral, también fungible.
Campanadas del hervor que hace fermentar los gérmenes
nos resuenan en unión del pensamiento y su lucha
por vivir en el vivir de otro vivir en lo eterno...
Mas, ¿y el vibrar de la carne enamorada, del beso
pugnando por seguir siendo vida en la vida de los otros
que iremos sembrando aquí mientras amamos; por qué
el gotear de la voz deslizándose en las venas
para afirmar su destino de atravesarnos, siguiendo...?
Si todo es un sueño, ¿quién fomenta esta calentura
que asimila nuestro cuerpo y la convierte en el ansia
de encontrarse cara a cara con lo que nombra y desnombra?

Bendita conjuración de elementos y sagrada
proclamación de la vida con una palabra sola.
Por ella el viento y la mar pudieron lanzar a luz
la tierra que nos asume y nos transforma incansable.
A cuántas exaltaciones nos incita cuando calla,
sometiendo nuestra gloria a fugaz aparición.
Reaparece siempre el sol entre las nubes y abrasa
la urdimbre de sus vedijas sobre las aguas que aumentan
y hacen su espejo. Rotundos crecen los días y son
acontecer infinito de los seres que propalan.
Largas flores de coral y de llantos, heridas
y delicadas caricias a los cuerpos les infieren.

De ellos se teme siempre que no terminen jamás,
o se les teme veloces cuando apenas se insinúan.
Las noches sí duran más, hay noches de largos siglos.
Pocas noches aparecen cual evaporables días.
En la noche y en el día se camina o se galopa
por afán de la inserción en tiempos inconjugables.
Dura espera la de aquel que acumula su esperanza
de conocer el momento que deslindará dos mundos:
el de su cuerpo consciente de trémulas experiencias
y el de su sombra o razón, savia de conocimiento.
Viva hoguera y humo suyo nublan hora decisiva
del ser que quiere saber lo que más codicia el hombre.

CIUDAD MÍA

Revive tu historia y entrégamela.
Que mis ojos la vean, se abran

para ver los tuyos, colmados de imágenes
que borran la mía... Déjame acceder
al túnel de todo lo tuyo entrañable
que pobló tu vida hasta llegar yo.
Soy la peregrina descalza, con hambre
que pide le cuentes lo que no conoce.

Vinieron aquellos que tú no olvidaste
y a ti te los pide quien quiere saber
cómo te fundaron, cómo te sembraron
hasta hacerme esta que te habla a ti.
Déjame llenarte de palabras puras:
yo no siembro campos, campos creo yo.
Déjame embeber por estas palabras
que buscan las tuyas para conocerte

La mar te rodea, la mar te levanta.
En la mar te encuentro y soy de tu mar.
Dime cómo hicieron contigo una tierra
que es la misma tierra de que soy yo.
Si esquivas tu voz y no me la entregas,
¿para quién naciste, si nací de ti?
Háblame de aquellos que en ti transcurrieron
dejando semillas de luz en nosotras.

Fueron navegantes y fueron guerreros
los que te tomaron como suya propia.
Del suelo que piso sacaron su plata
y vinieron barcos a llevarla lejos:
quedan cicatrices de heridas, clavadas
en tus pardos montes, otrora arbolados.
¿Cuántas latitudes te acosan, qué ríos
dejaron llegarles al mar de tu mar?

Haz que yo te sepa, invádeme pródiga.
Lo que no recuerde házmelo aprender.
Quiero que mi sangre pueda recobrar
cuanto fue naciendo para hacerlos míos,
los que me reintegran a tu plenitud.
Tu palabra haría que el tiempo brotara
y escuchar podría su fragor de siglos,
antes de caer marchita a la tierra.

No a la tierra nuestra que tan lejos tengo.
No a donde se suman otros ya perdidos...

A una tierra, ¿cuál?, que no será mía
aunque en ella rinda el polvo que fui.
Tú eres mi ciudad, la que nunca olvido
porque vas en mí continua y presente.
Quédate la voz que te lleva dentro
y es tan sólo un eco de la que me diste.

ETERNIDAD

Esta es mi mano, aquella
que estrechabas con las tuyas,
cuando estabas a mi lado.

¿Dónde estarán ya las manos
que eran hueco de las mías?
¿Cómo estaré yo sin ellas
tantos años, tantos días?

No pueden acariciarte
aquellas sienes queridas,
estas pobres manos tristes
que son ahora las mías.

DISTANCIA

No te busco, mi amor, estás muy lejos.
Te retengo en mi ser igual que a sangre.
Camino y agoto estos pobres pasos
y te llevo conmigo: vas muy dentro.
Me duele que parezca que te has ido
o que finges ausencia por dolerme.
Lo tanto que te quise cuenta y pesa
y yo me regocijo por andar sufriendo.
Quisiera recobrarte sólo un día,
un día que durara como muerte.
¿Qué puedo hacer sin ti, cómo te amo
de otro amor que este mío que conservo?
No te busco y estás como estuviste:
nuestros cuerpos en uno que no existe.

PERDIDA

Al abrir esta puerta,
tu ya no presencia resucita

el calor de su lumbre.
Apenas puedo entrar en esta casa
que de ti se impregnaba.
Las cosas que te nombran me levantan
desconsolado llanto,
que a los ojos no asoma porque
no puedo llorar más por ti
ni por tu ausencia.
Sola estoy en años que no son
para encontrarme contigo.
El silencio macizo de los muros,
provincia es desolada sin tu imagen.

DOLIENTE REALIDAD

Está la casa, sí, pero no está
aquel contenido suyo...
Busco la presencia, oigo la voz,
y la casa está vacía...
¿Cómo reponerla de su alma,
cómo devolverle lo perdido?
Una casa sin luz, una neblina
difundiéndose por todo.
La casa era una flor, la casa
era más que un jardín: era la vida.
La vida que no tiene cuando vengo
y te busco, lo ausente, desvalida.
Todo sigue igual, y no es lo mismo.
Todo va viviendo y es mentira.
La casa que sin ti ya no es la casa
y yo soy como tú: soy una ausente.

ANDADURAS

I

Nunca se abre espacio para decir todo
quedando abrasado cual vaso vertido
sobre suelo tórrido...
Si abres las manos el aire las llena:
aquel que respiras y también retienes
dentro de tu pecho que no se marchita,
por su brisa pródiga. Si cierras los ojos,

solicito acude relámpago atroz
cubriéndote de eternidades.

II

Los rezumantes frutos, las aves frágiles...
Los peces que deslizan su peso inapreciable
por aguas revueltas o tranquilas.
Las tímidas colinas de los senos
adolescentes, la actitud inestable
de las muchachas ante el amor.

Aúllan las naves temiendo
ruda acometida de las mares.
La tibia desnudez del alba;
la insinuación ardiente
del sol que vuelve y que vuelve
estemos o no estemos las criaturas.

Perennidad que el paso asegura
de este que va y del que viene
cantando o llorando, hombre solo;
niño o mujer solitarios.
Vivir sin vivir verdadera vida,
llévame en caminos que no acaban;
seguridad sin causa, un destino
cobijado entre los huesos y la sangre.
Creer que no se está solo y que alguien

III

para encuentros dispone sus pasos.
Ya no queda tiempo de abarcar el mundo...
qué desilusión, íntegro es no verlo;
no tener sus ríos, sus valles, sus montes
ni los animales, árboles y plantas.
Duele arrancar de este punto de espacio
sin soñar siquiera adónde ir a parar...
Raudal de hermosura en lienzos y piedras,
arquitecturas nobles y pueblos pequeños;
criaturas de amor por luz y belleza,
manos colosales que entregan creación.
De no verlo todo, consciente estoy yéndome
con loca esperanza de volver a ser.

IN MEMORIAM

A. A. A.

... Y yo que te quería como se quiere al trigo,
como a las aguas limpias, como se quiere al ave;
que siempre fui la fiel hermana de tu alma,
la que te iba a ver como se va a una fuente.

A ti que retenías entre tus venas nobles
de mi madre la sangre y la alegre palabra;
a ti, que recibías, como si de diosa fuera,
mi presencia, mis cartas, mis libros y diálogo.

Ya no te voy a ver aunque acuda a tu puerta.
Ya no tengo familia de la que todo tú eras.
Si mi llanto alcanzare hasta ti, sonreirías
porque bien sabes tú cuanto yo te he querido.

Pasan seres y seres, de nosotros muy cerca;
traen cariño, amistad, comprensión, tolerancia...
Cuando estábamos juntos todo era sencillo,
ni siquiera el hablar hizo más que el silencio.

Adiós, adolescente; muchacho, hombre maduro.
Adiós, en donde ya no volveré a encontrarte.
Tú dejas buena siembra en hijos que tuviste.
Yo a nadie dejaré que sangre nuestra lleve.

PRESENTIR

...Viene inaudible, despacio;
Mas la siento acercarse.
Preparo los lienzos más blancos; que venga
y me encuentre dispuesta a partir.
Ni deseo ni temo, conozco
tantas llegadas suyas:
no eres todavía, y se alejaba
llevándose a otros. Ahora
solamente quedo yo.

Estaré descalza cuando llegue ella,
pisaré su allá con los pies desnudos:

ellos que corrían por el sueño, ellos
sufrirán contacto de yelo agrietado
para los viajeros que no tornarán.

Nadie llamaría en la puerta honda.
Nadie lloraría porque ella me lleve.
Iré sola y crédula, segura del todo
que es parte de aquí como yo lo soy.
Ni una voz siquiera avanza encendida.
Ella me dispone un silencio eterno.

LAS NOCHES

I

¿Veis caballo oscuro arrasando cosechas?
¿Oís su trotar el campo cual presagio de guerra?
¿Qué visteis cuando dormíais en la noche mantenida
como flor sobre los ríos, navegando a la deriva?

¿Qué dijisteis al brotar en el día iluminante?
¿Borraron del sol los rayos aquel sueño proceloso,
cuando creíais sentir el caballo a la carrera
y era un sueño, un sueño sólo que estallaba en la cabeza?
¿De dónde vendría aquél y qué mensaje contiene
que confuso se tornaba al aparecer el día?
¿Qué mano toca la frente encendiéndola de sueño?
¿Quién en volvernos fantasmas va derramando su afán?

II

Cuando dejáis en la noche un suspiro de amargura
y con temor penetráis en la solemne y oscura,
algo que nunca se ve resbala su mano fría
como si al acariciarnos nos fuera haciendo su cría.

Cuando sentís que la angustia el cuello va rodeándonos
y un helor de cosa muerta se nos acerca despacio,
¿qué pensamiento concurre a roeros la templanza
y cómo podréis salvaros para una nueva esperanza?

Decid, si queréis hablar, cuántos temores os cercan;
cuáles insomnios sufrís, los mismos que os alimentan

para vagar desolados sobre las piedras del suelo,
que deshacen sin piedad nuestros mejores anhelos.

III

Pura se movía muy cerca ya de la noche...
Las manos de la niebla se apoyaban en los árboles,
suavizando contornos y aristas;
dejándole al suelo su manto de sombra.
Era en su silencio más noche la noche
sin cantar de aves, sin rumor de viento...
Sola caminaba. prisionera suya:
caricia del frío y temblor viscoso.
Ella destruía todos los deseos
que nunca vencieron huidos mortales.
En un largo túnel se hundía la noche,
entre las malezas de ortigante tacto.
¿A quién se entregaba; quién asumiría
manos en las manos, la oscura maraña?
Alguien recorría la noche, sintiendo
que le flagelaban corrientes de nieve,
dejándole todo cubierto de algas
que ningún rocío calmaría jamás.

Sólo aquel que llora se libra de yedras.
Crecen de sus ojos de fuego unas lenguas
que irán abrasando angustias eternas
donde salmos cantan voces de doncellas.

CAOS

Los principios se alejaron de sus transparentes valvas
y fueron a confluir en un gran sí de ciruelas.
Las páginas del mundo se escribieron y pintaron
con la tinta de la sangre que se iba prodigando.
Ello se puso a andar: oíd el fragor de pasos
avanzando por el suelo acribillado de muertos.
Se vino de donde *NADA* era la causa suprema
y ahora una nada es la conflagración del mundo.
Se avanza y se retrocede exentos de los designios
para que fueron creados los hombres y sus criaturas.
¿Qué fue de aquello que hizo que la vida se anunciara,
si no lo recuerda nadie aunque viniera de allí;

qué fue del torrente aquel de los *síes* progresivos,
si no los oye ninguno cuando dentro le resuenan?
Aumenta el dolor su ritmo, a cada paso lo aumenta.

DISTANCIA

No te me acerques, que ya no soy yo.
Búscame en los libros y quizá te encuentres
con una mujer que sí supo amar.
Amar a los seres, amar a las cosas
y sufrir por todos. Esta no soy yo
aunque voy debajo de la que haya sido
y, a veces, tan locas, juntamos las dos
unas manos frescas con otras marchitas
y cantamos ebrias de lo que se fue.
Quédate más lejos, no quiero abrasarte
con el fuego antiguo que perdura oculto.
Mírame despacio, procura encontrarme
como la que fui, que no es la de hoy.
Sé que es imposible; has llegado tarde
e intentas o crees hacerme dichosa.
Si ello se lograra, ¿sabes qué hallarías?:
fuerte vida intacta que no consumí.

RECHAZO

Ahí está la fuerza, la contemplo.
Aquí está la nostalgia, la padezco.

Ahí está la mar, arrodillada
delante de edificios condenables.

Aquí estarán mis ojos, contemplando
la tú que no se ve, pero que es.

Allí la esperanza de partida.
Aquí la exactitud inamovible.

Somos una misma, tú conmigo
y yo contigo siempre, aunque no esté

mirándote en pedazos desgarrada
por cementos adustos interpuestos.

La mar desde mis ojos está entera:
redonda, palpitándome la sangre.

Paso brevemente, y no me voy
aunque vaya a los bosques de ladrillos.

POR VIEJOS CAMPOS NUESTROS

Muchos de sus hombres no cantaron nunca.
Iban de la tierra a la pobre mesa
y cuando era noche, si es que se acostaban,
engendrar los hijos era inevitable;
ya que no tenían más luz ni alegría,
recurriendo al cuerpo se reconfortaban.
Tristes hijos flacos, más tristes aún
que el gozo de aquellos que los propiciaban.
Las mujeres cantan a pesar de todo:
saben que su voz consuela a los hombres.
Dan su pecho escuálido, racimo de leche
que le ayuda al hijo a sobrevivir.
Muchos hijos mueren por desnutriciones
de alimentos, alma, sonrisas o besos.
Las madres los lloran y hasta se resignan
con parir a otros que les sustituyan.
Todo aquello es malo. Padecer es algo
que enturbia a los seres haciéndoles duros.
No basta el trabajo, no basta a los hombres
que mujeres siervas entreguen placer.
Hacer el amor no es sólo de ricos,
tenerlo que dar es un sacrificio.
Por eso hombres hay que nunca han cantado,
y muchas mujeres con llagas de sed.

DESDE EL FONDO

Caía en la madrugada el llanto,
de no se sabía quién...,
rodeando a los durmientes,
temerosos despertándoles.
¿De qué astro o planeta se descuelga,
una cabellera semejante?
Los ojos penetraban en las sombras,
con anhelo inquiriéndolas...,

sin descansos el llanto fluía,
el llanto era un país, un universo;
¿quién lloraba con llanto de millones
de criaturas despiertas?
Imposible recogerlo entre las manos
porque el llanto no es visible.
Entonces, levantaste unas nubes
hundiendo los dedos en ellas,
a ver si lo encontrabas, lo cogías
con ternura de amor reconcentrado.
En el día se apagó con las estrellas
y volvía a caer todas las noches:
eterno, inabarcable llanto ronco
que estaremos oyendo hasta la muerte.
Pero, ¿muere quien llora, o se propaga
su llorar por el mundo del que duerme?
Es un llanto de lágrimas de hielo.
Es un hielo deshecho en aluviones.

ALGUIEN

¿A quién llama la voz que retumba en lo oscuro
y sólo plantas oyen en su arraigo a la tierra?
¿De qué pecho este llanto manando da sollozos
y quién que duerme olvida en su sueño de siglos?
Alguien fuera de ti cortando está sus venas
en lágrima de fuego que no enciende a ninguno...
¿A dónde llegará esta voz que no reclama
del amor compasión, solamente respuesta?
La noche o mediodía embebe aquel sonido
haciéndose collar de gargantas heridas
por fina espada roja que vino de otro mundo
para segar cabezas que piensan, desvarían.
Clama la voz; escucha el cobre que se desprende
de sus ojos mojados por lluvias sin amparo.
Hay un largo sentir de truenos con sus rayos
hincándose al vicio de los que nunca escuchan.

DESTINO

Los caminos llegaban lentamente a su fin;
no cantaban dichosos, pájaros ni ríos.
Todo iba dejando en el polvo señales

del triste desaliento que lleva lo que acaba.
Abrió la tierra un agua que vino transparente;
imprevistos rosales salieron ante el paso
de quien ya no creía vivir más primaveras.
Era hermoso sentir y crecer en el mundo
que ahora parecía como recién nacido.
Habría que gritar, no te vayas, momento,
por si solo era uno y no la vida entera.
Ya no había final sino que era el comienzo
de lo no presentido: encontrar el amor
sin su trágica faz ni su ciego dominio,
aunque sí que llegaba con destino de dueño.
¿Quién podría rechazar la flor o la manzana
en nombre del temor a que pronto murieran,
si aquel hondo vivir sin vivir plenamente
resucita al final con la fuerza de acero?
Ni mirar los caminos pasados o futuros:
hundirse en aquel agua y alimentar con celo
un tiempo que, vencido, ya no era amenaza
porque formaba parte de la domada tierra.
¿Qué importaba morir si aquello llegaba
en el justo momento de poder olvidar?

VACILACIÓN

Sí.
Cuando a la música, que palabras somete,
el ritmo no la oscurece
y deja su hueso nacido
para estar en pie sin ningún arrimo.
Sí. La música embriaga al que rechaza
la pura palabra, se empeña
por mantenerse libre
sin la sujeción de normas establecidas
por viejas tradiciones:
sin música testigo;
conectando palabras exentas,
con la eterna verdad de uno mismo.

CONSTATACIÓN

Espesa muchedumbre a tus espaldas
lentamente te va diluyendo.

Otra te rodea hasta te asfixia
y futuros irán olvidándote.
Ya no serás tú, fruto caído
que a la tierra le deja su simiente:
rodará por el polvo, ignorada
de aquellos que la tomen en su mano
sintiendo su caricia estremecida,
del peso de su turno ya sin nombre.
Otros que no son serán los tú
de un mañana cubierto de tormentas
y ellos, como tú, caerán al suelo
dejándose sus cuerpos desguazados.
Así sabes vivir, como si un día
la turba que eres tú diera su fuego.
Fuego del camino concurrido
por estos, por los otros, por ninguno.

NACIMIENTO ÚLTIMO

Allí donde la mar,
fruta verde-roja, olor exhala,
deshace creando el mundo, yo sería
la mujer más dichosa si lograra
consumir el afán de poseerla:
comunión con sentidos liberados.
Allí donde la mar se ofrece niega
como tú, como todos que la aman,
allí consumaría yo mis bodas
con elementos precipitándose.
Allí, nombre callado que no es nombre,
emergerías de mí, no Afrodita
apoyada en vestales sino piedra
que se deja tallar mansamente.
Allí me encontrarás enajenada
rompiendo en un cantar, porque segura
de salvarme de mí ya realizada.
Donde tierra dulcemente se adelgaza
suaviza con su arribo a las mareas,
allí donde la arena borra formas,
allí quisiera ser abandonada.
No a los montes que ásperos esperan:
sí a la mar que me hizo y que me tiene
en su voz de las mares de la Tierra.

CONVICCIÓN

1

Inmortalidad soñando
me enfrentó con la Roca.
Cuando empiecen las piedras a quebrarse
descarnarán el suelo.
Al viento y a la lluvia ofrecerán
soterrados milenios de huesos.
Cimientos que fueron y seremos
descubrirán sus rostros
y la turba de cascotes en el barro
abrirá sus mandíbulas, burlándose.

2

Desfile de llamas fugaces, el mundo
ante la absorta mirada que contempla
sin saber si es verdad o van soñándose
los ojos por dentro;
rebuscándose ávidos
imágenes gastadas por el tiempo
de mirar y no ver con estos ojos
de brazos y manos, costados
retumbando la vida; frente y labios
oídos que se bañan en acordes.

3

Todo el Tiempo está ahí, en ese muro
que a las flores rechaza.
Urge escalibarlo tenazmente;
entero escamujarlo si se quiere
recuperarlo inmenso.

Tarquín en su contorno crece ahora;
adversidades híspidas
cual en campo que la fastana roe
—membrana coriácea
que el acoso vulnera.—

ALABANZA Y PENAR DE LA MEMORIA

I

En esta tarde nueva el ser encuentra
su criatura, que lejos está ya
de *eterna* juventud, el grave acerbo
de aquellas sus vivencias retenidas.
Comprueba que a los huesos regenera
la médula feraz que los habita;
sugiere los recuerdos que convocan
a beber el agraz de espesa vida.
El paisaje que a los ojos acudía
se colma de infinitas primaveras.
Los arroyos que nunca se han secado
trotan con caballos y salpican
con su loca corriente alegres crines...
La luz recupera su volumen
y quema las paredes de las tapias
con turbia tempestad, viento salvaje
que rompe de la luz su vestidura.
Está allí lo que fuera cuando tuvo
en su cuerpo el afán desmesurado
que vuelve ahora tenaz, que reproduce
nobles horas de ser amor tan sólo.
Es momento que todo lo traspasa,
aguijón del regreso a lo perdido.

II

Emergen sin razón, libres emergen
de tristes contaminaciones.
Se liberan de algas, de raíces;
ascienden lentamente, porque ascienden
de marañas de redes codiciosas
logrando aparecer recién nacidas.
Han perdido la voz aunque devuelvan
el caudal poderoso de su habla.
No resuena en el aire su lenguaje:
se le oye metido entre la sangre.
Puras son las memorias, resumidas
en una fuerte vena que las fluye.
La frente se ennoblece recordando

incluso los que fueron sus martirios
que estallan en fragor de gratitudes.
Aquello era el vivir sin resistencias
que ahuyentaran el gozo de vivirlo,
en días de dolor que ahora no duelen.
Porque ya la memoria ha reabsorbido
cuanto fuera morir aunque viviendo.
Las manos que remueven las mareas
embeben las espumas en racimos.
Emergen sin llamarlas, son ya libres
de tornar a la frente sin hollarla.

III

Las hojas de este libro, si se tocan,
son heridas de un cuerpo acribillado
por el largo cuchillo de experiencias
que nada borran nada de lo escrito
cuando el alma recorre sus estancias.
Todo en ella fulgura porque lumbre
que rescoldos dejó cuando se ardía
sujetando los años que escapaban
de las manos y sienes, de las piernas,
rechazando el quedarse sin destino.
Vinieron y se fueron, se quedaron
sobresaltos del cuerpo empecinado
en vivir sobre el tiempo que se escapa:
algo que se asió dementemente,
algo que no muere sigue vivo.
Es con esta verdad eternizante,
con esta persuasión y su firmeza,
con el verbo y su luz nunca empañada...
Es así, es así como se vence
si se acude al caudal de la memoria.

IV

No cerrarse al acoso de quien llama
con sus manos repletas de promesas.
Escuchar el latido que en el muro
incrusta su designio de asaltarnos.
Esperar que se acerque lo imprevisto.
Impaciente el afán de tanto tiempo

soñando que vendría, que trajera
aquello que es el siempre tan querido.
Aprender que el olvido es la miseria,
flagelar decepciones, insistirse
criatura transcendida de esperanzas
que pronto; acaso hoy, las colmarían.
Y tal es la memoria: manantiales
de días que se fueron, sin perderse.
Recupera y renueva el evocarlos
y la vida sin muerte nos recobra.

V

Si todo vuelve siempre, si se evade
del cráter que retiene a la memoria;
si aquellos que vivieron no se han ido;
si aún viven, son latentes, ¿qué sería
quererles alejar, sino mendacio?
Ternura que humedece los recuerdos
es aquella que brota inesperada:
adviene al corazón y le retorna
la tibia sangre misma, que oprimía
queriendo ser defensa ante la vida.
Dejad que ella licúe su dureza
y amarlo todo siempre; lo perdido
en ausencia veloz, es una lágrima
que nadie enjugará en el instante;
sí amargura incubándole lo cierto.
Cuán lejano parece cuánto fuera
el presente fugaz de las criaturas
que se fueron un día... Recobremos
la tersura de amor que recibimos
al sacar de su no dulce presencia.

VI

Acercar las imágenes queridas;
mejor que en realidad, entre los sueños;
su fluir evasivo, un esguazar
que el ánimo conforta...; un estacte
que prodigioso embalsama.
Solamente es el sueño, solamente
el que afanes iguala con su logro.

Por fugaz que aparezca, se diluya,
volvemos a tener lo que no existe
o dejó de entregarnos su arrebato.
No descansa de ser consoladora
la memoria tenaz, firme espuenda
que detiene los pasos del que busca
despertarse pidiendo realidades
que no ofrecen piedad sino castigan.
Soñemos la caliente cercanía
de todos los que fueron de nosotros
(desamor o el olvido involuntario...);
así estaremos juntos nuevamente
en el sueño, memoria de lo eterno.

VII

Memoria de lo eterno quizás sea
tanta turbulenta indagatoria
que empuja a señalar con mano fría
todo cuanto intenta recobrarse.
Es fusión de los años en un cuenco
que asoman temerosos de sus caries,
sufriendo por los ojos que los ven
con áceda mirada inquisitiva.
Ya no existe pasión que arrastre y funda
la que mira esquivando a quien recuerda
porque guarda en su cuerpo fortaleza
que pueda prorrumpir en estallidos.
Arrodilla, latiendo inmensidades,
el alma la inquietud de su conciencia.
Bien se sabe segura de sus ciertos
que en vano resucitan ante otros.
No dura lo que vino reanimando
brasas que a cenizas precipitan
el empeño de amor, tan postergado
en el tiempo perdido en amar menos.

VIII

La verdad no concreta su potencia:
vaga entre corrientes de criaturas
que temen afrontarla cara a cara.

Tiembla la verdad, piadosa cree
que no se la descubre entre palabras;
palabras que se mueren de mentira.

Se soñaba con ella, ay, qué arrebato
quererla conocer como a la carne
que comprueba su fallo de hermosura.

Mejor es el callar si no se ama;
más *verdad* no decir si no se siente
de verdad entregar su poderío.

La verdad no se atreve a confesarse
delante del espejo o de quien ama,
porque al fin no es verdad cuanto se diga.

Callar y recordar. En la memoria
bálsamo recibe lo imposible.

CONVICCIÓN

> *Yo no sé cómo saltar*
> *desde la orilla de hoy*
> *a la orilla de mañana.*
>
> *J. R. J.*

Nadie lo sabe, aunque busque
firme tierra allá del Río.
Llega a su margen, corriendo,
y el agua salta, agua honda
que entre médanos se engolfa...
¿Tendrá una orilla este hoy
que por mañana se deja?
Nunca sería aquel ayer
cuando fuera va el mañana.

Todo lo supiste tú
cuando alerta franqueabas
el obsesionante Río
que saltar el hoy te hiciera.

CONTEMPLANDO

Árboles del jardín, solitarios
aunque les acompañen.

En la tierra
que les hizo nacer para ser solos,
viviendo vida aparte.
Por sus ramas rodeados, sienten
el rumor de las hojas.
Árboles
que mi vida compartís en el estío
de la sierra al amparo: ¿sabéis
que silenciosa os contemplo;
en vuestra misma soledad
integrada?

    Vienen los pensamientos, sólidos
    o frágiles cual la brisa
    que moja nuestras frentes.
    Se quedan. y me hieren, adustos
    porque dardos son, no aves,
    que martirizan el cuerpo
    esclavo suyo siempre.

Los árboles crecen en silencio
como en aldeas las torres.
Aunque vean y sigan, aunque giman
el plomo de su quietud,
los árboles
callan y callan; viven
una existencia aparte.

MURO

Una se desprende de sí misma
en el sueño que un mundo va creando.
La mañana devuelve a lo de siempre
y resbalan los días sin lograrse.
No se sabe, despierta, si merecen
que le quiten sed de agua.
No se sabe escoger lo más perfecto,
sabiendo y amando perfecciones,
cuando llega el instante de verterse
en unos pensamientos que retengan
la segura verdad de todo el sueño
en que una aparece verdadera.

    No se sabe jamás, ay, no se sabe
    si dormida se está o si despierta.

EVIDENCIA

Cuando estrujas tus años, tus tiempos,
caliente rezuma la sangre
fiel a tus manos que exigen
el cuerpo entero seco
y descienda la paz a la frente.
Hay que retomar toda esa sangre
como a la arena la retoma el mar.
Entrañas heridas se curan,
se recobra un momento la muerte
con el drenaje de las tristezas.
Intacta prosigue la vida
su sangre purificada ya.
Solamente las manos teñidas por ella
recuerdan que desprendieron
montones de días, de años eternidad.

VIVIR

Las cosas que nos duelen van despacio,
muchísimo más que el amor,
Ellas nunca eluden su presencia
y todo lo arrolla él.
No se sabe, entre amor y sufrimiento
quién es el que vence a quién.
Él domina pasando cual tormenta
y ellas maceran sin cesar.
Ozono se respira cuando el rayo
y ellas nos destruyen con su hiel.
No se sabe si el amor o la tortura
marcarán por fin el fiel.
La penosa balanza no regula
lo que viviendo sentimos.
Nunca sabe tampoco si ha fijado
nuestro mal o nuestro bien.
Se padece y se goza al mismo tiempo,
dando a todos el ser.

IRREMEDIABLE

Muchas cosas se pierden en las calles,
otras hay que se pierden no sé dónde...,

quizá en mi corazón o en mi memoria
o puede que en las manos si las abro.
Nada eternamente se retiene,
nos perdemos nosotros en las cosas...
Algunas, por pequeñas, que se pierden
y otras que no caben en el pecho.
Porque todo se va y nunca vuelve
aunque el alma las llame con su celo.
Abrazamos un cuerpo y él lo olvida,
nos volcamos en otro y todo pasa.
Nadie busque su hoy en el mañana,
el mañana es el hoy en su futuro.
Se nos va con el tiempo lo que hallamos
y el dolor se recobra en otro encuentro.
Contemplar, sin acción, lo pasajero
paraliza el andar con esperanza.
Es preciso que demos a los días
todo el ser, la criatura enamorada.

INSOMNIO

Dan sus ayes las puertas, las paredes
mientras se quiebran los suelos;
lava corre y alcanza los techos.
Es dolor que busca en lo imposible
a la sangre; su ira la revuelca
en fango incorruptible de virtudes
que ansían vulnerarse por el logro
de protestar contra el impulso
de quererse fundir en loco fuego
que su lava convierta en caricia:
la que no se desprende de la tierra
sino de cuerpos gritando vida.
Pesan los pesares irredentos
y gimen en sus yacijas.
¿Para qué contenerlos si no son
verdaderos pesares? Ellos
claman debilidad, asediados
por afán de quemarse
en algo más hermoso que el rechazo.
Viene así el naufragio de la mente,
remolino de turbios espejos
que su saña repiten y repiten...

¿PAZ...?

Nada se nos pierde si se pierde todo.
Mientras si tenemos o si no tenemos,
la vida está aquí:
dentro de simientes, oro de cosechas
y en el fruto sano que calma la sed.

Lo de recibir a cambio de algo,
o lo de perderlo no son un porqué;
que la esencia cambia del estar sabiendo
que de aquí nos vamos
para no volver.

Nada se nos pierde
si se pierde todo.
¿Esto hay que aprender?

PROPÓSITO

Empecemos de nuevo: otra vida otra.
Dejemos experiencias y recuerdos
entre las dos orillas...
Olvidemos que perdimos muchos años
intentando vivir.
No volvamos a la vida que se ha ido
y reinventarla intentemos.
A la frente la dejemos sin amparo
de profundas nostalgias.
De los ojos desprendamos las imágenes
que no queremos persistan.
A la boca le nacieron nuevos labios
para nuevas palabras y besos.
Es el día preciso, queda menos
para quedarse sin tiempo.
De la que fuimos, resucitemos.

DESDE LEJOS

Tal asombro de verdes que amarillean juntos,
nueva paz que madura entre frutos de piedra.

Llegar y acontecer el sosiego en el alma
y melancolía en recobrarlo tarde.
Todo se precipita a volúmenes densos.
Queremos confiarle a la noche el secreto
del trabajo de luz que va lento tallando
la loca idea de estrenar los lejos;
lejos de los cuerpos que acumulan espacio
y bosque crecerían dejándolos árboles.
Recuerdo que tú existes y amontonas la vida
que a la mía se hinca acaso despidiéndola.
Compruebo que eres tú la recobrada casa,
la que no se tendrá aunque llegado se haya.
Cuán ancho amor poblaría las venas
si alcanzaran las otras sus límites en mí.

ENTONCES

I

En esta tarde el corazón recobra
el tiempo en que nos amábamos;
cuando éramos los dos juntos
ardientes criaturas que se vieron
palomos unificándose.
Sí; es una tarde con destellos negros
clavándose en mí, trizándome,
porque no estás tú,
porque ya no vuelves...
Crece la selva que nadie habita,
rodeando el cuerpo,
cegando los ríos que no van al mar.

La memoria que tiende largos brazos
toca lo más oscuro,
donde estás ahora...
Oigo cómo reías
y llorabas con voz deliradora
que resuena y atraviesa sin descanso
las horas de esta tarde que me roe,
porque no estás tú;
no vuelves
aunque te nombre la angustia
de saberse tan en soledad del mundo.

II

No es que sea única esta tarde,
sino montañas de tiempo que separan:
montes adustos, sin vegetación que calme
el ansia de respirarte
hasta oler toda mi boca a tu romero,
al tomillo que florecías.
Hinco las manos en barbechos ásperos,
que la sequedad de ti en mi cuerpo abre.
Necesita tu voz la tarde ésta
para mojarse de frescura limpia.
Trémulas retroceden las paredes, hoscas
a mis recuerdos que las resquebrajan
pugnando por derribar lo que ha crecido
ante la desgarrante ausencia.
Ni la luz abre mis ojos; que tu imagen llena
la dimensión que me rodea.
Sé que no vendrás, que tú no puedes
cortarte de distancias que flagelan.
Te hablo para mí, sola me escucho
y ni responde el eco.

Cuanto mayor se hace el vacío,
más lo llenas tú, no estándome.
No es sólo esta tarde, es el siempre
lo que invade mi alma: tu yacija.

III

Es una trémula tarde que se está ya consumiendo
en una lluvia obstinada que lo va todo borrando.
El corazón se desprende de su turbia pesadumbre...
A la tarde se acumulan otras nubes que la dejan
desnutrida de la lluvia que de este cielo se muda
amparando la codicia de una luz ilimitada;
transformando los desvelos, en amanecer radiante.
Abajo los sueños torvos, pasión de temor agudo
a la dura sensación de encontrarse ahora olvidada
o no buscada jamás por alguien que nunca viene
cuando la voz necesita que el oído la requiera.
Abierto quedóse el cielo, desperezada la mar
propiciando que las barcas dulcemente la resbalen.

Nadie golpea la puerta trayendo las frescas flores
que la lluvia permitió que los vientos las quebraran.
Sola es la soledad que la estancia plena invade
Sólo es mi soledad resistiéndose al transcurso
de esta tarde que a la sombra le va cediendo su peso
y a mi cuerpo lo rodea con avance inagotable.

IV

Campanas en las venas, retiñendo
compacta carga de vida.
Nunca ya las tardes que cuajaron
en frutos de sabor espeso.
Las horas son pedazos de la nada,
las horas con el yelo que se quema
sin acceder a fundirse
en el tiempo perdido por alguien
que no retornará.
Ahora en el espacio nada queda.
Pedazos de la nada son las horas.

V

Nada.
Nunca nada ya.

Y era un todo que concentraba vidas,
que cuerpos fundía en explosión de gozo,

Nada.
Nada nunca ya.

Caen las aguas, llanto que no enjugan.
Llueve y concurren las calles al frío.

Nada.
Nunca nada ya.

Se decía que *siempre* era algo
invulnerable de tan logrado.
Se decía, se decía... ¿Quién lo dijo
que se desdice ahora?

AGOSTO

Brincando está la tarde de este sueño
con cuerpo de corcel que se impacienta.
Relincha convocado por los toros,
leones en tropel bajo los párpados.
No accede a hechos rotundos, se libera
con veloz andadura que se hinca
en crédula criatura a la que azotan
látigos de fuego huracanado.
Intenta reintegrarse a la vigilia,
y el sueño se encabrita, el sueño deja
arenales de sol despedazante.

III[1]

«DEL DESTINO»

1

En mitad de lo que de vida quede —si mitad hubiere—,
sin posibilidad de rechazo;
hoja finísima de oro, de fiebre dardo:
el encuentro.

Afuera lo sostenido que impide llegar muy hondo.
Vencida es la razón de siempre.
Vencido el inútil de evasión intento:
el encuentro lo arrolla todo.

El olvidado éxtasis, la nunca total entrega,
llenándose de claridad absoluta:
lo abarca todo el encuentro.

No importa si viene de otro universo.
Tampoco, si está habitado
por presencias adversas:
tirano nace el encuentro.

---

1 Poemas inéditos del «Cancionero de la enamorada», cuya primera entrega apareció en 1971, Ávila.

2

Una tarde..., esta tarde...,
aquella y otra mañana...
Pájaros cantaban en la sangre,
del cuerpo fluían gacelas.
Fuiste tú
el grito del amor amontonado
por quererte deprisa ciegamente.

Van lejanas las horas de tu estancia,
cuan distantes minutos de embriaguez.
No dolía memoria de los tiempos:
era luz en los hombros su arrebato.
Fuiste tú
la sombra del nogal si el sol nos quema,
el agua de un arroyo que renace.

Nunca sé si volverán o no las horas,
no sé si viviré para encontrarlas
reunidas en un fuego que no acabe.
Fuiste tú
aquello que se bebe en el respiro:
la fuente del vivir fuera del mundo.

3

Vienes con las manos llenas
de futuro gritando amor,
temerosamente huidizas
que las brasas acogen.
Teje y tejer de promesas
que ni recibes ni quieres
porque tú, aunque lo niegues,
temes saltar las mareas.

Piensa que la dicha vuela
y no retorna; la huyes
y te morirás de sueño:
hasta la muerte, durmiendo.

Cierra los ojos, escucha
música del firmamento,

repitiéndola en las voces.
Déjate inundar: consiente.

SINRAZÓN

...¡Ahora...!
Si estaba cerrado todo
y esto llega
cuando no era posible nada
que vulnerado se sintiera.
¿Para qué nuevo dolor se acerca
lo que no pedí ni busqué;
qué mano fulminante del destino
frente a frente nos puso?
Todo iba olvidado, lo que tuve
perdí o dejé por el camino,
y viene un huracán rompiendo
el cerco de hielo que levanto.
Sé que lo romperás, lo hiciste
con sólo aparecer. Trajiste
mundo que desconozco, por ello
tu triunfo, sorpresa, del fracaso
de no poder rechazarte.
Mas, ¿qué haré conmigo si tú
regresas a tu distinto mañana?

SILENCIO

Solamente la mirada
y os reconocíiteis en el acto.
Lo profundo
se estremeció del hallazgo.
Podrían rugir los vientos,
consigo traerse rayos.
Los ojos en los ojos
y por siempre
palabra fatal olvidada.

NO SER AUNQUE LO PAREZCA

Trashumante verdad apenas síiaquí pasta
porque va a recorrer nuevo prado que gime

por lo duro del paso, del paso sin demora:
ni siquiera el minuto de voraz andadura.
En las manos no deja la presencia su hueco,
ni la mente retiene aquello que la holló.
Nada tan vulnerable cual ésta si aventura,
la ventura que fuera un momento tan sólo.
No recoge el calor que suscita el hallazgo
que estuvo desde tiempos esperándose pleno.
Es tan sólo promesa que finge realizarse
y no cuaja rotunda; que la inquieta evasiva
apenas si la deja concretarse en el acto.
No tendrá su reposo, no comerá su yerba:
pasará sin estar, sin ser verdad tangible.

ESE A PESAR DE TODO...

El quererte, que te quiero,
agua es tener en las manos
que refresca y se resbala.
Es convocar lo imposible
a lo que jamás se tiene,
porque el agua se diluye...
Quisiera quererte yo
más que a fuego y más que agua
que nunca se consumieran.
Cuánto te quiero querer
y no sé cómo te quiero
siendo tú agua que escapa.

INVITACIÓN

Ven a ver las mañanas en mi frente,
podrías recogerlas de mis ojos.
No te traigas tus noches olvidadas;
ven a solas contigo a despertarme
de este sueño de ti que me ha crecido
voraz enredadera entre los brazos.
Córtate de todo lo que asfixie
el soplo de ventura que me entregas.
He cerrado las puertas a mi vida...
No irás a dejar que muera a solas
sin con fuerza llamarme; aprende
que mata más el amor que el llanto.

PRESAGIO

Doliendo irá la tarde de este día
en ventanas, paredes, los espejos.
El sol no vuelve más; ido es por siempre
si no alcanza a mañana la esperanza.
Tendría la mañana que traerse
una llama de amor que no se apague
y arrollarla hasta nunca a la garganta
sintiéndola asfixiada al contenerla.
Grandes ríos de lumbre que se hunde
en la frente que fría los rechaza,
arrancan de la sombra, se deslizan
orillándolo todo. Sol no hay.
Mañana no habrá sol: sigue la noche
mordiendo las palabras de la sed
que en testigos de amor se convirtieron.
Quién hallara la luz que no termine,
quién amara el amor que no se acabe.

PERECEDERO

Voz desnuda, cuerpo tenso.
Reciente magnolia —voz.
Vino caliente y espeso
convocándonos ardor.

Agua de junio la voz
cálida o ronca, fluyendo.
Campana y vaso de olor
desprendiendo del volcán,

la lava de su grosor.
Voz palpable, óleo denso.
Voz o cintura en la mano
de quien vibra posesión.

Voz que concita delirios
que nos entrega la voz.
Voz que garganta rodea
sin quebrarla, con amor.
Boca que bebe sus zumos,
abrasándose en la voz.

DA CAPO

Si dispuesto estuviera, ¿a qué la duda,
el rechazo o la huida...?
Tómame, dicen.
La que habla es una fruta
que a nuestra boca se ofrece,
porque vulnera los nóes
no creyendo en el destino.
Si dispuesto estuviera, ¿a qué negarse
a salir otra vez del paraíso?

DESALIENTO

Ni siquiera dura el mar
aunque esté siempre en su sitio.
Todo pasa velozmente
húmeda huella dejando.
No hay amor que se resista
al tiempo que lo contiene
y lo devora con fría
conciencia de que lo quemen.
Nada se guarda que, intacto,
persista vivo en la sangre.
Es el amor quebradizo
y se ahoga en la distancia.
Se le verá cómo muere
en los últimos abrazos.
No hubo engaño; sí la luz
que se apagaba en los labios.
Que no retorna el amor
cuando se siente cansado.
Bastó con una mirada
para sorprenderlo exhausto.
Qué poco valió tenerlo
siendo tan fugaz su paso.

FUGITIVIDAD

Era a semejanza de las aves,
que vuelan o se posan; abren alas
olvidando las más, cuándo estuvieron
colmándonos los ojos con su gracia.

Siguiendo la andadura de los ríos
que no retroceden y que avanzan
llevándose paisajes en la lisa
belleza inacabable de sus aguas.

Cual un anochecer que nunca llega
a quedarse, extático, en los brazos...
El día no se enciende aunque se vuele
con el ansia de alcanzarlo.

Llegaba, se ausentaba sonriente
llevándose su luz que no se acaba.
Si se fue es que vino para irse
no dejándonos el cuerpo ni su alma.

ALTITUD

Hablaba... De su voz se desprendían
pedazos de materia en ignición;
pájaros brotaban, ardían flores;
una lava refulgente se espesaba
rodeando los cuerpos...
Palabras musculosas germinando deseos,
extrañas realidades que caían deshechas
por el ácido atroz del impulso.
No era sólo criatura, era un magma
que de formas y voces se exhalaba
estallando en manojo, de flechas.
Era retroceder al principio del mundo,
rebañar de las fuentes sus ríos
y romper el origen.
Se agigantaba ante la fuente, precipitándose
cual resplandor gigantesco.
Querían las manos el amparo
de un silencio vertiginoso y súbito.
Hablaba, hablaba... Trepidante mundo
de mercuriales palabras.

MONÓLOGO

Calla.

No digas más palabras que corten
igual que cuchillos. Hablan

mucho mejor tus ojos.
                    Calla.

La voz que te puebla la garganta
amarilla se puso con tu habla,
porque no se sabe de qué pozo
estabas sacando tus palabras.

Es de fuego tu voz y devora
lo que toca cuando hablas.
Mírame en silencio, si me miras
eres mejor tú en la mirada.

¿No sabes que los ojos nunca mienten
aunque mientan las palabras?
No pronuncies ninguna, son tus ojos
los que no se callan.

Dolorosa tarea es la de hablar
si en los ojos hay lágrimas.

INCOMUNICACIÓN

Crecieron, era yedra las palabras
obstinadas, violentas que reptaban
coronando la piedra que atacaban.

Ningún resquicio sin cubrir dejaban.
Unas tras las otras asfixiaban
aquella pared, hasta ahogarla

con el verde vestido de su trama.
Jamás fueron dichas las palabras
que ahora se decían... Atosigaban

corroyendo la piedra y bañándola
con zumo espeso que a la luz dañaba
por su brillo metálico de espada.

Decían... ¿qué dijeron...?
¿Quién hablaba?

CERTEZA

No llegó la noche, no.
Se negó a cuajar en sombra.

Rechazábase el naufragio
en la mar que no se calma.

No llegó la noche, no,
a prolongar aquel día
que nació con esplendor
de cactus que floreciera.

No la sintieron abrirse
ni aspiraron su fragancia.
De largo pasó la noche,
de largo, para evadirse.

...Y hay una noche esperando
que se consuman las horas
y se terminen los años.

BALANZA

Gravitante volumen del recuerdo
de otros que ya fueron en el tiempo...
Informe, inconclusa la teoría
de atosigante paso por la mente.

La huella conocer en las entrañas
del que ha sido cobijo de simientes...,
¿quiénes fueron, en quiénes frutecieron
que se albergan en mí, sin conocerles?

Tanta carga de otros que pasaron,
consciente de su peso se mantiene.

PRESENCIA

Cuerpo únicamente no lo era.
Música de pájaros su carne,
voz del árbol en el bosque
cuando el viento lo toca.
Que su alma
a miembros olorosos arropaba
haciéndole mañana a la ventura.

Vino desde el nunca, desbordando
innúmeras delicias.

Llegaba exaltante su delirio
para prorrumpir en selva.

Cuerpo de inocencias difundiendo
la verdad clamorosa de su entrega
al amor, pródigo dándose.
Si decís que era un cuerpo afirmaréis
que inmensa la creación en él vivía.

EVOCACIÓN

Criatura resurrecta vino un día
a palpitar entre las manos.
Fuera corzo joven en los montes
y no correría como aquella,
saltando las zanjas espinosas
que el tiempo abriera.
Fue venciendo el espacio, las sombras
que cubrir intentaran...
Se hunde en los ojos y busca
a quien por fin rescata.
Creyéndose sin ella para siempre
nunca se atrevió a citarla.

INMUTABLE

El mundo de los otros va fluyendo.
La nada de la vida les anega.
No hay un tiempo que ancho les acoja
para gozar sin acosos del afuera.
Todo va sin reposo; que es la prisa
el orden cardinal de su existencia.
Tú estás entre ellos, los que corren
de sus propias criaturas, desgajando
la sublime verdad de lo sereno.
Vas corriendo también ante tu paso
por no desentonar de la vorágine.
No te veo llegar aunque estás yendo
con otros, con aquellos; con ninguno
que devuelva cuanto derramas.
Es tu vida, la misma que repartes,
la vida que de ti me falta.

CERTIDUMBRE

Espero que me nombres, un momento
para escuchar solamente tu voz.
Si dices... Lo que dices es tan tuyo
que a mí no me integra...
Hablas de crear esto o aquello
que al fin no irás a hacer.
Oigo convencida de tu ansia
de tener y vivirlo todo.
Es atroz no escuchar que lo tuyo
nunca será mío; que no serás de mí
como quisiera.
Y no debo escapar de la emboscada
que el destino me hizo. Segura
la consumación de mi existencia
es tangencial a la tuya.
¿De dónde es el amor; por qué se siente
palpitándose oscuro...?
Tú no sabes y si sabes te lo callas
que yo era otro ser, que era
un pedazo de tierra que nunca
dejó que el viento lo sembrara.
Semillas tú le echaste con usura
sin esperar que arraigaran...
Habla cuanto quieras, habla y dime
todo lo que dices, tan lejano
de abarcarme contigo.

FATALIDAD

1

Caer en una trampa, no intentar evadirse
porque a narcisos huele su música de flores.

Así, noches de insomnio, largas tardes de ira,
mañanas sin control, alentando esperanza
que nunca se resigna a detener el duelo,
tampoco el llanto oscuro invisible o cansado.

Ávida es la trampa que el cuerpo aprisiona,
delirantísima trampa que todo lo consume.

Ay, si le dijeran que su libertad huiría,
a veces voluntaria y siempre fatalmente.

2

No se aprende a perder el amor
aunque cien veces se pierda.
Se aferra a las entrañas como hijo
Participa el amor de las arenas
que maretazos revuelven.
No sucumbe, persiste, va cantando
misteriosa canción del marinero.
Nadie crea tener entre sus brazos
el amor que soñaba iba amando.
El amor no es verdad es el espejo
al que trémulos nos acercamos.

3

Porque siglos evoco, devoradora presencia...
Todo lejos se fue, quedaron sólo
cenizas del resplandor.
La vida es quemadura, brasa fija
que al espíritu absorbe.
Inútil es buscar nuevas palabras
o simplemente aquéllas. Todas
cayéronse marchitas a la tierra.
Entre sombras transitan los hombres,
en el agua las mujeres.
Ni las sombras ni el agua devuelven
la muchacha que perdimos
Persiste avarienta amargura
al no poder retrocedernos.
Huía su sonrisa de ahora vuelvo
no la recuperaré:
dorada aparición perdida...
No retorna la luz de ningún astro
cuando Dios la fulmina, indiferente.

EMILY BROTË

Hoy pienso como tú que florezco
mi último verano.

Crecieron los días y a la par de ellos
agua oscura escurriéndose fue...
Aves hay que nacen y vuelan
sobre la cabeza que se sobrevive.
Su hostil amenaza
me sigue y me acosa.
A las manos que ya no son manos
no alcanzan las mías aún.

TERRENEIDAD

Húmedas las huellas; en la yerba resbalan
Sobre el agua los árboles, temblando.
No fue el viento huracán que desgajara
tales tiernas presencias. Tú lo eras.

Fiera enorme con límites de lumbre,
codiciosa pasión la de tus hambres.
Con impulso de fiebre recorriste
gran pedazo de selva: mi destino.

Un venablo sangrándote anticipa
muerte fría, con múltiples insectos
todo el cuerpo sobrevolándolo.

Derrumbada entre cactus me infinitas
coronada de espinas que taladran
absorbentes presencias. Ya no eres.

REBINAR

No *la* Primavera sino todas
las primaveras del Mundo.
De flores brotaron manos,
olorosas resinas los pasos.
Nacieron palabras líquidas
abocándose a ríos.
A sales profundas y barcos
la mar remecía.
Dilataba su anchura la Tierra
al cubrirse de sándalo.
Gritando su voz los azahares
un nombre exhalaron...

Plenitud pasajera que al Viento
le arrancó sus campanas.

HISTORIA

Sí.
Cuando aquel viento llegó
todo lo pudo arrasar.
Los árboles dejó sin hojas,
hasta inclinarse les hizo.
No era un viento frío, no.

Era
madre de todos los vientos.
El suelo se enriqueció;
el suelo
que lluvias no fecundaban.
Trajo nieve de los montes
para sembrarla en la tierra,
dulcificando su espalda
de endurecida sequía.

Sí.
No era un viento frío, no,
el que se arrojara un día
sobre el cuerpo de la Tierra
olvidada de caricias,
del arrullo de las aves
fertilizándole amor.

IMPACIENCIA

El esperarte macera.
¿Por qué llegas tan despacio
que se desgarra mi vida
por tanto esperar que vengas?
¿Verdad que tú no comprendes
cuánto me duelo por ti?
¡Si nunca vinieras, porque
nunca te fueras de mí...!
Nuestros caminos tardaron
en unírsele al destino.

SABIDURÍA

Bien sabía yo que el tiempo
lento de fuego, es un río.
No tuve memoria, no,
de su pasar destructivo
y me ha vuelto a rodear.
Acaso vino a salvarme
de un desierto flagelado
por el dolor, y me trae
nuevo dolor, que mantengo
porque no tengo del tiempo
más que su fuego fluyente:
quemándome las palabras
me va llevando consigo

ASOMBRO

Cuando ya ni la luz se prodigaba
y en los ojos moraban las sombras,
    viniste tú.
Era noche en el mundo y en mí
porque aún no llegabas, y entonces
    viniste tú.
Esplendores bajaban del cielo
que tinieblas fundieron, cuando
    viniste tú.
¿En qué astro el destino forjaba
que en mi vida pudiere crearse
    que vinieras tú?
Abrasando llegaron tus pasos
las tierras que anduve, para
    que vinieras tú.
Imposible apagar aquel fuego
que naciera en mi pecho, porque
    llegaste tú.

REVELACIÓN

Mi sangre me golpetea
resucitándome erguida.
Temía vivir sin sueños

y es mi sangre la que grita:
no vas a retroceder,
mantén tu antorcha encendida.
Por si creyera que no,
su voz airada me grita:
que sí, que sí, que ya vas
desbordadamente viva.
Afuera dolores viejos;
se han secado las heridas
del tanto penar a solas
para dejarte vencida.

No sé si es la primavera
que se siente ya venida
o es que me ofrece Dios
en vez de espinas, celindas.
Canto porque soy dichosa
en milagro conseguida
junto a la luz de una tarde
que me ha devuelto a la vida.

DESANDADURA

Sólo sé que era una calle
que tan lejos llevaría.
En ella nos encontramos
al pasar por ella un día
y no me puedo acordar
adónde irme querría.
Mis ojos iban perdidos
y de ti fueron detrás.
¿A dónde quise haber ido...?
Más que tu rápido andar
desde entonces nada he visto.
¿Qué calle sería la calle...?
Nunca la volví a pasar
y por ella no irá nadie
que a ti te vuelva a encontrar.

LÁGRIMA

Ha perdido su noche quien llora:
solamente tiene el día.

Días que no acaban y traen
ascuas de sol a la herida.
Ay, herida de la luz,
de la luz que más asfixia.
Y nunca llega, inllegable,
la noche de ningún día.

RETRATO

También tú
«ibas y venías
como un fuego con viento»,
desdeñando las cenizas que dejaba
en los días sin tiempo.
Más que el suelo al pisar, volabas
sobre entregados cuerpos
que siempre abandonabas.
De aletazos, tu viento.
A tu alcance, la llama.
¿No te quedaste nunca
hasta verla devastada?
Ibas y venías; ardiendo
tu contacto. Eras lava.

Ay, si el viento que te trajo de la selva
algún día se apagara...!

«DEJADME LA ESPERANZA... »

MIGUEL HERNÁNDEZ

Porque ya se agotaron las privanzas
florecen las espinas, crecen yedras.
El aire se destroza en la esperanza
y no quedan caminos en la tierra.
Lienzos de blancura enmohecida
extienden sobre el lecho su vacío.
Espejos que se rompen sin la vida
que en ellos fue poniendo su latido.
Va la casa rodando desangrada
sin la voz que romeros esparcía.

DERRAMEN SU SANGRE LAS SOMBRAS

1983

Carmen Conde en Santander,
agosto de 1945.

Es imposible recoger en unas pocas líneas el extensísimo *currículo* de Carmen Conde, por lo que nos limitaremos a los datos fundamentales.

Nacida en 1907 en Cartagena (Murcia), se tituló en Magisterio e hizo estudios de Filosofía y Letras. Fundó con su marido, el poeta y escritor Antorio Oliver Belmás, la Universidad Popular de Cartagena —suprimida en 1939 y reanudada en 1981— cuya Presidencia de Honor ostenta, así como el Archivo-Seminario de Rubén Darío en la Universidad Complutense. Ha sido durante muchos años profesora de Poesía y Novela Españolas Contemporáneas en el Instituto de Estudios Europeos (filial del de Chicago) en Madrid y en la Cátedra Mediterránea de la Universidad de Valencia en Alicante.

Desde 1929, fecha de su primer libro, «Brocal», ha publicado cerca de treinta títulos de poesía, ocho novelas, varios libros de ensayo y multitud de cuentos y teatro para niños. Casi continuamente pronuncia conferencias en los más diversos países. Ha recibido numerosos premios literarios y nombramientos honoríficos. Existen varias tesis doctorales sobre su obra.

En 1978 fue elegida Miembro de Número de la Real Academia Española, siendo la primera mujer académica de nuestro país.

...Carmen Conde me trae su propia visita, el bulto de su libro, y... la presencia que planea sobre nosotras, de su hijo que viene. Como en una balada, el niño llega a este mundo duro envuelto en la primera faja de unos poemas sobre la infancia... Ha trabajado a la madre a lo largo de sus meses de linda hospedería, y la ha hecho retroceder a su infancia a fin de que lo sienta y lo entienda mejor cuando él asome...

(Gabriela Mistral, en su Prólogo a Júbilos, *de Carmen Conde, 1934.)*

Explicación de lo lejano:

Desde que fueron escritas estas lamentaciones por la primera tragedia de mi vida, no las había vuelto a leer hasta mayo de 1973.

En otras ocasiones posteriores a 1933 también me *dolí* en otros versos que agrego a los primeros. Porque, en realidad, aquella criatura que murió al nacer, que no fue mía más que cuando me habitaba, hizo que toda mi existencia se transformara radicalmente.

Y pienso que si nada importante suman a mi obra total, a lo que se llama mi vida más honda e íntima, algo darán de amor y ternura a lo que más quise.

Incluyo dos de los poemas que Antonio Oliver Belmás, mi marido, escribió mientras *llegaba* nuestra hija.

C. C.

I. A LA ESPERA

HIJO

Casi no te esperaba. Ya no creía que vinieras. De lo único que he dudado en la vida es de mí. Por eso no te esperaba...

¿Es cierto que estás dentro de mi cuerpo, tomándome la sangre y que saldrás entre mi llanto a sonreirle a Dios...?

Si es que eres verdad... Trae mi voluntad contigo. No vaciles. Ven recto.
Llévame, hijo.

11, junio, 1933

Darlo a la Vida. Y que sus ojos sean míos antes que de la luz. Y que su voz me llame para morirme, suya y mío, con él.

25, julio, 1933

¡Salida a la aurora!
Brotarlo como una rama
brota su flor.

Para los ruidos, los vientos.
Que un olor de azahares
y de rosas
llene nuestro fluir, confluir
a nosotros.

El día exacto, sonriente
verá que soy la eterna
mujer con el hijo entre los brazos.

29, julio, 1933

Vientre, mina, cantera
de hijos.
Infinito espacio en donde caben
latidos y potencias.

Curva de mi existencia.
Crepitar en lágrimas
de mi cuerpo dolorido.
Nacimiento del que ahora
vive de las vetas calladas
que soy dentro de mí.

Pleno albor de su anhelada
emersión a la luz.
¡Lo deseo con la angustia
de jugármelo en el trance!

9, julio, 1933.

Madre: Yo he salido de ti
y él saldrá de mí.
Yo iré a ocultarme, siguiéndote
entre túneles estrechos;
a buscar el hondo vientre
de la eternidad.

¡Oh, el inmenso
nacer y desnacer
del Tiempo!

Saldrá de mí
y se hundirá en la muerte
yendo hacia mí,
hacia ti,
mientras uno suyo sale de otra.
¿Hacia quién iremos en el perenne
buscar de tantos vientres?

30, julio, 1933

Voy ausentándome de mí.
Poco a poco, el lastre de ensueño cede
su sitio a la realidad doble
que es mi vida en transcurso.
¡Otro ser dentro de mi carne
fragua su carne, su piel,
su corazón diminuto, mi estrella!

Asisto a la escisión silenciosa
con pasmo anhelante, con gozo
nuevo de verme en otros ojos míos,
de mis ojos hechos,
de mi sangre coloreados,
¡ay!, de toda cuanta soy.

Día por día el latido
es golpe que me recuerda, urgente,
valor que no tengo,
heroísmo que nunca soñé.

Y temo por el que estoy creando
en convenido misterio
dentro de mi soledad sin orillas
cerca de mi corazón, su estrella.

31, julio, 1933

No te esperaba, y entre temblores de incredulidad, he sonreído a tu realidad próxima. Cuánto dolor para tenerte en mi pecho, si es que te tengo...; si es que puedo abrirte la vida.

Me parecía mi cuerpo imperfecto. El que tú hayas escogido su calor para bajárteme del alma, me ayuda a creer en mí. ¡La incalculable felicidad de ser tuya! Es verdad. Vas a venir. Voy a darte la luz.

¡Cuánto tiempo aún para que tú sonrías! ¿Cómo serán tus ojos, tu voz, tu risa, todo lo que coges de mi substancia?

Hija, quiero aprender a solas, buscando mi acento inédito purísimo, a llamarte... ¡Cómo te esperaba sin creer que llegaras nunca!

1, agosto, 1933

Caminamos al unísono.
Por vez primera otro corazón
se mueve con el mío.
A la vez: latido por latido.
Juntos, hacia encontrarnos.
Juntos, hasta desprendernos.

19, agosto, 1933

Dentro de mí, en el secreto
minúsculo recinto de mi cuerpo,
vives tú.

Fuera de ti me angustio
pensándote, con el deseo
de verte, de hacerte mío.

¡Oh, tiempo de lentas avanzadas!
Transcurre, tiempo, y acércanos
al beso definitivo.

19, agosto, 1933

Toda blanda para tu cuerpo
será la yo que te contiene.
¡Fuera de mí, el ensueño de ti, hijo,
cuántos silencios me puebla!

El único diálogo que yo quiero
es, solamente, el de tu esperanza.
Ven pronto, que nada si no es desearte
sé hacer desde que te espero.

20, agosto, 1933

Ahora que en nada creo
te espero para librarte
de todo frío, de toda sombra.
¡Yo seré una lumbre que entibie
tu mundo; yo seré la luz
que te alumbre!

¿Serás tú el sol que necesito,
el agua para mis sienes...?

20, agosto, 1933

Siento tu voz de latidos.
Yo contengo la vida, mi cuerpo
ya no es una forma inerte
propicia sólo al amor y al ensueño.

Te estoy formando en silencio
sin que nadie más que nosotros
sepa que vives en mí.

¡Rosas, manzanas, naranjas
dadme vuestra belleza fragante
y que mi hijo la tome de vosotras!

25, agosto, 1933

EL HIJO

Que venga, sí. Para quedarme
con voz siempre en el mundo.

Lo iré formando día por noche:
seleccionando mis ideas,
purificando mi sangre,
fortificando mis huesos,
ensanchándome el corazón.

Para que nazca
—sol divino de amor, hijo
de mi vida, sin vida que no sea suya—
resplandeciente de voluntad.

Cartagena (Murcia), 9, septiembre, 1933.

La ciudad no me alcanza al pecho. Llevo la cabeza fuera de la ciudad, rayando los viento que están sobre el viento, en sonámbulo paseo silencioso.

Ya sé que busco el olor salobre de mi lugar de ensueño. No vivo aquí, entre ruidos desgarrantes y olores industriales imperfectos. Por ello voy hacia mi nivel de mar.

Alguien dentro de mí, lo mejor mío, quiere asomar sus ojos a un azul salino.
¡Llévale, alma; llévale a su alvéolo nítido de cielo mediterráneo!

...Pero, aquí se queda el que me ayudó a conseguir mi amor escondido aún. ¿No oirá el diminuto arroyo de la vocecilla que yo guardo, llamándole a su fuego... ?

Madrid, 25, septiembre, 1933

Ese todo que en mí buscaste sufriendo,
y ese todo que no te pude dar nunca,
van a juntarse en el que esperamos.

Para hacer de él, yo así lo creo,
un algo que no alcanzaremos del todo:
que será la suma de lo nuestro
jamás llegado a unir.

Cartagena, 5, octubre, 1933

Estar dormida, soñando,
pero saber en el sueño
que se sueña, que se está dormida...
¿Comprendes, madre?
Pues así es cómo le siento.

Estar alegre sin saber por qué,
pero sentir la alegría
rebosar del alma y del cuerpo.
¿Recuerdas, madre?
Pues así le siento yo.

Fiebre, tener mucha fiebre
sin nada externo que lo diga,
pero con ella, ¡ay!, en la sangre.
¡Pues así, dentro de mí,
es como va y viene su vida,
abrasándome!

5, octubre, 1933

Yo no duermo que le duermo entre mis ojos
mientras velo, suspirando por su sueño.

Yo no como, que le doy mis alimentos
a través de mi sangre adormecida.

Yo no ando, que le llevo por la luz
para hacerle tan ágil cual el viento.

Yo no hablo, que le enseño las palabras
para que nazca pidiendo claridades.

6, octubre, 1933

Toda estaba llena del mundo
y al acercarte, denunciarte tú,
sin yo enterarme
toda me fui volcando a la quietud;
toda quedé libre
para mejor dárteme.

¿Qué se hizo de mis ensueños,
de mis deseos, de mis palabras
para el mundo?

¡Soy un silencio, una espera íntima
que nadie conoce más que tú!

7, octubre, 1933

Es ahora que tu sangre y la mía se han unido,
que tu vaho y el mío se han juntado
que tu calor y mi calor se sumaron
cuando empiezo a conocerte.

La sangre, el suspiro y el calor
que hicimos nosotros embriagados,
reclaman dentro de mi ser
toda la vida mía para ti.

Yo soy suya, y porque tuyo es
el que en silencio de mí se nutre,
toda te pertenezco: gota a gota,
soplo a soplo, grado a grado,
para sumarme a tu luz.

8, octubre, 1933

AL HIJO

Ya sé que vienes para que yo me vaya.
También yo vine para que huyesen ellos.
Y querrás detenerme, como entonces
yo quería que los otros no se fueran.

Mas contesta, esperado, dime, dime,
porque a ti sí que quiero preguntarte:
¿Qué países recorres, qué luceros
atraviesas camino de mis brazos?

¿De dónde, di, se avista el mundo?
¿Por qué túnel de sol marchas ahora?
¿De qué planeta, di, te has desprendido
como un copo de luz blanca y nevada?

Ay, qué angustia, después, cuando no aciertes
a recordar la huella de tu arribo.
Cuando preguntes todo y sólo puedas
responder que te ves en los espejos.

Pero contempla bien en dónde caes.
Mira que días más anchos serán tuyos.
Goza del mar, del aire y de los montes
y ten un verso siempre entre los labios.

ANTONIO OLIVER BELMÁS
Madrid, septiembre, 1933

EL ESPERADO

Ahora vendrás con los ojos cerrados
—¿con alma ya?—
por caminos que todos recorrimos
sin que nos quede huella de su trazo.

Aún irá honda tu sonrisa,
sin contactos de luna;
mas yo la siento,
cual si estuviese ya clara y emersa.

Ahora vendrás junto a ese río
que dejarás de oír en cuanto llegues;

el río que, después, acaso escuches
cuando tus ojos vuelvan a cerrarse.

Aún las brisas no anudan sus guirnaldas,
en el vítor alegre de tu cuerpo;
mas yo sueño tus manos, donde empieza
a despertar, el tiempo que dormía.

Ahora vendrás por el trascielo
más arriba del día y de la noche,
pronto a espigar como un dios rubio
que anhelamos aquí,
bajo septiembre.

ANTONIO OLIVER BELMÁS
Madrid, 8 septiembre, 1933

II. EL DESENCANTO

Dentro de mí, muerta.
Mía viva a lo ancho de los meses
y al nacer para los otros,
muerta.

Si yo hubiere sabido eso,
ni un esfuerzo habría hecho
para sacarte fuera de mí.

Contigo, hija que no conozco,
contigo y con tu silencio;
con tus ojos cerrados,
con tu garganta sin voz
me hubiera muerto.

17, octubre, 1933

¡Qué mía has sido!

Tu diminuta y débil vida
sólo existió dentro de mí.

¿Qué habría dentro de tu frente;
qué color amanecería en tus ojos

dónde, si no en los míos,
los has abierto?

Inútil sangre mía,
inútiles nervios gastados;
¡qué mísero mi vientre
que no ha querido
dejarte vivir fuera de él!

18, octubre, 1933.

Como de nada han servido mi sangre ni mi amor para afirmar, afianzar, tu vida, yo te daré mis poemas, tus hermanos. Sé que bajo tu cabecita él ha puesto los suyos y los míos ante tu espera...

Yo deliraba por saber tus ojos, por vertérmelos, en los míos. Tú los has sacado cerrados para que ignoremos el color de tu mirada.

Soñaba con tu voz que sería delgada como un vuelo. Pero tú no has tenido voz, tu garganta no se estrenó llamándome. ¡No te oímos, aunque tu silencioso llanto de no poder ser besada por mí, lo oiga toda mi vida dentro de un trueno!

Qué inmensa noche, ignorándonos, hemos pasado las dos mientras traían la mañana de tu entierro.

19, octubre, 1933

Te lloro, mi alma, cuando nadie sabe que te lloro; únicamente así me satisface mi llanto. Te lloro en las noches, junto al que te soñaba con mi mismo amor; y mi llanto es lento, tragado, pero tan robusto que se me duele el pecho hasta la asfixia.

He aprendido un suspiro que me retumba cual un viento en habitación vacía. Ese suspiro es tuyo, como mis lágrimas, y en él descanso pensando que tú me esperas al otro lado de la muerte.

Porque tú te has llevado tu alma, hija; te la has llevado sin estrenar de luz; escindida de la mía, río desierto. Y a esa alma tuya-mía, surtidor de calor sin saltar, breve esfera de ternura infinita e inédita, va buscando mi corazón golpe a golpe para radiante unión de júbilo.

Por eso mi llanto es el rocío que liará tierna la tierra que hay encima de nosotras.

20, octubre, 1933

Has vivido dentro de mí y no he podido conocerte. Te pienso minúscula y blanquísima desprendida de mí, y me dueles en lo hondo vivo No imaginé nunca cómo iba a ser de enorme mi amor por ti, así que ya no te contuviera en mis entrañas. ¡Extraordinaria locura de cariño, sin verte con los ojos de la cara! Sé que eras tan débil, tan irresistente para nacer, que se te quebró el soplo como un divino cristal dentro de mí: débil, quebradizo, corriendo a bandazos con el dolor; pura de fuerzas sin estrenar; ignorada ansia de Dios en ascendente fuego.

No tenía a nadie dentro de la tierra y mi primer enlazado por el polvo llovido pasa, derecho, de mi cuerpo a la tumba. ¡De un túnel a otro túnel, sin importársele el sol ni el cielo ni mis labios! Sin otro calor, sin otro fervor, sin más luz que la que arrancó de mi pobre, humillado, fracasado y dolorido vientre.

21, octubre, 1933

Toda la noche bajo el mismo techo, y yo ignorándote; sin sospechar que tú estabas tan cerca de mí, cerrada, toda cerrada en la muerte que con vida te dio mi sangre. ¡Horrible amor el de mis entrañas, creándote y deshaciéndote cuando ibas a abandonarlas!

Alma mía, pequeñísimo lucero que no abrió ninguna primavera, hija del amor de lumbre amarga y sonriente eternidad: ¿por qué no habré podido conocerte con mis sombríos ojos?; ¿por que no te has llevado mi voz dentro de tu corazoncito?

¡Te pusieron flores, jacintos y nardos.... y te faltó la flor de un beso mío en tu pura frente sin sol y sin vida!

Ese beso me envenenará por siempre todos los besos. Lo tendré en el espíritu, carbón encendido por el ángel que te robó de mí.

22, octubre, 1933

¿Vienes...? La carne ha estrenado su primer latido de continuidad; un orgullo de pervivencia entreabre su rosa. Misteriosa pero con gozo otra vida canta frescos silencios dentro de mí.

Todo comenzó a borrarse en torno de mi luz. Yo sola vivía —en apretada obstinación de voluntaria mudez—, para el día dichoso en que mi ser se abriera en dos. ¡Cuánta multitud de sonrisas para su nacimiento, Dios que no la dejaste pegadita a mis pechos!

Empezó a venir, sí; ¡ay, con qué debilísimo paso, que se quebró su latido!

Y después del dolor tremendo de su presencia desgajándose de mi carne, el espantoso vacío dentro de mí; el oscuro silencio de su llegada; ¡el río de sangre inútil, sin rumbo, que mana de toda yo sin encontrarla a ella!

23, octubre, 1933

¿Cómo se va a llamar la niña? —Porque era, acerté, una niña como yo esperaba. —La niña se llamará María del Mar. —¿María del Mar?— Sí, del Mar.

¡María del Mar y de la muerte se llamó la niña! Porque nació sin vida, tanta como yo creía haberle dado mía.

Como en una barca se fue a bordo de su nombre azul y anchísimo, más allá de mí.

¡Espérame, María del Mar! ¡Espérame con tus ojos ya abiertos y llenos de mi imagen; con tus bracitos para mi cuello; con tu sonrisa de ángel sin besos, para mi eternidad encendida!

24, octubre, 1933

Yo no te he conocido. Sé de ti como se sabe del amor en la infancia. Por ello pregunto a todos, creyéndote y dudándote, temerosa, porque llevo un beso que no te di y quiero dejarlo en la luz que sí te vio.

Dentro de mi vientre yo oía tu pequeña vida como oigo mi corazón; ahora que no estás, que fuiste desde mí a la tierra, nadie sabe del inmenso vacío, la desolación de mis venas.

¿Verdad que has padecido tú, por no saberme? ¿Verdad que tu espíritu inestrenado vuela buscando otro vientre para recuperar el calor del mío?

Dejo abiertos los brazos, alma mía tan mal cortada, por si llegares hasta ellos y pudiéremos besarnos.

25, octubre, 1933

Se ha abierto la eternidad para una luz mía. Empiezo a tener algo de mi ser al otro lado de la existencia. ¿Se me espera más allá de aquí para apaciguar el tumulto de mi inmersión en la muerte?

Siento por vez primera el pavor de la eternidad. Necesito fortalecer mis ojos, que se cierran buscando la sombra, porque en ella hay substancia de mi viva substancia. Me duele infinitamente que todo el calor que me rodea, que me consuela, se liquide en llanto frío.

¿Quién distribuye el dolor? Tengo una loca palpitación de amor por la vida de los que viven para mí. Y hay en la tierra un breve cuerpo salido de mi cuerpo; un interrumpido corazoncillo que se hizo dentro del mío...

Cuando me lleven a la tierra —¡gracias, Dios impasible!— habrá quien me aguarde como a madre.

26, octubre, 1933

Mis pechos empezaron a llenarse de leche. Ajenos, ignorantes, distanciados de la tragedia que tuvimos tú y yo, hija, te preparaban tu alimento: leche nueva, espesa, para tus labios que habrían sorbido mi corazón.

¡Qué fracaso el fluir de mis pechos! ¡Qué repetida amargura la de verme transformar una parte de mi ser en alimento tuyo, sobre el yelo de la muerte!

He estado con fiebre, inmóvil, pensando en toda la inmensa distancia que nos separa, mientras esta inútil leche se retiraba humillada y algodonaba mis desdichadas arterias fluyentes.

23, octubre, 1933

III. MUCHO DESPUÉS
(1944-1961-1969-1972)

Buscara yo el amor, si tú volvieras.
Sabiendo que eras tú, te buscaría.

¿Qué le hicimos al cielo, qué puñado
de eternidad vino contigo?

¿Qué designio perturbé al concebirte,
que nunca mis pechos te lograron?

Castilla, febrero de 1944

Muchísimas palabras no se pronuncian nunca.
Se van acumulando para labios futuros
que las desprenderán dulcemente del tronco,
para que busquen dueño o amante o se deslicen
por un aire propicio, naciéndose a sí mismas.

Existen dos palabras que fueron siempre mías,
y una más que, siéndolo, jamás llegué a decir:
son *padre*, y *madre*, e *hija*... Tres palabras aquéllas
que no me pertenecen, que me han abandonado
dejándome en el mundo con la muerte delante.

No volveré a decirlas, ¡tan hermosas palabras
que llenaron mi pecho y luego se movían

como grandes palomas en un cielo de mayo
al que vienen las lluvias con el sol en la hierba!
Sentiré que me ahogo de llevarlas calladas.
Tanto como las dije (estas dos, no la otra,
que hija se quedó sin decir, en su bloque)
durante el largo tiempo de mi vida terrena.

¿Cómo podré guardármelas, habiéndolas besado
en la carne caliente y en su mármol de luego?
¿Es que podrían secarse, por calladas, ahí dentro,
donde la sangre espera que se vuelva a decir?

¡Oh bosque de palabras, las dichas y la otra!
¡Oh silencio de tres; de estas dos tan ardientes
que me cavan el alma como si fueran entraña
que hubiera de parirme al padre y a la madre!

24, mayo, 1961

Hija tengo, metida en la tierra,
que no conocí.

La pasaron dolores sonámbulos,
manos duras y tiernas del padre frustrado,
de mi vientre a ese vientre feroz
que es la tumba.

No le pude mirar sus ojitos
porque estaba ya aquélla esperándola
con sus dientes de loba.

En lugar de su llanto, al brotármela,
otro llanto rompió contra mí:
el del hombre su padre que, entonces,
como hijo quedó en mi existencia.
Y sin hijo me encuentro otra vez.

Siempre anduve doliéndome niños.
De mi obra a los niños les di.
He vivido de madre en mi sueño
porque a madre verdad no alcancé.

Leedme y sabréis cuánto es hondo
mi escribir de los niños de España.
No aquí.

Porque vivo de duelo por siempre
y no quiero escribir de esos niños
que ya tanto canté.

He perdido a la hija y al padre;
han volcado mi vientre dos veces
a esta tierra mordida con ira,
con quemante pasión de retorno.
¡Que nos junte y nos trice la loba,
que me muestre, si ahíta, a la hija
que no conocí!

24, abril, 1969

NO NACIDA

Opaco.
Porque nada de cristal ni espejo.
Pasó por el cuerpo
sin poder abrir los ojos,
cual pasa por el ciego espacio
esquirla de astros que vagan.
Ni siquiera luz
ni estremecimiento.
Es mucho después. Cuando en la Tierra
caen pedazos de piedra de rayo,
se sabe
que un algo murió mientras nacía.

Si fruta hubiere sido,
o cordero humildísimo...;
alguna planta como la patata ingenua,
de las hambres recurso diario,
acaso sí viviera
en linfa transformada.

Pero como no lo era,
como no pudo ser sino aquello que no fuera,
a nadie aplacó.
Ni a criatura alimentó en el mundo.
Germinó, y al abrirse,
prorrumpió en su muerte.

Pugnaron tales cosas,
eternamente pugnan.
Maceradas personas llorarán su desdicha.
La vida es así. «Muerte para los vecinos era...»
¡Pero, esa muerte
antes de salir a vida!
Sobrevinieron más
muertes de vivos que fueron vivientes,
no de los creados para no nacer.

Dolía; ¡Cristo, cómo dolieron!
Mas, se pueden recordar los rostros, la voz; el calor de las sangres
concertándose a ciegas.
Hubieron las horas, los días, las noches.

Habíamos tenido tiempo.
Acudiendo al recuerdo, volvían
otra vez a vivir con nosotros.
Caíamos del luto en sus ojos, en sus bocas lo oíamos,
compartiendo lo roto y los hechos.

Mas, si se *nace* muerto
no se existe dos veces.
Y una no olvida, perdona ni quiso otro ser
que un no cuajado en serlo.

Permanece despacio la carne.
Se planta ante el crudo espejo este cuerpo
y se piensa:
                    pasó por aquí; aquí se hizo, dentro.

Porque a una la siguen royendo las hambres brutales
que nada sacia nunca:
                    las de haberse asomado a su ojos.

Julio de 1972

DEL
OBLIGADO
DOLOR

1984

Carmen Conde,
octubre de 1933.

Para ti, Antonio

CERCO INMISERICORDE

IN MEMORIAN

En todas las ciudades hubo una:
era la misma pared.
Alta, recia, negra y dura.
Cementerio
de las naciones y pueblos.
Cubiertos de espuma de odios
muchos seres tuvieron por tarea
acribillar a millares de otros
allí, en la pared.

Hace años que oigo a los vivos,
que huérfanos hicieron
en la pared,
hablar por su parte sueñan
matanzas nuevas
en la pared.

Rojas y negras paredes
de cementerios futuros
los otros nacidos.

¿Qué mañana será para vosotros,
el mañana
que deje para otros la tarea
de matar a los suyos;

los muertos
de esta tremenda pared?

21-VI 60

Cuando estábamos juntos éramos
la misma gente:
muebles y calles, casas
y ajadas ropas;
frío entre el frío, áspero
verano implacable siempre.
No nos desgarramos; pero
ellos sí que nos veían.

Un año corrí más, corría tanto
que alcancé la montaña y pude
hasta miraros lejos. Erais
un espeso montón de criaturas:
ya no erais nada...
Tuve miedo de mí, porque tan sola
me convertí en vulnerable.

Vulnerable quedé y lo sigo siendo
aunque volviera al Llano,
porque andaríamos
nosotros y ellos...; los otros y yo.
Nunca olvidaré que estuve lejos,
por mi propio correr
lejos de todos.

Madrid, 18-XI-65

Al arrimar su bulto se desangra la noche
en mutiladas criaturas tiernas.
Comienza su andadura, su inacabable avance
írrumpiendo en los sueños y calcinándolos.

Aquellos que no duermen, persisten en insomnio.
Sobresaltados brotan los dormidos, gimen
perseguidos por ácidos que nunca fosforecen
aunque sus pechos roan, espaldas, sus bocas.

Es el tácito pacto del que ningún mortal
triza nunca los lacres vertidos por el llanto.

Ansían que se enciendan de nuevo otros días
y olvidar que las tardes sellaron sus cortezas.

Alguien guarda cenizas de óleo apacigüante
para la pobre carne que cercan dentelladas
y a la noche le aúlla y ataca con rugidos.
¡Hay que salvar los sueños de todos los vivientes!

Madrid, 4-XII- 65

Primero estaba clara, limpia y clara el agua fría.
Alguna lluvia nocturna se la dejó entre las piedras,
y ni la luz se movió, fui tan leve, con mis dedos.
Era hermoso contemplarla en su soledad impasible.

1966

Gota a gota esta mar y su inmensa locura
resbala en mi garganta su saldumbre.
En mis ojos se quiebra un fulgor abisal
y en ellos sepulta sus ardientes sombras.

Madrid; 5-1-66

Si envolviere mis días la niebla...
Me escuecen los ojos, les duelen
formas que los hinchan.
Condenada a mirarlas,
implacablemente.
Yo pido la niebla.
Que empape este mundo la niebla,
que me diluya en ella.
Que leve me lleve y me borre en su vaho.

Madrid, 1-VI-66

Venía golpeando la sangre
a empujones de savia;
igual que los ríos van por la tierra.
Todos así, pugnando
por desgarrar la carne

y aparecer rotundos en la vida
para otra vez derramarnos
en los que nos continúan.
Nacer y desnacer, ir a la muerte
con simientes de otra vida,
acogernos al pecho con furia,
dejándolo seco al cuerpo.

Madrid, 11-VI-66

Hay mucho de basura, de oscuridad consciente
en esa indiferencia que se mira el ombligo.
Que si el amor, los besos, que si la paz, el sexo,
que si los hijos vienen o no deben venir... Hiede
tanta contemplación de los ociosos de alma.
Porque ni alumbran sueños ni abrigan esperanzas:
ni se enteran del Hombre ni de niños con hambre.

Navacerrada, 30-VIII-68

Nos aplastan los muertos: Líbano, Nigeria o
        Biafra...
Los que inundan calles y garitos de Américas ambas,
respirar nos impiden; nos aplastan costillas
y no queda espacio en pulmones que mordisquean los
        años precarios...

De la boca desbordan las lenguas y en sus cuencas
        revientan los ojos.
Toneladas de carne podrida que ya ni se huele,
duele en los tasajos que somos.
No se alarguen las manos buscando con saña
nuestro muerto: único que moviliza entrañas
        legítimas
y al que no mató nadie por fuera, sino dentro
        a mansalva,
víctima del asco que nos nutre.

Roemos no sé qué fuerzas resbaladizas, tenaces
para reptar con brazos, acrecer rígidos dedos
y buscarle en ululante y sórdido bosque negro
que nos vuelcan encima.

16-XII-69

Han dicho armas.
No vale involucrar: a r m a s.
Clamorosísimamente en todos los países del mundo
eso es lo que se pide. Armas.
¡Armas, armas, armas, armas...!
Espero que lo hayáis oído.
Cuando a los hombres exigen los hombres
hay que escucharles, servirles las armas.

El fuerte las necesita: acabar con el débil.
El débil por defenderse del fuerte.
Todos las precisan.
¿Otra cosa sería si hambre tuvieran?
Con hambre, recibirían descargas de armas.
Son indispensables las armas.
Gracias a ellas
tendremos la paz y riquezas, podremos seguir
        cantando
sobre el silencio universal, la matanza.

Las naciones que van adelante y seguras
de sus industrias, con éxito venden
armamentos perfectos.
¡Armas!
Con ira que puede mirar hacia todos los lados,
Israel compra armas. ¡Que no se las vendan!,
¡que sí se las vendan!
Se pueden vender, no negar a los pueblos.
¡Armas a los esclavos y a los déspotas: armas!

                                              1969

Nosotros estamos contentos.
Si unas manos se alargan indecisas ingenuas
cual en tímido ruego de amor que si apenas se atreve
las cortamos.
No queremos que manos calientes ni tibias
se ofrezcan. Nos gusta que acaben en filos: machetes,
        navajas...
Pues a eso llamamos justicia.
Sigamos contentos.
Contentos, contentos. ¡Pues somos tan duros,
tan fuertes,
tan seres humanos!

                                         25-XII-71

Ojos intactos,
detenidos en cuajadas imágenes
que el estupor marmóreas deja.
Os petrificáis incorporándoos
al alud de montañas volcánicas.
Pedazos de ágata, obsidiana cruel
y ópalos de concéntrica angustia
se os precipitarán, absorbiéndoos.

Nunca miréis así.
Tiernos germinad, blandos haceos
y que os pueblen las hojas
que emiten las primaveras.
Contemplad y fluid con cuanto veáis;
de líquenes, desincorporándoos.

Bullen los estratos de hermosas criaturas
acumulándose en gritos de amor.
Si absortos persistís os corroerán
vuestro gélido mirar inmóvil.

Mínima y temblorosa rojiza porción,
amarillo gotear de un ala;
prístina elevación de un lirio
mientras fieras fugitivas os esperan
tasajo de ululante mundo.

En delicadas pinturas se detienen encinas.
En apretada cohesión transcurren los corzos.
De sus belfos sensibles no dista la tierra
para que pueda atravesarla un pájaro.

Es la tarde de marzo tomillar radiante;
zumban en silencio invisibles insectos.
Se conectan las ciervas al pasto:
contemplan el río que huelen de lejos.

Montes de El Pardo, 27-III-71

Sobrevendrá el día del asco.
Del asco amontonado; montaña, océano, abismo,
    tumulto
del asco, precipitándose a volcanes, maremotos,

a encadenadas explosiones que nos dejarán sin aire
y sin saliva.

Aullarán los edificios de cien pisos, de quinientos
    pisos;
y el enorme bostezo del terremoto
abatirá los almacenes de frigoríficos
para libertar las barritas de hielo hacia los güisquis
    deliciosos
que nadie se podrá beber entonces.

Los abrigos de pieles empezarán a correr
recuperados por sus primitivos habitantes.
De las bocas enormes que nos fueran creciendo
escaparán peces y corderos, toda gente mordida,
    asimilada
por nuestra hambre y nuestra gula.

Se quedará sentado, petrificado, cargado de
    condecoraciones
cuajadas de brillantes, rodeadas de primeras medallas
    de oro
cualquier señor de la calle.
Luego, nos acostaremos de nuevo
y renacerán las familias numerosas.

30-XII-71

Ahora parece más libre, quien esté por ideas preso
que el hombre atosigado por esfuerzos que no le
    permiten
disponer de sí mismo; corre loco de uno a otro lado,
acumulando empleos o capital; o, simplemente,
    haciendo acto de presencia
para que no prescindan o de él se olviden.

El preso por ideas se mantiene en su trece, no dimite
aunque, quizás, en algún caso haya de pagar con su
    cuerpo
aquello de querer pensar por su cuenta y razón...
El suelto ha de acomodarse al ritmo que marcan sus
    amos
o someterse a forzosa exiliación social.

El preso, si es que sale después de unos siglos,
va limpio, tranquilo, sin contaminaciones;

y es un extraño habitante del mundo;
pero, ¿quién, si se piensa no lo es también fuera?
Todos le esperan portador de resoluciones,
redentoras soluciones entrevistas en su soledad.
La fuerza acumulada que se debe al reposo
cumplirá cual volcán en acción.

Estoy en la puerta, esperando
con otros, que salga...
Hasta tiene fe.

30-XII-71

Salgan a los caminos, abandonen las calles,
despueblen la ciudad que se pudre en cemento.
Muerdan todos la yerba, beban agua en la orilla
del río que galopa indiferente a los hombres.

Acérquense a los bosques y respeten los nidos
porque no se interrumpa el crecer de los vuelos.
Aprendan a olvidar la inmundicia, compañera
inevitable de esta larga estancia entre los muertos.

Vivos permanecen para quemar las inútiles
viviendas del hastío o de la frustración.
Déjenlo así todo, sin volver las cabezas
y ver cómo se quedan atrás los pantanos.

No se trata de huir y sí de caminar.
Ni se trata de fundar sobre cuanto se abandona.
Nunca de repetir sino de realizar algo
que pueda acumular la más limpia creación.

8-1 72

Viéndolo llevamos desde el comienzo de los
    rincipios.
Qué parca imaginación la de repetirlo todo,
    calcándonoslo
encima de los cuerpos.

Tuvimos paciencia y resignación bien probadas.
En el mundo hay basura que se reitera
hasta la saturación.

Nada nuevo ni diferente: todo lo que viene siendo
desde la pueril historia
de fracasada regeneración...

Entenderéis: me refiero a las matanzas,
a las cárceles, exilios, la miseria, el hambre
y la inmunda persecución...
Frío, niebla, calor o yelo que abrasa;
fuego que consuma y viento que cenizas aventa.
Azufre, fósforo arrasante. Crímenes impunes...
¿Hay quién se olvide de algo?

Porque nosotros, no.
¿De dónde vinimos? Que lo digan las voces que se
        levantan.
Esas que, a patadas, nos fuerzan a emprender rutas
        nuevas.

Ante todo lo estéril,
que nadie blasfeme llamándolo vida.
Que se imponga el respeto.
Lo estuvimos ganando, a pedazos la piel que nos
        cubre:
herrada, marcada en jirones de pus constreñida,
nunca supimos por qué.

...Y es tan hermosa
la existencia que sueñan los hombres.

                                        11-I-72

No he vuelto a preguntar ni a imaginar.
Acepto.
Escucho lo que cuentan si es que cuentan algo, que
        escucharse merezca,
y me quedo con los ojos abiertos,
con la boca queda, aceptando.

Van a hacer, hicieron ya, vienen de hacerlo...
Sí, sí; comprendo.
Lenta por mis brazos va la sangre,
salta, se detiene
o se arroja a un precipicio.

Entre oír y escuchar, la memoria repone
las prisas de otros días, el afán del viaje.
Unos van y otros vienen, pues eso es movimiento;
me encuentran encrucijada...
No importa. Permanezco.

Escoja usted un lugar, apárese una mesa,
se va a quedar aislado...; ¿no teme a las mareas?
Sonrío de veinte años. ¿Qué amenaza me dicta?
¡Si ya no soy quien fuera!
Acabo de parirme.

22-1-72

Dejándose las flores en el huerto
los mismos que revuelven el estiércol
en el pasado se gozan hozando.

De árboles no escogen ningún fruto,
de la masa no extraen otro bulto
que aquel que su basura va enseñando.

Ignoran las acciones generosas,
van ciegos a criaturas luminosas
como topos avanzando.

Retroceden, no avanzan en la historia,
pisotean, no indican la memoria
del noble pueblo luchando.

La carroña la vuelven más podrida,
la carne maltratada más dolida,
porque la van denigrando.

De su hacer solapado nunca queda
ese rayo de amor que nos consuela
si nos están sangrando.

3-VIII-72

I

Todas las alcantarillas fueron levantándose.
Fuertes ascensores, blindados carros

en mitad de las Plazas, de las callejuelas,
dejan sus amenazantes cargas, amenazando.
Atroz muchedumbre, detritus del odio,
resbalosamente,
lentamente,
poquísimo a poco, el mundo
infestándose.

Hasta hace un instante sería delicioso
respirar el gasoil, las bocas abrir
y tragarse las negras oleadas grasientas.

Era cual sueño, dulce anfetamina;
sentirse humedecer por corroyente niebla
hasta el tuétano que nos empapa.
¿Por qué no el despertar azogueántico
de nueva contaminación
que silenciosa fluye, apestándonos más todavía?

II

Sugieren que alcance el nivel de la calle,
que abandone precipitadamente
el inmundo subsuelo.
Gorjean piadosos al ver que nos cercan
residuales aguas. —Acércate al aire —conminan
atosigándonos— de puro olor limpio,
porque esta miseria está rechupándote.
Gritan desde arriba para que suba y deje
la purulenta yacija
en que nos apresan los unos y los más.
Varios años anduve las calles
de rezumantes vapores... No se respira en ellas.
Si uno se encuentra en sótano viejo,
ocurre lo mismo en las calles:
el cielo se tragan.
Asfixia y asfixia nos sobra
en cualquiera nación.

III

Insisten: —Tu derecho a vivir, reconquista
a plenos pulmones.

Tendrás que correr, agitarte; cortar para ti
el pedazo decente,
del atiborrado mundo.
Habrás de ejercer tus humildes derechos.

Y sufro desgano.
Escuecen perezas artrósicas
claveteándome sus amenazas, si intento moverme.
¡Tantos años que vivo en el sótano...,
tanta vida, tragándome
gruesas riquezas de olvido!
Seguro es que el mundo
ni siquiera recuerda mi espacio vital.

Se niegan las piernas si intento subir
a pisar, entre el cielo invisible,
el suelo podrido, cortezas viscosas del mundo.
No pueden vivir ni las aves,
podridos acaban los peces
y el cáncer corroe entresijos.
¿Para qué desgajarme del cieno del sótano
y mezclarme en el cieno de encima?

RETRATO DE UN HOMBRE: TÚ

Llegando vino de lejos, de arcillas tiernas dolientes.
Con amor sembraba él espeso lodo cubriendo
que interrumpir acosaban delicadas floraciones.
De punzantes madrugadas emergió brotando auroras
que acabando están de abrir oscura tierra domada.
Si trajo una primavera, se la arrasaron con duelo;
ahora granan su dolor las ya maduras cosechas.
Lento prefirió su ir, demorándose el concierto
de reunir lo no olvidado con el futuro en presente.

Acaso advertís pesando duro mundo en aquel hombre.
Lo condujo suavemente porque conocía bien
que su voz adensa entraña y estremece a quien la oye:
en el vaso frágil puso translúcido paño rojo
el tránsito resbaladizo de grueso vino empañante.

Todo afrontaron sus ojos: desde límpidos relámpagos
fríos y azules los más, temblando en otros la luz
con delicadas ternuras que maduraban en él.

Gravita más cada día de su corazón el tiempo
fluyendo desde lo eterno. De su palabra prorrumpe
indestructible esperanza de su absoluta verdad.

2-XI-72

Nada se escucha aquí, nadie nos dice yo existo.
El silencio se ajusta a la piel, armadura
que del frío defiende, la lluvia le aísla
de un mundo carente del aplastante sol.
Del sol que nos acucia a vivir, a querer
amar y poseer con la risa en el cuerpo.
Aquí la transcendencia de ser o no ser
sigue dentro de cuevas en castillo de sangre.
No se puede saber lo que guardas, tan rápida
mi andadura por ti...
Te siento amontonada en silencios esquivos,
en desiertos paseos, en tus calles que oponen
su desnudez de seres a las noches sin luna.
Quisiera abandonar en tus largos canales
cien naves encendidas de criaturas dichosas
que tu grito arrancaran, que te volvieran otra:
el amor en los labios con inocencia nueva.

Copenhague, 28-XI-79

A VOSOTRAS TRES:
¿OS ACORDÁIS...?

Por las tardes siempre fue
en aquella hermosa Plaza,
donde las flores pujaban
por resistir a la muerte.

Una anciana desolada
trémula se detenía
creyéndose, posesora
de un teléfono, al que hablaba:
Dén la libertad a mi hija
inocente e incapaz
de ninguna delación.
La espero aquí, en la Plaza;
déjenla venir conmigo.

Después *colgaba* el teléfono, y
hasta mañana, otro día.
Las cinco amigas sentíamos
un dolor amargo, hiriente,
el de aquella madre loca
esperando que la oyera
quien retenía a su hija.

Junio 83

CEMENTERIO EN MELILLA

Bulbos son vuestras cabezas
que renuevan floraciones.
Vuestros brazos deshuesados
a la tierra se incorporan.
Aunque distantes seáis
os transformáis en nosotros.
Sólo faltan vuestras voces
resucitando del polvo.
De niña os acompañaba
oyendo clamar al mar
cabe las tapias, pensando
que por emerger pugnábais.
Os comprendí, pues seré
una más entre vosotros.
No raíz sino simiente
que a perderse fue llamada;
ni tampoco un haz de trigo
oscuro más que mi cuerpo;
ni aquellos cabellos míos
yerba que paste el rebaño.
Doliente sabiduría acompañaba mi infancia.

3-VI-83

LAS NOCHES AQUELLAS (1939-40)

¿Qué sofocará ese grito
que agudo va atravesando,
viejo puñal oxidado
que más que hiere desgarra?
A mis noches llegan llantos

que el dolor cercano inunda.
Allá está el Cementerio
con sus muros salpicados
por sangre fresca de seres
que aúllan sin esperanza.
Invaden años de crimen
mi memoria vigilante.
Pasa el tiempo: ella no olvida
porqué gritan siempre aquéllos.

3-VI-83

IMPIEDAD

Veía trabajar a condenados.
Las piedras transportar para la mole
que intentaba reunir a los vencidos
con los muertos triunfantes.
Aquellos de las piedras eran hombres
que con duro sudor así pagaban
legítima pasión de libertades.
Por caminos que iban repletando
las innúmeras rocas,
mis ojos sabían que nunca
entrarían al *monumento*,
ornado con estatuas sin mesura.
Vivía yo escondiendo en funerario
aunque noble Escorial, mi juventud.
Y nadie sabía que era
misma de aquellos también,
con acarreo de piedras...
Euforia de humillador
falso símbolo soñaba
la posible *convivencia*...
Allá se quedó cobrando
entradas por la visita.

20-VI-83

LÁZARO (1938)

De más allá de la vida otro Lázaro llegó
al Cortijo granadino, el pobre resucitado
lleno de heridas por balas que no lograron matarle.

—«Yo me encogí, me hacía como muerto y me dejaron
entre muertos verdaderos junto a las tapias del pueblo.
Cerca pasaba aquel Río y hasta él me fui arrastrando;
el agua de él bebí, metí en ella la cabeza
y antes que fuera de día me pude llegar aquí.
Curadme como podáis y si muero de verdad
no penéis, que ellos me dieron ya la muerte verdadera.»
Consumido y resecada la sangre que se detuvo
en su carne atravesada por nuestra historia ancestral,
aquel Lázaro que abría sus ojos con loca fiebre
al verse de nuevo en pie, de recuperar la vida.
Échate, hermano, en la cama, que nosotros curaremos
tu cuerpo que se escapó de los que han sido muertos.
Otros se morirán sin saber por qué morían
contra las tapias de España que nunca se blanquearán.

21-VI-83

EL GRAO (1937)

A Pepa, Concha, Carmela y A...

A diario nos llegaban oleadas de aviones
sobre el Puerto de Valencia
y las naves que traían para el pueblo, provisiones.
Los hombres que se entregaban a descargarlas, caían
reventados por las bombas de naciones *europeas*.
Desde muy cerca veíamos, esperando su visita,
a la ciudad que, también, sufría sin la esperanza
de salvarse del asedio.

Una mañana de sol y de sal mediterránea,
una muchacha creyó su deber el ir al Puerto
y decir a los obreros unos versos que exaltaban
su fortaleza, su digno sacrificio por nosotros.
En un comedor que apenas presencia tuvo de serlo
los hombres del Puerto vieron cómo saltaba a una mesa
la muchacha que se unía con todos al sufrimiento.

Su entera voz se juntaba con criaturas valerosas
que supieron recibir aquel canto a sus hazañas;
y fue comunión de firme solitaria resistencia.
Entre tanto aleteaban sobre nosotros y el Puerto,
aquellas aves malditas, las aves del mal agüero.

21-VI-83

HEROÍSMO (1937)

Era un Hospital de Niños,
solamente era aquello.

Tan cerca las Islas que
¿cómo no ametrallarlo?
Ardieron bombas llegadas
de los países más fuertes,
cumpliendo a la exactitud
sus vergonzosas tareas.

Pedacitos de carne, más tierna
que el agua sobre el mar de las Islas,
repletas de extranjeros que cobraban
para matar a los Niños...
Los hombres los hacen, los rompen, los trizan
desde Islas celestes.
... Y era,
solamente Hospital de los Niños.

23-VI-83

AL LLEGAR LA PRIMAVERA... (1939)

Sentisteis, lo sé, que el suelo
bajo vuestros pies se hundía,
los que en vano se aferraron
sabiendo inútil su empeño.
Sentisteis qué soledad
al no saber quiénes erais,
cuando en la acera de enfrente
visteis a vuestros hermanos
desorbitados los ojos
ante el desfile triunfal.
Vino cavando las zanjas
para vosotros, seguros
que os tragarían al fin.

26-VI-83

LA LLAMADA A LA LUCHA (1936)

¿Por qué dejaste tu casa
y a tu mujer, si os amábais
como la sangre a la herida?
Supe ya, después, que tú
tampoco sabías por qué
si no era por tu amor
a la libertad trizada.
Sola quisiste dejarme,
sola entre gente ajena
aunque a veces decidías
que contigo me reuniera.
No temiste que acabara
consagrada intimidad.
Era más fuerte que tú
el clamor de la injusticia.
Cuánta soledad me diste
y cuánto perdí por ella.

Lo seguro de mi amor
se entregaba a la obediencia.
Mucha tierra recorrimos
y era ella la andaluza.

La tragedia se ensañó
quemándonos juventud
y la tuya, despiadada.
Hube de llenar mi alma
y mi cuerpo atormentado
con la ausencia, hasta que tú
hubiste de abandonarle
tu esperanza a la derrota.

Lejos vivimos, tan lejos
que al reunirnos desolados
apenas nos parecíamos
a quienes fueron tan *uno*.
Tú eras otro, otra yo
luchando para juntar
dos juventudes perdidas.
Podremos unir un día
en una muerte, los dos.

27-VI-83

ALLÍ (1937)

Funesta visión la calle
de La Paz: iba a sembrarse
de cabezas y de cuerpos
separados por las bombas.
Junto a la orilla del Río
donde estuvimos clavadas,
escuchábamos caer a la muerte,
arracimada.
Sucia el agua se volvió,
sucia reflejando al cielo.
Irrisión de que en la Paz,
una calle de Valencia,
cuerpos y cabezas
fueran trofeos de la *Victoria*.

Junio 83

AQUEL PEDAZO DE LA TIERRA...

Desnudado. La yerba arrasada.
Hambrientos rebaños.
Pueblos, en pantanos sumergidos;
añorando deshielos.
Gente padecida se derrumba
a su oscura miseria.
Minerales montañas desdichan
a los que ya envejecieron.
Los prados no alientan, tan secos
cual comidos por fuego.
Las casas alzadas por siglos
abren su boca a la muerte.
Huyó la juventud, dejando
duro manto del olvido.

Julio 83

CRÓNICA BREVE PARA UNA AUSENCIA

Aún vivía Miguel en Orihuela
escribiendo
cerca de Ramón Sijé,
cuando le encontramos Antonio y yo.

Era un día de municipal festejo:
descubrían un busto de Gabriel Miró
y alguien pronunciaba
el discurso ínaugural.
Dijo cosas extrañas y entonces Antonio
le gritó que *no*;
luego todos nosotros
también le gritamos que no.
Mentira, le insistía Antonio.
Mentira, corroborábamos;
porque siendo coléricos y jóvenes
pisoteábamos lo falso.
Vinieron a por nosotros
y Miguel dejó la fiesta y se nos vino,
nervioso y contento. A él tampoco
le convencía el orador.
(Pasaba todo aquello en la República
y la democracia se tragaba
lo que nosotros no.)
Después de que nos soltaran
(gobernador y alcalde consentían
libertad de expresión:
también para nosotros
que gritáramos *no*),
nos fuimos al Casino todos juntos.
Miguel nos seguía y más tarde
Ramón Sijé se nos unió.

    El Casino se abría con sus balcones
    al discurso limoso del Segura,
    apaciblemente.

Asomados a las aguas de la huerta
Miguel nos leía su versos
—que retengo todavía entre mis lutos—,
los que pronto
a «Perito en Lunas» darían su luz.
De sus ojos azules y de su dientes blancos
nuestros ojos bajaban a las aguas
bullentes de los barros del Segura.
En la noche se afirmaron sus palabras
y las manos, su amistad hasta la muerte.
También con Ramón Sijé.
María, la hermana de Andrés Cegarra,
estaba con nosotros.
Luego vino Miguel a Cartagena
a leernos sus poemas, en carteles

con puntero de señalización,
en un *antro* glorioso de cultura,
de amistad y esperanza generosa,
al que el odio cerril destruyó.

    Ya era cierto el Miguel adolescente,
    el Miguel de la planta moldeadora,
    el muchacho encendido de Orihuela,
    el futuro hortelano del dolor.

Y de pronto fue Madrid su podio múltiple;
los amigos, los maestros, con el hambre
requemando las arterias
en plena maduración.
Nos veíamos a veces, compartiendo
en la calle Ríos Rosas los almuerzos
de la mísera pensión...
Y hablábamos contentos de encontrarnos,
de querernos y hallarnos investidos
de tanta solemne convicción.

    ¡Oh qué poco duró lo que vivíamos,
    oh qué pronto se echó sobre nosotros
    otro tremendo no!
    No era el no a un hombre ni a una idea:
    sino a una civilización.
    Y entonces con la sangre vino el llanto,
    y entonces con el llanto vino muerte...
    Y entonces... de la muerte no pasó.

¡Qué lejanos, Miguel, aquellos días
de nuestro campo cartagenero
en que juntos los tres ante un molino
(alas del arcángel protegiéndonos),
reíamos a la perennidad!

Y qué lejos también, ya más remota,
la mañana estival que en Alicante
brevemente nos reunió:
—*«¿Qué te pasa mujer* —me interpelaste.
—*No adivino qué ha nacido ahora en tu vida,*
que te encuentro tan nueva y tan distinta
a la que siempre encontré?»
Y reíamos los dos, de cara al mar,
de cara a la esperanza y al futuro
que de sangre se nos volvió.

Más tarde nos hallamos en Valencia
entre bombas italianas y alemanas

machacándonos sin cuartel.
Pero ya no esperábamos de nadie
ninguna heroicidad.

Tú corriste igual que corren locos
por los bosques, los ciervos acosados
sin ninguna compasión.
Y alocado y confuso, como en brama,
rebuscaste la vieja madriguera
que en su trampa se cazó.

¡Ha caído el que huyó de este sombrío
pozo de negaciones...!
¡Ha caído, aleluya, el que cantaba
del pueblo la sublimación!
Cartas, telegramas, peticiones
intercedieron por ti.

La crónica tenaz de tus encierros
renuncio a repetir.
    Lo que importa, Miguel, es que chiquillos
    que nacieron aquí
    te calientan los huesos con su vaho
    y amplifican tu nombre viril.

La guerra nos quitó de cien maneras.
A ti, pronto (¡feliz!);
a otros más tarde,
y a otros aún no, este vivir.
En la enorme mortaja que es el tiempo
a ti te reconocen, te despojan
de las negras cenizas del olvido.
Lo peor es vivir, sobrevivir
cuando se debió morir.
    Loado sea tu nombre, hermano nuestro.
    Loado hasta por bocas que farfullan
    o se alimentan de tí.

Madrid, 21-XI-69

CRÁTER

1985

José María de Labra: *Orfeo.*
1959, óleo s/lienzo.
Colección particular,
Madrid.

ESTUDIO PRELIMINAR DE MANUEL ALVAR

TRAS LOS SÍMBOLOS Y LOS MITOS EN UNOS POEMAS DE CARMEN CONDE

1

Meditar en soledad no es estar a solas. Tan larga es la presencia del hombre sobre la tierra que no podemos ya encontrarnos solos, sino que, en cada una de nuestras soledades, nos cubren las sombras de una espesa floresta. No somos otra cosa que el remanso sobre el que los pámpanos dejan una mancha espesa o leve. Y vivimos por esas sombras que nos traen su frescura o su áspero calor. Carmen Conde lo sabe muy bien y no necesita que evoquemos otras voces, pues la suya basta:

> ... Medito
> descubriéndome otra
> que contiene a otras
> criaturas en mí.

Como de un pozo oscuro, y húmedo, van subiendo los recuerdos nunca olvidados o, como ella quiere, los olvidos que se recuerdan. La mujer se sienta a meditar y descubre las multitudes que le confiaron sus secretos a cambio de que pueda transmitirlos, como si un largo, inacabable pretil, le sirviera de apoyo mientras los arcaduces remontan las aguas desde el venero.

El poeta es la memoria colectiva. Pasan los días y las creencias mueren, pero queda su eco. El último resón que se perpetúa en los corazones más sensibles y hace vibrar de nuevo a las membranas en reposo. Vivir no es otra cosa que repetir existencias que ya han sido: inútil pretensión la de pensarnos sin engarces. Somos la reiteración de otros sentires y de otros gestos, porque nada muere del todo y todo hasta en la Nada se perpetúa. El mito no será motivo de fe, pero sigue siendo ejemplo en la andadura cotidiana y el símbolo podrá desacralizarse, pero nos deja su ademán de misterio. Dicen los judíos españoles «quien vio el Huerco, le queda el gesto». Ver la cara a la muerte es apropiarse de su pálido livor y caminar —ya— deshabitado. Carmen Conde lo ha expresado con singular belleza y lo ha intuido con una claridad que no precisa comentos: «Tántalo eterno». Y entonces escribe sencillamente esto:

> Si nunca apostrofo a los dioses
> que a tu suplicio me atan,
> ¿por qué sufro hambre y sed
> por lo que a ti te negaron
> y ahora me niegan: por qué?

2

Esta mujer que piensa no está a solas, por más que quiera ser una mujer solitaria. Ha descubierto en sus meditaciones que el brocal del pozo, y el culantrillo diminuto de las paredes, y el cangilón, y las aguas —tenebrosas en la hondura y transparentes a la luz— no son simples percepciones sino que encierran mundos que habitaron otros seres y a los que ahora nuestro sentimiento vuelve a poblar. Entonces el recuerdo libera a los olvidos o se desnuda, para convertirse en la criatura virginal que fue antes que el tiempo lo postergara. Se entrelaza la primera presencia con las constelaciones de gentes que han sido; dramática tensión en la que combaten un pasado que dejó su herencia y un mundo interior que busca lograrse hoy como criatura exenta. Pluralidad en una presencia unívoca y concorde tras esa síntesis en la que el yo, sin dejar de serlo, no se pierde confundido en el otro, y, sin embargo, esos otros todos siguen viviendo en la criatura que piensa. Carmen Conde al plantearse este problema trata de darle una solución dual: es ella quien se considera criatura que será historia y, también ella, el resultado de la historia. He dicho que dudo que al crear el poeta esté solo. Y Carmen Conde no lo está, aunque se esfuerza en darnos apariencia de aislamiento. En un momento de su libro pregunta:

> Unidad, ¿qué es?
> En más unidades se bifurca
> la que se llama Unidad.
> Certidumbres es la una; esperanza
> es la otra. ¡Cuántas son el ser
> unidades distintas!

Unidad es la abstracción que se opone a lo plural o es la coherencia de lo que se considera solidario de sí mismo, mientras que certidumbre es la historia vivida o que ineluctablemente va a vivirse, y esperanza, el deseo de que la propia historia se logre. En la aparente soledad son palabras las criaturas que Carmen Conde encuentra; criaturas que tienen su ahora y que por ella se diferencian y existen. Unidad diferente de unidades diferenciadas; Carmen Conde nos ha llevado a un insólito esperadero: pienso en los bamburas de Malí y Senegal. Para ellos la totalidad de los conocimientos místicos está simbolizada en las veintidós primeras cifras, pero el Uno es la del Señor de la Palabra y de la Palabra misma y, según Germana Dieterlen, que estudió la religión de esta rama de los mandingas, dentro de él están encerrados los conceptos de mando, del derecho de primogenitura, de cabeza y de conciencia. La unidad se bifurca en unidades que —semánticamente— ligan en haz las espigas dispersas. Vinculación o aislamiento que lleva a un mundo en el que las esencias se trasvasan para identificarse o anhelan la comunicación que conduce a la unión. Y es que esta poesía amorosa de Carmen Conde —como cualquier poesía amorosa que lo sea de verdad— es un descubrimiento místico que transporta a la hipóstasis de las criaturas, como en todos los grandes poemas amatorios:

> Mas, ¿qué se hizo
> de las unidades otras
> que no eras tú? Anunciaban
> hasta recibir tu esencia
> confundiéndose conmigo.

Porque el poeta nos ha sugerido la abstracción lograda por limitadas precisiones, hemos llegado a identificar diversos caminos que llevan a la Unidad, donde convergen todas las búsquedas. La genesíaca, la amorosa y la mística. Y esta mujer que cree encontrarse a solas, está protegida —sin embargo— por las frondas de muchos seres que también buscaron el amor aunque fuera en la noche, mientras del pozo ascienden voces aterciopeladas que comunican la inquietante desazón. Sencillamente, en su soledad, Carmen Conde no está sola y transmite ecos de la más emocionada compañía, digamos *Cantar de los Cantares*, digamos —para nuestro milagro— San Juan de la Cruz:

> Ahora, sí; los prados,
> las disueltas canciones vivas
> en gargantas de aves;
> la muchedumbre devota
> de los raros encuentros,
> y este saberse múltiple,
> amontonada sólo en una
> que, por fin, comprende
> que el final eras tú.

De la Unidad hemos llegado a la univocidad. Amado y Amada confundidos y la palabra como instrumento del prodigio. Porque de la mano nos han llevado al descubrimiento oculto tras el velo de Isis: la palabra enamorada no es sólo testimonio sino confusión de esencias; Verbo, manifestación divina, antes de que el Caos adquiera forma, porque Dios, previamente al orden de la creación, inventó el lenguaje que hiciera posible las identificaciones. En el principio era el Verbo, la palabra hecha acto, que existía en Dios sin que el mundo se hubiera formado y que al mundo fue enviada para transmitir mensaje de salvación.

3

La meditación de esta mujer no sólo ha ido sacando los lamentos de las azudas interiores, sino que ha recibido las doradas lluvias de los cielos. Entonces, contemplando el mundo exterior, ha percibido los símbolos que las cosas encierran. Y, si se ha identificado con las diversas maneras de ser para hacerlas ella misma, también ahora ha considerado los mitos exteriores y los ha hecho su propia expresión. Esta consideración nos viene a plantear un problema que cada día repetimos: ¿qué es un mito? ¿Qué función pueden cumplir los mitos en el mundo actual? Mircea Eliade aventura muy poco: «El mito es una realidad cultural extraordinariamente compleja, que puede ser realizada e interpretada en perspectivas múltiples y complementarias». Digo que aventura poco, aunque para nuestro interés basta, porque podemos proyectar históricamente esa realidad cultural y entonces cobra sentido porque, para ser, ha tenido que vivir en un tiempo remoto cuya eficacia sintieron los hombres (y las mujeres) de épocas harto distintas; por eso su complejidad, pues cada tiempo y cada pueblo, y hasta cada individuo, ha ido simplificando o ampliando el relato, de tal forma que hoy, el hombre de hoy, contempla una multiplicidad de secuencias enhiladas por los elementos básicos de la narración, aunque las manifestaciones en la superficie puedan ser muy heterogéneas.

Situado ante una historia sin tiempo, el pensador intenta precisarla dentro de unos límites: el mito le es ajeno, pero mantiene su eficacia. Distante y próximo sirve para objetivar los hechos: así fueron, pero así cuentan. Es decir, lo que había perdido su sentido tiene que recuperarlo, porque no se trata de una historia cualquiera, sino de la que se cumplió con unos seres nimbados por el prestigio de su antigüedad, pero prestigiados también por su eficacia para el hombre de hoy. Carece de sentido decir que son historias veraces o falacias, son algo mucho más: historias atemporales que aún conservan su valor de ejemplaridad. Claro está que poco diría la repetición arqueológica de unos hechos; serviría al cerrado mundo de los eruditos, sin transcenderse, pues el valor de la historia no está en ser historia, sino en la identificación que con ella nos podamos hacer. O dicho de otro modo, desarqueologizando los relatos. Entonces nada dicen los nombres, sino la evocación que a través de ellos podemos formular: Orfeo y Eurídice y Aristeo poco significan si no encontramos en cada uno de sus motivos una eficacia que nos pueda conmover. Y *conmover* es una larga retahíla de significados que los diccionarios dan para la voz latina: «agitar, suscitar, excitar, causar». He aquí la cuestión: desde el momento que un motivo nos puede producir tal sarta de reacciones, sentimos la incitación a participar en el mundo que se nos muestra e incrustarnos en el mito nuestra propia trayectoria humana, con lo que —sin querer— venimos a enriquecerlo y, al mismo tiempo, a empobrecerlo: tal vez el argumento se deteriore, es lo más probable; pero el relato adquiere una nueva lógica, la que nosotros le hacemos valer. Una nueva razón se impone al mito y ahora lo enriquece: experiencias distintas exigen formulaciones nuevas; lo que fue una idea en el tiempo ahora es una realidad. La sombra de la exégesis se ha convertido en epifanía y ha cobrado cuerpo al acceder a nuestra luz. Carmen Conde piensa, y el recuerdo no le sirve. Tal vez un día, en las luces de Italia, pudo escuchar la fábula de Poliziano; hay un silencio augusto, nuestra cultura ha elaborado bellísimos testimonios y el hombre del renacimiento cuenta:

> Silenzio. Udite. Ei fu giá un pastore
> figliuol d'Apollo, chiamato Aristeo:
> costui amó con si sfrenato ardore
> Euridice che moglie fu di Orfeo,
> che seguendola un giorno per amore
> fu cagion del suo caso acerbo e reo,
> perché, fuggendo la punse e mosta giacque.
> Orfeo cantando all'inferno la tolse,
> ma non poté servar la legge data,
> che'l poverel tra via driete si volse;
> si che di nuovo ella gli fu rubata;
> però mai più amar donna non volse,
> e dalle donne gli fu morte data.

Pero esto no es suficiente. Es una reelaboración de lo consabido: han pasado los siglos y la antigüedad mantiene su prestigio, nos conmueve y nos identificamos con ella, aunque esto no sea bastante. El siglo XVI tampoco es suficiente. Y la mujer medita. Poliziano ha dicho lo que, aun sabiéndolo todos, todos lo han repetido. Diríamos que es una historia trágica, aunque tenga una motivación ocasional: la mujer casada que excita la codicia ajena; su muerte y el dolor del marido, tanto que, por su fidelidad al recuerdo, fue descuartizado por otras mujeres. Carmen Conde siente como propio el amor y la soledad, pero le sobra Aristeo, le sobra Apolo, le sobran las Ménades. Se queda con el hombre y la mujer, con la tragedia en las sombras y empieza su relato. Simplemente, la historia de la mujer en su lacerante soledad («Orfeo se perdió») y este es el cambio necesario para que el mito siga siendo válido. Eurídice es la mujer de hoy, abandonada por el hombre, y los versos se desgranan bellísimos hasta ese terror por morir de nuevo y la huida hacia el hombre que huyó desesperado. Entonces es cuando la nueva realidad acucia: Orfeo pudo no existir, haber sido música tan sólo y la vida no tendría más sentido que la inanidad del sueño. Unos versos impresionantes de la *Odisea* encaminan el texto hacia la modernidad:

> Apenas los huesos se desaten
> de la carne encendida, será un sueño:
> límite preciso entre las alas
> y el cuerpo de macizas realidades.
> Blancos huesos vibrando liberados,
> dejando en libertad también el alma.

Homero, aquel viejo creador de mitos, ha suscitado la idea, la ha embellecido la fuerza conceptual de Quevedo y esta mujer solitaria ha ido más lejos: materia y espíritu, aherrojados en su contingencia, se han convertido en un vuelo de libertad. Es Eurídice quien sueña para liberarse porque el varón se perdió en la sombra. El mito clásico ha seguido un nuevo e inesperado sesgo: Orfeo es la sombra perdida, no Eurídice, poco importa la ejecutoria clásica porque el mito ha sido reelaborado desde el hoy y desde un nuevo e inédito yo. Carmen Conde se identifica con aquella mujer a la que el Hades aprehendió para siempre, siente la cobardía del varón al abandonarla y la renuncia total en la soledad: «No la acucia salvarse. No está Orfeo».

He dicho que nuestra elaboración cultural impide que en la soledad estemos solos. Eurídice ya no es solo Eurídice, o Carmen Conde es más que Carmen Conde. Se evoca un naufragio, el paisaje marino nos lleva a otros paisajes y pensamos en otras mujeres que en su soledad sólo tuvieron la inmensidad del mar como esperanza, y el bramido de las olas por compañía: Ariadna en Naxos, cuando la crueldad de Teseo la abandonó en los cantiles; Andrómeda en su roca, mientras el monstruo la acecha. Y ahora, fusión de ambas esta nueva criatura que es Eurídice recién creada:

> Entre rocas quedó. El desamparo
> apresando su alma atribulada
> …
> La noche amontonándose en Eurídice,
> de turbios rumores se desprende.
> ¿Orfeo los engendra, atormentado,
> arrancando su música al infierno?

Y la mujer, como Ariadna, agita un lienzo «desgarrado de su túnica» para atraer a misteriosas embarcaciones, pero Dionisos no llega con su cortejo triunfal ni Orfeo puede ya ser rescatado. El mito se ha convertido en un complejo mundo de símbolos, porque, desprovisto de su peplo, el cuerpo desnudo de la mujer se ha convertido en el alma liberada: los desgarrones en la vestidura evocan las heridas en el alma.

El mito se actualiza y se nos acerca. La nave lleva un marinero que atrae. Pienso en la exégesis del conde Arnaldos, tal y como la formuló Leo Spitzer: el tiempo queda abolido y el marinero un *Elementar-geit* que será subyugado por la mujer. Para Carmen Conde este nacimiento al amor procede de la Nada, porque en la Nada aún no puede existir el amor, mientras que Eurídice, la mujer transida de dolor, es capaz de iniciar al joven en los nuevos misterios. Diríamos que del caos del no ser se llega al orden de los sentimientos, no se trata ahora de una fuerza demoníaca, llámese Zauberkönig Halewyn, Jean Reanaud o comte Arnau; no, el recuerdo literario —otra vez— se ha reacomodado, y el bajel que lleva al muchacho («¿acaso de Ulises, hijo?») es una evocación poética que identificamos; pero más, mucho más, una compañía que impide que el poema sea el fruto amargo de la soledad. Al pretender liberarse, la mujer ha perdido la razón que la sustentaba («Eurídice enajenada por Orfeo irrecuperable»), porque Orfeo fue la realidad, y el ensueño, y ahora la duda no dará plenitud al logro:

¿De dónde vienes? De allá. Su mano indica la Nada.
¿Cantas amor? Yo no canto aunque sí sabré quererte.
¿Y sabes amar, tan jóvenes tus labios inmaculados?
Tú vas a abrirlos; serán labios, que nunca besaron.
¿En tierna vasija fresca, resucitaría el amor?

Y en los versos una vuelta —¿inesperada?— a los misterios órficos, como ritos de iniciación. Pero lo que Carmen Conde ha hecho ha sido mudar la visión: no es Orfeo quien con su música determina el orden, sino Eurídice, que intenta establecer el principio de los acontecimientos naturales, pero su propósito no se logra y vuelve a la sima de donde quiso haber salido. Pienso en los frescos de la villa de los Misterios de Pompeya: la celebración del rito va acompañada de una máscara de terror.

4

Habíamos dejado un cabo suelto: ¿Qué función pueden cumplir los mitos en el mundo actual? Y el poema nos ha dado ya una respuesta. Jung decía que el mito representa la oscuridad del espíritu; las tinieblas en que nos movemos y que, gracias a él, se hacen luminosas. No nos basta con pensar que se sitúan en una historia que no es operante, porque eso es falaz. El mito cuajó porque hubo muchas experiencias que motivaron los mismos sentimientos; después, las experiencias se revistieron de poesía cuando los poetas acertaron en su transmisión. Pero el paso de los siglos ha vuelto a los orígenes; ya no valen todos esos elementos que son arqueología inoperante, aunque siga valiendo el nódulo humano que lo engendró. El artista de hoy, como el de siempre, adapta la transmisión cultural a su propia sensibilidad y la reelabora. Pero no rompe con ella, porque, también lo dijo Homero, a cada uno de nosotros se nos identifica por nuestro propio linaje. Y esta es la cuestión. Si Carmen hubiera prescindido de los nombres y de un mínimo de escenografía, su relato sería cualquier cosa menos la recreación del mito; como he dicho alguna otra vez, esos elementos que sobreviven no son redundantes, sino el testimonio de una pertenencia cultural. Después, viene la reelaboración y la recreación; justamente lo que más se opone a la repetición y a la pobreza imaginativa. Este bellísimo poema es original y pertenece a una determinada cultura; creo que la unión de amibos motivos es lo que le confiere grandeza. Original porque sobre él se proyecta el espíritu de quien lo crea, como en otros y otros poemas, pero no es un fruto del azar, sino el resultado de muchos saberes acumulados y de no pocos días sobre la tierra. El mito de Orfeo nació, fue interpretado, decayó, volvió a renacer y la rueda de su persistencia siguió volteando siglos. Hoy lo que vale de él es lo que, una mujer en nuestro caso, ha sido capaz de sentir y de transmitirnos. Diría que el mito es la etimología del poema, sin que por ello el texto pierda un adarme de originalidad; cada palabra que utilizamos es inalienablemente propia, aunque su étimo esté en el latín o en el árabe. No podré aceptar que *mujer, hombre, cielo* o *sombra* no sean nuestras por más que nos remontemos a las fuentes de donde nacieron; más aún, ¿dicen hoy lo mismo que hace dos mil años? Y la comparación con el poema es válida: la etimología es cierta, pero ¿Orfeo, Eurídice o las Ménades dicen en el poema de Carmen Conde lo que dijeron a Poliziano, a Jáuregui o a los misterios antiguos? Lo que a ella le mueve es lo que nosotros sentimos, como cada tiempo sintió en el mito lo que en él pudo sentir. Centuria tras centuria se ha meditado sobre el misterio y, lógicamente, se han descubierto manaderos nuevos. Esta mujer de hoy piensa y en su meditación no está sola; la han acompañado siglos y siglos de poesía tradicional. Se creía sola, la mujer, pero la cobijaban mil sombras amorosas. Era una Ifigenia que, ante la llanura, contemplaba la lejanía; después, se ha levantado y nos ha revelado todo lo que descubrió en sus vigilias. Fue la misión que cumplió el mito.

5

También en este libro el canto a otras dos angustiadas soledades: la *Tribulación de Narciso* y *Eco atormentada*. Merece la pena que nos detengamos: Carmen Conde devuelve a las leyendas su más dramática historia, olvidada de juegos y trivialidades. Acaso fue Fernán Pérez de Guzmán quien, en el siglo XV, evocó por vez primera en nuestra literatura el mito de Narciso, y lo vanalizó en un *Dezir de Loores*, lo que no quiere decir que el poema no sea bello, y aun nos conduzca a un extraño mundo de símbolos. Porque

> El gentil niño Narciso,
> en una fuente engañado,
> de sí mismo enamorado
> muy esquiva muerte priso.
> …
> Deseando vuestra vida
> aun vos dé otro consejo,
> que non se mire en espejo
> vuestra faz clara e garrida:
> ¿quién sabe si la partida
> vos será dende tan fuerte,
> por qué fuese en vos la muerte
> de Narciso repetida?

Estamos con ese mundo complejo de la juventud, el enamoramiento de sí mismo, las aguas, los espejos y la muerte. ¿La fábula es anterior a la palabra? ¿O las palabras se adobaron de los mitos? Cuenta el doctor Andrés Laguna en sus comentarios a Diógenes Anazarbeo que «fingen los poetas que el narciso nació de un mancebo muy recio, el cual se enamoró de su propia sombra y a la fin se convertió en la flor de su mesmo nombre. La cual mentira se redarguye [...] por haber sido tomada de Plutón Proserpina cogiendo narcisos, muchos años antes que el poético Narciso en el mundo fuese». Para las mentes racionales, el mito fue antes historia, aunque su competencia estuviera con los dioses. Y es que *nárke* en griego significa 'torpeza, impedimento', *nárkesis* 'entorpecimiento' y de ahí *narko-deos* 'estado de embotamiento', *narkódes* 'que está entorpecido', *narcotikós* 'narcótico, que tiene la propiedad de embotar o entorpecer'. Y no sólo el cuerpo, sino también el espíritu. Narciso fue aquel muchacho que perdió el seso en la propia contemplación, según cuentan las *Metamorfosis*, y que, encantado al verse reflejado en las aguas, sintió tan desordenada pasión por sí mismo que murió de amor, siendo transformado en una flor en la que sus pétalos rojos están rodeados por otros blancos. No, Carmen no se aviene con la necedad de la criatura, sino que la ve amargamente desdoblada: el hombre sin sombra no puede existir, la sombra es la silenciosa presencia que no habla, pero, Narciso, sin embargo, es —sólo— la propia sombra al creer que la imagen real ha sido arrastrada por las aguas del río:

> Son pasos sobre la yerba, que nunca se detenían
> hasta encontrar a la fuente.
> Ansias de confundirse con su imagen asomada
> a trémula huyente agua,
> que veraz se la arrebata.
> …
> Si no puede poseerla,
> ¿para qué ser tan hermoso?
> Desolado ante la fuga de su cuerpo con el agua,
> hirviente dolor le acosa.

Este mozo conturbado se ha desdoblado y ha desdoblado a su propia imagen. Imposible la comunicación porque el mundo creado es un puro espejismo y la realidad poblada no descubre sino el propio vacío. La dramática tensión nos lleva a unos pocos motivos geniales del hombre como creador: convertido en demiurgo de sus criaturas, no sabe dar sentido a esos objetos que ha torneado en su alfar y, sin embargo, los ha dotado de alma que sufre. En prosa los llamamos nivolas o complementarios; en verso, heterónimos. El poema es un logro de metafísica: todas esas criaturas que han nacido están poseídas por el impedimento de tener alma. Atenazadas a un código mortal, luchan contra esa muerte a que la condenó el haber nacido, todos sueños inanes, como la sombra de Palinuro, y mutuos reflejos que las convierten en ficción de sí mismas. Unamuno asedia con sus desazones y sus congojas vienen desde la antigüedad clásica que este libro reelabora: estamos hechos de la misma materia que los sueños, somos sueños de un creador que nos hará desaparecer si despierta, vivir es una nada y sólo la nada queda:

> Si es que otros seres se ven como me veo en el Río,
> ¿recuperarán su imagen cuando hayan de morir?
> o ¿quizá no la tuvieron porque muertos están ya?

El río seguirá su fluir, pero Narciso flotando —como Ofelia muerta— no será sino una flor arrastrado por la corriente. Soledad absoluta, de la que no hay ni siquiera un eco, porque Narciso es una sombra que, bajo su cuerpo y en el fondo del agua, otra sombra deposita.

Extraordinario poema. Los elementos simbólicos que los mitólogos estudian han sido poéticamente creados. No pienso que el poeta al escuchar su voz interior se dedique a practicar exégesis. Somos nosotros quienes al leer evocamos y descubrimos. Narciso convertido en flor se relaciona con los cultos infernales y con las ceremonias de iniciación: sobre las tumbas recuerda la quietud de la muerte, que acaso sea otra cosa que un sueño («Duerme el silencio arropado por esta luz que a Narciso/va invadiendo para el sueño que a la vida le despierte»). En la resurrección de la criatura, Carmen Conde sublima el mito y lo hace modelo de todo lo creado; llega a las doctrinas de J. Gasquet y de G. Bacherlard: el mundo es un inmenso narciso en trance de pensarse, y en el cristal de las fuentes se encuentra el reposo y se conquista la calma. Lejos las moralidades de la edad media: Narciso, idealizado, se ha convertido en contemplador de su propia conciencia hasta que:

> Intacta se recobró la identidad de Narciso
> con su yo, que obseso amara
> cuando creía que *aquel* era el ser que deseó.

Ser y descubrirse, analizarse, morir y resucitar. Símbolos que hacen ser la vida un sueño, como el que cubren los ojos de la bellísima criatura de Caravaggio o en el recato pudoroso de la pintura de Jan Cossiers.

> (Narciso.
> Mi dolor.
> Y mi dolor mismo.)

La mitología empareja a sus criaturas. Carmen Conde inventa su Narciso y lo hace ajeno a cuanto nos ha legado una tradición, pero Narciso tiene en este libro un tornavoz de soledad. Es Eco abandonada. El poema lo cuenta («languideciste en los bosques hasta convertirte en piedra. / El dolor o el desamor al alma la petrifican») y hace ser hombre a aquel mozo que se buscó a sí mismo. Como Ariadna antes, ahora Eco hace ser a Narciso y, sin embargo, el hombre la desdeña. Acaso sea éste el poema más ajustado a una sabiduría canónica («Júpiter sí que te amó y Juno te maldecía») y hasta erudita («Admirados te recuerdan Longo y Ovidio en sus obras, / Eurípides, Calderón ... Pussin llevó a su pintura / el mito que representan»). Era necesario esta cauda de soledades para que Narciso pudiera perpetuarse, pero Eco, vida. Carmen nos ha dicho que representa al mito; es, pues, el personaje de un drama que se identifica con la criatura que encarna y le da su propia vida. No es un vano fantasma sino trasunto de nuestro yo. Heroica dación que por hacernos deja de ser ella misma y que sacrifica su propio ser para no hablar nunca si no es concitada su presencia, *golem* que, bajo forma femenina, sustituye a los seres y es la imagen de su creador con el que se identifica: «amar cual amaste tú, gloria es y no tragedia».

Otra vez el mito como conciencia del hombre de hoy, paz en la tribulación, y esperanza de serenidad.

6

Los símbolos se esconden bajo apariencias cotidianas. Nuestra cultura ha ido quitando el valor mágico de las palabras y a cambio nos entrega vacíos cascarones, a los que —de nuevo—tenemos que rellenar de contenidos. Los griegos, al racionalizar la religión, perdieron su fe y mataron a la poesía. Es posible que la razón sea una conquista de la libertad humana, pero la sola razón no es la vida del hombre; más aún, la irracionalidad tiene arcanos de belleza por los que las gentes siguen luchando. Desarqueologizar es una misión del arte moderno, pero desarqueologizar es cambiar una vida (muerta) por la nuestra. Frente a prerrafaelistas y parnasianos, sitúo a Nolde o Anouilh. Para vivir la historia no hace falta desempolvar los viejos ropones que yacen en el trastero: basta con repetir la andadura. Y es que dentro de nosotros llevamos siempre los dioses lares que nos identifican y con los que nos identificamos, aunque creamos que están envueltos en las telarañas del olvido. Pienso en un bello soneto de Edna St. Vincent Millay, que Carmen Conde no desdeñaría: «If to be left were to be left alone»: quedarse en paz no es estar a solas, ni se tiene soledad por cerrar los postigos de los ventanales. Y en el humilde traje del menestral o en el cuerpo desnudo del herrero se vuelve a encarnar el mito: testigo Velázquez. En una palabra del léxico más funcional hay todo un mundo de símbolos ocultos y misteriosos. El significado de las palabras está en la raíz; cuanto añadamos, no será otra cosa que modificantes del significado. Por eso la raíz no existe como realidad exenta, sino que es un logro en cada acto de comunicación. ¿Qué es *am-* en el mundo de las abstracciones? Existen *amar* y *amor, amigo* y *amistad, desamor* y *enemigo*. No hay una entelequia llamada *Amor*, sino las menudas o grandes realizaciones en el *amor* de Safo, de Eloísa, de Julieta, y de Abelardo y de Romeo, también. Del mismo modo en poesía, el significado absoluto pasa a ser una abstracción en la que podrán cobijarse las mil realizaciones precisas; por eso, al leer un poema, tenemos la clave para desenmascarar su sentido (o, el leer un libro, en su título); más aún, la clave de lo que tiene apariencia trivial está en el valor meta-físico que en los títulos encontramos. *Las Moiras* son las terribles diosas que presiden nuestro destino, hasta que con sueños crueles cortan el hilo de la vida. Hijas de la Noche, hermanas de la Necesidad, de la Miseria, de la Concupiscencia, de la Vejez, de la Discordia.

Ya es fácil entender qué quieren decir todas esas páginas atormentadas de Carmen Conde en las que se mueve en un ámbito ciego y desesperanzado. El léxico podrá ser funcional y nos hará pensar en la vida como tránsito o en el hombre (y la mujer) como peregrino. Sí y no. En el fondo está esa concepción mítica que la poesía de Carmen Conde tiene: nos dirá de *Las Moiras* para separarnos de algo que, llamándolo Parcas o Hilanderas acaso, nos hubiera hablado más directamente. Al crear exige más de su lector, dota al sentido del nimbo sacralizante que pone un conocimiento menos familiar, obliga a un esfuerzo mayor, pero deja ahí el jirón que permite identificar todos los elementos de ese torneo intelectual en que nos sume. Y túnel ya no es 'túnel' ni viaje es 'viaje': las palabras han dejado de ser simplemente denotativas y se cargan de exotéricas connotaciones. Y si las hemos creído palabras-clave de un proceso creador, el título sirve de seña para resolver los significados ocultos tras ese conjunto de «realia» con que nos ofrece.

En el poema «Si contemplas ahora su delirio» toda una serie de términos actúan como satélites de la palabra viaje, entrecomillada por la autora: buscar, ausentar, volver, escapar, abandonar, venir. En el enunciado del poema y en el orden en que se formulan. Se trata de una plenitud de amor en la que buscar la verdad, la paz, la inmortalidad no hace sino orientar hacia ese centro del mundo, inaccesible para el hombre (y para la mujer) que huye de sí mismo tras una imposible plenitud. «Vendré mañana» es la renuncia a la Tierra Prometida y la pérdida del amor en la muerte. En un poema muy sencillo, Carmen Conde nos da cuanto de aventura, de azar y de insatisfacción hay en esa búsqueda que es el amor, cumplido sólo en el viaje definitivo, en el que la criatura se logra por renunciar a seguir siendo ella misma. Como complemento, el relato «Antes del final comprendí intensamente lo que es la soledad»: la palabra clave es en este caso *túnel*, donde se cumplen todos los manifiestos que rodean a la soledad y que culminan en ese sentimiento de angustia real que denuncia una experiencia dolorida. El *túnel* son las fuerzas destructoras de la vida, que aniquilan a los seres y que impiden la propia liberación. Principio irracional que conduce —como el viaje— a la muerte, aunque la criatura —como en el amor— desee entregarse a su propia destrucción («Casi sentí pena por abandonar mi martirio») sin esperanza de salvarse. Sentido logrado por ese enunciado que son *Los Moiras*, vencidas por la fe y la esperanza de esta mujer que no se somete. El mito clásico le ha dado el terror con que todas las sombras condicionan la vida del hombre, pero el mito no se clausura en sí mismo, sino que transciende a su propio tiempo y a las criaturas que lo fueron creando. No estamos bajo el imperio de los Keres, aunque las sintamos en el alma; también los mitos se han cristianizado y cristianizándose se perpetúan para otros tiempos y para otras gentes. Más allá de la contingencia mortal, las criaturas mortales serán transcendidas; no aniquiladas, no diluidas en la Nada, no reencarnadas en atuendos alienantes. No. Ser el propio yo y serlo sin préstamos ni condescendencias, plenitud total que el cristiano sólo alcanza tras el desasimiento:

> Pensemos: este túnel se acabará. Saldré a la orilla del mar; primero me deslumbrará el sol o me mojará con su luz la luna. Respiraré con el gozo de recibir por fin el aire puro de la costa o del valle si no es el del mar. No es una caminata hacia la muerte. No existe. Aquí estoy yo para demostrarlo. El túnel no acabará conmigo. Espero recibir en mi cabeza el sol, la brisa del mar o la caricia diluida de la luna. Sufro, sí, pero viviré otra vida.

La Antigüedad clásica ofrecía otros caminos para salir del túnel, pero Carmen los ha rechazado para quedarse en esta gloriosa esperanza. Porque, es verdad, los lekitos griegos podían haberle ayudado, y, sin embargo, no los ha querido: el paganismo nunca le hubiera devuelto la plenitud de la luz. Humildes cerámicas de hace dos mil quinientos años aún nos conmueven: la mujer recobra su hermosura corporal, está desnuda y su mano izquierda sujeta el bordón de caminante. Es el último momento en que poseemos la ilusión de la belleza femenina; en el Hades, la oscura noche y las negras nubes de la eternidad. Contra una concepción que sumía en tinieblas más densas que las del alma, la mujer se rebela e intenta ascender a una epifanía total. Porque tampoco Perséfone sirve para la liberación; su cabeza se cela con un velo y de su vientre nacieron las Furias. Un nuevo sesgo del mito y la noche oscura se ilumina con las luces de una nueva fe.

7

«Estaba sentada y sobre mi regazo destacaba la cabeza de un toro». *Toro* es otra palabra-clave: símbolo del «macho impetuoso» y de la fuerza creadora, que muchas religiones han consagrado como símbolo de la violencia, aunque aparezca con apacible presencia:

Era una habitación inmensa colmada de toros que yo presentía hostiles y dispuestos a atacarme. De pronto, se adelantó uno de ellos y con un movimiento de testuz me colocó bajo su amparo. Avanzamos juntos, guiándome él los pasos. Iba confiada en su protección.

Como en la pintura de Giovanni da S. Giovanni que se conserva en el palacio Rospigliosi de Roma: la mujer se tiende sin temor sobre el blanco toro y amorcillos infantiles retozan o conducen al animal por la coyunda uncida a los cuernos. O pienso en el jugueteo del poemilla de Alberti, bien lejos de la práctica del tauróbolo romano. Símbolos elementales los que ahora descubrimos, sin renacimientos por la sangre derramada y sin el asomo de divinidades funerarias, como Osiris; aunque no pueda por menos que evocar los ritos dionisíacos en que el dios era celebrado bajo la forma de toro.

Y en el poema *Safo*, tan complejo, tan heroicamente femenino, aparecen unos versos que no pueden separarse de los mitos táuricos y que nos llevan a un mundo de creencias inexhaustas:

> Corzos los amantes, corzos que pastaron
> tréboles mullidos en plena primavera.
> Erguida siempre tú, arriba de tu éxtasis:
> allí, donde palpita tu música inmortal.

Toros y ciervos como símbolos del amor y del erotismo nos llevan a la pervivencia del paganismo en la religiosidad popular de la edad media. Los moralistas se encrespan y lanzan anatema («¡cuando el amor es divino!») Aquí están, son ciertos. San Cesáreo de Arlés (470-543) en el *Sermón CXCIII* dijo: «Si no queréis ser corresponsales de sus pecados, no permitáis que el ciervo, la becerra o cualquier otra monstruosidad llegue ante vuestras casas». San Audoeno de Ruán (siglo VII), en la *Vida de San Eligio*, añadió por su cuenta: «Nadie se entregue a acciones nefandas o a ridiculeces, ni se disfrace de vaca, de ciervo o de otro animal». Y San

Pirmino (siglo VIII), en su *De singulis libris canonum scarapsus*, apostillaría: «No andéis disfrazados de ciervos o de vacas».

Ritos paganos que aún duraban, pero que eran más que ritos en las bellísimas canciones de aquel hombre extraño que se llamó Pero Meogo:

> Enas vedes ervas
> vi anda-las corvas,
> meu amigo.
> Enos verdes prados
> vi os cervos bravos,
> meu amigo.

8

Cráter es un libro muy hermoso. Lo es porque tiene valor intrínseco, y eso basta. Enumerar hallazgos y bellezas es tanto como contar estrellas en la noche. Innecesario quehacer. Pero es un libro apasionante, porque nos devuelve parcelas de nuestra cultura que convertidas en pulpas y zumos de nuestro propio ser real siguen actuando sobre los sentimientos del hombre de hoy. Carmen Conde ha pensado y nos ha transmitido sus meditaciones. También esto es bastante. Pero ha rescatado lo que durante milenios conformó la sensibilidad del hombre occidental y lo ha hecho ser, hombre y occidental. Lo que no es poco. Sin embargo, ha querido salvaguardar nuestra identificación y crear su propia identidad. Todo lo que sabe e intuye le ha permitido crear una poesía profunda y compleja, en la que los símbolos siguen operando, pero con frescura primaveral: desprovistos de gangas adventicias, tenemos ahora núcleos refulgentes. Brilla el metal porque se ha destruido la escoria, y los símbolos continúan reelaborándose como crece la perla dentro de la valva. Seguimos siendo hombres de nuestra cultura. La historia perdió la cronología y se convirtió en mito. Se ha dicho con referencia a algo que aquí nos ha ocupado: Orfeo debió existir, fue un cantor solitario al que martirizaron otros hombres (¿o mujeres?) y su tumba vino a ser templo de peregrinaciones. Pero la criatura mortal se divinizó y se convirtió en amante desolado. Después nacieron las interpretaciones (ritos órficos) y las recreaciones: en pintura (Bellini, Poussin, Hans Leu, Bassano), en música (Monteverdi, Belli, Laudi, Schütz), en literatura (Henneyson, Poliziano, Lope de Vega, Jáuregui, Calderón).

Otro tanto nos ha dicho Carmen Conde con la historia de Teseo. Una vez más, la mujer abandonada por la inconstancia del varón. Aquella criatura bellísima que fue Ariadna ha quedado en soledad: entregó cuanto poseía porque creyó en el valor del hombre, pero el hombre sin la mujer no hubiera recorrido el Laberinto, ni hubiera vencido al Minotauro, ni hubiera podido volver al Amor. Ariadna le entregó todo y, sin embargo, Teseo rehuyó correspondencias. Otra vez la mujer en su abandono:

> Tuviste su amor, ay sí,
> y la abandonaste luego

cuando tu amor vacilaba porque fuiste el amigo
de todas las aventuras.

Los hombres han querido justificar a Teseo y han pensado en los designios de los dioses. Y se nos dice que Atenea protegía al héroe, como en la copa de Aisón de nuestro Museo Arqueológico, pero es éste un fácil expediente. Teseo fue héroe porque Ariadna lo hizo ser. En el poema de este libro, la antigüedad ha sido recreada y actualizada. Demasiado próximo el acercamiento para que las viejas taurokathapsias cretenses no nos hagan pensar en la inmolación de las tauromaquias, y Carmen Conde trae a nuestro hoy lo que fue un antiquísimo rito:

En nuestras tierras y mares,
¿qué podrías contra el Toro
que brotando y rebrotando está sin cesar aquí?
Ariadna —la del invierno asomando
y también la primavera—,
hizo tan cierto su apoyo para incitar su bravura.

La mujer dio a Teseo el hilo para orientarlo; pero le dio —también— enseñanzas para jugar con el Toro y poderlo vencer. Ariadna hizo posible el heroísmo del hombre y, en la historia, debió enseñarle el arte que ella practicaba. Aquel muchacho ateniense que fue a Creta a aprender un difícil oficio, recibió lecciones de la sacerdotisa de Knossos, y luego la abandonó. La enseñanza se pierde en esa historia sin tiempo que es el mito; pero una mujer de hoy y de esta piel de toro nuestra no se resigna a perder el tiempo que late en sus sienes. Sabe la leyenda, sabe las representaciones, sabe de la mujer y del hombre. Se contempla, contempla la circunstancia que la cerca, e interroga: «¿qué podrías contra el Toro / que brotando y rebrotando está sin cesar aquí?» Pero Ariadna ha vuelto a quedarse sola.

Leyendo estos poemas de vivificación cultural pienso en lo que fueron para el arte griego las escuelas helenísticas. La perfección, el acabamiento, la suprema elegancia con que Asia recreó una inagotable cultura. Y esta poesía me hace recordar la exquisita delicadeza de aquellas figuras que, en la frialdad del mármol, hacían sentir la tibia opresión de la carne. La frágil delicadeza de los amores dormidos o el frenesí de las sacerdotisas de Baco, el amor recién hallado de Dafnis y Cloe o la morbidez del eterno reposo. Esculturas en las que se llegó a la más adelgazada sensibilidad no importa a través de qué caminos. Estos poemas de Carmen Conde hacen pensar también en el goce sensual y en la sensibilidad más refinada. Y sin querer evoco un relieve alejandrino: el poeta trágico tiene ante sí unas máscaras y elige la que resulta apropiada para su tarea. Es lo que ha hecho esta poesía. Los mitos estaban ahí, adormecidos. Carmen Conde, oculta tras las máscaras, los ha hecho revivir con voz propia y apropiada. Son nuestros ya, aunque hubieran silenciado su ritmo durante siglos.

Estamos en un proceso de lenta e ininterrumpida elaboración. Carmen Conde ha aceptado la herencia, la ha enriquecido, la ha modificado, la ha hecho actual y nos ha dicho —sin decirlo— cuál es el significado de los mitos para las gentes que vivimos aquí y ahora. Viejo saber y nueva sensibilidad. Por eso este libro es un libro importante. Para otro fin Carmen Conde escribió unos versos que dan testimonio de su misión como mujer y son la clave de su creación:

> Escúchame, amor: si eres mi dueño
> yo te poseí más que me diste.

Nos ha dado más de lo que ha recibido. Sólo así se justifica la existencia de la poesía.

MANUEL ALVAR
De la Real Academia Española

I

LOS MITOS

IRRECUPERABLE ORFEO

Si los dioses concediesen que Eurídice trastocara...

Eurídice ya no; Sísifo acaso.
¿Orfeo no la ama, pues impide
su riesgo de volver hacia las sombras
el cuerpo macerado por el roce
de tanta ardiente piedra sin reposo?
Eurídice no canta ni sosiega,
ni lágrimas descienden de sus ojos;
sonámbula camina rechazando
de fuego llamaradas tras sus pasos.
Orfeo se perdió, mientras su lira
el cóncavo silencio percutía.
No quiso ella cederse a lava negra,
y la espesa marea de recuerdos
incita a que su huida no desmaye:
no piensa en lo pasado, coagulándolo.

Aunque Hades ordenara que no vuelva la cabeza
mientras va salvando a Eurídice,
porque sus pasos no oía, sí que Orfeo la volvió.
Se apresura entonces Hermes a llevársela consigo.
Escapa Eurídice de él por no morir nuevamente:
huye a la busca de Orfeo que se fue desesperado.
Ay, que nunca lo alcanzó, cuando libre se creía.
¿Es que Orfeo la olvidó; música sólo era Orfeo?

«*...desde el momento mismo en que abandona los blancos huesos,
se escapa volando el alma como si fuera un sueño.*[1]

Y sueño acezante es su alma.
Despierta, de cuerpo anegada,
busca el regazo del vuelo.

---

1 Anteclea a Ulises, su hijo. *Odisea*, canto XI.

Quieren sus manos retenerlo;
de ellos partir sin deprenderse
de la que siempre fuera...
Porque ahora no llegan de Orfeo
ni mínimos acordes de su lira.

¿Ave desgajándose de miembros
que colmara la vida de respuestas?
Apenas los huesos se desaten
de la carne encendida, será un sueño:
límite preciso entre las alas
y el cuerpo de macizas realidades.

Blancos huesos vibrando liberados,
dejando en libertad también el alma.

A los odres donde van aprisionados
los vientos desfavorables,
por navegar tranquilos,
cosen hilos de plata refulgente,
y manos traidoras los cortan.
Sueltos los vientos, se juntan
y sucumbe la nave a la tormenta.
La mar espesándose tritura.

Las cuadernas, los mástiles, el casco.
Eurídice soporta la demencia
que al naufragio la empuja.
No la acucia salvarse. No está Orfeo.
¿Acaso fue su música, agitándose
entre olas purpúreas; o acaso
es la muerte rompiendo sus esclusas?
Escapándose al fin de los infiernos,
¿por qué se incorporó a la travesía?
Todo su ser alimentan
cenizas de recuerdos sin fisura...
El mar se levantó de lo profundo
e hizo que la nave sollozara.

Entre rocas quedó. El desamparo
apresando su alma atribulada.
Aquellos que soltaron huracanes
fueron devorados por la mar.
De su cuerpo tampoco respetaron
vientos y olas, la envoltura.

La noche amontonándose en Eurídice,
de turbios rumores se desprende.
¿Orfeo los engendra, atormentado,
arrancando su música al infierno?

Será un sueño el alma, será un ave
brotando de la mar la que acompañe
al frustrado vivir cerca del límite.

Lomo infinito del agua que tacta moroso el viento.
Ido el fragor de las olas con fiereza acumulada.
Misteriosa nave blanca que vela dorada anuncia
va acercándose a las rocas... Agita Eurídice un lienzo
desgarrado de su túnica, harto desgarrada está.
Nace la brisa; las aves la sobrenadan gozosas.
El silencio que confunde horizonte y cielo unidos
deja escapar el suspiro que rauda a la nave atrae.

No es Orfeo el marinero. A Eurídice desencanta
por ser un muchacho ajeno a la música perdida.
Mas, hermoso joven es (¿acaso de Ulises, hijo?),
y en su frente y en sus ojos se refleja verde luz
de la sosegada mar. Salta a las rocas, rescata
el cuerpo en salvo de Eurídice.

¿De dónde vienes? De allá. Su mano indica la Nada.
¿Cantas amor? Yo no canto aunque sí sabré quererte.
¿Y sabes amar, tan jóvenes tus labios inmaculados?
Tú vas a abrirlos; serán labios que nunca besaron.
¿En tierna vasija fresca, resucitaría el amor...?

Atormentándose ansía que los huesos se desprendan
y que el alma, sueño intacto, cual un ave se levante
hasta Orfeo irrecuperable, que no pudo obedecer
al que por fin permitía que a Eurídice rescatara.

A su no escapada alma la sobrecoge el amor
que irradia el cuerpo cercado por un mundo inapresable:
tiende su red cuyas mallas nunca la sujetarán.
Leves contactos, confusa aproximación de cuerpos.
Mustian sus hojas las ansias junto al insalvable muro...
No había mar sino praderas que al amor acogerían
sus florecillas vistiendo, orillándose de arroyos;
pájaros derramados sobre árboles con frutos.

Eurídice enajenada por Orfeo irrecuperable.
¿Cómo no presentiría a Eurídice fugitiva;
por qué su lira calló al precipitarse ella
al encuentro tan ansiado?
¿Es que Orfeo no la vio en la boca de la sima?
Vino a rescatarla viva, con música recuperarla...
Triste enamorado Orfeo, desgarrándose de Eurídice.

Perdida en sus soledades dentro de la noche honda,
sus pasos extraviados la devuelven a la sima.
Fue destino abandonado, que súbito la recobra.
Llegando con lentitud, reconociéndolo todo:
sombras del antro temido de donde creyó escapar.
A petrificada Eurídice Orfeo reencontrará
cuando su cuerpo destrocen las Ménades desdeñadas.

Julio 1982

TRIBULACIÓN DE NARCISO

«...la tan perseguida imagen del fantasma inaferrable de la vida.»[1]

*«...como todos saben, la meditación y
el mar están emparejados para siempre.»*[1]

Son pasos sobre la yerba, que nunca se detenían
hasta encontrar a la fuente.
Ansias de confundirse con su imagen asomada
a trémula huyente agua,
que voraz se la arrebata.
Todo el ser está en sus ojos, complaciéndose rendido
ante la imagen veloz: inasible la dulcísima
dueña de sus inquietudes.
Codicia es de aferrarla con sus manos suplicantes...
Si no puede poseerla,
¿para qué ser tan hermoso?
Desolado ante la fuga de su cuerpo con el agua,
hirviente dolor le acosa.
Si se remansara el río
¿adónde revertiría la imagen que tanto ama,
antes de volcarse al mar?
No voy a entregarme, no; ni tampoco he de intentar
asirme dentro de ti.

1 Hernan Melville: Moby Dick.

Caminante a tu costado
buscaré lo que me sueña desde antes de nacer.
Verán mis ojos cuajarse esta imagen tuya y mía
en el yo que la engendrara
y en su hermosura se goza.

Va conmigo mientras ando. Si me detengo me dobla
la mirada, las sonrisas, lágrimas si desfallezco.
De la tierra me alejé por no perdérmela a ella.
No la rechazo; la amo por amarme tanto a mí.
Si me lanzara a apresarla,
si lograra incorporármela,
¿adónde nos llevaría el ansia de completarnos?
Si su belleza me atrae es porque la conozco mía.
Oh, Tierra: tú no me entregas
ninguna cual esta imagen.

—Porque nunca quiso ver más imagen que la suya.
En vano se ofrecerían las que le amarían también
aunque no se reflejara en ellas, como en el agua.
Tanto consigo se unió, hasta olvidar que no es
sola criatura en el mundo.
Con sus ojos se deleita mirándose complacido.
El día en que pudiere, al fin,
confundirse con su imagen,
no correría tras ella, ésta que ahora contempla;
la que viene acompañándole
mientras en vivo transcurre,
persiguiendo sobre el agua su imagen reproducida.
Se evidenciará que anduvo
viviéndose dos en uno.

Si es que otros seres se ven como me veo en el Río,
¿recuperarán su imagen cuando hayan de morir
o quizás no la tuvieran porque muertos están ya?
Reflejando va la mía todos mis movimientos.
¿Es que no pueden hacer más que repetirnos siempre
para que nunca olvidemos el dolor de caminar?
¿Quiénes son lo verdadero: nosotros o los del agua?
¿Qué misión cumplen los ríos acerca de los mortales?
Las imágenes no mueren. Persistirán en el Agua,
con otras acumulándose...
Infierno o el Paraíso de todos cuanto se fueron.
Afirmándonos la vida al Río nos asomamos.
Hasta él va nuestro eco. En él nuestro eco está.

Cuando las manos se hunden para apresar esta imagen
que como mía conozco amándola más que a mí,
se diluyen sus contornos, multiplicándome roto
en dislocados pedazos.
Ay el día en que acudí sediento a la fuente-madre
de este río que la lleva y donde me encuentro yo
en el agua sumergido.
He de tenerla en mis manos, de las que ya crecen yerbas.
He de juntarla a mi cuerpo, su cabeza con la mía.
Esta sonrisa que el viento deja resbalar, suave,
que vuelva a mí para siempre,
cobijándose en mi boca.
Extenderla dulcemente en el prado de amapolas
al pie de la fuente-madre que ha embebido mi figura.

Dímelo tú, que contemplo
y contemplándome estás
¿por qué no puedo arrancarte de esta agua pasajera?
Si es tu mirada, la mía
y tus cabellos se mueven cual los míos en el viento...
¿Adónde vamos unidos,
Tú en el río y yo en la tierra?
Quema la orilla mis manos
que quieren asir las tuyas.

El implacable tormento que a Narciso enloquece
dará fin esta mañana. Ordena la Primavera
a campos y bosques plácidos, inmediata floración.
Fragantes coros de aves ensalzarán el momento
en que él, alucinado, acometa su inmersión.
No contemplar aquel, que de atraerle no cesa
a fusión irremediable. Eterna fluye la fuente
estimulando a su río codiciador de la imagen.
Cuando consiga apresarla adhiriéndola a su cuerpo
no será Narciso vivo criatura que el río refleje
al llevarle á muda mar que ninguna nave surca.
Es la mañana que niega a rumbo humano las velas
contra el huracán que impulsa la última singladura.
Cumplido afán que desliza desde la orilla su paso
hasta penetrar allí, donde esperándose estaba.
No se ha movido su imagen, detuvo su ir el río
viendo la inexorable incrustación de dos cuerpos:
ojos en ojos coinciden, frentes y torsos; las manos.
Único ser es ahora y sólo corazón el suyo
aunque latiera debajo del paño denso del agua.

Ay, amor: no deseé ofrecerle mis miradas
a otro que no fuera yo: completo me recupero.
Duerme el silencio arropado por esta luz que a Narciso
va invadiendo para el sueño que a la vida le despierte.

La fuente dejó a su río que a Narciso se llevara
al infinito fluir adonde todo revierte.
Pesa menos que su imagen cuando en aquella flotaba.
Intacta se recobró la identidad de Narciso
con su yo, que obseso amara
cuando creía que *aquel* era el ser que deseó.
Si pudiere ver ahora debajo de sí la sombra
que su cuerpo deposita...

Agosto 1982

ECO ATORMENTADA

Nada al silencio le cedes, todo sonido eres tú.
Ni el vuelo del ave es dueño de en silencio aletear.
Al acendrado fluir de las voces le devuelves
acentos retumbadores.
La Tierra agranda tu llanto, lo dispersa al derramarse
Del sonido eres esponja, repitiéndolo constante.
Si llamabas a Narciso, extinguiéndote en su amor,
encadenabas su nombre a las rocas, conmovidas.
Narciso no quiso nunca amarte a tí, tan hermosa.
Prendado y loco de sí, jamás a mujer amara.
Enamorada de aquel fugitivo del amor,
languideciste en los bosques hasta convertirte en piedra.
El dolor o el desamor al alma la petrifican.

Verdad que no has muerto aún, porque sigues aumentando
cuanto el sonido propaga. Eres la voz inmortal
de vientos, de los amantes que desprenden su alegría
o claman sus desventuras.
De roca en roca discurres, en las cuevas, en desiertos
olvidados por el agua. En casa que se abandonan
mora tu voz, se duplica,
respondiéndose al romper el silencio que las cubre.
Para conocerse vivos los mortales te pronuncian
imaginando que eres habitante del vacío.
Júpiter sí que te airó y Juno te maldecía,
y ninguno pudo herirte como el amor a Narciso.

Desolado va quien ama a quien no le puede amar,
y hasta las tapias te acogen si ante ellas gimes tú.

Ninguna mujer dejó su voz corno tú a los bosques
que tu voz siempre resuenan, eternamente resuenan...
Narciso no te encontraba cuando vencida lloraste
ante su fría hermosura.
En Narciso no hubo un ser sino el doble de su cuerpo:
imagen atormentada por su belleza-condena.
Aunque presencia no ofrezcas, país de sonidos eres.

Admirados te recuerdan Longo y Ovidio en sus obras,
Eurípides, Calderón... Poussin llevó a su pintura
el mito que representas: de símbolo de enamorada.
Tu vida se fue mustiando...,
más tu voz no se apagó; ella viva se mantiene.
Si te nombramos acude, reflejándonos palabras
que son campanas crecidas al conjuro inacabable.

¡Cuán profundo era el sentir que tu existencia arrasara!
A tradiciones viniste, persistiendo y atrayendo
a proclamar la victoria
que amar cual amaste tú, gloria es y no tragedia.
El amor cuando consume, inmortalidad consuma.
Si el amante fue incapaz de responder a tu amor,
sucumbiendo, tú triunfaste a través de los milenios.
Eco, es nuestra paz saber que nos acompañas.

Septiembre 1982

TÁNTALO ETERNO

Injuriaste a los dioses. No lo hice
y tus mismas angustias padezco.
No quiere el agua cerdérseme;
veo como tú los manjares
sin alcanzarlos poder...
Reina no fui de un Imperio,
las riquezas no acuden a mí.
Tampoco robé del banquete
néctar ni ambrosías.
La sed que tortura es eterna.
Extiendo las manos: los frutos
huyen veloces, frustrando

deseos en las venas ante
todo lo inasible, fugaz.
Tormento infinito que impide
de todo la consumación.
Si nunca apostrofo a los dioses
que a tu suplicio me atan,
¿por qué sufro hambre y de sed
por lo que a ti te negaron
y ahora me niegan: por qué?

Septiembre 1982

TESEO

¿Cómo tú, Teseo imberbe
pudiste amar el invierno y también la primavera,
que se vuelven otras veces
inconstancia o ingratitud?

Comprendo que enamoraras
a la que te ofrecía el Hilo
que condujo al Minotauro
cuando a darle muerte fuiste
porque creyera ella en ti tan joven la valentía,
sin que Dédalo triunfara.
En nuestras tierras y mares,
¿qué podrías contra el Toro
que brotando y rebrotando está sin cesar aquí?
Ariadna —la del invierno asomando
y también la primavera—,
hizo tan cierto su apoyo para incitar tu bravura.
Tuviste su amor, ay sí,
y la abandonaste luego
cuando tu amor vacilaba, porque fuiste el amigo
de todas las aventuras.
Sabiduría consciente y con ella inteligencia
se reunieron en aquello que le llaman previsión.
Más, aquí el laberinto
ni Dédalo mejor haría.

El Toro que Poseidón —que caballos sacrifica—
del Océano creara para entregárselo a Minos,
aumentando su poder en guerra con sus hermanos,
no fue toro como el nuestro:

mitad toro como tú y hombre mitad se alimenta
de atropellados humanos...
A pesar de la cultura de Minos en el Egeo,
otros Minos sin cultura, incansables lo emularon.
Joven y esbelta criatura Teseo aceptaste el Hilo
que permitió a tu andadura
lo seguro del avance,
por donde Diel simboliza el error o la inconsciencia,
alejamiento a la vez de la Fuente de la Vida.

Ese hilo que nos guíe en temerarias empresas,
no encontramos quien lo lleva
para evadirnos de cuanto
nos acecha para hundirnos en maléfico desorden.
Por no ofrendarle su Toro a Poseidón, hizo Minos
que se volviera feroz vengativo Minotauro:
monstruo nacido de amor de Pasifae con el Toro.

¡Ah, mi Teseo arriesgándose con su fresca adolescencia!
¡Quiénes pudieren traerte hasta nosotros, ajenos
a la ayuda de los dioses
que te colmaron de honor!

Mayo 1983

SAFO
(Siglo VI a de J.C.)

«¡Gloria al cuerpo hermoso, oh rosas de Hoggia,
espléndida sonrisa de la naturaleza,
nube en la cual se oculta el rayo!
El Espíritu Creador hecho criatura.
¡Gloria al cuerpo humano!
KOSTIS PALAMAS

Pequeña y morena...

Tú, la destacada por el conjuro malévolo,
la cantada por la voz que llegó ha tantos siglos.
Tú, que eras amor, tú misma todo el amor
no placentero tan sólo, que doloroso también:
amor sacudiéndote entrañas «como el viento
a las encinas del monte». Tú, «la reveladora
del Amor en Occidente»...

«Amor que, como en Arquíloco, te paraliza los miembros
en dulcísima embriaguez».
Tuyo también el amor espiritual en Lesbos,
sobre las turbias aguas de la sensualidad.
Cuán pobres del amor aquellos que no acertaron a verte,
porque del amor repleta les deslumbrabas a ellos
en su ignorante actitud ante la sagrada fuente.
A légamo redujeron los triunfos de tu cuerpo
y légamo llegó reptando de los siglos a través,
cuando nadie como tú supo cantar los amores
residentes de los cuencos que por tí se rebosaban.
Los diamantes, de tu amor no los trizan las palabras
de quienes sólo comprenden lo que alcanza su medida.
En tu «agridulce tormento», como tú así lo llamabas
al despedirte de Atti, cada amante reconoce
sus más agudos dolores cuando se muere el amor.
Ah «tus rizos de violeta, tu sonrisa encantadora»
como Alceo escribió por tus armoniosos versos.

El amor sembrabas tú; en tus jardines crecían
aquellas rosas de Hoggia que dulces se desperezan
bajo el cielo que sostienen mármoles en columnas.
Necesitaste calor de otro cuerpo enamorado
«cuando la luna se ha puesto en concierto con las Pléyades,
es media noche ya y el tiempo se va pasando
mientras duermes sola tú...»
Los años más que los astros concurrían al desánimo
de ver que la juventud se fundía bajo el tiempo.
Supiste gozarla entera sin perderla en tu conciencia
y así dijiste, madura, a un amante arrebatado
por hacerte sólo suya: «...si pudiere dar mi pecho
su jugo aún; si mi regazo pudiere ofrecer sus frutos más,
sin temblor me acercaría hacia un tálamo nuevo...,
pero el tiempo me ha grabado demasiado las arrugas
en mi piel..., y el amor ya no me acosa
sino con la aguda fusta de sus penas exquisitas.»
Sabías que «irremediablemente, cómo la noche estrellada
sigue al ocaso rosado». A toda cosa viviente
sigue la muerte y, al fin, se la lleva; la arrebata.
Así dejaste tu escrito en los «versos, melodiosos
por la armonía de estilo y su voz acariciante».

Otras amantes poetisas, a partir desde tu siglo,
sintieron tu inspiración cuando no tu sobriedad:
en sus palabras no arden los laureles de tus cantos.

Pues bien que lo supo aquélla que al amor entregó vida
hasta poder proclamar que, «sin embargo el amor,[1]
el amor mismo por sí es algo hermoso y es digno
de que lo acepten...» las mujeres como tú.

AMOUR, DIVIN RODEUR[2]

«Amour, divin rôdeur, glissant entre les âmes,
sans te voir de mes yeux, je reconnais tes flammes.
Inquiets des lueurs qui brûlent dans les airs,
tous les regards errants son pleins de tes éclairs.

… … … … … … … … … … … … … …

L'ATTENTE

Quand je te vois pas, le temps m'accable, et l'heure
a je ne sais quel poids impossible a porter;
je sens languir mon coeur, que cherche á me quitter,
et ma tête se penche, et je soufre et je pleure.»

… … … … … … … … … … … … … …

A ti te contaron muchos en idiomas diferentes
resaltando siempre mal el delirio de tu cuerpo.
Otros vertían calumnias (¡cuando el amor es divino!),
cuya fuerza se estrelló en nunca esculpida piedra.
Mas, alguien lejos de tí cual los astros cuando nacen,[3]
milenariamente ocultos, puso ante mí la verdad
de la que en verdad tú fuiste: la abasteciente de amor.
¿Cómo no seguirte a tí por donde tú caminaste,
si se dolía también y se amaba como amabas?

CES PUDEURS DE L'ESPRIT[4]

Ces pudeurs de l'esprit que le désir entame,
ces terreurs, ces appels, ces suffocatives.
Ces plaintifs tutoiements, hardiesses de l'âme.
Ces forcenés plaisirs qui jettent les amants
dans je se sais quel pur et saint abaissement
oú l'âme, ange éploré, maudit le corps qui tremble,
c'est cela, mon amour, que nous avons ensemble».

… … … … … … … … … … … … … …

---

1 Elizabeth Barret Browning.
2 Marceline Desbordes-Valmore.
3 Manuel Fernández Galiano (SAFO. N.° 1 de Cuadernos de la Fundación Pastor. Madrid, 1958).
4 Anna, Condesa de Noailles.

QUOI! MOURIR SÉPARÉS!...

Quoi! Mourir séparés! Se purrait-il qu'on ôte
ta chaleur á la mienne et mon corps á ton corps,
moi qui fus ta demeure, et toi qui fus mon hôte
dans l? indefinissable accord!

Ne pourrions-nous fixer en la sainte hébêtude
qui succéde au plaisir, ô mon vivante tombeau,
cette muette, froide et double solitude
que serait l'eternel repos?

Sí. Es el amor que locos prodigios hace
vulnerando con audacia la codiciable criatura.
A Horacio repetiré aunque por distinta causa:
«...peces se posaron en los árboles
que a palomas prestaron antes nido
y por el mar extenso sobre el llano
nadaron corzos tímidos...»[5]
Corzos los amantes, corzos que pastaron
tréboles mullidos en plena primavera.
Erguida siempre tú, arriba de tu éxtasis:
allí, donde palpita tu música inmortal.

Mayo 1983

SAFO: EFECTOS DEL AMOR[6]

«Igual parece a los eternos dioses
quien logra verse frente a ti sentado:
¡feliz si goza tu palabra suave,
suave tu risa!

A mí en el pecho el corazón se oprime
sólo en mirarte: ni la voz acierta
de mi garganta a prorrumpir; y rota
calla la lengua.

Fuego sutil dentro mi cuerpo todo
presto discurre; los inciertos ojos
vagan sin rumbo; los oídos hacen
ronco zumbido.

---

5 Horacio, *Odas* (II, lib. I).
6 SAFO.

Cúbrome toda de sudor helado;
pálida quedo cual marchita hierba:
y ya sin fuerzas, sin aliento, inerte,
muerta parezco.»

(Traducción Menéndez y Pelayo)

II
LAS MOIRAS

La muerte es exterior a nosotros, pues
mientras existimos, no existe la muerte,
y cuando existe la muerte ya no existimos
nosotros.

EPICURO

LAS MOIRAS

I

Desde la tierra ondulada por la que caminaba alegre, entré en un túnel que me parecía breve y que quizá desembocara a una orilla del mar. Porque de súbita y menuda colina partía el agujero ancho, alto su techo, que acaso era sólo una boca que se abría a pasillo de silencio y frescor suave. Empecé a andar por él erguida, segura, sin temor alguno. Los sonidos se quedaron afuera, los olores, el roce de las aves en las ramas de los árboles... Se gozaba de tal paz aislada, redonda, y era el paso tan firme y resonaba en el pecho tan dulce claridad prometedora...

Pronto empezó a descender el techo; casi no se advertía hasta que hube de inclinar la cabeza para librarla del golpe contra la oscura piedra que me recubría. Asombro sin inquietud fue aquello hasta que hube de inclinar también la espalda, dificultándoseme el respiro. Primavera marchita de la esperanza inicial. ¿Desembocaría *esto* debajo de la mar soñada? Más no había ruido de mar cercana; seguía el apretado silencio no alterado siquiera por mis pasos. La soledad hizo su aparición real: estaba sola dentro de un túnel que no permitía creer si terminaría en algún momento próximo.

Lo peor fue que se me hizo necesario arrodillarme e intentar avanzar (¿retroceder...?) a la desesperada. El fin no podía estar lejos. Todos los túneles desembocan en alguna parte del mundo; si en la mar, acaso pudiere nadar y encontrar una costa...

¡Cómo deseaba alcanzar el soplo marino vivificador! El tiempo, aunque no podía calcularlo, pasaba a cada movimiento mío y si bien yo seguía avanzando de rodillas, podía mal respirar con pausas que administraban aire, poco aire ahora; quizá ya no habría aire en el túnel o yo me lo había ido tragando hasta agotarlo.

Llegaron imaginadas formas que intentaban forzar las puertas de mis ojos para mantener la que ya se veía inútil esperanza.

Había que seguir; cuando una empresa se afronta es imposible retroceder (¿pero, avanzaba...?) y desandar lo recorrido. Sin embargo, el techo aplastaba tanto que hube de aplastarme yo también contra el suelo para poder así reptar trabajosamente.

¿Y si no tenía salida el túnel...; y si era una galería cuya abertura, engañó mi instinto de avanzar resueltamente, siempre alimentada, como vivía, de credulidades...?

Reptar, reptar afanosamente, sí; la única posibilidad para comprobar si era al mar o al valle adonde llevaría este túnel.

Súbitamente, ¡gracias!, el techo dio un estirón y logré incorporarme, sumamente dolorida mi espalda que antes creyera firme... Gozo de poder respirar anchamente, incluso de gritar mi propio nombre y oírlo retumbar, alargándose para retroceder sin mi cuerpo. Techo alto, altísimo, que producía la seguridad de haberme aproximado al fin del túnel.

Fueron sólo unos pasos, precipitados y ávidos; de nuevo empezó a bajar el techo, a hacerse irrespirable el túnel... Cuando tomé conocimiento de que estaba nuevamente avanzando pegada otra vez al suelo, perdí la esperanza de vivir.

Falaz engaño. Sigo resbalando, cada vez con mayor esfuerzo, piernas y vientre y pecho y manos, entre dos líneas, temo que convergentes.

No debí aventurarme a dejarme engullir por la boca prometedora de un túnel cuyo final ya no creo que sea la mar mía.

Desde que en una eterna noche me quedé sumida en el túnel, no he vuelto a ver la luz. Lo digo en voz baja, para oírme a mí misma únicamente. Considero extraño que esta profundidad no esté habitada por aves negras que se diluyan en la oscuridad. No hay más ser viviente que yo..., si de verdad estoy en vida o soy el eco de la otra, la que se aventuró a entrar donde nadie la esperaba sólo por el impulso de llegar al lado opuesto. Ni siquiera pensó *ella*, la yo de afuera, en un paisaje determinado; no, con la enorme sencillez de los crédulos encontró atrayente aventurarse por lo que vendría a ser *esto:* un techo que casi toca el suelo y la inevitable amenaza de aplastarla.

Al principio había luz: tenue pero luz; cuando se hizo tan angosto el paso, cesó. Oscuridad absoluta. Ni siquiera frío, una temperatura de bajísima tensión sin rayar en el hielo. Estoy viva y conservo la razón; por ello creo que esto deberá acabarse en cualquier momento, aunque...

Siempre que se acaba surge otra cosa que empieza a actuar de diferente manera. Si este suelo lograra despegarse del techo y pudiere yo avanzar, incluso a gatas, hacia el final del túnel, ¿qué habrá allí? ¿En qué se manifestará el final?

Súbitamente veo claro en mi afán: podría ser la misma muerte, pero definitiva, que sufro ahora. Albergar la idea de un valle; de una mar repleta de barcas, es propio de la angustia que padezco. Creo que preferiría no llegar al final y saberme viva con la carga de sufrimiento que resisto. La muerte no debiera ser el límite atroz de este túnel. No puedo imaginarme qué haría yo con la muerte de venírseme encima. Un túnel no es siempre una trampa ni el agujero de la tumba.

Yo lo creía lugar de paso, puente subterráneo entre dos puntos. ¿Cómo esperar lo que era éste en el que avanzo arrastrándome y sin poder respirar a pulmón abierto?

Falaces engaños de las esperanzas. Nunca me abandonaron y ahora no me asiste ni una sola. ¿Nadie entraría antes que yo en este pasillo mortal? ¿Encontraré, más adelante, otra persona que, como yo, vaya reptando sin esperar su llegada a la otra boca, salvadora; del feroz emprendido? ¿Hubo otro alguien alguna vez, aquí?

Es curioso lo que me ocurre: no he perdido la conciencia de mi realidad y sigo hablándome (o hablándole a la que entró) porque la voz me da respuesta certera de que vivo, que no he muerto... Este agotador avance mínimo ¿pudiere ser el camino áspero de la respuesta definitiva...? ¿Habrá respuesta cuando se libere una del túnel?

La luz que dejé afuera sigue dentro de mis ojos. Hasta parece que mis ojos son capaces de penetrar en lo oscuro y guiarme, sin que mi desmayo obstaculice la restringidísima progresión del avance.

Pensemos: este túnel se acabará. Saldré a la orilla del mar; primero, me deslumbrará el sol o me mojará con su luz la luna. Respiraré con el gozo de recibir por fin el aire puro de la costa o del valle si no es el del mar. No es una caminata hacia la muerte. No existe. Aquí estoy yo para demostrarlo. El túnel no acabará conmigo. Espero recibir en mi cabeza el sol, la brisa del mar o la caricia diluida de la luna. Sufro, sí, pero viviré otra vida.

Antes del final comprendí intensamente lo que es la soledad. No la que se experimenta entre los otros sino la soledad de quien está sola. Distinta cosa ésta de la otra. Haría falta muchísima escritura para expresarla. Contaré mi encuentro con ella y seguro que no alcanzaré a manifestar su íntegra dimensión. No obstante, lo intentaré. Empresa arriesgada por la multiplicidad de sensaciones que suscita, difícil de adjudicar a todos pues cada ser la vive o muere a su manera. Es lealtad hacia ella la que me impulsa a contar su desventura conmigo.

La soledad entre muchos seres no es total sino cuando es soledad en una misma. La otra, estando compartida exteriormente, no es verdadera soledad. La *única*, la *solitaria* lleva compañías internas sumamente íntimas porque a ella afluyen memorias y vivencias que teníamos relegadas o dábamos por perdidas enteramente.

Por ello, al comprobar mi total unicidad en el túnel pasó una ráfaga de aire interior cargada de imágenes opulentas: nacían del acendrado rescoldo de lo ya vivido y nunca muerto. Tan intenso llegaba todo a mí, que llegué a olvidar que estaba entre dos límites inconmovibles.

La preponderancia de la evocación desesperada logró que me enajenara del presente. La abundancia de recuerdos colmaba mi conciencia dejándola al margen de la atribulante realidad. Se borraron los contornos y pude creerme exenta de prisión agonizante. Libre. Algo. Debía emanar de las piedras que me cobijaban y soportaban a un tiempo, pues me sentía ágil hasta el punto de alzar la cabeza y..., entonces el golpe me devolvió a la tierra...

La soledad total no existe; si acompañada, resulta más llevadera hasta el extremo de no considerarla en su verdadera dimensión. Cuando a solas nos devora, una clemencia súbita la deja poblarse de imaginaciones que durante minutos, escasos, sí, consuelan al triste prisionero de su desdicha.

Qué hermosura de soledad henchida de ella misma, cuánto regala al espíritu de bienes que ni recordaba haber recibido.

El techo desapareció; el suelo se hundió y el cuerpo se creyó dueño de su movimiento. Poco, pequeñísimo tiempo; mas, fue un tiempo que valió por eternidades.

Rostros iluminados, ojos que habían bebido de todas las aguas, manos que acercaban la tibieza de su piel; voces resucitadas de sus hogueras... Todo había venido dulce y generosamente a poner su huella en mi ser rehecho a su contacto.

Verdad que fue fugaz aquella brillante *presencia* iluminadora; mas, ¿qué importaba si era suficiente para librarme de la soledad externa? Recibí la esperanza de salvarme. Si yo había vivido, amado, compartido el pan y el agua de un pasado, ¿qué iba a poder contra mí esta prisión? Si resistía, si no flaqueaba la voluntad de pervivencia el túnel encajaría en su obstinación de mazmorra y yo saldría, por fin, de su agobio.

No podía mirar alrededor mío. Ni levantar la cabeza que castigaría el techo. Mis maltratados miembros se iban entumeciendo. ¿Podría reanimarlos si viera cercano el fin del encierro?

Y, cosa peregrina: durante unos segundos amé mi prisión. Jamás antes de ella supe lo que vale una soledad asfixiante. Me tenía a mí misma. A mí concurrieron actos postergados y caudales de voces qué dijeron mi nombre. Vi y viví un trasmundo que se acabaría al vislumbrar la salida del túnel. ¿Cuál sería entonces el que me esperaría?

Miedo del futuro. El presente se hizo de una suma de experiencias que vida contuvieron y se me abocaban generosas, aliviándome.

El futuro... Se llevaría esta atroz servidumbre mía al túnel, sí. Mas, ¿no esperaría otro que acaso no desembocara en ninguna tierra feraz ni en ninguna mar amada?

Al entrar, tan irresponsablemente, en el túnel, mis cabellos eran frescos, limpios, gozosos en su ondularse levemente y mantenerse en aureola serena. ¿Serían iguales al salir? Bien que no advertía humedad sobre ellos y que la pureza del suelo se me evidenciaba. No obstante, temía perder la belleza sencilla de mis cabellos. Recordaba que a otras personas se les volvieron blancos después de una pena o una dolencia... Yo no quería ver mis cabellos blancos y mustios, no. Los recordaba tan en armonía con mi antiguo talante, que se constituía en preocupación la idea de perderlos como me nacieron...

Aunque, en realidad, si no había de volver a ver la luz ni las plantas ni las estrellas ¿qué importaba tener la cabeza blanca?...

Me había ido abandonado la esperanza de la supervivencia; admití que si fácil fue entrar no lo sería salir. De nuevo, cual en un momento anterior, el techo se abombó y elevó permitiéndome sentar en el suelo, enderezar el martirizado cuello y respirar hondo. ¿Ocurriría por fin algo que mantuviera más alto el techo y poder, así, avanzar de nuevo? Avanzar... ¿a dónde? ¿Por qué no me lo preguntaría antes de entrar sin saber a dónde iría...? Ni siquiera lo sentía ya. Había llegado al punto del total fatalismo. Sin desechar, eso no, el afán de avanzar, avanzar... ¿No habría razón de hacerlo? Mientras me creyera viva era muy posible avanzar con la posibilidad en la mente de un gozoso hallazgo de liberación del túnel. Ahora, qué ocurrencia, ahora acudió el temor, bien justificado, de si mis ojos no podrían ver la luz al cabo de tanto tiempo de mantenerse sumidos en la sombra. Es doloroso saber que la función hace al órgano. Si no tocaba más que piedras, perdería la suave sensibilidad del tacto también. Si no hablara, como estoy hablando, acabaría por enmohecérseme la voz. ¿Podría volver a sentirme el cuerpo? Lo empecé a dudar mientras seguía moviéndome con suma dificultad.

Hay que hablar, que cantar. Nos dijeron que el sonido derrumbó murallas en cierta ocasión ¿y si al cantar empezaran a conmoverse las piedras y caer entonces, cerrándome la galería? No, cantar no; hablar muy bajito para oírme viva; sólo eso. Y me puse a contarme cosas que deseaba ciertas si en algún instante se abriera la boca del túnel. ¿Tendría, en verdad, boca? Pudiera ser una galería ciega, como esas calles que no dan a ninguna otra y se acaban en ellas mismas. El túnel no era una calle. Lo abrirían hombres que saldrían de él al terminarlo... Claro que podría ser un agujero hecho por la misma naturaleza que se cansara de perforar, dejándolo inacabado.

Lo que más voy a sentir, si salgo, es que mis cabellos se hayan puesto blancos; que mis pies se deformen con el trato que les doy, y que mi pecho se hunda y mis manos encallezcan...; qué pena, hacerme toda yo ruina de mí misma.

Súbito, un sonido. Como de golpeteo ronco muy lejano... Acudí a él con todos mis sentidos erizados por el temblor de la esperanza. El techo siguió elevándose. El suelo se deslizó cuesta abajo y hube de agarrarme a él con todas mis energías, para no resbalar y estrellarme en la inesperada carrera emprendida.

Más cerca el sonido, más frecuente: acercándose... acercándose... Se me olvidó todo lo padecido lo temido, lo ansiado: empecé a sentir el golpeteo de la esperanza en mi corazón.

Una brisa sutilísima se desprendía de no sabía qué. Se empezaba a oler como a fiera agazapada en un rincón al cual concurríamos techo, suelo y yo. Quise cantar y me asusté recordando lo del sonido violentador de murallas. Pero, mi voz no era de trompeta; podría cantar si quería, no ocurriría nada, ya verás.

Y canté.

La voz avanzó solitaria, suavísima mano del alma, para recorrer el trayecto ignoto. La sentí perderse muy lejos y, de repente, estallar en una ola poderosa que chascaba su espuma alborotadora...

¡Había llegado, había llegado a la salida!

Ahora ya podía incorporarme porque el techo y el suelo se distanciaban frecuentemente. ¿Correr; responderían mis piernas...? Respondieron. Corrí desenfrenada, corrí y alcancé el límite de mi voz. Allí estaba, saltando sobre olas sucesivas, porque era la mar quien sonaba como trompetas que rompían murallas.

Lo veía por vez primera. No era el que conocía sino una masa incalculable, sin límites el que rompía mi voz en mil gaviotas sobrevolándolo. Había salido del túnel y me encontraba con otra dificultad mayor. Si en el túnel no pude erguir-me más que al principio y al final, ante esta inmensa muralla horizontal no cabía ninguna esperanza. ¿Cómo surcarla y adónde encaminarse? Sufrí una dolorosa conmoción que me dejó yerta. No existían caminos fáciles para mi andadura: la tierra era un túnel y el mar, inabarcable. Busqué posibilidad de asiento, una roca —ninguna—, un pedazo de playa... Mínimo se descubrió, al retirarse el acompa-sado oleaje, un pedacito de arena que iba y venía con el ir y volver del tumulto. Lo borraba, lo descubría... Desalentada me instalé en él sabiendo que me anega-ría también y se alejaría dejándome temblando...

A ras del mar, el mar no se ve. Hay que sentir su presencia en partes desi-guales. El mar me saltaba y mi frente se diluía entre sus manos. Manos gigantes-cas, frías, saladas, espumeantes pero manos de Dios.

Volví la cabeza para descubrir la boca del abandonado túnel; allí estaba: an-cha, con algas en sus contornos, promesa y sabiduría de su crueldad en resumen.

¿Y si me volviera a él, aunque sufriere de nuevo sus dolorosas alternativas de an-gostura y amplitud? Si lograra atravesarlo con vida podría asomarme a lo que dejé antes de entrar. Era una durísima experiencia renovada, pero sabía que estaba al otro lado del túnel la tierra de que me había alejado tan inconscientemente.

Tenía el cuerpo mojado y aterido. Mis ojos llenos de sal, escociéndolos. Sin barca, sin posibilidades de navegación, ¿qué esperaba yo del mar? Me engulliría, claro que sí, mientras el túnel ofrecía, con usura, la esperanza de salir de él. ¿Qué hacer? Hubo un momento de calma en el oleaje. Las gaviotas reposaban en su lomo, plácido ahora; pescando con fruición. La extensión azul verdosa ganaba en belleza a cada mirada. Nadie, pensé, nadie tuvo la fortuna de contemplar un mar sólo para él como la tengo yo. Flaquearon mis ánimos de reincorporarme al tú-nel. Podría morir encerrada en él, sin luz, sin sonidos, sin olor, sin tacto. Negado a todo mi pobre cuerpo...

En cambio, aquí tenía la inmensidad por compañía. La contemplaba, tiritan-do y exhausta; olía su salvaje presencia; hundía mis manos en la arena y la des-migajaba golosamente. Había aire para mi respiro, aire salobre y vivificante... Mas, no podría moverme de allí; estaba condenada a muerte. La hermosura me consumiría. Moriría inundada de belleza, de poderío desplegándose ante mí con ritmo implacable. Aunque pasara cerca un barco, no me vería nadie desde él: era yo un bulto flaco y me confundirían con la arena en que yacía.

Porque me había extendido en aquel pedazo insignificante de tierra y me deja-ba envolver por el resoplar augusto de la mar. La arena era suma de millones de cuerpecillos macerados, deshechos; que sentía latir en mis manos. Iría convirtién-dome en arena, diluyéndome... ¿Por qué no? Diluirme en la hermosura para ir for-mando parte de su violencia obsesiva, era un destino digno. Peor sería pudrirme en el túnel... ¡Ah! Pero había una salida: la que fuera entrada; cuestión de irse arras-trando hasta alcanzarla. O no; o quedarse quieta entre techo y suelo por haber gas-tado las últimas fuerzas en reptar, cuando imposible se hiciere andar erguida.

Mar, Tierra. ¿Qué escoger para morir al fin? Luz del sol rompiéndose en las olas quemaba mis ojos, desacostumbrados a ella. El ruido de la mar crecía, cre-cía... Escocía la arena; en mi cuerpo. Hice un tremendo esfuerzo y me levanté.

Estaba resuelta a volver al túnel, a buscar la salida sabiendo que existía. Caminé despacio, sacudiéndome el agua que me agarraba. Antes de sumirme en el túnel miré con hambre de belleza mortal al mar. Incliné la cabeza y regresé a la oscura galería, condenándome a su tortura.

Saldría, sí; saldría algún día a la tierra.

Cuando se ha hecho un duro camino y una se ve obligada a volver a hacerlo es más sencillo; menos doloroso porque el cuerpo conoce ya lo que le pasó y dispone de recursos para *evadirse* de lo conocido. Al mío, que había reposado ante el mar, no le fue violento readoptar esfuerzos que consumiera antes. Esto es: se conocían las dificultades y en lugar de oponerles resistencia las asumiría porque sabidas de sobra.

Tampoco fue tan largo el túnel, había perdido longitud y angostura. Antes de verme agotada, estaba vislumbrando la luz de la entrada. Casi sentí pena por abandonar mi martirio.

Broté, por así decirlo, del túnel a plena tierra; la tenía casi olvidada y la recuperé cual alimento precioso para el desmayo que padecía. No calculé el tiempo transcurrido; ya se sabe la elasticidad del tiempo, su variabilidad apreciativa.

Me desplomé en la falda de la colina que no recordaba siquiera y mis manos fueron tocando las florecillas, las yerbas húmedas y hasta el cuerpecito escurridizo de un gusano que luchaba por cobrar alas.

La que no me respondía bien era la memoria. Hasta muchos días después no pude recuperarla. Ahora, con la evocación sé que no tenía fuerzas para andar; que mi cuerpo parecía ajeno y sordamente dolorido.

¿Adónde ir, ya?

Tendría que esperarle alguien, ¿quién?, y estar extrañado de mi ausencia. Seguramente, mas no lo podía localizar en mi mente. Blanca absoluta.

Es muy penoso encontrarse presente dentro de una total ausencia de conciencia. No existía ni una sola rama con flor ni un recipiente con agua, ni una fruta para mi paladar. Comprendía, eso sí, lo anómalo de mi estado; lo que me ocurría es que era extraña para mí misma: desarraigada.

Hay momentos de sopor en la conciencia que se desliga o evade dejándonos absortos. Decidí echarme en la tierra y esperar. Algo habría de ocurrirme; yo me conocía animosa y viva, aunque débil de recuerdos. Hasta el túnel mismo desapareció de mi pensamiento. Flotaba en niebla que sólo era mía, pues lucía el sol y la brisa olorosa a yerba mojada tocaba mi frente.

Al recobrar la memoria todo aquello vivió ante mí con fuerza. La impresión de asombro no ayudaba a su comprensión. ¿Cómo fue posible que entrara por mi voluntad en el túnel, soportara la angustia de encontrarme cara a cara con una mar insuperable, reemprendiera el avance subterráneo y me viera sola en mitad de la tierra, tan sola como yo?

Hay que aceptar los hechos. Todo era verdad y lo había vivido. ¿Por qué y para qué? Ah, eso era inexplicable. Y esto se acepta o se pierde la razón. A elegir.

Nuevamente, una solución de continuidad: olvido. Y la reimplantación en la realidad sobrevino de manera súbita: me levanté del suelo y decidí caminar.

Parecía yo de un metal cuyos costados azotaba el viento arrancándole sonidos. Andaba, andaba. Atrás quedaba la arena que me amparó al salir y la colina con su hendidura-túnel. Atrás; qué remota ahora quedaba la mar, ya invisible, que hubiera querido surcar sin encontrar medios para realizarlo. Andaba, andaba...

Tanto anduve que llegué a la edad que hoy tengo: blancos son los cabellos que cubren mi cabeza; con los surcos de mi frente sobre la melancolía de mi boca.

Nunca comprendí aquello. Nunca supe la razón de mis pasos: oscuros, claros; sinuosos, jamás: sí, pasos leales a la realidad. Porque la realidad no es la que viviendo estoy: es la del túnel, la de la mar infranqueable; la de las horas abandonada en la arena y en la colina con su túnel.

En estos precisos momentos ignoro mi propia verdad. Tengo la de fuera, la de los otros; no la que sería la mía si, contra mí misma, accediere a olvidar para que acudiere a mis labios una sonrisa sin espinas, fina prolongada sonrisa sobre el agua crepitante de la mar.

II

Cuando descansé de la aventura que torturó mi cuerpo hasta abatirlo en ciertos instantes, me entregué al goce de la luz total. Todo lo vivido aparecía en granallas que me apresuré a fundir. La luz, túnica vibrante; la luz, manto delicadísimo sobre la criatura que recibía su tibieza suprema; la luz, en fin, era yo íntegra. Mis ojos la recibían cual la tierra la lluvia: esponjándose, dilatándose. Todo el ser era un estar en gloria suntuosa de gozo inmarchitable. Lo *otro, aquello* no dejaba traumas, porque ya era yo un hermoso gramal a punto de florecer. Estaba sola y cantaba.

Entonces todo era claro, deslumbrador, oloroso como la yerba cuando se siente oprimida por el paso humano. Parecía un sueño, o sueño dentro de la realidad inconmovible. Vivía.

A mi espalda concurrían los suaves pesos de los días felices. Bastaba alargar las manos para tenerlas repletas de frutos. El sabor de su pulpa acudía al paladar con sólo mirarlas. El amor es eso. Nunca ya, jamás la duda y el recelo, porque el recuerdo del mal se desvaneció con su cese. Es divino ser dichosa aún cuando se advierta la piel estremecida en sus contactos con el suelo. En verdad no sabría ser feliz si no hubiera padecido tanto. La dicha tiene raíces del dolor que no se desgaja de la felicidad, si bien ésta la pospone a su alegría.

Sí, debió ser un sueño el que me despierta a la rotunda armonía de mi yo: criatura que todo lo ignora y que, sin embargo, recuerda lo que no sabe si vivió alguna vez... Flotan en la corriente espesa del tiempo, hojas de ignoradas plantas que nos entregamos a obtemperar. Lo que cuento no es una obrepción, pues nada intenta obtener de nadie. Acaso sea, eso quizá, una nada total que se oculta tras imágenes que perdigan un tampoco claro fin. Sí. Sé que no es la luz que me cubre un regalo celeste, sino el zumo de la sombra que me hirió. No voy por ello a desprenderme de ella. Cuando algo viene hay que revestirse de ello. No es concesión, es incorporación latente. De otro modo, sin aceptar no se podría elegir. La elección por la luz obedece a la gran porción de sombra que embebí.

Es el día de clamorear por todo. El día abierto a una travesía que nos promete halago. Ir. Aceptar es ir.

Tacto las cicatrices, casi desvanecidas: sólo un hilo clavado en la piel, que se resiste a ser absorbido por ésta. Nada duele, no hay eco desde ninguna parte viva. Paz. Parece todo tan distante, tan imposible de aceptar. Mas, aunque tan leves y acaso escondidos, están los hilos de las cicatrices. No escuece tocarlas, son levísimas: sencillamente son. Dejarlas en testimonio de una dramática travesía increíble. Sin ellas se haría muy difícil creer lo que viví. Porque vivo tan extrañada del pasado, tan inmersa en la luz que no puedo, sin esforzarme, recordar y repetir en voz alta lo que hice cuando no tenía luz.

Correr a la par que el río, hundir las manos en el agua y retener su fugacidad, entregándosele... Tener la palabra positiva en los labios cual una campanada de sol en la era. Tomar y dar la que sería ventura voluntaria y despojada de dudas. Abandonarse a la tranquila posesión del momento, evitándole fisuras que le desangren.

Y todo ello lo deberé a cuanto no quiere revivir la memoria.

Bien, sí; y ahora, ¿qué? Librada del peligro, en el ancho mundo ansiado, no se sabe por donde avanzar. El propio avance, ¿qué significa en resumen? Se desea lo que llamamos libertad de algo o de alguien, y no persisten razones que la alimenten. Lo importante en esto de la libertad, es poder hacer algo con ella. Aplicarla a un propósito o a una realización que nos haga felices. Pensaba cuando estuve en el túnel, que la sola posesión de la libertad daría dicha. Ya está conmigo. Puedo emplearla en el sentido que prefiera y sin embargo no sé qué hacer con ella.

Porque a veces la memoria se entrega a un ejercicio estéril: evocar lo padecido y no acudir al presente permitiendo a la imaginación un asidero. Llevo mi libertad en brazos como a un niño que no sabe andar todavía.

Pienso si no existirá realmente y lo que tomamos por ella son ficciones de la misma; espejismos de su lejana existencia en un desierto que no nos abandonará nunca; aunque a veces lo consideremos poblado de criaturas humanas.

Se pudo creer que tener libertad significaba actuar solamente de acuerdo consigo mismo. Hablar, moverse sin obstáculos reconocidos, amar cuándo y cómo se deseare...; dejar atrás lo que ya no nos satisfacía... En resumen, obrar por y para sí, no dejándose impresionar ni retener por nada.

No es verdad.

Cada sentimiento verdadero nos ata a alguien cuyo bien no queremos suprimir, para no herirle. Cada impresión nos produce una ligadura más o menos dilatada con lo admirado o rechazado. Solos, no somos felices; la compañía, buscada o permitida, nos condiciona hasta el punto de no poder vivir sin ella: o sin que el hueco que dejaría al suprimirse, no sangrara en nosotros. Querer es atarse a lo querido. En el amor no existe la libertad, tal cual la soñamos erróneamente.

Ser libre exige ser solo, estar solo, y convivir superficialmente o, mejor, salvajemente. Lo cual es imposible dentro de un mundo que presiona sin descanso.

Todo demuestra que no hay libertad y que ésta que ahora me acompaña no es sino sombra de la requerida... para nada.

¿Por qué aparece ahora un túnel que si no es aquel de los días amargos sin remedio, sí es el que se lleva consigo y hay que afrontar desgajándose de las adherencias más imposible de mantener intactas?

No es oscuro esta vez sino henchido de resplandor cegante que, cual la oscuridad, no deja ver. Las arterias desajustan su presión y nace fiebre para todo el cuerpo. Terrible inquietud sacude al ánima que se resiste al acaso, deseado y sin tregua para quien lo recibe. Largas horas de desechar el instante que tan sin tiempo irrumpe, dejando el tiempo tras de sí para martirio sin fechas.

Caminar o no por el túnel no ofrece sosiego; que si se recorre, por anticipado se conoce la derrota que será no caminarlo en paz. No existe paz. Nada es sombrío y sí es atormentarse. Eso o esto, aquello o el no vivir; aunque vivir sea sobresalto que envenena el temor de perder lo que se ofrece.

¿Adónde llevará y qué importaría desembocar en una hoguera que consumiera todos los afanes expresos y reprimidos...? El cuerpo sabe ya cómo adaptarse a un túnel y no lo aceptaría si no esperara brotar gloriosamente de él. Pero, ¿brotará...?

Aparece y desaparece la secreta amenaza temida. ¿Cuánto durará la travesía si se obedece al implacable mandato? La razón fustiga con su repulsa para la tolerancia y la fiebre va cercando un edificio de pocas raíces. ¿Qué divinidad absorbente transforma el condicionamiento de una existencia enemiga de túneles, aunque designada para padecerlos?

Un paso, otro. Casi se oyen risas sarcásticas dentro de las venas, escalando el afilado oír con ansia de oír, sí, la voz que se quiere musgo bajó el caminar dudoso; ¿no se recuerda nada al afrontar lo recién aparecido? Hubo otro túnel, pero no era de carne y hueso sino trabajado por el pensamiento siempre acorralado. Él no sabe de realidades sino de sueños sin fronteras humanas.

Ante la boca del túnel es difícil adoptar resoluciones; se vacila, se rechaza y, por fin, arrodillándose junto al misterio, se penetra. Hay un momento (¡ah la velocidad de los hechos, que apenas asumidos son pasado!) de calma total; de dar y recibir lo aceptado. Entonces, si hay musgo en el suelo que empieza a dar espinas insólitas, crecen dentro del propio pecho y la mano es incapaz de cortarlas de raíz. Se irá arrastrando de nuevo la criatura desasistida por sus convicciones e intentará caminar pese a lo que pese.

No falta la luz, excesiva se rinde; no existe evidencia de peligro ajeno al impulso. Se recuenta el tiempo vivido y se querría retroceder a otro nuevo que sirviere al vivir del hoy. Todo es distinto alrededor y las manos acarician la tersura del túnel, ya no enemigo al cual vencer. Verdad que nada sirve al tránsito decidido; cuanto se contenía, pólvora quemada es. Amenazan odiosas cenizas que no intentamos valorar y que, en verdad, irán a transformarse en madera virgen.

El paso no acepta acelerarse, quisiera ser eterno y firme. Ya no se atienden internas advertencias porque se anda con abrasante resolución. Si el túnel abre al abismo o se ciega contra rocas, no importa. Podría, quizá, ramificarse en otros delgados o más amplios; da igual. Haga lo que haga, la entrega es una cárcel preferida.

Es camino diferente aunque hacia túnel sea el itinerario. ¿Vamos de uno en otro, socavando seca piedra o áspero monte? No lo sabemos y aceptamos el mandato porque tiene rostro de destino.

El empeño. Sí. El empeño dispuesto a vencer el obstáculo, los obstáculos todos. Desfallecimiento, por qué negarlo; pero, vuelta a resistir y a intentar, intentar siempre, vencer y entregarse aunque sólo sea un momento, al deseo de alzarse sobre la realidad adusta opuesta a los movimientos en busca (no; en ansia) de felicidad: pequeñita, evasiva, ligera más que el sonido y que la luz. Si ahora no, será más tarde; esta noche, mañana... No. Nunca ya. ¿Para siempre jamás, nunca? Es posible. Y no habrá de ser por medios eliminatorios del destino. No vale la pena actuar contra el corazón. Por eso hay obstáculos, por eso no se puede conseguir el momento necesitado hasta biológicamente. Qué cosa el empeño. Y así, desde el día primero de la conciencia responsable; sin titubeos, con entrega íntima que no admitió fracturas. Ahora...

Sigue el empeño. Quiere redimirlo todo con la tenacidad del fanático. Pasará esta hora, pasarán estas irregularidades, pasará la inflexibilidad que amenaza, que ataca al empeño. Y vuelta a esperar, a rumiar la esperanza. Para nada. Para nadie, que los otros no adviertan el doloroso, el doliente pugnar del pobre empeño. El empeño se debate consigo mismo. Aporta memorias luminosas, deseos sacrificados a su realización. Todo pasó. Ahora no es el momento de brindarle lo que antaño recibiera. Está más cerca el final de la vida activa, de la posibilidad; ¿qué haces para completar tu ciclo, el ciclo aún sin cerrar de tu vida, también aún plena?

Palabras. Todo son palabras. El empeño ama el obstáculo, lo mima, lo acaricia y le da sangre que se sabe turbada, quizás frustrada por el presente. Y sin embargo, no rompe muros ni ligaduras, no. Las respeta, las rodea de su hervor, estrellándose contra el obstáculo. ¿Mañana? ¡Ay, mañana! Si el empeño triunfare pese a todo, ¿qué va ser de mí?

De repente, nacida de una vez y súbitamente hecha antigua una zanja ante mis pasos. Su encuentro me produce fatiga anticipada. Ya vencidos los peores momentos, uno nuevo que se precipita a causar asombro desesperado.

Una zanja absurda, sin principio ni fin, abre su boca no muy ancha aunque amenazante. Me detengo a contemplarla que no a medirla.

Iba el cuerpo reponiendo su fuerza y ahora tiene que sobreponerse al desánimo actual. Quedarse quieta ante esas dos orillas, será imposible. El destino —¿existe, verdad?— ha preparado otra trampa inquietante. Miro y remiro absorta y ni siquiera tengo ganas de llorar, que motivo para hacerlo existe.

Me acerco despacio, valorando el obstáculo... De niña saltaba muy bien, de joven era tan ágil que todo lo superaba. Ahora ya no tengo ninguna de aquellas edades y sí pesa sobre mi cuerpo cansancio y un montón de tiempo que no sería fácil disolver.

Despacio..., mirando la orilla opuesta a la que piso..., adopto mi decisión.

Las orillas son resbaladizas. Habré de saltar la zanja sin caer en ella.

La zanja parece relativamente honda y el agua que la ocupa es turbia y casi repleta de pedruscos.

Una de esas piedras se me clavará y causará herida. Exponerse a ello resultaría penoso. ¿Por qué habré de estar siempre luchando contra obstáculos inevitables?

Las piedras son viscosas, llevan encima un musgo parduzco. La herida se abriría en labios amoratados, enfermizos..., purulentos después.

Tampoco puedo pasarme el tiempo considerando si salto o me quedo para siempre al borde de esta orilla. Tengo los pies húmedos, resbaladizos... Voy a caerme, temo; y cuanto más lo piense, peor será. Salto...

Opaco ruido de hierba machacada... Delgadísimo se escurre hilillo de agua verdosa.

La zanja queda salvada prodigiosamente. Allí permanecerá con su pedrerío agobioso.

Ya estoy al otro lado. Camino unos pasos y me detengo junto a unos cantos voluminosos. ¿A dónde iré cuando reemprenda lo que, en realidad, es una huida desesperada?

Tan difícil situación empalma con la sensibilidad maltratada. Había que alejarse, por lo menos físicamente, de la zanja; como se hizo del túnel...

Detenerse sería prolongar lo recién vivido. Caminar, caminar...

Quedaba demasiada tierra por delante. Más allá, cuando los ojos se cerraran por fatiga, descansar. Seguramente la tierra iría cediendo en su hostilidad y sería posible el sueño de un respiro.

Tenía que ir chapoteando arroyuelos clarísimos y acabé subiéndome a un murete con resquebrajaduras, donde me instalé un tiempo... Cuando quise bajarme vi que era imposible: el suelo estaba demasiado lejos y no me atrevía a lanzarme a él. En el mismo murete, más allá, había, un grupo de muchachos jóvenes y hermosos a los que pedí auxilio para descender. Me dijeron que lo harían con gusto, pues eran atletas, y para demostrármelo empezaron a hacer movimientos gimnásticos. Alguno de ellos habló de que sería más fácil preparar un saco para bajarme cómodamente en él, pero yo estaba muy distraída entonces *girando* alrededor de todo aquello; suspendida *desde arriba* no veía por qué ni quién. Miraba las figuras que sentadas en semicírculo, con caras serias, contemplaban mis giros tan complacidos. Me sentía muy segura con aquello invisible que me suspendía desde no sabía qué altura... Confiaba, tranquila, *girando* para verlo todo y sin la menor intención de bajar.

Ahora era el río, yéndose su agua transparente al pie de un monte que apenas si permitía al estrechísimo sendero, rodearlo. Cuerpos jóvenes se hundían en él, que se iba sin parar a mirarlos con plenitud de belleza grácil y despreocupada de su riqueza; pasajera, mas inmortal. Desde arriba, el agua dejaba ver el fondo de guijarros y yerbecillas sobre el cual se deslizaba huyendo de momentánea demora. No se veía más cielo que el del río-gacela poblado de criaturas moviéndose en sus aguas cada vez más ligeras. La canción de lo distante cierto y esplendoroso, detenía y contenía el paso de mis pies clavados a la tierra estrecha del peligro. Telas blancas deslumbradoras se dejaban tender al borde mismo del sendero, por mujeres sin rostro visible, rodeadas del blancor triunfante. Pasar entre la orilla y las telas, un prodigio casi irrealizable. Había que hacerlo costara lo que costare; lo máximo, caer al río profundo cuyo interior se traslucía. Iba conmigo alguien cuya vida no arriesgaría por nada del mundo, y solo sé, de todo, que vi cuerpos perfectos, desnudos, gloriándose en las aguas transparentes, en una total entrega de hermosura... Allí quedó todo, quedándoseme.

Un hermoso paisaje a todo color, y el acceso desde él a un poblado (en la subconsciencia «poblado protegido» por los altos poderes que lo levantaron) cuya organización es perfecta: casitas preciosas, calles a cordel, y al final —pues tiene un final este pueblo— no hay salida: está cerrado contra el paisaje y el cielo taponado por sí mismo.

Lo recorro y veo árboles negros cuyas raíces —en algunos de ellos— van formando bancos para sentarse. Son de ébano, llovidos, lucientes y a su alrededor juegan los niños.

Los árboles se reflejan sobre estanques tranquilos, oscuros; hay prados blancos, musgosos, arcillosos, y todo es bellísimo.

Mas, yo me ahogo allí. ¡No hay más salida que la del acceso de entrada!

Y la busco anhelante para verme otra vez entre montes, al aire libre, dejando atrás el poblado sin salida, con su bosque negro maravilloso.

III

Dormir, la evasión predilecta. Porque dormir es soñar intensos imposibles que, no obstante, se realizan milagrosamente.

Avanzar por difíciles caminos, sin sentir vértigo ni fatiga. Dialogar sin que el recuerdo permanezca en la conciencia. Amar, sí, amar a criaturas desconocidas con las cuales se alcanza felicidad no real, pero hermosa.

Dormir y que desfilen paisajes, mundos oscuros misteriosos, de los cuales se posee la clave mientras se sueña.

Avanzar sobre las aguas, volar, correr sin que el corazón acuse debilidad. Ser capaz de todo y ser la que no se despierta.

Dormir. Reencontrarse con lo que ha sido y avanzarse un futuro que, a veces, se realiza por haberlo soñado.

Avanzar con ellos, los que se fueron, o los que serán y sentirles vivos y calientes en nuestros brazos.

Dormir.

Estaba sentada y sobre mi regazo destacaba la cabeza de un toro.

Por mi cuerpo ascendía, difundiéndose, el enorme calor confortante (cual si se bebiera un vino de altos grados) del testuz tan abandonado en mí.

Llegaba hasta mi olfato el intenso y salvaje olor de la fiera...

Y entonces se abrió la boca para adelantar su lengua, entregándose pacífica.

Era una habitación inmensa colmada de toros que yo presentía hostiles y dispuestos a atacarme. De pronto, se adelantó uno de ellos y con un movimiento de testuz me colocó bajo su amparo. Avanzarnos juntos, guiándome él los pasos. Iba confiada en su protección. Los demás toros nos abrieron paso respetuosamente.

Hubo una repetición que recuerdo confusa. Otra habitación alta y alargada llena de toros también, que ya no me inspiraban miedo. Entre ellos caminé cautelosamente, intentando salir de allí sin que nada me ocurriera.

Recuerdo la gran protección del toro que me salvara antes.

Desde el fondo de áspero paisaje, se precipitaba hacia donde yo estaba una inmensa manada de toros. Me aterraba su torva y amontonada presencia. Cerca, advertía un pastorcillo que gritó para alentarme a que huyera.

Corrí angustiadamente, perdido el resuello en inútil escapatoria. No existía la más mínima posibilidad de hallar protección. Intenté escalar una pared del monte y no hubo tiempo...

Se olía el vaharar de la manada.

Me encontré envuelta por ella, casi aplastada. Súbita e incomprensiblemente sentí que una lengua interminable me lamía entera, me bañaba con su calor benigno, porque uno de aquellos toros formó barrera ante mí, salvándome.

Me desperté consciente aún del poderoso abrigo, exhalando yo misma el vaho del toro.

Alguien estaba a mi lado en un lecho. Sobre nosotros una gran techumbre redonda...

De ella se desprendió el toro: negro, hermoso, perfecto. Nos miró y su gran testuz casi nos rozaba.

Fui a acariciarle y se alejó despacio..., mi mano le seguía y entonces comprobé que era transparente e inasible; tan poderoso como subyugador.

Un enorme león frente a mí. Me mordía delicadamente un dedo, la mano, un brazo mientras yo temía que acabara devorándome. Era hermosísima aquella cabeza de león, inmensa, deslumbrante y aterradora.

Súbitamente se acercó otro león a aquél y aproveché el momento para huir y llamar a una puerta que se abrió para dejarme entrar a la casa, cerrándose después. Abrieron un postigo de la ventana ante mi terror de que por ella saltara el león.

Al cerrarla rápidamente vi una camioneta abajo y que alguien llevaba sujetos por cadenas a dos cachorrillos de león, preciosos, inocentes, blancos... Y lamenté que se los llevaran.

Alguien me acompaña y no sé quién es: sólo una presencia a mi lado sin revelarse amiga; aunque lo es, así lo siento bajo el secreto en que se mantiene. Voy pisando una planicie cubierta por agua clarísima y pienso que si la marea subiera ¿qué haría?; porque está cerca la mar y aunque no la veo sé que puede arrollarme..., arrollarnos.

Después estoy —ya no cuenta quien iba conmigo antes—, en una sala lujosa probándome unos vestidos preciosos y ricos. No me sirve ninguno, son estrechos.

Me disgusta, porque querría llevármelos para... ¿Para qué y por qué me pruebo trajes tan hermosos? ¿A quién deseo agradar?

Indudablemente lo que busco es un vestido que tuve y ya no tengo: mi juventud. Y la presencia que no reconocía al principio, es mi propia angustia ante el drama que vivo. ¿El agua? Sí, el agua; la piso con temor de que sobrevenga la mar y me ahogue: a mí, no a lo otro. Lo otro no da la cara: acaso sea mi presentimiento, que no deja respirar en paz.

Me despierto en plena madrugada: creo oír un timbre agudo. No es el teléfono, no; es un timbre dentro de mí, no fuera. Recorro la casa como tantas noches y me abruma la soledad.

No la soledad externa sino la interior; me duele mi propia persona. Pena de mis vestidos, estrechos cuando tanto los deseaba a mi medida.

1980

NOTA

«...Algunos de los que han regresado del umbral de la muerte refirieron la sensación que experimentaron de flotar por un túnel oscuro que desemboca en un hermoso lugar».

Uno de los informantes... tras salir de su cuerpo después de un paro cardíaco, sintió que daba la vuelta y ascendía. Estaba oscuro (era algo así como un agujero o túnel) y, de pronto apareció aquella luz tan fuerte. Se hizo más brillante y me pareció que la atravesaba. De repente, me encontré en otro sitio. *«Había una luz dorada por todas partes. Muy hermoso. No pude ver de dónde procedía. Estaba a mi alrededor, venía de todas partes».*[1]

Marmóreo resplandor vino en la noche
a decirme, dormida, que eras Tú.
Cuán tranquila mi alma al otro día.
Sin pedirlo, por no saberme digna,
tu presencia me dio su resplandor.
Volviste nueva noche, tú querías
que supiera yo siempre que eras tú.
La calma que ponías era mi sangre
llegaba únicamente desde ti.
Cuando ya en vigilias la recuerdo
todas mis angustias desvanecen.
¿Qué haré yo si tú no retornaras
a llevarme, despierta, a tu alvéolo...?
La luz que te vertía entre mis sueños
viene al desconsuelo, lo apacigua:
eternamente así aunque no vuelvas.[2]

13.III.-82

---

1 «Experiencias extracorpóreas», pág. 283, columna 24, obra *Hacia lo desconocido*. Selecciones del Reader's Digest (Iberia) S. A. Madrid, 1982.
2 Asimismo mi Poema del sueño que tuve en 1945: *«Marmóreo resplandor vino en la Noche...»* Cuando escribí «Las moiras» en 1980 no había leído aún la obra citada anteriormente.

III
CÁNTICO AL AMOR

*«Amor invencible en la batalla, amor
que dominas a las bestias y reposas
en las suaves mejillas de una joven;
tú frecuentas el ponto y los rústicos
refugios. Ninguno de los dioses ni
de los hombres, que viven un día, se
ve libre de ti; y el que te lleva
consigo enloquece.»*

Antígona: SÓFOCLES

*«Advierte, Sancho —dijo Don Quijote—,
que el amor ni mira respetos ni
guarda términos de razón en sus
discursos; y tiene la misma
condición que la muerte».*

CERVANTES

CÁNTICO AL AMOR

Sí. Es mi canto a la vida,
más que nunca, porque ya
huyéndome se desliza.
La tengo entre mis brazos, la poseo
desde infancia y juventud,
lejanas... Es mía
y en ella me mantengo, enamorada.
Toda la tomé y cuando esquiva
también la poseí, pues mía era.
Si nadie me la quita,
si la llevo
allá donde la esperan,
seremos tan dichosas de tenernos
la una en la otra,
cual el agua y la sal
inseparables.
El agua que me nace cada día
y la sal que en mi boca se disuelve.
Mujer capaz de amor,
nunca de odios,
gozando del vivir a cada día,

recuerdo que me fui
y he de volver.
La vida es inmortal, yo se la doy
a otra que me espera
e irá naciéndose.

Nunca pierde la vida quien la toma
para entregársele,
empapando sus júbilos,
rezumándolos.
Sé que es la vida más hallada
al encontrármela en mí.
Aquello que es amor también es mío,
porque me vuelco en él;
cuando cuerpo y espíritu retumban
su abrazo de lumbre,
estamos afirmando el universo
en su total esencia.
¿Es que iremos a la Nada
después de amarnos tanto?

Nada se nos pierde en el camino
si queremos vivir
(vivir es llegar dentro de todos,
asumiéndolos).
Una tierra que sabe transformarse
se incorpora, resucita
en nosotros con el ansia
de llevar en las manos la alegría;
de tenernos en ella
también eternamente. Vamos
unidos a su fin, si es que lo tiene.
La vida no se para, seguiremos
perteneciéndole.

Los odres que encierran los deseos
no se vacían, se rompen
exaltando la vida, que busca
no habitar en aquéllos
sino desarraigarse.
Aquí nos quedaremos afrontando
trémulos miedos, las dudas;
y el amor que sustenta su embriaguez
con eternales vinos.
Quien retenga su Sí a lo creado,
con él perdurará.

El amor se incorpora a la mañana,
estallando en canciones.
El amor se reúne con la noche
acumulándose el sol.
Ven conmigo, murmura la Vida.

Empiezan en la vida sus periplos
entregándoles amor.
Amor sin renuncias ni agotable.
Caminar en la tierra insumisa
exige su entrega a los seres.
Más hermoso que amar no existe nada,
más hermoso es amar, que nos amen;
porque dar es mejor que recibir,
Y se puede querer toda la vida
no dejándola huir ante nosotros.

¿Cuándo supe que aquí se permanece
si ofrecemos cadenas al amor?
Cadenas de los brazos que retengan
sin forzarle a quedar...
Leve voz susurrando su armonía;
la mirada absorbiendo otra mirada,
hundiéndose las dos en una sola;
la ternura alada de las manos
que en la frente se deslizan...
Nadie fuerce al amor, déjelo libre
porque libre el amor es más hermoso.
Cuán penoso es amar si se le obliga
a sentir con desgana su fluencia.
Rutilante el asombro de su hallazgo
en perennes amantes que lo sueñan.

Quien midió el transcurso de las horas
nunca pudo alcanzar que suspendiera
el tiempo su tardanza. Demorado
en los pulsos corrige su andadura.
Contrario otras veces, si galopa
dejándonos hambrientos en su huida:
del amor es el tiempo su enemigo.
Tarda en acercarse o se arrebata
para ir a otro estar, que no es el nuestro.
Pregunta quien padece desencanto
adónde vas, amor, si yo te espero
en venas que atormentan calenturas.

Eterno es el amor cuando lo sienten
sólo aquéllos que nacen a su signo
y padecen la sed que les abrasa.
¿Quién logró que naciera agua corriente
buscándose morir dentro del pecho?

«La memoria es un pájaro dolido
cuando rozan su alas...»[1]

Ella me recuerda el amor tuyo
que, entonces, ignoraba yo qué era.
Poco floreció; tú, rechazado,
le vida te duró menos que el soplo.
El amor se mostraba distraído
hasta aquel que llegó, desvariando.
Quince años quizás, siendo tan locos
no aceptaron pisar estrecha senda.
Tampoco de él tomé vino de amores...
Olvido qué pasó para evitarme
padecer el dolor de lo imposible.

Lo imposible se jacta de ser mío.
Toda mi esperanza se la debo.
Segura de imposibles vive siempre
aunque lleve palomas en las manos.
Las palomas son siempre inalcanzables;
aunque vuelen muy cerca, desvanecen
el intento fugaz por alcanzarlas.
Acaso la impotencia nos azuza
a perseguir imposibles.
¿Qué otro bien si no es el deseado
podríamos airar, al entregarse?

El Pájaro cantó cuando esperábamos
a la sombra del Huerto prometido.
Allí donde la voz se desnudaba,
criaturas acudían a la Selva.
Todas las edades lo escucharon;
su cántico de amor nos perseguía.
Resuena desde el aire, no lo *vemos;*
llega y nos despierta cada noche.
Sabemos que tampoco duerme él.

1 Antonio Porpetta. *El Claviocordio ante el Espejo.*

Las épocas resbalan sinuosas
en nosotros, dejando tenaz huella.
Cada día más lejos canta el ave
y enmudece, por fin. Ya no la oiremos.
Quién pudiere encerrarla con su canto,
escucharla en su pecho, alborotado
si lograra gozoso detener
el cántico de amor, eternamente.

El canto no es igual cuando lo alzan;
se expresa con la voz de cada ave:
delgado, delicioso se derrama
y llega, cauteloso, en el susurro.
Agua que resbala limpia y pura
por la piel que recibe su caricia.
Tomadas por el vallo de la voz
morenas se convierten las palabras,
acercando, calientes, los deseos.
Acaso un canto húmedo nos llega
manando de garganta apasionada
y pone en quien escucha, arrebato
del cuerpo prisionero de aquel canto.
Pájaros nos abren las mañanas
con las voces, distintas, del amor.

Vemos que cede la piedra
a la gota constante del Agua;
a manos si rozan su volumen
día tras día, arrancando
oculta milenaria imagen.
Maleable el metal; la flor,
pasajera fugacísima.
El viento, sabéis, se lleva
todas las palabras...
Y nada perece; se transforma
en lo que fue y a ser ha vuelto.
Noria que vierte arcaduces
fertilizando la Tierra.
Rueda de orgánica mudanza.

(Salva, dulcifica la mente;
sobrepasa su vuelo
la interminable tarea.
Regalo es pensar en lo infinito,
que lo invisible acerca.

La realidad-coraza
convertirla en un sueño,
que sólo es memoria
de latentes generaciones).
Pensemos que somos
más que materia: férrea
semilla germina
en nuestros propios cuerpos.
Sonrisa que dimos si amábamos
fijará su recuerdo en quien
la tuvo en su boca.
Se asoma a los ojos
la mirada de amor, a otros ojos.
Precipita la voz
su vehemente impaciencia.
Piedras también que al amante
ofrecen refugio...
Estuvo a mi lado, traía
todo el mundo consigo;
mantengo
su existencia en la mía.
Toros, caballos, los ciervos
a su encuentro llegaban. Llevó
en sus manos la Selva.

En mármol con nombre grabado
esculpir no se puede.

Todo pasa. Nada espera.
Vacila y afirma, la Duda
avanza, se esconde su rostro mortal
de la angustia.
Apenas se oprime una fruta,
entrega su pulpa y su zumo,
sin dudas. Nosotros
vivimos con ellas.
La Tierra nos dice que *sí*
a cuanto pedimos. El mundo
no afirma nunca. Se niega.
¿Cómo reunir la esperanza
con su logro perfecto? La fruta
se brinda a los dientes;
nos riega garganta, entregando
su olor y su carne a la boca,
en tanto los miedos y dudas

triste amenaza barruntan.
La fruta es del cuerpo avariento;
la duda, ardiente carcoma.
Si la duda abrasante se hiciera
con la fruta salvada, Unidad!

Unidad, ¿qué es?
En más unidades se bifurca
la que se llama Unidad.
Certidumbre es la una; esperanza
es la otra. ¡Cuántas son en el ser
unidades distintas!
Apenas alguna se mueve
salta, rápida, aquélla
que no se le parece.
Vivimos alternándolas.
Ayer, confiada: amanece.
En la noche, frustración.
Esta tarde paréceme eterna
y, de pronto, alegría.
¿Cuál era yo, en cada hora
que asomaba a mi espíritu
o a mi cuerpo en espera
de algo que lo colme...?
De unidades adversas, teoría
que el tiempo maltrata.
Dueñas de nosotros, plurales
las circunstancias batallan
que todas exigen: no una.

El hombre sujeto al impulso
de cada momento, ¿cómo responde
al único momento solamente?
La eternidad no es el hombre;
si es partícipe del tiempo.

Repleta de dudas estoy
y, súbitas, se fundirán
si aparecen aquellas palabras
que todo lo clarifican.
Ayer me nacieron preguntas
y ahora recibo respuestas.
¿Soy coherente, acaso,
con la misma actitud a diario?
Me duele el dolor de los muchos

y después mi felicidad sonríe
sin desgajarme de aquéllos.
Si triste retengo mi pena,
al oír que me nombran, respondo
llena de gozo...
Pasajero es el gozo
y vuelvo a llorar sin remedio.

¿Cuál era yo si no soy
concreta unidad? Medito
descubriéndome otra
que contiene a otras
criaturas en mí.
Y, no obstante,
soy concreta unidad
si aspiro a ser quien soy
desde que apareciste tú
ante mi alerta conciencia.
Torturan angustias
ante el muro invencible:
la tremenda aventura
de querer y no quererme
súbdita de extraño mundo.
Acaso, si vida entrego
a circunstancias adversas
¿dejo de ser un todo
que busca su continente?
¡Ah, el supremo instante
de humana concentración!

Vienes tú, presencia nueva
que a unidades conjuntas;
ambulantes presencias
de la total tuya y mía.
Este roer lo inasible
hacia lo lejano, cierra
dispersión de unidades.
Digo y es absoluto
que sólo sigo el camino
que ya me llevaba a tí.

Mas, ¿qué se hizo
de las unidades otras
que no eran tú? Anunciaban
hasta recibir tu esencia
confundiéndose conmigo.

Ahora, sí; los prados,
las disueltas canciones vivas
en gargantas de aves;
la muchedumbre devota
de los raros encuentros,
y este saberse múltiple,
amontonada sólo en una
que, por fin, comprende
que el final eras tú.

Admite, mi presencia en tu cuerpo
cual de fuego una huella
marcada en tu piel.
Recordarás, viviéndome
en tu segura memoria,
que jamás contuviste
pasión cual la mía.
Perdurable unidad
pues me sentiste tuya.
Desgajarás del Tiempo
criatura que amaste tú.

Asediada verdad.
Inútil hallarla: raíces
hincadas en sombra; silencio
temeroso de todo...
Tímida sonrisa cubre
la pobre defensa.
Animales, plantas, árboles
como son se muestran.
Los seres humanos evitan
su realidad descubierta.
Y, ¿quién conoce
la verdad verdadera,
hasta de sí mismo?
Nos escudan palabras
que mienten o se deshacen
entre los fríos labios.

Dolor de ocultársela,
a la propia creación:
no alterarle su ritmo
al temor escondido,
por no ser descubierta.

Huye despavorida, se acoge
la verdad en el túnel
de la apenada conciencia...
Allí se acongoja
desalentadamente.

Cálido es sol de este día!
Dejemos lo oscuro, dentro
de la prieta tierra;
tierra que ampara la vida
si ella la ama.
Ahora es mañana y mañana
acudirá la verdad deseada
aunque costare la vida.
Nunca el pudor ni el mentir;
no escoger la mentira
que de lodo nos cubra.
Verdad es el amor y su cuerpo
trémulo palpita.
Hacia él alargamos las manos
para alzarlo en columna.
Guardan los ojos un rostro
en la luz que no cesa.

Se escribe al amparo
de la gran travesía.
El camino se acorta y corre
más acá, hacia nosotros
que la sima del fin contemplamos.
No estamos vencidos;
tampoco esperamos
saltarnos la zanja de barro
que todo lo traga.
Y vamos.

Alguien dejamos detrás,
alguien espera que lleguen
los que ya no son ellos
ni otros. La nada.

Empero, lo imposible,
algo inesperado adviene:
borrado aparece lo vivido.
¿Cómo fuere más cierto lo soñado
que cuanto voy sintiendo?
Eclosión de venturas

sin racimos que sustenten
la segura presencia constante.
Retenerlas sería, si eternas fueren
la dicha absoluta.
Abarca el momento su ancha
generosa andadura,
desde remotos tiempos:
Los nunca estrenados ni hechos.
Brotan palomas, flores de olor,
mensajes volando.
Rasgan envoltura que ciñe
con lienzo morado, el cuerpo.
Lo hermoso amanece, nochea,
forja sus tardes el oro
que funde los fríos antiguos.
Delicada esperanza que nace
de su magma de gracia.

¿Sabréis los incrédulos
lo que hubo vivir en amor
y despertarse ese día
del sueño en espera?
¡Ah, si aquel tiempo
que no recupera este tiempo,
fuera otra vez tiempo mío!

Silencio y olvido de aquellos
tan inseguros días;
ahora devuelve a las aves
su primavera de nidos.
Mantener la ilusión que conceda
la iluminada gloria.
(Si pasa ligera, si huye,
pasó, eso sí, por el alma).
¿Pasó...? Va pasando
y la guardo en mis venas.
Mas, ¿qué puede ofrecerle al encanto,
por hacerlo invulnerable,
alguien que acerca sus días
al eterno viaje?
(Dije «viaje», que es
el que en verdad no digo).

El «viaje»
insólita constancia romperá.

Antes de quien ama habrá de irse
dejando la huella de su paso.
No fue que *pasó* juventud lejana
su resonancia firme.
Aquel que no siente aún su tiempo
se desgajará de quien era
otro que del amor venía:
amor no bisoño ni inventado,
amor cual amor sueña amante.
Rodando va el amor hacia el fin
y sé queda (¿quedará?) en su recuerdo.

¿Por qué tan fragante os llevó
a beber de los vinos más fuertes
por sus años de intacta solera?
Vigencia contiene su temple
y se teme, reserva pensando
si os vais a quedar
cuando el amor se vaya.
El amor, joven siempre,
su larga experiencia ofrece.
No le dejes llorar porque ha de irse
antes o después que tú lo hicieres.
También él llorará, porque mucho
perdía sin conocerte.
Si contemplas ahora su delirio
sabe que su amor, único eres.
Ignoras que te busca, si te ausentas,
por todos los contornos de su piel.
Mañana te veré. Mañana es siempre
para el hoy que te quiere sólo suyo.
El tiempo es lejanía que atormenta
y le dices Mañana volveré.
¿Es mañana el ayer o es el hoy
que te tuvo en sus brazos y sus labios?
Acaricia las hojas de las rosas
o mira a través de tu memoria;
el amor agoniza ya sin ti;
porque rosas, jacintos, alhelíes
perfuman la avaricia de tenerte.

Y escapas; sonrisas en tus labios
mientras tiemblas al ver a quien te ama
desde larga, prematura
anunciación,
de que habrías de llegar a su «viaje».

Mísera melancolía
abandonas al decir Vendré mañana.

Girad la mirada en torno vuestro:
casa desamueblada,
las ventanas abiertas
a infinito paisaje desgastado.
Todo se disuelve en el vacío
y la ausencia convoca semejanzas.
Solamente tu abandono,
habitándolo todo.
Nadie.
Consideras tu lúgubre fracaso
y, sin embargo, sonríes.
Lo esperabas, llegó, no está; lo sabías,
más no puedes callarte que padeces
colmado entre ruinas.
Sí. La casa no es tu casa, se cayeron
el techo y los muros, fulminando
tu esperanza sin nombre.
Frustración deliberada: absorta
la soledad runrunea: es un gato
que en sus ojos conserva tus imágenes.

Recoge de tu historia lo más tuyo;
todo cuanto fueron entregándote.
¿Por qué gimes perder lo que vino
mientras lo aguardabas tú?
El regalo de amor, fruta tardía,
no te ofrecerá más primaveras.
Si tú quieres vivirte íntegramente,
acepta lo que llegue sin quedársete,
así como quisieras tuyo fuera.
Acapara las horas más livianas,
recíbete gozando su transcurso.
Rápido transcurre el tiempo hermoso
de creerte feliz sin ataduras.
El amor es capaz de trasvasarse
a odre que es ajeno al que le ofreces.

El «viaje», lo sabes, se aproxima.
Entrégate sin evitarte
que tu fin es el fin de cuanto amas.
Era tan radiante su presencia,
fuiste tan feliz si la gozabas...

Escúchame, amor: si eres mi dueño
yo te poseí más que me diste.

¿Qué se haría de ti;
adónde irás
si otra vez te buscara el amor,
sin límites?
Viviste con el sueño de tenerlo
para ser tú el amor
más que el amor mismo.
No renuncias a ser suya constante
y caminas por áridos amores
que no acaban de entregarse tuyos.
Al final, ni siquiera renuncias
a ser su esclava:
la que nunca dejaste sin tu fuego.
¿Cerrará las esclusas de tu río
un amor que camine para irse
dejándote en la arena acribillada
de la mar, esperando que te inunde?

Febrero-Marzo, 1984

HERMOSOS
DÍAS
EN CHINA

1985

Hangchow: el Lago del Oeste en primavera.

A Carmen Llorca, por nuestro
mismo viaje.

PEKÍN

Masas imponentes cantando,
sonriendo,
agitando banderas por calles y plazas inmensas
de Pekín,
de Nankín,
de Hangchow,
de Kwanchow,
y no enardecidas por las de Shanghai.

Banderines agitan, regalan
a quienes contemplan
desde el ómnibus.

Bullicioso el ambiente, manifestaciones
que proclaman lealtad
y esperanza amontonan.
Los rostros sonríen como el de un solo hombre
que los compendiara a todos.

No desmayan ni vacilan, creen
que es el camino mejor
este de su entrega absoluta.
La aglutinante voluntad de su idea
misticismo contiene, ancestral.

Pekín, 21 octubre 1976

DE VUELTA DE LA MURALLA
(PEKÍN)

A esta breve rama de cobrizas hojas
que fueron de un arce,
bajo fría lluvia yo la desgajé.
Argumento trae de cercana tarde,
de tiempo inundándose...
Era en el jardín cerca de una tumba
de la consumida dinastía Ming.

22 octubre 76

MUSEO
(NANKÍN)

Tesoros que el tiempo retuvo
extienden sus brazos y abren sus manos;
a los ojos sus formas derraman.

Esqueletos de hombres que fueron
al amor y a la guerra entregados.
Junto a uno de aquellos, un perro
muerto también se cobija.

Y, de pronto, la luz; detenida
en antiguas palabras.
De un anónimo artista
fina rama de almendro poblada
por mínimos pajarillos.

Manos delicadas, casi etéreas
fluyéndonos sedas que encierran
paisajes de mundos alados.

El aliento podría oscurecerlos,
sus colores herir las palabras.

25 octubre 76

NIÑOS
(SHANGHAI)

Son de tibia porcelana los niños,
de seda prodigiosa cuerpecitos.

Si cantan es ayer junto con hoy,
para el Tiempo dos tiempos se transfunden.
Sus manitas se refugian en las nuestras,
pájaros intactos que aletean.
Lo indecible son ellos, encendidos
a presagios de luces diferentes.
Los niños agamitan; y son flores;
aguazal para frágil inocencia.

27 octubre 76

HANGCHOW

(BRIGADA MEICHAWU)

Este otro manojo de las florecillas
del té de la Cueva Pozo del Dragón,
huele junto aquélla, amarilleando
entre sus hojitas verdes y resecas,
conteniendo el campo de las cien colinas
y el frescor suave de otra inmensa tarde.

30 octubre 76

TEMPLO DE LIN YEN
O DEL ALMA ESCONDIDA

(HANGCHOW)

En acuosas hornacinas amparados
por fértil vegetación, dioses habitan
sumidos en su meditación.

Refugia entre ellos la gente su ocio
al dejar el trabajo.
Abarrotados jardines ofrecen
quietud que al alma libera.

Escaleras y más escaleras,
puentecillos y más puentecillos...

En este Gran Vivero de árboles pequeños
algunos, enanos, ostentan
vigor de agazapados gigantes.

29/30 octubre 76

NAVEGACIÓN
(HANGCHOW)

En las barcas del Gran Lago del Oeste
quedamente navegamos.
Se alborotan los peces y saltan
dentro de las embarcaciones.

Las muchachas que nos llevan sonríen
por la inquietud de los peces.
Buscamos, soñándolas, orillas
de irrepetibles jardines.

Giran gozosas bajo leves puentes
carpas doradas gigantes.
Paz ante árboles silenciosos
en parques incomparables.

El mundo del que vinimos no aceza
con sus nostalgias ni incurrimos
en vacuas comparaciones.
Navegando el Gran Lago del Oeste,
el Tiempo
dulcemente resbala en Hangchow.

30 octubre 76

VIAJES
(KWANCHOW-HONG-KONG)

Si ahora es una barca y luego el avión,
antes fue el inmenso infatigable tren.
Si algunos minutos se detiene,
hombres que desnudan sus torsos
y en las fuentes se ablucionan.

Luces velocísimas sombras interrumpen;
brusca aullancia clama el que seguirá
hasta abandonarnos en mullida alfombra
de acogedora ciudad.

Noche de grandes palabras
desde el hosco Norte al templado Sur.

1 noviembre 76

NANKÍN

Tenían que levantar el Puente,
que socavar los cimientos bajo el río Yang-Tsé.
Acarrear materiales,
prepararse los hombres buzos
y los hombres ranas.

Para obtener el acero debían
fabricar edificios, adiestrar obreros
que lo produjeran.

Hubo que pedir al cemento sus leyes
a fin de poderle tender
de orilla a orilla
en gran brazo que pasar dejara
a los hombres, los trenes, los coches...

Todos a su ritmo, juntando dos partes
de la tierra tantos años defraudada.

Las vértebras del Puente se disponen
a ofrecer aposento al cemento que las cubra
con viva carne ufana de conquista.

Trabajar y trabajar noches y días, logrando
que vayan entre orillas, del uno al otro costado
máquinas, instrumentos, mercancías...,
dándole al pueblo ya no humillado
seguridad de distinto destino.

Flotan los jazmines en el té y dan perfume;
se concentran las hojas del Dragón
y estimulan, vivificando,
a los que trabajan a pleno rendimiento.
Y el brazo va creciendo gigantesco
para consolidarlos a todos.

Contra su duro pasado de opresiones,
de represiones crueles,
supo este pueblo enriquecer sus campos
de frutas y árboles repletar sus tierras.
Será suyo el futuro si nunca desmaya
ni incide, por nadie ni nada,
en cuanto atrás se ha dejado.

Abiertos están los ojos del Puente
y tranquilos contemplan
a través de sus párpados grises
paisajes de púrpura y oro.

Kwanchow, 1 noviembre 1976

LA QUE FUE CIUDAD PROHIBIDA

Cerrada herméticamente. De jade, perlas y oro
isla de los poderosos era la ciudad prohibida.
Hoy los esclavos de ayer por la soberbia oprimidos
allegando el polvo están de sus muy cansadas plantas
a los antes ignorados edificios del Imperio.
Policromados los techos sobre marfiles. De laca
yacen oxidadas joyas sobre las sedas vetustas
que intocables cuerpos fríos vestían para ceremonias
ajenas a los que afuera de la prohibida ciudad
hambrientos nada esperaban.

Cantan los enajenados límpidos ruiseñores
cánticos sobre la hermosura de largos siglos hostiles,
cuando en los árboles hojas repiten sonoramente
las marchas irreprimibles de la esperanza en el hoy.
Desde golondrina breve rompe un caballo galope.
Trazando fue los caminos contra las desaforadas
inclemencias que rendidas bajo sus cascos ya ve.
Y nos impone belleza: la del viento entre sus crines.
Nunca serán como en China la velocidad y el viento
creados por sus artistas para caballos y hombres.
El bronce y el oro afrontan los ojos de muchedumbres
que pululan por inmensos recintos ya casi ajados,
conteniendo la expresión de la historia desterrada,
y consideran los tiempos que tan ajenos les quedan.
Esbeltos son los palacios con sus aleros graciosos
sobre jardines que aguas reflejándolos duplican.
Criaturas van que mantienen como galardón logrado
con sangre de sus mayores, una sonrisa gozosa,
una flor de las sonrisas...
Y pasan y vuelven mudos desde el ambiente lejano
aunque el pasado gravita con su presencia aún torva
que tan dramática ahora deslucida se diluye.
Hasta las piedras grabadas por inscripciones se olvidan
por los vibrantes poemas de quien redimió a su pueblo.

Hubo aquí la emperatriz en su trono; emperadores
en actitudes hieráticas, invisibles a los parias.
Los mandarines, allá; con sus joyas. Bailarinas
que bajo el son de campanas de la música, danzaban.
El pueblo de entonces, fuera. En el desierto. Miseria
ni con andrajos vestida; desnuda frente a los yelos.
Bajo los vientos, desnudo pueblo pobre e ignorante
que exento de la cultura y del pan, ni vegetaba.

Y las del oro vasijas adornadas por corales
y esmeraldas como el jade, prodigiosas,
recibiendo están ahora en sus tristes panteones
el desfile interminable de quienes no las codician;
sonriendo estoicamente continúan porque aguardan
con el trabajo y la fe cuanto el futuro complete.

Quedaba lejos el campo de esta ciudad. Los campos
rechazarían la siembra de las perlas o del cobre.
El bronce no entrega trigo aunque lo labren las manos.
Puertas y puertas suceden, toneládicos portones
inflexibles prohibiciones ostentando porque puertas
que jamás cedieron paso a los hombres de la gleba.
Prohibida ciudad de extrañas dinastías arropadas
por mantos esplendorosos, aromáticas especias
que en el fuego delicado deshaciéndose roían
el olor de la pobreza que los esclavos sudaban.

Cantan los ruiseñores junto a los hombres humildes
y su voz es una fuente de belleza inagotable.
Estos millares de seres que os escuchan recogieron
la producción de los campos y los ríos, que ya es suya.

...Y galopa el caballito en su vitrina albergado,
apoyando velozmente de sus cascos uno solo
sobre tan breve y robusta de la golondrina un ala.

Kwanchow, 2 noviembre 1976

FU-TONG-SHENG

Arribo cansada, de experiencia hendida,
olvidando que guardo entrañada
eterna credulidad.
El hombre que encuentro lejos de mi circunstancia,

de mi entorno aquejado por mentiras y fraudes,
me exalta su convicción.
Tiene voz redonda este misticismo; ciego
cumple entrega dura de su vocación.
No halagos le ciñen;
alumbra sonrisa de bienaventuranza
en su obedecer, a su alrededor.

¿Qué pueden valer mis recuerdos,
qué pueden decir mi pasado y presente,
mi posible frustración...?
¡Que él hable y que diga, que afirme y espere
y sea este hombre por todos los hombres
más que solo y suyo; y mejor!

Si llego penando cuando lo aprendido,
si repleta vengo de mis decepciones,
amigo que hallo en el más remoto
país al que entrar jamás esperé:
si no puedo seguirte porque en tu camino
para mi andadura tierra ya no existe,
contigo compruebo la tremenda fuerza
del heróico poder de la fe.

26 noviembre 1976

DE PEKÍN A NANKÍN

Porque la tarde,
la noche y la mañana
transcurrirán en el tren,
acomodo buscamos.
Sempinternos acompañantes
también se concentran.
En la sólida marcha advertimos
perfecto control.

Gente expansiva la nuestra, que expone
sus criterios sobre la Verdad.
Verdad de dos pueblos y de dos culturas
ante seres que no son afines...
Verdades
que si a un eje coloca en su plinto,
otro lo derribará.

La pasión ibera se exalta, y admite
que atacando firme, firme se impondrá.
A la estoica calma, la templanza innata
nada la estremece, no vacila un punto...
Sonríe, argumenta lo que considera
tan nuevo y tan suyo;
imposible estima la superación.

Mientras unos dicen cautelosamente
y otros se arrebatan, declina la noche...
Entonces dos seres cuya tolerancia
serena dialoga hasta que amanece
pueden conversar.

Llega la mañana lavándolo todo:
longitud de enlace,
pura expresión de eternidad.

Marzo 1977

CONFRONTACIÓN

¿Quiénes somos aquí, por qué el destino
nos concertó esta llegada?

Corre un viento gozoso, limpio viento
sobre gentes curiosas y corteses
que de lejos sonríen, nos contemplan...

Aquí, de la Historia se talaron
ramas desucadas, podándose
las que frutos prometan a este pueblo.

Es un mundo indomable el que impulsan.
Nosotros no veremos hasta cuándo
ni tampoco sabremos hasta dónde.
Que camina y camina sin desmayo,
eso sí que lo constatamos.

2 marzo 1977

PALACIO DE LOS NIÑOS

Los niños nos acogen sonrientes
cantándonos la bienllegada.
Niños con sus ojos laca oscura,
cabecitas de fuerte pelo erguido,

son gigante corazón, semilla tierna
del fruto germinando tesonero
del inmenso país cuya esperanza
se atrinchera en los niños.

Los niños en racimos tutelados
por manos amorosas, cantan, danzan;
aprenden cuanto lleva en la cultura
raíces, injertándose a otra historia
buscándose futuro al que se cita
por medio de enseñanzas coordenadas.

Una alerta conciencia armonizando
lo exento de presiones, lo heredado
junto a dones audaces del presente.
Los niños van a músicas suaves,
los niños acumulan sus canciones:
con sus manos al barro le dan formas
y al color lo concentran en imágenes.

10 marzo 1977

POR ALGUNAS CALLES

Como a cámara lenta
fluyen armoniosas las imágenes...
En un trance de sueño aparecen
esbozando en la mañana movimientos.
A ellos paralelos se destacan
sobre muros o valles oferentes
numerosos inmensos *dazibaos*.

Pasamos en silencio, impresionan
los rasgos de los otros, sus edades
a veces avanzadas; son herméticos
en su mundo abismados estos hombres.

El contraste resalta. Caminamos
con auténtico afán de comprenderlos.
Son parte colosal del pueblo en marcha,
de la masa indetenible de su especie.

La carrera apresurada del no hay tiempo
no logra penetrar en lo ciclópeo.

11 marzo 1977

EN LA MEMORIA

Hubo de ser verdadero
lo que un sueño parece, espeso sueño
la memoria retiene
devanándose en músicas monótonas
insistiendo en hacerse oír.
Borrosas escalas oscuras
entre el día que no cesa y, de súbito,
se llena de noche total.
Reaparece ligero, sol en la mano,
un mundo distinto encendiéndonos.
La distancia de siglos sumándose
en anillo rotundo. Resbalan
contactos que hielan, se funden.
Vías extensas con árboles
y figuras que absortas
desvaneciéndose van...

Bosquecillos y bosques,
gigantescos bambúes y lagos
de inefable envoltura.
Aves con sus crías caminando a orillas,
las sembradas riberas.
Búfalos y hombres, mujeres
cual si no hicieran nada,
aunque todos sus días se entreguen
a trabajar sin cesar.

Colosal arquitectura para muertos,
testimonio asombroso
de «las artes antiguas».
Grandes animales sagrados flanquean
amplias avenidas que van a las tumbas.
Se concentra en los prados, a la yerba concurre
el copioso silencio;
un sereno misterio
pétreo y mineral que la muerte alberga.
Manso discurrir entre los estáticos
vigilantes mudos de imperiales tumbas.

15 marzo 1977

AL AIRE

VI POEMAS

1987

Conferencia de Carmen Conde
en la Universidad de Miami el
11 de octubre de 1979.

SUEÑO

Marmóreo resplandor vino en la noche
a decirme, dormida, que eras Tú.
Cuán tranquila mi alma al otro día.
Sin pedirlo, por no saberme digna,
tu presencia me dio su resplandor.
Nueva noche volviste; tú querías
que supiera yo siempre que eras tú.
La calma que ponías en mi sangre
llegaba únicamente desde ti.
Cuando ya en vigilias la recuerdo
todas mis angustias desvanecen.
¿Qué haré yo si tú no retornaras
a llevarme, despierta, a tu alvéolo...?
La luz que te vertía entre mis sueños
viene al desconsuelo, lo apacigua:
eternamente así aunque no vuelvas.

13 Marzo 1982

DESOLACIÓN

Lágrimas cayéndose en el mundo,
arrasándole la sed.
Lágrimas ofrecidas en silencio,
en llorar apartado, vergonzante.

1157

Lágrimas baldías que resbalan
sin manos que las recojan.
Lágrimas perdidas, que nadie
se lamenta por ellas.
Llorando, nada se detiene. Nadie
lágrimas de otro enjuga.
¿Para qué
Lágrimas de lumbre, aborrecidas
por el propio cansancio de llorar?

28 Abril 1982

CONTEMPLACIÓN

Las mareas no turban; sí las calmas.
Oscuras tempestades se repliegan
rompiéndose gozosas en la orilla.
Las calmas no dijeron nunca espumas,
ni siquiera aportaron la caricia
del latir rumoroso de oleajes.
Buscad las tempestades, cuando tristes
se os aboquen las calmas que rechazan
las rocas desveladas del presagio.

29 Mayo 1982

CONOCIMIENTO

Exactas palabras no se dicen
aunque al cuerpo se adhiera la sombra,
que nunca es la misma del cuerpo.
Tenaces se cierran los ojos,
no se da nombre a esa sombra.
Atacan criaturas de yerba,
succionan del otro sus vidas.
Coertemos la espesa enjambrada.
Derramen su sangre las sombras.

5 Julio 1982

LA SONRISA

Deslizándose amanece. El rostro invade, ilumina.
Avanzar leve del agua orilla serena inunda.
Asciende a límpidos ojos de inteligente mirar:
queda la frente aureolada por súbito resplandor.
Cálida voz asoma entre la hermosa sonrisa
que no se evapora, es halo que otros fluyendo va.
Sonrisa es ya todo el ser, un aleteo de ave
en reposo de alto vuelo o de profundo brotar.
Quien tal sonrisa recibe sabe que no volverá
a verla en otras criaturas. El universo accedió
a concentrarse en aquélla.

5 Septiembre 1982

INEVITABLE FUTURO

Todo cuanto he querido se quedará ya sin mí,
acaso con nostalgia de mi amor por ello...
Los libros y los cuadros, las flores en la mesa
y el montón de recuerdos relegados a olvido.
Se irán borrando huellas de mis manos calientes,
por el frío letal que trae lo que pasa
sin volver la cabeza por hallar la mirada
y encontrarla en las cosas más durables que yo.
Dejarán sus cenizas aumentando las mías.
Palabras sin sentido mis retratos oirán
y mirarán mis ojos otra vez, en sus marcos.
Esta que fue dejando de ser en la vida.
ni siquiera será un nombre que recuerde
cómo existió su dueña, caminando asombrada
por lo hermoso que el mundo a su paso ofreció.
Sola, se callará la casa sumida
en sus pobres raíces por fuerza desgajadas
con violento tirón o suave despegue...

Acaso permanezca en blanco la cuartilla
donde una mano escriba una sola palabra.

Agosto 1982

EN PIE, CARMEN CONDE

Yo la conocí, ya madura, muchos años después. Guerra y soledad, y palabra aducida, y pruebas, más pruebas... La bien probada, podría decírsele. Venía en aquel momento de El Escorial, Castilla, como a ella le gustaba datar. ¡Buen encuentro! Un Levante condensado en una mujer, quebrado y vertido sobre una pizarra casi infinita, y recogido, erecto otra vez en la misma mujer, en otra ya, que de un fondo de cuarzo y serranía y pino membrudo enderezaba, descendía sus pasos hacia Madrid.

VICENTE ALEIXANDRE
De *Los encuentros*

UNA
PALABRA
TUYA

1988

Condecoración del
Boquerón de Plata.
Málaga, noviembre
de 1985.

HERVOR

Caigo al profundo tumulto de la divinidad.
Allí los gritos de la fe torturante
ciegan las frentes en meditación.

No hay quietud en el que contempla.
Es un torrente el alma pensativa.
Es un incendio el refugio
donde el espíritu crece.

1930 Cartagena

SIGNO

No. No el nunca.
El más allá del siempre.
El que esté más arriba de lo fijo,
Más allá de la cima,
Tú, en el yunque del día:
Donde se golpean luces con vientos,
Claridades con sombras...
Más alto que todo lo alto.
Y yo, tajante.
Yo, invulnerable de oros.

1930 Cartagena

SUMA

Id a la tarde cernida de explosiones:
En la tarde está Dios.
Dios, puro de ozono, de todo eco,
Manejando ríos de fiebre.
Dios, el que grabó en mi espalda
Su nombre calcinado.
¿A qué luz se le arranca
El nimbo de su llama?
¡Dios! El tiene sujetos los fuegos,
Circula entre ellos, grávido,
Con las manos taladradas de síes.

1930 Cartagena

DOLOR

Nos duele la eternidad.
A mi corazón lleno de frío
Le duele la eternidad.
Sería dichosa
Con vivir entre el sol sin sentirlo.
Con vivir en el agua, insensible.
Con transformarme en yerba
O en crepúsculo denso,
Si esta conciencia de hoy
no cayera al vacío.

1939

ÁNGELES MÚSICOS

Todos saben tañer un instrumento,
y no silban las flautas de oro puro,
leves silbos que serían tan celestes
por ser suyos,
              de los ángeles.

Van con arpas, con violines;
con violas jovencitas, con guitarras
y con cítaras.

En sus coros
de mancebos melancólicos,
todos callan su sonrisa...

El Señor de los bosques de luceros,
aparece por encima de los ángeles.
Se sonríe, sin oírlos; nunca escucha,

                              nunca atiende,

a los ángeles que música
—no de flautas— le regalan...

(Ni la Virgen, transparente de ternura;
ni su Hijo; ni los santos más humildes)

Ellos tocan sus sonatas inaudibles,

                              en los óleos

de colores extasiados;
en las tablas ensombradas,
en los muros que desconchan ya los siglos.
¡Cómo miran a lo lejos de los años.
Cómo sueñan,
que su música desuele a los Eternos!

Nadie oye. Todos pasan.
En armónicos escorzos se deslían las figuras
inmortales.
Los *donantes,* a las plantas del Señor balan dulzura.
Y retratos suntuosos sobresalen
de los grupos contenidos por un lienzo o un relieve.
Allá arriba, en un ángulo,
curvos coros de violas, de guitarras
—nunca flautas—, se extasían.
¡Cuánta y dulce,
cómo canta
esta música celeste desligada de la tierra!

Nadie escucha.
Todos miran.
Por las selvas de los astros, por el bosque de luceros
se pasea la cabeza de Yahvé.

Y los ramos musicales crecen chicos,
se agigantan, poderosos de silencio,
corpulentos.

Todos dicen una estrella en su viola,
una salve de tormentas en violines,
y en las arpas cruje el viento de la noche.
¡Nunca flautas!

Octubre 1946. Velintonia

ASUNCIÓN DE MARÍA

¿Quién es esta que sube del desierto
como varilla de todos los perfumes aromáticos?
¿Quién es esta que se levanta como la aurora,
más hermosa que la luna,
escogida como el sol,
y terrible como muchos escuadrones ordenados?
¿Quién es esta que sube del desierto,
asegurada en su dilecto
y derramando delicias con abundancia?
¿Quién es esta en quien la misma Divinidad
halló tanto agrado y complacencia
entre todas sus criaturas,
y la levanta sobre todas
al Trono de su luz e inaccesible majestad?

¡Oh maravilla nunca vista en los cielos!
¡Oh novedad digna de la sabiduría infinita!
¡Oh prodigio de su Omnipotencia,
que así la magnifica y engrandece!

¿Pisabas tú la tierra, Señora mía,
dulce señora del vuelo,
señora de todas las alas
que se levantan gozosas
sobre invisibles vientos,
llevándose entre sus plumas
los cuerpos sin peso de las vírgenes?
¿Hubo tierra, no se fundía
formando una cordillera de brisas
cuando la pisabas tú?
¡Si fuiste por siempre en el aire,
si eras tú toda aire en el aire
por donde volaban cielos!
¡Oh tu día inmortal, tu partida
de la hermosa mitad de tu cuerpo

cuando vino la muerte por fuera
y con ella llegaron los ángeles!
Tú te fuiste al seguro inmortal:
te subieron cantando tu gloria
los que nadan las voces del aire.
¡Qué clamores de plumas contigo,
qué volcados rosales tus plantas,
cuánto amor hecho vuelo, María!

Nunca siento en la tierra tu paso.
Yo te busco en el aire, te miro
en la luz que a mi sueño desciende.
Tú no fuiste de aquí, tú pasaste
de una estrella a otra estrella...
Tú ibas
como van los espíritus puros:
una nota de Dios en su escala.

 ¡Oh tu vuelo de aquí, tu partida;
tu retorno a tu ser invisible;
tu fulgor de canción, tu nostalgia
de los dos que por ti fueron míos!
¡Ah mi amada Asunción, mi señora:
yo por ti he tenido en mi sangre
ascendencia de Dios y su Hijo;
yo por ti ya no piso la tierra,
yo por ti sé que vuelo contigo,
y que allí donde tú te recuestas
hay regazo de amor que me aguarda!

Yo te he visto volar en violines,
en escalas de luz que te llevan
nave arriba de todos nosotros.
Y te oía rogar por mi alma
sin que el viento callara tus ecos,
ni el empuje de Dios te calmara
el amor que por él me tenías
viendo tuyo mi amor infinito
anegado en tu vuelo de gloria.

¡Qué empujón a la piedra del mundo
que rodaba sin ti, que caería
si tu voz no contara su duelo!

15 agosto 1951. Castilla

SAN JUAN BAUTISTA

¿Cómo a ti, que de nada ni a nadie
que no fuera el Señor supiste nunca,
te corean el fuego y los amantes
la víspera del día que te aclama?
¿Cómo tú, tronco seco y crepitante,
que cumpliste mandato junto al agua,
hogueras y conjuros te preceden,
las llamas y el amor son tus campanas?

Tu pureza. Bautista, tu apretado
silencio del desierto; y tu *Cordero
de Dios* al que han seguido
con Andrés y con Juan el luego Pedro,
en Mayo te llevaron —cuando el aire
es anuncio de lumbre— a Maqueronte.
Rojo fruto arrancado de raíces
no de árbol frutal, fue tu cabeza.

Canta el fuego contigo, quiere arderte
porque eres castidad y eres promesa;
el amor te pregunta sin que amaras
a otro ser que el Señor, su Bautizado.
«La palabra de Dios fue sobre Juan,
hijo de Zacarías, en el desierto...»
«Que ninguno me crea el Enviado,
porque sólo bautizo con el agua
y Aquel bautizará con propio fuego...»
«Porque yo soy la voz que en el desierto
clamando está...»,
«es preciso que El crezca y yo en cambio
me vaya disminuyendo»...

¡Oh San Juan requemado por ayunos
y renuncias humanas, todo leño
restallando en la muerte! Te entregamos
otro cántico más, porque sufrimos
tu cabeza en las manos irredentas.

Y hay temblor de presagio, como entonces.
Y hay amor como siempre habrá en la tierra.
Y eres tú, sarmentoso y virginal
aquel que bautizara al mismo fuego.

                                        9 junio 1962. Madrid

MEMORIA DEL SAN JUAN DE SALZILLO

Junto a mi balcón tu trono caliente,
   Puro y esbelto San Juan
   Ardido de lámparas y flores.
   Incluías en mis ojos, tu voz;
   Tu voz verde.

  Virginidad de auroras con lluvia,
   Virginidad de sienes con palma,
   San Juan diáfano,
   San Juan de lirio,
   ¡San Juan de pájaros mudos!

  Es a ti, tan puro y conseguido en luz
   A quien yo deseo.
   Para ti son mis sonrisas.
   Para ti mis canciones.
   Para ti, ¡blanco en lo blanco!
   Mi corazón de madrugada.

  Las músicas agitan
   Sus cabelleras de acentos conmovidos.
   San Juan, adolescente ingrávido.
   San Juan, acero fresco de luna.
   ¡Cómo huelen de brisas marineras
   Tus vestiduras claras!
  Caliente, quemando mis pulsos,
   He sentido tu trono,
   San Juan.

1929 Cartagena

ÚLTIMA CENA

¡Oh banquete, después de que tus manos
aliviaran los pies de tus discípulos
de tanto polvo ardiente, con el agua
del pozo inacabable que Tú brotas!
¡Oh banquete de luz entre tinieblas,
toda sombra limpiando de este mundo!

Tras la copa segunda de aquel vino
aún sólo de la vid, no transformado,

las manos deshicieron la unidad
en muchas unidades del pan ázimo;
y el pan dejó de ser sólo de trigo
y fue criatura humana, cuerpo y alma.

Cayeron las palabras sobre todos
fijándole su fin al acto nuevo...
A partir de esa noche la Presencia
jamás se acabaría entre nosotros.
Bastaba que en la boca se fundiera
el trigo, carne eterna, eternizándonos.

La copa se llenó por vez tercera
del vino tibio, ya transfigurándose...
La voz cortó sus hilos vegetales
y el vino, sangre al fin, ardió en las bocas.
Quedábase entre todos, completando
el Cuerpo indestructible: el Sacramento.

Palabras para el pan y para el vino
—el Verbo enarbolando su estructura
corpórea iluminante—, y todos fueron
el puente del Amor para nosotros.
En la Cena que a todos nos convida
llamándonos están, sin impaciencia.

Cuarta copa del fin, se terminaba
el más puro y celeste de los actos:
entregarse a los suyos, cuerpo y alma,
solamente en el pan y con el vino
entre humildes y un falso, triste y solo.

¿Cómo llegas ahora hasta nosotros?
¿Qué alimentas al dártenos en Cena
que a diario hay quien toma de tu Mesa?
¿Cuántos trozos de Ti fraguan al hombre
por quien sangre de Ti bebe en tu fuente?
¿Quién escucha tu voz de Eucaristía?

Juan y Pablo nos cuentan cómo hiciste
aquella donación de tu hermosura.
Otros hombres que sueñan con hallarte
nos relatan y pintan el momento...
El cordero y el vino, ázimos panes
en la Mesa de amor de convivencia.

Más allá del convite estaba el mundo
acechando tu voz y resollándote.
El crimen con sudor y con salivas
de infamias sobre Ti..., pero tu sangre
otra vez, en la cruz, brotó contigo
en el vino inmortal que resucita.

Zureaban palomas en la noche
y entre lobos comieron las palabras
de tu cuerpo de pan, de tus entrañas...
Estábamos allí, te rodeábamos
dejándote afrontar a los ayunos
que nunca comerán junto a tu Mesa.

8 junio 1962, Madrid

JUEVES SANTO

Levantaron tus brazos cansados
y abiertos los dejaste allí.
Mirábamos.
El cielo de entonces perdía sus lumbres
y el trueno sucedió a tu voz.

El que más y el que menos, adusto,
se precipitaba a huir.
Oíamos.
Alguien puso a llorarte sus ojos
porque los cerrabas Tú.
De las manos bajaron las sangres
y el costado se te mojó.
Olíamos.
El olor de lo acre se unía
al olor de tu muerte.

Esta lengua de Eva bebía
del sudor de tu cuerpo empapado.
Lo toqué
con mis dedos impuros y hambrientos,
temblándote a Ti.

Te contemplo, te oigo, te huelo
y te tacto y te gusto.
Soy la misma que echara el Arcángel.

Abril 1966, «Brocal»

DOMINGO DE RESURRECCIÓN

Largas horas de camino
acusaba la voz.
Desesperanzas amargas,
abrasantes renuncias ardientes.
Noches de duro ejercicio,
de disciplina sin hendiduras
cabían en la voz
arrasando paisajes.
El temblor de la carne azotada,
de oscuros lamentos;
la tremenda dulzura del grito
desprendido del gozo;
y bajándose al turbio recinto
de entrañas alborotadas,
emergía volcanes abruptos.
La soledad entre multitudes
sándalo curtido a fuego es,
resbalando a gargantas vacías
del vino inmortal.
Las raíces llovían
quebrantando basaltos.
Toda la voz era tierra
y fuego y aire y agua.
Muchos hicieron la voz,
aborreciendo y amando
la brutal existencia de ciegos
que todo lo ignoran.
Se desliza en el cuerpo y lo tiembla
infundiéndole a quemazones
esperanza de roncas hambres.

2 abril 1972, Brocal

BREVE NOTICIA DESDE LAS CRÓNICAS
DE SAN JUAN DE LA CRUZ[1]

«Era un minero en hablar de Dios, sin agotarse»

Esto dijo, San Juan, la Sor María
de Jesús que nos legara

---

1 Bib. Nac. Manuscritos, Pp. 79, págs. 719 a 730.

noticia de tu cárcel y tu huida,
en carta del primer día de agosto
del año mil seiscientos..., ¡apenas hoy!,
a un fraile encandilado de milagros
—Fray José de Jesús y de María—;
¡cinco hojas de folios manuscritos!

Un minero de zapa afanadísima
en filones apenas perceptibles,
empeñado en romperle sus estratos,
los menos vulnerables, a las almas.
Hablándole de Dios a las criaturas
—de la fauna, del bosque, del espacio...—,
...como hombre que aguanta bajo tierra
respirando el olor incandescente
del metal en que Dios mismo se abrasa.

¡San Juan de los mineros clarihumanos,
San Juan de los mineros espaciales;
el San Juan del empeño de las noches
hablándonos de Dios sin agotarse!
Hace años, San Juan, cuando era niña
encontré por Marruecos que llamaban
a un lugar para hombres de trabajo
«San Juan de las Minas»..., ignoraban
esta carta que cito, donde dicen
que tú fuiste minero de Dios inagotable.

Con la dócil palabra de herramienta,
quebrantando la roca, el cuarzo, el pórfido...
Arriba de tu voz horadadora
los ciervos y espesura, rubia esposa
buscándose el arrimo del Amado,
de majadas y oteros trashumante.

Minero contumaz, ígneo minero
en el pozo sin fin, entre basaltos
que alumbrara, por ti, plantas de llamas.
Hablándonos de Dios, indiferente
al comer y al beber, al sueño y ocio
de nosotros, mortales sin remedio.

Nunca nunca se agota ante los picos
que la excavan ajenos a fatiga
esa mina de ti, la de tu encuentro.

¿Era noche de Dios dentro de tierra,
era fuente de Dios sobre ventura;
la nostalgia de esposa sin esposo,
era amor de esperanza y cumplimiento?

¡Oh minero de lumbre, y deslumbrado,
oh San Juan que enajenas a las almas:
llévanos a tu hacer, cava en nosotros,
prorrúmpenos en Dios, brótanos fúlgidos!

Mayo de 1962, Madrid

BÚSQUEDA

Puesta a dar contigo me fui metiendo ciega
en atroces criaturas que no te contenían.
Era un andar constante, un abocarme entera
a vasijas sin fondo por caminos de púas.

Si hallara en uno el fuego de tu palabra, iría
a otro que tuviera el temblor de tu muerte.
Y en ninguno encontré de tu cuerpo la sangre
hecha vino, ni el pan que a tu carne supiera.

Empeñada en hundir mi fragor a tu acoso
en el agua y la sal de estos pobres humanos,
fui perdiendo el vigor con que tú me llamaste
y quedándome así, como ves, sin resuello...
¿Estuviste Tú aquí, hablándoles a los hombres
y perdonarás un día que ya no te revivan?
Estoy triste de Ti, tú lo sabes y quieres
que te vuelva a buscar aunque jamás te entregues.
No hay boca que te cierre las venas desgarradas,
manándonos la vida que te hemos descuajado.
Si supiera que estás agonizando en otros,
acudiría a cercarles el alma a dentelladas.

Enero 1965, Madrid

Tantas caras de hombres y mujeres, obtusas,
contienen por debajo la propia cara de Él.
Por ello cuando las miro rechazándolas, me aterro
porque recuerdo que en ellas, como en la luz, está Dios.

Disfrazado de criatura que me parece irredenta,
aposentado en los pechos que a suciedad van oliendo,
acurrucado en entrañas que rebrotan hijos mínimos,
hecho llaga entre los labios que gimen quejas eternas...
Su hermosura inmarcesible quiero arrancarles hambrienta;
necesito verle a Él resplandeciente, liberto.
Cortezas, podre, miseria, insectos, hedor, espanto...,
pero entre todo, ¡lo sé!, lo quiero saber, hay Cristo.

Febrero 1963

Redonda absoluta, y tierna.
Suave plumón de días bajo el cálido amparo materno del ave.
Oliendo a pluma ardorosa espesa, esfera sin viento aún.
Redonda a la luz de la aurora se vio aquella noche única.

No la empujaron ángeles a la distancia voraz creciente,
ni los hombres desataron el hilo de seda que la unía a la mano trémula.
Ella sola giradora navegante escurridiza
se escapó para seguir encendiéndose en los otros.
Ninguno tuvo una noche como la que no se detuvo nunca
y va transpirando astros que nunca conoceremos,
porque su frágil aereocidad la libera de unos pesos
que tampoco sobrepasaremos vivos.
Apenas si se detuvo un segundo entre las duras crestas
de las casas con sus lámparas de propicia sombra tibia...
Estrella sin ataduras que alguien anunciara antes.

5 enero 1970

ETERNA BÚSQUEDA

I

En vano el atosigo de los días
trabaja en la memoria; si te olvida
te encuentra entre la sangre, habituada
a luchar por tenerte, aunque no estés.
Imposible es querer hacerse tuya
si no ayudas, si no me dices
que estás en mí también...

Tanto amor como pido, tales ansias
que los seres suscitan se condensan
en amor avariento, amor por ti.
Cuando queman los yelos en mi frente
porque no me completan, aparece
la abrasante nostalgia de tu voz.
Si te asomas en ojos que deslumbran,
tuyos son los arrimos de mis hambres.
Sólo sé que mis ojos y mi boca
en todo te buscan a ti.

II

Nosotros los sedientos, que soñamos
en el agua purísima, creemos
que el agua más pura emanas tú.
Es el fuego no el agua lo que amamos:
lo que nunca podrías ser tú.
Déjanos conocerte, es gran tarea
que nos echas encima, no viniendo.
Sufrimos por amar lo que perece
cuando hay eternidad que nos reclama.
Ayer pasaron seres que se hundieron
y hoy se van a ir otros queridos.
¿Por qué, si con premura tú les llamas
no me llamaste a mí...?
Ay, del que requiere tu presencia,
ay del que en amor puso sus ansias.
Asómate a mis ojos: que te vean
en todos cuantos miro, sin ser tú.

III

Bien sé yo que el amor que me enajena
es amor que se amontona en ti.
Si yo amo a criaturas representa
todos los amores que son tú.
La vida deteriora su transcurso
impulsando a quererte más.
Es amargo sentir lo que en el cuerpo
las huellas va borrando del amor.
He vivido inconforme la aventura
de pasar por la tierra y acosada
por no desprenderme del amor.

Y eres tú el amante sin la amada
que por siempre quisiera ser yo.
¿Es que ahora por fin vas a decirme
que sí que me conoces, que supiste
a quién si no es a ti amando fui?

9 abril 1982

LEJANO SUEÑO

De mármol trasparente un resplandor,
firme irradiación que en torno suyo
contenía la forma
de alguien o de algo no cuajado
en concreción clarísima.
Se intuía procediera de muy lejos,
quizá de una galaxia...
Viniendo, no; estándose patente
aun sin verle.
Luz devuelta a luz; su urdimbre hecha
de luminosidades,
rehusando clarificarse.

Rompían en los ojos sus oleadas frías;
marmóreas arboladas
del empuje larvado de una fuerza
que todo lo podía, sometiéndolo
a contemplación vibrante.
Nada vivía allí ni revelaba
la posesión de sí, de la blancura
—blanco en lo blanco— que cegando
a los ojos de afuera; a los de dentro
le punzaban mensajes encendidos
de plenas certidumbres.

Ni un impulso de asir, ni una palabra
requiriendo explicarse
al manso refluir, a aquel manar
de criptoamnesia acaso.

Silencio locuaz y transmisión
del ansia de entendimiento.
La luz se enfriaba, hasta crujía
la invisible armazón de su estatura.

Negro alrededor, vacío crudísimo
rodeando a lo blanco, ya metálico,
ya cegante y cruel en su misterio.

... Mas una paz venía deslizándose
por las venas profundas y ateridas
de misterio insoluble...; una paz
devolviente al origen,
de quedas tranquilidades.

La luz, lo blanco, lo infinito intacto
se incorporaba por fin, se convertía
en urgente diálogo secreto
con el alma fraguada de tormentas,
de músicas deshechas por el viento
que nada removía, aunque se viera
a los árboles de luz quebrarse en sombras.

Y allí, tronco de mármol, la luz blanca,
la blanca y fría luz sólo soñada
que a vigilias poblara de memorias,
que en las sienes quedárase adherida
y en los labios hiciérase gemidos:
por dejarle los ojos derramados,
por volverla a mirar, aún con vida.

11 enero 1976. Velintonia, Madrid

DESPEDIDA

Marmóreo resplandor vino una noche
a decirme, dormida, que eras tú.
Cuán tranquila mi alma al otro día:
sin pedirlo, por no saberme digna,
tu presencia me daba el resplandor.
Volviste nueva noche; tú querías
que supiera yo siempre que eras tú.
La calma que ponías; en mi sangre
llegaba únicamente desde ti.
Cuando ya en mis vigilias la recuerdo
todas mis angustias se fulminan...
¿Qué haría yo si tú no retornaras
a llevarme, despierta, a tu alvéolo...?

La luz que te vertía entre mis sueños
viene al desconsuelo, lo apacigua:
eternamente así, aunque no vuelvas.

13 mayo 1982

TERESA

La siempre ajetreada comunicativa,
la que no se dormía por malamente sentarse
casi o en el suelo para escribir lo que sabía
y pensaba remetidamente
con indómita necesidad de verterse:
Teresa del alma, amiga que nunca
pude ni podré encontrarme cara a cara
para quererte más que nadie te quiso
sobre la tierra áspera de tu andadura.
Equivocaron mi fecha de venir al mundo
porque debiera haberme enfrentado contigo,
es decir, vernos frente a frente, ojos a ojos...
Te lo estoy diciendo desde muy pequeña,
cuando delante de una estampa tuya
sobrevolándote una paloma santísima,
te invocaba atribulada:
«A ti que te inspiraban desde los cielos,
¿te costaría trabajo ayudarme,
a que pueda escribir cuanto me bulle dentro
no sé si del corazón o del espíritu...?».
Nos hubiéramos comprendido, no es soberbia
tal suposición de algo probable,
porque somos dos mujeres que pudieron
hablar de todo cuanto pone
su pesada realidad sobre el pecho.
Hubo monjas que te sacrificaron
todos los esplendores humanos,
pero yo, si no monja sí tu amiga,
la que te esperaría en el huerto
y a la puerta de tus múltiples conventos
para darte compañía y comunicación distinta;
sencilla y dulcemente de mujer a mujer,
sin compromisos celestes.
En los años más puros de la existencia
fuiste mi doctora oculta, cuando
no podía entenderme con alguien.

Ya en la juventud te compartía dócil
con la que me despertaba trepidando
la riqueza del mundo en mis sentidos.
No te ocultaba nada, podías saberme
como te supiste a ti misma: asombrada
muchacha ante lo hermoso terrestre más limpio.
Y ya en la madurez hemos seguido
la íntima comunicación: en tu silencio físico
cuanto habladora máxima desde tus libros.
Curiosa es esta urgencia de escribir ahora
como voy escribiendo. Hace años
y ante otra semejante me puse a hacer un libro
todo dedicado a ti —decía el título
«Al encuentro de Santa Teresa»
y no encontró ocasión aquel impulso
de aparecer impreso—, cuando
de otro talante, aunque siempre rendido
a tu radiante persona, me he animado
nuevamente al monólogo.
Resulta que sigue siendo imposible ahora
manifestarse abiertamente
con seres parecidos a la que eras
dentro de tu grandeza, y a la que soy
en mi limitada criaturidad, Teresa.
Una, tú sabes de ello, va entre sus cosas
como entre brasas, y abruptamente
la obligan a que coloque
bien plantados los pies sobre los suelos.
Luego está lo de escribir, como si ello
le fuere necesario a otros, los que se mueven
tan redondamente... Ruda es la tarea, espero
que lo recuerdes. Porque no siempre
escribiste lo que te ordenaron, que a veces
te gustaba escribir como tú misma
a la más ignorante de tus destinatarias.
Puede que tú sepas, me imagino,
lo que sentí en tu Encarnación de Ávila...
¡Si el milagro de verte hubiera merecido
encontrándote en algunos de los lugares
que recibieron la presencia de tu cuerpo,
tan concreta tu irradiación por todas partes!
Si miraras para acá, si te fijaras
en tan diminuto pedazo de la Tierra,
encontrarías ante una mesa y unos pliegos
de inmaculado papel, que yo me instalo

para escribirte. Pues así creo
que hacerlo aproximarme a ti podría.
Aunque sea imposible, aún espero
lo de verme contigo mano a mano
hablando del saber y no saber, porque *la cosa*
está más en amar que en el saber, Teresa.
Todo lo que te dije es menos que el agua
que tanto te placía y me complace.
al verla discurrir o estarse quieta
trasminando de huertos o de nubes...
Como un agua que corre y que contemplas
abocándose a ti, yo de ella espero
el contigo poder comunicarme.

26 marzo 1976, Madrid (Velintonia)

AL SEÑOR DE LOS CIEGOS, DE MÁLAGA

¡Es tan hermosa tu luz
y mis ojos son tan buenos!
Pero si verte costara...,
Señor, ¿para qué los quiero
si no son para mirarte,
para dártelos enteros?

Otros de mi propia sangre
por el mundo fueron ciegos,
y te amaban, te veían
como sólo pueden ellos.

¡Tómame, si has de mostrarte,
toda la luz que contengo!
Los ojos, Señor, por tuyos,
también te verán por dentro.

31.X.48, Madrid (Velintonia)

ESTE LIBRO SE TERMINÓ DE IMPRIMIR
EL DÍA 15 DE AGOSTO DE 2007